Christian Mégret

Helle Augen - schwarze Haut

Christian Mégret

Helle Augen
schwarze Haut

Roman

1960

Im Bertelsmann Lesering

I

Man trifft hin und wieder Menschen, die allen Leuten erzählen, sie hätten eine glückliche Kindheit gehabt. Sie sind davon überzeugt, aber sie irren sich. Und sie irren sich, weil sie selbst noch Kinder sind, denn erst wenn man die Kindheit wirklich hinter sich hat, weiß man, daß es keine glückliche Kindheit gibt. Aber es gibt auch Menschen, die jedesmal, wenn sie magere, zerlumpte und hungrige Kinder sehen, sich sagen, diese Kinder müßten sehr unglücklich sein. Das ist möglich, aber keineswegs sicher. Unglücklich zu sein widerfährt den Kindern in niedlichen weißen Söckchen genauso oft wie jenen anderen, die bloßfüßig laufen. Kristia zum Beispiel ging bloßfüßig. Sie ahnte nicht, daß es Kinder gibt, die Schuhe haben. Und tatsächlich hätte man zu jener Zeit vermutlich in ganz Rußland vergeblich nach einem Mädchen suchen können, das weiße Söckchen trug; die meisten Kinder im Dorf liefen genauso bloßfüßig wie Kristiaschka Tupitsyna, so daß sie gar nicht auf den Gedanken kam, es sei ein Unglück, mit bloßen Füßen durch die Welt zu gehen. Es war ihr auch äußerst gleichgültig. Nicht so gleichgültig war ihr die Stimme ihres Vaters. Die Stimme ihres Vaters versetzte sie in Schrecken. Es war nicht seine Schuld, daß er solch eine Stimme hatte, von der man glauben konnte, sie dringe aus einem großen Faß hervor; der Leib Agafon Efimowitsch Tupitsyns hatte tatsächlich die Form eines Fasses und ruhte auf den zwei Beinen wie auf einem schwächlichen Gestell. Wenn die Mutter – die stets über etwas zu klagen wußte – einmal sagte, daß die nackten Füßchen Kristiaschkas ihr Kummer bereiteten, so antwortete Agafon Efimowitsch nur, daß Kristiaschka den Winter ja auf dem Ofen verbringen könne; im Sommer aber brauche niemand Schuhe. Diese Antwort gab er in einem Ton, daß die kleine Flamme vor der Ikone furchtsam zu zittern begann.

Der Vollständigkeit halber sei gesagt, daß neben der Ikone ein Porträt Woroschilows hing, eine in schreienden Farben kolorierte Fotografie in einem Rahmen aus Birkenrinde, den Agafon mit eigenen Händen zurechtgezimmert hatte. Die Mutter, Mascha, hing mehr an der Ikone, und wenn Vater so zürnte, daß die Flamme der Ikone davon zitterte, so wäre Kristiaschka am liebsten in ein Mausloch verschwunden. Dennoch konnte man diese Angst nicht Unglück nennen: Auch die Hasen haben Angst und die Rebhühner, ja, sie bringen ihr Leben in ständiger Angst zu – muß man sie darum schon unglücklich nennen? Nein, gewiß nicht. Wenn Kristiaschka einen hungrigen Feldhasen an einem grünen Trieb nagen sah, wenn sie auf dem Schnee die spinnwebzarten Spuren eines Rebhuhns entdeckte, so sagte sie sich niemals, daß Hasen und Rebhühner unglücklich seien. Im Gegenteil, sie schätzte diese Tiere glücklich, weil sie ihr Leben damit zubrachten, nach Nahrung zu suchen und durch den kühlen, schweigenden Schnee zu laufen.

Die Stimme ihres Vaters versetzte sie in Schrecken, aber sie nahm nicht an, daß es Väter mit sanfteren Stimmen gäbe. Und Mutter schüchterte sie auf ihre Art ein, mit ihrer immerwährenden Fürsorge und ihrem stets gerührten Herzen. Gewiß, Mutter verteidigte sie, wenn der Vater zürnte, aber noch nie hatte sich ihre Liebe auf andere Weise gezeigt. Kristia entsann sich keiner Liebkosung, keines Kusses. Dazu war nie Zeit, es gab mit den Tieren, dem Haus, der Wäsche und der Küche mehr als genug zu tun. Trotzdem – all die Zeit, die Mutter damit zubrachte, Kristias wegen mit Vater zu streiten, sie hätte sie besser zu Zärtlichkeiten, zu gelegentlichen Liebkosungen nützen können; ein Küßchen hier, ein Küßchen dort, das dauert doch nicht lange. Aber nein. Außerdem: Hätte Mascha schweigen können, hätte es ihr nicht selbst ein boshaftes Vergnügen bereitet, Agafon zu reizen, so wäre auch er nicht immer wie eine Gewitterwolke explodiert. Hätte Mascha nicht tagtäglich, solange der Winter währte, wiederholt, daß es ein Jammer sei, wenn ein Mädchen wie Kristia bloßfüßig im Schnee herumstapfen müsse, so hätte Agafon nicht so wütend erwidert, daß man im Sommer keine Schuhe brauche und im Winter ja auf dem Ofen liegenbleiben könne. So war Kristia gleichermaßen das Opfer väterlichen Jähzorns und mütterlichen Gejammers.

Anjuschka, ihr großer Bruder, hatte es tatsächlich so gehalten: Er lag immer auf dem Ofen, seit er nach einem Jahr Ehe wieder zu den Eltern zurückgekehrt war. Armer Anjuschka! Er hatte das

Unglück kennengelernt! Er wollte sich mit seiner jungen Frau einen eigenen Hausstand gründen und hatte das Bauernhaus eben fertiggebaut, als es abbrannte. Unverdrossen hatte er es wiederaufgebaut, und dann hatte es im Herbst eine neue Feuersbrunst gegeben, als ob das Unglück ihn verfolge. Der ganze Heuvorrat war zu Asche geworden, die Schafe waren tot, das Pferd hatte sich verlaufen. Ja, wäre es nur das Feuer gewesen, Anjuschka hätte gewiß noch ein zweites Mal wiederaufgebaut, denn er hatte Mut und Zuversicht, aber da war noch seine Frau, diese eigensinnige Frau, die in sieben Tagen kaum drei Worte sprach. Und so hatte Anjuschka sie denn verlassen, sie und die geschwärzten Ruinen seines Gehöfts, nachdem er ihr gesagt hatte, daß es noch kurzweiliger sei, bei den Wölfen im Walde zu leben als an ihrer Seite. Danach war er ins Elternhaus zurückgekehrt. Mascha war natürlich glücklich, denn sie hatte ja schon immer gesagt, daß dieses dicke, verstockte Weib nichts für ihren Sohn sei, für ihren Ältesten, der so stark und liebenswürdig war; Mascha war auch überzeugt, daß nur die Dicke zweimal Feuer an das Haus gelegt habe, in der Hoffnung, daß mit Vieh und Heu auch Anjuschka selbst verbrenne.

Die Dicke hatte, als Anjuschka sie verließ, kein Wort gesagt. Tags darauf war auch sie verschwunden, und niemand wußte, was aus ihr geworden war. So war man sie wenigstens los. Seither hatte Anjuschka Monate auf dem Ofen zugebracht und über sein Unglück gegrübelt. Es kam vor, daß er mit sich selbst sprach und niemand verstand, was er sagte. Es konnte ja nicht anders sein: Wenn man ein Jahr mit so einem lausigen Weibsstück verbracht hat, das den Mund nur zum Essen öffnet, so gelangt man zu guter Letzt dahin, mit sich selbst zu sprechen. Schließlich zog sich Anjuschka an den Füßen Erfrierungen zu, denn jedesmal, wenn man die Türe öffnete, strich die eiskalte Luft ihm über die bloßen Beine, während die heißen Ziegel ihm die Rippen wärmten. Davon behielt er eine gewisse Kurzatmigkeit, hinkte ein wenig, liebte die Arbeit nicht und begann zu trinken.

Hätte Mascha nicht immer wieder behauptet, Agafon sei der einzige Vater auf der ganzen Welt, der entgegen dem allgemeinen Brauch besonders das jüngste seiner Kinder malträtierte, so hätte Kristiaschka wohl nie erfahren, daß in anderen Familien das jüngste Kind die besondere Zärtlichkeit der Eltern genießt. Im übrigen fand sie nicht, daß ihre Brüder und Schwestern von Vater besser behandelt wurden als sie. Und doch war etwas Wahres dran, Mascha irrte sich nicht: Agafon konnte Kristia nicht ausstehen. Der Grund dafür, den Kristia natürlich nicht kennen konnte, war, daß sie in der großen Hungersnot geboren worden war und daß Vater folglich nicht entzückt gewesen war, die Schar der hungrigen Kinder vergrößert zu sehen. Dabei wäre es so leicht gewesen, diese Geburt zu verhindern, und zwar mit Hilfe der alten Lisa, die Brüche einrichten, Schröpfköpfe ansetzen und die Krankheit aus dem Leibe kneten konnte; sie stützte sich auf den Bauch des Kranken und fing das Übel dann aus dem Atemhauch wie eine Fliege, und klatsch, zerschlug sie es zwischen den Händen. Die alte Lisa hatte auch eine lange Stricknadel, mit der hantierte sie so geschickt, daß schon mancher Familie ein überflüssiger Esser erspart geblieben war. Aber Mascha hatte von Lisa und ihrer Stricknadel nichts wissen wollen und bei ihrem hohen Leib geschworen, daß sie Lisa mit der Hacke töten würde, wenn Agafon sie ins Haus hole. So hatte Vater sich denn zum sechstenmal gefügt, und da er ein Mann war, der seinen Gefühlen treu blieb, hatte er seit damals etwas gegen Kristia. Sie erinnerte ihn nun einmal an die verdammte Zeit, da es nichts zu essen gegeben hatte als Hafergrütze, Sonnenblumenstengel, Brennesselsuppen und nur hin und wieder etwas Mais oder Buchweizen.

Wie die Hasen und die Rebhühner hatte Kristiaschka vor allem Angst. Auf Befehl des Vaters schlief sie in einem Schober über dem Kuhstall, in einem Trog, in den sie Stroh getan, das sie mit einem Sack zugedeckt hatte. Sie mußte über eine Leiter zu ihrem Lager klettern, das hart unter den Dachbalken lag, und Vater hatte mit einem so lauten Lachen, daß die Ikone beinahe von der Wand gefallen wäre, erklärt, im Stall zu schlafen, sei das beste Mittel, der Tuberkulose zu entgehen.

Für Kristia freilich bedeutete dies, stundenlang angstzitternd zu lauschen. Die Kühe schnaubten, ließen ihre Fladen klatschend auf den Stallboden fallen, und ihr stinkender Urin brannte in den Augen. Im Strohdach über den Balken gab es Fledermäuse und Schwalben, die hin und wieder in Kristias Haar gerieten, so daß sie ihren Kopf ängstlich unter der Decke verbarg, der Decke, die ein zweiter Sack war. Aber wenn sie mitten in der Nacht erwachte, weil eine Kuh sich an einem Pfeiler rieb und damit den ganzen Bau zum Schwanken brachte, so fand sie sich oft ganz abgedeckt, und ihr Herz schlug wild bei dem Gedanken, daß sich eine Fledermaus in ihrem Haar eingenistet haben könne, während sie schlief.

Eines Nachts, als sie so erwachte, hatte sie einen schmalen Lichtstreifen zwischen zwei Planken jener Wand entdeckt, die den

Stall von der Scheune trennt. Dann war das Licht erloschen, und sie hatte Stimmen und ersticktes Lachen gehört. Zitternd vor Angst war sie die Leiter hinuntergestiegen, hatte die Tür aufgestoßen und war in den Hof hinaus geflohen. Sie hatte die Stimme erkannt, eine der beiden Stimmen: Es war die ihrer Schwester Ljuba, eines frechen Mädchens, das sich oft mit Burschen herumtrieb. Das hatte Kristia wieder beruhigt, und sie hatte gewagt, ein Auge an die Ritze zu legen. Es war ein äußerst seltsamer und sehr beunruhigender Vorgang, den sie auf diese Weise mit angesehen hatte; es sah wie ein Spiel aus, als ob einer auf dem anderen reite, aber beide hatten fürchterlich gekeucht dabei. Sie hatte nicht begreifen können, warum ihre Schwester und dieser Junge dasselbe taten, wie sie es an den Tieren schon gesehen hatte, und schließlich hatte sie geglaubt, Ljuba geschehe ein Leid. Sie war ihr zu Hilfe geeilt, hatte aber nur Ohrfeigen geerntet, und der Bursche hatte ihr gedroht, ihr eine Mistgabel durch den Bauch zu rennen, wenn sie etwas von dem erzähle, was sie gesehen habe.

Kristiaschka hatte nicht einmal geweint, als ihre Schwester sie ohrfeigte. Sie hatte sich nur in früher Weisheit gesagt, daß man eben niemandem zu Hilfe kommen dürfe, nicht einmal im Schoße der eigenen Familie. Auch diesen Vorfall aber hätte sie nicht ohne weiteres als Unglück bezeichnet. Sie hütete ihr Geheimnis auch dann noch, als die ganze Familie sehen mußte, daß Ljuba schwanger war. Vater hatte einen seiner schlimmsten Zornesanfälle bekommen, die lange Peitsche vom Nagel genommen und sich mit Ljuba in der Scheune eingeschlossen. Die ganze Familie war auf dem Hof versammelt, Mutter jammerte und rang die Hände. Bald darauf war die Scheunentür aufgeflogen, und man hatte Agafon auf den Hof laufen und hier zu Boden stürzen sehen, während Ljuba hinter ihm herrannte und die Peitsche schwang. Die ganze Familie mußte sich an Ljuba hängen wie eine Meute Hunde an einen Wolf, sonst hätte sie ihren Vater wohl noch totgeschlagen.

Abends saßen dann alle zum Essen um den Tisch. Ljubas Gesicht war durch einen Peitschenhieb entstellt, und Agafon hatte ein blaues Auge und zerrissene Kleider. Man aß schweigend. Die Mutter schluchzte, aber Vater ließ, wie es seine Gewohnheit war, nach dem Essen eine knatternde Blähung fahren, wobei er sich mit dem Ellbogen aufstützte; das war für alle das Zeichen, daß er gesund und schon beinahe wieder bei guter Laune sei.

In den nächsten Tagen erzählte er mit finsterem Gesicht allen, die es hören wollten, daß er schon herausbekommen werde, wer seine Tochter geschwängert habe; und wenn er den Burschen erst einmal habe, so würde er ihn mit den bloßen Händen erwürgen. Die alte Lisa hatte daraufhin nur erwidert, daß ihn dies zum Massenmörder machen würde, denn Ljuba habe es mit allen Burschen des Dorfes getrieben und außerdem noch mit zwei verheirateten Männern. Agafon riß die Augen auf und kratzte sich nachdenklich am Kopf. Mascha schnitt ihm einmal im Jahr den Bart und die Haare, so daß er am Ende des Jahres immer so aussah wie einer im alten Zarenreich; an diesem Tag aber hatte er sowohl am Kopf als auch am Kinn ganz kurze Haare. Die alte Lisa sagte noch, wenn eine Henne so viele Hähne habe, sei es unmöglich herauszufinden, wer das Küchlein gemacht habe. Darüber mußte Agafon lachen und erklärte, daß man hinfort von der ganzen Sache nicht mehr sprechen solle.

Ljuba brachte dann einen kräftigen Jungen zur Welt, bei dessen Anblick Mascha in Tränen ausbrach und Agafon glücklich lächelte. Kristia war bei der Geburt dabeigewesen. So war es also mit den kleinen Kindern genauso wie bei den Kälbern? Mit dem Unterschied, daß die Menschenmütter die Nachgeburt nicht auffressen, wie es die Kühe tun, wenn man sie nicht daran hindert; die Bauern lassen es nicht zu, weil das die Milch verdirbt.

Danach kamen für Kristiaschka viele Stunden des Glücks. Da Ljuba bald begann, sich wieder schlecht aufzuführen, und sich allnächtlich wie eine Katze herumtrieb, obwohl sie tagsüber wie ein Mann arbeitete, überließ sie den Säugling ihrer Schwester Kristia. Der Kleine schlief in dem Holztrog neben Kristiaschka, schlief, machte sich naß, wachte auf und schrie. Kristiaschka wiegte ihn, flüsterte ihm kleine, zärtliche Worte zu, vermochte aber das hungrige Kind nicht zu beruhigen; sie mußten den Morgen abwarten, bis Ljuba heimkam, um dem Kleinen die Brust zu geben. Es war eine Puppe, die viel schöner war als jene, die Kristiaschka sich aus einigen Lumpen verfertigt hatte, und außerdem viel größer. Alle Dinge, die Kristiaschka bisher geliebt hatte, waren ganz klein gewesen: Knöpfe, Kieselsteine und Nadeln, die sie in einer Zündholzschachtel gesammelt hatte.

Eines Tages, als Kristia, an die Mauer der Scheune gelehnt, im Sonnenschein vor sich hin geträumt hatte, war eine schnüffelnde Sau herangetrollt, hatte den Korb umgestoßen, in dem der Säugling lag, und den Kleinen im Maul weggeschleppt. Kristiaschka sprang auf, erhaschte noch ein Bein ihres Neffen und zerrte mit aller Kraft daran. Agafon hatte vom Heuboden aus alles mit angesehen, sprang herunter und zog mit der Heugabel dem Schwein eins über den Schädel. Dann brach er in ein so ungeheures Lachen aus, daß man glauben konnte, er werde in Stücke zerspringen. Als Kristiaschka den Kleinen wieder aufnahm, dessen lautes Geschrei bewies, daß er keinen ernstlichen Schaden erlitten hatte, schrie Agafon atemlos zwischen zwei Lachstürmen, daß er noch nie so etwas Komisches gesehen habe wie Kristiaschka, die sich mit einer Mastsau um seinen Enkel stritt. Das Bild habe ihn an die Fabel vom Schwan erinnert, der auffliegen wollte, aber einen Krebs am Steiß hatte, während diesen wieder ein Hecht in den Schwanz biß, um ihn ins Wasser zurückzuzerren. Das bewies, wieviel Wahrheit in diesen alten Fabeln steckt.

Das Gesicht des Kleinen hatte jedoch bedenklich gelitten, und Kristiaschka behandelte die Bißwunden mit Klettenwasser, dem besten Mittel gegen zerschundene Haut.

Um diese Zeit war es, daß Kristiaschka aufhörte, bloßfüßig zu laufen. Sie hatte von den andern Kindern des Dorfes gelernt, daß man die Füße in Lappen wickeln kann; aber diese nützten sich schnell ab, sie waren keine gute Lösung. Anjuschka, der sehr geschickte Hände hatte, hatte ihr ein Paar Pantoffeln verfertigt, Bastschuhe, nach den Maßen ihrer Füße. Es war eine Überraschung für sie, denn er hatte sie heimlich gemacht, stieß eines Morgens noch vor Sonnenaufgang die Stalltüre auf und warf die Schuhe auf Kristiaschka, die in ihrem Trog schlief. Sie war zugleich entzückt und überrascht, aber sie begriff aus der Art, in der ihr dieses Geschenk überreicht wurde, daß er keinen Dank dafür begehrte. Sie versuchte, in den neuen Schuhen zu gehen, und stellte fest, daß dies an den Füßen schmerzte. So legte sie ihren neuen Besitz denn in die Korbwiege des Kleinen. Als man an diesem Tag zur Arbeit auf die Felder hinausging, hielt sie sich stets in der Nähe von Anjuschka, der ihr schließlich sagte, sie solle sich davonmachen und nicht wie ein Lamm hinter dem Mutterschaf immer mit ihm laufen. Ljuba antwortete, ohne gefragt zu sein, etwas, was Kristia überhaupt nicht verstand: Sie sagte, daß das Schaf einen völlig nutzlosen Schwanz habe, während Kühe und Pferde mit dem ihren wenigstens die Fliegen verjagen könnten. Anjuschka erwiderte darauf anzüglich, daß der Schwanz der Schafe einen gleichsam sittlichen Zweck erfülle, indem er das Geschlecht bedecke, und es gäbe Frauen, die sich an diesen Tieren ein Beispiel nehmen könnten. Ljuba begriff, was er meinte, wurde wütend und bezeichnete Anjuschka als einen dummen Wallach, der mit Frauen nicht umzugehen verstehe und nicht einmal imstande gewesen sei, seine eigene zur Vernunft zu bringen. Auf das Gezänk folgten Schläge, bei denen Anjuschka den kürzeren zog. Ljuba scherzte, noch ein paar Halme im Haar, daß dies ein Beweis dafür sei, daß Anjuschka nicht als ein wirklicher Mann gelten könne. Anjuschka antwortete nicht mehr, er rieb sich den schmerzenden Rücken, wo er einen Tritt Ljubas empfangen hatte, einen Tritt ihrer kleinen Lederstiefel, die schon recht schäbig waren, aber noch immer harte Absätze hatten.

Das waren kleine Zwischenfälle des täglichen Lebens, die im Grunde eher amüsant genannt werden konnten. Eine vornehme Pariserin, die sich mit wohltätigen Werken beschäftigt, wäre vermutlich der Meinung gewesen, das Leben der kleinen Kristiaschka sei die Hölle auf Erden. Ihr Herz wäre vor Mitleid gebrochen, wenn sie gesehen hätte, wie dieses Kind Ähren aufklaubte, sie zusammentrug und hinter den Schnitterinnen herging; dabei war das Getreide mit scharfen Gräsern gemischt, die den Kindern die Handteller zerschnitten. Aber Kristiaschka war auch das gewöhnt. Die Erde ließ das Unkraut ebenso gut gedeihen wie das Korn, und die Haut ihrer Hände bildete sogleich schützende Krusten über den kleinen Wunden. Die Welt war nun einmal nicht anders. Wie sollte Kristiaschka auch auf den Gedanken kommen, daß es ein Unglück sei, wenn scharfe Gräser die Hände zerschneiden, da diese Gräser sich ja immer auf Getreidefeldern finden? Sie war viel stärker von dem Vergnügen beeindruckt, das darin bestand, über die abgeernteten Felder zu streifen und im Schatten der aufgeschichteten Garben zu schlafen, neben dem kleinen Neffen in der Korbwiege, neben Brüdern und Schwestern, deren Hände ebenso zerrissen waren wie jene Kristiaschkas und die sich ebensowenig daraus machten. Darin waren sie alle einander ziemlich ähnlich, die ganze Familie. Sie hatten gelernt, alles, was geschah, von seiner besten Seite zu nehmen. Selbst Agafon verstand es trotz seiner gelegentlichen Wutanfälle recht gut, mit einem Schicksalsschlag fertig zu werden.

Er hatte versucht, Persianerschafe zu züchten, aber es war fehlgeschlagen; er bekam seinen Wutanfall, damit aber hatte es dann sein Bewenden: Schon am nächsten Tag dachte er an etwas anderes. Mit den Schweinen war es so ähnlich gewesen: Die Aufzucht hatte sich über Erwarten günstig entwickelt, aber es waren bald so viele, daß sie überall herumschnüffelten, den Boden aufgruben und vor keiner Einzäunung haltmachten; das Türchen zum Gemüsegarten hatte ihnen nicht lange Widerstand geleistet. Zwanzigmal hatte Agafon die Tür repariert, dann hatte er es aufgegeben und der Schweinezucht zuliebe auf das Küchengemüse verzichtet. Er sagte sich, daß man nun einmal nichts geschenkt bekomme. Mit allem Guten ging immer auch etwas Übles Hand in Hand, das man in Kauf nehmen mußte. Hätte er gegen seine Jüngste, das Kind aus der großen Hungersnot, nicht eine so hartnäckige Abneigung genährt, so hätte man ihn trotz seines Jähzornes beinahe einen Weisen nennen können.

Während des Dreschens wurde Tag und Nacht gearbeitet, denn der Hof hatte keine Dreschmaschine. Der Ortssowjet besaß wohl eine, aber sie war sogleich kaputtgegangen, als man sie in Verwendung genommen hatte. Eine andere, bessere Maschine traf erst später ein, als die Kollektivierung weiter fortschritt.

Dennoch arbeitete man nicht mit dem mittelalterlichen Dreschflegel, denn Agafon hatte sich eine eigene Maschine erdacht und gebaut. Ihre Konstruktion war ebenso genial wie einfach. Er hatte einige Planken zu einem klapprigen Dreschwerk vereinigt und darüber einen Sessel befestigt, von dem aus er das Pferd lenken konnte, das den ganzen Apparat immer wieder auf dem ausgebreiteten Getreide hin- und herzog. Das Ergebnis war nicht überwältigend, aber das endlose Hin und Her dieses Dreschschlittens trennte schließlich doch Körner und Stroh voneinander. Dann wurden die Kinder losgeschickt und mußten aus dem dichten Gemengsel die Halme heraussuchen. Das gab natürlich eine Unmenge von Staub, der in der Nase juckte und zum Husten reizte, aber es war weit weniger anstrengend als das stundenlange Schlagen mit dem Dreschflegel und außerdem unterhaltsamer.

Den Thron auf dem Schlitten nahm meistens Agafon ein, und seine Haltung war dabei stets eindrucksvoll und majestätisch; er trug den Kopf hoch, zog die Brauen zusammen und brüllte hin und wieder seine Brut an, wenn sie ihm zu wenig fleißig erschien. Dabei hatte er selbst nichts anderes zu tun, als das Pferd laufen zu lassen, das mit gesenktem Kopf und unsicherem Schritt mechanisch in der Runde ging. Wurde es dann wärmer in der Scheune, so machte sich die Eintönigkeit dieses Rundgangs bemerkbar; Agafons Haltung ließ nach, sein Rücken beugte sich, und sein Kopf wackelte bedenklich. Schließlich ruhte dann das Kinn auf der Brust, Agafon schlummerte und flößte niemandem mehr Respekt ein. Meist war es Ljuba, die ihn dadurch weckte, daß sie ihm einen Strohhalm in die Nase schob, worauf der Alte hochfuhr und so wütend zu fluchen begann, daß die wühlenden Schweine und die über die Tenne huschenden Hühner sich verschreckt aus dem Staube machten.

Eines Tages war Agafon mit einer Zigarette im Mund auf dem improvisierten Bock des Schlittens eingeschlafen; den Tabak hatte er selbst gezogen, das Zigarettenpapier hatte ein Zeitungsblatt geliefert; die verglimmende Zigarette steckte Agafons Bart in Flammen, diesen Bart, der damals eine ehrfurchtgebietende Länge hatte. Man stelle sich das Erwachen des Alten vor, seine Flüche, Verwünschungen und Klagen, und die ungehemmte Heiterkeit aller Zuschauer.

Bei dieser Gelegenheit ging die linke Hälfte von Agafons Patriarchenbart auf Nimmerwiedersehen verloren, aber Agafon ließ nicht zu, daß Mascha ihm mit der Schere die andere abnahm: »Die Symmetrie ist mir scheißegal!« sagte er, und so währte es denn bis zur alljährlichen Zeremonie der Generalschur, bis er wieder menschliches Aussehen hatte.

Den Vater auf dem Schlittenbock ablösen zu dürfen war eine besondere Auszeichnung. Lidatschka, Kurotschka, Timofej waren die nächst Kristiaschka jüngsten Kinder; sie wurden wiederholt mit dieser Gunst ausgezeichnet, aber Kristiaschka selbst kam so gut wie niemals an die Reihe. Nur wenn der Vater, von der drückenden Hitze überwältigt, in der Scheune schlief und dabei mit offenem Mund weithin hallende Schnarchtöne ausstieß, dann konnte Kristiaschka mit Hilfe Anjuschkas oder der Mutter schnell den Schlitten besteigen und ein paar Runden fahren. Manchmal nahm sie dazu ihren kleinen Neffen mit, der es ebenso wie sie liebte, auf dem vom langen Gebrauch blank polierten Holz zu sitzen und in der Runde zu kutschieren. Bei dieser Gelegenheit hatte Mascha einmal gesagt, ihre jüngste Tochter erinnere sie, wenn sie so das kleine Enkelkind auf dem Arm halte, an ein Bild der heiligen Mutter Gottes in Farben und auf goldenem Grund, das sie einmal irgendwo gesehen hatte.

Man schaufelte das Korn zu großen Haufen zwischen Pfähle, die mit Schilfdächern bedeckt waren, im übrigen aber der Luft freien Zutritt ließen. Dort wurde dann gesiebt und gerüttelt. Dabei tranken alle den ganzen Tag Wasser, so daß die Kinder im Sommer immer schön gewölbte Bäuche hatten. Kristiaschka war auf den ihren richtig stolz und streichelte ihn manchmal zärtlich. Im Winter verlor sich diese trügerische Fülle natürlich, auch die Tiere magerten ja ab, wenn es kalt wurde.

Sehr lustig war es auch, sich in einen der großen Kornhaufen einsinken zu lassen. Kristia kletterte auf die oberste Spitze und begann dort ganz kleine, aber kräftige Bewegungen mit den bloßen Füßen auszuführen, einmal rechts herum, einmal links herum, bis sie schließlich immer tiefer einsank und der Kornhaufen ihr bis zur Hüfte ging. Die Körner kitzelten köstlich ihre Haut an den Schenkeln und waren angenehm kühl; der Hafer noch mehr als der Weizen, denn seine Körner waren trockener und glatter. Ein anderes Spiel bestand darin, Getreidekörner über die Arme zu streuen und auf ihnen dahingleiten zu lassen. Das war beinahe so erfrischend wie das Wasser und jagte einem kühle Schauer den Rücken hinunter. Ein Spiel, das Kristiaschka selbst erfunden hatte, nahm den kleinen Neffen zu Hilfe: Sie setzte ihn oben auf den Körnerberg und ließ ihn herunterrutschen. Das gefiel ihm so sehr, daß er kreischte, aber Mascha sah es nicht gern. Sie sagte immer, daß irgendwann einmal die Körner in Bewegung geraten könnten, den Kleinen verschütten und dabei ersticken würden.

Nach dem Dreschen wurde das Korn in die Mühle gebracht. Sie war nicht weit von Agafons Hof, aber die Reise, die nur über zehn Werst ging, war dennoch ein großes Ereignis für Kristiaschka. Der Müller war ein langer dünner Mann mit einem weißen Bärtchen, der auf dem linken Fuß hinkte und dem ein Stück vom rechten Ohr fehlte. Das waren Andenken an zwei Kriege: gegen die Japaner im Jahr 1905 und gegen den deutschen Kaiser 1914. In Mukden hatte er einige Schrapnellkugeln in die Ferse bekommen, und bei der Schlacht von Tannenberg hatte ihm ein Granatsplitter ein Stück von der Ohrmuschel weggerissen. Der Alte sagte gerne, daß er eine Elefantenhaut habe. Weder den Japanern noch den Deutschen sei es gelungen, ihm wirklich etwas anzuhaben, und nach allem, was er in der Mandschurei und in Ostpreußen erlebt und gesehen hatte, fürchte er nun niemanden mehr.

Dieser Mann hatte zu Kristiaschka eine besondere Zuneigung gefaßt und empfing sie jedes Jahr sehr freundlich. Er sagte ihr, es bereite ihm besonderes Vergnügen, ein kleines Elsternei wiederzusehen, und tatsächlich sah Kristia im Sommer mit ihren glatten, gut gefärbten Wangen, auf denen einige Sommersprossen saßen, ein wenig einem Elsternei gleich. Er faßte sie dann unter den Armen, hob sie in die Luft, setzte sie sich auf die Schultern und drehte sich nach Osten:

»Von da oben siehst du Mukden!« rief er, kehrte sich dann um, so daß sie nach Westen blickte, und setzte hinzu:

»Und jetzt müßtest du Ostpreußen sehen!«

Kristiaschka antwortete jedesmal, daß sie nichts sehe, es sei denn auf der einen Seite den Wald und auf der anderen die

Steppe, aus der sich ein Kurgan erhob, einer großen dunklen Warze vergleichbar; der Müller behauptete, der seltsame Bau sei von Menschen errichtet worden vor vielen hundert, ja vielleicht vor mehr als tausend Jahren, und man habe darin Gräber, Waffen und Teppiche gefunden.

Er wiederholte dann, daß Kristiaschka jenseits des Waldes die Masurischen Seen hätte erblicken müssen und hinter dem Kurgan die Stadt Mukden, aber offenbar hätten die jungen Leute heutzutage nicht mehr jene Schärfe des Blickes, wie er sie noch jetzt, im Alter, besitze; er sei noch immer imstande, die Federn eines Bussards zu zählen, wenn dieser hoch am Himmel über den Feldern kreise.

Agafon zuckte bei solchen Worten ungeduldig die Achseln und brummte, daß der Müller ein alter Schwätzer sei. Er sei vielleicht in Mukden dabeigewesen, obwohl sich dies nicht beweisen lasse, keinesfalls aber war er der einzige russische Soldat, der das erlebte, und seine Verletzung an der Ferse beweise nichts anderes, als daß er vor den Japanern Reißaus genommen habe. Daran schloß Agafon gerne die Bemerkung, daß auch er selbst im Krieg gestanden sei, vor allem gegen die Banden Wrangels, und daß er mit einigem Recht sagen könne, daß all dies nichts Rühmenswertes sei: Jedermann komme früher oder später in die Lage, einen Krieg mitzumachen.

Aber der Müller – wollte er nun die sarkastischen Bemerkungen Agafons nicht hören, oder hatte er sie seiner Verletzung wegen tatsächlich nicht verstanden – antwortete nichts und fuhr in dem Bericht von seinen Kriegserlebnissen fort. Er erzählte Geschichten von dem japanischen General Nogi, dem Sieger von Port Arthur und Mukden, einem komischen Kerl, der Selbstmord begangen habe, Harakiri, als sein Kaiser starb, und von dem deutschen General Hindenburg, einem fürchterlich wilden Mann, dem die Deutschen eine Statue aus Holz errichtet hatten, damit sie Nägel hineinschlagen konnten!

Agafon zuckte abermals die Achseln und erklärte, es wundere ihn nicht, daß die russische Armee sowohl von den Japanern als auch von den Deutschen besiegt worden sei, wenn sie lauter solche Soldaten gehabt hatte wie den Müller. Allerdings, das gab Agafon zu, wäre der Müller der beste Soldat auf der ganzen Welt, wenn es nämlich nach dem Mundwerk ginge!

Anjuschka setzte hinzu, es sei erbärmlich, sich von so reaktionären Generalen besiegen zu lassen, die Harakiri verübten oder sich in hölzernen Standbildern verewigen ließen wie Fetische eines Negervolkes. Ljuba hingegen, die stets bereit war, einen Mann zu verteidigen, versicherte, daß der Müller zweifellos ein guter Soldat gewesen sei, das beweise schon das Diplom über die Verleihung des Sankt-Georg-Kreuzes, das vergilbt und mit Fliegenkot bedeckt in der Stube des Alten an der Wand hing.

War die Diskussion auf diesem Punkt angelangt, so legte sich meist Mascha ins Mittel und erklärte, man habe mit diesem Streit schon zu viel Zeit verloren. Die Männer gehorchten und gingen wieder an die Arbeit, und Kristiaschka kletterte von den Schultern des Müllers zu Boden. Sie war ihm dankbar, weil er so nett war. Sie hatte ein Gefühl dafür, ob jemand sie mochte oder nicht, aber sie hatte auch einen gut entwickelten Geruchssinn: Darum war sie gar nicht böse, wenn sie nach einiger Zeit den Sitzplatz auf den Schultern des Müllers verlassen mußte, denn seine Jacke stank so, als habe er sie seit der Belagerung von Mukden nicht mehr gewaschen. Auch er selbst schien seit dem unfreiwilligen Bad in einem der Masurischen Seen mit Wasser nicht mehr in Berührung gekommen zu sein. Seine Lederjacke war so schmutzig und so steif von Dreck und getrocknetem Schweiß, daß man sie wie ein Stück Blech aufrecht hätte hinstellen können, und Agafon behauptete, es sei unmöglich, selbst mit einem Säbelhieb diesen Panzer aufzuschlitzen. Gewiß, Kristiaschka war an schlechte Gerüche gewöhnt, denn die große Wohnstube des Elternhauses stank nach Sonnenblumenöl, Tabak und Zwiebeln, ganz zu schweigen von den Speisegerüchen und den gewaltigen Winden, die Agafon ungehemmt fahren ließ. Dennoch war der Gestank, der von der Person des Müllers ausging, so stark und geradezu ätzend wie der einer ganzen Eskadron schwitzender Pferde und erregte Kristiaschkas Ekel. So stieg sie also nicht ungerne wieder von ihrem Hochsitz herab und tat dies um so lieber, als der Müller auch eine Unzahl von Läusen in den Kleidern hatte, so viele, daß man, wie Agafon sich ausdrückte, eine Straßenwalze haben müßte, um sie alle zu zerquetschen.

Kristiaschka fand, Vater sei in seinem Urteil über den Müller viel zu streng. Es stimmte zwar, daß dieser stank; es stimmte auch, daß er Läuse hatte; aber er hatte auch einen sehr schönen Garten mit gelb-blühenden Akazien, mit roten und weißen Rosen und Dahlien in allen Farben. Außerdem gab es auf dem Dach seines Hauses ein Storchennest, Störche, die mit hochgerecktem Schnabel Frösche und Nattern verschlangen, die verzweifelte Abwehrbewegungen machten, aber dem Verhängnis nicht zu entrinnen vermochten. Dies war ein Schauspiel, das Kristiaschka immer wieder anzog. Dazu kam, daß das Haus des Müllers, damit es vor der herbstlichen Kot- und Schlammflut bewahrt bleibe, auf einigen Reihen großer Steinblöcke errichtet worden war, so daß man im Sommer während der ärgsten Hitze unter seinem Fußboden zwischen kühlen Steinwänden eine Zuflucht fand. Hierher zogen sich auch die Hunde, die Schweine und das Geflügel zurück, und man fand bisweilen frisch gelegte Eier, die man sogleich austrinken konnte, ohne daß jemand es bemerkte, denn um in diesen niedrigen Hohlraum zu schlüpfen, mußte man so zart und klein sein wie Kristiaschka.

Ja, in der warmen Jahreszeit wurde hart gearbeitet. Es gibt im Russischen sogar ein volkstümliches Wort, das diesen ganzen Zeitraum der schwersten Arbeit des Heuens und der Ernte bezeichnet und die gleiche Wurzel hat wie das russische Wort für *leiden*. Die Erde war eine harte Herrin, aber welch herrliche Belohnung war es, wenn das Korn so hoch stand, daß Agafon, wenn er auf dem Pferd hindurchritt, die Halme über dem Sattel zusammenbiegen konnte, und wenn die Ähren fast so groß waren wie kleine Maiskolben, weil die Schneeschicht die Erde lange genug bedeckt und die junge Saat geschützt und genährt hatte. Agafon wußte, daß man die Stengel der Sonnenblumen nicht zu knapp über dem Boden abschneiden durfte. Sie waren kräftig genug, den Schnee festzuhalten, auch wenn der scharfe Wind über den Acker blies.

Der Sommer knistert, der Herbst murmelt, der Winter schweigt, der Frühling bricht auf. Kristiaschka wußte nicht, welche Jahreszeit ihr die liebste war, denn sie bevorzugte stets jene, in der man sich gerade befand. Sie liebte den Sommer trotz der harten Arbeit, denn es war die Zeit, da man im Fluß baden konnte, der den nach der Tagesarbeit erhitzten Körper so herrlich erfrischte; und sie liebte den Winter, weil man im Winter nur wenig zu tun hatte und weil im Winter die Kohlsuppe, die in der großen Tonne eingemieteten Kartoffeln und die gesalzenen Wassermelonen der großen Kälte wegen besser mundeten als zu jeder anderen Zeit. Sie liebte den Herbst, weil es so lustig war, im Schlamm der Wege mit bloßen Füßen herumzupatschen und den Wildgänsen zuzusehen, die mit langgestreckten Hälsen in stets der gleichen Dreiecksformation nach Süden zogen. Das Erwachen der Natur im Frühling versetzte Kristiaschka jedesmal in heftige, aber um so süßere Erregung. Und darum durfte man vielleicht sagen, daß der Frühling ihr als Jahreszeit doch etwas mehr bedeutete als alle anderen. Die ungewöhnliche Reinheit des Himmels kündigte die

Schneeschmelze an, und zugleich schwebte in der Luft schon der zarte Duft der Kirschblüten, der bei Sonnenuntergang beinahe betäubend wurde. In den Tagen darauf waren es die bitteren Düfte vom feuchten, schneefrei gewordenen Rasen und von verfaultem Laub, das kräftige Aroma der nährenden Erde, die nun wieder bloßlag. Es war ein herrliches Gemisch der verschiedensten Düfte, die alle zugleich zu ihrer Seele fanden, zur Seele eines kleinen Mädchens, das eine Unzahl häuslicher Verrichtungen zu besorgen hatte und nicht viel elterliche Liebe verspürte.

Wenn sie den gelblichen harzigen Tropfen beobachtete, der aus dem Stamm eines Kirschbaums trat, so fühlte sie, wie ihr Herz höher schlug. Besonders gut aber war es, diesen goldenen Gummi zu kauen, der so weich und zart war wie ein Küchlein. Manchmal hing der Ast voll von den goldenen Perlen dieses Saftes, so daß das Ganze wie ein Halsband aussah; die Kinder nannten solch ein Band Kuckuckstränen.

Wenn in der Nacht der große bleiche Mond hinter dem schwarzen Netz der Kirschbaumzweige aufging und der Schatten eines Hasen blitzschnell zwischen den Stämmen dahinhuschte, dann lag Kristiaschkas Herz ganz schwer in ihrer Brust. Sie wußte dann, daß die Natur zu ihr sprach in einer wirren Sprache, und sie wünschte sich, viel größer zu sein, um all das verstehen zu können, was die Natur ihr sagen wollte. Der erste Stern, ganz tief am Horizont und noch vom Himmelsblau umgeben, hatte ein Spiegelbild im Bach, wo zwischen den Felsen ein Fischotter dahinschwamm und seinem Bau zustrebte, der zwischen den Wurzeln einer Weide lag. Kristiaschka wollte wissen, was das Blinzeln zu bedeuten habe, mit dem der Stern das Tier grüßte. Seltsamerweise war es ein und dieselbe Reinheit in dem weißen Zittern des Sterns auf dem Wasser und dem hellen Kristallton, mit dem ein Eiszapfen vom Rand des Daches brach. Über den Mantel der Erde aus durchlöchertem Schnee strich mit wölfischem Schritt der wilde Hauch der Nacht, mit ihrem furchteinflößenden Gefolge von Schatten und beunruhigenden Lauten. Dies waren die Stunden, da Kristiaschkas Herz sich zusammenpreßte, und sie kehrte schweigend auf ihre Strohschütte zurück in den Holztrog über dem Kuhstall.

Als sie an einem Frühlingsabend nach solch einem kurzen Spaziergang wieder zu ihrer Schlafstelle hinaufstieg, fand sie ihren kleinen Neffen kalt und steif und ganz blau. Ljuba warf ihr sogleich vor, daß sie das Kind im Schlaf erstickt habe, das Kind, das sie »mein kleines Täubchen« nannte; sie begann fürchterlich zu weinen und bekam einen regelrechten Nervenzusammenbruch, wie man ihn von einer Mutter, die sich um ihr Kind so wenig gekümmert hatte, nicht erwartet hätte. Auch Kristiaschka weinte viel, teils, weil ihr kleiner Neffe nun tot war, teils aber auch wegen der Undankbarkeit Ljubas. Selbst Mascha weinte, daß es ihren mageren Leib schüttelte und ihre flachen Brüste auf und nieder hüpften. Agafon jedoch hatte andere Sorgen: Das Pferd hatte auf der Weide etwas Blähendes gefressen, und der Pflug sollte schon längst repariert werden.

Das Begräbnis war dennoch sehr feierlich. Agafon fand zwar, daß der Tischler ihn über das Ohr gehauen habe, als er so viel Hafer für einen so kleinen Sarg forderte; er wollte ihn darum auch verprügeln, sah des feierlichen Anlasses wegen aber davon ab und handelte dafür dem Diakon, der die Gebete sprach, ein Gutteil von seinen Gebühren ab. Auf diese Weise schuf das eine Begräbnis dem Agafon zwei Feinde.

Auch der Müller kam zu der Beerdigung und hatte zu diesem Anlaß ein schwarzes Lammfell um die Schultern geschlungen, damit man die schmutzige Lederjacke nicht sehe. Der Totengräber erklärte dennoch, daß noch nie ein Kadaver so gestunken habe, wie es dieser Mann bei lebendigem Leibe zuwege brächte, und dabei wußte jeder, wie viele Leichen schon durch die Hände des Totengräbers gegangen waren. Im Leichenzug ging auch ein riesenhafter Mann mit, der so aussah wie ein Ochse, der sich auf die Hinterbeine erhoben hat; er trug ganz neue Filzstiefel, und auf seiner khakifarbenen Bluse glänzte der Orden der roten Fahne: das war Frol Lubitschin, der Sekretär des Ortssowjets.

Auf dem Rückweg vom Friedhof lud Agafon den Müller und Lubitschin zu Tisch, das gehörte sich so. Außerdem sah er den guten alten Frol gerne. Es machte ihm Freude, wieder einmal mit ihm zu plaudern. Frol Lubitschin antwortete auf diese Versicherungen der Sympathie nur mit einem kleinen Lächeln in den Mundwinkeln; er war eher ein kühler Mensch, von dem Agafon immer behauptete, daß er jede seiner Pflichten äußerst ernst nehme. Sie hatten vor Jahren Schulter an Schulter gegen die Banditen dieses Wrangel gekämpft, und eines Tages hatten sie sogar gemeinsam einen Offizier der Weißen kaltgemacht; es war gar nicht so einfach gewesen, ihm die Stiefel auszuziehen, denn es war so kalt gewesen, daß die Stiefel an den Beinen festgefroren waren; sie hatten in die Haut hineinschneiden müssen, um sich der Stiefel bemächtigen zu können.

Auch zu dieser Erzählung lachte Frol Lubitschin nur mit einem Mundwinkel. Seine Augen standen ganz nahe beisammen, seine Pupillen waren tiefschwarz und hatten einen starren Blick, der stechend zu beiden Seiten des schmalen Nasenrückens aus dem Gesicht hervorbrach; man konnte also nicht sagen, daß Frol besondere Fröhlichkeit verbreite. Mascha versuchte das Thema zu wechseln, indem sie erklärte, das seien alte Geschichten, und insbesondere von dem Offizier der Weißen habe Agafon schon mindestens zwanzigmal erzählt; nämlich jedesmal, wenn er mit Frol Lubitschin zusammentraf.

Lubitschin antwortete tatsächlich, daß die Stiefel dieses Offiziers schon längst unbrauchbar geworden seien, und so trat denn ein kurzes Schweigen ein, in dem man nur das Schlürfen hörte, mit dem die Kohlsuppe gegessen wurde.

Agafon kratzte sich den Schädel, der zu diesem Zeitpunkt einen ziemlich dichten Haarwuchs aufwies. Zwischen ihm und Frol war seit ein oder zwei Jahren nicht mehr alles so, wie es sein sollte. Er wußte sehr gut warum, und der andere wußte es auch, aber sie hatten nie darüber gesprochen. Kristiaschka sah abwechselnd ihren Vater und den Mann an, der so aussah wie ein Ochse, den man an den Tisch gesetzt hat, und vergaß darüber beinahe zu essen. Es war Frol Lubitschin, der das Schweigen brach und sich erkundigte, warum Sascha Wolodjewitsch nicht zu dem Begräbnis gekommen sei.

Agafon donnerte sogleich los: Warum Sascha nicht gekommen sei? Nun, das sollte Frol doch sehr gut wissen! Die Beziehungen zu Sascha hatten sich merklich abgekühlt wegen der Sache mit den Schweinen, das mußte Frol doch zu Ohren gekommen sein! Saschas Schweine begnügten sich nicht mit seinem Land, sondern drangen immer wieder durch die Hecken auf den Besitz Agafons vor. Ja, sie fanden ein teuflisches Vergnügen darin, beim Nachbarn alles zu zerstampfen und zu zerwühlen, als besorgten dies nicht schon Agafons eigene Schweine zur Genüge. Es war eine richtige Invasion, und Agafon wollte ihnen schon mit dem Säbel zu Leibe gehen, wie seinerzeit den Schweinen, die unter Wrangel dienten, und er hatte sich nur zurückgehalten, weil Sascha ein Genosse war. Nur Mascha war zum Gegenangriff übergegangen und hatte eines der eingedrungenen Schweine mit einem Topf siedenden Wassers übergossen. Das gab eine Aufregung! In der Erinnerung an das Gequieke der verbrühten Sau lachte Agafon so stark, daß die Ikone zitterte.

Hernach aber waren die Würmer in die Wunden des Schweins

gekommen, es war eingegangen, und seither war man böse mit Sascha. Frol sagte mit seinem halben Lächeln:

»So ist also eine verbrühte Sau die Ursache dafür, daß die Beziehungen zwischen zwei Nachbarn erkaltet sind.«

Agafon verstand den Witz nicht sogleich, aber als es dann soweit war, dröhnte sein Lachen wie eine Artilleriesalve durch das Haus.

Die ganze Tafelrunde lachte mit, dem Beispiel des Vaters folgend. Kristiaschka, die schon seit dem Beginn des Mahles durch das Gesicht des Parteisekretärs verwirrt und beunruhigt war, fühlte sich erleichtert. Auch sie dachte gern an den Vorfall mit dem Nachbarschwein, denn die Kinder Saschas hatten sie immer als Feindin behandelt und sich über ihre Sommersprossen so lustig gemacht, als sei Kristia das einzige Kind, dessen Gesicht sie zierten; ja, Saschas Kinder hatten auch behauptet, sie werde so klein bleiben, obwohl Kristia genau wußte, daß in ihrem Alter die Kinder nun einmal nicht größer sind. Der Schlimmste aber war Saschas ältester Sohn gewesen; er hatte einmal behauptet, Kristias Wangen sähen genauso aus wie der Hintern von Rothaut.

Frol Lubitschin hatte seinen Teller leergegessen, stellte ihn wieder auf die Tischplatte, lehnte sich auf der Bank zurück und streckte die Beine unter dem Tisch weit von sich, dann fixierte er Agafon mit seinem Vogelblick und sagte ihm, er fände es sehr günstig, daß Agafon mit Sascha gebrochen habe; man könne ihn dazu beglückwünschen. Agafon antwortete, er bedaure dies, denn Sascha gehöre doch schließlich zu ihnen und habe sich im Bürgerkrieg ausgezeichnet geschlagen. Frol verzog den Mund, und sein Blick wurde härter.

»Was Sascha früher einmal getan hat, zählt jetzt nicht mehr«, sagte er schneidend. »Er hat sich zum Klassenfeind entwickelt. Es ist mir gar nicht unangenehm, daß das Gespräch auf Sascha gekommen ist, denn ich hätte nächste Woche ohnedies eine Versammlung ansetzen müssen, um den Fall Sascha zu behandeln.«

Aus dem Gesichtsausdruck ihres Vaters erkannte Kristiaschka, daß man ein sehr heikles Thema berührt hatte. Mascha setzte eine Schüssel mit einem dampfenden Ragout auf den Tisch, Nudeln und Gänseklein, während Frol, indem er mit seinem Messer spielte und den Blick auf die Decke geheftet hielt, mit gleichgültiger Stimme Sascha Wolodjewitsch den Prozeß machte. Sascha sei gleich nach seiner Heimkehr aus dem Bürgerkrieg zu einem Manne geworden, der nichts anderes als den Erwerb und die

Bereicherung im Kopf hatte; er wollte seinen Landbesitz vergrößern, und Agafon müßte eigentlich ein Lied davon zu singen wissen, denn er hatte ja, von der Not gezwungen, ein paar gute Äcker um billiges Geld an Sascha verkaufen müssen. Es sei auch bekannt, daß Sascha seine Arbeiter schlecht bezahle, sie aber zwanzig Stunden am Tag schuften lasse.

Hier warf Mascha schüchtern ein, daß Sascha selbst noch mehr arbeite als seine Leute und sich nicht etwa auf die faule Haut lege.

Frol jedoch tat, als habe er Maschas Einwurf nicht gehört, und fuhr fort. Er berichtete, daß es an Warnungen nicht gefehlt habe, ja, daß der Vorsitzende des Kreiskomitees Sascha schon einmal vorgeladen habe, um ihn von seinem Irrtum zu überzeugen; dabei war es natürlich mehr als ein Irrtum, es war ein Verbrechen, aber Sascha habe trotzig geantwortet, daß er nichts anderes tue, als was das Zentralkomitee der Partei befohlen habe, nämlich soviel Lebensmittel zu produzieren als nur irgend möglich sei. Ja, Sascha hatte die Frechheit besessen, hinzuzufügen, daß es die Führer des Sowjetvolkes nur Männern seines Schlages zu verdanken hätten, wenn sie heute soviel fressen könnten, wie sie wollten!

Daraus folgte eindeutig, daß Sascha ein Verräter geworden war; man würde sich bei der Versammlung der nächsten Woche mit ihm beschäftigen und ihn daran hindern, weiter Schaden zu stiften.

Agafon hatte den Kopf zwischen die Schultern gezogen; er fühlte ein Gewitter herannahen, das sich möglicherweise nicht nur über Sascha, sondern auch über ihm entladen würde. Er war nicht so eigensinnig wie Sascha auf seinen Besitz versessen und betrug sich auch – wie Frol es ausgedrückt hatte – ausgesprochen konterrevolutionär. Er war demnach kein Kulak wie Sascha, ja, nicht einmal ein mittlerer Bauer, sondern mußte den kleinen Landwirten zugezählt werden. Im Grunde genommen waren ihm alle diese Bezeichnungen ziemlich gleichgültig, denn trotz der Hungersnot und der Ablieferungspflicht und dem ganzen übrigen Kram hatte er mit den Seinen doch noch immer zu leben gehabt, und mehr verlangte er gar nicht. Was er wollte, war nur, daß die Herren der diversen Zentralen und Kreiskomitees einen armen Teufel wie ihn wenigstens in Ruhe ließen. Er begehrte nichts für seine Person, lieferte regelmäßig ab, was man ihm vorschrieb, und verbarg auch nicht einen Scheffel Getreide, denn er wußte genau, daß man ihm das nicht verzeihen würde. Er kannte das Lied nur zu gut; er fügte niemandem Schaden zu, nahm aber für sich das Recht in Anspruch, seinerseits nicht von den Anordnungen der verschiedenen Komitees verbrüht zu werden wie jene gesengte Sau.

Von all dem sagte Agafon nichts im Gespräch mit Frol, dieser aber griff ihn an, als ob Agafon solche und andere Argumente vorgebracht hätte.

»Nimm nur einmal deinen Dreschschlitten, Agafon«, sagte Frol, »über den lacht der ganze Bezirk. Ja, ich möchte meinen, daß man in der ganzen großen Sowjetunion keine so reaktionäre Erfindung aufzufinden imstande wäre, keine Maschinerie, die so lächerlich ist wie dieser Schlitten.«

Kristiaschka zitterte innerlich. Sie war sich klar darüber, daß dieser Mann mit dem Orden ihren Vater so schlecht behandelte wie ihr Vater sie. Sie begriff nur nicht, warum Vater ihn nicht einfach am Genick packte und hinauswarf. Sie hatte ihn noch nie so still und so bereitwillig etwas hinnehmen sehen, was ihm doch sehr unangenehm sein mußte; und das war an der ganzen Sache das Beunruhigendste. Welch fürchterliches Strafgericht würde diesen Vorwürfen folgen? Das Gefängnis? Und wenn Vater ins Gefängnis mußte, wie sollte dann die ganze Familie ohne ihn leben und weiterarbeiten? Sie würden zweifellos Hungers sterben, wenn sie erst einmal das Pferd und die Rinder aufgegessen hatten. Es gab nur ein Mittel: Man mußte den Mann mit dem Orden jetzt und auf der Stelle umbringen. Wenn Vater zu viel Angst hatte, nun, dann sollte es eben Anjuschka tun; ein kräftiger Stoß mit einem langen Messer in die Rippen, ein Stück unter dem Ordensband, und der große Mann müßte endlich aufhören, so Böses zu sagen.

Indessen fuhr Frol Lubitschin fort, seinen Vorrat an Ermahnungen abzuhaspeln: Der Prozentsatz der Kollektivierung sei lächerlich gering: Erst ein Fünftel aller Wirtschaften habe sich zusammengeschlossen! Das Ziel seien die hundert Prozent und die Kolchose an Stelle der dörflichen Gemeinwirtschaft.

Mascha schien nur auf dieses Stichwort gewartet zu haben:

»Wenn du davon schon anfängst, Frol Lubitschin«, rief sie, »so laß dir sagen, daß diese ganze Gemeinwirtschaft ein schlechter Spaß ist. Was tut ihr nicht alles, um fünfzehn Kleinbauern unter einen Hut zu bringen, dabei sind fünfzehn arme Teufel, wenn sie sich zusammentun, nur noch ärmer als vorher, weil sie mit all der Gemeinschaftsarbeit ja doch nur Zeit verlieren. Es bleiben nun einmal sechs Ochsen für fünfzehn Bauern, und wenn Agafon sich angeschlossen hätte, so wären es erst acht Ochsen; das würde für jeden Hof die Arbeitskraft eines halben Ochsen bedeuten, für den Tupitsyn-Hof also einen Verlust von eineinhalb Ochsen.«

Ljuba assistierte der Mutter und erklärte, es sei eine seltsame Gerechtigkeit, alle Bauern auf eine Stufe zu stellen, obwohl der eine seine Ochsen in die Gemeinwirtschaft einbringe, der andere jedoch nur seine Flöhe.

Agafon wurde blaß vor Entsetzen, als er Mascha und Ljuba so reden hörte, und er sagte mit einer an ihm völlig ungewohnten, leisen Stimme, daß Frauen von diesen Dingen nun einmal nichts verstünden. Gerade Ljuba sollte über die dörfliche Gemeinschaft doch gnädiger denken, sie sei doch sonst nicht so zurückhaltend.

»Das bringt mich übrigens auf einen Gedanken«, fuhr Agafon etwas sicherer fort. »Du könntest deinen Freunden im Zentralkomitee etwas über Ljuba berichten, Genosse Lubitschin. Ist sie nicht durch ihre Lebensführung geradezu ein Musterbeispiel dafür, wie man zu einer Freundin des Volkes wird? Hat sie nicht ein Vorbild an aktivem Kollektivismus geliefert? Als die Sowjets an die Macht kamen, haben die Feinde des Volkes jedem, der es hören wollte, versichert, daß die Bolschewiken alles zum Gemeingut machen wollen, sogar die Frauen! Nun siehst du, Frol, auch in unserem Dorf gibt es Mädchen, die sich zum Gemeingut machen, freiwillig und ohne daß es ihnen jemand befohlen hätte!«

Rings um den Tisch erhob sich murrender Widerspruch. Mascha verbarg ihr Gesicht in den Händen, sie schämte sich zu sehr, um laut zu protestieren. Anjuschka stand brüsk auf, um zu zeigen, daß er als Mann an einem Ort nicht bleiben wolle, wo derlei geredet wurde; erst an der Tür wurde ihm klar, daß er ja noch Hunger habe. Er kehrte um, setzte sich wieder vor seinen Teller und fiel finsteren Gesichts mit der Gabel über das Ragout her. Lidatschka und Kurotschka begannen, ihre geschmähte Schwester Ljuba zu streicheln und zu küssen, und warfen böse Blicke auf den väterlichen Beleidiger und den Sekretär des Ortssowjets. Timofej, der den Mund voll hatte, weinte eine stumme Träne, und nur Frol Lubitschin saß ungerührt mit seinem halben Lächeln da, stützte die Ellbogen auf den Tisch und das Kinn in die Fäuste und blickte Agafon ruhig ins Gesicht – in dieses Gesicht, dessen zerknirschte Miene zu sagen schien: Entschuldige diese Frauen und Kinder, Frol Lubitschin, sie wissen nicht, was sie reden!

Schließlich trat wieder Ruhe ein; die Kinder sagten nichts mehr, und Frol Lubitschin fuhr hartnäckig in seinen Drohreden fort:

»Ich gebe zu«, sagte er, »die Kooperativen haben zumindest auf den Dörfern nicht den erwarteten Erfolg gebracht. Aber es geht ja gar nicht darum, nur den Kleinbesitz zusammenzufassen; wir wollen auch die Mittelbauern und die Güter der Kulaken in die dörfliche Gemeinwirtschaft einbeziehen. Es stimmt, daß die Kredite, die bisher den Mitgliedern der Kooperativen bewilligt wurden, vorerst noch kein anderes Ergebnis erzielt haben als die Vergrößerung der Verschuldung in der Landwirtschaft. Zweifellos sind Fehler begangen worden, aber die Erfahrung im ganzen war doch sehr nützlich. Sobald der Grundbesitz des Dorfes hundertprozentig in die Gemeinwirtschaft übergeführt ist, werden wir einen Traktor erhalten. Ein einziger Traktor aber bedeutet für den ganzen Bezirk des Dorfes hundertmal mehr Reichtum als alle Ochsen. Ich gebe zu, daß der erste Direktor der Kooperativen sich als ein unfähiger Phantast erwiesen hat und mit dem Ankauf einer Dreschmaschine einen schweren Irrtum beging. Aber es war nicht sein Fehler, daß diese Maschine den ersten Arbeitstag nicht überlebte, daß man keinen Mechaniker fand, der sie reparierte, und daß sie heute auf einem Brachfeld verrostet und einer Schar Ratten als Dauerunterkunft dient.«

Mascha unterbrach den Gast zum zweitenmal:

»Da sieht man's ja«, sagte sie, »wohin diese neumodischen Gebräuche führen. Agafons reaktionärer Schlitten funktioniert wenigstens. 1920, als Agafon aus dem Bürgerkrieg heimkam, begann er sogleich hart zu arbeiten. Was war das Ergebnis? Die erste Getreideernte wurde beschlagnahmt. Genauso ging es später mit dem Fleisch, der Butter, den Häuten, der Wolle und dem Geflügel! Und erst die Steuern! Ich habe eine ganze Schachtel voll von Papieren, Quittungen, Empfangsbestätigungen und dergleichen. Die hat man mir gegeben für die Produkte unseres Hofes und unserer Arbeit. Ich weiß noch genau«, fuhr Mascha mit erhobener Stimme fort, »was du, Frol Lubitschin, uns damals gesagt hast. Du hast immer wieder gefordert: ›Ihr müßt säen, säen, um die Union der Sowjetrepubliken zu retten.‹ Nun gut, wir haben gesät und das auf jedem Fleckchen unseres Landes; und was kam dann? Die Hungersnot!«

Frol Lubitschin wartete ungerührt, bis Mascha mit ihrer Kritik zu Ende war; dann hob er ihr die offene Hand entgegen, um anzudeuten, daß er noch sprechen wolle. Er sprach und sprach, unermüdlich, mit seiner eintönigen Stimme und dem etwas verzogenen Mund, der so aussah wie ein O zwischen den Klammern der langen Falten, die sich von seinen Nasenflügeln zum Kinn herunterzogen.

»Mit zwei Ochsen und einem Pflug kannst du in einem Herbst

höchstens zwölf Deßjatinen bearbeiten«, sagte er. »Mit einem einzigen Traktor und zwei Fahrern kann man das gleiche Landstück aber in vierundzwanzig Stunden bewältigen.«

»Wer ist denn schuld«, fragte Anjuschka, »wenn wir noch nie einen Traktor gesehen haben, außer auf einer Fotografie? Doch wohl nicht die armen Bauern? Und wenn die Kulaken daran schuld sind, warum werden sie dann nicht liquidiert?«

»Die Kulaken, wie Sascha Wolodjewitsch und andere, mußten vorläufig geschont werden«, antwortete Frol Lubitschin. »Es gab zunächst kein anderes Mittel, die landwirtschaftliche Produktion zu halten, aber all das wird sich jetzt ändern!«

Frol Lubitschin sagte noch eine ganze Menge anderer Dinge, von denen den Tupitsyns nur im Gedächtnis blieb, daß man bei der Versammlung in der nächsten Woche über die Verteilung des letzten Kulakenbesitzes abstimmen werde; wer immer für die Kulaken stimme, werde künftig als Kulak behandelt, und wenn er noch so arm sei. Er rate jedem, sich dies gut zu merken.

Damit hatte Frol Lubitschin sein Pensum erschöpft, und man konnte endlich von anderen Dingen reden. Aber die Stimmung war beim Teufel, und jeder konnte sehen, daß Agafon sich nicht wohl fühlte. Frol hingegen gab sich nun äußerst liebenswürdig. Sonntag, erklärte er, gebe es Hahnenkämpfe; Wettkämpfe dieser Art seien zwar unmoralisch und entsprängen der kapitalistischen Psyche; aber solange sich die Wetten gelegentlich der Hahnenkämpfe in vernünftigen Grenzen hielten, sei das alles ziemlich harmlos, und die Behörden würden ein Auge zudrücken. Ja, er selbst würde gern ein paar Kopeken riskieren und auf einen der Hähne setzen.

Agafon haßte die Hahnenkämpfe, aber er hatte nicht das Herz, etwas dagegen zu sagen, sondern drechselte nur halblaut ein paar zustimmende Phrasen. Schließlich begann Frol Lubitschin von der Vergangenheit, von den Zeiten des Bürgerkriegs zu sprechen und erinnerte Agafon an jenes Schützenloch, in dem sie beide einen Tag und zwei Nächte zugebracht hatten, während die weißen Kosaken in der Umgebung herumstrichen und Agafons Maschinengewehr Ladehemmung hatte. Ihre einzige Nahrung war ein totes Pferd, das mit ihnen im Loch lag und in dessen Bauch sie die Beine steckten, wenn es nachts allzu kalt wurde.

»Erinnerst du dich noch an den großen Kosaken«, fragte Frol, »der in unser Loch fiel und dabei das Bein brach? Er stammte aus derselben Gegend wie wir, darum ließen wir ihm das Leben und behielten ihn als Diener bei uns, als ein roter Gegenstoß uns aus unserer mißlichen Lage befreite. Stellt euch vor: Zwei einfache Soldaten hatten eine Ordonnanz; sein krankes Bein hatten wir mit zwei Brettchen geschient und mit Lappen umwunden. Es ist mir gelungen, aus ihm einen Marxisten zu machen, so daß er heute eine gewisse Rolle in der Parteizelle seines Heimatdorfes spielt.«

Agafon erinnerte sich sehr gut an das Loch, das tote Pferd und den Kosaken mit dem gebrochenen Bein; aber diese Erinnerungen waren nicht stark genug, um ihn von den Problemen der Gegenwart und der nahen Zukunft abzulenken, denn sie war allzu nahe, diese Zukunft, und würde schon in der nächsten Woche zu einer Entscheidung nötigen. Frol erwartete von ihm, daß er gegen Sascha stimme. Agafon wußte, er würde tatsächlich gegen Sascha stimmen, aber der Gedanke daran war ihm unangenehm. Gewiß, Sascha war ein rücksichtsloser Kerl, der nichts anderes im Kopf hatte als die Vergrößerung seines Besitzes. Man tat ihm auch kaum unrecht, wenn man ihn einen Ausbeuter nannte. Das begriff Agafon, und er wollte sich auch den Gründen Lubitschins nicht verschließen. Man mußte die Unterschiede aus der Welt schaffen, die nach der Revolution wieder entstanden waren, so wie das Unkraut immer wieder zwischen dem Getreide emporschießt. Aber es wäre Agafon lieber gewesen, wenn die Mitglieder des Komitees dies allein besorgt und nicht von ihm verlangt hätten, daß er sich an der Enteignung seines Nachbarn beteilige. Mochte Sascha auch seine bessere Lage ausgenützt und Agafon ein gutes Stück Land zu einem schlechten Preis abgenommen haben, so war das doch ein uraltes Gesetz, der Grundsatz, daß die Starken die Schwachen auffressen, aber Agafon hatte nun einmal nicht genug Festigkeit des Charakters, um die Bösen und Ungerechten so zu behandeln, wie sie ihn behandelten. Er wußte nicht, woher diese stetige Neigung zum Nachgeben und zur Unterwürfigkeit kam. Vielleicht aus dem Familienmilieu, in dem er aufgewachsen war? Seine Mutter war eine überzeugte, glühendgläubige Christin gewesen, so daß seine Frau Mascha ihm demgegenüber nur als ein schwacher Abglanz erschien. Aber Vererbung und Jugendeinflüsse konnten dennoch keine zureichende Erklärung geben. Agafon war nun einmal so, da konnte man nichts machen, und er wäre sehr erstaunt gewesen, wenn ihm jemand vor Augen geführt hätte, daß er seine jüngste Tochter Kristia so behandle, wie einst die Gutsherren ihre Leibeigenen behandelt hatten. Agafon gehörte zu den Menschen, die sich für schrankenlos gut und anständig halten, weil sie bereit sind, ins Wasser zu springen, um einen Unbekannten zu retten, und weil sie einen Gefangenen am Leben lassen, der sich den Fuß gebrochen hat; sie merken dabei nicht, daß sie gegenüber einem kleinen Mädchen, in dem Blut von ihrem Blut fließt, als ausgesprochen schlechte Menschen handeln, so daß die kleine Pflanze aus Mangel an Liebe einzugehen droht.

Als auch das Thema der gemeinsamen Kriegserinnerungen erschöpft war, erhob sich Frol Lubitschin und verabschiedete sich von seinen Zuhörern auf die freundlichste Weise, ganz so, als wisse er nicht, daß er in der gesamten Familienrunde lediglich heftige Antipathien hervorgerufen hatte.

Er drückte seine schwarze Lammfellmütze aufs Haar und hüllte sich in den schmutzigen Fellumhang. Unter seinem schweren Schritt krachten einige Sonnenblumenkerne, die auf dem Bretterboden verstreut umherlagen.

Agafon begleitete ihn hinaus. Der Hund an der Kette fuhr auf, bellte wütend, zeigte die Zähne und peitschte die Luft mit seinem weißen Schweif.

»Ich habe offenbar nicht das Glück, Hunden zu gefallen«, sagte Frol mit seinem halben Lächeln.

»Der bellt hinter jedem her«, erklärte Agafon verlegen, »er hat genausoviel Lärm gemacht, als du vorhin auf den Hof kamst, Genosse Lubitschin. Er ist eben ein guter Wachhund.«

»Wenn das so ist, dann ist er mir sympathisch«, antwortete Frol, »denn ich selbst halte mich für einen guten Wachhund des Sowjetvolkes in diesem kleinen Bezirk. Das ist nun einmal eine Verwendung, bei der man sich nicht von der netten Seite zeigen kann.«

Agafon glaubte, aus diesen Worten ein vages Bedauern darüber zu hören, daß er, Frol, bei aller Welt gefürchtet sei. Er mußte an den jungen Soldaten Frol Lubitschin denken, der so ganz anders gewesen war als der Mann, der heute vor ihm stand; ein junger Soldat mit vollen Wangen und glänzendschwarzem, überreichem Haar, während Lubitschin heute, obwohl er noch nicht vierzig Jahre zählte, einen alten Pferdeschädel hatte, auf dem nur noch einige Haarbüschel zu sehen waren wie an einem ausrangierten Besen. Er erinnerte sich auch an den weißen Kosaken, den sie verschont hatten, obwohl zu jener Zeit weder die Roten noch die Weißen Gefangene machten, und er sagte sich, daß die verstohlene Klage, die er soeben aus den Worten Frols herausgehört hatte, zweifellos besagte, daß Lubitschin doch noch ein Restchen Herz hatte, das er freilich sorgfältig verborgen hielt.

Die Lust kam ihn an, Frol, den alten Frol unterzufassen, sie hatten einander doch so gut verstanden in jenen Jahren, als sie den Banditen Wrangels den Garaus machten. Er stellte sich vor, daß Frol ganz offen zu ihm sprach: Ich habe es schon satt, immerzu die Zähne zu zeigen, könnte Lubitschin zum Beispiel sagen, komm mit, Agafon, machen wir uns einen vergnügten Abend. Warum sollen wir uns nicht wieder einmal nach den Mädchen umsehen? Du erinnerst dich doch sicher noch an Tatjana, Soldat in einer Scharfschützenkompanie, die mit einer so schönen Stimme sang und die keiner von uns auch nur zu berühren wagte? Oder an jenes Waisenmädchen, das unsere Einheit adoptiert hatte, bis wir entdecken mußten, daß sie für die Weißen spionierte; sie weigerte sich, sich die Augen verbinden zu lassen, als sie erschossen werden sollte ... Du erinnerst dich doch?

Aber Agafon wußte sehr gut, daß Frol nichts dergleichen sagen würde und daß er es kaum begriffen hätte, hätte Agafon ihn am Arme gefaßt. So begleitete er ihn denn schweigend bis zu dem kleinen Steg über den Bach, der so hoch ging, daß seine Wellen beinahe gegen die Bretter schäumten. Von allen Hängen rann das Schmelzwasser in dünnen Rinnsalen und erfüllte den ganzen Raum unter dem bestirnten Himmelsgewölbe mit Raunen und Murmeln. Die Stiefel der beiden Männer hoben sich mit dumpf klatschendem Geräusch aus dem Kot des Weges, und ihre Schritte hallten auf den Brettern der schmalen Brücke.

Jenseits des Steges, im tiefen Schweigen der ruhigen Luft, im Duft der Kräuter und inmitten des Silberglanzes auf den Blättern ringsum, tauschten die Männer einen Händedruck zum Abschied. Frol wiederholte, daß er nun einmal ein Wachhund sei und die Zähne zeigen müsse, daß er aber niemals belle, denn ihn höre man auf jeden Fall, auch ohne daß er die Stimme erhob. Agafon schlug ihm freundschaftlich auf den Rücken, und Frol entfernte sich in das Dunkel. Mit verschnürter Kehle blieb Agafon zurück und sah dem großen, ungefügen und so gefährlichen Mann nach. Einen Wachhund hatte er sich genannt, und er lief auch immerzu von einem Hof zum andern, immer zu Fuß, während seine Kollegen in Moskau schon längst das Auto benützten. In seinem Fall konnte man nicht sagen, daß die große Verantwortung, die er trug, besondere Vorteile für ihn gezeitigt hätte.

Nachdenklich kehrte Agafon in das Haus zurück. Als er an der Hundehütte vorbeikam, begrüßte ihn freudiges Jappen, und der warme Hauch des Tieres schwebte wie eine weiße Kugel in der Nacht, die Frost bringen würde nach dem klaren Tag.

In der warmen, von verbrauchter Luft erfüllten Stube fand Agafon noch seine ganze Familie versammelt; sie hatten die Ellbogen auf den Tisch gestützt und besprachen, wie nicht anders zu erwarten, all das, was Frol im Lauf des Abends vorgebracht hatte; alle waren sich darüber einig, daß Lubitschin zum Teufel gehen sollte, nur der Müller, der bis dahin den Mund nicht aufgemacht hatte, erklärte sich für das Prinzip der Ordnung und der Disziplin.

»Da nun einmal Frol Lubitschin Ordnung und Disziplin in unserem Dorf verkörpert, bin ich für Frol«, sagte der Müller, »und was Sascha anlangt, diesen lüsternen Fuchs, so geschieht ihm nur recht, wenn er sich endlich einmal in einer Falle fängt.«

»Ach, schweig doch von deiner Ordnung und Disziplin«, entgegnete Anjuschka, »genau das war es nämlich, was zu dem Unheil von Mukden und zu der vernichtenden Niederlage bei Tannenberg geführt hat. Hör doch endlich mit diesen alten Phrasen auf!«

Darüber brach neuer Streit aus, aber Agafon fand nun, da er von der Gegenwart Lubitschins befreit war, zu seiner mächtigen Stimme zurück und brüllte Anjuschka nieder. Der dadurch wieder zu Wort gekommene Müller fügte hinzu, daß man die Überzeugung und den Eifer Frols schätzen müsse, da man doch wisse, wie tief der Glaube an den Marxismus in ihm verwurzelt sei.

»Der alte Lubitschin war Metallarbeiter«, erzählte der Müller, »und wurde nach einem Streik im Jahre 1910 oder 1911 nach Sibirien deportiert. Frols Mutter blieb mit den fünf Kindern in zwei kleinen Zimmern zurück, die durch einen Vorhang voneinander getrennt waren. Sie hatten nichts zu essen und von keiner Seite auch nur die geringste Hilfe. So tat sie denn, was alle Frauen tun, die am Ende sind, sich ihrer Kinder wegen aber nicht umbringen wollen: Sie ging auf die Straße. Die Männer, die sie mit heraufbrachte, empfing sie in dem einen Raum, während die Kinder hinter dem Vorhang auf der anderen Seite schliefen. Gab sie dem kleinen Frol einen Rubel, damit er etwas zu essen kaufe, so wußte der Kleine ganz genau, daß dieses Geld von dem Betrunkenen stammte, der eine Stunde bei seiner Mutter verbracht und zu allem Überfluß noch den Teppich vollgekotzt hatte. Von da her, aus diesem Leben nach der Deportation seines Vaters, hat Frol seine revolutionäre Überzeugung. Alles andere, alles, was man etwa dagegen sagen könnte, hat demgegenüber nur geringe Bedeutung: Daß ein Traktor mehr wert ist als zwanzig Kühe oder umgekehrt.«

Agafon fragte sich, woher der Müller diese Einzelheiten über Lubitschins Jugend wußte, die ihm, Agafon, unbekannt gewesen waren. Er holte seinen ledernen Tabaksbeutel aus der Tasche, hielt ihn dem Müller hin, und beide rollten sich Zigaretten. War es möglich, daß der alte Müller sich das alles ausgedacht hatte, mit allen Einzelheiten? Man wußte ja von der üppigen Phantasie dieses ruhmreichen Kämpfers von Mukden und Tannenberg. Aber warum sollte er das getan haben? Welchen Grund konnte er haben, für Frol zu sprechen? Die hundertprozentige Kollektivierung und die Errichtung einer Kolchose konnten für den Müller nicht vorteilhafter sein als für Agafon.

Man kennt doch nie die wahren Gründe, sagte sich Agafon, wenn es sich um Menschen handelt; darum lobe ich mir meine Ochsen, meine Pferde und den Hund. Bei ihnen wenigstens steht man solchen Problemen nicht gegenüber.

Diese komplizierten Überlegungen schufen dem schlichten Verstand Agafons beträchtliche Schwierigkeiten, und sein Kopf begann zu schmerzen. Dazu kam noch der Gedanke, daß er schon in wenigen Tagen für die Enteignung Saschas stimmen müsse; das war eine Gewißheit, die ihm geradezu Übelkeit bereitete.

Kristiaschka hockte am Ende des Tisches und hatte Mühe, die Augen offenzuhalten; alle hatten sie vergessen, und obwohl sie sich vor Schläfrigkeit kaum auf den Beinen halten konnte, tappte sie auf ihren Vater zu und fragte ihn, ob es wahr sei, daß der Mann mit dem Orden ihn nächste Woche nach Sibirien schicken werde?

Agafon zuckte die Achseln, geriet dann aber doch in Zorn und erklärte mit dröhnender Stimme, daß solche Vorstellungen ausgesprochener Blödsinn seien: Der Genosse Lubitschin sei seit vielen Jahren sein Freund, einer seiner besten Freunde... und es sind ja nicht gerade die besten Freunde, die einen ins Straflager schicken.

Indessen hatte das Ende dieses Satzes nicht dieselbe überzeugende Lautstärke wie der Beginn des Gepolters. Das kam daher, daß der alte Müller den Agafon immerzu angesehen hatte, während dieser von seiner Freundschaft zu Lubitschin gesprochen hatte; und Agafon hatte im Blick des Müllers eben den Gedanken gelesen, der auch ihm selbst während des Sprechens gekommen war: die Überzeugung, daß Frol auch nicht eine Sekunde zögern würde, Agafon in ein Straflager zu schicken, wenn seine Stellung als Sekretär des Ortssowjets solch eine Maßnahme von ihm verlangen sollte.

Agafon zog wütend an seiner Zigarre, blies dem Mädchen den Rauch in die Nase und sagte drohend:

»Das würde dir wohl Spaß machen, du kleine Schlange, wenn man deinen alten Vater nach Sibirien schickt; vorläufig aber bin ich noch da, und darum marsch, ins Bett!«

Kristiaschka verschwand sogleich und gesellte sich zu den zwei Kühen, ihren friedlichen Schlafgefährten. Als sie dann aber in ihrem Trog lag, kamen ihr die Tränen, und das Schluchzen schüttelte sie.

Inzwischen hatte Agafon in der Stube zwei große Gläser aus dem Schrank genommen und sie mit Kwaß gefüllt; eines für den Müller, eines für den Hausherrn. In diesem Augenblick begann Mascha leise zu weinen. Agafon glaubte, dies hänge noch mit dem unsinnigen Gerede von einer Verschickung nach Sibirien zusammen, und wurde zornig. Aber Mascha erwiderte, das sei es gar nicht, sie habe nur eben wieder an ihr kleines Enkelkind denken müssen, das nun tief in der kalten Erde ruhe und an das den ganzen Abend über niemand gedacht habe.

Nun sahen alle Ljuba an, das Mädchen, das sich so schuldig gemacht hatte; sie konnte trotz ihrer gewohnten Frechheit so vielen Blicken nicht standhalten und brach ebenfalls in Tränen aus. Agafon erklärte, ihm sei nichts so zuwider wie eine heulende Magdalena, und er schlug dem Müller vor, ihn nach Hause zu begleiten. Sie stiegen tatsächlich in das kleine Wägelchen des Müllers, vor das ein schon recht klappriger Gaul gespannt war, und fuhren ab; das Pferd keuchte bei jedem Schritt, als ob es seine Lungen ausspeien wolle, und als es schließlich vor der Mühle hielt, waren Agafon und der Müller schon fest entschlummert.

Während ihr Vater auf dem alten gebrechlichen Diwan unter der Verleihungsurkunde mit dem Sankt-Georg-Kreuz schnarchte, stellte sich Kristiaschka, noch immer schluchzend, vor, wie ihr Vater im fernen Sibirien die Erde aufhackte. Nie zuvor hatte sie sich so unglücklich gefühlt. Ja, wenn man von der Beziehung zu ihrem Vater ausging, mußte man sagen: Sie war ein sehr unglückliches Kind.

II

Hätte es an diesem Tag nicht geregnet, so wäre nichts passiert, zumindest nicht das, was dann schließlich passierte. Ein verdammter Gewitterregen war es; man konnte sich denken, daß so etwas kommen würde nach dem warmen Morgen und der Elektrizität in der Luft, die an den Nerven zerrte, so daß man keine Türklinke berühren konnte, ohne einen elektrischen Schlag abzubekommen. Außerdem mußte man dabei immerzu an den Elektrischen Stuhl denken und an den Kerl, der sagt: »Der Tod ist eingetreten«, wenn hinter dem Gitter dieser gewisse Rauch hervorkommt, die komische Flamme des Heiligen Geistes heutzutage.

Buddy allerdings dachte an nichts von alledem. Das Gewitter war ihm egal, denn als es losbrach, stand er gerade an einem Subway-Schacht und verkaufte Zeitungen, und als er wieder ans Tageslicht kam, hatte es aufgehört zu regnen. Der Packen Zeitungen unter seinem Arm war noch beträchtlich. Kein Wunder: An diesem Tag war in der ganzen Zeitung nicht viel Interessantes gestanden. Nur, daß Roosevelt den 6. April zum Feiertag der Armee bestimmt hatte, und auch darum kümmerte sich niemand, denn was ging einen schon die Armee an! So mußte er eben noch eine Stunde drangeben und versuchen, die Zeitungen auf der Straße loszuwerden.

Um es ehrlich zu sagen: Er fühlte sich sauwohl im Freien. Der Himmel war ganz hoch und tiefblau, und ein Kranz aprikosenfarbener Wolken verdeckte den Horizont. Der Ostwind trug den klagenden Sirenenlaut der Schlepper vom Fluß bis in die Stadt herein. Die Fassaden der Häuser waren schon dunkel; der Asphalt spiegelte die Neonlichter, und es sah aus, als habe jemand ganze Fluten von Honig, von grünem Pfefferminz-Soda und Pflaumengelee auf die Straße geschüttet, hierhin und dorthin und immer wieder, denn die Lichterreklamen setzten in regelmäßigen Abständen aus und blinkten wieder auf, als wollten sie Buddy zublinzeln.

Er zog die Luft tief in die Lungen und fühlte sich so richtig wohl in seiner Haut, wenn sie auch schwarz war. Man konnte sich doch nicht immerzu sagen, daß es ärgerlich sei, eine Haut von dieser Farbe mit sich herumzutragen. Bisweilen machte es ihm gar nichts aus, ein Neger zu sein; er fühlte sich wohl dabei, zu wohl. Er hätte auf der Hut sein sollen, denn solche Stimmungen besagten oft nichts Gutes. Und plötzlich – es konnte ja nicht ausbleiben –, plötzlich empfand er jenen ihm schon vertrauten Schmerz im Nacken; es war, als sauge ein Vampir ihm das Gehirn aus dem Kopf. Er fuhr sich mit der Hand über das Genick; da war kein Vampir, es gab ja auch nie einen, oder war dieser so schnell, daß er schon wieder verschwunden war, wenn Buddy noch unsicher und mit leerem Kopf dahintappte?

Er hatte in einem Abenteuerheftchen vor langer Zeit die Geschichte eines Mannes kennengelernt, der in Afrika nach dem Smaragd-Berg gesucht hatte; dieser Berg lag irgendwo im Urwald, und eine seltsame Rasse kahlköpfiger Riesen verwehrte jedermann den Zutritt. Sie hatten an Stelle von Polizeihunden dressierte Fledermäuse in ihren Diensten, und als der Forscher in die Nähe des Smaragd-Berges kam, schickten ihm die Riesen die größten Fledermäuse entgegen, die dem kühnen Mann im Schlaf das Blut aus den Adern gesogen hatten. Danach hatten sie nichts anderes zu tun gehabt, als den Leichnam auf den Friedhof zu bringen, wo schon ein Dutzend ähnlicher Skelette an der Sonne bleichte, Skelette von Männern, die gehofft hatten, den Smaragd-Berg erobern zu können, um sich dann eine prächtige Villa mit Schwimmbad, ein Dutzend Dienstboten, einen schnellen Sportwagen und einen ganzen Harem leisten zu können.

Buddy war nicht ganz sicher, wann er zum erstenmal seinen Vampir im Nacken gespürt hatte: War es, bevor er diese Geschichte las, oder hatte sich dieses seltsame Gefühl erst seither eingestellt? Nun, das änderte ja nichts an der Sache selbst. Fest stand, daß er jedesmal, wenn der Vampir sich in seinem Nacken festsog, den Eindruck hatte, daß er sterben müsse; griff er dann mit der Hand an den Hinterkopf, so war er beinahe erstaunt, noch am Leben zu sein. Selbstverständlich fand sich diese Bildergeschichte in einem Blatt, das in erster Linie von Negern gelesen wurde; in einer Zeitung der Weißen wäre es unmöglich gewesen, eine Geschichte zu bringen, in der schwarze Riesen durch ihre Vampire einem Weißen das Blut aussaugen.

Wieder einmal war Buddy also erstaunt, daß er noch lebte. Er stand am Rand des Gehsteigs und sagte sich, daß es gut sei, Leben in sich zu fühlen. Wie scheußlich dieser Vampir doch war. Wo mochte er seinen Bau haben? Vielleicht auf der schnullerförmigen Spitze des Chrysler-Buildings oder auf einer jener aprikosenfarbenen Wolken? Wie klein mußte so ein dunkler Vampir inmitten der großen Wolke sein!

Am Rand des Trottoirs stand eine große Lache schwarzen Wassers. Es war schon mehr als eine Lache, beinahe ein Teich. Die Verkehrsampel wechselte von Rot auf Grün. Ein großer schwarzer Wagen mit glitzernden Chromteilen sauste am Straßenrand heran; es war einer jener Wagen, wie sie Aufsichtsratspräsidenten fuhren, Leute wie Henry Luce oder Robert A. Taft oder die Mitglieder jener *Skull and Bones Association*, deren Geschichte Buddy in der Zeitung gelesen hatte.

Vollauf damit beschäftigt, das wiedergewonnene Leben zu genießen, hatte Buddy weder auf den weiß livrierten Chauffeur noch auf den schwarzen Wagen geachtet, der ihn beinahe streifte und von den Knöcheln bis zu den Hüften mit schmutzigem Wasser bespritzte. Da Buddy der Straße den Rücken gewandt hatte, waren auch alle Zeitungen naß und schmutzig geworden: Er brauchte sich gar nicht mehr zu bemühen, sie zu verkaufen, er konnte das ganze Paket fortwerfen.

Buddy schüttelte sich wie ein Hund, den man ins Wasser geworfen hat. Daß die Blue-Jeans schmutzig geworden waren, hatte nichts zu sagen, aber die vier oder fünf Dutzend Zeitungen, die nahm ihm nun niemand mehr ab. Da konnte auch das Syndikat der Zeitungsausträger nicht helfen: Er mußte sie aus seiner Tasche bezahlen, und man würde ihm zu Hause gehörig den Kopf waschen. Seine Alte verstand sich nur zu gut darauf, im Geist hörte er sie schon: Nichtsnutz, Galgenvogel, Faulpelz und andere Nettigkeiten würde er zu hören bekommen, denn sie war gewohnt, ihm jeden Abend den Verdienst abzunehmen und nur so viel zu lassen, daß er eben einmal ins Kino gehen oder sich ein Coca-Cola leisten konnte. Er hatte es schon lange aufgegeben, mit ihr zu streiten; sie begriff nun einmal nicht, daß Buddy nichts anderes wollte, als mit ihr im guten leben und sie gern haben. Aber was soll man machen, wenn eine Mutter das nicht einsieht?

Einen Augenblick lang überlegte Buddy. Das Wasser rann ihm den Rücken hinunter und wurde an den Schenkeln von der Hose aufgesaugt. Er zuckte die Achseln, schob den Mützenschirm aus der Stirn und machte sich auf den Weg nach Brooklyn; es war ein langer Weg, aber es machte ihm nichts aus, zu gehen.

Er kam in Straßen, in denen es keine Neonlichter mehr gab und keine großen, eleganten Wagen, wie sie die Direktoren von *Skull and Bones* fahren. An der ersten Bretterwand, die einen Bauplatz gegen die Straße zu abschloß, schnellte er das Paket schmutziger Zeitungen in die Luft. Er hörte es jenseits der Planke dumpf aufklatschen und fühlte sich im gleichen Augenblick so ungemein erleichtert, als habe er seine ganze Vergangenheit über die Latten geworfen. Nun stand es fest: Er würde nie mehr zu seiner Mutter zurückkehren. Wie leicht das war, ein einfacher Entschluß! Es wurde ihm nun klar, daß er mindestens schon zwanzigmal den Wunsch gehabt hatte, seiner Mutter davonzulaufen, aber er hatte es noch nie gewagt, sich das so deutlich einzugestehen, denn es war doch eine große Sache. Und nun war es soweit. Er sagte sich, daß er ausgesprochenes Schwein gehabt hätte: Wäre nicht eben in diesem Augenblick der große Wagen an dem Fleck vorbeigekommen, wo er stand, wäre nicht gerade dort eine große Pfütze gewesen – vielleicht hätte er diesen Entschluß noch immer nicht gefaßt. Er brauchte stets so ein Ding, so einen Anstoß von außen her, wenn er zu einem Entschluß kommen sollte. Was hätte er denn getan, später einmal, wenn er ein Mann war? Konnte er da immer noch eine Mutter mit sich herumschleppen, die ihn als Nichtstuer und Lausekerl behandelte, ihn jeden Morgen aufweckte, wenn er gerne noch geschlafen hätte – wo er doch nichts konnte für diese Schlafsucht; er hätte am liebsten zwanzig Stunden durchgeschlafen! Aber das war noch nicht alles, und auch das Geschimpfe am frühen Morgen war noch nicht das Schlimmste. Sie kam immer in einem weit offenstehenden Nachthemd, und wenn sie sich zu ihm niederbeugte, dann sah er ihre Brust, ihre Schenkel und noch allerlei, und dann schämte er sich, da er all dies sah, vor allem, weil seine Alte trotz ihrer dreiunddreißig Jahre noch so gut beisammen war, als wäre sie erst zwanzig. Sie hätte doch verstehen können, daß er keinen Grund hatte, so früh aufzustehen wie sie; sie arbeitete in der Frühschicht einer Zuckerwarenfabrik, sie war Aufseherin in der Verpackungsabteilung und verdiente immerhin so viel, daß sie auf die paar Dollars eines armen Zeitungsverkäufers nicht angewiesen war.

Mittlerweile war es ganz dunkel geworden. Er hörte allerlei Geräusche. Da war ein Ehepaar hinter einem erleuchteten Fenster am Streiten; sie kümmerten sich nicht darum, daß man ihnen zusehen konnte. Ein schwerer Mann rutschte auf dem Hintern eine Stiege herunter; er mußte besoffen sein und fluchte laut vor sich hin. Dann zerschellte auf dem Pflaster eine Flasche, die irgend jemand aus dem Fenster geworfen hatte.

Buddy tastete nach den Münzen in seiner Tasche: drei Dollar und etwas Kleingeld; damit konnte er es zwei oder drei Tage lang schaffen. In drei Tagen konnte viel geschehen...

Er betrat ein Kino. Es war schäbig, und der Vorraum roch, als habe man hier einen Hund gewaschen. Der Film hieß *Wenn ich eine Million hätte*. Buddy hatte ihn schon gesehen, aber er sah ihn sich gerne noch einmal an, denn da kam ein Kerl drin vor, der war schwerreich und verteilte seine Millionen, bevor er abkratzte, auf gut Glück an ein paar Unbekannte. Das ließ Buddy sich gefallen: Wenn alle Reichen es so machen wollten, würde die Welt anders aussehen. Aber die meisten wissen nichts anderes zu tun, als mit großen Autos durch die Stadt zu fahren und andere Leute anzuspritzen.

Vor allem aber spielte George Raft in diesem Film mit, und Buddy liebte George Raft, denn das war der einzige von allen Darstellern harter Burschen, der ihm wirklich gefiel; bei aller Brutalität spürte man bei George Raft doch immer, daß er ein Mann mit Herz war, und damit hatte er bei Buddy schon gewonnen. Buddy liebte nämlich die Bullen absolut nicht, aber die eiskalten Gangstertypen, die knochenharten Visagen, die konnte er noch weniger ausstehen. Denn ihm war so hin und wieder der Gedanke gekommen, daß es eigentlich schade sei, daß nicht alle Menschen auf der Erde einander liebten. Er hatte in der Zeitung einmal einen Ausspruch von Will Rogers gelesen, das war einer, den er auch mochte: »Ich bin noch nie einem Menschen begegnet, den ich nicht geliebt hätte.«

Buddy fragte sich zwar, wie Will Rogers es angestellt haben mochte, alle Welt zu lieben, die Bullen inbegriffen, aber er bewunderte ihn, weil er das gesagt hatte. Glücklich sah er sich George Raft noch einmal eineinhalb Stunden lang an, George Raft, der so prächtig mit einem Geldstück spielen konnte, es ganz achtlos in die Luft warf und doch immer wieder fing. Er hatte einmal versucht, ihm das nachzumachen: Hopp, die Münze flog hoch, hopp! Buddy griff zu und fing sie im Flug. Aber nach zehn Minuten hatte seine Mutter ihm gesagt, er mache sie seekrank mit diesem Idiotengetue, und er hatte aufgehört. Mutter bemerkte es nie, wenn er mit etwas aufhörte, weil es ihr nicht gefallen hatte.

Nach dem Kino aß er in einer Bude heiße Würstchen und trank einen Kaffee. Der Raum war voll von Menschen. Lauter Typen, die keine Ahnung hatten, daß Buddy nun ein freier Mann war, so frei wie sie, und daß er zu ihnen gehörte. Zwei untersetzte Männer, die miteinander etwas sprachen, was bestimmt nicht amerikanisch, sondern eher polnisch war, warfen ihm einen giftigen Blick zu. Sie konnten einem leid tun! Sie wußten nicht, wer Buddy war und daß er in ihrem Alter sich gewiß nicht mehr hier herumdrücken würde. Die Kellnerin ließ beim Gehen den Hintern tanzen; sie hatte eine mattgelbe Haut, schwarze Haare, die wie mit Gummi angeklebt aussahen, und war wohl aus Portoriko oder von einer anderen Insel, eines jener Antillenmädchen, die überzeugt sind, von Spaniern abzustammen und nur weißes Blut in den Adern zu haben. Man sah ihr an, daß sie die Schwarzen nicht leiden konnte, eben wegen der paar Tropfen Negerblut, ohne die es bei ihr bestimmt nicht abgegangen war; aber sie war schon so verhurt, daß sie selbst vor einem Schwarzen mit dem Gestell wackeln mußte!

So sind sie nun einmal, sagte sich Buddy. Wenn sie wüßte, wie ihn das anwiderte. Er hatte in allem, was die Frauen betraf, keinerlei Vorurteile, er fand auch nicht, daß die Weißen besser seien als die Negerinnen. Aber die Serviererin widerte ihn an mit ihren großen, geschwollenen Händen, deren Nägel sie lackiert hatte.

Buddy liebte es, wenn Frauen gepflegte Hände hatten. Die Hände seiner Mutter waren sehr hübsch, unglaublich schmal, mit langen Fingern und polierten Nägeln ... Allerdings hatte sie auch eine reinliche Beschäftigung und war besser dran als dieses Mädchen. Buddy blickte auf seine Hände nieder; sie waren ebenso schmal wie die seiner Mutter und die Finger ebenso schlank. Darauf war er stolz, obwohl es ein wenig weibisch aussah.

Die Wurst war gut, der Kaffee große Klasse. Was tut ein freier Mann am ersten Tag seiner Freiheit, zum Beispiel einer, der eben aus dem Gefängnis entlassen wurde? Wenn einer aus dem Gefängnis kam, so war immer auch jemand da, der beim Ausgang auf ihn wartete, Buddy kannte das aus den Filmen: Da stand immer ein Mädchen oder die Mutter oder der Rechtsanwalt und zumindest ein alter Onkel. Ein Mann, der aus dem Gefängnis kommt, ist nie allein. Er, Buddy hingegen, war ganz allein. Er hatte wohl zwei oder drei flüchtig bekannte Burschen in der Nachbarschaft, die man aber nicht Freunde nennen konnte. Er hatte wirkliche Freundschaft noch nie kennengelernt, weder mit einem Burschen noch mit einem Mädchen. Alles, was er in sich gefühlt hatte an Freundschaft und an Bereitschaft dazu, das hatte er seiner Mutter geben wollen, nicht an Stelle der Liebe, sondern gleichsam als Draufgabe. Aber da seine Mutter weder mit dem einen noch mit dem anderen etwas anzufangen gewußt hatte, so war auch die Freundschaft in ihm unbeschäftigt und irgendwie sinnlos geblieben, da niemand sie haben wollte.

Die paar Burschen, die er kannte, wollte er nicht wiedersehen; sie gehörten zu seiner Vergangenheit, und die lag mit den dreckigen Zeitungen hinter jener Planke. Einer der beiden Polacken steckte einen Nickel in den Schlitz der Musikbox. Eine Opernarie ertönte, irgend etwas Italienisches, von einer Frau gesungen, vielleicht von Lily Pons. Im allgemeinen mochte Buddy diese Musik, aber in diesem Augenblick erschien sie ihm unerträglich. Er warf sein Geld auf die Theke, die Serviererin gab ihm heraus und verzog dabei den Mund, als würde ihr übel. Buddy lächelte sie trotzdem an und machte sich davon.

Was also tut ein Mann am ersten Tag seiner Freiheit? Und was war, wenn der Vampir wiederkam? Aber der Vampir kam nie zweimal an einem Tag. Er griff abends an, in der Dämmerung, und danach hatte Buddy meist einige Tage Ruhe. Nie noch hatte er Buddy zu Hause überfallen, vielleicht hielt die Gegenwart der Mutter ihn davon ab; wenn das so war, dann hatte eine Mutter ja doch ihr Gutes. Aber jetzt, jetzt kehrte er ja nie mehr nach Hause zurück – vielleicht würde der Vampir nun alles Versäumte nachholen? Wenn man sein Leben ändert, ändert sich eben alles, dagegen war nichts zu machen!

Ein Lastwagen rollte heran; er fuhr langsam, denn die Fahrbahn war glatt. Dem Kennzeichen nach war es ein Wagen aus Pennsylvanien. Das wäre eine Lösung: Sich auf so einen Wagen zu schwingen und am nächsten Morgen in Pittsburg zu sein, oder noch weiter, in Ohio zum Beispiel! Am besten wäre es wohl, sich auf den Verladebahnhof zu schleichen und heimlich in einen Güterwaggon zu klettern. Auf diese Weise käme man bis ans andere Ende der Staaten, weit in den Westen zu George Raft. Er könnte ihn aufsuchen und sein Freund werden.

Aber schnell ließ Buddy den Gedanken wieder fahren. Was suchte er auf dem Lande? Er liebte das Landleben nicht, denn was konnte man auf einem Dorf schon anfangen. Gewiß, Pittsburg war kein Dorf, das stimmte, aber Buddy liebte nun einmal nur eine einzige Stadt: New York, wo er geboren war und wo er immerzu gelebt hatte.

Seine Mutter hielt sich für besonders klug, weil sie schon dreimal umgezogen waren und sie sich einbildete, jedesmal eine Wohnung gefunden zu haben, die besser war als die vorhergehende. Die hatte eine Ahnung! Es waren doch nur drei Flohsprünge gewesen, und sie konnte herumspringen, soviel sie wollte, sie würde niemals im Waldorf Astoria landen – wozu dann also?

Buddy ging und ging. Er war nicht müde. Er hätte so weiter gehen können bis zum Morgen. Er gelangte bis ans Flußufer zwischen die Magazine, wo im Schatten der Bretterbuden ein wenig Gras stehengeblieben war und allerlei Blech und Eisenzeug rostete. Das Wasser klatschte gegen die Böschung, und Buddy sah drei zerlumpte Männer um ein Feuer sitzen, auf das sie eine Konservendose gestellt hatten, in der irgend etwas kochte.

Einer der drei Stromer, der unrasiert war und einen alten Tiroler Hut trug, sagte mit harter Aussprache:

»Hello . . .! Riech einmal . . . Willst du kosten?«

»Ich habe schon gegessen«, sagte Buddy.

»Dann trink einen Schluck!«

Der Bärtige hielt Buddy eine Flasche hin, und dieser nahm sie. Er konnte nicht immerzu nein sagen, das wäre unhöflich gewesen. Er fuhr mit dem Handteller über die Öffnung der Flasche und trank dann einen Schluck. Es war verflucht scharf.

»Gut, nicht wahr?« erkundigte sich der Bärtige. »Ist ja nicht gerade vom Feinsten, aber immerhin vier Jahre in der Flasche gelegen; stammt noch aus dem Alkoholverbot! Du würdest staunen, aus was man damals Schnaps machte. In meiner Jugend trank ich nichts anderes als *Red Label*, der fünfzehn Jahre gelagert hatte. Aber heute muß ich's billiger geben. Dafür kostet der Fusel nichts . . .«

Buddy war es, als habe er Feuer verschluckt. Er war allerdings überhaupt keinen Schnaps gewöhnt; er trank immer nur Fruchtsäfte, Coca-Cola und nur hin und wieder ein Glas Bier. Warum der Alte wohl so freundlich war? Er redete in einem fort, während die anderen kein Wort sagten. Er erzählte, daß man in seiner Heimat, in Deutschland, sehr gut essen konnte. Einer der beiden anderen zuckte bei diesen Worten die Achseln. Dann nahm der Alte den Hut ab und benützte ihn als Blasebalg, um das Feuer anzufachen. Die Lichter der Stadt färbten den Himmel rosa, und das aufflackernde Feuer erhellte das struppige, aber gute Bartgesicht des alten Mannes. Buddy mußte an ein Apostelbild denken und an den Pater Corelli im Jugendheim, den er seit zwei oder drei Jahren nicht mehr gesehen hatte und wohl nie mehr wiedersehen würde.

Buddy hatte nichts gegen Jesus Christus, im Gegenteil! Aber er hatte eines Tages einen Artikel über Gandhi gelesen, und seitdem bevorzugte er Gandhi; denn Gandhi lag nicht so weit zurück, und man mußte schließlich mit der Zeit gehen. Sich mit Jesus Christus zu beschäftigen war ebenso überholt, wie einen Ford von 1930 zu fahren, wo es doch jetzt ganz andere Wagen gab. Immerhin, Pater Corelli war in Ordnung. Man durfte nichts gegen ihn sagen; man lernte auch singen bei ihm, und Buddy war einer seiner besten Gesangsschüler gewesen.

Da er eben an Jesus Christus dachte, fiel ihm ein, daß seine Mutter die Jungfrau Maria vorzog; sie hatte die Verehrung für die Mutter Gottes so weit getrieben, daß die ganze christliche Religion Buddy schließlich überhaupt nicht mehr gefallen hatte: Alles, was seine Mutter dieser Jungfrau Maria an Liebe zuwandte, hatte sie zuvor ihm, Buddy, weggenommen. Welchen Sinn hatte es denn, die Gottesmutter zu lieben, wenn man sich an ihr kein Beispiel nahm, wenn man nicht selbst versuchte, eine liebende Mutter zu werden? Mit dem Pater Corelli war es ganz ähnlich gewesen; er hatte Buddy ein wenig Gitarrenspiel beigebracht, aber Buddys Mutter hatte erklärt, sein Spiel gehe ihr auf die Nerven und zersprenge ihr den Kopf – das sagte sie, obwohl sie das Radio den ganzen Tag mit größter Lautstärke laufen ließ! Das war schlimm gewesen; er hatte seiner Mutter zuliebe auch auf die Gitarre verzichtet. Hätte er weiter geübt, so könnte er jetzt damit auftreten... Aber vielleicht hatte auch das keine Bedeutung, denn Buddy wußte, daß er nicht Courage genug hätte, um sich auf einer Bühne zu produzieren und womöglich gar zu der eigenen Begleitung zu singen.

Der Stromer mit dem Apostelgesicht hob nun die Konservendose vom Feuer. Es roch gut, nach Erbsen und Speck. Er zog einen Löffel aus der Tasche und legte seinen Gefährten vor, die kleinere Konservendosen als Teller benützten. Buddy mußte daran denken, daß seine Alte jetzt mit dem Essen fertig war und zweifellos leise vor sich hin schimpfte, weil er sich noch irgendwo herumtrieb. Was würde sie übrigens tun, wenn sie erst einmal eingesehen hatte, daß er gar nicht daran dachte, zurückzukommen? Würde sie zur Polizei rennen und Verlustanzeige erstatten? Der Polizei war es doch völlig egal, wenn ein Schwarzer verschwand; in New York verschwanden täglich Dutzende von Menschen, Schwarze und Weiße, ohne daß sich darum im Leben der Stadt auch nur das geringste änderte. Was sollte es auch ändern, gab es doch zehn oder zwölf Millionen New-Yorker?

Ob seine Mutter traurig sein würde? Vermutlich; sie würde sich bei den Nachbarn ausheulen, um zu zeigen, daß es ihr ernst sei mit ihrem Kummer, aber das machte nur denen etwas aus, die dabei zusehen mußten. Buddy dachte dann an den Kühlschrank zu Hause, in dem sich immer etwas zu essen fand, und entdeckte, daß er noch Hunger hatte, trotz der heißen Wurst: Das kam von dem anregenden Geruch der Erbsen mit Speck. Darum nickte er nun, als der Alte ihm seinen Löffel und die Konservendose reichte, und begann zu essen. Es war ausgezeichnet, und Buddy dachte, daß er wieder einmal Schwein gehabt habe: Zweifellos war er auf diese drei Stromer in einem glücklichen Augenblick ihres Daseins gestoßen.

»Iß, mein Sohn«, sagte der Bärtige, »du weißt nicht, wann es wieder etwas Warmes gibt. Und geh niemals in die Südstaaten. Glaube mir, ich kenne sie. Ich habe damals zugesehen, wie man einen Neger gelyncht hat. Es war 1924 oder 25, genau weiß ich's nicht mehr; danach haben sie ihn gehenkt und den Leichnam verbrannt. Das roch nicht so gut wie Erbsen mit Speck. Dabei war es gar nicht sicher, daß er die Weiße vergewaltigt hatte; danach fragen sie im Süden nicht, die Absicht allein genügt schon. Ja, selbst wenn du mit deiner schwarzen Haut nur davon träumst, mit einem weißen Mädchen zu schlafen, mit einem Mädchen, das will, denn es gibt ja viele Weiße, die es gern mit den Schwarzen treiben – selbst wenn du so etwas träumst, so erzähle es niemandem in den Südstaaten, man würde dich wegen eines Traumes lynchen. Ich kann dir sagen, mein Sohn, gib acht auf dein Gesicht und gib acht auf deine Träume, du bist im gefährlichen Alter. Vierundzwanzig-fünfundzwanzig, das war die gute Zeit. Ich hatte damals ein Auto, eine Frau und zwei Kinder. Und dann kam der große Krach; du bist zu jung, um zu wissen, wie das war, aber ich kann dir sagen, es gab große Geschäftsleute, die mit einem Schlag völlig ruiniert waren und aus dem Fenster sprangen, weil sie nicht weiter so leben wollten wie ich. Ich hatte ein Transportunternehmen und Lastautos, aber mit einemmal hatte ich nur noch Schulden und konnte nicht einmal meinen Wagenpark loswerden, denn niemand wollte etwas kaufen. Ich bin dann doch nicht aus dem Fenster gesprungen, ich bin am Leben geblieben und langsam immer tiefer gerutscht, bis es so wurde, wie du es jetzt siehst. Meine Frau hat sich längst von mir scheiden lassen und sich inzwischen sehr günstig wieder verheiratet; im übrigen aber weiß ich nicht, was aus ihr geworden ist, und von meinen beiden Söhnen weiß ich ebensowenig... An die Depression von 1929 wird man noch lange denken. Wäre mein Großvater nicht im Krieg von 1870 gefallen, nun, dann wäre meine Großmutter wohl auch nicht zu ihrem Schwager nach Amerika gegangen, einem Delikatessenhändler in Chikago... Und dann wäre auch ich heute nicht hier. Du siehst, man kann nichts dagegen tun, das ist eben das Schicksal; die Alten verlassen das schäbige Europa, um in den USA etwas zu werden, und die Enkel werden dann Vagabunden... he, du läßt mir ja nichts übrig, Nigger!«

Buddy gab sogleich seinen Löffel zurück, und der Alte machte sich daran, weiterzuessen.

»Es hat keinen Sinn zu jammern«, sagte er dabei mit vollem Mund. »Es könnte ja noch schlimmer sein. Rockefeller zum Beispiel könnte an unserem Mahl nicht teilnehmen, denn er hat ein Magengeschwür und muß fasten, das alte Krokodil; jahrein, jahraus fastet er nun, nimmt nichts zu sich als Mineralwasser und feine Biskuits, wie man sie den Kanarienvögeln gibt. Was bleibt denn dann von den Millionen, wenn man so krank ist? Da bin ich schon lieber gesund und ein armer Teufel ... Du verstehst mich doch?«

Der Bärtige lachte dröhnend und hielt mit beredter Gebärde Buddy seinen Löffel unter die Nase. Auf dem Fluß glitt ein hellbeleuchtetes Fährschiff vorbei.

»Sieh mich an«, fuhr der Alte fort, »als ich noch Geld hatte, leistete ich mir Ferienreisen mit Hilda, das war meine Frau, und Charlie und Willy, meinen Söhnen. Einmal waren wir auf den Bahamas, die kennst du nicht, die Hauptstadt heißt Nassau; wir haben in einem piekfeinen Hotel gewohnt, und damals, erinnere ich mich, habe ich auch mit Negern zu tun gehabt. Es war so 1920 oder 1921. Dazu muß ich dir sagen, daß es in diesem Nassau zwanzigmal soviel Farbige wie Weiße gibt und daß die einen die anderen nicht ausstehen können. Hilda hatte sich einen Zahn ausgebissen an einem Hühnerknochen, glatt ab bis auf die Wurzel, es war einer der beiden Milchzähne, die sie seltsamerweise noch hatte, trotz der beiden Kinder. Nun, ich renne zum Direktor, und er sagt uns, es gäbe einen sehr guten Zahnarzt in Nassau. Er ruft ein Taxi, ich setze Hilda hinein und bleibe bei den Buben. Nach drei Stunden wird mir mulmig; ich sage mir, daß der Zahnarzt doch nicht eines Zahnes wegen den ganzen Kiefer reparieren muß, aber da kommt sie auch schon zurück mit ganz verheultem Gesicht. Ich bilde mir ein, das ist wegen der Schmerzen, aber da sagt sie mir auf einmal mit einem ganz komischen Blick, daß sie keine Stunde länger auf dieser verdammten Insel bleiben will. Und dann erzählt sie mir, was ihr passiert ist. Der Zahnarzt war ein Weißer mit Diplom und so weiter, einem schönen Haus und einer prima Einrichtung. Aber als Hilda hinkam, lag er auf dem Diwan, war stockbesoffen und schnarchte. Dabei hatte man uns gesagt, das sei der einzige Zahnarzt von Nassau. Das Dienstmädchen des Arztes war so schwarz wie du, schwarz wie ein verfaulter Fisch, aber eine gute Haut, und sagte meiner Frau von einem zweiten Zahnarzt, einem Neger, der sein Handwerk ebenso gut verstehe wie der Weiße. Hilda hatte keine Wahl und stimmte zu. Ein zweites Taxi wurde gerufen, dessen Lenker natürlich auch ein Neger war, und auf einmal war Hilda mitten im Negerviertel, in das nie ein Weißer seinen Fuß setzt. Der Zahnarzt bewohnte ein schmutzstarrendes Haus in einem Gewirr ähnlicher Hütten, aber der Behandlungsraum selbst war blitzsauber, und es gab alle Maschinen wie bei einem Weißen. Der Negerdoktor war natürlich starr vor Staunen: Hilda war seine erste weiße Patientin. Er war ein langer Kerl, mindestens 1,90 Meter groß und sehr höflich. Nun, er bezwingt sich, er sagt: ›Bitte nehmen Sie Platz, Madame‹, und Hilda erklärt ihm, was ihr passiert ist. Der Kerl sieht sie an und macht sich an die Arbeit mit seinen riesigen schwarzen Händen, die innen rosa sind. Er ist geschickt, aber so ein Stiftzahn braucht Zeit. Hilda beginnt zu schwitzen, denn es ist furchtbar schwül in der Bude, und sie ist es schließlich nicht gewöhnt, daß ein riesiger Neger in ihrem Mund herumfingert. Er hält sich brav, kommt ihr nur so nahe, wie er muß, aber schließlich wird es ihr doch unerträglich, immer in dieses schwarze Gesicht zu sehen, seinen Mund, seine Nasenlöcher und seinen Blick in ihren Mund. Gewiß, er ist glatt rasiert, trägt einen weißen Mantel, aber er ist nun einmal ein Neger. Er merkt, was mit Hilda los ist, und beginnt sich zu entschuldigen: ›Ich sehe, Madame, daß ich Ihnen Angst mache; Sie brauchen keine Angst zu haben, es wird Ihnen nichts zustoßen.‹ Dann lacht er, verzieht den Mund von einem Ohr zum andern und sagt: ›Dabei könnte ich mich völlig unbesorgt mit Ihnen vergnügen, Madame, ich bin viel kräftiger als Sie, und hier, mitten im Negerviertel, könnten Sie schreien, soviel Sie wollten, es käme Ihnen niemand zu Hilfe...!‹ Dieser Hurensohn«, fuhr der Bärtige fort, »hatte noch seinen Spaß an Hildas Angst. Sie war einer Ohnmacht nahe. Man muß sich in ihre Lage versetzen, sie wußte, daß es ringsum von Negern wimmelte, die alle über sie hergefallen wären, wenn der Zahnarzt den Anfang gemacht hätte. Mit ihren blonden Haaren und ihrer milchweißen Haut war sie ja geradezu ein Leckerbissen für die Schwarzen. Trotz dieser Reden hat der Kerl aber sehr gut gearbeitet und alles auf einmal fertiggemacht. Er hätte sie ja auch auffordern können, noch einmal zu kommen. Nein, er hat alles prima gemacht, und sie hatte den falschen Zahn, den der Neger ihr eingesetzt hatte, solange sie mit mir zusammen lebte. Aber das Schönste kommt noch: Wie er fertig ist und sie ihn fragt, was sie ihm schuldig sei, antwortet er lächelnd und sehr höflich: ›Sie schulden mir gar nichts, Madame. Sie sind in den fünfzehn Jahren, die ich nun hier in Nassau praktiziere, meine erste blonde Patientin. Darum ist die Behandlung kostenlos.‹ Das hat sie natürlich furchtbar geärgert; sie erkannte sogleich, daß der Kerl ihr eine Lektion erteilen wollte, dafür, daß sie sich vor ihm gefürchtet hatte. Er wollte ihr zeigen, daß ein Neger unter Umständen viel netter sein könne als ein Weißer. Hilda schäumte; sie hatte es nie gemocht, daß ihr jemand gute Lehren gibt. Sie bestand darauf, die Rechnung zu bezahlen, aber der

Neger ließ nicht mit sich reden. So mußte sie sich also bei ihm bedanken und dann in das Taxi steigen, das er noch während der Behandlung herantelefoniert hatte. Immerhin galant von dem Kerl. Darum hat Hilda dann nicht mehr in Nassau bleiben wollen; wir sind auf das Schiff gegangen und haben unsere Kabinen schon zwei Tage vor dem Auslaufen bezogen, sosehr die Kinder auch lamentierten. Von New York aus habe ich dem schwarzen Zahnarzt ein goldenes Feuerzeug geschickt, um ihm zu zeigen, daß auch wir Weißen Lebensart besäßen; ich hatte aber meine Adresse absichtlich nicht angegeben und habe dadurch nichts mehr von ihm gehört. Wir sind auch seither nicht mehr nach Nassau gekommen; ich habe, solange Geld dafür da war, dann immer den Norden vorgezogen, Kanada und die Seen, denn ich mache mir nichts aus Palmen und Korallen. Ja, ich glaube, selbst als Millionär in Nassau würde ich mich mehr langweilen als in meinem Stromerdasein hier in Brooklyn. Nun, was sagst du zu der Geschichte ...?«

»O. K.«, sagte Buddy, »blöd war der nicht, dieser Zahnarzt; wenn Ihre Frau sich nichts hätte anmerken lassen ... wenn sie ihn nicht als Neger behandelt hätte, dann wäre alles ganz glatt gegangen.«

»Anmerken lassen ... als Neger behandeln!« rief der Bärtige. »Was soll denn das alles heißen? Wenn du ein Weißer bist, kannst du nicht anders. Du siehst einen Neger und denkst dir, das ist ein Neger. Und der Neger sieht einen Weißen und sagt sich: Der Weiße denkt jetzt sicherlich: So ein schmutziger Nigger! Kann man da noch sagen, wer mit der Geschichte angefangen hat? Es ist doch ganz sinnlos, wenn ein Neger denkt: Dieser Weiße behandelt mich wie einen Weißen, weil er nichts gegen die Neger hat. Es bleibt doch immer etwas anderes, ob man jemand als Weißen behandelt oder wie einen Weißen, und wie immer du dich anstellst und wie sich auch alle anderen anstellen: Ein Neger, der einem Weißen gegenübersteht, kann nicht vergessen, daß er ein Neger ist. Warum also soll es der Weiße vergessen? Selbst wenn du träumst, Kleiner, wenn du dich im Traum siehst, so siehst du dich doch als Neger.«

»Das ist nicht wahr«, widersprach Buddy, »wenn ich träume, so weiß ich nicht, welche Hautfarbe ich habe.«

»Tatsächlich? Und wenn du im Traum deine Hände siehst ... sehen sie dann so aus wie meine?«

Daran hatte Buddy noch nie gedacht; er wußte nicht, welche Farbe seine Hände hatten, wenn er von ihnen träumte, ja, er konnte sich gar nicht daran erinnern, jemals seine Hände gesehen zu haben.

»Du kannst sagen, was du willst«, fuhr der Bärtige fort, »der Mann, der das Waschmittel entdeckt, mit dem man die Neger weiß machen kann, der ist noch nicht geboren.«

»Wenn's aber einer erfindet, dann wird er steinreich«, brummte einer der beiden anderen Männer, die bis dahin den Mund noch nicht aufgemacht hatten. Buddy wandte sich ihm zu. Es war ein Mann mittleren Alters mit dicken Lidern, schmalen Lippen und einem verschlossenen Gesicht. Er griff nach der Flasche mit dem Fusel und goß einen Schluck hinunter. Es mußte der Alkohol sein, der ihm die Hängebacken und die geschwollenen Lider gemacht hatte. Nun begann auch der dritte zu reden:

»Schwarze weiß waschen ist doch ein Unsinn«, sagte er, »selbst wenn sie weiß sind, sehen sie noch anders aus. Und die Gesichter kann man nicht so schnell verändern. Schau dir die Juden an, die sind weiß wie wir, und doch kann sie keiner riechen.«

Dieser dritte war groß und kräftig und erinnerte im Typ an Wallace Beery. Er nahm dem andern die Flasche aus der Hand, trank und rülpste.

»Warum soll man die Juden nicht riechen können«, sagte der zweite, »ich für meine Person habe nichts gegen sie.«

»Na, dann frage doch einmal Gene, wie es in dem Land steht, aus dem seine Großmutter gekommen ist. Dort scheint ja allerlei los zu sein mit den Juden, nach allem, was dieser Hitler mit ihnen treibt.«

»Hitler ist eine Bestie und obendrein halb verrückt«, sagte Gene, der Bärtige. »Ich bin Demokrat und pfeife auf Hitler, aber soviel ist richtig: Mir ist ein Neger lieber als ein Jude.«

»Was haben Ihnen denn die Juden getan?« erkundigte sich Buddy.

»Das verstehst du noch nicht, das ist ganz verzwickt. Die Juden beherrschen die ganze Wall Street, und sie haben auch den Krach von 1929 auf dem Gewissen, und wenn ich heute ein Stromer bin, so verdanke ich das nicht den Negern, sondern den Juden, die mich hereingelegt haben.«

Darauf konnte Buddy nichts erwidern. In Geldsachen war er nicht beschlagen. Er sagte sich natürlich, daß das nicht gut stimmen könne: Warum sollten gerade die Juden an einer so großen Krise schuld sein? Und es ärgerte ihn, daß er Gene nicht widersprechen konnte, denn nichts machte ihn so wütend, wie wenn er bei irgend jemandem ein Rassenvorurteil feststellte.

47

»Ich will dir was sagen«, fuhr Gene fort, »es gibt sogar Neger, die etwas gegen die Juden haben ...«

»Es scheint sogar Neger zu geben, die Juden sind«, warf der zweite Stromer ein. »Das muß nicht sehr angenehm sein.«

Gene lachte.

»Wo hast du denn das her?« fragte er.

»Weiß ich nicht mehr ... Muß es irgendwo gelesen haben.«

»Wenn das stimmt, dann sind das die ärmsten Teufel: Pogrome und Lynchjustiz zugleich, kein schönes Leben!«

»Wenn ihr mich fragt«, ließ der dritte sich vernehmen, »ich kann die Juden nicht leiden, aber ich habe einen gekannt, der war hochprima: Das war mein Verteidiger. Ich habe euch schon von ihm erzählt. Ihr hättet sehen sollen, wie der aufgetreten ist, wie der dem Staatsanwalt in die Fresse fuhr, als dieser mich einen schmutzigen Kommunisten nannte. Prima, sage ich euch. Er hat vor Gericht angeführt, ich sei in den Argonnen verwundet worden, dabei war es nur ein Autounfall, weil unser Fahrer besoffen war, und die Deutschen waren kilometerweit weg. Nun, man hat nicht weiter nachgeforscht, ich wurde als Veteran behandelt, der sich mit Ruhm bedeckt hat, und das hat sich dann auch entsprechend ausgewirkt. Das hättet ihr sehen sollen, wie der das Gericht verwirrte, der kannte das Recht im Staate New York aus dem Effeff und hat die ganze Sache von Raubmord auf Totschlag heruntergehandelt, allen erklärt, daß ich ja gar nicht die Absicht hatte zu schießen und daß dieses verdammte Pistolenmodell die Eigenheit habe, so gut wie von selbst loszugehen. Mir habe einfach die Hand gezittert, das sei alles gewesen, denn schließlich war es mein erstes Hold-up.«

»Ein Bankraub?« erkundigte sich Buddy voll Bewunderung. »Haben Sie das öfter gemacht?«

»Nein, das war das erste- und das letztemal. Sie haben mich für zehn Jahre eingebuchtet, und auch das hatte ich nur der Tatsache zu verdanken, daß der Vorsitzende bei der deutschen Argonnen-Offensive einen Sohn verloren hatte. Ich habe mich im Auburn-Gefängnis dann so gut geführt, daß ich gegen Bewährungsfrist entlassen wurde.«

»Du siehst zwar wie ein Meisterboxer aus«, sagte Gene, »aber du hast doch nicht das Zeug zu einem wirklich harten Gangster!«

»Stimmt auffallend, ich will es gar nicht leugnen. In der Krise vom Jahr dreißig habe ich meine Stellung verloren, sonst hätte ich eine so gewagte Sache gar nicht erst versucht. Ich war Mechaniker bei einer Tankstelle, jahrelang auf demselben Platz; das hat bei Gericht übrigens auch einen guten Eindruck gemacht. Aber was half das; als die Gesellschaft ihren Geschäftsbereich einschränkte, wurde die ganze Tankstelle aufgelassen, und ich stand auf der Straße. Du weißt, wie das ist... Trotzdem, ohne Pinky wäre es nicht zu dem Bankraub gekommen, denn seit den Argonnen habe ich etwas gegen Feuerwaffen. Es ist nämlich tatsächlich so, wie es mir Salomon Angus, so hieß mein Anwalt, später erklärt hat: Eine reine Wahrscheinlichkeitsrechnung, und die gibt solchen Raubüberfällen einfach keine Chance; früher oder später hast du die Bullen auf dem Hals, und selbst die großen Gangster, die mit Erfahrung, Alibi und Beziehungen, kommen nicht auf ihre Rechnung: Wenn man alles zusammenzählt und gegenüberstellt, die Kosten, die Kautionen, die Anwaltshonorare, die falschen Zeugen und die Bestechungsgelder, es kommt nicht viel mehr heraus, als wenn man sein ganzes Leben in Ruhe einer geregelten Arbeit nachgeht. Es gibt nur ein paar Dutzend Ausnahmen, nämlich die Bosse, die nicht allein arbeiten, sondern ein Rakett hinter sich haben, wie Al Capone oder Costello. Die natürlich, die führen ein Leben wie die Senatoren, aber dazu bin ich nun einmal nicht geschaffen. Es ist Schicksal, wie du sagst, man kann nichts dazu tun und nichts dagegen.«

»Möglich, daß ein Jude dir den Kopf gerettet hat«, gab Gene zu, »aber als du deinen Job verloren hast, im Jahre dreißig, da waren es auch die Juden. Ihr seid also quitt.«

In Buddy brannte eine Frage, aber er wagte sie nicht zu stellen. Schließlich drängte sie sich ihm doch auf die Lippen:

»Und was haben Sie getan?« fragte er den Argonnenkämpfer. »Was haben sie an dem Tag getan, als Sie in Auburn entlassen wurden?«

»Am Tag meiner Entlassung?« sagte nachdenklich der andere, der sich eben eine Zigarette rollte. »Ich glaube, ich habe mich ganz prima unterhalten. Ich bin nach New York gefahren und in die Bude von Pinky gegangen. Ich hatte einen ganz neuen Anzug. Jeder bekommt einen, wenn er lange genug gesessen hat.«

»Den haben sie bei dir wohl nach Maß machen lassen?« erkundigte sich der Bärtige.

»Kaum, aber es ging. Erst bestellte ich mir ein Riesenbeefsteak in einem Schnellrestaurant am Time Square. Im Knast hatte ich die Adresse von einem Bullen bekommen, der den Saft weiterverkauft, der den Alkoholschmugglern abgenommen wird. Es war das letzte Jahr des Alkoholverbots, und ich habe die Flasche mit dem Bullen und seiner Familie leergesoffen.«

»Den Kerl kenne ich«, sagte Gene, »das war vielleicht ein Subjekt: Erst den Fusel beschlagnahmen, dann ihn an einen eben entlassenen Sträfling verkaufen und dabei noch selber mitzwitschern. Wer so tüchtig ist, hätte es in der Geschäftswelt weiter gebracht als bei der Polizei...«

»Mir hat's ohnedies nicht gepaßt, daß dieser erste Suff nach der Entlassung ausgerechnet bei einem Bullen steigen mußte, denn die Polizei hat mich bei meiner Verhaftung seinerzeit ganz schön verdroschen. Die Vorderzähne hat man mir erst im Gefängnis wieder eingesetzt, und der Leib schmerzt mich noch jetzt manchmal, so viel Tiefschläge haben sie mir verabreicht. Außerdem war der Kerl ein Ire...!«

»Ein Ire!« sagte Gene. »Die kann ich auch nicht leiden. Die versuchen es immer nur drei oder vier Jahre lang mit anständiger Arbeit, dann landen sie alle bei der Polizei, weil sie fürs Geschäftsleben zu doof sind. Die können nichts anderes als mit dem Gummiknüppel auf der Straße spazierengehen und für nichts und wieder nichts auf einem anderen herumdreschen. Auf der Straße sind sie lauter Helden, aber zu Hause bei ihren Weibern, da kuschen sie.«

»Stimmt... Meiner zumindest war so. Erst soffen wir zu dritt mit seinem Quartiergeber, auch einem Bullen; dann kam seine Frau dazu, eine Irin. Kaum sieht sie, was gespielt wird, da schnappt sie sich den Gummiknüppel von der Wand und drischt auf ihn los. Um ehrlich zu sein, ich war so besoffen, daß es mir nichts ausgemacht hat, einen Bullen zur Gesellschaft zu haben. Nach dem Waffenstillstand von 1918 habe ich mich in einem nordfranzösischen Kaff mit einem Deutschen besoffen, denn wenn man einen Feind so aus der Nähe sieht, ist es nur noch halb so schlimm...«

»Das ist doch Blödsinn«, sagte Gene, »wie sie dir das Maul zerdroschen haben, hast du die Bullen doch ganz aus der Nähe gesehen!«

»Ja... gewiß... aber nach dem Knast, da ist das anders, da ist man so glücklich und möchte sich mit allen versöhnen. Natürlich wäre es mir lieber gewesen, den Stoff bei jemand anderem zu kaufen, aber da es schon so war... Du siehst, man hat ja keine Wahl, es ist eben Schicksal. Dafür durfte ich zusehen, wie seine Irländerin ihn mit dem Gummiknüppel bearbeitete; ich bekam zwar auch etwas ab, aber es blieb trotzdem ein Vergnügen. Denn ich bin Schläge von Kind auf gewöhnt: Tabakplantagen, Baumwollpflanzungen, da wird man hart.«

»Du bist ja pervers«, sagte Gene, »mit einem Bullen trinkt man nicht, selbst wenn er dich einlädt, das ist Gesetz. Bullen bleiben Bullen, also der letzte Dreck, Punktum!«

»Stellt euch einmal vor«, sagte in diesem Augenblick der zweite Stromer nachdenklich, »einen Irländer, der wie ein Neger aussieht und ein Jude ist... Das müßte vielleicht eine Type sein. Bloß scheint's das nicht zu geben...«

»Schon gut, leg eine andere Platte auf«, sagte der Bankräuber und fuhr dann in seiner Erzählung fort: »Das Weib hat vielleicht gezetert, daß er schon dreimal bei der Beförderung übergangen worden sei wegen Trunkenheit im Dienst und daß er noch seinen Posten verlieren würde; wenn es soweit wäre, könnte sie nichts anderes tun als mit den drei Kindern zum Fenster hinausspringen. Es sei eine Schande, sich in so einen Zustand zu versetzen, statt mit dem Staubsauger den Teppich zu säubern, denn der Bulle mußte zu Hause natürlich im Haushalt helfen. Sie hatte ihn zu Boden geworfen, aber er lachte und spottete noch immer und ich auch, bis ich mich auf einmal auf allen vieren draußen auf dem Flur wiederfand, von den Nachbarn umgeben, die der Lärm vor die Türen gelockt hatte. Noch heute weiß ich nicht, ob ich einen Tritt bekam oder bloß nicht mehr stehen konnte: Jedenfalls bin ich eine ganze Etage auf dem Hintern hinuntergerutscht.«

»Und dann?« fragte Buddy neugierig. »Was haben Sie nachher getan?«

»Nachher?« Die Zigarette im Mundwinkel des Mannes glomm als ein kleiner roter Punkt in der Dunkelheit. »Nachher... ich weiß nicht, Kleiner, aber es scheint mir, daß meine Beine ganz von alleine losgegangen sind, Instinkt oder Schicksal, wie man es nennen will, und auf einmal war ich in einem prima Puff... Da staunst du, ja, so geht es. Ich ging mit so einem Weibsstück aufs Zimmer, sie hatte einen mächtigen Hintern und einen entsprechenden Balkon. Aber dann habe ich doch nichts zustande gebracht, sosehr sie sich auch bemüht hat. Entweder war ich einfach zu voll, oder ich war's eben nicht mehr gewöhnt nach der langen Zeit in der Zelle.«

»Es wird beides gewesen sein«, sagte Gene, »der Fusel ist da sehr gefährlich. Wenn du mich jetzt im Augenblick vor die Wahl stellst – Jean Harlow oder Carole Lombard oder eine Kiste Bourbon-Whisky, ich würde keinen Augenblick zögern, sondern den Whisky nehmen. Außerdem weiß jeder, der ein Jahr gesessen hat, daß es nachher nicht mehr so klappt. Es ist wie bei einem

Wagen, der zu lange in der Garage steht, dann ist die Batterie im Eimer, und du mußt es mit der Handkurbel versuchen...«

»Und nach dem Puff?« fragte Buddy hartnäckig weiter. »Was haben Sie nachher getan?«

»Ich stand dann auf einmal am Time Square und habe alle Spielautomaten abgeklappert, ein Nickel da, ein Nickel dort, und dann alle anderen Automaten, Dinge, die dich fotografieren, die dir das Große Los verkaufen und die Zukunft vorhersagen, Maschinen, wo man hineinschaun und nackte Mädchen sehen kann, Maschinen, die deine Manneskraft messen, und so weiter, und wie ich dann zu Pinky zurückkehre, stelle ich fest, daß meine Brieftasche weg ist. Die paar Dollar, die noch geblieben waren, muß mir einer geklaut haben; bei den Spielautomaten ist das ganz einfach, da drängt man sich und stößt den anderen weg. Ich trage zwar immer die Brieftasche innen, aber der Kerl mußte mich beobachtet haben, hatte den Stoff mit der Rasierklinge aufgeschlitzt und die Brieftasche geangelt. Ich war zwar blank, aber noch immer gut aufgelegt; es machte mir solchen Spaß, in einem richtigen Zimmer zu schlafen, so lange zu schlafen, wie ich wollte... Und ich habe prachtvoll geschlafen, das könnt ihr mir glauben...«

»Sag einmal«, erkundigte sich Gene, »der Bulle, mit dem du gesoffen hast – wußte der, daß man dich eben aus Auburn entlassen hatte?«

»Ich hab's ihm nicht gesagt. Warum auch? Das hätte ja doch nichts geändert.«

»Du siehst, daß ich recht habe«, sagte Gene, dem der Schnaps schon in den Kopf zu steigen begann. »Du bist eben nicht ganz richtig... ich hab's ja immer gesagt.«

»Nicht ganz richtig... nicht ganz richtig!« schrie der andere, als fände er dies ungemein komisch. »Du gehst mir auf die Nerven!«

Er warf seinen Zigarettenstummel fort, streckte sich der Länge nach auf der Erde aus, schob die Hände unter den Hinterkopf und starrte zum Himmel empor. Es war nun nicht mehr so warm; die Luft war feucht und beinahe kühl, wenngleich noch immer wärmer als sonst zu dieser Jahreszeit.

»Offenbar«, sagte Gene, »gibt's auf den Bahamas schon wieder eine Hitzewelle... Eine schöne Hölle dort unten mit schwarzen Zahnärzten, die blonde Frauen befingern und dabei so tun, als sei alles in bester Ordnung!«

Der zweite Stromer, der Mann mit den geschwollenen Lidern und den schmalen Lippen, unterhielt sich damit, Kieselsteine über das langsam fließende Wasser springen zu lassen, das nach Petroleum roch. Dazu pfiff er leise die *Broadway-Melody*.

Buddy war enttäuscht. Die Art und Weise, wie dieser Mann, mochte er auch ein Bankräuber sein, den ersten Tag seiner Freiheit verwendet hatte, erschien ihm weder sinnvoll noch beispielhaft. Freilich konnte er sich auch nicht mit ihm vergleichen, denn es mochte ein beträchtlicher Unterschied sein, ob man aus dem Zuchthaus kommt oder nur von zu Hause weggelaufen ist.

Das Feuer begann zu verglimmen; nur an den Enden der Äste flackerten noch ein paar kleine Flämmchen. Der zweite Stromer hörte mit der Steinewerferei auf und wandte sich an den dritten, der sich mit einem Zündhölzchen nachdenklich in den Zähnen herumstocherte:

»Sag einmal, Dillinger, wo hattest du denn dein Schießeisen her?«

»Pinky hat mir den Tip gegeben. Er hat einfach gesagt: ›Ich habe keine Knarre, mußt dir selber eine suchen; ich bin der Kopf, und du bist der Arm.‹«

»So etwas läßt du dir sagen?«

»Er war der Kopf und ich der Arm«, fuhr der andere unbeirrt fort. »Es war also nur gerecht, daß ich mich um die Artillerie selber kümmern mußte. War auch nicht sonderlich schwierig. Pinky hatte mir gesagt: Geh in der Eighth Avenue zwischen der Zweiundvierzigsten und der Dreiundvierzigsten spazieren; dort steht eine Menge Burschen herum, die Revolver verkaufen. Nun, ich gehe hin, und schon der erste, den ich anstoße, sagt, er hat was für mich. Genau, was ich brauche, eine 32. Er wollte zehn Dollar dafür, der Lausekerl, ließ sie mir dann aber um fünf. Aber er hatte keine Patronen. Ich war ja nie dafür gewesen, die Revolver zu laden, es mußte schließlich genügen, wenn man der Kassiererin mit einer 32 unter der Nase herumfuchtelte. Aber Pinky wurde böse: Er sagte, es sei zwar ausgemacht, daß niemand umgelegt werden sollte, aber ein bißchen Knallerei sei nötig, um den Rückzug zu decken, sonst fallen sogar die Passanten über einen her. Nun, das war dann seine Sache; er trieb die Patronen auf, und das hat sich dann als ganz günstig für mich erwiesen: Die Bullen haben später den Mann herausgefunden, der ihm die Patronen verkauft hat, und festgestellt, daß Pinky meinen Revolver geladen hatte, ohne daß ich es wußte. Ich war darum selbst erstaunt, als er auf einmal losging und das Mädchen in der Kasse schlapp machte. Das wurde vor Gericht alles aufgedeckt, und die Jury ließ mir meinen Kopf.«

»Was du dir wieder einbildest«, sagte der Mann mit den dicken Augenlidern, »ob das jetzt du warst oder Pinky, der den Revolver geladen hat, das macht doch für die Bullen keinen Unterschied.«

»Ich hab's doch erlebt!«

»Ich habe da einen angehenden Gangster gekannt, der hatte eine prima Tour, um sich Patronen zu verschaffen. Der hat bei einer Schießbude einen Automatischen gestohlen und jedesmal, wenn er Kugeln brauchte, tauschte er den leeren Revolver bei einer anderen Schießbude gegen einen geladenen. Er übersprang beim Schießen immer einen Schuß, schmiß mit alten Hülsen um sich und behielt auf diese Weise schließlich zehn oder zwölf Patronen für sich. In der allgemeinen Knallerei merkte das keiner. Der hatte Grips, das kann man sagen.«

»Was ist aus ihm geworden?«

»Sitzt in Alcatraz, fünfundvierzig Jahre. Wenn er herauskommt, ist er ein alter Mann. Und was macht dein Pinky?«

»Sitzt noch immer in Auburn ... Acht Jahre noch, wenn nicht eine Zuchthausrevolte dazwischenkommt und er Verlängerung kriegt.«

»Da sieht man's wieder«, sagte Gene, »daß man entweder ein ganz kleiner oder ein ganz großer Gangster sein muß. Die Mittelgewichtler sitzen im Knast, und du liegst hier als freier Mann unter dem Sternenhimmel und hast den Bauch voll Erbsen mit Speck.«

»Findest du unsere Lage so großartig?« erkundigte sich der ehemalige Bankräuber spöttisch. »Abgesehen davon, daß ich mich einmal in der Woche auf dem Polizeirevier melden muß bei einem Inspektor, der mein Betragen kontrolliert. Ich habe den Eindruck, daß ich ihm nicht viel Vertrauen einflöße, obwohl ich mich jedesmal wasche und rasiere und ihm letztens sogar eine Anstellungsbestätigung unter die Nase gehalten habe. Die habe ich von einem Chinesen bekommen, einem Freund aus dem Knast, der jetzt ein kleines Restaurant aufgemacht hat. Inzwischen ist der Inspektor aber sicherlich daraufgekommen, daß es mit meinem Tellerwaschen nicht so weit her ist. Ich hab's versucht, aber Arbeit ist nichts mehr für mich. Immerhin werde ich alles tun, um nicht noch einmal eingebuchtet zu werden. Ich könnte nicht mehr so eingesperrt dahinleben.«

»Es gibt Organisationen, die sich damit beschäftigen, entlassenen Häftlingen Arbeitsplätze zu verschaffen«, sagte Gene.

»Das weiß ich schon längst. Ich hab's auch versucht. Dreimal habe ich mich durch diese Leute vermitteln lassen, auf jedem

Platz habe ich's eine Woche ausgehalten, bis zum Zahltag. Es war immer dasselbe. Der Chef, ein braver Christ, ein Katholik oder andersgläubig, jedenfalls aber davon überzeugt, daß er etwas Gottwohlgefälliges tue. Und das läßt er dich fühlen; er zeigt dir, daß er dir aus lauter Barmherzigkeit eine Chance gibt, und läßt dich dabei nicht aus den Augen. Einer fragte mich sogar, ob ich auch bestimmt regelmäßig zur Messe ginge; dem habe ich geantwortet, ich sei Mormone, und was tut der Kerl? Er geht zum Tempel und erkundigt sich, ob ich dort bekannt bin, und schmeißt mich dann hinaus, weil ich ihn angelogen habe.«

»Ich an deiner Stelle«, sagte Gene, »würde mich aus dem Staub machen. Früher oder später stecken sie dich zurück in den Knast, Herumtreiberei und so weiter. Ich an deiner Stelle würde nach dem Westen gehen.«

»Sagt sich so leicht! Wenn ich eine Woche ausbleibe, gibt mein Inspektor den ganzen Akt an das FBI, und die finden mich überall, auch an der pazifischen Küste.«

»Wenn sie nicht gerade etwas anderes zu tun haben!« Zu Buddy gewendet, setzte Gene hinzu: »Jetzt siehst du einmal, Kleiner, wie dieses Leben ist. Überleg dir's dreimal, ehe du ein Gangster wirst. Du kannst durch das ganze Land trampen, du kannst dich ohne Arbeit durchbringen, hier im Hafen und wo du sonst willst; du kannst von einer Stadt in die andere wandern und riskierst bei allem gar nicht soviel; erst wenn du einen Revolver angreifst, dann bist du verloren.«

»Ich habe gar nicht die Absicht, ein Gangster zu werden«, sagte Buddy.

»Nun gut, wir haben für heute genug geplaudert«, sagte Gene, »Zeit, schlafen zu gehen. Wenn du willst, kannst du ein Zimmer im Hotel Dodge bekommen. Du schläfst dort mindestens so gut wie in einem Wohnwagen. Wende dich an Happy, der ist dort Empfangschef!«

Happy, das war der Stromer mit den geschwollenen Augenlidern; er machte ein Zeichen mit dem Daumen, um Buddy zu zeigen, daß das Hotel Dodge ganz nahe sei. Dann erhob er sich und ging vor dem Neger her, um ihm den Weg zu weisen. Es waren tatsächlich nur hundert Schritte, und das Hotel erwies sich als ein alter Lastwagen Marke Dodge, von dem nur noch das Chassis und das Führerhaus vorhanden waren. Mit Stroh und leeren Säcken hatte Happy hier eine Schlafstatt geschaffen.

»Leg dich hin, wo du willst«, sagte er, zog einen Sack über sich und streckte sich aus. Buddy wählte einen Platz auf der anderen

Seite der Ladefläche, um von Happy möglichst weit entfernt zu sein. Die beiden anderen schliefen also im Freien, trotz der Feuchtigkeit? Nun, sie liebten eben die frische Luft und waren es gewöhnt!

Buddy drehte sich bald auf diese, bald auf jene Seite. Er fühlte, daß er noch lange nicht einschlafen würde, und lauschte auf die Atemzüge Happys; dieser Happy hatte ein widerliches Gesicht, und es paßte Buddy gar nicht, daß er so nahe bei ihm schlafen mußte. Beunruhigend war auch, daß es ihm nicht gelang, Happy atmen zu hören: Er mußte einen besonderen Trick haben, um so lautlos zu atmen wie eine Katze. Sosehr Buddy auch lauschte, er hörte nichts als den feuchten Wind, der in wechselnden Stößen die Plane des Wagens bewegte und das von Schlamm bedeckte Wasser in kleinen Wellen gegen das Ufer warf. Hin und wieder zog ein Boot der Zollwache oder ein Schlepper mit leise tuckerndem Motor auf dem Fluß dahin, und auf dem jenseitigen Ufer tönte ab und zu eine Autohupe.

Buddy mußte an seine Mutter denken; entweder war sie nun außer sich vor Angst, oder sie schlief schon, ohne sich viel Gedanken zu machen. Sein Zimmer würde er wohl nie wiedersehen: Die paar Bücher und Romanhefte über dem Bett und die Fotos, die er dort an die Wand genagelt hatte, durchweg Bilder berühmter Neger, wie Jack Johnson, Paul Robeson und Jesse Owens.

Es machte ihm nichts aus, daß er sein Zimmer nie mehr betreten würde, aber es war trotzdem nicht so ganz einfach, diese erste Nacht der Freiheit. Buddy dachte auch an den Pater Corelli und wie gerne er damals noch im Chor gesungen hatte, und er versuchte sich an seinen Vater zu erinnern, was schon bedeutend schwieriger war. Jedes Jahr – es war eigenartig – verblaßte das Bild seines Vaters in seiner Erinnerung ein wenig mehr, und eines Tages würde er überhaupt nicht mehr wissen, wie sein Vater ausgesehen hatte.

Es war, mit einem Wort, Buddys ganzes Leben, das in dieser Stunde vor dem Einschlafen an ihm vorüberzog wie ein Film. Die Plane schlug klappernd gegen die Bandeisen, und von Happy hörte man so wenig, als atme er überhaupt nicht. In der Ferne begann eine Sirene zu heulen; die Sirene eines Dampfschiffs oder eines Polizeiboots. Nein, das war keine Polizeisirene, denn diese beginnen ganz leise, steigern dann den Ton und heulen schließlich so laut, als wollten sie einem die Trommelfelle zersprengen.

Eines Tages würde jener dritte Stromer, der ehemalige Sträfling, wieder von der Polizei gejagt werden: Dann nämlich, wenn er es nicht mehr für nötig hielt, sich bei seinem Inspektor zu melden, und Buddy sah ihn im Geiste schon vor sich, wie er dastand, den Rücken an der Wand, Mund aufgerissen und Augen starr vor Schreck, im grellen Licht eines Polizeischeinwerfers und in den Ohren den Heulton der Sirene. Danach dachte Buddy wieder an sein Bett; es wurde ihm speiübel, und er begriff nicht sogleich, daß die Angst die Wurzel dieser Übelkeit war, die Angst vor seiner neuen Freiheit, denn schließlich war er bisher doch jeden Abend zu seiner Mutter zurückgekehrt, und selbst eine böse Mutter war noch immer etwas ganz anderes als solch eine Nacht in einem Autowrack neben einem Mann wie Happy.

Er drehte sich immer wieder von der einen auf die andere Seite und erinnerte sich schließlich, gelesen zu haben, daß man vor seinem Tod auf diese Weise das Leben blitzschnell noch einmal an sich vorüberziehen sah. Hieß das alles nun also, daß er sterben mußte? Würde der Vampir kommen und ihm das Hirn aussaugen, diesmal so gründlich, daß alles Leben aus ihm weichen würde? Noch nie hatte der Vampir ihn angegriffen, solange er lag; vielleicht aber war dies dem Umstand zuzuschreiben, daß der Vampir sich vor Buddys Mutter gefürchtet hatte. Die war ja nun nicht mehr da – was also sollte den Vampir hindern, Buddy anzugreifen? Er rieb sich das Genick und richtete sich auf. Er warf einen Blick nach draußen, sah aber nichts Ungewöhnliches, nur den lilafarbenen Himmel, das Wasser, das so schwarz war wie flüssiger Teer, die Horizontlinie weit draußen auf dem Meer und die Nebelbank über Staten Island.

Er legte sich wieder und schlief endlich ein, wurde aber bald vom Dröhnen eines Flugzeugmotors wieder geweckt. Die Burschen da oben hatten ein anderes Leben als er. Es mußte herrlich sein, im Flugzeug abzuhauen, einfach irgendwohin zu fliegen. Aber noch schöner wäre es, auf einem Luxusdampfer erster Klasse zu reisen und sich von einem Mädchen maniküren zu lassen, das aussah wie Gloria Swanson. Nach einer Woche wäre man dann in Europa und könnte sich all die sonderbaren Dinge ansehen, die dort den Amerikanern gezeigt werden, so zum Beispiel den Zirkus, in dem die Löwen die ersten Christen verspeisen durften. Buddy ärgerte sich: Er hätte den Sträfling fragen können, ob es überall in Europa solche Zirkusse gegeben habe; die Soldaten, die in den Argonnen gekämpft haben, hätten sie doch eigentlich sehen müssen.

Abermals schlief Buddy ein und wachte erst wieder auf, als ihn jemand berührte. Es war Happy, dieses Schwein, das mit ihm allerlei treiben wollte. Von einem Mann, der so liederlich aussah, war ja auch nichts anderes zu erwarten. Buddy sprang auf und stieß sich den Kopf an einem der Bandeisen, auf denen die Plane befestigt war. Happy gab ihm eine mächtige Ohrfeige, die den Neger auf das Stroh warf, und drückte ihm dann das Knie auf die Brust. Mit der Linken hielt Happy Buddys Kinn fest und hob die rechte Faust zum Schlag, aber in diesem Augenblick biß ihn Buddy mit aller Kraft in die Hand, so daß der andere mit einem Schmerzensschrei losließ. Mit einem Satz war Buddy aus dem Wagen und rannte sogleich los, stur geradeaus ins Dunkel bis zu einem Berg leerer Benzinfässer, um den er den ersten Haken schlug; bei einem großen Schuppen bog er noch einmal ab und verkroch sich schließlich außer Atem zwischen den Metallbeinen eines ungeheuren Kranes, der auf Schienen lief. Happy hatte ihn offenbar gar nicht verfolgt – warum war er dann bloß so gelaufen? Er schob die Hände in die Hosentaschen und ging langsam weiter; erst jetzt bemerkte er, daß er seine Mütze auf dem Stroh hatte liegenlassen.

Er rutschte auf einem Fleck Wagenschmiere aus, patschte durch Pfützen und begegnete keinem Menschen. Das Kaigelände war vollkommen ausgestorben, und man mußte glauben, daß Zollbeamte und Küstenwache die ganze Nacht hindurch ruhig schnarchten. Nur ein paar Ratten stöberte Buddy auf und schlug sie in die Flucht: Es gab keine Zollwache, dafür aber die dicksten Ratten, die er je gesehen hatte. Eine von ihnen versuchte sogar auf dem Haltetau an Bord eines Schiffes zu gelangen, wie ein Seiltänzer; Buddy fragte sich, wie es die Ratten wohl anstellten, die große Metallscheibe zu überwinden, die auf diesen Tauen sitzt und die Ratten daran hindern soll, an Bord zu kommen. Vorstellen konnte man sich's nicht, aber es war Tatsache, daß es diese Tiere doch immer wieder schafften.

Buddy fühlte, daß er noch viel zuwenig geschlafen hatte; wo sollte er unterkriechen? Es gab natürlich die Subway, aber dort macht die Polizei die Runde, und man wird davon aufgeweckt, daß einer dieser verdammten Irländer den Strahl seiner Taschenlampe über die Gesichter gleiten läßt.

Buddy ging längs einer schier unendlichen Mauer dahin, hinter der halb verfallene Gebäude mit zerbrochenen Fensterscheiben lagen; ein hoher Rauchfang ragte in den Nachthimmel. Buddy wandte sich nach links und noch einmal nach links und entdeckte schließlich ein paar Löcher in der Mauer, die mit Brettern nur unzureichend verschalt waren. Er schlüpfte in das Innere der verlassenen Fabrik, die so aussah, als sei sie überhaupt nie in Betrieb gewesen; vermutlich war auch sie der Krise zum Opfer gefallen und hatte ihren Besitzer ruiniert. Er ging eine kleine Eisenstiege hinunter und fand die Türe, zu der sie führte, unversperrt. Dahinter war es ganz finster, und die Luft roch nach Fäulnis, nach Öl und nach Staub. Vorsichtig versuchte er es bei einer anderen Stiege. Auch hier war es finster; Zündhölzer wären ihm sehr nützlich gewesen, aber da er nicht rauchte, hatte er keine bei sich. Er tastete mit den Füßen von Stufe zu Stufe und stolperte schließlich, als am Ende der Stiege statt einer weiteren Stufe der ebene Boden kam. Sein Herz klopfte, und er fühlte sich elend: Er war müde, und der Fusel verursachte ihm Übelkeit, zu der noch der Ekel vor Happy kam, der sich im Stroh an ihn herangemacht hatte.

Vor allem aber fürchtete Buddy sich vor den Ratten, die es in diesen Fabrikkellern doch zweifellos gab. Er rannte mit dem Schienbein gegen etwas Hartes, eine Eisenschiene oder eine Metallkante; das tat so weh, daß er die Zähne zusammenbeißen mußte, um nicht zu schreien. Dabei stieß er unwillkürlich einen Schnalzlaut mit der Zunge aus, und das Echo zeigte ihm, daß er sich in einem großen Raum befand. Bevor er weiterging, betastete er mit den Händen das Ding, an dem er sich gestoßen hatte; es mußte eine Maschine oder ein Teil einer Heizung sein. Vorsichtig tappte er längs der Mauer hin bis in die Ecke, entdeckte eine Zeitung dadurch, daß es unter seinen Füßen raschelte, und ließ sich auf dem Boden nieder. So dünn die Papierschicht auch war, es war doch besser als auf dem kalten Zement, und Buddy schlief sofort ein.

Er mußte ein paar Stunden und vor allem sehr tief geschlafen haben, denn als er erwachte, hörte er ziemlich nahe Musik, ein Lied, das er kannte: *Old Folks at Home*. Es war von Stephan Foster, und Pater Corelli hatte es hin und wieder mit ihnen gesungen. Aber nicht nur diese Melodie, die durch die Mauer auf ihn zukam, mochte ihn geweckt haben, sondern auch ein schmaler, waagerechter Lichtstreif in der Dunkelheit. Offenbar war hier irgendwo eine Tür, die schlecht schloß.

Buddy erhob sich leise und ging auf den Zehenspitzen näher; in seinen Tennisschuhen konnte er ganz lautlos gehen, und schließlich drückte er sein Ohr an die Tür. Zum Unterschied von den anderen Türen in diesem Gebäude hatte die ein Schloß; Buddy bückte sich und blickte durch das Schlüsselloch. Er konnte nur einen kleinen Teil des Zimmers übersehen, das sich dahinter befand, aber eben in diesem Teil stand ein Diwan, auf dem ein junger Mann und zwei Mädchen saßen. Sie waren alle noch sehr jung, hatten dunkle Haut, und auf dem Tischchen vor ihnen gewahrte Buddy eine völlig leere und eine halb geleerte Whisky-Flasche. In einer dritten Flasche steckte eine Kerze, die eben nicht viel Helligkeit verbreitete, aber doch genug, um Buddy zu verraten, daß der Junge auf dem Diwan ein ziemlich reinblütiger Neger sein mußte, während die beiden Mädchen verhältnismäßig hellhäutig waren: Ihre Groß- und Urgroßmütter hatten sich den Weißen gegenüber vermutlich nicht sehr zurückhaltend gezeigt. Eines der Mädchen war für Buddys Geschmack ein wenig zu dick, aber die andere war sehr hübsch. Alle drei trugen Blue-Jeans, der Bursch dazu ein rosafarbenes Hemd und eine apfelgrüne Jacke. Sie unterhielten sich glänzend, das konnte man mühelos erkennen; die Mädchen hatten ihre Köpfe auf die Schultern des Negers gelegt, der sie umarmt hielt. Dann sah Buddy auf einmal nichts mehr. Er glaubte zuerst, die Kerze sei erloschen oder es habe sie jemand ausgeblasen, aber es wurde gleich wieder hell: Es war nur jemand zwischen der Kerze und dem Schlüsselloch vorbeigegangen, und zwar ganz knapp an der Tür. Es war ein zweiter Neger, ebenso jung und schwarz wie die Hölle; er setzte sich nun auch auf den Diwan neben das dicke Mädchen und tat lachend so, als wolle er ihr mit zwei Fingern die Nase ondulieren; dann schenkte er Whisky in ein Glas. Inzwischen hatte die Musik gewechselt: Nun erklang *We have missed You*, ein anderes Lied von Stephan Foster, und Buddy fand es seltsam, daß junge Leute wie diese, die tranken und Mädchen bei sich hatten, Gefallen an solchen Liedern fanden. Aber er begann zu begreifen, daß man sich über nichts mehr wundern dürfe, sobald man einmal in das Leben hinausgetreten war. Nur eines mußte er bedenken: Sie durften nicht bemerken, daß jenseits der Tür jemand stand, der sie beobachtete. Darum entschloß Buddy sich zum Rückzug. Wie spät mochte es sein? Vermutlich würde bald die Sonne aufgehen, vielleicht war es auch schon heller Tag. Wissen konnte das hier unten ja niemand, denn in diesem Keller ohne Fenster war es immer Nacht. Buddy hielt es für geraten, auf weiteren Schlaf zu verzichten, und tastete sich mit der Hand an der Mauer entlang. Plötzlich aber gab es höllischen Lärm: Er war in irgend etwas hineingetreten, das aus Blech und hohl war, der Deckel eines Benzinfasses oder etwas Ähnliches; jedenfalls war es ein fürchterliches Gedonner.

Buddy erschrak, stieß mit dem Fuß gegen die erste Stufe und

klomm, so schnell er konnte, die Stiege hinauf. Aber er war noch nicht oben angelangt, als die Türe sich öffnete, einer der Neger mit der Kerze in der Hand heraustrat und, halb zu den anderen zurückgewendet, sagte:

»Es gibt doch noch Ratten in unserem Keller.«

Gleich darauf aber bemerkte er Buddy oben auf der Treppe und rannte hinter ihm her.

Im Hof war es noch dunkel – Buddy hatte also nicht so lange geschlafen, wie er geglaubt hatte –, aber der andere warf die Whisky-Flasche nach ihm und verfehlte Buddy nur um ein paar Zentimeter. Außer sich vor Angst lief Buddy, so schnell er konnte, aber der andere hatte längere Beine, holte ihn schließlich ein und erwischte ihn an der Schulter. Buddys Hemd zerriß, er stürzte zu Boden, und schon hatte der Verfolger ihm den Arm auf den Rücken gedreht; so führte er ihn in den Keller zurück und stieß ihn in den Raum mit dem Diwan. Buddy sah nun, daß es noch drei andere Flaschen mit Kerzen gab, dazu Stühle, Sessel und insgesamt vier Mädchen. Der Bursch, der sich vom Diwan erhob, war auffallend groß und kräftig; er hatte breite Schultern und schmale Hüften, und man sah ihm an, daß er wußte, wie gut er aussah und wie jede seiner Bewegungen wirkte. Er trat auf Buddy zu und fragte:

»Was will denn der da?«

»Das ist die Ratte, die vorhin den Lärm gemacht hat.«

»Du hast wohl spioniert, stimmt's?«

»Ich . . . ich, ich schwöre«, stammelte Buddy, »ich schwöre . . .«

Der Große versetzte ihm eine Ohrfeige, eine kräftige und wohlgezielte Ohrfeige, was weiter nicht schwer war, da der Bursch, der Buddy nachgelaufen war, ihm noch immer die Arme auf dem Rücken zusammenhielt.

»Du willst uns also weismachen, daß du rein zufällig hier vorbeigekommen bist . . . Hast wohl deine Mutter gesucht, die hier die Abfalleimer durchstiert . . . Das war es doch?«

»Ich schwöre Ihnen . . .«, wiederholte Buddy mit flehendem Blick; die Ohrfeige hatte ihm die Oberlippe aufgerissen, und ein dünnes Rinnsal Blut stockte in seinem Mundwinkel.

»Du bist hier nicht vor Gericht«, sagte der Große, »und niemand hat von dir einen Schwur verlangt. Aber ich muß wissen, für wen du spionierst: Für die *Adler* oder für *Bananenöl?*«

Die Frage war für Buddy unverständlich, da er ja nicht wissen konnte, daß mit diesen Namen zwei Banden jugendlicher Neger gemeint waren.

»Es ist schon ein starkes Stück«, fuhr der Große, nun zu den andern gewendet, fort. »Wir haben doch ein Neutralitätsabkommen mit den andern farbigen Banden, und jetzt schicken sie uns einen Spion. Nun aber 'raus mit der Sprache; du wirst sagen, was du weißt, denn du bist hier auf unserem Gebiet, und dieser Raum ist unser Hauptquartier.«

»Ich weiß doch nichts davon«, sagte Buddy, der zitterte, weil so viele Menschen um ihn herumstanden; die Burschen sahen ihn böse an, und die Mädchen hatten glitzernde Augen in der Erwartung der Züchtigung, der Buddy wohl nicht entgehen würde. Tatsächlich bekam Buddy nach dieser Antwort gleich wieder eine Ohrfeige; sie war so heftig, daß er meinte, sein Kopf müsse von den Schultern fliegen. Dazu versetzte ihm der Bursche, der seine Hände hielt, einen Tritt in den Hintern.

Dann sagte einer aus der Runde zu dem Großen:

»Gib acht; wenn du zu hart schlägst, wird er uns ohnmächtig und sagt dann überhaupt nichts mehr, er ist ziemlich zart.«

»Du hast recht... Wir werden es anders machen. Legt ihn auf den Diwan!«

Zehn schwarze Hände hielten Buddy auf dem Diwan fest, während der Große mit wohlüberlegter, langsamer Bewegung nach einer der Flaschen griff, in denen eine Kerze brannte. Er befahl, Buddy die Schuhe auszuziehen. Dieser begriff nun, was man mit ihm vorhatte, und begann zu schreien. Einer der Burschen faßte ihn im Nacken und schob ihm ein Taschentuch in den Mund, so daß die Schreie in machtlosem Stöhnen erstickten. Die Tennisschuhe waren schnell abgestreift, Socken trug Buddy nicht. Eines der Mädchen gluckste vor Vergnügen, als die Flamme Buddys Fußsohlen berührte und der ganze Körper sich wand wie ein Karpfen, den man aus dem Wasser gezogen hat.

»Ich finde das blöd«, sagte eine andere, »wie soll der arme Kerl denn reden, wenn er ein Taschentuch im Maul hat? Und wenn ihr's herausnehmt, wird er so brüllen, daß alles zusammenläuft...«

Diese durchaus ernsthaft vorgebrachte Bemerkung löste einen Lachsturm aus. Der Große stellte die Flasche mit der Kerze auf den Tisch zurück und befahl, Buddy loszulassen und ihn aufzusetzen.

»Sag einmal, Kleiner«, brummte er, »willst du nicht endlich auspacken, bevor wir mit der Kerze wieder anfangen?«

»Ich schwöre Ihnen«, sagte Buddy mühsam, »ich habe nicht gewußt, daß das Ihr Haus ist, hier...«

»Gut, aber was treibst du dann auf unserem Territorium?« erkundigte sich der Große, dem eben der Gedanke aufgestiegen war, daß Buddy vielleicht gar nicht log; denn jedes Bürschchen seiner Art hätte angesichts der Drohung mit der Kerze längst klein beigegeben. Man sah doch, daß Buddy zart und alles andere als hart im Nehmen war. »Hör zu«, fuhr der Große fort, »ich heiße Jiggs und bin der Chef dieser Bande. Wir nennen uns die *Vampire*; hast du jemals davon reden gehört?«

»Die Vampire?« fragte Buddy bestürzt. »Ich kenne einen Vampir, aber der ist nicht wie du.«

»Du kennst einen Vampir? – Wie heißt er?«

»Es ist ein wirklicher, nicht ein Mensch wie du.«

»Der ist ja meschugge«, sagte ein Mädchen.

»Oder er tut nur so, Jiggs«, meinte ein anderer.

»Wo wohnst du?« fragte Jiggs. »Wo kommst du her?«

Buddy berichtete, wer er sei und was er die ganze Nacht über getrieben habe; er erzählte die Geschichte mit den beschmutzten Zeitungen, sein Herumirren auf den Kais, das Abendessen mit den Stromern, das Erlebnis in dem Autowrack und wie er schließlich in diesen Fabrikkeller gekommen sei. Er erzählte alles haarklein und wahrheitsgetreu und zitterte dabei von den Knien bis zu den Lippen. Die Kerze, die vor ihm auf dem Tisch brannte, wagte er vor Angst kaum anzusehen.

»All das beweist noch nicht, daß dich nicht irgend jemand beauftragt hat, uns auszuspionieren!«

»Hört einmal«, mischte sich das Mädchen ein, das schon vorhin zu Buddys Gunsten interveniert hatte. »Wenn die Brüder von den anderen Platten uns bisher Spione auf den Hals geschickt haben, so waren das immer Mädchen ... Bei Mädchen ist man nicht so mißtrauisch.«

Aber der Chef machte nur eine verächtlich-abwehrende Geste und sagte zu Buddy:

»Wo wohnt deine Mutter? Und was treibt dein Vater ... Du hast doch einen Vater?«

Buddy nannte die Adresse seiner Mutter, und die Versammlung kam nach kurzer Beratung überein, daß es immerhin möglich sei, daß jemand, der in jener Straße wohne, nichts von der Existenz der Vampire gewußt habe. Inzwischen zitterte Buddy immer noch bei dem Gedanken, daß er nun einer ganzen Bande von Vampiren in die Hände gefallen sei. Er berichtete noch, daß sein Vater bei einer Schlafwagengesellschaft arbeite, sich aber seit sieben oder acht Jahren zu Hause nicht habe blicken lassen.

»Also ein Verräter!« sagte Jiggs. »Ein Kerl, der auf den Knien herumrutscht, um von den weißen Fahrgästen ein Trinkgeld zu bekommen... Wie ein Pudel, wenn er ein Stück Zucker haben will. Dein Vater ist ein Dreck, mein Lieber, ein einziger Haufen Dreck!«

»O. K.«, sagte das Mädchen, das offenbar den Mund nicht halten konnte, »dafür kann er doch nichts. Niemand ist für seine Eltern verantwortlich; kümmern wir uns um die unseren?«

»Nun halt endlich dein Maul, Lizzie!« erklärte Jiggs ungerührt; er mochte das ständige Dazwischenreden schon einigermaßen gewöhnt sein. »Kein Mensch hat dich um deine Meinung gefragt. Hätte ich dich zu seinem Anwalt bestellt, so würde ich dieses ewige Gerede noch begreifen; aber bei uns gibt's keinen Anwalt, und ich kommandiere... Dein Vater ist ein Dreck, ein Onkel Tom... Warum hat er deine Mutter eigentlich sitzenlassen?«

»Das habe ich nie erfahren«, sagte Buddy, »und ich habe mich nie getraut, meine Mutter danach zu fragen.«

Er sog an der blutenden Lippe und spürte den Salzgeschmack des noch immer rinnenden Blutes; vor Aufregung war ihm so schlecht, daß er am liebsten erbrochen hätte; vielleicht kam das auch noch immer von dem Fusel, den ihm Gene zu trinken gegeben hatte.

»Wenn dein Vater so ist«, fuhr Jiggs fort, »dann warst du doch zweifellos einmal Schuhputzer?«

»Nein, niemals.«

»Laß dir's nicht einfallen, mich anzulügen; wir finden alles heraus, und wenn wir dahinterkommen, daß du Schuhputzer warst und es nicht gestanden hast, dann richten wir dich zu, daß nicht einmal deine Mutter dich wiedererkennt. Denn die Schuhputzer dulden wir nicht, auf die machen wir Jagd wie auf die Ratten: Neger, die sich vor die Weißen hinknien und ihnen die Schuhe polieren! Ich kann dir unsere Trophäen zeigen, mindestens drei Dutzend Schuhputzkasten mit Bürsten, Paste und Lappen und so weiter; im Winter machen wir damit Feuer.«

»Ich war nie Schuhputzer«, stammelte Buddy, »ich schwöre es.«

»Ich habe dir schon gesagt, daß du dir das Schwören sparen kannst. Du hast keinen Verteidiger und brauchst nicht zu schwören. Warum warst du denn kein Schuhputzer? Wenn deine Mutter dir gesagt hätte: ›Da, nimm die Kiste, geh auf die Straße Schuhe putzen!‹ – dann wärst du doch wohl gegangen?«

»Wenn meine Mutter es gesagt hätte, wäre ich wirklich gegangen«, gestand Buddy, »was hätte ich denn anderes tun sollen?«

»Du bist eine schmutzige, stinkende Ratte!« schrie Jiggs und hob die Hand, um zuzuschlagen. Buddy erinnerte sich in diesem Augenblick an das, was Gene ihm gesagt hatte: Ein Schwarzer konnte dafür gelyncht werden, daß er davon geträumt hatte, mit einer Weißen zu schlafen; das hier war ganz ähnlich: Er hatte gestanden, daß er unter gewissen Umständen Schuhputzer geworden wäre, und empfing dafür eine Ohrfeige. Oder vielmehr, er empfing sie nicht, denn Jiggs hatte offenbar keine Lust mehr, auf ihm herumzudreschen, und ließ die Hand wieder sinken.

»Nimm mir's nicht übel, Jiggs«, sagte Lizzie in diesem Augenblick, »aber für mich steht eins fest: Der Kleine da hat viel zuviel Angst, um uns anzulügen. Was er da eben gesagt hat, beweist, daß er überhaupt nichts von uns gewußt hat; ein Spion hätte nie gestanden, daß er vielleicht Schuhputzer geworden wäre...«

Diesmal sagte Jiggs nichts und ließ Lizzie bei ihrer Meinung. Er warf sich neben Buddy auf den Diwan, stocherte ihm scherzhaft in die Rippen und befahl dann zwei anderen, ihn zu durchsuchen. Buddy erhob sich. Aus seinen Taschen kam nicht eben viel zum Vorschein: zwei Dollar und etwas Kleingeld, zwei Kaugummi, Brotbröseln, eine Kinokarte.

»Du gehst also ganz allein ins Kino«, stellte Jiggs fest, und Buddy sagte:

»Das kommt vor.«

Jiggs steckte das Geld ein und kratzte sich am Kopf. Es wurde ganz still, denn alle wußten, daß er nun das Urteil sprechen würde. Die Kerze auf dem Tisch zuckte ein letztes Mal hoch auf und erlosch dann auf ihrem Stumpf; einer der Burschen brachte eine andere.

»Gut«, sagte schließlich Jiggs, »nehmen wir also an, du hast die Wahrheit gesprochen und bist tatsächlich kein Spion. Aber es steht fest, daß du unser Hauptquartier kennst, und darum gibt es jetzt nur noch zwei Möglichkeiten: Wir halten dich hier als Gefangenen fest, solange es uns beliebt... nein, es gibt noch eine dritte Lösung: Wir binden dir einen Stein an die Hände und werfen dich in den Fluß. Kein Mensch weiß hier herum, wer du bist, und niemand würde uns verdächtigen. Dann könntest du wenigstens nicht mehr ausplaudern, wo die Vampire ihr Hauptquartier haben. Die zweite Lösung wäre, daß du zu uns kommst und ein Mitglied der Bande wirst. Also, wie steht's? Wofür entscheidest du dich?«

Buddy war noch völlig verstört. Jiggs schlug sich mit der rechten

Faust in den linken Handteller, es sah aus wie das Training eines Boxers. Buddy wußte, daß er sich nun entscheiden müßte. Das also war die Freiheit: Der Zwang zur Wahl. Demgegenüber hatte er bei seiner Mutter sich niemals für irgend etwas entscheiden müssen. Aber so war es wohl, wenn man ein Mann wurde. So, wie die anderen die Wahl hatten, ob sie die Betten in den Schlafwagen machten oder den Weißen die Schuhe putzen wollten. In diesem Sinn hatte Jiggs, der Chef, nicht so unrecht...

So erklärte denn Buddy nach kurzer Überlegung, daß er sich dafür entschieden habe, ein Vampir zu werden.

»O. K.«, sagte Jiggs, »schreibe deinen Aufnahmeantrag, ich werde ihn dir diktieren. Alle Bewerber müssen schriftlich um ihre Aufnahme ansuchen, damit wir etwas in der Hand haben, wenn einer der Farbigen später schlapp macht und den Bullen erklärt, er sei nie dabeigewesen. Ich verwahre alle diese Schriftstücke in meinem Safe, denn ich habe einen Safe, Kleiner.«

Einer der Burschen brachte Papier und eine Füllfeder, und Buddy schrieb nach Jiggs' Diktat sein Gesuch. Als der Chef dann das Papier an sich nahm und durchlas, erklärte er, Buddy habe eine niedliche Schrift, und man werde ihn als Sekretär verwenden können: Dazu sei er zweifellos besser zu gebrauchen als zu Unternehmungen, bei denen es hart auf hart gehe. Im übrigen beweise Buddys schöne Schrift und tadellose Rechtschreibung, daß es völlig sinnlos sei, in die Schule zu gehen: Der Vorzugsschüler Buddy habe es schließlich nicht weiter gebracht als bis zum Zeitungsverkäufer.

Einer der anderen, die bei einem Würfelspiel saßen, erklärte, daß ihm beim Studieren immer mulmig im Magen geworden sei; er ziehe jede körperliche Arbeit vor. In den Büchern stünden ohnedies nur Dinge, mit denen man im Leben nichts anfangen könne. Wenn Buddy tatsächlich ein guter Schüler gewesen sei, so bedeute das für die Vampire, daß sie ihm nicht vertrauen könnten.

Buddy sagte sich, daß es fürchterlich kompliziert sei, als freier Mann zu leben: Wenn man nichts gelernt hat, erreicht man nichts, und was man gelernt hat, kehrt sich immer wieder gegen einen selbst. Dann bemerkte er, daß die Musik nicht mehr zu hören war; sie mußte verstummt sein, als man ihn als Gefangenen in diesen Raum hineingestoßen hatte. Sein Kopf brummte von den Schlägen, die Happy ihm versetzt hatte, dieser Widerling, und von den Ohrfeigen des Chefs; die Wunde an der Oberlippe hatte zu bluten aufgehört.

Aber Jiggs war ein wirklicher Chef, das sah Buddy nun. Ein Fußtritt schleuderte die Kiste weg, auf der die anderen gewürfelt hatten, und sie wagten nicht einmal zu murren. Er erhob sich, und Buddy tat es ihm nach.

»Komm mit, ich zeig' dir was«, sagte er, und Buddy trottete hinter ihm her in einen Nebenraum, in dem ein großer Haufen Schuhputzerkisten aufgeschichtet war, dazu beträchtliche Vorräte an Konservendosen und Flaschen. Aus einem kleinen Tresor, der an einer Wand stand, nahm Jiggs eine Ledermappe und legte Buddys Aufnahmeantrag zu den anderen Papieren, die sich schon darin befanden.

»Du siehst jetzt«, erklärte er dabei, »daß du niemals leugnen könntest, zu uns zu gehören! Hast du Hunger? Eine Schnitte Schinken, dazu Ananassaft mit Gin gemixt, das ist prima. Wenn du Lust hast, bediene dich!«

Buddy erklärte zaghaft, weder Hunger noch Durst zu haben.

»Das ist ein Fehler«, sagte Jiggs, »wenn man verprügelt worden ist, muß man essen und trinken. Das stärkt die Nerven und hebt die Stimmung. Aber du hast ja nicht viel abbekommen.«

»Mir hat's gereicht«, sagte Buddy.

»Oh, warte nur ... vielleicht ist noch nicht Schluß damit. Du brauchst nicht zu glauben, daß es schon genügt, einen Aufnahmeantrag zu schreiben ...!«

Buddy drückte sich an die Mauer, als ob er in ihr verschwinden wollte.

»Du wirst doch nicht wieder von vorne anfangen, Jiggs«, keuchte er mit starrem Blick. »Es ist wirklich genug, Jiggs, mehr als genug ... Oder bringt mich doch lieber gleich um.«

Es war zu erkennen, daß es Jiggs Spaß machte, Buddy so ängstlich zu sehen. Er ging mit ein paar weichen, katzenhaften Schritten auf Buddy zu und streckte die Hand nach ihm aus. Buddy hatte den Kopf in den Armen verborgen und fühlte, wie Jiggs ihm das Hemd von den Schultern riß.

»Du dreckiger kleiner Lump du«, sagte er dabei, »wenn du zu den Vampiren gehören willst, darfst du nicht mehr so herumrennen; ich lege Wert auf anständige Kleidung. So, wie du jetzt aussiehst, könnte man dich ja für einen Portorikaner halten ...«

Buddy ließ die Arme sinken. Jiggs hatte offenbar keine Lust mehr, auf ihn einzuschlagen. Man wußte nie, ob er dazu Lust hatte oder nicht. Durch die offene Tür hörte man, wie sich die anderen unterhielten. Buddy sagte sich, daß ein wirklich schwerer

Junge nun eine der Flaschen zerschlagen und damit Jiggs so zugerichtet hätte, daß die anderen ihn zu ihrem neuen Chef hätten ausrufen müssen. Aber da Buddy nun einmal ein Bewunderer Gandhis war, bestand wenig Wahrscheinlichkeit für diese Entwicklung. Vor allem fühlte Buddy, daß er keinen Mut hatte. Sollte Jiggs zum Beispiel ähnliche Gelüste zeigen wie Happy, so würde Buddy keinen Widerstand leisten trotz seinem Abscheu, trotz seinem Ekel.

Jiggs sagte:

»Was du hier siehst, unsere Verpflegung . . ., die schaffen die Lehrlinge heran, die Anfänger. Du wirst auch so anfangen, auf diese Weise lernst du das Metier. Bist du eine Flasche, so mußt du dich eben damit zufriedengeben, im Vorbeigehen eine ausgelegte Konservendose oder Obst mitgehen zu lassen; die Geschickteren riskieren einen kleinen Einbruch und fahren mit dem Handwagen gleich ein paar Dutzend Dosen und Flaschen weg. Schon bei diesen ersten Unternehmungen erkennt man, ob einer das Zeug zu unserem Leben hat oder nicht. Kannst du einen Wagen fahren?«

»Nein . . .«, stammelte Buddy.

»Man fragt sich, was ihr eigentlich in der Schule lernt! Du kannst wunderschön schreiben, bist aber nicht imstande, ein Auto in Bewegung zu setzen. Und wie oft hängt das Leben davon ab, daß man sich schnell einen Wagen ausleihen und damit um die Ecke flitzen kann, bevor die Bullen heran sind!«

»Ich gebe zu, daß es in diesem Falle . . .«

Jiggs winkte ab; offenbar wußte er alles, was Buddy sagen wollte. Er griff sich eine Coca-Cola-Flasche vom Regal, öffnete sie an der Tresortür, trank glucksend ein paar Schluck und füllte sie dann mit Gin auf. Diese Mischung reichte er Buddy, der nicht abzulehnen wagte. Es kitzelte und brannte ganz seltsam in der Kehle.

»Los, trink schon aus, mach nicht so langsam, sonst ist eine neue Abreibung fällig!«

Einem Erstickungsanfall nahe, leerte Buddy die Flasche. Alles drehte sich um ihn, die Mauern, die Regale, die langen Reihen der Konservendosen und der Flaschen. Es wunderte ihn nur, daß die runden Dosen und die Flaschen nicht auf dem Boden herumrollten, denn er fühlte sich wie auf einem Schiff im Sturm. In diesem Schwanken wäre es gar nicht so schwer gewesen, eine dicke Flasche zu erhaschen und sie Jiggs auf dem Kopf zu zerschlagen, aber es ist nun einmal so, daß dieser seltsame Mut, den der Alkohol hervorruft, doch nie zu einem wirklichen Wagnis befähigt.

Jiggs schloß die Tür des kleinen Tresors, verdrehte das Kombinationsschloß und sagte: »Der Mann, der den Tresor geschnappt hat, war vor mir Präsident der Vampire; er hieß Chuck und hat damit die größte Tat in unserer Geschichte vollbracht. Es war gar nicht so leicht, dieses schwere Stück hier hereinzuschaffen. Wir haben probiert und probiert, und als wir endlich die richtige Kombination gefunden hatten, war nicht ein Dollar drinnen, nur Geschäftspapiere und Verträge. Daraus siehst du, daß das Verdienst oft nicht belohnt wird.«

»Was ist aus Chuck geworden?« erkundigte sich Buddy.

»Die *Jaguars* haben ihn kaltgemacht. Eine Bande von Portorikanern. Wir hatten eine tolle Schlacht mit ihnen, und dann haben sie Chuck erwischt in einem Hinterhalt. Chuck hatte ihren Chef erschossen, in offenem Kampf, mitten auf der Straße und nur durch ein Benzinfaß gedeckt. Er hatte es prächtig 'raus, wie man ein Benzinfaß mit den Händen festhält und doch so weit darüber wegspäht, daß man zielen kann. Dann krachte es von allen Seiten, und Chuck zog sich langsam zurück. Im Augenblick, wo er ins Haus schlüpfen will, fällt ihm ein eiserner Ofen auf den Kopf, den diese Hunde aus dem vierten Stock auf ihn herabgeworfen hatten. Chuck muß gleich tot gewesen sein; man sah nicht mehr viel, denn die meisten Straßenlaternen waren von Schüssen getroffen worden. Ich hatte mich in einen Toreingang zurückgezogen und konnte nichts mehr tun, denn man hörte schon die Polizeisirene. So verschwand ich im Haus, stieg leise die Treppen hinauf und kroch im Finstern auf das Dach. Ich hörte eine Stimme halblaut fragen: ›Bist du's, Juan?‹, das mußte einer von denen sein, die den Ofen hinuntergeschmissen hatten. Ich brummte etwas, das wie ja klingen konnte, kroch im Dunkeln näher heran und erhob mich erst im letzten Augenblick. Er lag flach vor mir, und ich holte aus wie zu einem Torabstoß. Durch den Schuh spürte ich, wie seine Gesichtsknochen brachen, und in der nächsten Sekunde schon plumpste er vor die Kühler des Polizeiwagens. Ich habe mich dann über die Dächer davongemacht, es hatte mich ja keiner erkannt, und habe den anderen berichtet. Wir waren alle recht niedergeschlagen wegen Chucks Tod, aber es tat uns wohl, zu wissen, daß er gerächt war. Ich wurde an seiner Stelle zum Chef gewählt, und alles wäre glatt gegangen, wenn wir zu jener Zeit nicht so ein komisches Mädchen unter uns gehabt hätten, die für ihre Seele zu fürchten begann. Sie ging zu einem Pfaffen und beichtete ihm alles haar-klein: Es sei ihr zu schwer, solch ein Geheimnis mitzutragen. Der sagte ihr, sie hätte nur ihre Pflicht getan, und kam am nächsten Tag zu mir, um mir ins Gewissen zu reden: Ich sollte mich der Polizei stellen, er würde für mich aussagen. Ich fragte ihn nur, was er denn vom Beichtgeheimnis halte, und forderte ihn auf, sich nicht um meine Sachen zu kümmern. Ob du's glaubst oder nicht: Dieser Empfangschef von Jesus Christus hat besser dicht-gehalten als jenes Mädchen aus unserer Bande. Wenn er mich verpfiffen hätte, wäre ich ja zweifellos längst verhaftet. Ich bin zur Sicherheit für einen Monat untergetaucht. Als ich dann zu den Vampiren zurückkehrte, war alles still und friedlich; die Jaguare ließen uns in Ruhe, und das Mädchen haben wir niemals wieder-gesehen. Wenn die mir eines Tages in die Hände fällt, diese verdammte Verräterin, dann möchte ich nicht in ihrer Haut stecken!«

Buddy stand noch immer mit dem Rücken an der Ziegelwand und nickte wortlos. Was das Mädchen getan hatte, war ja tat-sächlich Verrat, aber in einer Hinsicht konnte er sie verstehen: So etwas zu wissen und nicht darüber sprechen zu dürfen, mußte schwer sein. Er dachte sich selbst an die Stelle des Mäd-chens und in den Gewissenskonflikt zwischen dem Verlangen, dem guten alten Pater Corelli alles zu erzählen und als treues und hartes Bandenmitglied den Pakt zu achten. Vor allem aber wäre er wohl vor Angst gestorben, wenn er an die Rache der Vampire hätte denken müssen. Die Moral im Leben, im wirkli-chen Leben war kein so einfaches Ding; in den Schulbüchern hatte das noch ganz anders ausgesehen.

»So, das wär's«, sagte Jiggs und schmiß die Coca-Cola-Flasche an die Wand. »Gehen wir wieder zu den andern, wir sind mit dir ja noch nicht fertig, Kleiner!«

Buddy gehorchte und trat vor Jiggs in den großen Raum, wo Burschen und Mädchen, die sich auf dem Diwan und in den Ses-seln räkelten, ihnen neugierig entgegenstarrten; auf ihren Ge-sichtern lag jene erwartungsvolle Neugierde, mit der die Zu-schauer eines Theaters den Hauptdarsteller einer Show begrüßen, wenn sich der Vorhang zum zweiten Akt hebt. Buddy mußte an jenen Abend denken, da er in einem kleinen Theater des Viertels, das er bewohnte, *Porgy and Bess* von George Gershwin gesehen hatte; Pater Corelli hatte den besten der Klasse Freikarten ge-schenkt, und Buddy war den ganzen Abend über sehr glücklich gewesen. Am besten hatte ihm das Lied *It ain't necessarily* so gefallen, er konnte es auch, wenn auch nicht ganz fehlerfrei, auf seiner Gitarre spielen.

Mit einiger Überraschung stellte Buddy fest, daß die Zimmerwände nun nicht mehr um ihn herum tanzten; es war, als habe er sich an den Alkohol inzwischen gewöhnt. Er war nicht mehr seekrank, und er hatte plötzlich auch keine Angst mehr. Er fühlte sich zu allem bereit, selbst zum Sterben. Was immer diese ausgekochten Burschen mit ihm treiben würden, er würde es einstecken. Ihm war alles egal, er hatte alles satt. Das Leben, das ihm am Abend zuvor so großartig erschienen war, erwies sich in Wirklichkeit als scheußlich und widerlich, ja, man konnte es gar nicht Leben nennen. Da war es schon besser, nachzugeben, zu resignieren und alles auf sich zu nehmen, wie es Gandhi getan hatte.

Jiggs warf sich in einen Sessel, aus dem sich bei seinem Eintreten einer seiner Untergebenen erhoben hatte, und zog eine Nagelfeile aus der Tasche. Er begann, an einem Nagel herumzufeilen, den er sich – wie er nebenher erklärte – dabei gebrochen hatte, wie er auf Buddy einschlug, und wandte sich dann diesem selber zu, der in der Mitte des Zimmers aufrecht stehengeblieben war:

»Nun kommt die Prüfung... Du warst doch immer Vorzugsschüler? Wir wollen sehen, ob du die Aufnahmeprüfung bei den Vampiren auch so gut bestehst.«

Buddy machte eine unbestimmte Handbewegung, um anzudeuten, daß er zu allem bereit sei.

»Glaube nur ja nicht, daß das so einfach ist«, fuhr Jiggs fort. »Vampir zu werden ist wesentlich schwieriger, als sich an der Spitze irgendeiner blöden Schulklasse zu halten... Los, Jungens, Vorschläge!«

Es enstpann sich eine Diskussion. Man hatte die Wahl, denn es gab keine feststehende Prüfung für die Neuen. Jeder erzählte, was er hatte tun müssen, um aufgenommen zu werden. Der eine berichtete, daß man ihn mit nassen Ledergürteln geschlagen habe, dabei sei ein Gutteil der Haut draufgegangen, die seine Rippen bedeckte. Er lachte, als er davon berichtete. Einen andern hatte man mit den Armen an der Decke aufgehängt, eine ganze Nacht hindurch; noch eine Woche später hätte er seine Hände nicht gebrauchen können, aber er hatte es ausgehalten und nicht ein einziges Mal gejammert oder auch nur den Mund aufgemacht. Bei einem dritten hatte es eine Art Messerduell gegeben mit Chuck, der ihm sehr geschickt eine Unzahl kleiner Schnitte auf der Brust beigebracht hatte, ohne ihn ernsthaft zu verletzen. Dann hatte man als Prüfung den Sprung vom Fabrikdach in den Hof eingeführt; es waren etwa zwanzig Fuß, und die Burschen kamen sich dabei vor wie Fallschirmspringer ohne Fallschirm. Jiggs hatte zwar im Hof etwas Sand aufschütten lassen, dort, wo die Springer auf den Boden trafen, aber es hatte trotzdem bei jedem Sprung Verrenkungen und Verstauchungen gegeben. Einer hatte trotz allem überhaupt nicht zu springen gewagt, so daß Jiggs ihm mit einem kräftigen Fußtritt hatte zu Hilfe kommen müssen.

»Nun, Kleiner«, erkundigte sich Jiggs, »was sagst du dazu? Hast du einen besonderen Wunsch?«

Buddy machte noch einmal die halb verlegene, unbestimmte Handbewegung, um auszudrücken, daß sie doch mit ihm machen sollten, was ihnen gefiel. Nun war ihm ja alles gleichgültig: Ob sie ihn mit ihren Gürteln schlugen, ihn an den Händen aufhängten oder vom Dach stießen ... Er entsann sich der Angst, die er jedesmal empfunden hatte, wenn sein Vampir über ihn hergefallen war. Und doch war das nichts gewesen im Vergleich zu dem, was er jetzt empfand. Das also war das Leben! Es bestand in der Erfahrung, daß alles, was vorher gewesen war, noch immer besser, angenehmer und leichter genannt werden konnte als die Gegenwart ...

Er ließ die Blicke über die kleine Versammlung schweifen. Es war ein bizarres Bild, diese Burschen- und Mädchengesichter, auf denen der schwache Abglanz des Kerzenlichtes lag, so daß nur die Augen und die Zähne aus dem Dunkel blitzten. Auch die Schatten an den Wänden waren seltsam, diese Schatten, die zu tanzen begannen, wenn ein Luftzug die Kerzenflamme bewegte. Und das erstaunlichste war, daß all diese neugierigen Gesichter durchaus gutmütig und im ganzen etwa so aussahen wie die Gesichter der Schüler, die zu Pater Corelli aufgeblickt hatten. Wenn sie über die Art der Prüfung sprachen, die man Buddy auferlegen sollte, so sahen sie ganz so aus wie seine ehemaligen Mitschüler in einer Duskussion über ein mathematisches Problem; nur daß hier Jiggs die Diskussion leitete an Stelle des Paters Corelli.

Buddy dachte an seine Alte und an Gene. Seine Gedanken irrten zwischen seiner Mutter und Gene hin und her und dann von Gene zu Jiggs; es war wie die Stufen einer Treppe, einer lang ansteigenden Treppe der Erfahrung, an deren oberem Ende man vielleicht würde sagen könne, man kenne das Leben. So hoch die Treppe war, so schmal war sie auch, und ihre Absätze glichen Kreuzwegstationen! Buddy sagte sich, daß es unrecht gewesen sei, Christus zugunsten Gandhis zu vernachlässigen, denn trotz allem, was man sagte, hatte Gandhi doch nicht soviel gelitten wie Jesus Christus.

Buddy sah Lizzie an, das Mädchen, das es gewagt hatte, immer wieder zu seinen Gunsten zu sprechen. Sie war die hübschere der beiden Mädchen, die anfangs mit Jiggs auf dem Diwan gesessen hatten, vor einer Stunde, als Buddy sie durch das Schlüsselloch beobachtet hatte. Ja, man konnte sagen, sie sei mehr als hübsch: Sie war ausgesprochen schön mit ihren langen Beinen in den Blue-Jeans und der kleinen Brust unter dem enganliegenden Pullover in shocking rose. In den Ohren trug sie kleine Schildkröten, die aussahen, als seien sie aus Gold, und das Reizvollste an diesen Ohrringen war, daß sie zu der jungenhaften Kleidung des Mädchens so überhaupt nicht paßten. Lizzie hatte eine helle Haut und so schmale Hände wie Buddys Mutter. Sie hatte sich in einem Sessel ausgestreckt, rauchte und starrte zur Decke empor; es sah so aus, als sei ihr völlig gleichgültig, was nun weiter mit Buddy geschah, und das bedeutete wohl, daß er auf ihre Hilfe nicht mehr zählen durfte. Vermutlich tat er ihr nun nicht mehr leid, obgleich er nicht wußte, warum dies so sein sollte. Aber er hatte ja auch nicht gewußt, warum es vorher anders gewesen war. Bei den Mädchen weiß man ja nie. Man durfte es ihr nicht übelnehmen. Sie war durchaus entschuldigt, wenn sie sich vor Jiggs fürchtete, und es war schon eine große Sache, daß sie sich vorhin, als es hart auf hart ging, nicht vor ihm gefürchtet hatte. Wenn sie sich nur wenigstens beeilen wollten, dachte Buddy, damit ich nachher noch ein wenig schlafen kann. Es war ihm, als würde er drei Tage lang schlafen können, sobald alles vorbei war.

Das dicke Mädchen, das vorhin auf der anderen Seite von Jiggs gesessen hatte, erklärte, daß der Fallschirmsprung ohne Fallschirm vom Fabrikdach schon ein alter Hut sei; man hatte ihn zu oft gesehen. Ihr hatte man – denn auch die Mädchen mußten Aufnahmeprüfungen über sich ergehen lassen – das Gesäß mit Lederriemen bearbeitet, und sie wünschte endlich einmal etwas Neues zu sehen.

»Es stimmt«, gab Jiggs zu, »dich haben wir besonders liebevoll behandelt. Du hast dich aber auch gar zu dumm angestellt und gegen den Sprung vom Dach protestiert, darum mußten wir bei dir den dritten Grad anwenden, Poison. Du hast ganz nett geschrien, während des Geklatsches, aber im Grunde immer noch wie ein Mädchen, das Spaß an der Sache hat... Du kannst dich nicht beklagen.«

»Spaß an der Sache!« schrie Poison entrüstet. »Du hältst mich wohl für pervers! Ich weiß schon, was mir Vergnügen macht, aber das Geprügel mit dem Lederriemen gehört nicht dazu.«

»Halt's Maul, du Miststück«, sagte Jiggs.

»Nenne mich, wie du willst, aber du kannst nicht sagen, daß ich mehr von einem will, als er gerne tut. Wenn einer das Gegenteil behauptet, so stopfe ihm den Mund.«

»Sie hat recht«, sagte einer der Burschen. »Poison treibt's mit allen, das wissen wir, aber sie ist auch schnell zufrieden.«

»Ich gebe dem Einspruch statt«, sagte Jiggs, »aber wir kommen vom Thema ab. Ich bin wie Poison der Meinung, daß wir uns für diesen Musterschüler etwas Besonderes einfallen lassen müssen. Wie kommt es übrigens, daß dich deine Mutter nicht weiter zur Schule gehen ließ; du hättest doch Arzt oder Advokat werden können?«

»Ich mußte Geld verdienen.«

»Und dieses Geld hat sie dir dann abgenommen, deine Alte; den Betrieb kennen wir!«

»Mach's nicht so spannend«, sagte Poison, »du redest zuviel, tu schon was, wir warten!«

Eine kurze Stille trat ein. Jiggs zündete sich eine Zigarette an und begann dann mit seinem katzenhaften Gang, weich im Bekken und mit schwingenden Schultern, im Raum auf und ab zu gehen. Schließlich pflanzte er sich vor Buddy auf und sagte mit einem kleinen Lächeln:

»Heureka, wie Galilei sagte.«

»Das war nicht Galilei«, berichtigte Buddy ruhig, »sondern Archimedes.«

»Archimedes oder Galilei, fasse dir ein Herz, Sohn, und hör zu, und ihr andern kommt mit: Ihr sollt sagen, ob meine Idee nicht prima ist!«

Alle verließen nun das Zimmer; Buddy ging hinter Jiggs, Lizzie bildete den Schluß. Im Hof versammelten sie sich. Es nieselte ein wenig, es waren ganz feine Tröpfchen, und man wurde kaum naß von ihnen. Es konnte nicht mehr weit bis Tagesanbruch sein, aber es war so finster wie in der Nacht, denn der Himmel war nun nicht mehr klar, sondern von dicken Haufenwolken bedeckt, die ihn mit schmutzigem Schwarz überzogen und so aussahen wie Baumwollfetzen, mit denen man ein Auto gewaschen hat.

Jiggs ging vor seiner Truppe her, die durch die Pfützen patschte, und führte sie in jene Ecke des Hofes, wo der aus Rundziegeln aufgemauerte Kamin in den Himmel stieg. Dort bildeten sie einen Kreis um Jiggs und Buddy, der sich ein wenig abseits hielt, als ginge ihn die ganze Sache nichts an, ja, als sei er gar nicht neugierig zu erfahren, was mit ihm nun weiter geschehen würde; er machte damit deutlich, daß er nicht einmal daran denke, sich aus dem Staub zu machen, was übrigens vergeblich gewesen wäre: Die Meute der Vampire hätte ihn selbst aus der dichtesten Menschenmenge wieder herausgefischt, ganz abgesehen davon, daß um diese Stunde selbst die Straßen New Yorks menschenleer waren.

»Wir sind da«, sagte Jiggs und zog an seiner Zigarette; jedesmal, wenn er einen Zug tat, glomm der rote Punkt im Dunkel heller auf, und hinter der Zigarette erschien sein kleiner, hübscher Kopf rund und braun wie ein Schokoladenei, ein drolliges Osterei mit einem Bartanflug, auf den Jiggs zweifellos stolz war. »Ihr seht doch alle die Steigklammern auf dem Schornstein... Sie gehen ganz da hinauf. Buddy soll da hinaufklettern, bis an den oberen Kaminrand... einverstanden?«

Alle stimmten zu. Der Gedanke war nicht schlecht. Man mußte sich sogar fragen, warum man nicht schon früher darauf gekommen war, denn schließlich stand der Kamin schon recht lange hier. Noch verwunderlicher war es, daß keiner von ihnen zu seinem Vergnügen da hinaufgeklettert war. In der Nacht und bei dem leichten Regen war es ja zweifellos nicht unterhaltsam, sich von einer Klammer zur anderen emporzugreifen, und bei Tag kam es schon gar nicht in Frage, denn dabei wäre man sicherlich aufgefallen und hätte einen Bullen auf das Versteck aufmerksam gemacht; aber irgendwann hätte man es doch versuchen sollen, denn von da oben, in dreißig oder fünfunddreißig Meter Höhe, mußte doch allerlei zu sehen sein.

»Er ist mehr als hundert Fuß hoch«, sagte Jiggs nachdenklich, »komm her, Buddy. Du bist doch schwindelfrei?«

»Keine Spur«, sagte Buddy, trat aber heran, wie Jiggs es befohlen hatte. »Ich war einmal auf dem Empire State Building und habe mich nicht einmal ans Geländer vorgewagt, und selbst wenn ich über die Brooklyn-Bridge gehe, so halte ich mich immer auf der Fahrbahnseite.«

»Nun, dann wirst du dich eben zur Ruhe zwingen müssen«, sagte Jiggs ungerührt. »Schau einmal da hinauf.« Er legte den Kopf in den Nacken und wies mit dem Finger auf die senkrecht emporlaufende Reihe der Metallklammern; es war dunkel, und der Schornstein schien mit seiner Spitze die Wolken zu berühren. »Da hinauf wirst du klettern, Buddy. Dabei kannst du noch von Glück sagen, denn das ist eine besonders angenehme Aufgabe: Du wirst nicht geschlagen und hast keine Schmerzen zu erdulden. Du brauchst nur gegen das Schwindelgefühl anzukämpfen.«

»Das ist es ja«, sagte Buddy, »das ist so eine Sache, die man nicht in der Gewalt hat. Ich weiß, daß ich schwindlig werde, ich bin es jetzt schon. Ich komme bestimmt nicht da hinauf. Laß mich doch lieber mit Riemen schlagen oder vom Fabrikdach springen . . .«

»Das hast nicht du zu entscheiden, sondern ich.«

»Warum hast du dann für mich eine besonders harte Prüfung beschlossen? Du bist doch selbst noch nicht hinaufgestiegen, weder du noch einer von den andern!«

»Das geht dich nichts an.«

»Du bist nicht gerecht. Einen von den anderen da hinaufzuschicken, würdest du nicht wagen, nur mich willst du dazu zwingen.«

»Übrigens fragt es sich«, sagte im Finstern eine Stimme, die wohl Lizzie zugehörte, »wie Jiggs ihn zwingen will, da hinaufzuklettern. Mit einem Fußtritt schafft er's nämlich nicht, wie auf dem Fabrikdach. Hast du dir das überlegt, Jiggs?«

»Halt's Maul, du Miststück«, sagte Jiggs wütend, »das wollen wir doch sehen, ob er sich weigert. Dann bekommt er nämlich eine Abreibung, wie sie noch nie jemand bekommen hat.«

»Ich ziehe die Abreibung vor«, sagte Buddy ernsthaft, »es stimmt, daß ich nicht die Wahl habe, aber da hinauf kann ich einfach nicht steigen.«

»Ich auch nicht«, sagte Poison, »ich weiß genau, daß ich das nicht könnte.«

»Kein Mensch hat gesagt, daß dies eine Prüfung für Mädchen ist«, erklärte Jiggs. »Das ist eine Sache für die Burschen, sofern sie etwas los haben.«

»Du gefällst mir«, spottete Lizzie, »du hast leicht reden, dabei warst du selbst noch nie oben.«

»Also wie steht's, Buddy, hast du dich entschlossen?« fragte Jiggs.

»Buddy!« schrie Lizzie in diesem Augenblick. »Zeig ihm, daß du ein Kerl bist; du mußt ja nur die Augen zumachen, bis du oben bist; zeig diesem Großmaul, daß du keinen Bananensaft in den Adern hast!«

Buddy jedoch war gar nicht so sicher, ob nicht doch Bananensaft durch seine Adern rinne. Seine Knie jedenfalls zitterten, und ihm war, als könnten seine Beine ihn nicht mehr tragen. Er warf Lizzie einen verzweifelten Blick zu, und sie kam heran. Sie legte ihm einen Arm um Hals und Schultern, was ihr weiter nicht schwerfiel, denn sie war um einen halben Kopf größer als er. Sie küßte ihn auf die Wange und flüsterte ihm ins Ohr:

»Ich verstehe ja, daß du's für ihn nicht tun willst, aber tu's für mich, Buddy. Los, mach schon. Ich bringe dir Glück. Du wirst sehen, daß dir nichts passiert.«

Dann berührten ihre Lippen für einen Augenblick die seinen. Buddy hatte noch nie ein Mädchen geküßt, und noch weniger war er von einem Mädchen geküßt worden. Ja, er entsann sich nicht einmal auch nur der flüchtigsten Liebkosung von seiten seiner Mutter. Er fühlte, wie er ganz weich wurde, als er so nahe bei Lizzie stand, während an ihr alles straff und fest war: die Hüften, die Brüste ... Sie war nicht wie andere Mädchen, die alle so weich und fleischig aussahen.

Die anderen mochten zwar schon wissen, daß Lizzie ein ungewöhnliches Mädchen sei, aber sie starrten doch verblüfft auf die kleine Szene, die sich hier begeben hatte. Und sie starrten alle auch Buddy an, dem es gar nicht recht war, daß diese Burschen und Mädchen ihn nicht aus den Augen ließen. Dabei fühlte er, daß sich in ihm eine Wandlung vollzog. Der Brechreiz war wie fortgeblasen, und er fühlte sich auch nicht mehr müde. Selbst wenn sein Vampir jetzt gekommen wäre und sich ihm in den Nacken gesetzt hätte, er hätte standgehalten und nicht einmal mit der Hand ins Genick gefaßt. Auch die Blicke, die auf ihm lagen, wurden ihm nun gleichgültig, die Blicke voll Erwartung, denn Buddy sagte sich, daß sie alle, Burschen wie Mädchen, ja noch nie auf diesen Schornstein geklettert waren. Zweifellos war auch keiner von ihnen jemals so im Mittelpunkt der Aufmerksamkeit gestanden wie Buddy in diesem Augenblick; er mußte an die Nabe eines Rades denken, auf die Dutzende von blinkenden Speichen wie Strahlen zulaufen. Nur ein einziger von all diesen Blicken bedeutete ihm etwas und stellte ihm ernsthaft eine Frage: das war der Blick Lizzies. Diesem Blick jedoch konnte er am leichtesten ausweichen, denn sie stand ganz nahe bei ihm, so nahe, daß er sie berührte. Die anderen alle sahen ihn in der Gewißheit an, daß er nicht hinaufklettern und eine tolle Abreibung dafür beziehen würde, und sie sahen Lizzie an, weil sie sich sagten, sie sei doch ein komisches Mädchen, daß sie gegenüber Jiggs die Partei dieses weichen Burschen ergriff. So gingen die Blicke von Lizzie zu Buddy und von Buddy zu Lizzie, wie bei einem Davis-Cup-Match in Forest-Hills die Zuschauer immer dem Ball folgten. Dort allerdings ist es immer Tag, wenn sich Zuschauer einfinden, und oft ist die Sonne so stark, daß sie sich aus ihren Zeitungen Tschakos falten ... Komisch übrigens, daß es noch nie einen schwarzen Tennis-Champion gegeben hat, wo die Neger doch in so vielen anderen Sportarten triumphieren.

Während Buddy noch überlegte und ihm allerlei durch den Kopf ging, was ihm durchaus nicht helfen konnte, faßte Lizzie plötzlich nach seinem Kinn, drehte sein Gesicht dem ihren zu und sah ihm in die Augen.

»Tu es für mich, Buddy«, sagte sie noch einmal, »zeig diesem Angeber, daß mit dir mehr los ist als mit ihm!«

Buddy ging auf den Sockel des Schornsteins zu und sprang hinauf. Sein zerrissenes Hemd flatterte und irritierte ihn, darum riß er es sich ganz vom Leib und ergriff die erste Klammer. Das Metall war glatt und nicht rostig, als klettere täglich jemand bis zur Schornsteinkrone hinauf; es war glatt, kalt und feucht. Buddy fröstelte, als ob die ganze animalische Wärme, die noch in ihm war (und das war nicht mehr viel), von diesem Stück kalten Metalls aus ihm herausgezogen werde. Er fröstelte aber auch, weil der kalte Nebel dieser Nacht sich nun auf seine Haut legte. Mit der zweiten Hand tastete er nach der Steigklammer darüber, mit dem Fuß suchte er Halt auf dem untersten Eisen. Dabei stellte er erstaunt fest, daß er bloßfüßig war. Es fiel ihm wieder ein, daß die Bande ihm ja kurz vorher die Schuhe von den Füßen gezogen hatte, damit Jiggs ihn mit der Kerze martern konnte. Nun, im Augenblick machte das nichts aus, ja, sie hatten sogar, ohne es zu wollen, ihm einen Dienst erwiesen, denn es war natürlich leichter, bloßfüßig hier hinaufzuklettern als mit Kautschuksohlen, die auf dem feuchten Metall wenig Halt geboten hätten.

Er wandte den Kopf zu den anderen, die er nun schon ein wenig überragte, und sie blickten mit gespannten Gesichtern zu ihm auf, so wie die Zuschauer in einem Zirkus zu einem Artisten aufsehen, der ohne Netz am Trapez arbeitet. Buddy hatte den Eindruck, daß sie alle fürchterlich glotzten; zweifellos regte es sie auf, zu sehen, wie einer vor ihren Augen sein Leben riskierte. Dabei wurde ihnen sicherlich auch ein wenig schwach im Bauch, ganz so wie den Zuschauern im Zirkus, die nur darauf warten, daß der Trapezkünstler danebengreift und in die Arena herunterstürzt, und die dabei auf unangenehme Weise an ihren eigenen Tod erinnert werden, der sie jederzeit, in jedem Augenblick ereilen kann. Ihn, Buddy, zum Beispiel, hätte ja auch schon die große schwarze Limousine mit dem Skull-and-Bones-Direktor niederstoßen können, sein Kopf wäre auf den Gehsteigrand geschlagen, Schädelgrundbruch, und niemand hätte mehr von Buddy gesprochen.

Diese Gedanken kreisten immer schneller in Buddys Kopf; es waren eigentlich eher Bilder als Gedanken, Bilder von der Fragwürdigkeit des Lebens und von der Macht des Todes, der immer zupacken kann, wann er will, ohne anzukündigen, ohne sein Opfer zu warnen. Ein Trapezkünstler mochte denselben Blick auf die Zuschauer werfen, die unter ihm in der Runde saßen, Augen und Mäuler aufsperrten und heraufblickten. Und in diesen Augen wohnten nebeneinander der Schrecken und das geheime Verlangen, ihn stürzen und sich die Knochen brechen zu sehen. Darum blickten die Artisten wohl gar nicht zur Manege hinunter. Sie durften ja auch das heranschwingende Trapez nicht aus den Augen lassen, ja, es durfte gar nichts anderes für sie existieren. Nur vorher und nachher hatten sie das Recht, dem Publikum einen Blick zuzuwerfen und es so anzusehen, wie nun er, Buddy, Jiggs und seine Kumpane sah. Es war immerhin bemerkenswert, daß es Männer gab, die sich ihr Leben damit verdienten, jeden Abend unter einer Zirkuskuppel hin und her zu fliegen und dieses kleine Ding nie zu verfehlen, an dem ihr Leben hing. Und es fiel ihnen nicht schwerer, als es Buddy gefallen war, Zeitungen zu verkaufen. Wie mochten diese Männer beschaffen sein? Der heikelste Augenblick war zweifellos der, wenn der Scheinwerfer einen erfaßte. Die Zuschauerränge lagen im Zirkus ja völlig im Dunkel, so wie auch die Vampire unter ihm nun im Finstern verschwunden waren; aber der Scheinwerfer holte den Artisten aus der Finsternis heraus, ganz so wie der Suchscheinwerfer eines Polizeiautos. Wenn jetzt eines daherkäme, so würden die Bullen sich nicht schlecht wundern: Da kletterte doch einer in Nacht und Nebel auf einen hohen Fabrikschornstein, und darunter standen andere, die ihm zusahen, und das zu einer so sonderbaren Zeit! Wie spät war es eigentlich? Es war noch immer dunkel, und mit seiner schwarzen Haut mußte er selbst für die Bullen unsichtbar sein; was sollten sie auch ausgerechnet in dieser Gegend suchen. Gene würde sagen, es sei besser, man gehe zugrunde, als man lasse sich von den Bullen retten, aber ich möchte ihn einmal an meiner Stelle sehen: Ich bin überzeugt, er wäre sehr glücklich, wenn ihn plötzlich ein Polizeischeinwerfer erfassen würde.

Buddy stellte fest, daß er schon eine ganze Reihe jener kalten Eisenklammern hinter sich gebracht hatte. Wie viele wohl? Er wußte es nicht, ein oder zwei Dutzend möglicherweise, denn die Burschen und die Mädchen unter ihm waren nun im Dunkel beinahe verschwunden. Im Magen und in den Gedärmen fühlte er einen scheußlichen Krampf, aber er sagte sich, daß er nun einmal begonnen habe und daß der Rest schließlich nichts anderes sei als das, was schon hinter ihm lag. Gleich darauf aber schien es ihm wieder unmöglich, auch nur um eine Steigklammer höher zu klimmen.

Meine Alte schnarcht jetzt wohl in ihrem Bett, dachte Buddy, unter den Heiligenbildern, die sie über dem Kopfende aufgehängt hat. Oder sie steht in einer Polizeiwachtstube und buchstabiert irgendeinem dieser dreckigen Irländer meinen Namen und sagt ihm, wie ich aussehe. Und während ich hier festhänge, schaut Lizzie mir zu; das bedeutet, daß ich nicht hinunterklettern kann, solange ich nicht oben gewesen bin, denn was würde sie sonst wohl sagen?

Der Eisenbügel, den er mit beiden Händen gefaßt hielt, und der andere, auf dem er mit seinen bloßen Füßen stand, waren eiskalt. Es schien auf der Welt nichts anderes zu geben als diese Kälte an seinen Händen und seinen Sohlen. Er sagte sich, daß es am besten sei, die Nase immer stur an die Ziegelwand zu halten und nicht nach links oder rechts und schon gar nicht nach unten zu schauen, und schließlich war ihm, als sei er schon ziemlich hoch, ohne daß er sich erinnern konnte, eine besondere Kraftleistung vollbracht zu haben. Er mußte schon sehr hoch sein, denn zu seiner Linken breitete sich nun unter ihm und weit hinaus die gekräuselte Fläche des Hudson, etwas weniger dunkel als der Himmel, und ein kleines Schiff, das graue Rauchwolken ausstieß und hin und wieder ganz leise mit der Sirene tutete, schob sich durch das Wasser. Wenn man wüßte, wieviel Meter der Schall in der Sekunde zurücklegt, könnte man jetzt die Entfernung berechnen ...

Langsam wandte Buddy wieder den Kopf und starrte auf die Ziegel; sie waren nun nicht mehr von derselben Farbe, nicht mehr schmutzigrosa, sondern schwarz und bildeten ein großes P, den Anfangsbuchstaben der Gesellschaft, die irgendwann vor fünfzig oder zwanzig Jahren diese Fabrik erbaut hatte, P wie Petersen, Philipps, Pollak... Jedenfalls war es ein Mann, den die Krise von 1930 ruiniert hatte. Seltsam, daß Buddy diesen Buchstaben von unten nicht bemerkt hatte, dieses P, das größer war als er selbst und das nun schon unter ihm lag. Er fühlte die Kälte an den Händen und Füßen und Füßen nicht mehr, denn inzwischen hatte sein ganzer Körper das Gefühl verloren. Heimtückisch, schweigend und dennoch gewalttätig packte der Wind ihn im Rücken, als wolle er ihm sagen: Hüte dich, etwas anderes anzuschauen als den Kamin!

Offenbar war der Wind sein Freund. Er war es immer gewesen, der Wind von New York, der ein wenig verrückt war und aus dem Wasser ein Gekräusel weißer Spitzen machte, das die Docks umschäumte; dieser Wind, der in der Madison Avenue mit den Fetzen alter Zeitungen spielte, wenn sie im Morgengrauen ganz ausgestorben dalag und niemand zu sehen war als ein einsamer Polizist, dem der Gummiknüppel vom Handgelenk hing. Man mußte auf den Rat des Windes hören, nirgends hinblicken als auf die Ziegel, die man vor der Nase hatte, obgleich dies immer schwieriger wurde: denn der Kamin war nun schon ziemlich schmal, und man blickte unwillkürlich links oder rechts an ihm vorbei. Einmal rutschten seine Sohlen auf dem feuchten Eisen aus, aber der Schrecken währte nur einen Sekundenbruchteil, denn die Hände hatten einen guten Griff und hielten fest. Er hätte auch nicht losgelassen, wenn man ihm nun auf die Hände geschlagen hätte, zum Beispiel mit einem Gummiknüppel; man hätte ihm die Hände schon abschneiden müssen... aber hier, wo er war, bestand ja keine Gefahr, es gab gar keine Bullen, die ihn prügeln wollten, und das war seltsam. Es hätte schon einer in einem Hubschrauber kommen müssen, und das wäre zweifellos ein komischer Anblick gewesen!

Er bemerkte, daß er den oberen Rand des Schornsteins erreicht hatte. Die Lichter zur Linken, das war Battery, und dahinter kam Richmond, aber da die Wolkenkratzer viel höher waren als sein Rauchfang, konnte Buddy weder die Straßen noch die Lichter von Manhattan erkennen: nur die Brooklyn-Bridge sah er genau. Es war ihm, als höre er von tief unten Geschrei: Hochrufe und Bravos, aber das konnte auch das Flüstern und Sausen des Windes sein, und zugleich ermahnte er sich, nicht nach unten zu blicken, sonst war zweifellos alles verloren.

Er lehnte Bauch und Brust über den Schornsteinrand, aus dessen Inneren ein eiskalter und stinkender Hauch aufstieg. Buddy stöhnte leise. Es klang wie der letzte Laut eines Tieres vor dem Verenden, und aus dem schwarzen Schacht unter ihm stieg ein schwaches Echo herauf. Er fühlte, daß sein Herz wie verrückt klopfte: Erst ganz oben im Halse und dann so, als wolle es ihm die Rippen sprengen. Das Blut drängte sich im Kopf zusammen, die Halsschlagader schien zu bersten...

Dann beruhigte er sich ein wenig und gewöhnte sich an den Blick auf die Häuser, ihre kleinen Kamine und die Bäume an den Straßen; es war überraschend, wie anders dies alles aussah, wenn man so hoch darüber stand und nicht von unten hinaufschaute. Er klammerte sich ganz fest an den obersten Eisengriff, buckelte sich zusammen und zog den Kopf zwischen die Schultern. Nichts konnte ihn nun dazu bringen, loszulassen, er wäre imstande gewesen, bis zu seinem letzten Augenblick in diesem Haltekrampf zu verharren, ja bis zum Jüngsten Gericht, bis zu dem Augenblick, da die Fanfaren alle Abgeschiedenen aus den Gräbern rufen würden. Das wäre eine gewaltige Armee, sie würde mit ihren Scharen Manhattan, Brooklyn, Queens, Bronx, ja den ganzen Staat New York und wohl auch noch New Jersey bedecken. Und alle würden sie dann stehenbleiben und im Chor Halleluja! singen, wenn sie von tief unten zu Buddy hinaufsahen, der sich ganz allein ganz oben auf dem Kamin hielt.

In der blendenden Helligkeit einer großen Lichtwolke würde man dann den lieben Gott sitzen sehen mit etwas mürrischem Gesicht wegen des kleinen Negers, der die ganze Zeremonie störte. Einer aus der großen Menge würde die Hände zu einem Trichter an den Mund legen: Das war der Pater Corelli. Er wollte dem lieben Gott zweifellos erklären, daß dieser Negerjunge Buddy sei, ein guter Schüler mit musikalischer Begabung, den besondere Umstände dazu veranlaßt hätten, auf diesen Schornstein zu klettern. Dann würde der liebe Gott in seinen Bart hineinschmunzeln und Buddy gestatten, schnurstracks ins Paradies einzugehen, zu dem er ja nicht weit hatte, dem er näher war als all die andern Auferstandenen, denn der große Buchstabe P ganz oben auf dem Schornstein bedeutete ja nichts anderes als Paradies, und der Schornstein selbst war wohl so etwas wie der Zeigefinger Gottes, mit dem er den Weg zum Paradies weisen wollte.

Als er mit seinen wirren Überlegungen soweit gekommen war, beschäftigte Buddy nur noch eine Frage: Er wollte wissen, ob am Tag des Jüngsten Gerichts die Weißen und die Farbigen voneinander getrennt oder unterschiedslos miteinander vermischt sein würden; wer sagte überhaupt, daß der liebe Gott ein Weißer sei? Mochten die Bilder, die von ihm existieren, auch alle von

Weißen geschaffen worden sein! Jiggs jedoch würde der liebe Gott in die Hölle schicken, soviel stand fest, und der glückliche Buddy würde erklären, daß er sehr gerne ins Paradies eingehe, sofern seine Mutter und Lizzie mit von der Partie sein dürften. »Das versteht sich doch von selbst«, sagte der liebe Gott, noch immer schmunzelnd, worauf Buddy schnell hinzusetzte, daß er beinahe den Pater Corelli vergessen hätte. Von diesen drei Menschen abgesehen aber gab es niemanden, den er mit im Paradies haben wollte.

Sollte der Buchstabe P vielleicht bedeuten, daß Buddy geradenwegs ins Paradies kommen würde, wenn er sich Kopf und Glieder auf den Steinen unten zerschmetterte? Die anderen mußten inzwischen ja wohl erkannt haben, daß er nicht hinunterzuklettern wagte; sie holten vielleicht Hilfe, und die Feuerwehr mit ihrer großen Leiter würde ihn wohl bald aus seiner Lage befreien; die wirkliche Feuerwehr, nicht die Flußbrigade mit ihren drolligen Wasserwerfern, die am 6. April, dem Tag, den Präsident Roosevelt zum Festtag der Armee erklärt hatte, in Tätigkeit gewesen war. Buddy pfiff auf die ganze Armee, denn es war zweifellos schlimmer, hundert Fuß über dem Boden zu schweben als bombardiert zu werden, und jener Stromer, der in den Argonnen gekämpft hatte, hatte selbst erzählt, daß ihm dabei nichts passiert sei als ein Autounfall, der sich auch in New York hätte ereignen können. In diesem Augenblick bemerkte Buddy, daß seine Hose ganz naß war: Das hatte er selbst getan, er hatte sie genäßt, ohne es zu bemerken...

Und dann gab es keinen Zweifel mehr, daß die anderen ihn riefen, sie schrien im Chor von unten herauf. Sollten sie nur! Er hatte heraufsteigen können, hinunter konnte er nicht mehr. Er würde es niemals können. Er würde hier vor Angst verrecken oder unten, auf dem gepflasterten Hof, zerschmettert verenden. Seine Schultern schmerzten und die Hüften auch. Alles tat ihm weh, und seine Brust war zusammengeschnürt. Er würde bald ersticken, und von seinen Händen wie von seinen Sohlen ging Todeskälte aus, die von den Gliedern her Herrschaft über ihn gewann. Er hörte sich um Hilfe rufen; er wußte, daß er rief, denn das Echo seines Schreies sprang auf ihn zu wie ein Gummiball, der über die Dächer hüpft. Er zwang sich, die Zähne zusammenzupressen, als wolle er nicht durch dieses Geschrei das bißchen Kraft verlieren, das noch in ihm war. Gleich darauf aber stand das Echo schon wieder um ihn, laut und hallend, und er hörte selbst, daß er geschrien hatte.

Als er eine Hand seinen Fuß berühren fühlte, glaubte er, aus einer langen Ohnmacht zu erwachen; das konnte freilich nicht stimmen, denn wäre er ohnmächtig geworden, so hätte er zweifellos den Griff gelockert. Immerhin konnte sein Bewußtsein eine Zeitlang seinen Körper verlassen haben, diesen Körper, der dann eben ganz unbewußt weiter in seinem Krampf verharrte. Er warf einen vorsichtigen Blick hinunter und sah auf der Höhe seiner Knie das Gesicht von Jiggs, das sich zu ihm emporreckte.

»Sei nicht blöd«, sagte Jiggs, »steig herunter, ich halte dich.«

Dabei legte er ihm den Arm um die Taille. Auf diese Weise stiegen sie miteinander einige Klammern hinunter, wie viele, hätte Buddy nicht sagen können. Auf einmal aber drückte Jiggs sich an ihn, als wollte er seinen Leib zerdrücken, und Buddy fühlte, daß Jiggs am ganzen Körper zitterte.

»Nur nicht die Nerven verlieren«, sagte Jiggs, aber seine Zähne klapperten so, daß er die Worte unwillkürlich abhackte, und Buddy begriff, daß nun auch Jiggs schwindelig geworden war. Das kam ganz plötzlich über einen, und nun war es Jiggs, der sich nicht mehr bewegen konnte. Mit großer Mühe schlüpfte Buddy zwischen Jiggs und der Ziegelwand hindurch, bis er um einen Tritt unter dem Chef stand und ihm nun seinerseits den Arm um die Hüfte legen konnte.

»Nur nicht die Nerven verlieren, du Held«, sagte Buddy, »und laß mich jetzt weitermachen.«

Aber Jiggs, so straff er vorhin gewesen war, wurde nun ganz weich und kraftlos, als ob er ohnmächtig geworden wäre, und Buddy mußte ihm eine Hand unter die Achsel schieben. Indem er um Jiggs herumgriff und ihn mit seinem ganzen Körper vor dem Absturz schützte, brachte er ihn schließlich heil zur Erde. Es waren glücklicherweise nicht mehr viele Tritte gewesen, ja, Buddy staunte, wie wenige es waren; er hatte geglaubt, es sei noch eine ganze Menge. Plötzlich sprang Jiggs elastisch auf den nahen Boden und schien nun wieder ganz der alte, während Buddys Knie zitterten, so daß er sich auf den Sockel setzen mußte. Die anderen traten auf ihn zu, klopften ihm freundschaftlich auf die Schulter und halfen ihm, wieder auf die Beine zu kommen. Jiggs stand ein wenig abseits, breitbeinig und wie ein Langstreckenläufer, der hinter dem Zielband wieder zu Atem kommt. Auch Lizzie hielt sich etwas abseits, und Buddy ging mit unsicheren Schritten auf sie zu. Sie fuhr ihm mit der Hand in die Haare, legte ihm dann den Arm um die Schultern und zog ihn wortlos fort, in die Unterkunft; die anderen folgten ihnen.

In dem kleinen Raum, in dem die Kerzen noch brannten, ließ Buddy sich sogleich auf den Diwan fallen. Es war wunderbar, festen Boden unter den Füßen zu haben, Mauern ringsum und eine Decke darüber. Jiggs trat ein, ging auf Buddy zu und streckte ihm lächelnd die Hand entgegen.

»Jetzt bist du ein richtiger Vampir«, sagte er, »und ich nehme dich unter meinen Schutz; wer künftig etwas von dir will, bekommt es mit mir zu tun.«

Buddy drückte Jiggs die Hand. Er begriff, daß das, was Jiggs an dieser Sache am meisten freute, nicht Buddys Leistung war, sondern die Tatsache, daß er, Jiggs, als ein echter Bandenchef es gewagt hatte, ihm dort oben Hilfe zu bringen; er hatte sein Leben für das jüngste Mitglied der Bande riskiert.

»Trink ein Glas, das bringt dich wieder in Ordnung«, sagte Jiggs, füllte eines der Gläser mit Gin und reichte es Buddy. Der trank und fand den Schnaps gut. Dann ergingen sich die anderen in wortreichen Kommentaren über das, was Buddy getan, und das, was Jiggs getan hatte.

Schließlich erklärte Poison, sie sei von all diesen Aufregungen so fertig, daß sie sich zu Hause aufs Ohr legen werde. Die anderen schlossen sich dieser Überzeugung an: Es sei Zeit, abzuhauen, denn der Morgen könne nicht mehr fern sein. Zuvor aber wünschten sie alle Buddy eine gute Nacht – Buddy, der mit krummem Rücken und schmerzenden Rippen auf dem Diwan saß, den Kopf gesenkt hielt und die Hände zwischen den Beinen baumeln ließ. Er murmelte »Gute Nacht«, ohne den Kopf zu heben, und schließlich waren nur noch Jiggs, Lizzie und Buddy in dem Zimmer.

Sie sah den Chef kurz an und sagte:

»Das beste, was du tun kannst, ist, ebenfalls heimzugehen.«

Für einen Augenblick zuckte Zorn in seinem Gesicht auf, aber da die anderen schon weg waren, begnügte Jiggs sich damit, die Achseln zu zucken und zu gehen; er wandte sich an der Tür nicht um und pfiff die Melodie von *The old Folkes at Home* vor sich hin.

Lizzie ergriff Buddys Füße, hob sie hoch und streckte ihn auf dem Diwan aus, dann holte sie aus dem Vorratsraum eine Decke und einen alten Schal, wickelte ihn Buddy um den Hals und blies die Kerzen aus. Schließlich legte sie sich neben Buddy auf den Rücken, so daß sein Kopf auf ihrer Schulter ruhte. Er begann unwillkürlich zu zittern, aber sie streichelte mit einer Hand seine Wange, mit der anderen massierte sie ihm die Brust, bis er wieder ruhig wurde.

»Dieser Jiggs, dieses Scheusal«, flüsterte sie, »es hätte nicht viel gefehlt, und du wärst heruntergesaust wie ein Ziegelstein.«

»Er aber auch«, murmelte Buddy, »um ein Haar wäre er es gewesen, den man vom Boden hätte wegkratzen müssen.«

»Ich hab's gesehen«, sagte Lizzie, »aber sage ihm nicht, daß du ihm geholfen hast, vergiß nicht: Er ist dein Retter, was nachher war, zählt nicht. Wenn es sich nämlich herumspricht, daß der Schwindel ihn gepackt hat und er beinahe abgestürzt wäre, wäre es aus mit seinem Ruf, und er würde es dir nie verzeihen.«

»Du kannst dir denken, daß ich nichts sage, aber die anderen müßten es doch eigentlich ebenso gesehen haben wie du!«

»Wie du dir das vorstellst«, sagte Lizzie verächtlich, »das sind doch alles Arschkriecher, die haben morgen schon vergessen, was sie gesehen haben, und erzählen aller Welt, was Jiggs für ein Held ist.«

»Schöner Held!« sagte Buddy. »Au!«

»Was hast du?«

»Nichts ... dein Ohrring hat mich gekratzt.«

Sie nahm ihre Ohrringe, die kleinen vergoldeten Schildkröten, ab und schob sie unter das Kopfkissen. Buddy drückte sich an sie, umfing mit einem Arm ihre Taille und schlief sogleich ein. Sie lauschte seinem regelmäßigen, friedlichen Atem. Irgendwo auf dem Dach klapperte der irre Wind von New York mit einem Stück Blech oder einer losen Dachrinne ...

III

Agafon Efimowitsch Tupitsyn wurde nicht nach Sibirien verschickt, wie Kristiaschka es befürchtet hatte. Aber Sascha Wolodjewitsch und seine Familie und zwei andere Kulaken des Dorfes mit ihren Familien wurden tatsächlich auf einem Lastwagen der Rotarmisten fortgebracht. Das ging nachts vor sich und sehr schnell, gleich nach der Sitzung, die Frol Lubitschin geleitet hatte und deren Zweck es gewesen war, über das Los der Kulaken im Dorf zu entscheiden; diese Entscheidung bedeutete freilich nichts anderes als die Zustimmung zu den Entschlüssen des Kreiskomitees der Partei, die durch den Mund Frol Lubitschins bekanntgegeben wurden. Wer etwa gewagt hätte, gegen die Verbannung der Volksfeinde zu sprechen, hätte sich der Gefahr ausgesetzt, ihr Los zu teilen.

Gleichwohl wurde die Entscheidung in durchaus demokratischen Formen getroffen. Frol Lubitschin ergriff als erster das Wort in dem kleinen, von üblen Gerüchen und Tabaksqualm erfüllten Raum. Er legte zunächst dar, welche Vorteile die Kollektivierung der gesamten Landwirtschaft für alle Bauern des Dorfes mit sich bringe. Er sprach von den Erträgnissen, von dem Traktor, von der Finanzierung, von der Diktatur des Proletariats und vom Klassenkampf, er zitierte Marx, Engels, Lenin und Stalin. Frol Lubitschin war kein großer Redner. Die Worte flossen ihm zwar leicht aus dem Mund, aber sie blieben irgendwie stumpf und blaß, und seine Argumente fanden, so sorgfältig sie auch formuliert waren, nicht zu den Herzen. Ja, irgend jemand wagte sogar halblaut zu äußern, daß Lubitschin ja nur seine Lektion hersage.

Als er mit seiner Ansprache zu Ende war, ließ er seinen starren, eiskalten Raubvogelblick wie aus großer Höhe über die Versammlung hinschweifen und erkundigte sich, ob jemand zu sprechen wünsche. Darauf begannen einige zu flüstern und leise miteinander zu beraten, und schließlich schob man einen Patriarchen mit Tolstoj-Bart nach vorne, der sich kaum noch auf den Beinen halten konnte und sichtlich keine Lust hatte, den Sprecher abzugeben. Als er schließlich vor der Estrade anlangte, auf der Frol Lubitschin präsidierte, sagte er mit zittriger Stimme, daß er nichts zu sagen habe: Er werde sich dem Willen der Mehrheit fügen und hoffe im übrigen, daß man ihn während der wenigen Jahre, die er noch zu leben habe, in Frieden lassen werde. Dann wandte er sich und verschwand mit kleinen Tatterschritten wieder in der Menge der Zuhörer.

Frol Lubitschin, der mit seinem schiefen Mund und den langen Falten in den Mundwinkeln sehr müde aussah, fragte, ob das alles gewesen sei. Eine kleine Stille trat ein, und dann hob Agafon die Hand und erklärte, er würde gerne wissen, wohin man die Kulaken bringe.

»Die Frage ist verfrüht, Genosse«, antwortete Lubitschin, »wir haben ja noch nicht einmal abgestimmt. Aber ich kann dir schon jetzt sagen, daß auch ich es nicht weiß. Der Befehl für die Deportation besagt nur, daß die Volksfeinde dem Kreiskomitee zu übergeben sind.«

»Der tut nur so, als ob er nichts wüßte!« murmelte eine Stimme neben Agafon, und dieser stellte eine zweite Frage: Ob die Angeklagten das Recht hätten, sich zu verteidigen.

»Gewiß haben sie dieses Recht«, antwortete Frol Lubitschin.

»Aber ihr seht, daß die drei Kulaken, obwohl ich sie zeitgerecht eingeladen habe, nicht vor unserer Versammlung erschienen sind und auch kein Mitglied ihrer Familien; das zeigt ziemlich deutlich, daß sie sich selbst schuldig fühlen.«

»Du willst damit sagen, sie seien sich darüber klar, daß man sie zur Verschickung verurteilen würde, und es also für überflüssig hielten, noch in der Versammlung zu erscheinen!« sagte Agafon mit seiner dröhnenden Faß-Stimme unter den bewundernden Blicken der anderen, denen seine Kühnheit vollkommen unbegreiflich war.

Frol Lubitschin wurde ungeduldig und klopfte mit dem Ende seines Bleistifts auf die Tischplatte, aber Agafon sprach weiter, nun etwas leiser, als spräche er zu sich selbst. Er fragte sich und damit auch die anderen, worin denn eigentlich der Unterschied zwischen den Zwangsverschickungen bestehe, die früher der Zar vorgenommen hatte, und jenen, die jetzt die Sowjets anordneten; wozu habe man Revolution gemacht, wenn man nun wieder soweit sei.

»Du, Agafon Efimowitsch Tupitsyn«, antwortete Frol, »bist einer der ärmsten Bauern des Dorfes und zugleich leider das Musterbeispiel eines politisch unerzogenen Mannes mit kleinbürgerlichen Neigungen, der sein Elend noch durch Dummheit verschlimmert. Was du eben gesagt hast, ist ebenso dumm, wie wenn du dich gegen eine Impfung auflehnen würdest, weil man zuvor Tiere töten muß, um das Serum zu gewinnen; dabei ist noch zu bedenken, daß die Tiere, die für dieses Serum geopfert werden, nichts für die Krankheit können, die damit geheilt werden soll, während die Kulaken sich aktiv schuldig gemacht haben an den Zuständen, denen die Sowjetmacht nun gegenübersteht. Ja, es ist sogar so«, fuhr Frol Lubitschin mit erhobener Stimme fort, »als ob du, Agafon, dich weigern würdest, dir einen Arm amputieren zu lassen, der vom Brand befallen ist und dein ganzes Leben vergiften und zerstören kann.«

Agafon zuckte die Achseln, aber einige Männer erklärten, Lubitschin habe recht. Es waren anständige, angesehene Männer, von denen man nicht annehmen konnte, daß nur der Neid auf den Kulakenbesitz aus ihnen spreche; darum verwirrte es Agafon, daß sie Lubitschin zustimmten. In der Versammlung entstand eine gewisse Unruhe. Frol Lubitschin klopfte wieder mit seinem Bleistift auf die Tischplatte und fragte, ob noch jemand was zu sagen habe. Es wurde still, und niemand begehrte zu sprechen.

»Dann schreiten wir zur Abstimmung, Genossen«, sagte Frol

Lubitschin. »Abgestimmt wird durch das Erheben der rechten Hand. Die erhobene Hand bedeutet, daß der Betreffende für die Verbannung der drei Kulaken und ihrer Familien, für die Kollektivierung des gesamten Besitzes an Land, Vieh und Arbeitsgeräten ist, mit einem Wort also, für die Errichtung der Kolchose unseres Dorfes.«

Die Männer, die schon vorhin Frol Lubitschin zugestimmt hatten, hoben sogleich die Hand, und die anderen taten es ihnen zögernd und zum Teil wider Willen schließlich nach. Agafon war der einzige, der die Hände auf dem Rücken behielt und den Kopf mit der langen Mähne eigensinnig senkte. Alle starrten ihn an. Er hob den Kopf, und sein Blick begegnete dem Frol Lubitschins.

»Du wirst doch wohl nicht glauben«, sagte Lubitschin mit einer entsprechenden Handbewegung, »daß du als einziger klüger sein willst als die ganze Versammlung? Deine Gegenstimme hat auch gar nichts zu bedeuten, denn das Urteil ist genauso gültig, wenn an der Einstimmigkeit eine Stimme fehlt.«

Während dieser Worte ließ Agafon den Vorsitzenden nicht aus den Augen und meinte auf dem Grunde seines kalten Blickes einen Schimmer der Zärtlichkeit zu erkennen, so, als ob Frol Lubitschin eigentlich etwas ganz anderes habe sagen wollen, zum Beispiel: Mein guter alter Agafon... erinnere dich doch an die schlimmen Tage des Bürgerkrieges, an all das, war wir mitsammen durchgemacht haben; laß mich dir sagen, daß der Kampf noch nicht zu Ende ist, ja, daß wir noch weit von seinem Ende entfernt sind. Sei doch vernünftig und stelle dich nicht dem Willen der Partei und der Bauernschaft entgegen, denn damit zwingst du mich, dich zu vernichten; ich kann dich nicht schonen, glaube es mir.

Langsam hob sich auch Agafons Arm bis in Kopfhöhe. Frol Lubitschin spießte ein Blatt Papier an die Mauer, das war das Sitzungsprotokoll, das er schon vorher abgefaßt hatte. Er traute sich etwas, dieser Vorsitzende, konnte aber andererseits anschlagen, was er wollte, denn er war ja beinahe der einzige, der lesen konnte. Dann ging er hocherhobenen Hauptes; seine Lippen waren zusammengepreßt, das Kinn wirkte hart, der rote Stern auf seiner Brust blinkte. Die Versammlung bildete stumm eine Gasse, durch die er gehen konnte, und als er den Raum verlassen hatte, gingen auch die Bauern schweigend hinaus. Als letzter verließ Agafon den Saal; er war ganz allein, so, als sei er von einer ansteckenden Krankheit befallen und habe sich geweigert, sich impfen zu lassen.

Nachdenklich stapfte er durch den Kot auf seinen Hof zu. Die Familie erwartete ihn um den Tisch sitzend, und Mascha stellte, als er eintrat, die Schüssel mit der dampfenden Kohlsuppe vor seinen Platz. Schweigend begann man zu essen, und erst nach einer Weile entschloß sich Mascha zu fragen, wie denn alles abgelaufen sei.

»Es war eine Schande«, brüllte Agafon. »Alle haben klein beigegeben, und zum Schluß auch noch ich selber.«

»Du hast also wieder einmal den tapferen Mann gespielt, um dir vor den anderen ein Ansehen zu geben«, schrie Mascha erbost. »Machst du dir denn gar keine Gedanken, wohin das führen soll? Weißt du nicht, daß jeder, der aufmuckt, den gleichen Weg gehen wird wie Sascha? Wenn du so gerne nach Sibirien willst, so geh doch, aber ziehe nicht deine Familie mit ins Verderben durch deine dumme Eitelkeit.«

Mascha konnte sich nicht beruhigen und fuhr, zu der ganzen Runde gewendet, anklagend fort:

»Wenn er lieber in Sibirien leben und mit Sascha beisammen sein will, so steht es ihm ja frei... Wenn ihm das lieber ist als hier...!«

In diesem Augenblick hörte man das Brummen eines Motors. Das war zweifellos der Lastwagen mit den Milizsoldaten, die Sascha und seine Familie holen kamen. Timofej wollte sich erheben, um hinauszulaufen, aber seine Mutter erwischte ihn an einem Blusenzipfel. Anjuschka kaute an den Fingernägeln, und Kristiaschka, die mit dem Kinn eben die Tischplatte überragte, fragte sich, was nun schon wieder los sei. Agafon ließ den Blick über das Gesicht seiner Frau und über seine Kinder hinschweifen; die Kerze gab nur wenig Licht, aber ihr Widerschein glomm in den Augen aller. Auch hier war Agafon allein; wie in der Versammlung stand er allein gegen alle anderen. Es fiel ihm wieder ein, daß Frol gesagt hatte, man könne nicht als einzelner gescheiter sein als alle anderen; und doch...

Der Motorenlärm verklang in der Ferne. Ljuba sagte, daß es dumm sei, sich allein gegen alle Welt zu stellen: Man müsse eben bei den Sowjets immerzu ja sagen, sowie man es auch beim Zar getan hatte, und hinterher dann nach Möglichkeit schwindeln, wie es alle listigen Tiere tun, der Fuchs und der Wolf. Es könne nicht so schwer sein, bei der Kollektivierung das Nötige für sich zu behalten, und Frol Lubitschin würde bei aller Bosheit doch nicht imstande sein, einen Milizposten neben jede Getreidegarbe zu stellen und zum Hintern einer jeden Kuh, um die Milchmenge zu messen. Man werde eben immer nur ein Pud statt zweien abliefern, das Vieh gut füttern und für das Deputat das schlechteste Getreide bereithalten.

»Wir müssen eben immer recht höflich sein«, fuhr Ljuba fort, »immer ›Jawoll, Genosse‹ sagen, wenn wir Frol Lubitschin treffen, so, wie der Großvater ›Jawoll, Euer Gnaden‹ sagen mußte, wenn er dem Gutsherrn begegnete; das ist alles.«

»Sollen die Sowjets doch immerzu kollektivieren«, sagte Anjuschka, »auch ihre Macht hat ihre Grenzen. Ein hübsches Mädchen wird immer mehr Geschenke bekommen als ein häßliches.«

»Du brauchst nicht zu glauben, daß du mich damit beleidigst«, antwortete Ljuba, zu ihrem Bruder gewendet. »Falls das nämlich auf mich gemünzt war... Ich bin ganz deiner Meinung, und wenn ich wollte, könnte ich sogar diesen eisenharten Frol Lubitschin in die Tasche stecken und mich von ihm verwöhnen lassen.«

»Da irrst du dich«, erklärte Mascha, »Frol interessiert sich nicht für Frauen; selbst ein Luder wie du kann ihn nicht einwickeln.«

Kurotschka warf ein, daß die Kollektivierung eine Sache der Männer sei nach dem Grundsatz: Gib deine Frau dem Nächstbesten und gehe selbst ins Bordell. Anjuschka antwortete lachend, daß in diesem Fall, ob im Bordell oder außerhalb, jedenfalls keine anständigen Frauen mehr aufzutreiben sein würden, und Lidatschka errötete, denn sie schämte sich noch, sie war anders als Kurotschka und Ljuba.

Diese Diskussion ärgerte Agafon.

»Schweigt doch endlich, ihr schwatzt ja wie eine Bande von Papageien«, schrie er so laut, daß die Flamme der Ikone zitterte, aber Mascha wagte, ihm zu widersprechen und beinahe verachtungsvoll zu erklären, daß er von allen zweifellos der Dümmste sei, denn es gäbe nichts Dümmeres, als einen Bären anzugreifen, wenn man selbst nur eine Laus sei.

»Wenn alle Läuse des Dorfes auf einen einzigen Bären losgehen, nun, dann sollt ihr sehen, wie schnell von dem nichts mehr da ist als das Gerippe!« antwortete Agafon. Nach diesen Worten wurde es still, und man hörte den lauten Atem Kristiaschkas, die nahe daran war, in Tränen auszubrechen. Agafon verabreichte dem Kind aus der großen Hungerszeit eine Kopfnuß, worauf es prompt in Tränen ausbrach. Mascha warf ihm einen bösen Blick zu, dachte aber nicht daran, sich der Kleinen anzunehmen; nur Anjuschka strich ihr tröstend über die Wangen.

Agafon saß mit dem Rücken zur Wand, dem Porträt des Marschalls Woroschilow gegenüber. Böse starrte er auf den glorreichen Helden des Bürgerkriegs, packte dann plötzlich das Bild und schwang es über dem Kopf, als wolle er es auf dem Eßtisch zerschmettern. Aber mitten in der Bewegung hielt er inne, ließ die Arme sinken und hängte das Bild wieder an seinen Haken, jedoch verkehrt, so daß der Marschall nicht zu sehen war. Erst einige Wochen später, als er erkannt hatte, daß die Kollektivierung gewisse Vorteile mit sich brachte, durfte Woroschilow wieder in die Stube hinabblicken, das war, als Agafon eingesehen hatte, daß die neue Dreschmaschine der Kolchose doch besser sei als sein alter, selbstgefertigter Dreschschlitten.

Aber wie viele Auseinandersetzungen gab es nun mit Frol Lubitschin über Termine und Fristen, denn Frol wollte nun einmal nicht einsehen, daß die Natur keine Eile habe, daß man sie nicht drängen und hetzen könne wie ein Bürokrat den anderen und daß sie ihre Eigenheiten behalte: eine lange Trockenperiode, ein überraschender Frühjahrsfrost zum Beispiel. Außerdem stand nun einmal fest, daß das Wetter, das für die Brotfrucht am besten war, den Kartoffeln nicht so gut bekam und so weiter.

Kehrte Agafon nach so einer Auseinandersetzung mit Lubitschin wutschnaubend nach Hause zurück, so drehte er sogleich wieder das Porträt des alten Marschalls um. War er mit seiner Familie draußen auf dem Feld, so sagte er oft zu Anjuschka:

»Sieh dieses Land an, Sohn, sieh es dir gut an, denn es ist unser Land; es gehört mir, es hat meinem Vater und meinem Großvater gehört, und es wird einst dir gehören, daran werden alle Sowjets der ganzen Welt nichts ändern.«

Dann bückte er sich, nahm eine Handvoll der fetten schwarzen Erde auf und fuhr fort:

»Und wenn Stalin hier wäre, so würde ich ihm sein großes Maul mit dieser Handvoll Erde stopfen; dieser schmutzige Georgier weiß ja gar nicht, was das ist, unsere Erde!«

Zu Hause, auf dem Hof, konnte es vorkommen, daß er in Gedanken mit seinem Hahn sprach.

»Laß nur gut sein, mein Alter«, sagte er dann, »du bist der einzige Hahn, der mir zusteht, aber dafür hast du auch zweimal soviel Hennen, als die Kolchosenvorschrift dir gestattet. Gib nur acht, daß Frol Lubitschin nicht draufkommt, wieviel Hennen du hast, das gäbe eine schöne Geschichte! Also los, du verdammter Kapitalist unter den Hähnen, zeig, was du kannst, und wenn du mir nicht mindestens fünf Dutzend Küchlein verschaffst, so lasse ich dich kollektivieren!«

Für Mascha und die Kinder war das Woroschilowbild zu einer Art Barometer geworden. Wenn sie wissen wollten, wie es um Agafons Laune und um sein Verhältnis zur Sowjetmacht bestellt war, so mußten sie nur das Bild ansehen, ob der Marschall zur Wand oder in die Stube blickte.

Agafon, der mit den Jahren weniger heftig und damit friedlicher wurde, steckte den Spott der Seinen ein, ohne mit der Wimper zu zucken, und schimpfte nur über Frol, der ja nicht wußte, daß man den Tieren im Winter das schlechte und in den Zeiten der Hauptarbeit das gute Futter geben muß. Da sein Kopf nicht mehr so recht wollte, fügte er hin und wieder Redensarten hinzu, die den anderen ziemlich sinnlos zu sein schienen. Eines seiner Lieblingsworte lautete: »Rutscht einer vom Pferd, so kann er sich nicht auf den Schwanz setzen!« Ein anderes: »Schlage die Eule gegen den Baum oder mit dem Baum auf die Eule – auf jeden Fall ist der Vogel tot!«

Übrigens zeigte sich mit der Zeit, daß die sowjetischen Verordnungen nicht so streng gehandhabt wurden, wie man es ursprünglich befürchtet hatte; es gab im Dorf noch immer die Witwe eines alten Kapitäns, die Geld gegen Wucherzinsen verlieh, und Zigeunerinnen, die in der Dunkelheit von Haus zu Haus gingen, Pferde kaufen wollten und Kleider zum Verkauf anboten; eines Tages kamen sie auch zu Agafon und wollten, daß er ihnen eine Lederweste abkaufe, aber sie war nicht sehr rein, und Agafon hätte gar nicht gewußt, was er damit machen sollte. Außerdem war ja allgemein bekannt, daß die Zigeuner diese Kleider in anderen Orten zusammengestohlen hatten. Einmal kam auch eine Nonne an die Türe, die erzählte, die Roten hätten alle Insassen des Klosters gezwungen, Eier auszubrüten; man habe ihnen sogar besondere Sessel dafür gegeben. Bei aller Gegnerschaft gegen das Regime mußte die ganze Familie über die Geschichte von den Nonnen, die man zum Brüten zwang, doch hell auflachen.

In ihrem sechzehnten Lebensjahr empfand Kristiaschka zum erstenmal jene Gefühle, die man in diesem Alter für Liebe hält. Sie war ein kräftiges Mädchen geworden mit starken Knöcheln, den Schultern eines Boxers und einem breiten Becken, aus dem man auf reiche Nachkommenschaft schließen konnte. Sie war nicht mehr so furchtsam wie in ihrer Kindheit, aber noch immer scheu. Sie wußte natürlich, daß ihr Vater es nicht mehr wagen würde, sie zu ohrfeigen, aber sie wußte auch, daß es nicht gut war, Ohrfeigen zu verdienen. Sie fürchtete sich nicht mehr, denn sie fühlte in sich die Kraft, sich gegen die schlechte Behandlung zu wehren, aber sie war noch immer scheu, weil nichts ihr sagte, daß das Leben auch einmal etwas anderes bringen könne als diese schlechte Behandlung.

Es machte Agafon Spaß, zu sehen, wie sie mit der Heugabel ein drei Pud schweres Bündel so leicht aufhob, als handle es sich nur um einige Halme, aber er zeigte ihr nicht, wie glücklich ihn dies machte, denn das widersprach seiner Gewohnheit. Er hatte zwar inzwischen vergessen, daß sie das Kind der großen Hungersnot war, aber er wollte ihr seinen Stolz trotzdem verheimlichen; dabei kam es ihm eben recht, daß Kristiaschka sich als eine so gute Arbeiterin erwies, denn Ljuba hatte eines Tages mit einem durchwandernden Soldaten das Weite gesucht, und Mascha war nun so lahm, daß sie sich kaum noch bewegen konnte und zu nichts mehr nütze war.

Was aber auch Agafon nicht bemerkte, denn er war für jede Schönheit unempfindlich, war Kristiaschkas hübsches rundes Gesicht, das feste und reine Linien hatte und einen träumerischen Ausdruck der Sanftheit; ihre Augen waren grün mit braunen Flecken, und die Haare hatten helle Kastanienfarbe. Wenn sie offen waren, reichten sie dem Mädchen bis zur Hüfte.

Mit sechzehn Jahren also entdeckte Kristiaschka, daß ihr Herz höher schlug, wenn sie einen bestimmten jungen Mann erblickte. Schon als Kind hatte sie ihn gelegentlich gesehen, aber damals hatte er ihr nur Widerwillen eingeflößt, denn er war ein struppiger Teufel, der mit Vorliebe Tiere quälte und die Mädchen an den Zöpfen zog. Er war immer darauf aus, irgendeinen Schaden zu stiften, und seit damals war Kristiaschka ihm immerzu aus dem Weg gegangen. Die Kollektivierung führte die beiden aber wieder zusammen. Da alle Bauern des Dorfes in der Ernte und beim Dreschen gemeinsam arbeiteten, konnte Kristiaschka sich von jenem Akim Polotzeff nicht mehr fernhalten; er war vier Jahre älter als sie und schien nun auch vernünftiger geworden zu sein. So spielte er zum Beispiel nicht mehr mit Streichhölzern, was er früher mit Vorliebe getan hatte, so lange, bis einmal das Strohdach auf dem Hause seiner Mutter in Flammen aufgegangen war. Seine Mutter war aber zu schwach gewesen, um ihn dafür zu züchtigen, darum hatte sich das Vergnügen am Zündeln von selbst verlieren müssen. Nun war es ein anderes Feuer, das ihm zu schaffen machte: die kleinen Brände, die er in den Herzen der jungen Mädchen entfachte. Er gefiel ihnen mit seiner glatten Haut, seinen Lippen, die für einen Burschen viel zu rot waren, seinen weißen Wolfszähnen und den dunklen Locken seines Haares. Kristiaschka aber beachtete er nicht, er sprach sie auch nie an; zweifellos erschien sie ihm zu jung und zu unbedeutend.

Eines Tages waren sie beide damit beschäftigt, das ausgedroschene Korn in Säcken fortzuschaffen. Siegessicher forderte er sie heraus, mit dem schweren Sack auf der Schulter bis zur Straße um die Wette zu laufen. Verblüfft darüber, daß er sie plötzlich zu bemerken schien, nahm sie die Wette an, warf den Sack auf die Schulter, und sie begannen unter dem Lachen der anderen unter der schweren Last mit kleinen, unsicheren Schritten um die Wette zu laufen. Auf halbem Wege erkannte sie an seinem keuchenden Atem, daß ihn schon die Kräfte verließen; sie wußte nun, daß sie siegen würde, beschleunigte ihren Schritt und schlug ihn schließlich um mehr als drei Meter. Keuchend, schwitzend mit weit offenem Mund und wirr in die Stirne hängenden Locken erreichte Akim die Straße und warf den Sack zu Boden, während Kristiaschka den ihren weiter auf der Schulter behielt, um zu zeigen, daß sie noch nicht müde sei.

Lächelnd näherte er sich ihr wie ein junger Wolf und sprang sie an. Unter dem Gewicht des Sackes stürzte sie zu Boden. Akim wollte sie in dieser Lage halten und faßte nach ihren Handgelenken. Sie aber warf ihn mit einer einzigen Bewegung ihrer Hüften ins Gras. Dabei hatten jedoch die Lippen Akims für einen Augenblick die ihren berührt, und zugleich hatte sie gefühlt, wie alle Kraft aus ihr wich. Ohne zu wissen, was ihr widerfahren war, blieb sie im Gras sitzen und starrte vor sich hin; Akim saß neben ihr und sah sie einfältig an, aber sie bemerkte nicht, wie dumm dieser Blick war, und er wußte nicht, wie tief er sie verwirrt hatte. Niemand wußte es, und die anderen kamen ahnungslos scherzend heran und rieten Akim, als man gemeinsam zur Dreschmaschine zurückkehrte, Kristiaschka lieber ungeschoren zu lassen.

Kristiaschka war nachdenklich geworden; sie sagte sich, daß in ihr ein Gefühl für Akim schlummern müsse, sonst hätte die flüchtige Berührung seiner Lippen sie nicht in diesem Maße verwirren können. Und daran war etwas Wahres, denn es hatte in diesem Sommer schon allerlei kleine Anzeichen gegeben, auf die sie zunächst nicht geachtet hatte, Anzeichen, die ihr nun verrieten, daß sie gegenüber den äußeren Vorzügen Akims nicht unempfindlich war. Sie war betroffen von der Tatsache, daß man für einen Burschen etwas empfinden könne, ohne daß es einem wirklich bewußt wurde.

Akim ahnte ebensowenig wie irgendein anderer von dem Aufruhr des Herzens und der Sinne, den er, ohne es zu wollen, bei Kristiaschka dadurch hervorgerufen, daß er versucht hatte, sie auf den Boden zu drücken. Und da alle anderen ihn noch lange damit neckten, daß Kristiaschka ihn besiegt hatte, so begann er ihr gegenüber Gefühle zu nähren, die mit Liebe ganz und gar nichts zu tun hatten.

So kam es, daß die keimende und rasch anwachsende Leidenschaft Kristiaschkas monatelang ihr Geheimnis blieb. Akim, der seine Niederlage nicht vergessen konnte, behandelte sie jedesmal, wenn sie bei der Arbeit zusammentrafen, als Riesenmädchen, das man am besten unter einen Balkon kleben würde wie jene Steinfiguren, die man an den Palästen in der Stadt sehen konnte. Da Akim all dies in seiner spöttisch-heiteren Manier vorbrachte, nahm Kristiaschka seine Neckereien als Komplimente und erfreute sich nach vielen Jahren ihrer tristen Kindheit an der Fröhlichkeit des Mannes, den sie liebte.

Sie schlief nun nicht mehr im Stall über den Kühen, sondern mit ihren Schwestern Kurotschka und Lidatschka auf dem Platz der fortgelaufenen Ljuba auf dem Dachboden über der großen Stube; freilich hatten sie keine Betten, sondern schliefen auf den blanken Bohlen, denn es gab im ganzen Haus keine Betten, und die Eltern schliefen unten auf dem Ofen, auf dem, wenn es kalt war, die ganze Familie zusammenkroch. Kurotschka und Lidatschka stritten meist noch lange im Finstern, aber Kristiaschka beteiligte sich nicht daran, sondern dachte jeden Abend vor dem Einschlafen an Akim. Sie hatte nichts anderes im Kopf als ihn, und die Erinnerung an seine kleinen, blanken Zähne, die roten Lippen und die reichen schwarzen Locken hinderten sie am Einschlafen. Dies währte freilich jeden Abend nur wenige Minuten, denn entsprechend ihrer großen Körperkraft hatte sie auch ein beträchtliches Schlafbedürfnis. Immerhin reichte diese Viertelstunde, um ihr allerlei angenehme Bilder vor die Seele zu stellen, deren Held immer wieder Akim war. Ja, bisweilen entsann sie sich sogar voll Entsetzen jenes Anblicks, den sie unvermutet genossen hatte, als sie einst Ljuba und ihren Liebhaber in der Scheune überrascht hatte. Sie konnte nicht ohne Schrecken daran denken, denn sie hatte ein sehr ausgeprägtes Schamgefühl, und es war ihr eine höchst beunruhigende Vorstellung, daß ihre Liebe zu Akim etwas mit dem zu tun haben könnte, was zwischen Kuh und Stier, zwischen Lamm und Widder vor sich ging.

Diese Scheu bei einer jungen, rauhen und ungebildeten Bäuerin zu finden, die nur mit Mühe ihren Namen zu schreiben und stockend zu lesen verstand, war nicht ungewöhnlicher als das Fehlen dieser Scheu bei einem Mädchen aus guter Familie...

Der Winter trennte Kristiaschka von dem Gegenstand ihrer Neigung, der ja noch immer nichts wußte. Sie traf ihn nur ein einziges Mal, und zwar bei dem Fest, mit dem der Jahrestag der Kolchosengründung begangen wurde. Ein dicker Parteibonze aus der Stadt führte den Vorsitz bei der feierlichen Zeremonie und beim anschließenden familiären Teil, und selbst Frol Lubitschin zeigte sich in guter Stimmung, denn der Ertrag der Kolchose hatte im abgelaufenen Jahr die Ergebnisse vom Vorjahr weit übertroffen. Dabei hatte Frol Lubitschin nicht schwindeln müssen, es war wirklich ein gutes Jahr gewesen, und das Kreiskomitee versicherte dem Genossen Frol, daß man mit ihm sehr zufrieden sei.

Die Tupitsyn-Kinder hatten sich fein herausgeputzt mit frischen Blusen, gestickten Röcken, weißen Strümpfen und ziemlich reinen Hosen, die Mascha zu diesem Zweck aus der großen Truhe hervorgesucht hatte. Timofej war in Uniform; er hatte Urlaub und konnte daher an dem Fest teilnehmen, obwohl er bei einer Panzertruppe seinen Militärdienst ableistete. Ja, die Kinder waren schnell herangewachsen, und Mascha war sehr traurig, daß nicht auch sie zu dem Fest gehen konnte; selbst im Haus vermochte sie nur noch ganz vorsichtig ein paar Schritte zu tun, und im vergangenen Sommer war sie eines Morgens halbblind erwacht: Ein Hornhautfleck verschleierte das linke Auge, und es hatte den Anschein, als müsse sie alle Krankheiten und Leiden auf sich nehmen, von denen ein altes Ehepaar sonst gemeinsam befallen wird; denn Agafon – obwohl er Augenblicke hatte, in denen er ein wenig kopflos erschien –, Agafon war noch immer kräftig, und er wäre auch zu dem Fest gegangen, wenn er einen einigermaßen präsentablen Anzug gehabt hätte. Dann hätte er den jungen Leuten auch gezeigt, daß noch immer er der beste Tänzer des ganzen Dorfes sei. So aber blieb er zu Hause, denn er wußte, was sich schickte, und trank sich allein einen Rausch an, was ihn beinahe ebenso glücklich machte, wie wenn er auf das Fest gegangen wäre.

Kristiaschka starb beinahe vor Aufregung, denn sie wußte, daß sie im Umgang mit Burschen und in dem, was man Koketterie nannte, völlig unerfahren war; sie fürchtete, daß alle Sorgfalt, die sie auf ihr Äußeres und ihre Kleidung verwendet hatte, sie nur lächerlich machen und dem Spott der anderen aussetzen würde.

Auf der Estrade saß die Kapelle: Geiger, Balalaikaspieler und Akkordeonisten. Der Kreisbonze mit seinen drei Orden auf der gewölbten Brust und drei rosigen Speckfalten im glattrasierten Nacken eröffnete in seiner Uniformbluse den Ball mit Thekla Schtschedrina, einer langen und mageren Lehrerin, die ein blasses Gesicht, einen Mittelscheitel und eine flache Brust hatte; sie galt als Ehrendame, trug ein langes Kleid aus schwarzem Taft von vor 1914, das vermutlich ihrer Mutter gehört hatte, und erregte allgemeines Aufsehen, denn da es in den Jahren nach dem Krieg kein Naphthalin gegeben hatte, waren alle alten Kleider im Dorf den Motten zum Opfer gefallen.

Sobald der Bonze, der trotz seiner Korpulenz sehr beweglich war, die lange Thekla im Walzertakt herumzuschwenken begann, wobei sie das Kleid mit zwei Fingern raffte und graubestrumpfte Knöchel sehen ließ, betrat auch Akim die Tanzfläche, und zwar mit Nina Gussewa. Nina Gussewa hatte schon vor einiger Zeit das Dorf verlassen und war nun Stenotypistin in der Stadt, Sekretärin in der Hauptverwaltung der Spinnereien. Sie trug einen sehr engen schwarzen Rock und dazu eine sehr dekolletierte Spitzenbluse mit einer großen roten Stoffrose am Brustausschnitt. Diese Toilette machte Sensation: Niemand im Dorf hatte derlei je gesehen, und man war sich darüber einig, daß Nina Modezeitschriften aus dem Westen beziehen müsse. Noch auffälliger aber als ihre Kleidung war ihr Haarschnitt. Ihr Haar war ganz kurz geschnitten und onduliert, die Augen waren schwarz gemalt, und die Lippen leuchteten in einem fetten, glatten Rot. Und ihre Strümpfe – habt ihr die Strümpfe gesehen? Es war, als trüge sie gar keine, aber da sie doch zweifellos welche anhatte, mußten es ganz besondere Strümpfe sein, die genauso aussahen wie das Fleisch selbst.

Die Aufregung war so allgemein, daß bei diesem ersten Walzer kein anderes Paar die Tanzfläche betrat: Alle waren zu sehr beschäftigt, Nina zuzusehen und das Schauspiel zu genießen, das dieses ungewöhnliche Mädchen bot. Und Akim, der sie leicht wie ein Lufthauch, meisterhaft und nie aus dem Takt fallend, führte, war stolz wie ein Pfau ob des Eindrucks, den sie hervorbrachte.

Erst beim zweiten Tanz, einem Boston, stürzten sich die ganze Jugend und auch eine erkleckliche Anzahl Personen reiferen Alters auf die Tanzfläche. Timofej faßte Kristiaschka am Arm, die diese Tänze nicht kannte und sich wehrte. Aber er ließ sie nicht los, begann schwerfällig mit ihr herumzuhüpfen und stieg ihr einige Male mit seinen schweren Soldatenstiefeln auf die Füße. Sie war vor Scham halb tot dabei, denn sie war überzeugt, daß alle Umstehenden über sie lachen müßten. Zugleich aber versprach sie der Heiligen Jungfrau eine dicke Kerze, wenn diese sie von ihrer Rivalin befreien wollte; ja, Kristiaschka würde ihr sogar drei Kerzen vor die Ikone stellen, wenn Nina auf der Stelle ohnmächtig umfiele oder noch besser plötzlich eine Blinddarmentzündung bekäme. Ja, das war es, eine galoppierende Blinddarmentzündung, so nannte man das wohl, das war eine elegante Krankheit, eine Krankheit der Stenotypistinnen... Kristiaschka betete nicht zur Heiligen Jungfrau, daß diese Nina sterben lassen möge: Nur soviel sollte geschehen, daß man dieses Mädchen sofort von hier wegtragen müßte; dafür waren drei Kerzen allerdings nicht zuviel versprochen, vor allem, wenn man die Schmerzen bedachte, die Kristiaschka erdulden mußte, weil Timofej so ungeschickt tanzte.

So lernte sie also die Qualen der Eifersucht kennen; sie fand, das seien die schlimmsten Schmerzen, die man sich überhaupt denken könne, andernfalls hätte sie ja auch nicht die Heilige Jungfrau um Hilfe angefleht. Genaugenommen, betete sie nämlich nur dreimal im Jahr, und auch das nur ihrer Mutter zu Gefallen. Immerhin war es schon vorgekommen, daß sie zum Beispiel zu Ostern, während sie die Eier mit grellen Farben bemalte, einige Minuten lang an den lieben Gott und an die Heilige Jungfrau gedacht hatte. Aber sie hatte damals nichts von ihnen verlangt; nicht etwa, weil sie nicht an ihre Allmacht glaubte, sondern gerade, weil sie der Meinung war, daß der allmächtige Gott und Mutter Maria genug anderes zu tun hätten als auf die Wünsche Kristiaschkas zu hören.

Sie sagte sich, daß die beispiellose Kühnheit, mit der sie die Heilige Jungfrau um Hilfe gegen Nina gebeten hatte, ein Beweis dafür sei, daß sie Akim liebe, und zwar mehr liebe, als sie es gewußt hatte. Diese Überlegung machte sie sehr traurig, und ihr Herz quoll über von Zärtlichkeit für Akim und von Haßgefühlen gegenüber Nina.

Nach dem Boston – Timofej war sehr stolz, denn er hielt sich für einen ausgezeichneten Tänzer – setzte sie sich auf eine der Bänke, die rings um den ganzen Saal liefen und in erster Linie von Müttern besetzt waren. Von Müttern, die an diesem Abend nur einen einzigen Gesprächsgegenstand zu haben schienen, nämlich Nina und wie sie angezogen war. Nie zuvor hatte man ein Mädchen in so unanständigem Aufzug erblickt...

»Die Rose hätte sie sich besser auf den Hintern gebunden, das wäre wenigstens originell gewesen . . .«

»Ich, meine Liebe, finde das alles eher lächerlich als unpassend . . .«

»Wenn Sie mich fragen, ich würde ihr auf dem Hauptplatz fünfundzwanzig hinten drauf zählen lassen . . .«

»Die Männer scheinen ganz anderer Meinung zu sein: Sehen Sie nur hin, wie sie Nina umflattern. Sie bevorzugen, scheint es, immer das Dirnenhafte. Sie tun so, als sei jede Prostituierte eine Gestalt aus Tolstojs Auferstehung . . .«

»Ich weiß nicht, ich habe das Buch nicht gelesen, aber ich kann mir schon ungefähr denken, was Sie sagen wollen.«

Dort also ließ Kristiaschka sich nieder, schickte Anjuschka fort, der sie zum nächsten Tanz holen wollte, denn es schien ihr wenig schmeichelhaft, immer nur von ihren Brüdern aufgefordert zu werden, und lehnte schließlich sogar die Aufforderungen einiger anderer Tänzer ab, obwohl diese nicht ihre Brüder waren: Sie wollte sitzenbleiben, um Akim mit Nina ruhig beobachten zu können. Die beiden tanzten engumschlungen, seine schwarzen Locken kitzelten ihre Wangen, und sein roter Mund flüsterte zärtliche Worte in ihr Ohr, von denen ihre kohlschwarzen Augen zu glitzern begannen. Was Kristiaschka in diesen Augenblicken empfand, war Eifersucht in Reinkultur, jenes auf der ganzen Welt anzutreffende Gefühl, das Kristiaschka genauso heimsuchte wie Othello und Charles Swann: Es zwingt die, die an ihm leiden, immer neue Steigerungen der Schmerzen zu suchen.

Im Hintergrund des Saales gab es auch ein Büfett, das wohl versorgt war, bei dem man aber bezahlen mußte. Dort standen alle Arten von Gakuskas, geräucherte Fische, gefüllte süßsaure Gurken, schwarze Radieschen, kleine Törtchen, Wodkaflaschen und Sirup. Während das Orchester eine Pause machte, begaben sich Akim und Nina zum Büfett, und Kristiaschka erklärte sogleich ihrem Bruder Anjuschka, daß auch sie Durst habe.

Anjuschka grub auf dem Grunde seiner Hosentaschen herum, betrachtete die ans Licht gebrachten Münzen und erklärte schließlich, zwei Gläser bezahlen zu können, dann aber müsse Schluß sein.

Kristiaschka lächelte, nahm ihn am Arm und zog ihn zum Büfett. Sie konnte nicht sagen, ob Akim sie kommen gesehen habe: Vielleicht war es auch nur Zufall, daß er ihr den Rücken zuwandte, oder aber er hielt sie für unwürdig, Nina kennenzulernen. Vielleicht fürchtete er, daß seine dörflichen Bekanntschaften seine Position bei Nina beeinträchtigen könnten. Dabei vergaß er natürlich, dieser Verräter, daß sich alle im Dorf sehr genau an die Zeit erinnerten, da auch Nina so wie alle anderen bloßfüßig herumgelaufen war.

Kristiaschka jedenfalls trat ans Büfett, und Akim kehrte ihr den Rücken zu. Anjuschka fragte sie, ob sie Apfelsirup wolle, und sie sagte auf gut Glück ja, denn es interessierte sie viel mehr, zu hören, was Akim und Nina miteinander sprachen. Diese sagte eben, wie sonderbar es sei, daß die Menschen auf dem Lande noch nicht wüßten, daß Männer ihre Mützen abnehmen müßten, wenn sie ein öffentliches Lokal betreten; der schlimmste Verstoß gegen das gute Benehmen sei es jedoch, wenn einer gar mit der Mütze auf dem Kopf tanze. Und bei den Türen, fuhr Nina fort, sei es dasselbe: Die Bauern wüßten offenbar noch nicht, daß sie die Frauen vorangehen lassen müßten.

In diesem Augenblick trat auch der Parteibonze mit der Lehrerin Thekla herzu; er hatte die letzten Worte Ninas gehört und gab ihr recht: »Früher oder später«, sagte er, »wird auch die Sowjetmacht sich damit beschäftigen müssen, den Sowjetbürgern gute Manieren beizubringen, und zwar bis in die kleinsten Ortschaften.«

Nina zeigte sich entzückt, die Zustimmung eines so mächtigen Mannes gefunden zu haben, sie miaute und kokettierte und brachte schließlich einen Toast auf die Gesundheit des Genossen Kreissekretär aus. Dabei hielt sie ihr Glas mit drei Fingern hoch und spreizte den kleinen ganz weit ab. Gott weiß, wo sie das gelernt haben mochte!

Der Bonze erhob ebenfalls sein Glas und stürzte es in einem Zug hinunter, wobei sich seine Unterlippe emporschob und die Brust sich wölbte. Er wiederholte dann, daß man früher oder später auch zu guten Manieren gelangen werde; auf der Dringlichkeitsliste jedoch, im Rahmen des ganzen Planes zur Erringung des Sozialismus, nähmen natürlich ganz andere Dinge die ersten Plätze ein: die Wasserkraftwerke zum Beispiel, der Wolga-Kanal, die Rote Armee und so weiter. All das beschäftige das Zentralkomitee der Kommunistischen Partei der Sowjetunion naturgemäß viel mehr als das gute Benehmen, aber man werde, wie gesagt, darauf zurückkommen.

Nun mischte sich auch die Lehrerin ein, machte ein Mündchen, das aussah wie ein Hühnerpopo, und erklärte, daß sie in ihrer Bibliothek die Übersetzung eines älteren Werkes habe, in dem eine gewisse Baronin Staff allerlei Ratschläge darüber gebe, wie man sich bei Tisch benehmen, einen Brief unterfertigen und einer Dame in die Kutsche helfen müsse.

Der Bonze, der als Mitglied einer Wirtschaftsmission kurze Zeit in Westeuropa gewesen war, berichtete daraufhin, daß er bei einem Empfang in Rom gesehen habe, wie Herren den Damen die Hand küßten.

»Das geht natürlich zu weit«, erklärte er, »es handelt sich dabei um eine typisch kapitalistische Geste, durch die eine vorgebliche Unterwerfung des Mannes unter die Frau zum Ausdruck gebracht werden soll; ich sage vorgeblich, weil wir doch alle wissen, daß die Frau im Kapitalismus ein Ausbeutungsobjekt ist. Einer der sowjetischen Ingenieure unserer Mission war damals erstaunt, daß es so etwas wie den Handkuß überhaupt gab, und ich habe ihm damals geantwortet, daß man sich im Westen ebensosehr darüber wundert, daß die Russen einander mit Kuß und Umarmung begrüßen. So hat eben jedes Volk seine Gewohnheiten, nur, daß ein geschulter Marxist natürlich befähigt ist, in jedem dieser fremden Bräuche den latenten Gehalt an kleinbürgerlich-reaktionärem Denken zu erkennen.«

Von diesem Gespräch hatte Kristiaschka keinen Ton verstanden. Um so entzückter war Nina von der schmeichelhaften Aufmerksamkeit des hohen Funktionärs. Thekla allerdings setzte das blasierte Gesicht jener Menschen auf, für die alle Fragen des guten Tons sich gleichsam von selbst beantworten, so daß es gar nicht der Mühe wert sei, des langen und breiten darüber zu sprechen. Sie glaubte Nina dadurch an die Wand zu spielen, aber diese hatte es nun einmal auf den Bonzen abgesehen, während Akim, der von gutem Benehmen herzlich wenig wußte, beschämt schwieg und seine Schande mit einem Glas nach dem anderen hinunterspülte; dabei warf er das Geld jedesmal mit einer Bewegung lässiger Großmut, die er für außerordentlich geglückt hielt, auf die Zinkplatte; die Baronin Staff wäre zweifellos anderer Meinung gewesen.

Das Orchester intonierte einen Tango, der sich dagegen ja nicht wehren konnte, und der Bonze brachte einen Toast auf die Gesundheit Ninas und schließlich auf die Gesundheit aller Anwesenden aus. Nina, die noch nicht wußte, daß man in der mondänen Konversation nicht zu lange bei einem Thema verweilen darf, erklärte, sie verstehe es durchaus, daß die Sowjetmacht noch nicht dazu gekommen sei, ein Handbuch des guten Benehmens in einigen Millionen Exemplaren herauszubringen; dennoch sei es sehr betrüblich, daß es in diesem Dorf – wie sie an diesem

Abend habe sehen müssen – noch Frauen gebe, die sich in Vorstecktüchlein schneuzten, und Männer, die auf den Tanzboden spuckten. Ein einfaches Rundschreiben an die Lehrer müsse doch genügen, um diesem Übelstand abzuhelfen.

Das war nun natürlich ein kaum verhüllter Angriff auf Thekla, die Lehrerin. Nina wollte damit nämlich sagen, daß man – wenn Thekla ihr Amt richtig verwaltet hätte – auf dem Kolchosenball keine Frauen gesehen hätte, die sich in ihr Vorstecktüchlein schneuzten, und keine Männer, die auf die Erde spuckten. Aber Thekla nahm auch das gelassen hin. Nina irrte sich, wenn sie sich einbildete, sie, eine Lehrerin, werde auf solche Anwürfe überhaupt antworten. Nina wußte ja selbst nicht, wie ungezogen sie wirkte mit dem bemalten Mund und den Kräuselhaaren, durch die sie aussah wie ein Astrachan-Schaf. Nina wußte auch nicht, daß man gewissen Anwürfen, nämlich den allerniedrigsten, nichts anderes entgegensetzen darf als verachtungsvolles Schweigen. Darum reckte Thekla die Nase in die Luft, bildete mit den Lippen wieder einen Hühnerpopo nach und blickte so starr in die Ferne, daß ihrer Meinung nach jeder sehen mußte, wie verachtungsvoll sie schwieg.

Der Bonze, dem Ninas Absichten nicht entgangen waren, bemühte sich, den Frieden wiederherzustellen; er ließ den Blick zwischen dem Kleid der Lehrerin und der Bluse Ninas hin- und hergehen und sagte:

»Ich finde es äußerst reizvoll, an einem Abend wie diesem zwei voneinander völlig verschiedene, aber in gleichem Maße anziehende Moden vereint zu sehen: Den feinen alten Stil und die Pikanterie des Neuen.«

Kristiaschka stand wie auf Kohlen. Niemand schenkte ihr auch nur die geringste Beachtung, und Anjuschka hatte sie verlassen, weil er tanzen wollte. Die schmachtende Tangoweise und der Nachgeschmack des Sirups drehten ihr beinahe den Magen um, und Akim wandte ihr noch immer den Rücken zu. Sie wäre gerne wieder zu ihrer Bank zurückgegangen, aber dazu hätte sie die mit tanzenden Paaren gefüllte Mitte des Saales durchqueren müssen. Am liebsten wäre sie überhaupt nach Hause gegangen, denn das Weinen saß ihr im Hals. Warum war sie nur auf diesen Ball gegangen? Sie war nicht geschaffen für Bälle, sondern für die Arbeit auf dem Feld, so war es nun einmal. Sie war auch nicht geschaffen, Liebe zu erregen, und würde wohl nie imstande sein, ein Abendkleid aus schwarzem Taft mit Volants so zu tragen, wie man es tragen mußte, und das gleiche war es mit den kurzen Haaren und den Dauerwellen, ganz zu schweigen vom Lippenstift.

Thekla, die Lehrerin, fand zweifellos, sie habe nun lange genug das Standbild der Verachtung abgegeben, und erkundigte sich bei Nina, warum diese sich die Haare habe kurzschneiden lassen.

»Vermutlich wegen der vielen Typhuskranken in der Stadt?« sagte sie und fuhr, ohne auf eine Antwort zu warten, fort: »Übrigens ist das kurze Haar im Westen gar nicht mehr in Mode; man hat eingesehen, daß es eine absurde Haartracht ist, weil die Haare ja nicht kurz bleiben, so daß man sie immer wieder schneiden lassen muß. Das Ganze ist nichts anderes als eine Erfindung der Friseure in den kapitalistischen Ländern, damit die Frauen ihr Geld bei ihnen ausgeben. Die Frauen der Großkapitalisten machen sich natürlich nichts daraus, sie haben ja Geld genug, aber die Arbeiterklasse geht an den Ausgaben für den Friseur zugrunde. Die kurze Frisur ist also nichts anderes als ein Manöver der kapitalistischen Kreise, um die Arbeiter nicht aus dem Elend hochkommen zu lassen, und die französischen Arbeiterinnen sind durch die großen Ausgaben für die Friseure in solche Not geraten, daß sie abends, wenn sie aus der Fabrik kommen, auf die Straße gehen müssen, um sich zu verkaufen. Eine Nachbarin meines Neffen hatte einen Schulkameraden, der einige Zeit Attaché an der Sowjetbotschaft in Paris war; auf diese Weise habe ich das ganz genau erfahren. Wenn man in Paris abends auf der Straße dahingeht, so sieht man nichts anderes als ruinierte Arbeiterinnen, die sich auf diese Weise anbieten, weil sie durch die hohen Ausgaben bei den Friseuren in Not geraten sind. Die Friseure sind natürlich alle Mitglieder der reaktionären Partei, entweder Radikale oder Rechtssozialisten.«

Der Bonze kannte zwar nicht Paris, aber er kannte Rom und erklärte, daß es dort auf jeder Straße so viele Halbweltdamen gebe wie Schaben in einer Wodkastube.

»Das russische Volk«, fuhr er fort, »weiß nichts vom Handkuß, aber dafür weiß es auch nichts von der Prostitution, und es scheint mir doch besser, beides nicht zu kennen, als das eine um des anderen willen in Kauf zu nehmen!«

Nina erstickte bei diesem Gerede beinahe vor Zorn; sie hatte aus Theklas Worten nicht mehr und nicht weniger herausgehört, als daß man durch die kurze Frisur gezwungen werde, auf die Straße zu gehen; sie sah darin eine persönliche Anspielung, da sie nun einmal die Haare auf eine Weise gewellt trug, wie sie es sich nicht selbst machen konnte. Kristiaschka hingegen sagte sich, daß der Bonze wohl ein Lügner oder aber völlig ahnungslos sei: Denn sie wußte nur zu gut, daß die Prostitution aus Rußland nicht verschwunden war, lebte doch ihre Schwester Ljuba in der Stadt davon. Zweifellos war dieser ihr Beruf auch schuld, daß Ljuba nicht auf den Ball gekommen war. Agafon jedenfalls hatte, als er von Ljubas Treiben erfuhr, erklärt, daß von nun an niemand mehr von Ljuba sprechen dürfe; dieses Mädchen sei nicht mehr seine Tochter.

Nina vermochte in ihrer Wut nicht mehr an sich zu halten, und als der Zufall ihr die Gelegenheit bot, ging sie zum Gegenangriff über. Sie wies mit dem Zeigefinger auf den unteren Rand von Theklas schwarzem Kleid und sagte:

»Da wir gerade von Schaben sprechen – die gibt es wohl nicht nur in den Bauernhäusern, meine Liebe; das Exemplar, das Sie da haben, ist recht ansehnlich geraten, man möchte meinen, es sei ein Knopf aus Straß. Ist das nun die neue Mode oder noch die alte?«

Thekla senkte den Blick, bemerkte das Insekt in mühevollem Aufstieg von einem Volant zum anderen und schüttelte es mit einer raschen Bewegung ab. Der Bonze trat mit dem Fuß darauf und brach in Lachen aus, aber just in dem Augenblick machte das Orchester eine kleine Pause, und das Bonzenlachen hallte überlaut durch den ganzen Saal. Der schwere Mann wurde puterrot bis an die Genickfalten, Thekla erblaßte, und Akim, der inzwischen bei seinem achten Glas Wodka angelangt war, lachte verspätet noch einmal so laut auf wie der Bonze. Dabei schüttelte es ihn so, daß er endlich Kristiaschka bemerkte, die neben ihm stand. Er tat, als sei er überrascht, sie auch auf dem Ball zu treffen (obwohl er sie während des ersten Tanzes gesehen haben mußte), und sagte zu dem Bonzen:

»Genosse Sekretär, dies ist Kristia Tupitsyna, das kräftigste Mädchen im ganzen Kreis. Wenn Sie einmal mit ihr ringen, werden Sie unweigerlich im Handumdrehen auf den Rücken gelegt.« Der Bonze begrüßte Kristiaschka mit der größten Freundlichkeit und sagte, er sehe aus ihrer Figur, daß sie über ungewöhnliche Kräfte verfüge. Sie solle Sport betreiben und sich im Diskuswerfen und Kugelstoßen üben; sie könne Unionsmeisterin werden und bei den nächsten Olympischen Spielen im Jahre 1940 als Vertreterin der Sowjetunion teilnehmen.

»Würde es Ihnen nicht Freude machen«, fragte er, »auf einem Podium zu stehen, mit den Buchstaben SSSR auf dem Trainingsanzug, während das Orchester die sowjetische Hymne spielt und hunderttausend Menschen Ihnen zujubeln?«

Kristiaschka verstand nur wenig von der ganzen Geschichte. Sie hatte so gut wie keine Ahnung, was ein Diskus sei und worum es bei den Olympischen Spielen gehe, und darum hatte sie das Gefühl, daß der Bonze sich über sie lustig mache. So antwortete sie denn nur mit einem vagen Lächeln, das beinahe schmerzlich aussah, denn sie fühlte sich gedemütigt durch Akims Bosheit, der sie vor Thekla und Nina zum Gespött machen wollte.

Der Bonze hingegen schien die Sache ernst zu nehmen. Er sagte zu Kristiaschka, daß sie doch nächstens auf einige Tage in die Stadt kommen solle; es gebe dort ein Institut für Körperkultur, dessen Direktor er kenne, und auch mit Frol Lubitschin würde er die Angelegenheit in Ordnung bringen.

»Die sportliche Laufbahn bietet den jungen Sowjetbürgerinnen die schönste Möglichkeit zur Bewährung«, erklärte der Bonze. »Der Sport ist der friedliche Wettstreit der Völker, und die Sowjetunion hat darin alle anderen überflügelt.«

Kristiaschka war dennoch der festen Überzeugung, daß auch der Kreissekretär sich über sie lustig mache, und wurde von ausgesprochener Panik erfaßt, als er sie zum Tanzen aufforderte. Sie wagte nicht, abzulehnen, und als der Bonze sie im Tanz so eng an sich drückte, daß seine drei Orden ihr an der Brust weh taten, und erklärte, er fühle sehr wohl, daß sie ganz besondere Kräfte haben müsse, da dachte sie, er habe erotische Anwandlungen. Gleich darauf verwarf sie diesen Gedanken wieder, da sie nun einmal überzeugt war, daß sie den Männern nicht gefallen könne, aber schon in der nächsten Minute mußte sie zu ihrer Überraschung hören, daß sie in ihrem Bauernkleidchen dem Kreissekretär viel besser gefalle als Thekla und Nina, die sich auf westliche Weise herausgeputzt hätten.

Nun begann sie selbst sich für den Mann zu interessieren und dachte auch darüber nach, was er ihr vorhin über eine sportliche Karriere gesagt hatte. Vielleicht war es gar nicht so dumm, in die Stadt zu gehen und dort Sport zu treiben... Er meinte ja vermutlich nicht den gleichen Sport, den Ljuba trieb. Außerdem: Wenn ein Würdenträger der Partei sie zu seiner Geliebten machen wollte – was sollte sie schon dagegen tun? Man konnte sich ja auch nicht dagegen wehren, wenn die Partei beschlossen hatte, jemanden nach Sibirien zu schicken.

Während des Tanzes bemerkte sie Frol Lubitschin, der in einer

Ecke mit einigen Bauern plauderte. Er tanzte nicht, und es hätte auch nicht zu ihm gepaßt. Sie dachte, was Lubitschin wohl tun würde, wenn der Kreissekretär morgen zu ihm sagte: »Schicken Sie mir doch dieses Mädchen in die Stadt, Genosse Lubitschin!« – Frol konnte dann wohl nichts anderes tun als ein Lastauto mit Milizsoldaten zum Hofe Agafons zu schicken, um sie freiwillig oder mit Gewalt in die Stadt zu holen. Bei diesem Gedanken zitterte sie in den kräftigen Armen des Bonzen, der ihr sagte, daß sie gar nicht so übel tanze, und der sie nach dem Tanze wieder zum Büfett führte, wo Thekla, Nina und Akim noch immer beisammenstanden. Der Bonze bot Kristiaschka ein Glas Wodka an, aber sie lehnte ab: Sie trinke nie Alkohol. Er beharrte jedoch gutmütig auf seinem Vorschlag:

»Nur ein kleines Gläschen, es ist ja das Jahresfest der Kolchose!«

Das gutmütige Zureden des Kreissekretärs klang Kristiaschka wie die Stimme der Obrigkeit in den Ohren. Sie trank gehorsam den Wodka hinunter, und er erschien ihr nicht einmal so stark. Außerdem stimmte es, daß man sich nachher besser fühlte, nicht mehr so unsicher, bedrückt und beleidigt.

Mit Schweißperlen auf der Stirn und schwerer Zunge sagte Akim:

»Nun, Genosse, haben Sie probiert? Da ist alles fest und solide, die können Sie vor einen Karren spannen und einen Berg Heu aufladen, sie wird ihn besser ziehen als ein Pferd. Dabei ist sie ein Kind alter Leute, denn ihr Vater war acht Jahre Soldat, und Mascha war auch nicht mehr jung, als er sie heiratete. Dennoch muß man sagen, daß die Tupitsyn-Kinder ein guter Schlag sind, alle prima gebaut!«

Der Bonze jedoch antwortete nicht, sondern wandte dem Frechdachs nur den Rücken zu; Kristiaschka aber war schon wieder tief verzweifelt, denn was konnte es Schlimmeres geben, als die eigene Familie von dem Mann beleidigt zu sehen, den man so sehr liebt.

Inzwischen unterhielten sich Thekla und Nina, als seien sie von jeher die besten Freundinnen gewesen und hätten nicht noch vor wenigen Minuten kaum verhüllte Grobheiten ausgetauscht. Sie sprachen über Literatur, vor allem über französische Bücher. Nina hatte in einer Übersetzung die *Drei Musketiere* gelesen und sagte, die Liebe sei heute etwas ganz anderes als zu jenen Zeiten. Sie habe den Roman von Dumas nicht weniger als dreimal gelesen.

Thekla antwortete, sie ziehe Maupassant vor, er sei realisti-

scher, und damit war das Gespräch auf dem toten Punkt angelangt, da Nina Maupassant nicht kannte.

»Und Zola?« fragte Thekla. »Kennen Sie den?«

»Nein«, erklärte Nina ein wenig pikiert, weil die Lehrerin so
ohne Scheu die Lücken ihrer Bildung bloßlegte. Auch der Bonze
schwieg, denn Lektüre war nicht seine starke Seite. Er hatte einiges
von Lenin und Stalin gelesen, aber auch das nicht sehr genau,
und ein Buch mit dem Titel *Der achtzehnte Brumaire des Louis
Bonaparte* von Karl Marx, ein kurzes, klares Buch, das ihm
gleichwohl gewisse Schwierigkeiten bereitet hatte. Inzwischen
hatte er längst auch den Inhalt dieses Buches vergessen und bezog
sein Wissen und die Essenzen seiner politischen Kultur aus den
täglichen Artikeln der *Prawda*.

»Das Beste am Naturalismus«, dozierte Thekla, »ist die Her-
ausarbeitung des bezeichnenden Details. Zum Beispiel würde
Zola, wenn er dieses Büfett und die Menschengruppe davor beschreiben wollte, bestimmt erwähnen, daß Ninas Glas auf
ekelerregende Weise mit Lippenstift bekleckert sei...«

»Fangen Sie schon wieder an«, explodierte Nina, »ich werde
Ihnen mein Glas an den Kopf werfen, wenn Sie nicht aufhören,
auf mir herumzuhacken!«

Dabei griff sie nach dem Glas, und es sah so aus, als würde sie
den Worten auch die Tat folgen lassen. Der Bonze war noch
immer guter Laune und erklärte:

»Wenn ihr wirklich handgreiflich werden wollt, ihr zwei Zarten, dann werde ich Kristiaschka beauftragen, euch voneinander
zu trennen!«

Er empfand offenbar gar nicht, wie komisch es klang, wenn
er die lange, aufgetakelte Thekla und das eitle Schäfchen Nina
unter einem Begriff zusammenfaßte und seine zwei Zarten
nannte. Akim hetzte lallend und mit starrem Blick Nina auf,
dieser alten Hopfenstange doch zu Leibe zu gehen. Thekla hörte,
wie sie genannt wurde, erlitt einen leichten Schock und wandte
sich ab, während Nina hoheitsvoll erklärte, daß ihr niemand
Befehle zu geben habe, am wenigsten aber ein betrunkener Dorfgockel, von dem man in der Stadt...

Sie hatte keine Gelegenheit mehr, den Satz zu vollenden, denn
Akim hatte ihr mit einer völlig unerwarteten Bewegung Daumen
und Zeigefinger der rechten Hand in das entrüstet geöffnete
Mäulchen geschoben. Nina biß, schnell gefaßt, so heftig zu, daß
Akim in lautes Geheul ausbrach und erklärte, sein Zeigefinger
sei bis auf den Knochen durchgebissen.

»Und ich habe jetzt alle Bazillen in mir, die auf Ihren schmutzigen Fingern saßen«, rief Nina und stürzte mit gezückten Krallen auf Akim los. Dieser griff, um sich zu verteidigen, nach einer Schüssel mit Sahne und stülpte sie Nina über den Kopf.

Der Bonze, der dem Wodka schon einigermaßen zugesprochen hatte, krümmte sich vor Lachen: Der Anblick, den Nina bot, erinnerte ihn an einen Scherz der Clowns im Moskauer Staatszirkus! Thekla hingegen, die sicher war, daß die Baronin Staff solche Scherze auf das schärfste verurteilt hätte, suchte das Weite. Sie hatte sich an diesem Abend schon genugsam mit Leuten kompromittiert, die unter ihrem Niveau waren, und der Kreissekretär war auch nicht besser als die anderen.

Inzwischen war Nina, der die Sahne Haare und Augen verklebte, ob ihrer plötzlichen Erblindung in gellendes Geschrei ausgebrochen, und das Orchester war verstummt. Die Tänzer und Zuschauer strömten herbei, um zu sehen, was es beim Büfett denn eigentlich gebe, und was sie sahen, war so komisch, daß die ganze Versammlung in brüllendes Gelächter ausbrach.

Nur einige ältere Frauen nahmen die Sache ernst genug, um Nina, die sich verzweifelt wehrte, auf die Toilette zu führen. Dort wuschen sie ihr Kopf und Gesicht, was wohl den uneingestandenen Nebenzweck verfolgte, auch die kunstvolle Malerei auf Wangen, Lippen und Augenbrauen zu entfernen, durch die das Mädchen soviel Aufsehen erregt hatte.

So wäre das ganze noch einmal ohne Skandal abgegangen, denn diese Nina war ja niemandem wirklich sympathisch, und es war ihr nur recht geschehen, und auch Akim gönnte jeder den zerbissenen Finger – aber der Kellner hinter dem Büfett verlangte nun von Akim den Preis für die ganze Schüssel mit Sahne und den Preis der Schüssel selber, die in Scherben auf dem Boden lag. Akim hatte, ohne zu zaudern, in die Tasche gegriffen, obwohl er dabei die Hose mit Blut besudelte, und die wenigen Geldstücke, die auf diese Weise zum Vorschein kamen, auf den Tisch geworfen; als der Kellner aber erklärte, es fehlten noch drei Kopeken, beschimpfte er den Armen fürchterlich und biß in seiner Wut in ein Törtchen. Mit einem lauten »Puah!« schüttelte er sich voll Ekel, biß in das nächste Törtchen, machte wieder »Puah!« und hätte auf diese Weise wohl das ganze Büfett geplündert, hätte nicht der Kellner eine Flasche auf Akims Kopf zerschlagen und ihn dadurch zur Ruhe gebracht.

Der Bonze hielt sich die Rippen, denn sie schmerzten ihm vom

Lachen. Es war doch tatsächlich wie im Zirkus, ja, man hätte eine großartige Clownnummer mit diesen Dorfbewohnern auf die Beine bringen können, alle hätten sie mitwirken können: Kristia als Riesenmädchen, Akim, der Kellner, und natürlich Nina, die nun wirklich aussah wie ein Zirkusaffe!

Im Augenblick, da Akim die Flasche auf den Kopf bekommen hatte, war Kristiaschka ihrem Bruder Anjuschka in die Arme gesunken, der den Begebenheiten vom ersten Zuschauerrang aus beigewohnt hatte. Halb erstickt von der Erregung, brachte sie kein Wort heraus, und das war noch ein Glück, sonst hätte sie bei dieser Gelegenheit verraten, daß es ihr einfach zu furchtbar gewesen war, den Tod jenes Jünglings mit anzusehen, den sie nun einmal liebte.

Man hob Akim vom Boden auf, und Frol Lubitschin trat hinzu. Er war, das sah man sogleich, keineswegs zum Spaßen aufgelegt, und der Ausdruck seines Gesichtes veranlaßte die ganze Versammlung, ungesäumt zu verstummen. Er ließ auf Akim ein richtiges Donnerwetter niedergehen, erklärte ihn als den Schandfleck des Dorfes und versprach, ihn das nächstemal beim geringsten Zwischenfall dieser Art sogleich festnehmen zu lassen. Für den Augenblick wolle er sich damit zufriedengeben, Akim vom Fest zu weisen.

Der schöne Akim rieb sich den Kopf, gehorchte aber dann und trollte sich, offensichtlich ziemlich schwach auf den Beinen, wobei er noch einen Wind streichen ließ. Eine Minute später hörte man ihn unter den Fenstern des Ballsaals ein altes russisches Volkslied brüllen, den *Gruß an meine Rosenknospe*. Aber inzwischen hatte das Orchester schon wieder zu spielen begonnen und deckte seinen Gesang zu. Auch Nina war wieder erschienen, und ihr Mut wurde allgemein bewundert, um so mehr, als sich nun herausstellte, daß sie ohne die Bemalung nicht sonderlich hübsch war. (Wollen Sie wirklich sagen, meine Liebe, daß sie mit ihrem bemalten Lärvchen besser ausgesehen hat? Und haben Sie bemerkt, daß sie bei der Schlacht die Rose verloren hat, so daß man jetzt ihre Brust so sehen kann, als ob sie überhaupt nichts an hätte?)

Kristiaschka war inzwischen auf dem Grund ihrer Verzweiflung angelangt. Der Junge, den sie liebte, hatte ihren Vater und ihre Mutter beleidigt und sich wie ein Ferkel aufgeführt; darüber konnte sie auch der Schimpf nicht trösten, den er Nina, diesem Früchtchen, angetan hatte. Kristiaschka erkannte, daß Akim ihrer Liebe nicht würdig sei, aber sie konnte sich trotz allem nicht anders besinnen: Sie liebte ihn noch immer. Sie hatte ja auch über die Liebe nie nachgedacht, ehe sie diese empfand. Um sich von der Liebe schon vorher eine Vorstellung zu bilden, müßte man Romane lesen und Freundinnen haben, die ein wenig älter sind und schon etwas von der Liebe wissen. Und Kristiaschka hatte nun einmal nie einen Roman gelesen, und es hatte ihr auch niemand vertrauliche Mitteilungen gemacht; ja, sie wäre vermutlich sogar zu scheu gewesen, sich derlei anzuhören. Die Frage, ob man jemanden lieben sollte, der dessen nicht würdig war, oder ob man es besser unterließ, war somit ein völlig neues Problem für Kristiaschka, ein Problem, das sich erst aus der Erfahrung ergeben hatte. Und die Erfahrungen haben es nun einmal an sich, daß sie einen oft überrumpeln. Kristiaschka sah natürlich ein, daß der Mann ihre Liebe nicht verdiente; die Meinung des ganzen Dorfes sprach ja deutlich genug. Andererseits aber trieb ihre eigene, schon früh gedemütigte Natur sie zu einer gewissen Mißachtung der allgemeinen Meinung: Schließlich hatte Agafon sie selbst ja jahrelang so behandelt, wie man heute Akim behandelte. Und ist nicht eine Liebe, die von der ganzen Welt verurteilt wird, die stärkste, reinste und herrlichste Bindung, ist sie nicht so wie ein fester Kern in dem Brei der allgemeinen Mißgunst?

Kristiaschka sagte sich das nicht ganz so, jedenfalls nicht mit diesen Worten, aber es war im wesentlichen das, was sie empfand. Einen Augenblick lang haßte sie Akim, weil er sich so scheußlich benommen hatte, im nächsten Augenblick aber begeisterte sie sich an dem Gedanken, daß sie der einzige Mensch auf der ganzen Welt sei, der nun zu ihm stand.

Es überraschte sie, daß man etwas gemeinsam verabscheuen und gemeinsam schätzen konnte. Die Mädchen mit den schlanken Beinen, die Dämchen aus der Stadt, wo es Bibliotheken gab, die wußten das natürlich aus den modernen Romanen. Aber Kristiaschka hatte nun einmal – wir haben es schon gesagt – weder einen älteren noch einen modernen Roman gelesen. Sie sagte zu Anjuschka, sie sei müde und wolle nach Hause. Anjuschka war erstaunt: Zum erstenmal in ihrem Leben hatte Kristia erklärt, daß sie müde sei, und es war auch nicht eine körperliche Müdigkeit, die sie empfand, sondern bloß eine tiefe Verwirrung in ihrem Seelenleben. Anjuschka erkannte, daß irgend etwas Besonderes vorgefallen sein müsse, und schickte sich, selbst beunruhigt, an, sie zu begleiten.

An der Tür stießen sie auf den Bonzen; er hatte ein rotes

Gesicht, unter den Achseln Schweißflecke und in der Hand ein Glas.

»Man darf das alles nicht so tragisch nehmen«, sagte er, »die sowjetische Jugend, die Burschen vor allem, die sind nun einmal wie junge Pferde draußen auf der Steppe; sie haben Feuer in den Adern. Frol Lubitschin sieht die Sache meiner Meinung nach viel zu ernsthaft. Mich hat dieser Abend an ein ganz tolles Fest erinnert... Das war in Noworossijsk inmitten eines fürchterlichen Bombardements. Wir hatten den ganzen Tag über die Schiffe der Weißen beschossen, auf denen sie abhauen wollten, die Herren, die heute Taxichauffeure in Paris sind. Nachts hatten schließlich alle Weißen das Weite gesucht, und wir waren unter uns... Ein einzigartiges Fest, kann ich euch sagen, obwohl...«

Es gelang dem Kreissekretär nicht, seine Geschichte zu Ende zu bringen, er war offenbar schon zu sehr angeschlagen. Es hieß zwar, daß die Würdenträger der Partei ein besonderes Wodkatraining hinter sich hätten dank der unzähligen Trinksprüche bei offiziellen Gelegenheiten. Man sagte auch, daß besonders gewitzte Parteileute ihre eigene Flasche mit sich führten, in der sich nicht Wodka, sondern Wasser befinde, so daß sie einen kühlen Kopf behielten, während die schmutzigen Kapitalisten, die den Wodka nicht gewöhnt waren, kaum noch denken konnten. Ja, es gibt sogar Spaßvögel, welche die diplomatischen Erfolge der Sowjetunion diesem Verfahren zuschreiben... In diesem Fall jedoch stand fest, daß der Kreissekretär echten Wodka getrunken hatte, der ihm nicht sonderlich gut bekommen war.

Die Nacht war kühl und klar. Kristiaschka und Anjuschka gingen schweigend nebeneinander her. Sie vermochte ihre Verzweiflung nicht zu verbergen, diese Verzweiflung, deren Ursache er nicht einmal ahnen konnte, was wiederum ihn traurig stimmte, da er seine Schwester doch so sehr liebte. Das wußte auch sie, so spärlich auch die Zeichen dieser Zuneigung waren; sie erinnerte sich noch immer an das Paar Strohschuhe, das er für sie verfertigt hatte, ohne Dank dafür anzunehmen.

Auf dem Weg hörten sie noch das Lied *Gruß an meine Rosenknospe* fern und verweht in der Nacht. Sie mußte an Akim denken, der nun wohl in irgendeinem Straßengraben lag, wo er vielleicht sterben würde, weil er so viel durcheinander getrunken hatte, und niemand war da, ihn zu bedauern! Kristiaschka überlegte, daß sie ihn nicht überleben würde; ihr Herz zog sich vor Bitterkeit zusammen, wenn sie daran dachte, wie sein Blut in dieser Nacht vielleicht immer weiter aus den verletzten Fingern floß, aus diesen Fingern, in welche die fürchterliche Nina ihre Zähne geschlagen hatte. Kristiaschka haßte sie doppelt: Einmal, weil Nina mit Akim geflirtet hatte, und zum anderen wegen des Bisses in den Finger. Wenn er nun tatsächlich starb, ganz allein starb wie ein verlassener Hund? Man mußte ihm helfen. Sie wagte es nicht, ihrem Bruder zu sagen, daß man Akim helfen müsse, da er sich in Todesgefahr befinde, und setzte stumm den Weg fort. Aber während sie am Arm Anjuschkas hing, sagte sie sich unaufhörlich, daß man am nächsten Morgen Akim leblos und steifgefroren im Straßengraben finden werde, und sie, Kristiaschka, werde schuld sein an seinem Tod.

Als sie aber schließlich in der Kammer auf ihrer harten Liegestatt lag, hinderten all diese Seelenqualen sie nicht daran, sofort einzuschlafen.

Andern Tags erwachte sie von dem Lärm, den ihr Vater vollführte, als er sich völlig bekleidet (denn er hatte in seinen Kleidern geschlafen) einen Kübel Wasser über den Kopf schüttete. Das war seine Methode, sich zu erfrischen, wenn er sich einen Rausch angetrunken hatte; daß er sich dabei auch wusch, war höchstens ein Nebenzweck, denn er wusch sich im Winter grundsätzlich nicht. Er vertrat die Ansicht, daß es einem viel kälter sei, wenn man sich wasche; ein Beweis dafür seien die Füße: Wusch man sie während der ganzen kalten Jahreszeit überhaupt nicht, so bildete sich auf ihnen eine Art Hornschicht, die wirklich warm hielt. Die Dusche, die er sich applizierte, um den Kopf klar zu kriegen, war somit keine Waschung; er hätte auch, um die Schmutzkrusten vom Leibe zu ätzen, ein Dampfbad und eine gründliche Behandlung mit Birkenreisern gebraucht, das aber war erst für den Frühling vorgesehen. So begnügte er sich denn mit einem Eimer Wasser äußerlich und trank dazu in glucksenden Schlucken auch eine Menge Wasser in sich hinein, um sich zu erfrischen.

Kristiaschka hingegen wusch sich auch im Winter, machte an diesem Morgen aber nur Katzenwäsche, weil sie zu lange geschlafen hatte, und schlüpfte in ihr zerlumptes Alltagsgewand. Sie beseitigte dann die Überschwemmung, die ihr Vater angerichtet hatte, und holte gelben Sand vom Fluß, den sie auf den Boden aus gestampfter Erde streute. Ihr Vater saß auf der Ofenbank, um sich trocknen zu lassen, zerbiß einige Zwiebeln von denen, die an langen Schnüren von der Decke hingen, und sah ihr zu. Aber er blieb stumm, und Kristiaschka wußte auch, warum er sie nicht anredete: Er schämte sich, weil er sich am Abend zuvor ganz allein besoffen hatte.

Erst, als diese Morgenarbeiten beendet waren und Kristiaschka sich anschickte, auf den Hof zu gehen, um das Federvieh zu füttern, fragte Agafon mit einer kleinen Flötenstimme, wie es denn auf dem Fest gewesen war.

»War es nett gestern abend?« erkundigte er sich, und sein Stimmchen wirkte ungemein komisch, da er doch sonst so eine Donnerstimme hatte. Kristiaschka nickte nur, ohne etwas zu sagen, aber im gleichen Augenblick betrat Anjuschka die Stube, reckte sich und gähnte und antwortete auf die Frage des Vaters, die er eben noch gehört hatte. Er berichtete, daß das Ballfest ein großer Erfolg geworden wäre, hätte nicht dieser widerliche Akim Polotzeff, den der Teufel holen möge, vor dem Kreissekretär der Partei einen schandbaren Skandal verursacht. Anjuschka erzählte alles, was sich begeben hatte, haarklein, aber Agafon lachte nicht ein einziges Mal. Während er sprach, schleppte sich Mascha, mürrisch wie immer, in die Stube, wobei sie sich auf die Möbelstücke stützte und immer wieder mit ihren armen Gichtbeinen irgendwo anstieß, weil sie ja nur noch ein Auge hatte. Auch Timofej kam; er trug die verschmierte Militärbluse offen, und seine Tankistenstiefel hinterließen die Abdrücke ihrer Nägel in dem gelben Sand. Sie schoben sich hinter den Tisch, Mascha mit einer Schnitte Speck, Timofej mit einigen Zwiebeln, und Agafon erklärte, daß ihn das Betragen Akims nicht wundere: Er sei ein Taugenichts, wie schon sein Vater gewesen war.

Kristiaschka erinnerte sich noch recht gut an den Müller, der sie immer auf die Schulter genommen hatte, damit sie nach Mukden und zu den Masurischen Seen blicken könne; im Frühjahr würden es drei Jahre sein seit seinem Tod.

»Damals war auch der Müller eingerückt, und seine Frau war allein zu Hause«, erzählte Agafon weiter. »Borja, dieser Bandit, hat die Müllersfrau vergewaltigt, während die anderen sie festhielten, und danach hat sie sich im Fluß ertränkt. Mascha war es, die am nächsten Tag ihren aufgeschwemmten Körper zwischen den Wasserpflanzen treiben sah...«

Mascha warf mit vollem Mund, ohne das Messer aus der Hand zu legen, ein, daß der Alte wieder einmal alles durcheinanderbringe. Sie erinnere sich noch sehr genau, was damals los gewesen sei, denn sie war vom letzten Urlaub Agafons her schwanger, sie trug gerade Kristiaschka, und Agafon war ebensowenig im Dorf wie der Müller. Der Müller stand in Polen und Agafon an der Krimfront; was konnten sie also schon wissen von dem, was sich im Dorfe ereignet hatte?

»Du bist es, die alles durcheinanderbringt«, brüllte Agafon, »du redest daher wie eine besoffene Elster!«

Mascha jedoch kümmerte sich nicht um die Unterbrechung und erklärte, man habe nie beweisen können, daß es Borja Polotzeff gewesen sei, der die Müllersfrau vergewaltigt habe.

»Fest steht jedenfalls, daß Borja mit von der Partie war«, beharrte Agafon. »Und es ist dann schon gleichgültig, was er bei der Sache getan hat. Die Weißen haben dann den Weiler bei der Mühle angezündet und sind abgezogen, und Borja wußte ganz genau, was ihm blühen würde, wenn er sich hier wieder blicken ließe. Darum hat man ihn auch nie wiedergesehen. Vielleicht lebt er noch, aber dann bestimmt am anderen Ende des großen Rußland. Ich erinnere mich auch«, fuhr Agafon fort, »daß der Müller und seine Frau drei Kinder hatten. Sie kamen alle drei bei dem Brand um, auch diese drei Kinder gehen auf das Schuldkonto Borjas.«

»All das wäre nicht geschehen«, widersprach Mascha, »wenn der Hügel mit der Mühle nicht zuvor im Besitz der Roten gewesen wäre. Die Roten haben nämlich die Leichen weißer Gefangener nackt und steif in den Schnee gesteckt, um den Weißen Angst einzujagen, haben sie damit aber nur noch wütender gemacht. Darum ist auch hier bei uns gar nichts passiert, nur im Weiler des Müllers. Mir und meinen fünf Kindern hat niemand ein Haar gekrümmt, auch Akim und seiner Mutter nicht.«

Agafon zuckte nur die Achseln und erklärte, er für seine Person werde den Polotzeff-Männern nie verzeihen. Für ihn stehe es fest, daß Akim bei solch einem Vater selbst ein Gauner werden müsse. Seine Mutter habe es nun einmal versäumt, ihm den Kopf zurechtzurücken, und Akim selbst wisse sehr genau, was mit ihm los sei, denn er hüte sich wohlweislich, zu nahe am Hof der Tupitsyn vorbeizukommen.

»Und daran tut er auch gut«, schloß Agafon drohend, »denn sollte er sich jemals hier blicken lassen, spieße ich ihn auf eine Mistgabel!«

»All das sind doch alte Geschichten«, sagte Mascha, »man kann doch die jungen Leute nicht für das verantwortlich machen, was ihre Eltern angestellt haben.«

»Trotzdem«, brüllte Agafon, der von der Ofenbank aufgesprungen war, wie ein ungebadeter Pudel stank und wütend mit der Faust auf die Tischplatte schlug, »ich für meine Person werde es nie vergessen; und wenn eines Tages Akim ein Mädchen aus dem Dorf heiratet, so werde ich auch mit diesem Mädchen und seinen Eltern kein Wort mehr sprechen!«

Kristiaschka war wie niedergeschmettert. Sie meinte nun zu verstehen, warum Akim solange keinerlei Notiz von ihr genommen hatte. Er hatte sie nicht angesprochen aus Angst vor Agafon, dessen Gewalttätigkeit er fürchtete, und es war nur gut, daß Vater nicht mehr zur Gemeinschaftsarbeit auf die Felder ging, sonst hätte er ja zweifellos gesehen, wie sie mit Akim um die Wette gelaufen war und nachher lachend mit ihm gekämpft hatte. Und was hätte sie da zu hören bekommen!

Gut, das alles waren ja tatsächlich alte Geschichten, und sie brauchte sich um Rot und Weiß nicht mehr zu kümmern. Wie stand es aber mit der Zukunft? Die Zukunft war dunkel und konnte kaum dunkler sein. Bisher und seit sie Akim liebte, hatte sie zumindest noch hoffen können, daß Akim sich früher oder später für sie interessieren könne. Es war eine ziemlich unbegründete Hoffnung, aber eben weil sie etwas so Verwirrtes hatte, war es eine große und bezwingende Hoffnung gewesen. Selbst wenn Akim sich für sie nur entschieden hätte, weil sie eine so großartige Arbeiterin war, hätte es ihr nichts ausgemacht; sie ahnte, daß ihre Vorzüge nicht die einer wunderbaren Geliebten waren, aber in der Ehe gewannen ja auch andere Eigenschaften an Bedeutung. Sie jedenfalls, sie hätte Akim mit Freuden als Ehemann angenommen, und sie erkannte in diesem Augenblick, daß sie schon sehr oft, ohne es sich einzugestehen, davon geträumt hatte, Akims Frau zu werden. Nun freilich war alles anders, und wenn ihr Vater einmal Verdacht schöpfte, ja, wenn er nur ahnte, daß sie mit Akim Umgang pflegte ... niemand konnte wissen, was Vater tun würde, aber man mußte auf alles gefaßt sein!

Während sie den Hühnern die Körner hinstreute, dachte Kristiaschka so angestrengt nach, daß sie zum erstenmal in ihrem Leben Kopfschmerzen bekam. Es gab offenbar nur zwei Lösungen: Entweder mußte sie mit Akim fliehen, oder der Vater mußte rechtzeitig sterben. Denn die Mutter und die Brüder hatten, wie immer sie auch darüber denken mochten, doch nicht die väterliche Macht, sich einer Ehe zu widersetzen.

Aber alle diese Überlegungen waren schon darum sinnlos, weil Akim ja nie daran denken würde, sie zu heiraten; Akim war ein Bursch, der die Stenotypistinnen aus der Stadt, die sich wie Pariser Straßenmädchen bemalten, den Bauerntöchtern vom Land vorzog. Vielleicht wollte das jedoch gar nicht soviel besagen? Vielleicht zog er die bemalten Stenotypistinnen nur für das Amüsement vor und würde, wenn es zur Ehe kam, sich doch für eines jener Landmädchen entscheiden, die fest zuzupacken verstanden? Mit ihm in die Stadt zu fliehen – daran war wohl nicht zu denken. Wenn sie mit ihm fortging, müßte es schon weiter sein, vielleicht nach Moskau. Schließlich kann man überall arbeiten, und es war ihr gleich, welche Arbeit es war, wenn sie nur sicher sein konnte, am Abend dann mit jenem Mann zusammen zu sein, den sie liebte.

Freilich sagte sich Kristiaschka, daß sie bei alldem die Rechnung ohne den Wirt machte, denn wenn Akim sie entführte, so wäre das wohl nicht, um mit ihr ein friedliches Leben zu führen, in dem die Arbeit und die Liebe ihren Platz hätten; er würde sich wohl mit ihr genauso amüsieren wollen wie mit jener Nina und sie dann wieder fallenlassen; sie wäre dann womöglich schwanger und das Elend vollkommen. Auch diese Annahme entbehrte der Wahrscheinlichkeit, da er ja noch gar keine Anstalten getroffen hatte, sie zu entführen. Sie war im Grunde auch sicher, daß sie dies ablehnen würde. Es konnte sich dabei ja nur um ein demütigendes Abenteuer handeln, dem keine Zukunft beschieden war und das man auch nicht Liebe nennen konnte. So blieb, wenn sie weiter hoffen wollte, nur die eine Möglichkeit, daß er mit der Zeit ruhiger würde und in einigen Jahren an eine vernünftige, ehrenwerte Ehe dächte – und warum sollte es dann nicht Kristiaschka sein? Dann allerdings würde es noch immer auf ihren Vater ankommen: Er würde sich zweifellos ihrer Ehe mit Akim mit allen Mitteln widersetzen, und man mußte also hoffen, daß er vorher starb, damit es kein Hindernis mehr gebe.

Abermals versank Kristiaschkas Herz in der Schande. Sie achtete ihren Vater nicht mehr wie in ihrer Kindheit; er hatte im Lauf der Jahre ihre töchterliche Liebe zerstört, denn er hatte sie immer wieder zurückgestoßen und zu schlecht behandelt. Aber es war noch genug jener lau-zärtlichen Anhänglichkeit in ihr lebendig, um sie nicht wünschen zu lassen, daß er sterbe und die Verwirrung in ihrer Seele vollkommen mache. Vor allem aber fürchtete sie ihren Vater noch immer, fast so wie seinerzeit, als sie noch klein war. Ihre Zärtlichkeit zu ihrem Vater hätte sie wohl nicht daran gehindert, Akim zu heiraten, aber die Furcht vor dem alten Agafon war dazu imstande. Das war nicht sehr logisch, aber es war nun einmal so. Ljuba hatte die Courage gehabt, ihre Familie zu verlassen – nicht um zu heiraten, sondern um ihr eigenes Leben zu führen bis zur äußersten Konsequenz in der Gosse.

Und was war ihr widerfahren? Gar nichts, sie hatte ihren Kopf gegen den Vater durchgesetzt, und der alte Agafon hatte sich damit begnügen müssen zu erklären, er wolle sie nicht mehr kennen. Auch das war nicht logisch und hatte sich dennoch begeben. Freilich half das Beispiel Ljubas, der frechen und selbständigen Ljuba, der schüchternen Kristiaschka so gut wie gar nicht, denn sie hätte nie gewagt, sich so zu betragen, daß ihr Vater sie verstoßen könnte. Das war nun einmal so und ließ sich nicht weiter erklären, ebensowenig wie die Tatsache, daß die drei Spannen hohe Kristiaschka seinerzeit den Kühen Angst einjagen konnte, die sie auf die Weide führte.

Es war auch möglich, daß Akim, da er ja die Mädchen aus der Stadt vorzog, gar nicht im Dorf blieb; schließlich gehört er ja zu jenen Burschen, die nicht gerne auf den Feldern arbeiteten, sondern lieber in die Fabriken gegangen wären. In den letzten Jahren war dies immer häufiger geworden, und alle Burschen, die ein wenig aufgeweckt waren, verließen die Dörfer, um Mechaniker, Facharbeiter, Maurer oder Chauffeur zu werden. In der Stadt war das Leben lustiger; man hatte das Radio und die Kinos und schließlich auch einen modernen Beruf; die Bauernarbeit hatte es ja seit jeher gegeben. Wenn dies so weiterging, würde es auf dem Land bald nur noch alte Männer, Frauen und Mädchen geben. Trotz der fortschreitenden Mechanisierung der Landwirtschaft gingen die Burschen lieber in die Stadt, als daß sie Traktorführer auf dem Land wurden; das war wohl auch der Grund dafür, daß Kurotschka und Lidatschka noch nicht verheiratet waren. Ja, einzelne dieser Landflüchtigen bildeten sich sogar ein, daß sie Flieger, Filmschauspieler, Direktor eines Kombinats oder berühmte Sportler werden könnten, und Akim war es zuzutrauen, daß er so große Rosinen im Kopf hatte. Darum würde es ihm wohl herzlich gleichgültig sein, ob Kristiaschka ausdauernd bei der Arbeit war oder nicht; vor allem, da er sich ja überhaupt nichts aus ihr machte und sich nie etwas aus ihr machen würde.

Mit einem Wort, Kristiaschkas Unglück war vollständig: Sie liebte einen Burschen, der sie nicht wiederliebte, und selbst wenn er sie trotz allem eines Tages lieben sollte, würde Agafon dieser Neigung jede Zukunft nehmen. Die Lage war ausweglos. Kristiaschka dachte daran, sich in den Fluß zu werfen, wie es die Frau des Müllers getan hatte; man würde dann auch ihren Leichnam zwischen den Schlingpflanzen finden, weiß und aufgebläht wie jenen der Müllerin. Zum erstenmal empfand sie den vagen Wunsch zu sterben, und das war bei einem so lebenstrotzenden

Mädchen weiß Gott ein seltsames Begehren. Aber die Liebe ist nun einmal so, und selbst die stärkste Gesundheit schützt die von unglücklicher Liebe Befallenen nicht gegen die Lockungen des Selbstmordes. Kristiaschka glaubte schon am Rand des Wahnsinns zu sein, und sie war tatsächlich so außer sich, daß diese Frage nicht ganz unberechtigt war. Ob Akim ihrer Liebe würdig sei oder nicht, beschäftigte sie schon längst nicht mehr. Ihre Liebe zu ihm war von jener wilden rücksichtslosen Art, die nicht nach Berechtigung fragt, war sie doch an sich unmöglich, unvernünftig und aussichtslos. Darum wünschte Kristiaschka nichts mehr, als ihr Leben zu beenden, zu sterben, damit alles aus sei.

In diesem Augenblick drang das Geschrei eines Kalbes an ihr Ohr; es war ein herzzerreißendes Brüllen und Blöken, das hinter dem Haus erklang, und Kristiaschka ging, um nach dem Tier zu sehen. Sie fand es in die dünne Eisschicht des Flusses eingebrochen und wild um sich schlagend immer tiefer sinkend. Als Kristiaschka hinzutrat, war von dem Tier nur noch der Kopf zu sehen, der auf dem Eis lag; das Maul war weit offen, und in den großen Augen stand irre Angst.

Kristiaschka ging, ohne zu zaudern, in das eiskalte Wasser, von dem sie wußte, daß es ihr nur bis zum Hals reichte; sie packte das Tier bei den Ohren und zog es ein Stück weiter flußabwärts, wo das flache, sandige Ufer es dem Kalb ermöglichte, wieder Fuß zu fassen. Kristiaschka gab dem Tier einen kräftigen Klaps auf die Kruppe, und es trollte sich. Dann lief sie ins Haus zurück, um sich in der Stube zu trocknen, in der zu dieser Zeit Mascha allein war.

Kristiaschka zitterte und klapperte mit den Zähnen, und sie zitterte auch noch, als sie auf dem Ofen lag und das Donnerwetter ihrer Mutter über sich ergehen lassen mußte. Nun erst kam ihr in den Sinn, wie seltsam es doch war, daß sie, die sich eben noch hatte ertränken wollen, nun ein Kalb vor dem Ertrinken gerettet hatte. Jedenfalls mußte sie, wenn sie sich auf diese Weise das Leben nehmen wollte, eine andere Stelle des Flusses aussuchen, das Ufer bei der Mühle etwa. Dort ist der Fluß sehr tief, man hat keinen Grund mehr unter den Füßen, und der Boden ist mit allerlei Pflanzen so bewachsen, daß die Ertrunkenen erst nach drei oder vier Tagen wieder an die Oberfläche kommen.

Sie hatte sich zweifellos eine Erkältung geholt; wenn sie daran sterben könnte, wäre alles in Ordnung, und sie bat die Heilige Jungfrau, sie doch sterben zu lassen. Dann aber sagte sie sich, daß dies eine Sünde sei, und sie wußte schließlich überhaupt nicht mehr, was sie denken sollte. Tatsache war, daß sie hohes Fieber bekam und bis zum Sonntag liegenbleiben mußte. Agafon war ziemlich ratlos, denn er konnte sich nicht erinnern, daß Kristiaschka je krank gewesen sei, und Mascha pflegte sie aufopferungsvoll und ließ es an nichts fehlen. In den Stunden der stärksten Fieberanfälle hatte Kristiaschka seltsame Visionen. Sie sah Akim als Piloten über den Südpol bis nach Amerika fliegen; Akim als Direktor eines Kombinats in einem eleganten Anzug und mit einem Sis mit Chauffeur – und Nina saß an seiner Seite. Sie sah Akim aber auch in Moskau vor Gericht stehen; Woroschilow hatte den Vorsitz inne, Frol Lubitschin wies mit gestrecktem Finger auf den Angeklagten, und sein Mund bewegte sich, als ob er spreche. Aber seltsamerweise hörte man keines seiner Worte, es war wie im Kino. Kristiaschka hatte zwei oder drei Filme gesehen, in einem jener rollenden Kinos, wie man sie seit einigen Jahren auf die Dörfer schickte. In ihrem Traum aber hatte es nicht einmal Begleitmusik gegeben wie im Kino, und an Akims rechter Hand hatte der Zeigefinger gefehlt, eben der, den Nina verspeist hatte.

Mit fliegenden Pulsen erwachte Kristiaschka und fragte sich, ob Akim nicht doch im Straßengraben verendet sei, verblutet oder erfroren, denn sie hatte seit dem Fest nichts mehr von ihm gehört und wagte nicht einmal, Anjuschka nach ihm zu fragen, der sonst ihr Vertrauter war. Anjuschka hatte auch schon mit der Mutter gezankt, weil er fand, sie schone Kristiaschka nicht, wenn diese ihre Tage habe, und behandle auch die Erkältung falsch: Dabei tat Mascha nichts anderes als das, was sie bei jeder Krankheit im Hause für die beste Hilfe hielt, sie betete eifrig vor der Ikone und verließ sich im übrigen auf die Wirkung eines geheimnisvollen Allheilmittels in Pulverform, das hinter der Ikone aufbewahrt wurde.

Kristiaschka sagte sich in diesen Tagen, daß sie vielleicht nur darum so wenig Mutterliebe gefunden habe, weil sie Mascha nie Gelegenheit gegeben hatte, sie zu pflegen. Seit Mascha sich so zärtlich um sie besorgt zeigte, hatte Kristiaschka auch keine Lust mehr zu sterben, und es gab sogar Augenblicke, in denen sie gar nicht mehr sicher war, Akim zu lieben. Solche Zustände verwirrten sie natürlich auf das tiefste, und Kurotschka wie Lidatschka verursachten ihr Kopfschmerzen mit ihren unermüdlich kläffenden Streitereien, mit dem endlosen Gezänk, bei dem es nur um Kleinigkeiten ging: um ein Seidenband, einen

Platz auf der Bank, einen Löffel mehr oder weniger. Einmal beschuldigten sie einander wütend, am Verschwinden des Hundes schuld zu tragen; jede warf der anderen vor, ihn von der Kette gelöst zu haben, und es gelang nicht einmal Anjuschka, sie durch den Hinweis auf ihre kranke Schwester zum Schweigen zu bringen.

Am Sonntag endlich fühlte Kristiaschka sich wieder frisch und kräftig wie früher und erhob sich als erste, um die Hühner zu füttern. Mit den Kräften war auch die Liebe zurückgekehrt. Sie erfuhr beim Frühstück – es war Kurotschka, die es erzählte –, daß Akim schon wieder wohlauf sei und neue Streiche verübt habe. Mit zwei Freunden gleicher Sinnesart habe er einen Bock gefangen, ihn gebunden und jener alten Kapitänswitwe ins Bett gelegt, die neben ihrer Pension von Wuchergeschäften lebte und daran so gut verdiente, daß sie sich das einzige Bett des Dorfes leisten konnte. Ihre kleine Wohnung war bei weitem die reinlichste im ganzen Ort und hatte einen Parkettboden, auf dem man sich nur mit Filzpantoffeln bewegen durfte. Im Augenblick, da sie sich niederlegen wollte, hatte die Alte den meckernden und stinkenden Ziegenbock unter ihrer Bettdecke gefunden, und ihr Bett war ebenso verschmutzt gewesen wie der sorgfältig gepflegte Boden ringsum. Sie hatte die Nachbarn zusammengerufen, und es war zu einem schier endlosen Austausch von Beleidigungen zwischen der Kapitänswitwe und Akims Mutter gekommen.

An dieser Stelle der Erzählung wollte Agafon sich einmischen und wieder einmal die Geschichte von Borja Polotzeff, dem Halunken, zum besten geben, aber seine Familie sagte ihm, er solle das Maul halten, und Kristiaschka litt wieder einmal unter dem schlechten Betragen ihres Akim; sie litt so sehr, daß sie sich in den nächsten Tagen fragte, ob sie ihn denn wirklich noch liebe.

So ging der Winter hin, einförmig und mit immer denselben Geschäften, nämlich jenen, denen man im Hause nachgehen konnte. Agafon schnitzelte endlos an Schlittenkufen herum und verfertigte neue Backformen für das Brot. Mascha saß unverdrossen an ihrem primitiven Webstuhl und schnitt die Stücke der groben Leinwand zu Blusen und Schürzen. Kristiaschka verfertigte Puppen aus Fichtenzapfen und allerlei Rindenstücken, die sie dann bemalte, und Anjuschka erklärte, es sei idiotisch, die Stunden auf diese Weise totzuschlagen, als lebe man noch in der guten alten Zeit. Nur im Hause Tupitsyn gebe man sich noch mit solchen Arbeiten ab. Die anderen ließen sich jedoch nicht stören, sondern schimpften nur zurück, und Mascha erklärte wieder einmal, daß Anjuschka vor seiner Ehe, die so schlimm geendet hatte, noch nicht so ein Nichtstuer gewesen sei, wie er es nun geworden war.

Der Winter verstrich, ohne daß Kristiaschka Akim wiedergesehen hätte. Ihre Leidenschaft für ihn kannte Höhen und Tiefen. Sie hatte es sich in den Kopf gesetzt, ihn zu lieben, eben weil sie ihn nicht sah, und weil sie ihn nicht sah, gab es Stunden, in denen sie ihn völlig vergaß. Als der Frühling kam, waren diese Stunden zahlreicher geworden als die anderen, in denen sie an ihn dachte; die Gedanken jedoch, die Kristiaschka an Akim wandte, bereiteten ihr noch immer heftige Gemütsbewegungen: Entzücken, Schmerz und Wut.

Der Frühling kam unerwartet und früher als je zuvor. Mitten in der Nacht erwachte Kristiaschka davon, daß ein Fensterladen klapperte; das konnte nur der Südwind sein, der milde und feuchte Wind, der die Läden bewegte. Kristiaschka stieg über Kurotschka hinweg, die nicht verliebt war und darum tiefer schlief, und beugte sich aus dem Fenster, um den losen Laden zu befestigen. Sie blickte hinaus und sah, daß sie sich nicht getäuscht hatte. Es war tatsächlich der Frühlingswind, der den gelblichen Nebel auseinandertrieb. Nur in den Mulden unten am Fluß hielten sich noch einige Nebelballen, aber die Wipfel der Pappelbäume zitterten schon im Wind und ragten in eine seltsam durchsichtige Luft. An den Hecken und Zäunen verfingen sich Nebelfetzen wie Wollflocken bei der Schafschur.

Als Kristiaschka sich wieder auf ihrem Lager ausgestreckt hatte, lauschte sie dem vielstimmigen Konzert des Frühlings, das die Klage des feuchten Windes begleitete: Mit dumpfem Klatschen rutschte der Schnee von den Dächern; wie wilder Harfenklang tropfte das Schmelzwasser auf die windbewegten Farnen und komponierte eine ganze Melodie.

Kristiaschka mußte an Akim denken und blieb lange Zeit wach; als sie dann einschlief, war ihr Schlaf so leicht und gleichsam dünn wie jene Eisschicht, durch die das Kälbchen eingebrochen war. Unter dieser dünnen, kristallklaren Decke aus Schlaf flossen die Gedanken Kristiaschkas weiter dahin, sie strömten Akim entgegen, und wenn sie hin und wieder für ein paar Augenblicke erwachte, so ließ dieses kurze Wachsein sich mit den Löchern vergleichen, die in der Eisdecke des Flusses klafften.

Am Morgen schien der Fluß außer Rand und Band zu geraten;

er bildete zahlreiche Teiche in den Tälern und schob kleine Eisschollen auf die Felder; mancherorts schichteten diese sich auf und bildeten Barrieren, die so hoch waren wie eine Kuh. Die schwarze, feuchte Erde erschien in großen Flächen, auf denen die Halme der Herbstsaat im Wind schwankten, und der Fischotter war bestimmt nicht derselbe wie im vergangenen Jahr, sondern zweifellos schon die nächste Generation; frisch und ungestüm begann er seine Fischzüge im offenen Wasser.

An diesem Morgen trieb es Kristiaschka hinaus; sie machte einen Spaziergang, ohne recht zu wissen, wohin. Der Frühling kribbelte unter ihrer Haut wie Ameisen, und als sie so allein dahinging, fragte sie sich, ob sie nicht doch vielleicht – im Gegensatz zu dem, was sie bisher gedacht hatte – fähig sein würde, für einen anderen Burschen das zu empfinden, was sie für Akim empfunden hatte. Als sie dreckbeschmiert und in feuchten Kleidern auf den Hof zurückkehrte, hielt Agafon ihr eine wütende Strafpredigt: Ob das der richtige Augenblick zum Herumstreunen sei, wo doch nächste Woche das Saatgetreide in den Silo der Kolchose gebracht werden mußte!

Kristiaschka antwortete nicht; sie schlug sich vier Eier in die Pfanne, denn der Spaziergang hatte ihr Appetit gemacht. Anjuschka erzählte Neuigkeiten; es gab zwei Ereignisse von einiger Bedeutung: Der Nachfolger Frol Lubitschins war angekommen, und Lubitschin war nicht etwa abberufen worden, um eine bedeutendere Stellung einzunehmen, sondern man hatte ihn ganz weit weggeschickt, entweder in den Ural oder nach Norden, in das Polargebiet. Dort war er nun eingesetzt, und zwar angeblich nur als Hilfsarbeiter.

Mascha zuckte die Achseln. Das war wieder so ein Geschwätz. Wie sollte denn Anjuschka wissen, ob Frol Lubitschin befördert oder verschickt worden sei.

Agafon hieb mit der Faust auf den Tisch und erklärte, er habe ein reines Gewissen. Er werde zu diesem Nachfolger hingehen und ihn einfach fragen, was aus Frol Lubitschin geworden sei. Denn wenn sie tatsächlich Frol Lubitschin in die Verbannung geschickt haben sollten, einen so hervorragenden Kämpfer aus dem Bürgerkrieg und verdienten Arbeiter im Aufbau des Sozialismus, nun, dann würde er, Agafon Tupitsyn, sich nicht genieren, diesem neuen Mann alles zu sagen, was er von der Sache denke.

Mascha widersprach: Das alles sei kein Grund zur Aufregung. Sie bat ihren Gatten, sich ruhig zu verhalten und sich nicht bei dem neuen Beauftragten der Partei gleich mit einem Skandal einzuführen, denn es konnte leicht sein, daß sonst er, Agafon, mit seiner ganzen Familie nach Sibirien geschickt werde. Um Frol Lubitschin brauche man sich keine Sorgen zu machen. Er war in Sibirien ja nicht allein, sondern traf dort bestimmt Sascha Wolodjewitsch, den er selbst dorthin hatte verschicken lassen.

Die zweite Nachricht war für Kristiaschka weit interessanter. Anjuschka erzählte, daß Akim Polotzeff, der vor einigen Tagen zur Nachmusterung gegangen war, von der Stellungskommission als untauglich bezeichnet worden sei. Die Ärzte hatten eine beginnende Tuberkulose bei ihm festgestellt. Seither hatte man Akim im Dorf nicht mehr gesehen: Er war in der Stadt geblieben und wagte offenbar nicht, in sein Heimatdorf zurückzukehren, denn für einen Dorfgockel gab es doch wohl nichts Schlimmeres, als wenn er für untauglich befunden wurde. Alle Mädchen hätten sich über ihn lustig gemacht, keine hätte mehr mit ihm schlafen oder auch nur mit ihm tanzen wollen.

Diese Neuigkeit erfreute alle, ausgenommen Kristiaschka, denn sie war die einzige, die Akim, diesen Gauner, leiden konnte. Bei dem Gedanken, daß er krank sei, begann sie ihn wieder zu lieben, und zwar heftiger als je zuvor. Wenn er wirklich die Tuberkulose hatte, so konnte er ja weder Flieger noch Filmschauspieler, weder Direktor eines Kombinats noch ein großer Sportler werden. Aber mit dieser Krankheit, die in der ganzen Region sehr selten war, konnte er nicht einmal in die Fabrik arbeiten gehen. Er würde also wohl aufs Land zurückkehren müssen, und da sich alle anderen Mädchen von ihm zurückziehen würden, konnte sie ihm die Hand reichen und ihre Freundschaft bieten. Und war es erst einmal soweit, so konnte sie ihn pflegen, und früher oder später würde auch er ihr Freundschaft entgegenbringen und schließlich vielleicht sogar Liebe. Dann konnten sie irgendwo heiraten in einer anderen Landschaft, denn sie war entschlossen, alles für ihn aufzugeben. Sie würden immerzu glücklich sein, solange er eben mit dieser scheußlichen Krankheit leben konnte, und vielleicht konnten sie sogar Kinder miteinander haben, wenn die Ärzte dies nicht verbieten würden, damit nicht lungenkranke Kinder zur Welt kämen. Das allerdings war ein ernstes Hindernis, ja, vielleicht sogar eine unüberwindliche Schwierigkeit. Es war eine Chance, daß kein anderes Mädchen mehr Akim, den Untauglichen, wollte, aber eben deswegen war zu befürchten, daß die Ärzte ihm die Gründung einer Familie verbieten würden. Wieder einmal fiel Kristiaschka aus allen Wolken, denn es schien ihr völlig sinnlos, zu heiraten, wenn man keine Kinder haben konnte; dann konnte sie ebensogut eine alte Jungfer werden.

Agafon erklärte dröhnend, daß dies endlich einmal ein gerechtes Urteil sei: In der Person Akims wurde die ganze Familie Polotzeff für die Verbrechen bestraft, die der alte Borja begangen hatte.

Als Agafon dann aber an das Los Frol Lubitschins dachte, packte ihn wieder der Zorn, und er griff nach der Fotografie des Marschalls Woroschilow, um dessen Gesicht zur Wand zu drehen.

»Wir wissen doch noch gar nichts Sicheres«, gab Anjuschka zu bedenken, »vielleicht ist Frol Lubitschin jetzt schon ein großer Mann in der Partei, den man vielleicht noch nicht am nächsten 1. Mai, aber vielleicht am übernächsten oder später neben den Führern der Sowjetunion und den Chefs der Bruderparteien auf der Tribüne des Lenin-Mausoleums die Maiparade abnehmen sieht. Vielleicht wird man dann in den Zeitungen ganz am Ende der Reihe unseren Frol Lubitschin erkennen können, wie er die Hand zur Uniformmütze hebt, während das Heer und die Luftwaffe an ihm vorbeidefilieren. Ja, vielleicht ist unter den Vorbeimarschierenden sogar Timofej in seinem Elite-Panzerregiment, dann könnte er Frol Lubitschin ganz aus der Nähe sehen am Ende der Reihe, in der die Mitglieder des Zentralkomitees, des Politbüros und die Marschälle sitzen. Jedenfalls weiß man nicht, woran man ist, und sollte das Woroschilow-Porträt nicht umdrehen, denn es könnte doch sein, daß bei der nächsten Maiparade Frol Lubitschin in der Nähe von Woroschilow sitzt und mit ihm über die Produktion von Traktoren und über die Elektrifizierung auf dem Land spricht!«

Agafon lachte. Es war natürlich möglich, daß man Frol Lubitschin nicht verschickt hatte, aber das bedeutete doch noch lange nicht, daß er eines Tages zu den Männern gehören würde, welche von ihrer Loge aus die Maiparade abnahmen; dann mußte man ja annehmen, daß er jederzeit mit Stalin sprechen könne, so wie er, Agafon, jetzt mit seinem Sohn sprach...!

»Ich habe natürlich übertrieben«, sagte Anjuschka, »man redet das so daher. Im Grunde glaube ich selbst nicht, daß Frol Lubitschin von heute auf morgen einer der großen Männer der Sowjetunion wird, aber immerhin...«

Agafon schnitt ihm das Wort ab. Das war doch alles dummes Gerede; ebensogut hätte Anjuschka behaupten können, der alte

Pope des Distrikts werde zum Papst gewählt. Immerhin drehte Agafon das Bild des Marschalls nicht um, sondern hängte es wieder an den Nagel zurück, während er mit dem Fuß drei Hühner und ein Ferkel aus der Stube jagte, die auf dem Boden nach den Abfällen des Frühstücks gesucht hatten.

Kristiaschka hatte während dieser ganzen Diskussion weder an Frol Lubitschin noch an die Maiparade, noch an das Lenin-Mausoleum gedacht. In ihrem Kopf war ein Plan gereift, den sie noch am selben Abend ausführte. Als die Sonne sank, verließ sie das Haus mit einem kleinen Päckchen unter dem Arm und achtete darauf, daß niemand sie sah. Sie beeilte sich, ihr Entschluß beflügelte ihre Schritte. Der feuchte schwarze Boden strömte Dämpfe aus, die allen Dingen phantastisches Aussehen gaben. Die letzten Reste des Schnees sahen aus wie Gehänge schmutziger Spitzen. Das Geschrei eines Kauzes schwang sich in das graue Schweigen der Nacht, und die hellen Klänge erfüllten Kristiaschkas Herz mit Freude, ohne daß sie wußte, warum.

Schließlich erreichte sie das Haus jener Kapitänswitwe, die sich mit allerlei dunklen Geschäften abgab und in deren Bett Akim einen gefesselten Bock gelegt hatte.

Die Alte öffnete mißtrauisch die Tür nur so weit, daß sie ihre Nase durch den Spalt stecken konnte, wurde aber sogleich freundlich, als sie Kristiaschka erkannte.

»Gott schütze dich, mein Täubchen«, sagte die Alte, »welcher gute Wind weht dich zu mir?«

Kristiaschka betrat das Zimmer mit dem knarrenden Parkettboden und schlüpfte in die Filzpantoffeln, auf welche die Alte stumm mit dem Finger gezeigt hatte. Dann schlurfte sie zu einem Sessel, der mit granatfarbenem Samt bespannt war und auf dessen Armstützen Spitzendeckchen lagen. Sie setzte sich und öffnete das Paket, das ihre schönsten Kleider enthielt, jene, die sie auf dem Fest der Kolchose getragen hatte: Die wollte sie verkaufen.

Die Alte sagte zunächst, daß solcher Handel sie nicht interessiere: Das sei altes Zeug, das keinen Käufer mehr finde.

»Altes Zeug!« protestierte Kristiaschka. »Greifen Sie es doch einmal an. Die Bluse ist aus bester Leinwand, die Stickerei habe ich selbst gemacht, und der Rock ist aus reiner Wolle, zu Hause verarbeitet von meiner Großmutter... So etwas gibt es heute gar nicht mehr!«

»Du sagst es nur mit anderen Worten, mein Täubchen... lauter altes Zeug, das man heute nicht mehr trägt. Und wie geht's dem Auge deiner Mutter...? Ich hoffe, sie verliert nicht auch noch das andere!«

Sie fuhr fort, von allerlei Dingen zu sprechen, die mit dem Zweck des Besuches gar nichts zu tun hatten, bis Kristiaschka ungeduldig wurde, und fragte: »Also, wie steht es damit?«

»Wieviel?« lautete die Gegenfrage.

»Zwanzig Rubel.«

»Zwanzig Rubel, mein Täubchen! Das glaubst du doch wohl selber nicht. Wo soll ich zwanzig Rubel hernehmen? Ihr glaubt wohl alle, ich habe irgendwo eine Maschine stehen, mit der ich mir selbst das Geld präge? Zwanzig Rubel! Wo ich doch so arm bin, daß ich meinen Besuchern nicht einmal Salz und Brot anbieten kann!«

Diese Diskussion währte noch geraume Zeit, bis Kristiaschka, des Feilschens müde, bei dreizehn Rubel zustimmte. Die Alte nahm die Kleider unter den Arm und ging aus dem Zimmer. Kristiaschka war seltsam eng ums Herz. Jetzt hatte sie also ihren Sonntagsstaat verkauft, die liebevoll gestickte Bluse und den Rock, dessen Wolle Großmutter eigenhändig gesponnen hatte. Darin hätte sie heiraten sollen! Aber sie tröstete sich mit dem Gedanken, daß Akim ihr andere Kleider kaufen würde, vorausgesetzt, daß er sie heiraten würde – wegen der Tuberkulose, trotz der Tuberkulose.

Dann kam die Alte wieder und legte die geschlossene Faust auf den Tisch, öffnete sie jedoch nicht sogleich, sondern erzählte Kristiaschka noch eine lange Geschichte: Von der Uniform ihres Mannes, die sie einst verkauft hatte, an jemanden, der ein Jahr darauf an Typhus gestorben sei; die Witwe dieses Mannes sei zu ihr gekommen und habe sich beklagt, die Krankheit habe in der alten Uniform gesessen.

»Dabei weiß doch jeder«, sagte die Alte entrüstet, »daß mein Mann nicht an Typhus gestorben ist, sondern auf seinem Schiff von einer Granate getroffen wurde; man nennt ihn zwar hierzulande Kapitän, aber er war eigentlich nur Leutnant zur See, und du weißt doch, mein Täubchen, daß es bei der Marine keinen Typhus gibt... Ich erzähle dir das nur, um dir zu sagen, daß man bei alten Kleidern immer etwas riskiert. Es gibt immer Ärger, und du kannst sehr glücklich sein, mein Täubchen...«

Dabei öffnete sie die Faust auf dem Tisch, Kristiaschka schob ihre Finger darunter und zählte die Geldstücke: Es waren nur zwölf Rubel!

»Ach, das reicht schon«, sagte die Alte und schob das Mädchen zur Tür hinaus, »wir haben uns lange genug herumgestritten. Wenn es dir nicht paßt, mußt du eben deine Lumpen wieder mitnehmen!«

Kristiaschka schob die zwölf Rubel in die Tasche und ging, ohne den dreizehnten zu verlangen. Sie wußte, daß sie erst um Mitternacht auf dem Bahnhof eintreffen würde und daß ihr eine Nacht im Wartesaal bevorstand, denn der Zug ging erst am Morgen. Sie bereute nichts, aber sie hatte einen leisen Schmerz im Herzen bei dem Gedanken, daß sie nun dieses Dorf, diese Landschaft für immer verließ; denn sie war überzeugt, daß sie nie wieder hierher zurückkommen würde: nicht im nächsten Jahr, nicht in zehn Jahren und nicht in zwanzig Jahren. Niemals!

Der Zug war nur schwach besetzt. In dem Abteil, in das Kristiaschka stieg und wo sie sich in einer Ecke niederließ, saßen nur zwei Bäuerinnen mit einer Unzahl von Paketen. Man mußte es nicht erst fragen, was diese enthielten: Zweifellos handelte es sich um Mehl, Eier und gebratenes Geflügel, kurz gesagt um Lebensmittel, welche die beiden in der Stadt heimlich verkaufen wollten, denn dort hatten die Leute zuwenig zu essen, sie fanden mit ihren Rationen nicht ihr Auskommen.

Auf jedem Bahnhof – und der Zug hielt an allen Stationen – stiegen neue Reisende zu, und das Abteil war bald gepfropft voll Menschen. Das hinderte ein unscheinbares Männchen jedoch nicht daran, auch noch hereinzuschlüpfen, allen auf die Zehen zu steigen und dabei in unterwürfigen Entschuldigungen zu zerfließen. Kaum aber war er mit seinen Entschuldigungen zu Ende, begann er schon mit unnatürlich hoher Stimme zu erklären, daß die Insassen dieses Abteils die hartherzigsten Menschen wären, wenn sie einen Mann stehen ließen, der schwer verwundet und für tot gehalten auf dem Schlachtfeld gelegen hatte. Auf diese Ansprache hin rückte man zusammen und machte ihm Platz, so daß er sich zwischen Kristiaschka und eine der Bäuerinnen drükken konnte. Er hatte ein so verlebtes Gesicht, daß man annehmen mußte, er sei in Wirklichkeit noch nicht so alt, wie er aussah; vermutlich zählte er nicht mehr als vierzig Jahre. Von seiner Stirn waren die Haare zurückgewichen, das sah man, denn er hatte die mit Otternfell besetzte Mütze abgenommen und hielt sie nun in der Hand. Seine Gesichtsfarbe war gelblich wie bei Gallenkranken und seine Wangen so hohl, daß im Innersten dieser Höhlungen, dort, wo das Rasiermesser nicht hinkam, ein Gestrüpp harter schwarzer Haare aufwuchs. Die gleichen Haare drangen ihm auch aus den Ohren und saßen hinter den Ohren am Hals, während da und dort auf seinem Gesicht noch Reste eingetrockneter Rasierseife zu sehen waren. Um das rechte Ohr schlang sich eine metallene, schon stark oxydierte Schnur, an der ein Zwicker hing, den der Mann hin und wieder auf den scharfen Rücken seiner knochigen Nase klemmte. Er war in einen Umhang gehüllt, den zahlreiche Flecken zierten und der in den verschiedensten Farben ausgebessert war. Das Stück mochte an die hundert Jahre alt sein und war mit Fangschnüren besetzt, deren Seidenhülle schon abgeschabt war; um das zu kaschieren, hatte der Mann die hervorlugende Kordel mit Tinte gefärbt, aber damit nicht eben viel Erfolg gehabt. Die Knöpfe an seinem Hosenschlitz stimmten nicht mit den Knopflöchern überein, so daß oben ein leeres Knopfloch geblieben war, während unten ein unbeschäftigter Knopf hervorsah. Die Gummizugstiefeletten waren zwar mit Paste eingeschmiert worden, doch hatte man sie vorher nicht vom anhaftenden Dreck gereinigt, so daß die Paste mit diesem eine dicke Schicht bildete. Dabei strömte die ganze Erscheinung einen billigen Veilchenduft aus, der weit unangenehmer war als der Gestank, der das Abteil vorher erfüllt hatte.

Als der Mann sich endlich niedergelassen hatte, bedankte er sich bei seinen Reisegefährten für ihre Freundlichkeit. Aber niemand antwortete, denn er hatte alle beleidigt durch den drohenden Ton, in dem er den Platz reklamiert hatte; mochte er sich auch jetzt liebenswürdig geben, man hatte nun schon erkannt, daß er ein mißgünstiger Mensch sei.

Er stopfte seine Mütze in die Tasche und griff mit zwei Fingern an den Kneifer. Als er ihn abnahm, sah man seine glasig-stumpfen Augen, und als er dann die Gläser anhauchte, um sie zu reinigen, rochen alle den ekelerregenden Atem eines Mannes, der schwer magenkrank ist. Er holte ein Taschentuch hervor, um mit ihm die Gläser abzuwischen, und bestreute dabei das Halstuch Kristiaschkas mit Tabakkrümeln. Dann setzte er den Zwicker wieder auf seinen nicht sonderlich sicheren Platz und schneuzte sich lärmend, was auch nicht dazu angetan war, ihm die Sympathien seiner Mitreisenden zu gewinnen. Übrigens hätte er ihnen mißfallen, was immer er getan hätte; er war nun einmal ein Mann jenes Typs, gegen den sich die anderen immer und überall zusammenschließen. Als er gähnte, zeigte er einen Kiefer, in dem nur noch wenige Zähne standen, und verfolgte dann mit dem Blick eine neugeborene Fliege, die vielleicht die erste dieses Frühlings war. Um bequemer zu sitzen, versuchte er, ein

Bein zwischen die ausgestreckten Beine seines Gegenübers zu schieben. Das war ein rotgesichtiger Mann mit mürrischem Aussehen, der eine Lederweste und eine Ledermütze trug, die nach Hanföl rochen. Er stieg denn auch, ohne sich zu scheuen, mit seinen Stiefeln auf den Füßen des Veteranen herum, als sei er in einem Sauerkrautbottich. Der also Mißhandelte stammelte einige Entschuldigungen und zog das Bein unter seine Sitzbank zurück. Plötzlich wendete er sich an Kristiaschka und sagte:

»Tatsächlich, mein Fräulein, man hatte mich für tot gehalten, als ich schwerverletzt auf dem Schlachtfeld lag. All meine Illusionen habe ich dort verloren, aber Sie, Sie reizende wilde Steppenblume, Ihnen wünsche ich aus ganzem Herzen, daß Sie noch recht lange im Alter der Illusionen bleiben!«

Diese Sprechweise verblüffte Kristiaschka und erschreckte sie zugleich, denn sie begriff, daß es sich um Höflichkeiten handle, auf die sie eigentlich mit gleicher Münze antworten müßte. Ihr Nachbar schien jedoch nichts dergleichen zu erwarten, denn er sprach gleich weiter:

»Auf Reisen muß man sich vor allem Dieben gegenüber vorsehen. Haben Sie schon bemerkt, Sie liebliches Feldveilchen, daß in Rußland die Diebe häufiger sind als die Stacheln auf dem Igel? Sehen Sie mich an, Stephan Alexandrowitsch Shukow, so heiße ich nämlich, Stephan Alexandrowitsch Shukow ... Nun, ich, wie Sie gleich sehen werden, mache es den Dieben nicht leicht, mich zu berauben ... Die Schuhe zum Beispiel. Ach ja, gestatten Sie mir, von den Schuhen zu sprechen. Da war ich doch eine Nacht lang im Zug, so etwa, wie wir jetzt mitsammen reisen, aber es war wie gesagt Nacht. Ich war in Begleitung meines Freundes, Pjotr Iwanowitsch Olosov. Pjotr Iwanowitsch hielt sich natürlich für gewitzter als alle Welt, für viel klüger als die Diebe. Er legte seine Schuhe in den Koffer, das tat er immer, wenn er reiste, und setzte sich oben auf den Koffer. Sie können mir doch folgen, verwirrende Mimose vom Gestade? Aber während der Nacht schlief er ein, und als einmal der Zug scharf bremste, wurde er auf mich geschleudert, der ich ihm gegenübersaß. Ich warf ihn auf seine Bank zurück, aber als er auf dieser landete, war kein Koffer mehr vorhanden: Er war verschwunden, hatte sich verflüchtigt, der Koffer und die Schuhe mit ihm. Es war nicht möglich, herauszufinden, wer es getan hatte, denn es gab in den Waggons ebensowenig Glühbirnen wie in diesem hier, da sie ja immer wieder gestohlen werden. Pjotr Iwanowitsch heulte vor Wut, und ich gestattete mir die Bemerkung, daß er vielleicht doch nicht so besonders klug gehandelt habe: Ich zumindest hatte meine Schuhe noch, und es wäre den Dieben vermutlich nicht ganz leicht gefallen, sie mir von den Füßen zu ziehen, selbst während ich schlief; der Dieb, der das zuwege brächte, ist noch nicht geboren. Sehen Sie einmal her, meine schöne Nelke...«

Stephan Alexandrowitsch zog die glänzende und schon reichlich abgeschabte Hose hoch und enthüllte zwei Schienbeine, die so weiß waren wie neue Schaufelstiele. Kristiaschka sah, daß er in den Stiefeletten keine Socken trug und daß von den Schuhen dünne Schnüre längs der Wade emporführten, die unter dem Knie verknotet waren.

»Diese Vorbereitungen treffe ich jedesmal, wenn ich mich auf eine Reise begebe«, erklärte er, »ja, das tue ich, und dagegen ist selbst der König der Diebe machtlos... Ich, Stephan Alexandrowitsch, den man für tot auf dem Schlachtfeld liegenließ, weil er den Kopf voll Illusionen hatte... Gott erhalte Ihnen die Ihren... Der Meisterdieb, selbst der König aller Diebe ist machtlos gegen mich!«

Er ließ einen selbstzufriedenen Blick über seine Umgebung schweifen und schien nicht im mindesten davon betroffen, daß seine Mitreisenden nur mit stummem Vorwurf auf sein Geschwätz reagierten. Der Zug fuhr sehr langsam, wie alle russischen Züge. Die Flecken schmelzenden Schnees lagen auf der schwarzen Erde wie große weiße Wäschestücke, die man auf gut Glück ausgestreut hat. Kleine Gehölze schlanker Birken mit silbrig glänzender Rinde flogen wie eine Prozession am Fenster vorbei, dessen Scheibe gesprungen und durch Klebestreifen zusammengehalten war. Kristiaschka lehnte einen Augenblick die Stirne gegen das Glas, um einen Blick auf die Landschaft werfen zu können, und sogleich kondensierte sich ihr Atem in zahllosen kleinen Tröpfchen. Ein Stück weiter ragte die Böschung des Eisenbahndamms über das schmutzige Wasser eines Flusses, der aus seinen Ufern getreten war und die Landstraße überflutet hatte. Sie war noch durch eine Doppelreihe von Pappeln zu erkennen, die aus dem Wasser aufzuwachsen schienen, und in der Ferne bildete ein Bauer in einem Kahn einen dunklen Fleck auf der endlosen, mattschimmernden Wasserfläche. Unter den niedrighängenden grauen Wolken zog ein Schwarm von Wildgänsen in Dreiecksformation über eine kleine, weiß gekalkte Kapelle hinweg.

Stephan Alexandrowitsch schenkte der Landschaft keine Aufmerksamkeit. Ihn beschäftigte die Erinnerung an Pjotr Iwanowitsch Olosov, den liebenswerten Pjotr Iwanowitsch, den das

Unglück so verfolgt hatte. Er war Bauer und kaufte ein Pferd, aber es zeigte sich, daß man das Pferd auf jung hergerichtet und seine Zähne verfälscht hatte; obendrein war es blind, was Pjotr zu spät bemerkte. Und seine Frau! Seine Frau war im Schlaf gestorben; sie erwachte und war tot, könnte man sagen, aber das schlimmste daran war, daß an eben jenem Morgen die Ernte begann, und man weiß doch, daß einem Bauern kein größeres Unglück zustoßen kann, als in diesem Augenblick die Frau zu verlieren. Pjotr suchte also nach einem Ersatz; man berichtet ihm von einer Frau, die bereit sei, sich zu verheiraten, und er geht hin, holt sie aus dem Bett, veranlaßt sie, ihre Sachen zu packen und die Töpfe zusammenzubinden, und dann geht es heimzu auf dem Wagen, vor den er das blinde Pferd gespannt hat. Die erste Arbeit der neuen Frau ist die Leichenwäsche an der Verstorbenen; es muß schnell gehen, denn das Getreide wartet schon. In dem Augenblick, da die zweite Frau den Leichnam auf dem Totenbett umdreht, bemerkt Pjotr, daß eines ihrer Beine seltsam krumm ist, so wie der Säbel Kutusows; das Schienbein ist so breit wie die Hand, und das Ganze ist, wie gesagt, so krumm wie ein Säbel. Pjotr räuspert sich und brummt was über das Bein, und die Frau sagt: »Das Bein ist nun einmal so, es ist ganz in Ordnung!« Aber auf dem Feld bemerkt Pjotr dann natürlich, daß die neue Frau mit diesem Säbelbein nur halb soviel arbeiten kann wie ihre Vorgängerin, und er beginnt sie zu beschimpfen. Da bricht sie in Tränen aus, wobei sie reichlich komisch aussieht, nimmt ihre Sachen und ihre Töpfe und geht nach Hause zurück, was immerhin eine Leistung ist, denn sie trägt das alles auf dem Rücken. Trotz allem kommt sie am nächsten Tag zum Begräbnis von Pjotrs erster Frau, und Pjotr nimmt sie wieder zu sich, denn er sagt sich, eine Frau mit einem Säbelbein ist noch immer besser als gar keine Frau. Da fügt es sich, daß noch vor dem Ende der Ernte ein Arzt in den Ort kommt, ein wirklicher Arzt, ein Privatdozent, nicht einer von jenen Heilgehilfen, die immer nur sagen: »Man kann's ja versuchen, aber es wird wohl nichts helfen!« Ein Privatdozent also sieht Pjotrs zweite Frau und sagt: »Was haben Sie denn da, meine Liebe, lassen Sie mich doch Ihr Schienbein einmal genauer betrachten. Das ist ja hochinteressant... Eine Krankheit, die in Rußland sehr selten ist! Den letzten Fall habe ich kennengelernt, als ich noch Student war. Wenn Sie wollen, nehme ich Sie mit auf die Universität, um sie meinen Hörern vorzustellen. Ich möchte eine Vorlesung über Sie halten, und solang diese dauert, leben Sie in der Stadt umsonst, und auch die Reise geht natürlich zu Lasten der Fakultät. Der Fall ist nämlich sehr interessant und für den Fortschritt der Sowjetmedizin äußerst wichtig.« Die Frau freut sich natürlich bei dem Gedanken, daß sie eine gute Zeit im Spital haben wird mit reichlicher Verpflegung und ohne etwas zu arbeiten; sie geht mit dem Privatdozenten, steigt in seinen Wagen und läßt ihre Sachen und die Töpfe bei Pjotr, der eine Riesenwut bekommt, als er bemerkt, daß sein Schätzchen mit den Säbelbeinen ausgerückt ist! Der arme Pjotr, er war wirklich vom Unglück verfolgt. Nach diesen Erlebnissen hat er das Landleben satt gehabt und ist nach Woronesch gegangen, um Autofahren zu lernen. Er macht die Prüfung und bekommt eine Stellung als Werkfahrer in einer Fabrik für landwirtschaftliche Maschinen. Drei Tage lang geht alles gut, am vierten aber findet er seinen Lastwagen dort, wo er ihn am Abend vorher stehengelassen hat, aber ohne Räder und ohne Pneus. So steht er also auf der Straße, und das ist sogar wörtlich zu nehmen, denn er wird nun Straßenarbeiter, ergreift also den schlimmsten aller Berufe. Dabei hatte er schon vorher so allerlei erlebt: Er war Soldat beim russischen Expeditionskorps in der Champagne. Als dieses Korps im Oktober 1914 meuterte, nahmen es die Franzosen unter Feuer, und Pjotr hatte allerlei Abenteuer zu bestehen, um wieder die Heimat zu erreichen. Es gelang ihm sogar, eine französische Armbanduhr mitzunehmen und heil nach Hause zu bringen. In der ersten russischen Stadt besteigt er eine Tramway und blickt so auffällig auf seine Armbanduhr, daß alle anderen Fahrgäste sie blitzen sehen müssen. Man kann sich denken, daß im Jahr 1920 ein Kerl mit einer Armbanduhr eine interessante Erscheinung ist; und das denkt sich wohl auch die Kleine, die sich in der Tramway an ihn drängt und dann mit ihm aussteigt, als er ihr den Vorschlag macht. Aber sie ist vor ihm auf dem Trottoir, Menschen schieben sich dazwischen, und als er schließlich ebenfalls abspringen kann, ist sie verschwunden und mit ihr seine Armbanduhr. Er macht einen Riesenradau, es gibt einen Auflauf, und ein Offizier erkundigt sich, was denn eigentlich vorgeht. Die Folge davon ist, daß man Pjotr verhaftet, weil er keinen Stadturlaub gehabt hat; er wird an die Front nach Polen geschickt und marschiert unter Budjenny, dem schnurrbärtigen Marschall, bis nach Warschau. Wenn der nicht vom Unglück verfolgt ist!

Eine der Bäuerinnen nahm aus ihrer Tasche einen Kaninchenlauf und biß hinein. Der rotgesichtige Mann in der Lederjacke bekam darauf auch Appetit und holte ein Päckchen Maiskuchen hervor. Stephan Alexandrowitsch äugte durch die dicken Gläser seines Zwickers, die wie Flaschenböden aussahen, begierig nach dem Fleisch und dem Kuchen, und sein Adamsapfel begann eifrig auf und ab zu tanzen. Nach dem, was er eben zuvor über seine eigene Vorsicht gegenüber Dieben erzählt hatte, hätte man ihn für einen überlegsamen Mann halten können. Aber es zeugte nicht eben von Voraussicht, einen der langsamen, endlos durch die Steppen rollenden russischen Züge ohne Mundvorrat zu besteigen. Vielleicht aber hatte er auch damit nur verhüten wollen, daß ihm etwas gestohlen werde, und vielleicht hatte er nicht einmal einen Rubel in der Tasche, von dem er sich auf einer Station eine Kleinigkeit zum Essen kaufen konnte.

Auch Kristiaschka blickte heimlich auf den Hasenlauf; sie fühlte nagenden Hunger, denn sie hatte seit gestern abend nichts gegessen und an die fünfundzwanzig Werst zu Fuß zurückgelegt. Außerdem saß ihr die Kälte tief in den Knochen nach dem kurzen und unruhigen Schlaf auf dem Boden des Bahnhofwartesaals. Sie fühlte sich verlassen und mutterseelenallein und haßte Akim, dem zuliebe sie diese Dummheit gemacht hatte. Nun aber war es zu spät, um noch umzukehren, und Agafon hätte sie zu Hause wahrscheinlich mit Peitschenhieben empfangen.

Die Bäuerin bemerkte Kristiaschkas hungrigen Blick und begann ein wenig in der Tasche herumzusuchen; gleich darauf reichte sie ihr ein Stückchen Kaninchenbrust. Das Mädchen griff hastig zu, vergaß aber nicht, sich bei der freundlichen Frau zu bedanken. In den nächsten Minuten schnürten dann alle anderen Reisenden die Pakete mit ihren Vorräten auf und begannen vor der Nase Stephan Alexandrowitschs geruhsam zu kauen und zu schmatzen. Er freilich tat, als gehe ihn all das nichts an; er kreuzte die Beine, um möglichst unbefangen zu erscheinen, und beschmutzte dabei den Rock der Bäuerin, die ihn wütenden Blickes und mit vollem Mund deswegen zur Rede stellte. Stephan trommelte, sichtlich angenehmen Gedanken hingegeben, auf der Ferse einer seiner Stiefeletten und zog aus dem Revers seines Mantels eine Nadel, mit der er in seinen Zähnen herumstocherte, als habe er eben ein riesiges Beefsteak verspeist. Dann steckte er die Nadel zurück, blickte träumerisch aus dem Fenster und trällerte eine Melodie so falsch, daß selbst der kundigste Musikenthusiast in ihr nicht das Capriccio Espagnol von Rimski-Korssakow erkannt hätte.

Aber es gelang ihm nicht, die Pose des erhabenen Beobachters von unbestreitbarer persönlicher Kultur, die Rolle des Kenners guter Musik, den Mann mit der feinsinnigen Persönlichkeit noch lange zu spielen; er war offenbar zu unruhig, er brauchte Bewegung. Darum neigte er sich zu Kristiaschka, die sogleich von billigem Veilchenduft und einer Wolke üblen Mundgeruchs umgeben war, und sagte:

»Nun, mein schönes Kind aus dieser Wüstenei... weißt du, daß man in Äthiopien den Dieben die Hände abhackt?... Man stelle sich vor, wenn dieses Beispiel bei uns Schule machte, wieviele Einarmige würden dann in unserem heiligen Mütterchen Rußland herumlaufen; es wäre einfacher, die Menschen mit Händen zu zählen, denn die ohne Hände wären in der Überzahl, ha, hi, hi!«

Der Mann in der Lederweste, der eben glucksend ein paar Schlucke aus einer kleinen Reiseflasche genommen hatte, wurde plötzlich noch röter im Gesicht, was man kaum für möglich gehalten hätte; er nahm den Flaschenhals aus dem Mund und begann unvermittelt auf Stephan Alexandrowitsch einzubrüllen: Was er denn mit diesen fortgesetzten Beleidigungen bezwecke? Wenn einer so ein schmutziger Spitzbart sei, so solle er lieber das Maul halten und nicht die ihm Gegenübersitzenden in einem fort als Verbrecher behandeln.

Stephan Alexandrowitsch fuhr zusammen, putzte aufgeregt seinen Kneifer, drückte ihn auf die Nase und sah dann den Rotgesichtigen verblüfft an. Er zuckte ausdrucksvoll die Achseln, hob den Blick zur Decke und pfiff leise eine Melodie, von der er offenbar annahm, es handle sich um Motive aus Borodins Steppenskizzen aus Mittelasien.

»Hören Sie, ich rede mit Ihnen«, sagte der Dicke, »Sie könnten mir antworten, Sergej Maximowitsch!«

»Stephan Alexandrowitsch«, sagte der Mann mit dem Zwicker hochfahrend, »ich heiße Stephan, und mein Vatersname ist Alexandrowitsch; Stephan Alexandrowitsch Shukow, so gut wie tot auf dem Schlachtfeld zurückgelassen und ohne Illusionen.«

»Stephan oder Sergej, das ist mir gleich; jedenfalls sind Sie ein schmutziger, bebrillter Spitzbart und haben mich soeben beleidigt...«

»Ich Sie beleidigt? Das ist doch nicht möglich«, rief Stephan mit seiner Falsettstimme, wobei er die Brauen hoch in die gefurchte Stirn hinaufzog. »Das ist ausgeschlossen, Euer Ehren... ich sollte das getan haben?«

Die Brauen fielen herab, so daß die senkrechte Falte zwischen ihnen wieder entstand und alle den Eindruck hatten, Stephan sei in tiefes Nachdenken versunken. Plötzlich aber fuhr er wieder auf und rief:

»Zum Teufel, Sie müssen natürlich recht haben, denn ich werde nicht wagen, die Behauptungen von Euer Ehren in Zweifel zu ziehen...«

»Nennen Sie mich Genosse, wie alle es tun, Sie haariges Luder!«

Die beiden Bäuerinnen wanden sich auf ihren Sitzen vor Lachen, ebenso die anderen; selbst Kristiaschka, die noch soeben schmerzvoll an Akim gedacht hatte, lächelte ein wenig.

»Wenn das so ist, Genosse«, sagte Stephan Alexandrowitsch, »dann will ich gerne bekennen, daß ich ein Verleumder bin!«

Damit warf er sich nach vorne, um die Hände des Mannes zu küssen, der sich von ihm beleidigt fühlte; dieser aber schleuderte ihn mit einem kräftigen Nasenstüber so nachdrücklich auf den Sitz zurück, daß Stephans Hinterkopf gegen die Holzwand des Waggons schlug und der Zwicker von der Nase purzelte. Stephan fing ihn auf, setzte ihn an seine Stelle und murmelte ein paar unverständliche Worte, während der Mann mit dem roten Gesicht die Flasche wieder hervorholte und einen kräftigen Schluck nahm.

Stille trat ein und währte eine ganze Weile. Schließlich hörte man leises Schnarchen, das sich langsam steigerte und dann zum Fortissimo anschwoll. Es war Stephan, der so schnarchte; er hatte den Kopf zurückgelehnt, und der weit offene Mund zeigte das schadhafte Gebiß. Die rhythmischen Stöße des Zuges brachten ihn immer mehr aus dem Gleichgewicht, bis sein Kopf auf der Schulter Kristiaschkas lag, die sich nicht zu rühren wagte. Eine der Bäuerinnen sagte zwar, sie solle diesen unappetitlichen Menschen doch einfach wegstoßen, aber Kristiaschka traute sich nicht.

Takatak, takatak rollte der Zug faul und nachlässig durch das feuchte, trostlose Land. In den kleinen Dörfern sah man hin und wieder Licht hinter den Fenstern brennen, ein Kind hinter einem Rudel Schafe herlaufen oder einen Hund bellend um das Rudel springen. Auf einer Landstraße überholte ein Radfahrer einen Karren, und der Anblick des Fahrrads, jener seltenen und kostbaren Maschinerie, beschäftigte alle Insassen des Abteils, solange es zu sehen war.

Sieh mal an, sagte sich Kristiaschka, hier ist der Roggen noch gar nicht aufgegangen; offenbar sind die Felder hier dem Wind mehr ausgesetzt als bei uns. Sie hatte sich an das Gewicht des Kopfes auf ihrer Schulter inzwischen gewöhnt, aber ihre Finger umkrampften die wenigen Geldstücke in ihrer Tasche, denn Stephan, der so viel von den Dieben gesprochen hatte, war vielleicht selbst einer.

Ein plötzliches Bremsen warf die Reisenden, die in der Fahrtrichtung saßen, nach vorne. Der heftige Stoß hatte Stephans Kopf von Kristiaschkas Schulter gleiten lassen; und er ruhte nun auf ihren Knien. Dabei jammerte er:

»Mein Kneifer, wo ist mein Kneifer ... man hat mir meinen Kneifer gestohlen. Haltet den Dieb ... Zu Hilfe, haltet den Dieb!«

Es stimmte, er hatte seine Augengläser nicht mehr auf der Nase, und alle lachten, als sie ihn sich aufrichten sahen; er tappte wie ein Blinder um sich und stürzte zur Tür, als wolle er die Menschen aus den Steppendörfern zu Hilfe rufen. Auch Kristiaschka lachte so sehr, daß sie meinte, ersticken zu müssen. Sie haschte nach Stephans Rockzipfel und zog dann den Zwicker aus ihrer Bluse: Während Shukows Kopf an ihrer Schulter gelehnt hatte, war das Augenglas von dem schmalen Nasenrücken herab und zwischen Kristiaschkas Brüste gefallen. Wie lustig das alles war! Alle lachten und wußten sich nicht zu fassen, und Stephan, der den Zwicker wieder auf der Nase befestigt hatte, lachte lauter als alle anderen, indem er sich auf die Schenkel schlug und mit dem Finger immer zwischen seiner Nase und Kristiaschkas Brust hin und her fuhr. Bei jeder dieser Bewegungen verstärkte sich sein Lachen, eine der Bäuerinnen gluckste wie eine Henne, die eben ein Ei gelegt hat, und der Mann in der Lederjacke schlug Stephan kräftig und freundschaftlich auf die von Lachen geschüttelte Schulter. So unglücklich Kristiaschka war, so sehr mußte sie nun lachen; es tat ihr weh, aber sie konnte sich nicht helfen. Nie hatte sie so gelacht, seit die Liebe zu Akim in ihr Herz eingezogen war.

»Hören Sie, Sascha Davidowitsch ...«, ächzte der Mann in der Lederjacke.

»Mein Name ist Stephan, werter Genosse, Stephan Alexandrowitsch ...«

»Stephan, Sascha, Sergej oder wie Sie wollen Marmeladowitsch«, brüllte der Rotgesichtige, »wie Sie heißen, ist doch ganz unwichtig. Zum Teufel noch einmal, warum soll ich mir das merken! Erzählen Sie mir lieber, wie das damals war, als Sie scheintot auf irgendeinem Schlachtfeld liegengeblieben sind – wo waren denn da Ihre Augengläser? Meiner Meinung nach müssen Sie damals zugleich mit Ihren Illusionen auch Ihren Zwicker verloren haben!«

»Hi! hi! hi!« kicherte Shukow und wies mit seinem schmutzigen Zeigefinger auf den Frager; es war ein ekelerregender Finger, an dem ein harter, dicker Nagel saß, der wie eine Kralle aussah. Zu sagen vermochte er nichts, aber sein Gesichtsausdruck machte hinreichend deutlich, daß er die Bemerkung ungemein komisch fand. Als er zwischen zwei Lachanfällen wieder ein wenig zu Atem gekommen war, antwortete er:

»Sie haben recht, Genosse ... Es ist zu komisch! Als ich damals auf dem Schlachtfeld wieder zu Bewußtsein kam, waren meine Augengläser verschwunden, und ich brachte einen Tag damit zu, sie auf allen vieren kriechend zu suchen. Ja, auf allen vieren, mein Verehrtester, wie ein Maulwurf. Ein Verwundeter rief um Hilfe, aber was konnte ich schon für ihn tun, da ich doch nichts sah! Ich habe meinen Zwicker auf dem Schlachtfeld verloren, zugleich mit meinen Illusionen, dem größten Teil meiner Haare und einigen Zähnen. Solcherart waren die Wirkungen des Krieges auf einen jungen Mann von kräftiger Konstitution. Sehen Sie mich an: Das alles hat die Gefangenschaft aus mir gemacht; ich wurde auf dem Schlachtfeld gefangengenommen, ohne den Feind überhaupt zu sehen – ich hatte ja meinen Zwicker nicht.«

»Auf allen vieren wie ein Maulwurf!« schrie begeistert der Mann in der Lederjacke. »Ach, Sascha Sergejewitsch, wie gerne hätte ich Sie dabei gesehen! Und wie steht es mit Ihren Schuhen und mit den Dieben ... Wenn nun einer der Gauner die Schnüre durchschneidet, aus denen Ihr Warnsystem besteht? Kommen Sie, Sie komischer Maulwurf, trinken Sie einen Schluck.«

Er reichte Stephan Alexandrowitsch die Schnapsflasche; dieser setzte sie an den Mund, wäre aber beinahe erstickt, da er noch immer lachte; schließlich gelang es ihm, die verhängnisvolle Flüssigkeit auszuhusten, wobei er Kristiaschka mit einem Schleier feiner Tröpfchen bedeckte.

Takatak, takatak machte friedlich der Zug, während das Nachmittagslicht vor den Waggonfenstern in blaue Dämmerung überging. Nebel stiegen aus der feuchtschwarzen Erde auf, und der letzte Sonnenglanz spiegelte sich in großen, flachen Pfützen, die aussahen, als sei Glas vom Himmel gefallen. Kristiaschka lehnte die Stirn gegen den Fensterrahmen und fühlte die Müdigkeit in sich aufsteigen; das Herz war ihr eng, und ihre Seele wurde von Selbstvorwürfen bestürmt. Der Mann in der Lederjacke riß sie aus dem Halbschlummer, denn er erhob sich, um auszusteigen, und trat ihr dabei auf die Füße. Durch die offene Tür drang die kalte Luft in das Abteil, das von den eng gedrängten Menschenleibern erwärmt worden war. Kristiaschka wischte über die beschlagene Scheibe und blickte hinaus. Es war nun völlig Nacht geworden. Auf dem Bahnsteig waren nur wenig Menschen zu sehen, die sich beeilten, einen Platz zu finden. Ein Eisenbahner schwenkte eine Laterne. Die Lokomotive pfiff klagend, und der Zug fuhr unter lautem Klirren der Puffer ab. Es war nun nicht mehr weit, aber Kristiaschka schlief noch einmal ein.

Als Kristiaschka den Bahnhof der Stadt verließ, konnte sie sich zunächst überhaupt nicht zurechtfinden. Es war schon so viele Jahre her, seit sie zum letztenmal in der Stadt gewesen war. Damals hatte sich vor dem Bahnhof ein weites, unbebautes Gelände erstreckt, auf dem einige Bäume, Lattenzäune und Holzhäuser wirr durcheinander standen. Auch heute bot das Bahnhofsgelände noch immer einen recht ungeordneten Anblick, aber an die Stelle der niedrigen Holzhäuser waren nun teils fertige, teils noch im Bau befindliche größere Gebäude getreten, die aus Beton oder Ziegeln errichtet wurden und zum größten Teil noch eingerüstet waren. In den Straßen, die sie begrenzten, brannten sogar schon einige elektrische Bogenlampen an provisorischen Holzkonstruktionen. Vor dem Bahnhof standen nun nicht mehr zwei alte Kutschen mit ebenso alten Pferden, sondern drei Autodroschken.

Kristiaschka stapfte durch den Dreck auf die Häuser zu. In der Hauptstraße, die senkrecht zur Bahnhofsfassade verlief, war nicht eine Menschenseele zu erblicken; sie verlor sich nach einigen hundert Schritten im nächtlichen Dunkel, im unzureichend erhellten Nichts, in dem es auch keine Häuser mehr gab. Kristiaschka kehrte um und traf vor dem Bahnhof einen Eisenbahnbediensteten, der ihr erklärte, daß bis zum nächsten Morgen kein Zug mehr verkehre. Kristiaschka machte wortlos abermals kehrt: Sie glaubte dieser Auskunft entnehmen zu müssen, daß sie sich nachtüber nicht im Bahnhofsgebäude aufhalten dürfe. Doch der Mann kam ihr nach und versicherte ihr, daß er ihr gerne helfen würde: Er sehe schon, daß sie müde sei und irgendwo schlafen wolle; er habe eine Wohnung, in der sie so gut aufgehoben sei wie kaum anderswo in der Stadt. Kristiaschka wollte ihm davonlaufen, aber es gelang ihm, ihren Arm zu ergreifen, und sie mußte es dulden, daß er weiter auf sie einredete: Daß die kleinen Leute doch zusammenhalten müßten und daß keiner die Hilfe ablehnen dürfe, die sich ihm biete. Dabei war seine Stimme belegt vor Erregung, und seine hellen Augen blitzten aus dem

Dunkel. Der fahle Schein einer Straßenlaterne fiel auf die Bart-stoppeln seiner rechten Wange. Kristiaschka ging mit.

Er hatte seine Unterkunft ganz am Ende des Bahnhofs in einem kleinen Raum, in dem eine Laterne auf dem Boden stand und ein winziger, eiserner Ofen, der rötlich glühte, Hitze ver-breitete. Eine Wasserkanne summte, offenbar würde das Wasser gleich kochen.

Kristiaschka setzte sich auf eine kleine Bank. Der Mann be-reitete den Tee und stellte einen Teller mit Apfelkringeln neben Kristiaschka. Er war jung, hatte ein anständiges Gesicht, sprach nun aber kein Wort mehr, und das gefiel Kristiaschka, denn sie hatte nach der langen Bahnfahrt genug von all dem Geschwätz. Sie meinte, in der ganzen Welt gebe es nur Schwätzer, begeisterte, unstillbare Klatschbasen mit spitzen Zungen oder halbverrückte Männer, die unaufgefordert ihr Leben, ihre Leidensgeschichte, ihre Abenteuer und ihre Kriegserlebnisse zum besten geben; alte Tanten wie die Kapitänswitwe aus ihrem Heimatdorf und Son-derlinge wie Stephan Alexandrowitsch Shukow. Als sie an ihn dachte, fiel ihr ein, daß sie ihn nicht mehr im Abteil gesehen hatte, als sie ausgestiegen war. Sie war im letzten Augenblick aufgewacht; das Halten des Zuges hatte sie geweckt, und sie hatte eben noch aussteigen können, ehe er sich wieder in Bewegung setzte.

Es war angenehm, daß der Bahnbeamte offenbar nicht reden mochte; noch angenehmer aber war die Wärme in dem kleinen Raum. Als sie gegessen und getrunken hatte, sagte er, sie solle sich nur auf der Bank ausstrecken und schlafen; er habe noch zu arbeiten. Er nahm die Laterne, stellte sie auf einen Tisch und rückte einen Sessel hinzu. Sie beobachtete ihn beim Schreiben, sah sein zartes Profil, die aufgeworfenen Lippen, die in der Kon-zentration leicht zusammengezogenen Brauen und die dicken Finger, die den Bleistift umpreßten. Sie kämpfte gegen den Schlaf an. Der Mann erschien ihr zwar harmlos, aber sie wollte nicht schlafen; sie hatte Angst, neben diesem Unbekannten einzu-schlafen, aber da sie von der langen Bahnfahrt erschöpft war, überwältigten sie Wärme und Schlummer.

Sie erwachte plötzlich von einem Kuß, den der Mann ihr auf den Hals drückte, sprang auf, stieß ihn von sich und rannte durch die Tür auf den leeren Bahnsteig. Von hier gelangte sie abermals auf den verlassenen Bahnhofsplatz, auf dem nun nicht einmal mehr die drei Autos standen. Sie ging bis zu dem ersten der im Bau befindlichen Gebäude, kämpfte sich durch einen

Sandhaufen, in dem sie bis zu den Knien versank, schob sich durch eine Türöffnung, in die noch kein Türstock eingesetzt war, und gelangte schließlich über einige Stufen in einen Kellerraum mit Betonpfeilern und kleinen, hoch angebrachten Fenstern.

Ihr Herz schlug stark; sie lauschte in die Stille, suchte mit den Blicken die dunklen Ecken des Raumes ab und entdeckte schließlich einen Haufen mit Hobelspänen und allerlei Schutt, in dem sie sich ein Lager zurechtmachte. Es war längst nicht so warm wie in der Unterkunft des Bahnbediensteten, aber hier war sie wenigstens allein.

Es währte lange, bis sie Schlaf fand; sie drehte sich von einer Seite auf die andere. Die Stille summte ihr in den Ohren und wurde erst von dem Keuchen einer Lokomotive, dann vom Klirren der Puffer und schließlich vom Klang einiger Stimmen unterbrochen, die in der kalten Nacht weithin zu hören waren. Etwas später vernahm sie das Geräusch von Schritten auf dem weichen schlammigen Boden und hörte, wie jemand eine schwer erkennbare Melodie pfiff. Dann endlich schloß sich die Stille um Kristiaschka, die sich immer tiefer in ihren Winkel drückte, und sie sah im Traum Akim im Pyjama in einem Sanatoriumsgarten am Schwarzen Meer spazierengehen; ein Mädchen hing an seinem Arm, das nicht Nina war: Sie war wie eine Tänzerin des Opernballetts gekleidet, und sie lachten beide. Kristiaschka sah nur ihren Rücken und wollte ihnen nachlaufen, versank dabei aber bis zu den Knien im Sand. Ihre Beine versagten ihr den Dienst, und als es ihr schließlich gelang, sie aus dem Sandhaufen freizubekommen, flog sie gleich wie ein Vogel über die Orangenbäume des Gartens hin. Akim und die Tänzerin blickten ihr lachend nach, und sie wußte, daß sie am Ende ihres Fluges ins Meer fallen würde; in das Meer, das sie noch nie gesehen hatte, das ihr aber durchaus vertraut erschien. Eben in dem Augenblick der höchsten Not, als sie schon fürchtete zu ertrinken, erkannte sie in einem Angler, der auf einer Klippe saß, ihren Vater und rief ihn um Hilfe an. Agafon aber rührte sich nicht, als habe er nichts gehört, und Kristiaschka erwachte mit zitterndem Herzen und kaltem Schweiß auf der Stirn. Sie lag wach bis zum Tagesanbruch und stahl sich dann aus ihrem Versteck.

Das Tageslicht zeigte ihr die Hauptstraße als einen einzigen Sumpf. Es mußte während der Nacht geregnet haben, Kristiaschka hatte es nicht bemerkt. Ein paar Schritte weiter, bei einem Bauplatz, hielt ein Lastauto, und gleich darauf ratterten noch einige andere heran. Sie waren mit Ziegeln beladen, auf denen Arbeiter saßen. Einer von ihnen machte Kristiaschka ein Zeichen mit der Hand, und sie flüchtete sogleich in eine Nebenstraße. Sie erinnerte sich dunkel, daß in dieser Richtung der Fluß liegen müsse, und irrte lange zwischen Baustellen und Neubauten umher, ehe sie es aufgab und sich sagte, daß sie sich verlaufen habe. Als sie dieses Viertel hinter sich hatte, gelangte sie in ein Quartier, das im wesentlichen aus kleinen, alten Häusern und Hütten bestand, in denen soeben das Leben erwachte. Dünne Rauchsäulen stiegen senkrecht in den Himmel, die Luft war völlig unbewegt und der Horizont von einem durchsichtigen Goldhauch überzogen. Der Tag versprach schön zu werden.

Kristiaschka scheute sich, einem Menschen zu begegnen, und machte einen Bogen um die Häuser. Endlich, als sie schon der Verzweiflung nahe war, gelangte sie tatsächlich an den Fluß. Sie erriet ihn mehr, als daß sie ihn sah, jenseits einer weiten, unbebauten Fläche, den ungeheuren, flachen, lehmgelb dahinströmenden Dnjepr, dessen Wasserspiegel beinahe so hoch lag wie das Land ringsum.

Kristiaschka kniete an der Uferböschung in dem gelben, durchnäßten Gras nieder. Sie formte eine Schale aus ihren Händen und schöpfte Wasser, wusch sich das Gesicht, so gut es ging, und trocknete es mit einem Rockzipfel ab. Dann ließ sie sich in einer Mulde am Ufer im Gras nieder, verschränkte die Arme über der Brust, wodurch die gerändelte Baumwollbluse an ihre Haut gedrückt wurde. Dann löste sie ihre Zöpfe, schüttelte den Kopf, um das Haar zu befreien, und rollte es schließlich zu einer Kugel, die sie mit ihrem Kopftuch umschlang. Sie lehnte den Rücken gegen das Erdreich und fühlte sich endlich wieder wohl, als die Sonne heraufstieg und aus dem hellen Himmel wärmend auf sie niederblickte. So verharrte Kristiaschka lange Zeit in Träumen und Gedanken, dann erhob sie sich und machte sich auf in die Stadt.

Da sie nun wußte, wie der Fluß verlief, irrte sie sich nicht mehr im Weg und gelangte auf den Hauptplatz. Hier herrschte reges Leben und ein Verkehr, der Kristiaschka einschüchterte. Alte Kutschen wurden von kleinen, langmähnigen Pferden gezogen, zahlreiche Lastautos und auch einige Personenwagen beschäftigten einen Polizisten, der im Mittelpunkt des Platzes mit strenger Miene und hoheitsvollen Gesten den Verkehr regelte. Auf den Gehsteigen sah Kristiaschka eine Unmenge Menschen, die alle sehr schnell gingen und abweisende Gesichter hatten, als wollten sie mit ihren Gedanken allein bleiben. Sie hatten es eilig und wirkten grau und düster; viele trugen Schirmmützen und sahen schon am Morgen müde aus, die Frauen hatten Kopftücher, und man wußte nicht, wohin sie hasteten.

Da Kristiaschka an das bedächtige dörfliche Leben gewöhnt war, flößte die Eile dieser Menschen ihr Angst ein. Sie ging an einem staatlichen Warenhaus vorbei, vor dem eine lange Schlange von Menschen stand. Diese nötigte sie, vom Trottoir auf die Fahrbahn zu treten, eine Tramway klingelte hell hinter ihr, und Kristiaschka sprang angsterfüllt wieder auf den Gehsteig zurück. Dabei stieß sie gegen einen jungen Mann, der eine kleine gestickte Mütze trug, über ihre Verwirrung lachte und sie in die Taille kniff; ein zweiter, der neben ihm stand, machte es genauso.

Kristiaschka erkannte schließlich den Alten Palast an seinem Haupteingang mit dem Balkon, den die Karyatiden stützten – jene steinernen Riesenmädchen, mit denen sie einst verglichen worden war. Vor dem Palast stand eine Wache in blauen Hosen, weichen Stiefeln und Khakibluse, mit einer Maschinenpistole vor der Brust. Gegenüber dem Palast, am anderen Ende des großen Platzes, entdeckte sie einen ungeheuren Neubau, der nur aus Stahl und Glas zu bestehen schien. Sie zählte verblüfft die Stockwerke, es waren fünfzehn, und versuchte sich zu erinnern, was für ein Haus früher an dieser Stelle gestanden hatte. Es fiel ihr nicht ein.

Der Bau war noch nicht vollendet. Ganz oben arbeiteten noch einige Arbeiter; sie saßen auf Brettern, die an Tauen hingen, und schwebten hoch über dem Platz. Auf dem höchsten Punkt des Gebäudes hing schlaff eine ungeheure rote Fahne, und auf der Fassade erkannte Kristiaschka die Riesenporträts von Lenin und Stalin, die zusammen mit dem Emblem von Hammer und Sichel zwei Etagen bedeckten.

Ein Stück weiter, dort, wo der Platz mit einer einmündenden Straße einen spitzen Winkel bildete, ragten Masten auf, an denen andere, ebenfalls überlebensgroße Bilder von Männern befestigt waren. Es waren Gesichter mit Schnurrbärten, wilden Mähnen, Schmachtlocken und ungepflegten Bärten. In Riesenlettern standen ihre Namen darunter, Namen, die Kristiaschka wohl entziffern konnte, die ihr aber unbekannt waren. Alles, was sie sagen konnte, war, daß einer dieser großen Männer – denn solche Bilder konnten doch wohl nur große Männer darstellen – ihrem Vater ähnlich sehe; in jenen Tagen des Jahres, die dem Haarschnitt vorangingen, sah Agafon ganz genauso aus wie der hier abgebildete berühmte Mann.

Über diesen Bildern gewahrte Kristiaschka metallene Hörner, und auf einmal begann eine ungeheuer laute Stimme mit einer Ansprache. Die Worte drangen aus diesen Hörnern herab und pflanzten sich wie das Echo durch die Straße und über den Platz hin fort. Kristiaschka verstand nicht, was die Stimme sagte; der Tonfall und der Akzent erschienen ihr völlig fremd. Aber nach der Stimme kamen wahre Fluten von Musik, und auf diese folgte wieder etwas anderes, nämlich lautes Krachen und Schnattern. Das seltsamste aber war, daß keiner der unzähligen Passanten auf die Stimme oder auf die Musik geachtet hatte: Sie wendeten nicht einmal den Kopf.

Kristiaschka wartete lange und überquerte dann laufend die Straße in einem Augenblick, da diese so gut wie leer war; nur in der Ferne kam eine Tramway heran und aus der Gegenrichtung näherte sich ein Auto. Sie wandte sich wieder dem Platz zu, erreichte das Haus mit den fünfzehn Stockwerken (wie lange mochte man wohl brauchen, um bis ins Dachgeschoß hinaufzugehen, über unzählige Stufen?) und blieb vor dem Portal aus poliertem Marmor stehen. Es wirkte ungeheuer reinlich und noch absonderlicher als das gewachste Parkett bei der Kapitänswitwe, auf dem die Besucher sich nur in Filzpantoffeln bewegen durften; ja, der Marmor war so glatt, daß Kristiaschka ein schattenhaftes Spiegelbild ihrer selbst und der Menschen, die hinter ihr vorbeihuschten, in ihm erkennen konnte. Bei einer dieser Gestalten glaubte sie plötzlich, es handle sich um Stephan Alexandrowitsch Shukow; sie drehte sich schnell um, aber sie sah in ihrer Nähe und auch weiter entfernt niemanden, der ihm glich. Ein seltsames Geräusch ließ sie zusammenfahren. Es war eine Maschine, die auf der Fahrbahn herankam und entfernte Ähnlichkeit mit einem Maschinengewehr besaß; ein Arbeiter bediente sie und brach damit die Straßendecke auf, während andere Arbeiter in Hosen und zerlumpten Überröcken hinter der Maschine hergingen und die brüchigen Schollen auf einen Lastwagen warfen.

Kristiaschka nahm ihren ziellosen Rundgang wieder auf. Sie kam zu einem Bauplatz, auf dem die Arbeit noch nicht weit fortgeschritten war; man sah auch weder Maurer noch Zimmerleute, und an der langen Bretterwand, die ihn abgrenzte, klebten Plakate. Eines von ihnen stellte Tiere dar, ganz oben ein galoppierendes Pferd und ganz unten eine Schnecke; zu jedem Tier waren Namen geschrieben, und Kristiaschka begriff, daß es sich um die Namen von Arbeitern handelte, die man mit Kreide hingekritzelt hatte, um damit zu sagen, daß dieser oder jener besonders schnell und so manche anderen besonders langsam arbeiten. Diese kleinen Symboliken ließen in Kristiaschka die erste Sehnsucht nach ihrer ländlichen Heimat aufsteigen, wo man mit allen Tieren gut Freund ist, während man in der Stadt nur selten ein paar klapprige Droschkengäule zu Gesicht bekommt, die wohl selber lieber auf dem Land wären . . .

Zur Linken bemerkte sie, über einigen schadhaften Dächern, die in der Sonne gleißenden Zwiebeltürme und vergoldeten Kreuze einer großen Kirche; mit einemmal erinnerte sie sich, diese schon einmal gesehen zu haben: Das Kreuz, um das eine Kette geschlungen war, und das zwiebelförmige Dach, auf dem die Sonnenstrahlen lagen. Das Verlangen kam sie an, zur Heiligen Jungfrau zu beten, aber dann sagte sie sich, daß man einer solchen Kleinigkeit wegen die Mutter Gottes doch nicht bemühen dürfe. Für Kristiaschka ging es ja um viel, sogar um sehr viel, um alles vielleicht; aber für SIE bedeutete dies doch nur sehr wenig. Immerhin, überlegte Kristiaschka, wenn die Heilige Jungfrau die Güte haben wollte, sich mit mir zu beschäftigen, so würde sie es mir vielleicht sogar zugute halten, daß ich nicht wegen eines bloßen Liebeskummers zu ihr komme wie so viele andere junge Mädchen.

Sie mußte sich entscheiden. Sie sah eine kleine Hütte, in der eine alte Frau Zeitungen verkaufte, ging nachdenklich daran vorbei, kehrte um, umkreiste die Hütte einmal, nahm sich dann zusammen und trat schließlich auf die alte Verkäuferin zu.

»Bitte können Sie mir sagen, wo sich die Direktion des Textilkombinats befindet?« erkundigte sie sich.

Die Alte schien nichts begriffen zu haben, und Kristiaschka wiederholte Wort für Wort:

»Di-rek-tion des Textil-kombinats.«

Offenbar hatte die alte Frau diese Worte noch nicht gehört, denn sie riet Kristiaschka, sich an den Polizisten zu wenden, der in der Mitte des Platzes stand. Natürlich, das hätte sie tun sollen, aber sie hatte es nun einmal nicht gewagt und war darum solange herumgeirrt. Schließlich kostete es eine geringere Überwindung, eine alte Frau anzusprechen als einen Polizisten, mochte diese auch nicht so gut Bescheid wissen.

Der Polizist erwiderte Kristiaschkas schüchternen Gruß sehr stramm und militärisch. Sie sah nur das Militärische und nicht die Höflichkeit in seinem Gehaben und wäre am liebsten gleich wieder davongelaufen. Die Direktion des Textilkombinats? Welches Kombinat sie denn meine, es gäbe nämlich deren zwei.

Kristiaschka wußte nicht, zu welchem sie wollte, sie war immer der Meinung gewesen, es gäbe nur eines. Wie dankbar wäre sie gewesen, hätte sie in diesem Augenblick alles aufgeben und dem Polizisten sagen können, sie sei von zu Hause fortgelaufen: Dann würde er sie ins Gefängnis stecken und in das heimatliche Dorf abschieben.

Der Polizist nannte ihre beide Adressen, erklärte ihr den Weg, denn es war weit, und sagte ihr auch, welche Straßenbahnlinien sie benützen müsse. Kristiaschka jedoch vermochte seinen Worten keinen Sinn zu entnehmen. Sie hörte sie, aber verstand sie nicht, es war wie in einem bösen Traum. Sie bat ihn, alles noch einmal zu sagen, und er wiederholte seine Erklärungen sehr geduldig und unterstützte sie durch einige Handbewegungen, die ihr die Richtung angeben sollten; inzwischen hupte der Chauffeur eines Lastwagens, der die Kreuzung überqueren wollte. Der Verkehrsposten gab ihm ein Handzeichen und wünschte Kristiaschka schließlich alles Gute auf dem Weg mit einem kleinen Lächeln, das ihr Herz wärmte. Solange die Polizisten lächeln, ist noch nichts verloren, sagte sie sich und entschloß sich, zuerst die näher gelegene Fabrik aufzusuchen.

Der Polizist hatte ihr gesagt, daß die Fabrik am Stadtrand liege; dennoch überlegte Kristiaschka keinen Augenblick, sondern machte sich zu Fuß auf den Weg. Die Straßenbahn zu benützen, kam nicht in Frage, denn es erstens kostete das Geld, und zweitens war sie noch nie in so einem Kasten gefahren. Als sie die Vorstädte hinter sich hatte, fand sie sich auf einer breiten Straße, die am Fluß dahinführte; das war nicht mehr die Stadt, aber auch noch nicht das Land. Hier standen nur noch kleine Häuser und Hütten, Schrebergärten säumten den Straßenrand, und dazwischen erhoben sich die Ziegelmauern langgestreckter Magazine und Lagerplätze. So ging sie mindestens vier oder fünf Werst geradeaus, bis sie endlich zur Fabrik gelangte.

»Nina Gussewa?« fragte der Türsteher zurück, als Kristiaschka erklärt hatte, zu wem sie wolle, »den Namen kenne ich nicht. Die arbeitet sicherlich woanders!«

»Sie soll Direktionssekretärin sein«, beharrte Kristiaschka.

Der Mann versprach, sich zu erkundigen, trat zu einem Telefon, das an der Wand hing, und betätigte die Kurbel. Schließlich schien sich jemand zu melden, denn er wiederholte nun Kristiaschkas Frage nach einer Nina Gussewa, wartete dann einige Zeit und erklärte Kristiaschka, halb zu ihr gewendet, daß man in der Zentrale eben Nachschau halte. Dann sprach wieder jemand, der Türsteher sagte: Ja... ja... ja, schüttelte dann den Kopf und hängte auf.

»Die Gussewa arbeitet weder hier noch in der anderen Fabrik«, sagte der Mann zu Kristiaschka. »Sie ist im Verwaltungszentrum in der Stadt beschäftigt.«

Kristiaschka ließ sich die Adresse geben und machte sich dann unverdrossen auf den Rückweg zu dem großen Platz. Dort trat sie wieder auf den Verkehrsposten zu – es war nun ein anderer, aber er war ebenso höflich und militärisch-stramm – und ließ sich erklären, wo sich das Verwaltungszentrum befinde.

Es war ganz nah, Kristiaschka brauchte nur wenige Minuten zu gehen. Hier gab es keinen Türsteher, sondern einen richtigen Portier, der in dem großen Portal seine kleine Loge hatte. Es war ein alter Mann, der nur noch ein Bein hatte und eine Kriegsauszeichnung trug. Sein einziges Bein hatte er unter dem Tisch so lang ausgestreckt, daß Kristiaschka beinahe darangestoßen wäre, als sie bei ihm eintrat. Sie fragte nach Nina Gussewa, mußte wieder warten, bis er telefoniert hatte, und erfuhr dann, daß sie im ersten Stockwerk weiterfragen müsse. Dort empfing sie eine magere Frau in einem schwarzen Büromantel, die hinter einem blank gescheuerten Holztisch saß. Sie schob Kristiaschka einen Block zu und sagte mit strengem Gesicht, daß sie eine Anmeldung ausfüllen müsse.

»Ich kann aber nur meinen Namen schreiben«, antwortete Kristiaschka, »und den von Nina zur Not auch noch.«

Die Frau mit dem strengen Gesicht zuckte die Achseln, wartete, bis Kristiaschka ihren eigenen und Ninas Namen auf das Papier gekratzt hatte, und fügte dann selbst einige Worte hinzu; schließlich erhob sie sich, sah Kristiaschka prüfend vom Kopf bis zu den Füßen an und verschwand mit angewidertem Gesicht.

Sie mochte ihre Gründe dafür haben, denn die Menschen, die aus den Türen kamen und in andere hineingingen, waren alle viel besser gekleidet als Kristiaschka, vor allem die dicken Männer, von denen einige jenem Bonzen glichen, der seinerzeit auf das Jahresfest der Kolchose gekommen war. Die jüngeren Männer waren meist mager, taten sehr geschäftig und trugen gestickte Russenblusen unter ihren fadenscheinigen Röcken. Drei besonders junge waren sogar in Uniform, das waren offenbar Komsomolzen; Kristiaschka wußte es nicht sicher, denn auf den Dörfern sah man diese Uniformen so gut wie gar nicht.

Schließlich kehrte die Frau zurück, und ihr Gesicht war womöglich noch strenger als vorher. Sie erklärte Kristiaschka, daß sie warten müsse, und Kristiaschka blieb, an die Mauer gelehnt, stehen, wo sie stand. Das war etwas, was es in ihrem bisherigen Leben noch nicht gegeben hatte: Einfach so dastehen und nichts tun. Darum wurde sie auch bald müde. Es war das zweite Mal, daß sie müde wurde, zum erstenmal hatte sie sich auf jenem Ballfest müde gefühlt, als sie von Akims sonderbarem Betragen so verstört gewesen war. Dieses Warten jetzt war aber womöglich noch anstrengender, und sie mußte ihre ganze Energie zusammennehmen, um durchzuhalten. Sie durfte jetzt nicht schlappmachen, sonst war alles verloren, und sie würde Nina Gussewa wohl niemals zu sehen bekommen. Es brauste ihr in den Ohren, während sie so stand; es war ihr, als schwanke sie von rechts nach links, als werde sie fallen und als schwanke die Decke über ihr ebenso wie der ganze Gang. An der Mauer gegenüber hing das Bild eines Sowjet-Generals zu Pferd, und auch dieser General mit seinem Pferd begann zu schwanken. Das Pferd starrte Kristiaschka aus großen, beängstigend glänzenden Augen an, so daß sie zwei Schritte weiterging. Aber als sie sich nun dort an die Wand lehnte, mußte sie feststellen, daß der Pferdeblick ihr gefolgt war, und so blieb es auch, als sie vier Schritte nach der anderen Seite tat: Das Pferd des Generals verfolgte sie mit ihrem Blick, als warte es nur darauf, bei Kristiaschkas erstem Fehler auf sie zuzuspringen. Dabei war es ein Pferd, das auf dem Feld überhaupt nichts getaugt hätte, denn die Kruppe und die Hinterbeine waren viel zu schwach, ein Pferd für Shukows vom Unglück verfolgten Freund Pjotr!

Würdig gekleidete Herren, Männer mit Aktenmappen unter dem Arm und sorgenvollen oder wichtigtuerischen Gesichtern gingen an ihr vorbei, andere wendeten sich an die Frau mit dem strengen Gesicht. Sie sprach mit allen, schien nicht immer einer Meinung mit ihnen zu sein, und die Reihe der Wartenden, die wie Kristiaschka mit hängenden Armen geduldig an der Wand lehnten, wuchs von Minute zu Minute. Offenbar hatte die Sowjetmacht nicht die Zeit, sich um Bänke für die Besucher in öffentlichen Gebäuden zu kümmern. Kristiaschka erinnerte sich an das, was der Kreissekretär auf dem Ballfest gesagt hatte: Die Kraftwerksbauten, der Wolgakanal und die Rote Armee hatten natürlich Vorrang vor solchen Problemen. Der Leitfaden zum guten Benehmen in Massenauflage mußte ebenso warten wie die Besucherbänke. Es war seltsam, daß Kristiaschka sich jenes Abends mit allen Einzelheiten erinnerte; sie wußte noch alles, was damals gesprochen worden war, obwohl sie heute die wenigen Worte des Polizisten nicht hatte verstehen können.

Der Blick des Generalspferdes faszinierte Kristiaschka. Sie sah nichts anderes mehr. Alles, außer diesen Augen, verschwammen im Nebel, der Körper des Pferdes, sein Reiter und die Mauern, und wie ein Lichtstrahl im Nebelgebräu schoß der Pferdeblick starr und böse auf sie zu.

Kristiaschka öffnete die Augen. Es war ihr, als habe sie im Stehen geschlafen – wie lange wohl? Ihr Rücken schmerzte und die Knöchel auch. Auf den Stufen hörte man Stiefel knarren, und zu den Schritten pfiff jemand eine Melodie, bei der es sich um den Anfang von Borodins Steppenskizzen aus Mittelasien handeln konnte. Eine Tür öffnete sich plötzlich, ein dicker Mann in westlicher Kleidung rannte auf den Gang hinaus und stieß dabei wütende Verwünschungen aus, während ein junger Offizier hinter ihm herlief und demütig Entschuldigungen stammelte. Die Frau mit dem strengen Gesicht blickte den beiden achselzuckend nach, und gleich darauf zeigte sich in einem Türspalt am Ende des Ganges für eine Sekunde eine Gestalt, die irgend etwas rief.

»Das ist für Sie«, sagte die Frau in dem schwarzen Büromantel zu Kristiaschka, »los, gehen Sie schon, die letzte Tür rechts.«

Nina Gussewa saß hinter einem kleinen Tischchen, auf dem eine Schreibmaschine stand. Sie hatte einen Telefonhörer am Ohr, nickte zu dem, was man ihr sagte, und bedeutete Kristiaschka, sich ihr gegenüber zu setzen. Sie trug eine dicke Hornbrille, das war neu an ihr, und Kristiaschka fragte sich, ob Nina schon immer kurzsichtig gewesen sei und die Brille nur aus Eitelkeit nicht getragen habe oder ob sie nun im Gegenteil eine Brille trage, ohne es nötig zu haben, um recht schick zu wirken und den Pariser Stenotypistinnen zu gleichen.

An der Wand hinter Nina hing eine große, gerahmte Fotografie. Kristiaschka kannte den Mann nicht, den sie darstellte; vielleicht handelte es sich um den Volkskommissar für die Textilwirtschaft. Das war sogar wahrscheinlich, denn er sah längst nicht so böse drein wie das Pferd des Generals, sondern wirkte eher gutmütig.

Nina trug einen granatfarbenen Pullover mit blauem Muster, der hochgeschlossen war, aber ihre Brust besonders zur Geltung brachte. Natürlich, dachte Kristiaschka, Nina findet ja immer eine Möglichkeit, niemanden darüber im unklaren zu lassen, daß sie schöne Brüste hat. Ihre Haare waren noch kürzer und noch stärker gelockt als auf dem Ballfest der Kolchose, aber das Gesicht war überhaupt nicht geschminkt – offenbar wollte ihr Bürovorstand dies nicht und hätte eine geschminkte Nina hinausgefeuert. An den Ohren hatte sie lange Gehänge aus weißem Kunststoff, die aussahen wie weiße Lilienblätter; hatte ihr Chef diese vielleicht von einer Reise nach dem Westen mitgebracht und Nina geschenkt?

Nina sagte sehr schnell und hoheitsvoll irgend etwas ins Telefon, was Kristiaschka nicht verstand, legte dann den Hörer auf die Gabel und nahm die Brille ab. Zweifellos sah sie ohne Brille ausgezeichnet und trug diese nur, um so elegant zu wirken wie die Pariser Stenotypistinnen...

Nina lächelte und sagte:

»Kristia Tupitsyna...! Das ist aber eine Überraschung!«

Diese Worte gaben Kristiaschka ein wenig Zuversicht. Sie hatte gefürchtet, Nina sei ihr wegen der Ereignisse auf dem Ballfest noch böse oder wisse gar nicht mehr, wer sie sei. Es wäre auch möglich gewesen, daß Nina so tat, als wisse sie es nicht. Aber nun hatte sie gelächelt und sagte noch einmal, sichtlich entzückt, »Kristia Tupitsyna!«, als könne kein anderer Besuch ihr soviel Vergnügen bereiten.

»So bist du also hier in der Stadt!« wunderte sich Nina. »Was tust du denn hier?«

Ermutigt von Ninas Liebenswürdigkeit, ging Kristiaschka nun geradenwegs auf ihr Ziel los und berichtete, daß sie wissen wollte, was aus Akim geworden sei: Er sei nicht ins Dorf zurückgekehrt, und seine Mutter mache sich Sorgen.

Nina zeigte sich erstaunt. Akim war also etwas zugestoßen? Und das war der Grund für Kristiaschkas weite Reise?

Kristiaschka nickte, und Nina schrie begeistert, daß sie nun wisse, woran sie sei: Es handle sich also um eine Liebesgeschichte, nicht wahr? Um einen Roman, einen richtigen Liebesroman!

»Wann hat denn alles begonnen?« wollte sie wissen. »Ich hatte ja keine Ahnung davon. So erzähle doch schon, schnell und ganz genau mit allen Einzelheiten!«

Kristiaschka setzte ein hölzernes Gesicht auf, aber Nina gab nicht nach:

»Ich weiß schon, was du dir einbildest... Du glaubst, ich interessiere mich für Akim, aber ich kann dir versichern, mein Täubchen, der Junge hat mich nie auch nur im geringsten interessiert. Er ist ein eitler Dorftrottel, und für mich kommen überhaupt nur Männer in Frage, die über Vierzig sind. Also los, erzähl schon!«

Kristiaschka erzählte also, sie erzählte alles oder beinahe alles, aber es wurde trotzdem eine recht magere Geschichte, eine Variation über das Thema: »Ich liebe Akim, aber er weiß es nicht, und ich weiß nicht, wo er ist, möchte es aber gerne wissen.«

»Ich habe Akim seit jenem Fest auf dem Dorf nicht mehr gesehen«, versicherte Nina.

Es stellte sich heraus, daß sie auch eine so hervorragende Neuigkeit wie die Zurückweisung Akims durch die Musterungskommission nicht erfahren hatte. Sie wußte auch nichts von seiner Tuberkulose und konnte Kristiaschka keinerlei Neuigkeiten über den geliebten Taugenichts mitteilen.

Je länger Nina sprach, desto höher stieg die Verzweiflung in Kristiaschka. So hatte sie also diese Reise völlig umsonst gemacht. Sie hatte ihre Familie verlassen, um Akim wiederzufinden, und Akim war unauffindbar! Dies hätte sie vorhersehen, sich sagen müssen, daß Nina nichts von Akim wissen würde, aber der Gedanke war ihr gar nicht gekommen: Sie war sicher gewesen, daß Akim, da er zur Nachmusterung in die Stadt reisen mußte, Nina aufsuchen würde; daran hatte Kristiaschka nicht einen Augenblick gezweifelt, es war selbstverständlich für sie gewesen.

»Ich verstehe ja nicht«, sagte Nina, »wie du dies annehmen konntest nach seinem Betragen auf dem Ballfest ... Du hast doch gesehen, wie er sich benommen hat. Hätte er es wirklich gewagt, hier aufzukreuzen, ich versichere dir, ich hätte ihm die Tür vor der Nase zugemacht!«

Das Telefon klingelte, und Nina sprach in den Apparat. So war es also aus zwischen Akim und Nina, überlegte Kristiaschka, oder vielmehr: Es hatte nie etwas gegeben. Das war immerhin möglich, denn Nina war so entschlossen, Karriere zu machen, daß man ihr glauben konnte, wenn sie versicherte, daß Männer unter Vierzig sie nicht interessierten. Bei jungen Männern ist wenig zu gewinnen, und Nina hatte wohl immer Akim lediglich als einen eitlen Dorfburschen angesehen, der weiter nicht ernst zu nehmen sei. Für Kristiaschka war das freilich kein Trost; bestand keine Verbindung zwischen Nina und Akim, so war Akim auch für sie verloren, in der Weite Rußlands verschwunden, wie seinerzeit Akims Vater, der weiße Kosak, der – wie Agafon behauptete – sich an der Frau des Müllers so schwer vergangen hatte.

Immer wieder kreisten diese Gedanken in ihrem Kopf. Akim

war also ein Vagabund wie sein Vater; er würde von Stadt zu Stadt und von Dorf zu Dorf irren, wie es so viele Burschen taten, die sich keiner Ordnung fügen wollen und von Gelegenheitsgeschäften leben.

»Ich werde mich für dich erkundigen«, sagte Nina, als sie den Hörer aufgelegt hatte. »Vielleicht kann ich auf dem Weg über die Musterungsbehörden eine Spur von diesem Grünschnabel finden. Ich halte es ja für ein Unglück, daß du dir gerade ihn in den Kopf gesetzt hast, denn er ist nicht mehr wert als eine Handvoll Dreck von der Straße!«

Kristiaschka stieg die Zornesröte ins Gesicht. Es war ihr unerträglich, daß der Mann, den sie liebte, so beleidigt wurde. Sie haßte Nina in diesem Augenblick und hätte ihr am liebsten entgegnet, daß aller Dreck Rußlands, auf die eine Waagschale gehäuft, noch nicht so viel wert sei wie Akim am anderen Waagebalken, und als ihr dieser Vergleich nicht ganz eindeutig erschien, sagte sie sich, daß die ganze Nina nichts gelte im Vergleich zum kleinen Finger Akims. Zweifellos beschimpfte sie ihn nur aus Haß und Enttäuschung, weil er sie auf jenem Kolchosenfest so lächerlich gemacht hatte.

Von all dem sagte Kristiaschka jedoch kein Wort, denn sie war sich im Herzen natürlich darüber klar, daß Akim sich auf dem Fest tatsächlich wie ein Taugenichts benommen hatte. Das war ja eben ihr Kummer, daß Akim nichts taugte und daß Nina dies so unverhüllt aussprach; am schlimmsten aber war, daß sie, Kristiaschka selbst, ihn trotz allem immer noch liebte.

Sie bedankte sich bei Nina für die freundliche Aufnahme und für das Versprechen weiterer Nachforschungen nach Akim. Nina klopfte mit der überflüssigen Brille auf die Schreibtischplatte und sagte, sie habe nun etwas sehr Dringendes zu tun, aber es habe sie sehr gefreut, Kristiaschka zu sehen. Die beiden Mädchen erhoben sich und umarmten einander. Nina küßte Kristiaschka auf beide Wangen und sagte, man solle sich von den Gefühlen nicht zu sehr gängeln lassen: Das eigentliche Vergnügen an der Liebe währe stets nur einen Augenblick, sagten die Franzosen, und die müßten es schließlich wissen.

Als Kristiaschka schon an der Tür war, sagte Nina noch:

»Gute Reise, Kristia Tupitsyna. Ich werde an Thekla schreiben, was ich erfahren habe, sie kann es dir dann sagen!«

Kristiaschka antwortete, daß Nina sich diese Mühe sparen könne: Sie kehre nicht ins Dorf zurück, ja, sie werde nie dorthin zurückkehren.

»So«, sagte Nina erstaunt, »wo kann ich dich also wiederfinden? Wie lange willst du in der Stadt bleiben?«

Kristiaschka machte eine unbestimmte Geste mit der Hand und drückte die Klinke nieder. Nina lief ihr nach und erwischte sie am Arm, und Kristiaschka brach sogleich in Schluchzen aus, das ihre Schultern schüttelte. Nina streichelte sie und redete ihr mit kleinen zärtlichen Worten gut zu. Nach einigen Minuten versiegten die Tränen, und Kristiaschka wischte die Spuren mit ihrem Kopftuch weg.

»Ich sehe, daß du gar nicht weißt, wohin du gehen sollst, du Arme«, sagte Nina. »Das ist schlimm, denn die Polizei wird dich als Landstreicherin aufgreifen, und was dann mit dir geschieht, ist sehr unangenehm...!«

Sie beschrieb mit der Hand einen vielsagenden Halbkreis in der Richtung, in der Sibirien lag, aber Kristiaschka zuckte nur die Achseln, um zu zeigen, wie gleichgültig ihr das alles sei. Nina schob sie mit sanfter Gewalt in das Zimmer zurück, setzte sich für einen Augenblick wieder an den Schreibtisch und kritzelte ein paar Worte auf einen Zettel.

»Nimm das«, sagte sie dann, »es ist eine kurze Nachricht für meine Tante. Sie heißt Eudoxia Mamontowa, die Adresse habe ich dazugeschrieben. Ich wohne bei ihr, sie wird dich mit offenen Armen aufnehmen, und nach Büroschluß sehen wir uns dann dort.«

Kristiaschka nahm den Zettel und bedankte sich.

»Vor allem«, schärfte Nina ihr ein, »sprich nicht von Akim und von deiner Liebesromanze, nicht ein Sterbenswörtchen, ich erkläre dir alles nachher.«

Als Nina einige Stunden später ihr Büro abschloß und das Verwaltungsgebäude verließ, sah sie Kristiaschka in der Toreinfahrt wartend stehen. Sie warf verzweifelt die Arme hoch und rief:

»Was machst denn du noch hier?«

»Ich habe mich verirrt«, stammelte Kristiaschka beschämt, »ich habe das Haus nicht finden können.«

»Du hast wahrscheinlich gar nicht versucht, dorthin zu gelangen... Offenbar schüchtert die Stadt dich ein, der Verkehr und die vielen unbekannten Gesichter... Habe ich recht?«

Kristiaschka nickte. Nina schob ihren Arm unter den der Freundin und zog sie auf die Straße hinaus.

»Du hast Glück, daß du an eine gute Seele wie mich geraten bist«, sagte sie dabei, »mit dir werde ich meine Last haben. Vor allem mach nicht so große Schritte, in den engen Röcken kann man nicht so schnell gehen. Man muß eben gewisse Nachteile auf sich nehmen, wenn man gut aussehen will. Es ist nicht weit bis zu meiner Tante; ich denke, wir gehen zu Fuß, das wird uns beiden guttun!«

Kristiaschka sagte sich zwar, daß sie an diesem Tag schon weit genug gegangen sei, aber es war ihr noch immer lieber, sie gingen, wenn sie sah, wie überfüllt die Straßenbahnen zu dieser Stunde waren. Dichte Trauben von Menschen hingen an den Griffstangen und quollen aus den Einstiegen, und Kristiaschka dachte sich, daß ihr zweifellos schlecht werden würde, wenn sie so durch die Straßen fahren müßte.

Auf dem Wege erzählte Nina ihr von Tante Eudoxia.

Sie war nun etwa sechzig Jahre alt, in Kursk geboren und die Schwester von Ninas Mutter, eine alte Jungfer, die ihr ganzes Leben in der Stadt verbracht hatte. Früher einmal hatte es allerdings nicht an Bewerbern um ihre Hand gefehlt, ja, sie hätte sogar einige sehr gute Partien machen können. Offenbar war sie einmal sehr hübsch gewesen, denn die jungen Männer, denen sie einen Korb gegeben hatte, waren darob tief verzweifelt gewesen. Der Sohn eines reichen Gutsbesitzers hatte sich ihretwegen erhängt, ein leitender Ingenieur der Putilow-Werke hatte sich im Suff ruiniert. Das war so weitergegangen bis in die Jahre des großen Krieges. Eudoxia näherte sich schon den Vierzig, und Nina war ein ganz kleines Mädchen, das noch nicht lange allein herumlaufen konnte. Dennoch erinnerte sie sich vage an das, was sich damals auf dem Land bei ihren Großeltern begeben hatte. Der Kommandant eines Garderegiments der Infanterie, ein hervorragender Offizier namens Semjonowski, der als Kind eine französische Gouvernante gehabt hatte, als Kadett in Moskau auf einer berühmten Militärakademie gewesen war und seinen Urlaub auf dem Lande verbrachte, hatte um Eudoxias Hand angehalten, aber nicht mehr Glück gehabt als seine Vorgänger. Er hatte dann auf einem Schlachtfeld Galiziens den Tod gesucht und gefunden.

Niemand wußte so recht, warum keiner dieser Bewerber Tante Eudoxia gefallen hatte. Auf die drängenden Fragen ihrer Mutter hatte sie widerwillig über die Gründe ihrer Ablehnungen gesprochen: Von dem jungen Gutsbesitzer behauptete sie, er sei ein Schlawiner und Lüstling, der vor der Reinheit eines jungen Mädchens keine Achtung habe; er hatte sich einmal hinter einer Hecke auf sie geworfen, während eines Spaziergangs, auf dem sie nur mit literarischen Gesprächen und zarter Poesie rechnete. Den Ingenieur wieder fand sie lächerlich mit seinen grauen Handschuhen und seinem stutzerhaften Gehaben, und der Regimentskommandeur schüchterte sie ein durch seinen gewaltigen Körperbau und seinen roten Bart.

Ninas Mutter allerdings, die nie sonderlich hübsch gewesen war, mangels anderer Bewerber schließlich einen Bauern geheiratet hatte und darum zum schwarzen Schaf der Familie geworden war, Ninas Mutter also hatte eine eigene Theorie, um Eudoxias absonderliches Verhalten zu erklären: Sie behauptete, ihre Schwester habe in ihrem achtzehnten Lebensjahr eine heftige Leidenschaft zu einem Edelmann gefaßt, einem jener echten kosmopolitischen Grandseigneurs, die ihr Leben auf Reisen zwischen den Weltstädten zubrachten, in Paris Sarah Bernhardt bewunderten, in London ihre Anzüge schneidern ließen, in Genf die Schwäne auf dem See fütterten und in Baden-Baden irgendein kleines Leiden kurierten, so daß sie alljährlich nur zwei oder drei Monate in ihren Stadthäusern in Moskau oder Petersburg zubrachten. Er hatte von seinem Großvater einen beträchtlichen Landbesitz mit zweitausend Seelen geerbt.

Dieser bedeutende Mann also wußte von der Neigung, welche die entzückende Eudoxia ihm entgegenbrachte, zeigte sich davon aber nur angenehm angeregt oder amüsiert, denn er verachtete grundsätzlich die russischen Frauen, die ihm alle zu schwerfällig waren, und hatte im übrigen schon einige Jahre zuvor eine spindeldürre Engländerin geheiratet. Von dieser hatte er drei Kinder, die immer kränkelten, und war seitdem das, was man einen treuen Ehemann nennt.

Ninas Mutter fand Eudoxias Neigung zu diesem Mann ebenso dumm wie unerklärlich, da es sich um einen völlig geistlosen Menschen handelte, der Eudoxias Aufmerksamkeit lediglich dadurch erweckt hatte, daß er ein Monokel trug. Das Blinken dieses Monokels hatte die arme Eudoxia buchstäblich geblendet. Als man den Tod dieses Mannes erfuhr, begannen auch allerlei Gerüchte über ihn zu kreisen. Er war in Luzern gestorben, und man behauptete, er sei einem Attentat revolutionärer Sozialisten zum Opfer gefallen und in Wahrheit ein Agent der Ochrana gewesen, für die er im Ausland gearbeitet hätte. Andere wieder erklärten, das sei purer Unsinn: Er sei auf eine durchaus dümmliche Art dadurch ums Leben gekommen, daß ein schlecht brennender Ofen giftige Gase von sich gegeben habe. Wie dem auch gewesen sein mochte, fest steht, daß die Nachricht vom Tode dieses Mannes

Eudoxia aufs tiefste erschütterte. Sie fiel zunächst in eine lange Ohnmacht und blieb acht Tage hindurch auf absonderliche Weise erstarrt, ohne etwas zu sich zu nehmen. Nina freilich traute allen diesen Familiengeschichten nicht sehr. Sie war der Meinung, ihre Mutter habe allerlei hinzugetan und ihr einen ganzen Märchenkranz serviert, in dem, wie in allen Legenden, nur ein Körnchen Wahrheit sei. Der Grandseigneur hatte zweifellos existiert, wie der junge Gutsbesitzer, der Ingenieur und der Regimentskommandant, aber das sagte noch nicht... Kurz, Nina hatte ihre eigenen Ansichten darüber, die sie sich in zehn Jahren – denn solange wohnte sich schon bei ihrer Tante – aus kleinen Bemerkungen, Andeutungen und Beobachtungen gebildet hatte. Ihrer Meinung nach lag der Grund für Eudoxias standhafte Weigerung ganz woanders: Eudoxia mußte damals, als man sich noch um sie bewarb, eine geradezu panische Angst vor der Ehe empfunden haben. Es war die Angst vor der Hochzeitsnacht und allem, was in ihr vor sich geht. Es gibt Mädchen, bei denen das so ist, und es handelt sich um eine Scheu, die mit den Jahren nur immer ernsthafter und zwingender wird. Nina war überzeugt, daß Tante Eudoxia auch jetzt noch völlig unberührt sei.

»Wie hast du denn das alles herausgefunden?« erkundigte sich Kristiaschka furchtsam und ein wenig ungläubig.

»Oh, da gibt es so allerlei kleine, aber verläßliche Anzeichen«, antwortete Nina, »ich habe ziemlich bald herausbekommen, daß Tante Eudoxia einen Horror vor allem Fleischlichen hat. Sie kann zum Beispiel den Anblick schwangerer Frauen nicht ertragen und sieht immer weg, wenn ihr auf der Straße eine begegnet. ›Lauter Muttersäue‹, sagt sie dabei und schneidet eine Grimasse, oder ›Schon wieder eine von diesen Muttersäuen‹. Einmal kam sie gerade dazu, wie ein Hund auf der Straße eine Hündin besprang; sie rief andere Passanten zu Hilfe und schlug mit dem Schirm wütend auf die beiden Hunde ein, ja, sie rief schließlich einen Polizisten, damit er dieser Schande ein Ende mache. Einer ihrer Lieblingsgedanken ist, daß man alle Kater kastrieren müsse, und auf die Vorhaltung, daß es dann ja bald keine Katzen mehr geben würde, hat sie ganz böse geantwortet: ›Nun, wennschon, um so besser, was gehen uns Menschen schon die Katzen an!‹ Wenn meine Mutter Tante Eudoxia neckte und ihr erklärte, daß ja auch sie ihr Dasein einem fleischlichen Vorgang verdanke, dann hielt sie sich die Ohren zu und flüchtete!«

Nina und Kristiaschka gingen durch die Straße mit den großen Porträts und den Lautsprechern, die nun dröhnend einen kühnen

Marschrhythmus ausströmten. Nina mußte ihre Stimme erheben, um in ihrer Erzählung fortfahren zu können.

»Es gibt auch noch andere Anzeichen«, sagte sie, »eines davon war jene seltsam verzückte Phase, die Tante Eudoxia durchlebte, als sie die Vierzig eben hinter sich hatte. Das war so arg, daß man beinahe von einer chronischen Krankheit sprechen konnte. Sie war damals Mitglied einer Bruderschaft, über die eine Art geistliches Oberhaupt in beinahe magischer Form herrschte. Es gab damals viele solche Logen und Bruderschaften in Rußland, und das Haupt jener Loge, der Tante Eudoxia angehörte, war zweifellos ein Schwindler, ein Scharlatan, aber das bemerkte sie gar nicht. Die Brüder und Schwestern kamen zu geselligen Abenden zusammen, bei denen sie sich mit Hilfe gewisser Zeremonien der fleischlichen Hülle ihres Astralleibes entledigten. Diese Exerzitien gingen im Freien vor sich; man mußte mit bloßen Füßen durch betautes Gras schreiten, lange fasten und so weiter, und alles nur, um den Sexualtrieb abzutöten. Außerdem wurde Tischrücken betrieben und die Geisterwelt befragt. Das Köstlichste an der Geschichte war, daß jener Magier ein stadtbekanntes Doppelleben führte; außerhalb der Stunden, die er seiner Bruderschaft widmete, beging er alle Exzesse der Tafel und des Alkovens, aber die ihm fanatisch ergebenen Anhänger weigerten sich, diesen Gerüchten Glauben zu schenken ... Ein junger Mann veröffentlichte ein Buch über das Haupt der Loge, in dem er zugab, daß jener Magier über besondere Gaben verfüge; zugleich aber klagte er ihn an, diese Gaben im Dienste des Bösen anzuwenden. Tatsache ist, daß der Autor dieses Buches bald nach der Veröffentlichung seiner Streitschrift auf einem Auge erblindete; ein Mitglied der Bruderschaft behauptet jedoch in einem anderen Buch, der einäugige junge Mann sei mit dem Magus nie zusammengekommen, und das nun erblindete Auge sei schon seit geraumer Zeit sehr schwach gewesen.

Jener Magus predigte natürlich den Verzicht auf die irdischen Güter und ging sogar darüber hinaus: Er nötigte seine Anhänger, sich gewisser Vermögenswerte zu entledigen, und übernahm diesen lästigen Reichtum in seine Obhut. Auch Tante Eudoxia hat ihm ihrem Schmuck anvertraut, und als im Jahr 1917 der Magus ermordet wurde (irgend jemand hatte ihm die Kehle durchgeschnitten), stellte sich heraus, daß er bei verschiedenen Banken geradezu märchenhafte Schätze deponiert hatte. Seltsamerweise hat er sich ihrer niemals bedient.«

Kristiaschka lauschte diesen Erzählungen nur mit halbem Ohr.

denn sie zerbrach sich den Kopf darüber, warum sie vor Tante Eudoxia nicht von ihrer Liebe zu Akim sprechen dürfe. Nina hatte es nicht ausdrücklich begründet, aber Kristiaschka vermochte es sich mit einiger Mühe zusammenzureimen: Es war eben jene Abneigung gegen alles Fleischliche, die Tante Eudoxia unter Umständen dazu veranlassen konnte, eine verliebte Kristiaschka aus dem Haus zu weisen wie eine läufige Hündin.

»Nach der großen Revolution«, erzählte Nina weiter, »hat Tante Eudoxia sich dann in dieser Stadt niedergelassen, in einem Haus, das früher ihre Eltern bewohnten. Es kam dann eine sehr schwere Zeit für Tante Eudoxia, denn sie hatte ja nicht einmal, wie so viele andere Frauen aus ihrer Klasse, die Möglichkeit, von ihrem Schmuck zu leben. Bis 1920 und wohl noch etwas länger war sie auf die Unterstützungen angewiesen, die meine Mutter ihr zukommen ließ und die so gut wie ausschließlich aus Lebensmitteln bestanden. Dann endlich kam Tante Eudoxia auf einen genialen Einfall: Sie etablierte sich als Wahrsagerin, erläuterte den Ratsuchenden ihren Lebensweg, entwarf Horoskope und hatte bald einen großen Kreis verläßlicher Kunden. Darunter befanden sich auch einige Leute, deren Stimme in dem neuen System Gewicht hatte, und eine der kommunistischen Parteigrößen ließ sie insgeheim zu sich kommen – ziemlich häufig sogar, nämlich jedesmal, wenn es galt, eine schwierige Entscheidung zu treffen. Tante Eudoxia hat dies nur mir anvertraut, und du darfst es niemandem weitererzählen, denn es ist natürlich komisch, wenn ein großer Parteimann in der Öffentlichkeit gegen den Aberglauben und das Dunkelmännertum wettert und insgeheim, auf dem Umweg über Tante Eudoxia, die Sterne befragt, ob er diesen oder jenen Plan gutheißen soll oder ob er mit solch einer Entscheidung eine Anklage wegen Korruption oder Begünstigung des Erfinders riskiert. Diese Fragen sind nämlich sehr heikel«, erklärte Nina: »Wird die neue Maschine in einem anderen Distrikt ein Erfolg, so werden alle Beamten, die ihre Pläne verworfen haben, zur Verantwortung gezogen. Werden die Pläne jedoch gutgeheißen und die Maschine funktioniert dann nicht, wie man es erwartet hat, so ist dies womöglich noch schlimmer für die Verantwortlichen. Dieser Parteimann hielt es für das klügste, so heikle Fragen nur unter astrologischen Aspekten zu beantworten, und das köstlichste daran ist, daß er es noch nie bereuen mußte, den Ratschlägen Tante Eudoxias gefolgt zu sein, ganz so, als sei es tatsächlich besser, den Sternen zu vertrauen und nicht den Grundsätzen der materialistischen Dialektik. Ein einziges Mal gab es eine Art Alarmstimmung, das war im Jahr 1925, und Tante Eudoxia und jener Bonze fürchteten schon, ihre Verbindung sei aufgeflogen. Aber es ging gar nicht um sie, sondern um einen jungen Schäfer, der in der Abenddämmerung bei einer Felsenquelle Johannes den Täufer erblickt haben wollte. Zunächst fragte man sich natürlich, woran er denn erkannt haben konnte, daß es sich gerade um diesen Heiligen handele. Es war eine Vision, ein Mysterium, aber die Identität der Erscheinung stand bald außer Zweifel, denn ein Pope erklärte, die Beschreibung des Schäfers treffe haargenau auf Johannes den Täufer zu. Die Nachricht verbreitete sich schnell in der ganzen Umgebung, und es fanden sich natürlich auch einige brave Frauen, die fest davon überzeugt waren, nicht Johannes der Täufer sei dem Burschen erschienen, sondern der Zarewitsch. Für die Behörden machte das keinen sonderlichen Unterschied, wichtiger war, daß bald darauf die Heilkraft der Quelle offenbar wurde und daß immer mehr Menschen, die mit allerlei Krankheiten behaftet waren, bei ihr Heilung suchten.

Damals fragte jener Bonze meine Tante Eudoxia, ob sie daran glaube, daß gewisse Fälle von Nervenentzündungen, die die besten sowjetischen Ärzte nicht zu heilen vermochten, mit der Quelle erfolgreich behandelt werden könnten. Tante Eudoxia hat geantwortet, daß sie dies sehr wohl glaube, und daraufhin begab sich dieser hohe Beamte in seinem großen schwarzen Wagen zu der von zahllosen Menschen umlagerten Wunderquelle. Zwei Tage nach dem ersten Bad fühlte er sich schon besser, suchte die Quelle noch einmal auf, obwohl sie nun schon von einer ungeheuren Menschenmenge umlagert war, und erlangte schließlich nach einer Reihe von Bädern ein beinahe schmerzfreies Wohlbefinden, das nur noch selten von leichten Anfällen unterbrochen wird. Diese Quellenbesuche hätten beinahe zu einem Skandal geführt, denn einer der Bauern hatte den Beamten erkannt und den Versuch gemacht, ihn zu erpressen. Er hatte ihm zu verstehen gegeben, was der Beamte ohnedies schon wußte: daß es für einen solch hochgestellten Mann des Sowjetregimes verhängnisvoll werden müßte, wenn man erführe, daß er an Wunderheilungen und ähnliches Zeug glaube. Der eingeschüchterte Beamte hatte sich mit Tante Eudoxia beraten und mit großer Mühe die Summe zusammengekratzt, die der Bauer forderte. Mit diesem Geld hatte der Erpresser eine Erfrischungsbude neben der Quelle errichtet und Bilder von der Erscheinung Johannes des Täufers drucken lassen, die er an die Pilger verkaufte. So etwas konnte unter den gegebenen Verhältnissen natürlich nicht gut ausgehen! Eines Abends umstellte ein Detachement Milizsoldaten auf Lastwagen die Quelle, und alle Anwesenden wurden kurzerhand verhaftet, die Pilger, aber auch der einfallsreiche Verkäufer von Erfrischungen und Heiligenbildern. Es war nur ein Glück, daß Tante Eudoxias hochgestellter Freund auch in den Gefängnissen ein Machtwort zu sprechen hatte: Eines Tages, kurz nach der Verhaftung und vor der ersten Vernehmung, verstarb sein Erpresser an einer Herzschwäche, ohne daß man sich für die Diagnose sonderlich interessierte.«

Die Geschichte von der Wunderquelle versetzte Kristiaschka beinahe wieder in gute Stimmung. Sie staunte nur darüber, daß Nina ihr so gefährliche Eröffnungen machte, und so unterhaltsam die Sache auch war, so hätte sie es doch vorgezogen, nichts von alledem zu wissen; sie ahnte, daß es für kleine Leute nie gut sei, die Geheimnisse der Großen zu kennen, aber sie beruhigte sich wieder ein wenig bei dem Gedanken, daß Nina ja keine Namen genannt hatte und daß vielleicht schon mehr Menschen von diesen Dingen wußten, als sogar Nina vermutete.

Als Nina und Kristiaschka vor dem Haus anlangten, das Tante Eudoxia bewohnte, war es schon ziemlich dunkel. Es handelte sich um eines jener alten Miethäuser mit breiter Einfahrt und einem verschwenderisch gebauten Treppenhaus, das jedoch völlig im Dunkeln lag, da die Glühbirnen entweder ausgebrannt oder gestohlen waren. Der schwache Rest des Tageslichts gestattete eben noch zu erkennen, daß die Mauern schmutzig und rissig waren und die Stufen von allerlei Unrat bedeckt. Das nach außen hin noch beinahe herrschaftlich wirkende Gebäude lag völlig verwahrlost da, und man hatte zweifellos schon seit der Revolution keinerlei Instandsetzungsarbeiten mehr vorgenommen.

Im ersten Stockwerk klopfte Nina an eine Tür. Es währte einige Zeit, bis jemand kam; endlich öffnete ein Kind. Es wünschte Nina guten Abend, warf einen Blick auf Kristiaschka und flüchtete dann im Laufschritt.

Nina ging vor Kristiaschka durch einen langen Gang, in dem Schnüre gespannt waren, an denen Wäsche hing. Der Ort war zum Wäschetrocknen denkbar ungeeignet, da er keine Verbindung mit der Außenluft hatte. Eine einzige Glühbirne in der Mitte des Ganges verbreitete dürftiges Licht und malte die grotesken Schatten der Wäschestücke an die Wände. Zur Rechten kamen nun einige Türen, aus denen man verworrene Geräusche vernahm; standen sie offen, so sah man Strohsäcke und ganze Familien, die sich zwischen ihnen drängten: wimmernde Säuglinge, greinende Kleinkinder, trällernde Mädchen, prügelnde Mütter und polternde Väter. Der Gang bog sich dann im rechten Winkel und verbreiterte sich. Hier war ein Herd, gleich daneben befand sich ein Waschbecken, und vor diesem standen zwei ungekämmte, nachlässig gekleidete Frauen, die Nina begrüßten. Die eine bereitete auf dem Herd irgendeine nicht sehr appetitliche Speise zu, während die andere mit ungeheurer Geschwindigkeit, ganz so, als sei sie eine Maschine, Kartoffeln schälte. Jenseits dieser seltsamen Küche setzte der Gang sich fort; eine zweite Glühbirne glomm ebenso düster wie die erste, eine weitere Reihe offener oder geschlossener Türen verriet reges Leben; aber hier hing wenigstens keine Wäsche.

Endlich, am Ende des Ganges, öffnete sich ein Vorzimmer, dessen Türe einst geradezu kostbar ausgesehen haben mußte. Heute war die Holzschnitzerei mit Schmutz und Staub bedeckt, und in den Ecken hatten Spinnen ihre Netze gewoben.

Nina klopfte mit dem Fuß an die Tür, und gleich darauf hörte man schwere, aber schnelle Schritte näher kommen. Von einer Sicherheitskette gehalten, öffnete sich die Tür nur spaltbreit, und ein Gesicht erschien, das Kristiaschka nach der Beschreibung, die Nina ihr gegeben hatte, als das Tante Eudoxias erkannte.

Tante Eudoxia löste klirrend die Sicherheitskette, faßte Kristiaschka wortlos ins Auge und maß sie mit einem Blick, bei dem das Mädchen sich hundert Fuß tief in die Erde wünschte. »Sie wird dich mit offenen Armen aufnehmen«, hatte Nina gesagt – was wäre wohl geschehen, wenn Kristiaschka tatsächlich allein bei Tante Eudoxia aufgekreuzt wäre, wie Nina es ihr empfohlen hatte? Es war zweifellos besser, daß sie wartete und erst mit Nina hierherkam.

Tante Eudoxia glich einer alten Löwin. Sie hatte eine imponierende Stirne, in die unordentlich einige graue Locken hingen und die in der Mitte durch eine tiefe Falte geteilt wurde. Die Brauen waren sehr dicht und so drohend wie die eines Gendarmen, und die Augen lagen so tief in ihren Höhlen, daß Kristiaschka bei dem herrschenden Halbdunkel ihre Farbe nicht erkennen konnte. Zwischen der kurzen Nase und dem schmalen Mund war erstaunlich viel Platz, auf dem einige borstige Haare sprossen; das Kinn verschwand beinahe zwischen den weichen Hängebacken, deren Faltengefälle in die Falten des Halses überging. All das war durch einen hohen schwarzen Kragen gestützt, der offenbar durch Fischbein verstärkt war. Auch an anderen Stellen dieser Gestalt schien das Fischbein wichtige Aufgaben übernommen zu haben: Es war offenbar, daß Tante Eudoxia unter ihrer grün schimmernden schwarzen Robe ein Korsett trug, wie man es früher getragen hatte.

»Wen bringst du da mit, Nina?« fragte sie streng. »Wohl einen Flohbeutel vom Land?«

Sie hatte eine tiefe und rauhe Bruststimme.

»Das ist eine liebe Freundin«, antwortete Nina, »sie heißt Kristia Tupitsyna, und ihre Eltern sind Nachbarn der meinigen.«

»Dann beglückwünsche ich Sie«, sagte Tante Eudoxia zu Kristiaschka. »Ihre Eltern haben reichlich sonderbare Nachbarsleute.«

»Tante Eudoxia«, sagte Nina beschwörend, »warum schüchterst du das arme Kind so ein? Sie braucht deine Hilfe, und du weißt doch sehr gut, daß du sie ihr ohnedies nicht abschlagen wirst!«

»Ich höre immer Kind!« rief Tante Eudoxia entrüstet. »Das soll ein Kind sein? Sieh dir diese Formen an!«

Sie ergriff Kristiaschka bei der Schulter, drehte sie herum und betrachtete sie von allen Seiten.

»Sieh dir das an«, fuhr sie dann fort und schnitt eine Grimasse des Ekels. »Da ist alles dran, was man zur Sünde braucht, pfui!«

Zu Kristiaschka gewendet, fügte sie dann hinzu:

»Ist das alles, was deine Eltern gefunden haben, um dich für die Stadt auszustaffieren? Du wirst ihr diese Lumpen ausziehen, Nina, und in den Ofen stecken, und gib ihr dann etwas Besseres, da, nimm den Schlüssel!«

Sie zog aus einer Tasche ihres weiten Kleides einen Schlüsselbund hervor, wandte sich um und ging in ein anderes Zimmer, in das Nina, die Kristiaschka an der Hand führte, ihr folgte.

»Ich danke dir im Namen meiner Schutzbefohlenen, Tantchen«, sagte Nina dabei, »du wirst sehen, sie ist ein braves Mädchen, trotz allem, was du von ihren Formen halten magst.«

War das erste Zimmer beinahe leer gewesen, so war der nächste Raum mit Möbeln geradezu vollgeräumt. Zur Rechten stand ein hohes Bett mit einem grünen Baldachin und einem Federbett, das einst rot gewesen sein mochte. In einer Mauernische auf der anderen Seite ragte ein großer, brauner Fayence-Ofen auf, der offenbar noch ein zweites Zimmer zu heizen hatte. Außerdem sah Kristiaschka einen alten Flügel, auf dem eine Unzahl kleiner Nippesfiguren und eine chinesische Vase mit Papierblumen standen, außerdem eine bräunliche, gerahmte Fotografie, auf der ein Mann von asiatischem Typ mit einem starken Schnurrbart und gestickter Mütze zu erkennen war: zweifellos jener Magus und Scharlatan, dem Tante Eudoxia so außerordentlich ergeben gewesen war. Neben dem Klavier fand ein Diwan mit schlissiger Bespannung Platz, vor dem ein altes Tischchen aus schwarzem, von langjährigem Gebrauch blank poliertem Holz stand. Auf dem Tisch erhob sich der einzige bunt und neu wirkende Gegenstand inmitten dieser musealen Welt: eine wunderbare Kassette aus Malachit mit frisch geputzten Bronzebeschlägen. Daneben lagen einige Bücher, Hefte und einzelne Papiere, eine Tabaksdose und eine Kugel aus Kristall. Offenbar war dies der Arbeitstisch von Tante Eudoxia. Hier, in diesem Voltaire-Sessel mit der schadhaften Polsterung, empfing sie ihre Klienten; sie hatte dabei das Fenster im Rücken, so daß das volle Licht auf den Besucher fiel, für den ein leichter Stuhl mit vergoldeten Füßen bereitstand, wie man sie in kleinen Konzertsälen noch gelegentlich findet.

Tante Eudoxia ließ sich schwer auf den Diwan fallen. Kristiaschka sah nun, daß sie blaue Augen hatte; es war ein so helles Blau, daß man es vom Weißen des Auges beinahe nicht unterscheiden konnte. Das gab der alten Frau einen eiskalten, ja vereisenden Blick. Sie winkte mit dem Finger, und Kristiaschka trat hinzu. Sie bewegte sich nur unsicher, denn das Parkett war schon sehr schadhaft und uneben. Von ihrem neuen Standort aus bemerkte sie in der dunklen Ecke hinter dem Klavier eine Standuhr mit Gewichten, die nicht mehr funktionierte, und sah nun auch, daß das Glas auf der Fotografie des Magus mit Fliegendreck bedeckt war. In dem Doppelfenster, auf dem Fensterbrett, lag eine geradezu unglaubliche Anzahl toter Fliegen.

Tante Eudoxia ergriff Kristiaschkas Hand, und das Mädchen wandte sich schüchtern halb zu Nina, als ob diese ihr bei dem Examen helfen könne, das ihr nun bevorstand. Nina sagte nichts, aber sie lächelte der Freundin ermutigend zu.

»Sie ist noch nicht am Ende ihrer Irrfahrten, ist früh aus dem Nest gefallen, das Vögelchen«, sagte Tante Eudoxia, die Kristiaschkas Handfläche nach oben gekehrt hatte und nun die Linien prüfte, die sich weiß in der schmutzigen Haut abzeichneten. »Du wirst viele Länder sehen, Kindchen«, fuhr sie dann fort, »und ich sehe schon, daß du in Ordnung bist!«

Nach diesen Worten ließ sie Kristiaschkas Hand fahren, lehnte sich auf dem Diwan zurück und sagte:

»Nimm diesen Flohsack mit dir, Ninotschka, und suche ihr etwas zum Anziehen.«

Nina zog Kristiaschka in den nächsten Raum, der offenbar ihr eigenes Zimmer war; ein sehr reinliches Kabinett mit einem Eisenbett und einigen unmittelbar an die Wand genagelten Reproduktionen bekannter Gemälde aus der Leningrader Eremitage: Links die »Mädchen aus dem Institut« von Lavitski, rechts »Die Amazonen« von Brullov, Bilder, aus denen man auf Ninas Neigungen und ihren Hang zur Eleganz schließen konnte. In der Mitte des Raumes prangte das Porträt des Obersten Davidow von Kiprensky in einer so eng anliegenden Hose, daß an der Männlichkeit des Obersten kein Zweifel bestehen konnte und man sich fragen mußte, wie es denn kam, daß Tante Eudoxia solch ein Bild in Ninas Zimmer duldete.

Unter diesen drei Gemälden hing eine Fotografie vom Rennen in Longchamp. Die Frauen hatten schmale Taillen, und ihre Beine waren bis zu den Knien zu sehen; sie trugen Glockenhüte, unter denen sie kaum hervorblicken konnten, und entsprachen offenbar ebenfalls Ninas Idealen. Kristiaschka fand es seltsam, daß Tante Eudoxia, die all dies offensichtlich verachtete, ihre Nichte Nina bei sich aufgenommen hatte, deren Geschmack von dem der alten Dame zweifellos völlig verschieden war.

In einer Ecke stand ein kleiner Tisch, auf dem einige Bücher übereinandergeschichtet waren; ein Spiegel war von rosenfarbenen, blauen und grünen Keramikblumen eingerahmt. Da in dem kleinen Raum auch noch ein Bett, ein Tisch, ein Sessel und die andere Hälfte des preußischen Riesenofens Platz finden mußten, konnte man sich kaum bewegen. Nina bückte sich und holte unter dem Bett einen Koffer hervor, aus dem sie einige Kleider nahm und auf das Bett warf. Es waren Kleider, die sie früher getragen hatte und die Kristiaschka passen konnten, weil beide Mädchen etwa gleich groß waren und Nina früher, ehe sie in die Stadt gekommen war, längst nicht so schlank gewesen war wie jetzt.

Kristiaschka probierte einen plissierten Rock aus rotem Wollstoff und eine Hemdbluse mit einem bestickten Bubikragen, die durch eine Unzahl kleiner Knöpfe zu schließen war, dazu einen Schal und leichte Stiefelchen; alles paßte so einigermaßen und würde mit ein paar kleinen Änderungen durchaus verwendbar sein, man mußte nur da oder dort einen Knopf versetzen oder einen Saum auslassen. Nina hatte plötzlich den Mund voller Stecknadeln, zog die Stirne kraus und begann abzustecken, was geändert werden mußte. Nur mit dem Mantel war es schwierig, da war nichts anderes vorhanden als ein alter wattierter und abgesteppter Überrock, an dem auch noch einiges zu nähen war.

Dann äußerte Kristiaschka den Wunsch, sich zu waschen, und Nina ging mit ihr wieder auf den Gang hinaus. Der Wasserhahn befand sich in der öffentlichen Küche an der Biegung des Ganges, aber da nur eine Frau an dem Herd kochte, konnte Kristiaschka unschwer eine Schüssel mit Wasser füllen. In dem ganzen Gang stank es fürchterlich nach heißem Fett, und aus den Türen drangen noch andere Gerüche und der Lärm der zahlreichen Mieter, von denen einer sich auf der Ziehharmonika versuchte.

Während Kristiaschka sich wusch – die Waschschüssel stand auf dem Tisch in der Mitte des Zimmers –, sagte Nina:

»Wenn du erwartet hast, in einen Palast zu kommen, bist du jetzt sicher enttäuscht. Der Wolkenkratzer auf dem Platz der Oktoberrevolution, in den das Zentralkomitee der Partei einziehen wird, hatte natürlich den Vorrang vor den Wohnungsbauten; aber irgendwann einmal wird man auch Wohnungen schaffen. Bis dahin müssen wir eben ein wenig zusammenrücken. Ich lege dir hier eine Matratze auf den Boden.«

Kristiaschka protestierte: Sie wollte der Freundin nicht beschwerlich fallen.

»Es gibt keine andere Möglichkeit«, erklärte Nina, »oder willst du lieber im Freien schlafen? Wo hast du übrigens letzte Nacht zugebracht?«

»In der Nähe des Bahnhofs, im Keller eines Neubaus.«

»Hast du nicht Angst gehabt?«

»Doch, sehr!«

»Du hast Glück gehabt, es streift nämlich allerlei Gesindel durch diese Gegend.«

»Was hätten sie mir schon stehlen sollen!« sagte Kristiaschka.

»Das ist allerdings wahr!«

Kristiaschka kleidete sich wieder an und überlegte dabei, daß Stephan Alexandrowitsch Shukow demnach doch wohl recht gehabt hatte mit seiner Behauptung, daß es in Rußland von Dieben wimmelt. Nina zog die Lade des Tisches auf und nahm eine Zigarettendose heraus. Kristiaschka fand das Etui hübsch und sagte, sie habe noch nie eine Frau rauchen sehen. Nina lachte, und wie sie so in der Lade herumsuchte, kam auch eine Fotografie zum Vorschein, die Kristiaschkas Aufmerksamkeit erregte. Es war das Bild eines breitgesichtigen Mannes, der glattanliegende blonde Haare hatte, die ein wenig glänzten, dazu helle Augen und ein kleines Lächeln in den Mundwinkeln; seine Uniformbluse war sorgfältig bis zum Hals zugeknöpft.

»Findest du ihn schön?« erkundigte sich Nina.

»O ja!« antwortete Kristiaschka.

»Das ist mein Verlobter, ein Flieger!«

»Du hast mir doch vorhin gesagt, daß dich Männer erst interessieren, wenn sie vierzig sind ... Dieser da hat aber noch weit dahin!«

»Das stimmt, aber er ist trotzdem schon Hauptmann und Flugzeugführer, er ist viel reifer, als man nach seinen Jahren erwarten könnte.«

»So wirst du also einen Flieger heiraten ...«, sagte Kristiaschka nachdenklich. »Da wirst du viel allein sein. Ich möchte nicht mit einem Flieger verheiratet sein.«

»Die Flieger sind mehr zu Hause, als man glaubt, außerdem bekomme ich dann eine Offizierswohnung in der Nähe des Flugplatzes und werde anders leben als in diesem Bau hier. Du mußt dir das nur einmal überlegen: Meine Großeltern haben in dieser Wohnung nur einen Teil des Jahres zugebracht und hatten sie trotzdem ganz für sich; die vier Dienstboten bewohnten das Erdgeschoß, dort war auch die eigentliche Küche. Und jetzt ist alles voll, und niemand weiß, ob Tante Eudoxia nicht noch weitere Mieter aufnehmen muß, zum Beispiel wenn eine größere Anzahl Bauarbeiter in die Stadt verpflichtet wird.«

Nina zog an ihrer Zigarette, die ein langes Pappmundstück hatte, und blies eine Rauchwolke über den Tisch; die Zigarettendose hatte sie zweifellos von ihrem Chef zum Geschenk erhalten, oder war sie von ihrem Verlobten? Kristiaschka begriff nun, daß Akim keine Chance hatte, es war klar, daß Nina ihm den Fliegeroffizier vorziehen würde.

Seit Kristiaschka bei Tante Eudoxia eingetreten war, hatte sie noch kein einziges Mal an Akim gedacht. Genügte es tatsächlich, in eine andere Stadt zu fahren und unter anderen Menschen zu leben, um auch den Geliebten zu vergessen und zu einer neuen Liebe bereit zu sein? Diese Frage beschäftigte sie, aber es waren keine schmerzlichen Gewissensbisse, sondern nur ein Erstaunen. Daraus folgte nun freilich, daß sie Akim schon nicht mehr so sehr liebte, sonst hätte das alles ihr doch weh tun müssen.

»Außerdem«, sagte Nina, »kann es nur von Vorteil sein, wenn ich Mischa nicht immer um mich habe; die Gewöhnung ist eine Gefahr für die Liebe.«

»Oh, das glaube ich nicht«, sagte Kristiaschka. Nach einer kleinen Pause fügte sie hinzu: »Und wenn er nun in den Krieg muß?«

»Es gibt ja keinen Krieg«, antwortete Nina, während sie mit der einen Hand einen Kamm durch ihr kurzes Nackenhaar zog und mit der anderen die Zigarette am Rand der Waschschüssel abstreifte. »Warum sollte es auch zum Krieg kommen? Die Sowjetunion bedroht keinen anderen Staat...«

Abermals trat eine kleine Pause ein. Dann schob Nina die Fotografie wieder unter die anderen Dinge in der Lade und sagte:

»Es ist besser, wenn Tante Eudoxia sie nicht zu Gesicht bekommt. Was meinst du, was ich mir dann anhören müßte!«

Sie schloß die Lade und warf den Zigarettenstummel in das schmutzige Wasser in der Schüssel.

»Du mußt ja wahnsinnigen Hunger haben, Kristia! Ich habe mit einer Nachbarin ein Abkommen, sie kocht für mich, ich werde eine Portion mehr verlangen. Tante Eudoxia ißt nichts oder behauptet es zumindest. Sie sagt, das Fasten schärfe ihren Geist und mache ihn bereit für die visionären Zustände. Aber ich weiß natürlich, daß sie den ganzen Tag futtert; du hast ja selbst gesehen, wie dick sie ist. Ja, so ist es heute: Ich muß froh sein, daß eine Nachbarin für mich mitkocht, während meine Großeltern für sich allein einen eigenen Koch hatten, dazu einen Kutscher, einen Hausknecht und ein Stubenmädchen. Dabei war es noch ein Glück, daß meine Mutter einen Bauern geheiratet hat; hätte sie sich nämlich in ihrer Klasse verehelicht, so hätte ich wegen meiner bürgerlichen Herkunft gar nicht die Erlaubnis zu einer besseren Ausbildung erhalten und könnte heute Tante Eudoxias Mädchen für alles abgeben. Durch meine Arbeit bin ich eine freie Frau.«

»Hätte deine Mutter einen feinen Mann geheiratet, so wärst auch du nicht du«, sagte Kristiaschka, »du wärest dann eine andere Nina und nicht ein halbes Bauernkind.«

»Das ist wahr«, sagte Nina verblüfft.

Nach dem Abendessen, das sie in Ninas Zimmer einnahmen, schlug diese vor, ins Kino zu gehen. Sie war wirklich nett, ein wenig lächerlich zwar mit ihrer übertriebenen Neigung zur Eleganz, aber welches Mädchen in ihrem Alter ist nicht kokett? Jedenfalls schien sie ein gutes Herz zu haben und war wohl wesentlich besser als der Ruf, den sie in ihrem Heimatdorf genoß. Vermutlich macht man sich auf dem Land überhaupt falsche Vorstellungen über die Leute aus der Stadt und beurteilt sie zu äußerlich. Nina hatte es zweifellos auch nicht verdient, von Akim auf die Weise beleidigt zu werden, wie es geschehen war. Er blieb doch ein rechter Taugenichts, und ein Fliegeroffizier wie dieser

Mischa wußte bestimmt besser, wie man sich Frauen gegenüber benimmt.

Der Film langweilte Kristiaschka ungemein; es war ein Film zur Verherrlichung der Landwirtschaft, in dem Traktoren und so ungeheure Spezialmaschinen gezeigt wurden, wie Kristiaschka sie noch nie gesehen hatte. Außerdem war eine ganze Menge einfach falsch: Es war gar nicht so lustig bei der Erntearbeit, und man war auf dem Land erst fröhlich, wenn alles zu Ende war, während die Filmbauern die ganze Zeit lachten und zufrieden dreinsahen, als wäre die Ernte ein Spiel. Kristiaschka hätte einen jener Filme vorgezogen, wie sie hin und wieder, sehr selten, mit dem fahrbaren Kino auch in ihrem Dorf gezeigt worden waren: Filme, in denen Mädchen im Badetrikot einen Herrn im schwarzen Gehrock ins Wasser warfen, wo Lokomotiven von kühnen Reiterscharen überholt wurden oder Damen im Reifrock mit Offizieren in Galauniformen Walzer tanzten. So schlief sie denn ein, noch ehe der Film zu Ende war, und Nina weckte sie auf, als der verrauchte, übelriechende Saal wieder in Licht getaucht war. Auch Nina hatte sich gelangweilt.

In dieser Nacht konnte Kristiaschka lange nicht einschlafen. Sie war den Lärm und die vielen Geräusche nicht gewöhnt; es waren einfach zu viele Mieter auf dem langen Gang, so daß es nie ruhig wurde. Säuglinge schrien, Ehepaare stritten, Betrunkene schnarchten und schnauften, und der Ziehharmonikaspieler übte bis Mitternacht. Dann hörte man von der Stiege her das Geräusch eines schweren Falls, Türen wurden zugeschlagen, und irgend jemand räusperte sich vernehmlich. Demgegenüber war das Huschen und Quieken der Mäuse ein vergleichsweise harmloses Geräusch, das Kristiaschka wohl nur hörte, weil man eben alles hört, wenn man auf dem Estrich schläft.

Hin und wieder machte Tante Eudoxia in ihrem Zimmer Licht; Kristiaschka sah den hellen Streifen unter der Tür. Warum erhob sie sich wohl mitten in der Nacht und schlurfte hin und her? Was waren das für Beschäftigungen, denen sie zu so seltsamen Stunden nachging?

Kristiaschka war von alledem so beunruhigt, daß sie meinte, kein Auge zutun zu können; am Morgen jedoch stellte sie fest, daß sie gut geschlafen hatte. Als sie erwachte, war Nina schon aufgestanden und wusch sich mit bloßem Oberkörper. Sie lächelte Kristiaschka zu, und diese konnte feststellen, daß Nina allen Grund hatte, auf ihre Brüste stolz zu sein.

Kristiaschka erhob sich ebenfalls und drückte einen Gutenmorgenkuß auf Ninas feuchte Wange. Nina erkundigte sich, wie Kristiaschka geschlafen habe, und ging dann auf den Gang hinaus, um den Tee zu holen, den die freundliche Nachbarin gekocht hatte.

Kristiaschka schlüpfte in den Morgenrock, den Nina ihr reichte, und stieß vorsichtig die Tür zu Tante Eudoxias Zimmer auf, die schon völlig angekleidet und bei der Arbeit war. Sie trug das gleiche Kleid wie am Abend zuvor und saß hinter ihrem Tischchen, während sich eine Kundschaft, der sie die Karten aufschlug, ihr gegenüber niedergelassen hatte. Kristiaschka musterte flüchtig das Profil eines schlaffen, gleichgültigen Mannes von mißtrauischem Gesichtsausdruck, der einen gebeugten Rücken und den nervösen Tick hatte, immerzu zu blinzeln. Er war von der Aussicht, seine Zukunft kennenzulernen, so fasziniert, daß er gar nicht auf Kristiaschka achtete, die auf den bloßen Zehen hinter ihm vorbeihuschte. Tante Eudoxia jedoch nickte ihr leicht und zugleich mahnend zu, als wolle sie sagen: Guten Morgen – störe mich jetzt nicht . . .

Die gefällige Nachbarin händigte Kristiaschka wortlos die Teekanne aus. An diesem übervölkerten Ort waren neue Gesichter offenbar nicht sehr willkommen, aber man konnte andererseits sicher sein, daß einige Tage darauf auch diese Neuheit vergessen war.

Kristiaschka mußte abermals durch das Zimmer Tante Eudoxias und hörte den Mann gerade sagen, daß es nicht eben schwierig gewesen sei, ihm zu prophezeien, daß er sich am Sonntag besaufen und prügeln werde: So endeten seine Sonntage stets. Tante Eudoxia wurde ob dieser Unhöflichkeit so wütend, daß sie dem Mann die Karten in das mißtrauische Gesicht warf, und Kristiaschka beeilte sich, in Ninas Zimmer zu entwischen.

Nina stand vor dem Spiegel und bürstete ihr Haar; dabei kaute sie etwas, und auf dem Tisch lag ein Stück Brot neben dem Kamm, in dem einige ausgekämmte Haare steckten.

Als sie den Tee getrunken und dazu etwas altes Brot gegessen hatten, erklärte Nina, sie müsse nun ins Büro, es sei höchste Zeit. Kristiaschka fragte, was sie wohl tun könne: Sie sei es nicht gewöhnt, keine Arbeit zu haben.

»Stell dich nicht so an«, murrte Nina gutmütig, »an Arbeit wird es nicht fehlen, du siehst ja, wie schmutzig hier alles ist.«

Kristiaschka trat hinter Nina in das Zimmer Tante Eudoxias, deren Klient inzwischen gegangen war. Sie legte eben einige Papiere auf den Tisch, die sie aus der schönen Malachitkassette genommen hatte. Nina berichtete, daß Kristiaschka etwas arbeiten wolle, und verabschiedete sich hastig.

»Was hast du denn gelernt?« erkundigte sich Tante Eudoxia.

»Ich kann Haustiere füttern und Kühe melken«, versicherte Kristiaschka, die in der Mitte des Zimmers stand und die Hände auf dem Rücken verschränkt hatte.

»Nun, was die Haustiere anlangt«, sagte Tante Eudoxia mit ihrer rauhen Stimme, »so haben wir hier nur Schaben, Mäuse und Spinnen... Was hast du denn im Winter getan?«

»Ich habe allerlei Spielzeug verfertigt... aus Fichtenzapfen zum Beispiel. Ich war meinem Vater behilflich, wenn er Riemenzeug und dergleichen ausbesserte, und kann auch ein wenig schnitzen und tischlern.«

Die Erinnerung an die Winterarbeit zu Hause rief eine Zeit in ihr herauf, in der sie sehr unglücklich gewesen war; dennoch fühlte sie sich in diesem Augenblick noch unglücklicher.

Tante Eudoxia schloß den Deckel der Malachitkassette mit einem kurzen, harten Knall.

»Das ist alles?« fragte sie.

»Nein... ich habe auch die Stoffe bestickt, die meine Mutter webt.«

»Das klingt schon interessanter. Wenn du sticken kannst, dann kannst du vermutlich auch stricken... Hast du schon einmal gestrickt?«

»Nein.«

»Das macht nichts, ich werde es dich lehren.«

Tante Eudoxia trat zu einem Wandschrank und entnahm ihm einen Knäuel grauer Wolle und Stricknadeln. Sie zeigte Kristiaschka, wie sie diese handhaben müsse; das Mädchen begriff ziemlich schnell und zog sich mit Wolle und Nadeln in Ninas Zimmer zurück. Die Strickanweisung hatte sie vor sich auf den Tisch gelegt, um die Maschen nachzählen zu können. Es war eine leichte Arbeit, die ihr bald mechanisch von der Hand ging, so daß sie ihren Gedanken nachhängen konnte.

Zunächst freilich waren es schmerzliche Träume, denen Kristiaschka sich hingab; sie dachte an das heimatliche Dorf, an das Elternhaus, an die zwei Kühe und die Schweine, die überall herumstrolchten; sie dachte an den Fischotter, den sie alle liebten, und schließlich an Akim. Aber sie dachte an ihn nun wie an jemanden, der schon lange verschwunden ist und so gut wie tot. Es war, als denke sie an einen Menschen, der schon so lange gestorben ist, daß es eher süß als schmerzlich ist, an ihn zu denken.

Der kleine Raum umschloß sie wie ein Gefängnis, und sie meinte zu ersticken. Sie erhob sich und blickte auf die Straße hinunter. Die Sonne lag freundlich auf den schadhaften Fassaden der Häuser. Im Tor des gegenüberliegenden Hauses drückte sich ein Mann in den Halbschatten; er war kaum zu sehen, schien aber die Fenster Tante Eudoxias scharf im Auge zu behalten. Als Kristiaschka sich aus dem Fenster beugte, verschwand dieser Mann in der Toreinfahrt; aber Kristiaschka glaubte ihn erkannt zu haben: War es möglich, daß es Stephan Alexandrowitsch war? Ganz sicher war sie nicht. Sie setzte sich wieder an ihre Strickarbeit und war recht froh, als Tante Eudoxia nach einiger Zeit ins Zimmer kam und ihr sagte, sie solle zu dem großen staatlichen Warenhaus gehen und sich dort in die Schlange stellen.

»Und was soll ich dann kaufen?« erkundigte sich Kristiaschka.

»Dumme Frage«, sagte Tante Eudoxia, »das, was alle anderen kaufen, die in der Schlange vor dir gestanden sind...!«

Kristiaschka erinnerte sich noch an das Gebäude, vor dem sich die Menschen gedrängt hatten; sie nahm das Geld, das Tante Eudoxia ihr gab, und ging.

So leicht, wie sie erwartet hatte, fand sie das Warenhaus und stellte sich an das Ende der Schlange. Vor ihr standen beinahe nur Frauen; sie warteten geduldig und fast ohne miteinander zu sprechen. Manche träumten vor sich hin, andere grübelten mit zusammengezogenen Brauen. Es währte nicht lange, bis sich hinter Kristiaschka eine kleine Reihe von Neuankömmlingen gebildet hatte.

Als sie einmal den Blick über den Platz schweifen ließ, bemerkte sie zu ihrem Erstaunen mitten auf der Fahrbahn einen Mann, der sie fixierte und sich um die Autos und Straßenbahnen, die an ihm vorbeifuhren, offenbar gar nicht kümmerte: Es war Stephan Alexandrowitsch Shukow!

Kristiaschka lächelte ihm zu, aber er schien es nicht zu bemerken. Gleich darauf setzte er sich in Bewegung und ging mit abgezirkelten Schritten wie eine Gliederpuppe auf das Warenhaus zu. Als er nur noch einen Schritt von Kristiaschka entfernt war, richtete er sich straff auf und riß seine Pelzmütze so plötzlich vom Kopf, daß seine wenigen Haare sich hoben und der Wind mit ihnen spielte.

»Sei mir gegrüßt, wilde Steppenblume!« sagte Shukow, und Kristiaschka erwiderte den Gruß mit größter Herzlichkeit. Er war ein sonderbarer Mensch, gewiß, aber immerhin jemand, den sie kannte.

»Was machen Sie denn hier, mein schönes Landmädchen?« erkundigte er sich. »Glauben Sie doch Stephan Alexandrowitsch, einem Mann, den man auf dem Schlachtfeld für tot liegen ließ: Ihr Platz ist nicht hier, Sie Ärmste...!«

Er blickte sie beinahe streng an. Er hatte sich nicht rasiert, und die steifen schwarzen Haare saßen nun nicht nur in der Höhlung seiner Wangen, sondern auch dort, wo die Haut sich über den Knochen spannte.

»Kommen Sie lieber mit mir!« sagte er in herrischem Ton und streckte die Hand aus. Kristiaschka ergriff sie und ließ sich fortziehen. Niemand in der langen Schlange beachtete sie oder hatte von dem seltsamen Gehaben Shukows Notiz genommen.

So ging sie an seiner Seite, ihre Hand in der seinen, in der anderen den Henkel von Tante Eudoxias Einkaufskorb, Shukow ging mit schweren, beinahe schleppenden Schritten, als finde er keinen Halt in seinen Knöcheln; aber er achtete stets darauf, daß sein Rücken durchgedrückt und sein Kopf hoch erhoben sei, so daß er wie ein müder Spanier daherkam. Er drückte Kristiaschkas Hand fest, als wollte er sie beruhigen, aber sie hatte keine Angst, ja, sie war sogar voll von Vertrauen zu ihm. Sie war überzeugt, daß er ihr nichts Böses tun würde. Shukow schwieg, bis sie zu einem kleinen Park gelangten, in dem einige Menschen spazierengingen und ein paar alte Männer sich an der Sonne wärmten wie verkrüppelte Weinstöcke nach so manchen Wintern, wenn ihnen der Frühling wieder ein wenig Hoffnung auf neues Grün gibt; dazwischen spielten ahnungslos kreischende Kinder, die sich ihres Jugendglücks noch gar nicht bewußt waren.

Stephan Alexandrowitsch setzte sich auf eine Bank, und Kristiaschka tat wie er. Er pfiff ein paar Takte einer Arie von Mussorgski, wobei er sie eigenwillig veränderte. Er kratzte mit den Fersen seiner Stiefel im Sand herum, stocherte mit der Nadel aus seinem Rockaufschlag in den Zähnen, hauchte auf den Zwicker und putzte ihn und sagte schließlich, als er aus seinen Meditationen erwachte:

»Alle Schönheit der Welt verkörpert sich in Ihnen, mein trautes Steppenveilchen; Sie sind das Licht in der Nacht des allereinsamsten, allerunglücklichsten Mannes, und dieser Mann bin ich, Stephan Alexandrowitsch Shukow...«

»... den man für tot auf dem Schlachtfeld liegen ließ, auf dem er seine Illusionen verloren hatte!« vollendete Kristiaschka lachend.

»So ist es«, sagte er düster und rülpste, wobei er seine große, knochige Hand vor den Mund hob; seine rotgeränderten Lider gingen emsig auf und ab. »Welch süße Botschaft«, sagte er, »ich schulde Ihnen eine Erklärung...«

»Sie verfolgen mich, stimmt's?« erkundigte sich Kristiaschka munter. »Seit gestern abend schon, seit dem Bahnhof sind Sie mir auf den Fersen, ich habe Sie pfeifen gehört, als Sie an dem Keller vorübergingen, in dem ich übernachtete, und jetzt eben unter jener Toreinfahrt, das waren doch auch Sie, Stephan Alexandrowitsch? Sie haben mein Fenster beobachtet!«

Shukow bejahte mit glänzenden Augen.

»Ja, ich habe es gewagt«, sagte er, »ich, Stephan Alexandrowitsch, denn für mich gibt es nichts Höheres als die Poesie, und die Poesie, das sind Sie selbst, mein Fräulein. Ich bin damit an einem Wendepunkt meines Lebens angelangt. Stellen Sie sich vor: Ich, Hilfssekretär neunter Klasse in der Verwaltung der Sozialversicherung, erhielt soeben die Nachricht von jener Beförderung, auf die ich schon so lange Anspruch habe. Das bedeutet nicht nur zehn Prozent Gehaltserhöhung, sondern außerdem eine beträchtliche Nachzahlung. Am gleichen Tag erfahre ich, daß mein Bruder gestorben ist: ein beschränkter, gleichgültiger Mensch, der keines höheren Gedankens fähig war, aber immerhin Grips genug hatte, sich die wenigen Möbel zuzuschanzen, die meine Mutter hinterlassen hat – ihre Seele weilt zweifellos im Himmel. Als ich zu diesem Bruder komme, um meinen Teil an der Erbschaft zu sichern, muß ich feststellen, daß die Nachbarn längst alles geplündert haben. Ich suche verzweifelt nach irgendwelchen Dingen von Wert und entdecke in einem Winkel eine staubbedeckte Kiste mit der Aufschrift einer französischen Champagnermarke. Ich öffne sie – sie enthält nichts als Bücher; Bücher in italienischer und spanischer Sprache, die ich ja nicht beherrsche... Verzweifelt kehre ich in die Stadt zurück und stoße in jenem Eisenbahnabteil auf Sie, mein unvergleichliches Steppengewächs! Ja, das Schicksal spielt mit uns Erdenkindern. Ich habe nun noch drei Tage Urlaub: Man hat sie mir nicht verweigern können, weil mein Bruder gestorben ist, und dieser drei Tage will ich mich nun erfreuen.«

Er zog aus der Tasche seines Überrocks ein Stück Lebkuchen, das mit Tabakkrümeln reichlich bestäubt war, brach es entzwei und reichte Kristiaschka den größten Teil; dann fuhr er mit vollem Mund fort:

»Zu groß ist die Strecke, die uns voneinander trennt, Teuerste. Ich werde übersiedeln. Zweifellos gibt es bei der ehrenwerten

Person, bei der Sie wohnen, noch Platz für einen Hilfssekretär achter Klasse in der Sozialversicherung!«

»Bei Tante Eudoxia? Dort ist nicht einmal mehr Platz für eine Maus!«

»Das sagt man so ... Wir werden schon sehen!«

Tante Eudoxia musterte den Eindringling mit äußerstem Mißtrauen. Ein Freund von Kristiaschka? Ihre Nichte hatte ihr doch versichert, Kristia kenne in der Stadt keine Menschenseele! Stephan Alexandrowitsch sprudelte eine Reihe verworrener Erklärungen hervor, die auch er nicht verstand. Er wollte also hier wohnen? Warum nicht gleich auf dem Mond? Und was hatte Kristiaschka eigentlich aus dem Warenhaus mitgebracht?

»Ich hätte noch einige Stunden warten müssen, ehe die Reihe an mich gekommen wäre«, antwortete Kristiaschka und wurde rot, denn sie war es nicht gewöhnt zu lügen. Tante Eudoxia jedoch achtete nicht sonderlich auf sie, sie zankte sich weiter mit Stephan Alexandrowitsch, der nun dazu übergegangen war, sich auf den großen Mann hinauszuspielen, und erklärte, daß man ihm als einem Hilfssekretär achter Klasse in der Sozialversicherung immerhin gewisse Rücksichten schulde.

»In der Sozialversicherung?« rief Tante Eudoxia entzückt. »Warum haben Sie das nicht gleich gesagt? Da kennen Sie doch sicher Prokop Orschakow?«

»Aber gewiß doch«, trumpfte Shukow auf, »ist ein netter Kerl, dieser Prokop, ein vorbildlicher Beamter und liebenswürdiger Kamerad. Er hat einen Goldzahn aus echtem Gold, der von allen Kollegen, noch mehr von den Kolleginnen, bewundert wird. Prokop hat dafür allerdings die Ersparnisse dreier Jahre anlegen müssen, aber es scheint sich zu lohnen, denn jedermann kennt heute Prokops Goldzahn!«

»So kennen Sie also Prokop Orschakow!« sagte Tante Eudoxia wie verwandelt. »Das ändert natürlich die Situation; einem Freunde Prokops kann ich das Dach über dem Kopf nicht abschlagen.«

Stephan küßte ihr die Hand und erklärte, er gehe sein Gepäck holen.

Auch dabei mußte Kristiaschka ihn begleiten. Er ging weichbeinig und mit dem gewohnten Zirkelschritt, aber es war zu erkennen, daß er im siebenten Himmel schwebte. Er pfiff auch nicht eine der schwermütigen russischen Melodien, sondern Franz von Suppés »Leichte Kavallerie«, und da es sich um eine einfache Marschweise handelte, pfiff er sie sogar richtig. Shukow wohnte weit außerhalb des Zentrums mit seinen modernen Straßen in einem Viertel ärmlicher kleiner Häuser mit Gärten und wildem Gestrüpp. Im Vorbeigehen riß er da und dort einen Zweig ab und peitschte mit ihm fröhlich die Luft. Er bewohnte ein Zimmer bei einem Polizisten, und als er die Frau seines Quartiergebers davon in Kenntnis setzte, daß er auszuziehen gedenke, begann diese ihm mit gellenden Schreien Vorhaltungen zu machen.

»Drei Jahre hat er bei uns gelebt wie die Made im Speck, und jetzt haut er ab von einem Tag zum anderen!«

Stephan zog die Stirne kraus, was den Zwicker gefährlich erzittern ließ, stemmte die Faust in die Hüfte und raffte mit der anderen Hand seinen Umhang mit spanischer Grandezza; offenbar war er entschlossen, den niedrigen Anwürfen dieser Megäre hoheitsvolles Schweigen entgegenzusetzen.

»Und was Sie mir noch schulden!« kreischte die Frau weiter. »Haben Sie das vergessen? Sie haben doch nur für Essen und Getränk bezahlt, und ich habe Ihnen vier Batisttaschentücher geschenkt, einen Füllfederhalter und eine lederne Aktentasche!«

»Das waren eben Geschenke«, erklärte Stephan trocken. »Übrigens sollten Sie davon nicht soviel Aufhebens machen: Die Taschentücher haben sich beim Waschen aufgelöst, es muß sich da um einen ganz seltsamen Batist gehandelt haben. Der Füllfederhalter hat von Anfang an nicht funktioniert und hat mir ein gutes Hemd verdorben, und von der Aktentasche reden wir lieber gar nicht. Sie wissen ganz genau, daß Ihr Gatte sie sich bei einer Haussuchung beigebogen hat!« Die Frau des Polizisten murrte zwar noch allerlei von Undankbarkeit und schlechtem Benehmen und man werde schon noch sehen, aber es war zu erkennen, daß sie nur noch Rückzugsgefechte lieferte. Schließlich verschwand sie im Innern der Hütte, stieß ein Fenster auf und begann in hohem Bogen alles auf die Straße zu werfen, was Stephan Alexandrowitsch sein Eigentum nennen durfte: Zeitschriften, Bücher, zwei Russenhemden, ein Hemd, einen Nachttopf, einen emaillierten Aschenbecher mit einer Abbildung des Kreml mit darüberschwebendem Stalinkopf, einen kirgisischen Brieföffner, einen Samowar, eine Gipsstatuette nach einer Büste Katharinas der Großen, die auf dem Pflaster in zwanzig Stücke zersprang, einen schwarzen Stock mit silbernem Griff, einen Stahlstich unter Glas, der Mazeppa zu Pferd darstellte, einen Pfeifenkasten mit einer deutschen Meerschaumpfeife, die den Sturz überstand, und eine Anzahl Tonpfeifen, die nicht so gut wegkamen, einen deutschen Bierkrug mit Henkel und einem zinnernen Deckel, auf dem in einem dicken Lorbeerkranz das Gesicht des Generals Ludendorff zu sehen war und darüber ein Spruchband mit der Inschrift *Immer vorwärts*. Auf der anderen Seite des Kruges waren Infanteristen mit deutschen Stahlhelmen gemalt, über denen sich ein Spruchband mit der Inschrift *Für Kaiser und Reich* ringelte. Der Bierkrug rollte, ohne Schaden zu nehmen, auf das niedrige Gras am Straßenrand. Ihm folgte noch eine ganze Reihe anderer Gegenstände verschiedener Größe, die alle in Shukows Besitz gewesen waren. Klappernd und klirrend ging das Bombardement aus dem offenen Fenster noch eine gute Weile weiter, zur größten Freude der Nachbarn, die das Geschimpfe der Polizistenfrau an die Fenster gerufen hatte und die sich bemühten, auch nicht die kleinste Einzelheit dieser Szene zu verlieren, welche aus einer heiteren Oper stammen konnte.

Stephan Alexandrowitsch hob zunächst den Bierkrug auf, der dem Andenken General Ludendorffs geweiht war; an diesem Stück hing er am meisten, denn es war eine Erinnerung aus dem Krieg. Inzwischen war auch der Herr des Hauses ziemlich verblüfft auf der Bildfläche erschienen, wurde von seiner Frau in die Hintergründe des seltsamen Auszugs eingeweiht und begann, plötzlich ebenfalls in blinde Wut versetzt, auf der Habe Shukows herumzutrampeln.

»Sachte, sachte...!« mahnte Stephan Alexandrowitsch, ohne die Ruhe zu verlieren oder auch nur eine Bewegung zu machen. Ein Nachbar erklärte, er finde es seltsam, daß der Polizist darüber wütend sei, daß der Liebhaber seiner Frau das Haus verlasse. Nun erst wurde auch Shukow zornig, schwang den deutschen Bierkrug und drang auf den Spötter ein, der sich nicht gescheut hatte, so schmutzigen Klatsch vor einem jungen Mädchen laut werden zu lassen.

Das junge Mädchen war Kristiaschka, aber es ließ sie völlig gleichgültig, zu erfahren, daß die Frau des Polizisten für Stephan Alexandrowitsch andere als nur freundschaftliche Gefühle gehegt habe; befriedigt stellte sie fest, daß der boshafte Nachbar sich vor dem geschwungenen Bierkrug vorsichtig zurückzog, so daß Shukow den Arm sinken lassen und zu ihr zurückkehren konnte, wobei er den Zwicker auf der Nase zurechtrückte und vage Drohungen murmelte.

Auch der Polizist war seinen Zorn inzwischen einigermaßen losgeworden. Er pflanzte sich in der Haustüre auf, machte mit der Hand einige erregte Gebärden, die wohl sagen sollten:

Macht, daß ihr weiterkommt, ihr seid hier unerwünscht, und fügte schreiend hinzu: »Ein Glück, daß wir Sie los sind!«

Seine Frau erschien noch einmal am Fenster, und zwar mit der berühmten Aktentasche aus Kamelleder. Aber ihr Mann sprang hinzu, bemächtigte sich des Stückes und brüllte, es sei sein Eigentum. Daraufhin bezeichnete die Frau ihn als Lügner und er sie als Hure; sie gab ihm eine schallende Ohrfeige, und er packte sie bei den Haaren.

Während diese Vorgänge die Aufmerksamkeit der Nachbarschaft beschäftigten, trug Shukow mit Hilfe Kristiaschkas seine Siebensachen zusammen, machte aus ihnen ein Bündel, das durch Wäschestücke zusammengehalten wurde, und hob es schließlich an dem Stock mit der silbernen Krücke über die Schulter. Dies war der Augenblick, da der Polizist und seine Frau, die unter dem Applaus der Nachbarn ihren Streit beendet hatten, abermals gemeinsame Sache gegen Stephan Alexandrowitsch machten.

»Daß Ihnen nicht alles hochkommt, wenn Sie diesen räudigen Stinkmarder nur anschauen!« sagte die Frau des Polizisten zu Kristiaschka, und er versprach Shukow das schönste Paar Hörner, das es in ganz Rußland gebe, wenn er sich mit einem Mädchen einlasse, das seine Tochter sein könnte.

Die Nachbarn jubelten ob dieser vollkommenen Komödie: Ein betrogener Ehemann prophezeite dem Liebhaber seiner Frau, daß er bald selbst zur Gilde der Betrogenen gehören werde!

Stephan Alexandrowitsch zuckte die Achseln mit der Arroganz eines spanischen Granden.

»Seit man mich auf dem Schlachtfeld für tot liegenließ«, antwortete er, »hege ich keinerlei Illusionen mehr hinsichtlich der Ehrenhaftigkeit eines Polizisten oder der Moral seiner verlogenen Frau. Ihnen, Kristiaschka, hingegen schulde ich das Leben oder zumindest meine Befreiung. Dieser Mann hier hält mich seit geraumer Zeit für politisch verdächtig, zu Unrecht natürlich, er ist mißgünstig, und der Teufel soll ihn erwürgen ...«

Sie wandten sich ab und machten sich auf den langen Weg in die Innenstadt.

»Ich bin ein Bürger, der stets die Gesetze respektiert hat«, fuhr Shukow fort, »aber diese Viper von einem kleinen Polizeischleicher hätte mich früher oder später bestimmt angezeigt, und dann wäre selbst mein kleines Maß an Freiheit dahin gewesen. Adieu, schöne Welt, strahlende Sonne, lächelnde Feldblumen ...!«

Als die beiden schließlich anlangten, ergab sich das Problem, wo man Shukow unterbringen solle. Tante Eudoxia überlegte.

»Sie sind im Zeichen des Löwen geboren, Tante Eudoxia«, sagte Stephan Alexandrowitsch, »gestatten Sie mir, daß ich Sie so nenne? Ich fühle mich ein wenig zur Familie gehörig.«

»Woher kennen Sie mein Sternbild?«

»Oh, ich kenne so manches«, erklärte Stephan, »die saturnischen Naturen meiner Art sind so, die traurigen Beutemacher auf dem Feld der Bekanntschaften, bedauernswerte Dilettanten, die zugleich Fürst Andrej und Pjotr Bezukhov sein wollen, dergestalt, daß sie ihr Leben auf höchst unbequeme Weise zwischen zwei Sesseln zubringen; man läßt sie für tot auf den Schlachtfeldern liegen, weil niemand ihren Verlust bedauert. Hin und wieder aber haben sie das Glück, in einem Eisenbahnabteil dank einer wilden Steppenblume die Illusionen wiederzufinden, die ihnen auf dem Schlachtfeld verlorengegangen sind!«

Tante Eudoxia sah Kristiaschka betroffen an, als wolle sie diese zur Zeugin für Stephans offenkundige Unvernunft nehmen; vielleicht aber wollte sie durch diesen Blick auch nur fragen, ob etwa das Mädchen etwas davon verstanden habe, was dieser seltsame Mann eben von sich gegeben hatte.

»Ich darf wohl annehmen, daß Sie sich im Dienst nicht ganz so ausdrücken, Stephan Alexandrowitsch!« sagte Tante Eudoxia sichtlich befremdet. »Ich habe nicht erwartet, daß mein guter Prokop Orschakow so absonderliche Freunde hat!«

»Freunde, werteste Tante Eudoxia?« antwortete Stephan. »Wer hat etwas von Freundschaft gesagt? Prokop Orschakow ist ein Bekannter, denn im Dienst halte ich nichts von Freundschaften, das ist meine Devise. Außerdem kenne ich Freundschaft überhaupt nicht, ebensowenig wie die anderen hohen Geister, die der Liebe den höchsten Preis zuerkennen ...«

Er trällerte ein paar Takte einer zärtlichen altrussischen Romanze, aber Tante Eudoxia, die von einer Klientin erwartet wurde, unterbrach ihn:

»Wir haben nun genug geschwätzt ... Die einzige Möglichkeit, Sie unterzubringen, ist die Dachkammer, aber wenn es stark regnet, werden Sie dort naß.«

»Ich werde mich dennoch fühlen wie der Papst in St. Peter!« rief Stephan Alexandrowitsch. »Sollten Reparaturen nötig werden, so will ich mich ihnen gerne unterziehen!«

»Um so besser ... Ihr müßt euch das selber ansehen. Kristiaschka wird mit Ihnen gehen; Sie können es nicht verfehlen, die Kammer ist gleich am Ende der Stiege.«

Das Bündel mit seiner Habe auf dem Rücken, klomm Shukow

die Dachbodenstiege hinauf, und Kristiaschka folgte ihm. Dabei redete er ohne Unterlaß und erklärte, er sei entzückt von dem Gedanken, in dieser Kammer wohnen zu können, die gegen den offenen Bodenraum durch eine dünne Holzwand abgetrennt war. Er warf sein Bündel auf den feuchten Boden und ging, wie er sagte, um eine Kerze und ein Stück Dachpappe zu holen.

Dabei kam er abermals durch den langen Gang, roch die Speisen auf dem Herd, tauchte den Finger in einen Topf und schrie »Au!«, weil das Ragout darin schon nahe am Kochen war; dann lutschte er den Finger ab, machte begeistert »Hm!«, weil das Ragout so gut schmeckte, und erhielt einen derben Rippenstoß von der Frau, die für ihre Familie eben das Essen zubereitete. Shukow quittierte die derbe Mahnung mit einer Verbeugung, die sich selbst auf dem Zarenhof hätte sehen lassen können, und verschwand dann, wobei er eine Melodie eigener Komposition, aber voll fremder Anklänge vor sich hin pfiff. Kristiaschka kehrte in das Zimmer Ninas zurück, nahm ihre Strickerei zur Hand und begann zum leisen Klickern der Nadeln zu träumen.

Die vor Erregung kippende Stimme Stephans riß Kristiaschka aus ihren Gedanken. Sie ging in Tante Eudoxias Arbeitszimmer hinüber und fand Shukow, eine Rolle Dachpappe unter dem Arm und eine Kerze in der Hand, eben dabei, wie er Tante Eudoxia ein Stück Speck einreden wollte, das er auf seinem offensichtlich geschickten Einkaufsgang wohl so nebenher erbeutet hatte.

»Puah!« machte Tante Eudoxia. »Ich esse doch überhaupt nicht, und wenn, so würde ich allenfalls als Vegetarierin leben. Auch der Meister war Vegetarier!«

»Welcher Meister?« erkundigte sich Stephan Alexandrowitsch. »Der Kalmücke da auf dem Klavier? Das hätte ich mir denken können!«

Er legte den Speck auf die gestickte Decke, ergriff das Bild des Asiaten mit dem dicken Schnurrbart und betrachtete es einen Augenblick.

»Der Mann hat den bösen Blick«, erklärte er dann, »und die unverkennbaren Stirnhügel des Spekulanten! Haben Sie Lavater studiert, teure Tante Eudoxia? Über Lavater könnte ich stundenlang reden. Ein außerordentlicher Mann! Ein Mann von größerer Bedeutung als Lamarck und Darwin zusammengenommen, die gemeinhin weit überschätzt werden. Evolutionismus... Transformismus...! Das sind Begriffe, von denen man einem Stephan Alexandrowitsch nicht zu sprechen braucht – ich kann meine Uhr anhalten, indem ich sie mit dem Blick fixiere, hi, hi, hi.«

Erst in diesem Augenblick bemerkte er hinter dem Klavier eine Frau; es war jene Klientin, die vorhin auf Tante Eudoxia gewartet hatte. Sie hatte sich vor dem ungereimten Wortschwall Shukows dorthin geflüchtet. Stephan Alexandrowitsch griff instinktiv sofort nach dem Speck, während er die Kerze wie einen verlängerten Zeigefinger gegen die verängstigte Frau zückte. Er machte Miene, seine Belehrungen auch auf sie anzuwenden, aber sie wartete es nicht ab, sondern verdrückte sich. Daraufhin schob er Speck und Kerze in die Tasche, ließ die Rolle mit der Dachpappe auf den Teppich fallen und versuchte sich am Klavier. Das Ergebnis waren jedoch keine Akkorde, sondern bizarres Knirschen und Knarren.

»Das Instrument hat keine Saiten mehr«, erklärte Tante Eudoxia, »die Mäuse haben sie gefressen.«

»Die Töchter der Euterpe, die Mäuse!« rief Stephan. »Ich werde Ihnen eine Mausefalle zum Geschenk machen, Tante Eudoxia!«

»Tun Sie nichts dergleichen, denn ich habe noch nie ein Tier getötet, und ich werde mich nicht gerade durch Sie komischen Schussel zu einem anderen Betragen gegenüber der Tierwelt bekehren lassen!«

»Die Achtung vor dem animalischen Leben war offenbar eine der Doktrinen des großen Kalmücken, nehme ich an?«

»Jetzt reicht's mir«, sagte Tante Eudoxia drohend, »los, verschwinden Sie in Ihrer Dachkammer!«

Stephan hob die Dachpappe auf und zog sich mit spanischer Grandezza zur Tür zurück. Man konnte auch sagen, er gehe wie Boris Godunow, als dieser, von seinen Kindern Fedor und Xenia begleitet, den Platz vor dem Kreml überquerte, um sich in die Kathedrale zu begeben, wo er gekrönt werden sollte. Die Unterschiede waren offensichtlich und bestanden vor allem darin, daß Stephan Alexandrowitsch sich nicht in eine Kathedrale begab, um gekrönt zu werden, sondern in eine Bodenkammer, wo er die Löcher des Daches verkleben wollte; außerdem folgten ihm keine Kinder, denn er hatte keine. Für jeden jedoch, der von diesen Kleinigkeiten abzusehen vermochte, erinnerte Stephan Alexandrowitsch tatsächlich an den großen Boris Godunow.

»Wo hast du ihn eigentlich kennengelernt?« erkundigte sich Tante Eudoxia.

»Im Zug«, antwortete Kristiaschka; sie strickte dabei weiter, denn sie war nun schon geschickt genug, um nicht an jede Bewegung denken zu müssen.

»Dann allerdings...«, sagte Tante Eudoxia, »anders wäre es auch schwer denkbar. Ich habe einmal eine verheiratete Frau gekannt, die einem Mann nachlief, den sie im Zug kennengelernt hatte. Sie hat... aber das ist keine Geschichte für dich...«

Kristiaschka kehrte in Ninas Zimmer zurück, wo sie weiterstrickte und weiterträumte. Sie unterbrach ihre Beschäftigung nur für ein paar Minuten, um in Ninas Lade zu stöbern. Nina hatte es gut, ihr Mischa, der Flieger, war zweifellos in Ordnung. Aber auch der zaristische Offizier, dessen Porträt an die Wand genagelt war, konnte sich sehen lassen, so verschieden die beiden auch waren. Der eine war blond und hatte helle Augen, der andere war braunhaarig und dunkeläugig. Kristiaschka hätte nicht sagen können, welchen männlichen Typ sie vorzog. Vielleicht doch den zaristischen Offizier, er sah Akim ganz entfernt ähnlich... Akim, dieser Nichtsnutz, wie sehr sie ihn nun verabscheute! Sie setzte sich wieder und strickte wütend weiter.

Als Nina von der Arbeit heimkehrte, fand sie Stephan Alexandrowitsch auf Tante Eudoxias Diwan liegen und Pfeife rauchen. Es war die heilgebliebene deutsche Meerschaumpfeife, die das ganze Zimmer mit ihrem Gestank erfüllte.

Als Stephan Alexandrowitsch Ninas ansichtig wurde, warf er die Pfeife auf das Klavier und sprang auf die Beine.

»Welch stolze Schönheit, Tante Eudoxia!« rief er. »Wer ist das, wenn ich bitten darf?«

»Meine Nichte Nina«, sagte Tante Eudoxia trocken, ohne von ihrer Schreiberei aufzublicken.

»Gestatten Sie mir, meine Teuerste, daß ich Ihnen versichere, wie schön Sie sind«, sagte Stephan zu Nina, »Sie sind das genaue Ebenbild des Zaren Alexander: Die gleichen grauen Augen, die gleiche zauberhafte Mischung von Hoheit und Milde und unschuldiger Jugend... Und erst das Haar – Ihre Haartracht gleicht genau der des Zaren Alexander, Verehrteste!«

Nina, der noch niemand gesagt hatte, daß sie jenem Zaren gleiche, erklärte, daß sie das Kompliment durchaus schmeichelhaft, aber übertrieben finde, und Tante Eudoxia meinte, wenn Nina dem Zaren Alexander ähnlich sehe, so ähnle sie selbst wohl Litwinow.

Stephan nahm Ninas gepflegtes Händchen zwischen seine knochigen schmutzigen Finger und versicherte ihr:

»Die bekannte Sittenreinheit des Zaren Alexander verbietet die Annahme, daß Sie einen Tropfen Romanowschen Blutes in den Adern haben; dennoch eignet Ihnen die volle Grazie einer

Prinzessin, und auch Ihr Teint ist der jener Prinzessinnen, die sich mit der Milch von Eselinnen wuschen!«

»Prinzessin... Prinzessin!« brummte Tante Eudoxia. »Sie ist Sekretärin fünfter Klasse in der Verwaltung des Textilkombinats.«

»Fünfter Klasse!« rief Stephan, der auf einmal ernst wurde und zutiefst verblüfft schien, weil Nina, obwohl viel jünger als er, drei Klassen über ihm stand.

»Mir ist klar, was Sie jetzt denken, Genosse...«, sagte Nina.

»Genosse Shukow, zu dienen, Stephan Alexandrowitsch Shukow.«

»Nun also, Genosse Shukow«, sagte Nina, »ich verdanke mein Vorwärtskommen meiner Arbeit und nicht irgendwelchen Intrigen oder sonstigen Umständen.«

»Aber zweifellos Ihrer diabolischen Schönheit!« murmelte Stephan Alexandrowitsch auf französisch und errötete, weil Nina ihn sogleich durchschaut hatte.

»Sie sind widerlich!« sagte Nina kalt.

»Ganz wie Sie meinen, ganz wie Sie meinen!« dienerte Stephan, gewann aber bald sein Selbstgefühl wieder und richtete sich auf:

»Immerhin, teuerste Prinzessin, habe auch ich Grund, auf meine Ahnen stolz zu sein, ich, Stephan Alexandrowitsch...«

»... den man für tot auf dem Schlachtfeld liegen ließ«, vollendete Tante Eudoxia.

»So ist es! Mein Urgroßvater war niemand anderer als jener Soldat Lazareff, den Napoleon in Tilsit mit der Ehrenlegion auszeichnete; von diesem Lazareff haben alle Männer meiner Familie ihre große Nase!«

Nina zuckte die Achseln, und Tante Eudoxia erklärte, daß solch eine Nase ein recht zweifelhaftes Geschenk sei.

»Ein Geschenk... ein Geschenk!« rief Stephan. »Aber jedenfalls nicht das einzige, liebwerte Tante. Sie müssen wissen, daß die Pension der Ehrenlegion im Betrag von zwölfhundert Franken von der französischen Regierung bis 1914 ausbezahlt wurde... Noch mein Vater hat sie bezogen!«

»So ist in Frankreich der Ehrensold für eine Auszeichnung also erblich?« sagte Tante Eudoxia.

Stephan Alexandrowitsch ließ sich wütend auf den Diwan fallen und begann in seiner Pfeife herumzustochern. Nina ging in ihr Zimmer. Tante Eudoxia räusperte sich und fuhr fort:

»Ich würde Ihnen raten, Stephan Alexandrowitsch, sich nicht

die Gegnerschaft Ninas zuzuziehen. Das würde zur Folge haben, daß Sie keinen Fuß mehr in diese Wohnung setzen können. Sie hat einen fürchterlichen Eigensinn!«

»Ein eitler Frosch ist sie!« rief Shukow. »Eines jener Wesen, die es für fein halten, sich wie eine Pariserin zu tragen. Eine auf westlich herausgeputzte Puppe mit einer Frisur, an der man kein Härchen berühren darf, wenn sie nicht völlig auseinanderfallen soll, und ein Röckchen, auf dem nicht ein Strohhalm und nicht das kleinste Fleckchen zu sehen ist; haben Sie ihre Knöchel gesehen, Tante Eudoxia? Sie sind der eindeutige Beweis, daß Ihre Nichte kein Temperament hat. Für mich ist die wirkliche Frau der russische Typus, rosig und frisch, kräftig und wohlproportioniert und mit ein paar Sommersprossen auf dem runden Gesicht... Mit einem Wort: Kristiaschka.« In diesem Augenblick ging die Tür zu Ninas Zimmer auf; Nina erschien in der Öffnung mit zornverzerrtem Gesicht und schleuderte ihren Nachttopf aus Porzellan auf Shukow. Er verfehlte das Ziel, so daß das gute Stück gegen das Klavier sauste und zersprang. Dann warf Nina wortlos die Tür hinter sich zu.

»Ich hatte Sie gewarnt...!« brummte Tante Eudoxia.

»Sie lauscht an den Türen, das tut eine Prinzessin nicht!« sagte Stephan und bückte sich, um die Scherben des Nachtgeschirrs aufzuheben. Auf der anderen Seite der Tür hörte man Nina und Kristiaschka laut auflachen.

Während der drei Urlaubstage, die ihm noch blieben, war Stephan Alexandrowitsch sehr geschäftig. Man hörte ihn in seinem Zimmerchen hämmern und fegen, und schließlich erschien er bei Tante Eudoxia sogar mit den Trümmern der Gipsbüste Katharinas II. Er hatte sie in ein Hemd gesammelt und machte sich nun daran, sie zu kleben. Es gelang ihm einigermaßen, und als er fertig war, fehlte der Büste nur noch die Nasenspitze, ein Lorbeerblatt und ein Stückchen einer Locke: Diese kleinen Gipssplitter waren auf dem Schlachtfeld zurückgeblieben, am Ort der Auseinandersetzung mit der Frau des Polizisten.

Shukow pfiff die ganze Zeit fröhlich vor sich hin und brummte nur, wenn Tante Eudoxia ihn aus dem Zimmer schob, um einen Klienten zu empfangen.

»Was hat es schon für einen Sinn, in die Zukunft zu blicken?« sagte er dann. »Das Unglück bemerkt man noch schnell genug, und das Glück ist doppelt schön, wenn es sich uns als reizende Überraschung nähert!«

Dabei erzählte er tausend verrückte Histörchen und kündigte an, daß er das Klavier wieder instand setzen werde, um auf ihm die Rhapsodien von Liszt spielen zu können, die er alle auswendig wisse. Außerdem gehöre zu seinem Repertoire noch die *Skythische Suite* von Prokofieff, die er seinen charmanten Gastgeberinnen zu Gehör bringen wolle. Ja, er sei sogar bereit, der hypermodernen Nina zu Gefallen einen Shimmy zu spielen, also einen jener Tänze, nach denen man im Westen jetzt so verrückt sei.

Tante Eudoxia bat ihn mit aufgehobenen Händen, doch ja das Klavier in Ruhe zu lassen; es sei seit 1917 nicht mehr im Gebrauch, und das sei ein Glück, denn die vielen Parteien sorgten ohnedies für Lärm im Haus.

Stephan Alexandrowitsch entdeckte eine ganze Mäusebrut im Klavier, aber auch das vermochte Tante Eudoxia nicht umzustimmen; sie erklärte, es sei ihr noch immer lieber, das Instrument diene einer Mäusefamilie als Unterschlupf; Liszts Rhapsodien an Stephan Alexandrowitsch auszuliefern, sei zweifellos viel grausamer.

Nina sprach nicht mehr mit Stephan; sie tat, als sehe sie ihn nicht, und er bemühte sich, in ihrer Gegenwart besonders arrogant dreinzuschauen; er schlug die Beine übereinander, so daß seine weißen Schienbeine über den Zugstiefeletten sichtbar wurden, und machte einen ganz schmalen Mund. Eine der Frauen, die auf der Gangküche kochten, beklagte sich darüber, daß er in den Speisen herumstochere und sich immer wieder ein paar Bissen herausfische, aber das sei es nicht allein: Er stochere und fische nicht nur, sondern gestatte sich auch allerlei Berührungen, die zweifellos nicht zufällig seien. Wenn Shukow so fortfahre, werde sie sich bei ihrem Mann über ihn beschweren; dieser sei Maurer und werde Stephan Alexandrowitsch durch das Fenster feuern wie einen Ziegel. Wider alle Wahrscheinlichkeit behauptete Shukow, daß dieses freche Weib ihm Hoffnungen gemacht habe, da er als kultivierter Mann eben begehrenswerter sei als ein Maurer. Tante Eudoxia aber wußte, woran sie war.

»Wenn Sie sich derlei noch einmal herausnehmen«, sagte sie rauh, »jage ich Sie auf der Stelle aus dem Haus.«

Shukow putzte seinen Zwicker, drückte ihn auf die Nase und verließ mit seinem Boris-Godunow-Gang das Zimmer, um in seinem Verschlag unter dem Dach weiterzuschmollen.

Nachmittags machte er Spaziergänge mit Kristiaschka, wobei er jedoch darauf achtete, nicht zugleich mit ihr aus dem Haus zu gehen. Was hätte Tante Eudoxia wohl gesagt, wenn sie gewußt hätte, daß sie sich in einem Park trafen und dann am Fluß entlanggingen?

Stephan erzählte Kristiaschka sein Leben und war in diesen Stunden, da er keine Zuschauer hatte, einigermaßen vernünftig. Kristiaschka sagte sich, daß er wirklich ein unglücklicher Mensch sei, weil ihn noch nie jemand geliebt habe, und das Unglück Stephans, der sie demütig gebeten hatte, ihn unter vier Augen Stiva zu nennen, griff ihr ans Herz. Kristiaschka nahm ihre Strickarbeit auf diese Spaziergänge mit. Sie saß neben Stephan auf einer Bank im Park oder auch auf der Böschung über dem Fluß und hörte ihm zu; dabei hielt sie die Stirn gesenkt, ließ hurtig die Nadeln klappern und warf nur hin und wieder einen verstohlenen Blick auf sein Profil.

Wenn Kristiaschka zwei oder drei Strickarbeiten beendet hatte – sie arbeitete nun schon sehr gut und irrte sich nie mehr in der Anzahl der Maschen –, dann befahl Tante Eudoxia ihr, sie bei einer bestimmten Frau als Heimarbeit abzuliefern. Mit dem Paketchen unter dem Arm traf Kristiaschka Stiva im Park, und er erzählte.

Er erzählte, daß er ursprünglich die Berufung zum Schauspieler in sich gefühlt habe, aber dann sei der Krieg dazwischengekommen, und als er schließlich aus der Gefangenschaft zurückkehrte, sei er schon zu alt gewesen, um irgendwo als Debütant anzukommen. Er war damals natürlich noch ein junger Mann, zweiundzwanzig Jahre alt, aber er hatte so viele Jahre verloren, und die Zeit nach dem Krieg, die allgemeine Unruhe und die Hungersnot waren der Schauspielkunst und dem ganzen Theaterbetrieb durchaus nicht günstig. Schließlich hatte er ein Marionettentheater gegründet und es ganz allein am Leben erhalten: Er verfertigte die Puppen und ihre Kostüme, erfand sich die Stücke und ließ seine kleine Schauspielerschar aus Holz, Gips und Stoff mit improvisierten Dialogen agieren. All das: Puppen, Dekorationen und Requisiten hatte er in einem einzigen großen Koffer beisammen. Den schnallte er sich auf den Rücken und ging damit von Dorf zu Dorf, entweder zu Fuß oder auch auf einem Karren, wenn man ein Bauer ihn aufsitzen ließ. Ja, er hatte sogar eine Oper in seinem Repertoire, denn seine Stimme war damals noch recht hübsch, und er vermochte mit dem Falsett die Sopranstimme und im übrigen auch den Tenor darzustellen; außerdem imitierte er das ganze Orchester: Geigen, Hörner und Becken. Das war Shukows beste Zeit. Frei und ungebunden führte er das Leben eines künstlerischen Vagabunden; er hatte zwar nur winzige Einkünfte, wurde aber von den gastfreundlichen russischen Bauern gut behandelt und erntete auf den Dörfern dankbaren Beifall. Aber eines Abends hatte irgendein langer Lulatsch die Vorstellung lärmend unterbrochen und protestiert, weil das Stück in keiner Weise den Grundsätzen des Marxismus-Leninismus Rechnung trage. Er verlangte, daß Stephan Alexandrowitsch auf seiner Puppenbühne das Schicksal eines Stachanow darstelle oder die Heldentaten eines Eisbrecherkapitäns im Weißen Meer. Es war einer jener Männer mit schmalen Schläfen und Brombeersaft in den Adern, die schwer wie ein Hammer zuschlagen und deren es in jeder Partei eine ganze Menge gibt. Die Bauern hatten protestiert und versucht, den Störenfried zum Schweigen zu bringen, und es hatte eine heftige Rauferei gegeben. Das Ergebnis war: Sechs Monate Gefängnis für Stephan Alexandrowitsch, ohne daß er je verhört worden wäre. Eines Abends setzte man ihn ebenso unvermittelt wieder in Freiheit, aber seine Marionetten und die übrigen Requisiten sah er niemals wieder.

Kristiaschka unterbrach das Stricken und blickte mit einem zärtlichen Lächeln zu Stiva auf.

»Das ist eine sehr traurige Geschichte«, sagte sie, »ich hätte mir so gerne Ihr Marionettentheater angesehen; wenn Sie noch ein paar Puppen hätten, müßten Sie für mich ganz allein spielen.«

Stephan Alexandrowitsch starrte düster vor sich hin, spuckte auf die Erde und musterte dann seine Fingernägel, wie man es wohl tut, um abergläubisch das Schicksal zu beschwören oder einem guten Wunsch Erfolg zu sichern. Danach war er in größtem Elend von Dorf zu Dorf geirrt und hatte bei den Feldarbeiten geholfen, sich aber nie lange an einem Ort aufgehalten. Man schätzte ihn nicht sehr als Arbeitskraft, denn ein Künstler ist nun einmal zur Landarbeit nicht sonderlich geeignet. Dennoch ging es in der warmen Jahreszeit einigermaßen; im Winter war es viel schlimmer, er lebte von Almosen, und es war oft so, als wolle er aus den Haaren, die auf einem Ei wachsen, eine Mütze spinnen. Mitten im kältesten Winter hatte er das Glück, auf einen Popen zu treffen, dem er als eine Art Mädchen für alles diente. Er fegte die Kirche, wirkte als Küster und fabrizierte falsche Reliquien. Nach einer langen Reihe weiterer Abenteuer war er schließlich zu Kreuze gekrochen und hatte, vom Leben besiegt, abgedankt. Er hatte sich um eine feste Anstellung in der Verwaltung bemüht und dabei wohl gehofft, wegen seiner Französisch-Kenntnisse aus der Schule und der Bekanntschaft mit der deutschen Sprache aus den Jahren der Gefangenschaft, im Außenministerium Verwendung zu finden; aber man hatte ihn in die Zentrale der Sozialversicherungen gesteckt und ihm die eintönigste Arbeit anvertraut. Das waren dann düstere und obendrein magere Jahre geworden, mit elender Bezahlung; Mutter und Bruder hätten ihm wohl helfen können, aber ihre Herzen waren so hart, daß man meinen konnte, sie wären aus Eis. Eine einzige Erinnerung aus dieser Zeit war ihm noch ganz gegenwärtig: Er hatte ein scheuendes Pferd angehalten; trotz seiner schwachen Konstitution hatte er keine Angst vor Pferden, denn er hatte bei der Artillerie gedient und wußte, wie man mit ihnen umgehen mußte. Dieses Pferd jedoch war wie irr weitergerannt, und da Stephan nicht losgelassen hatte, war er über eine halbe Werst weit mitgeschleppt worden. Dann endlich hatte das Pferd sich beruhigt, Stephan hatte es am Zügel genommen und versucht, den Eigentümer ausfindig zu machen, was nicht so einfach war, denn ringsum wogte hohes Getreide, und niemand war zu sehen. Als er schließlich auf einen Weg gelangte, sah er sich einigen Bauern gegenüber, die bei seinem Anblick in wildes Geschrei ausbrachen: »Haltet den Dieb ... Da ist ja der Pferdedieb ... Warte, mein Bürschchen!« schrien sie und drangen auf ihn ein. Sie ließen erst von ihm ab, als er halb totgeschlagen im Straßengraben lag.

Ein anderes Mal – es war im ersten Jahr seiner neuen Beschäftigung – kam ein Mann zu ihm ins Büro; ein Arzt, der sehr herausfordernd auftrat. Es war eben Büroschluß, und Stephan beeilte sich, mit einer endlosen Addition zu Rande zu kommen. Er bedeutete, immerfort Ziffern vor sich hin murmelnd, daß er im Augenblick nicht unterbrechen könne; aber der Arzt nahm dies übel auf und machte so laute Bemerkungen über die Bürokratie in der Sowjetunion, daß Stephan schließlich den Faden seiner Rechnerei verlor und selbst wütend wurde. Er schrie, daß die Bürozeit abgelaufen sei und daß der Arzt am nächsten Tag wiederkommen solle. Das brachte jenen erst recht in Harnisch: Er begann, gegen die Beamten loszuziehen, die im Büro nichts anderes tun, als Privatbriefe erledigen und Gedichte für ihre kleinen Freundinnen schreiben, statt einem Bürger, der ein Recht darauf hat, die nötigen Auskünfte zu geben! Stephan verteidigte sich: Er schreibe wohl Gedichte, aber nur nach Dienstschluß, und sein Privatleben gehe niemanden etwas an. Der laute Wortwechsel rief den Abteilungsvorstand herbei, und Stephan Alexandrowitsch wiederholte, außer sich vor Wut, auch vor seinem Vorgesetzten, daß die Bürozeit längst abgelaufen sei. Um dies zu beweisen, zog er seine Taschenuhr, ein schon etwas verbeultes Familienerbstück mit Silberdeckel und weißem Emailzifferblatt, auf dem Vater Chronos dargestellt ist; auch eine Devise in lateinischer Sprache steht darauf: *Omnes vulnerant, ultima necat*, was soviel heißt wie: »Jede Stunde verwundet, die letzte aber tötet.« In seiner Wut, und da er ja nie besonders geschickt war, streifte er bei dieser Bewegung jedoch das Tintenfaß vom Pult, so daß es den Anzug des Arztes mit dunklen Flecken besprengte. Die Folgen dieser Ungeschicklichkeit, die jedermann für Absicht hielt, waren beträchtlich. Der Arzt, ob er nun die entsprechenden Diplome besaß oder nicht, hatte weitreichende Verbindungen; Stephan erhielt einen Verweis, und die ganze Angelegenheit wurde in seinem Personalakt vermerkt, so daß er von diesem Augenblick an nur noch lächerlich langsam aufrückte. Obendrein wurde von seinem winzigen Gehalt noch der Preis für einen funkelnagelneuen Anzug einbehalten, obwohl die Kleider, die der angebliche Arzt getragen hatte, schon reichlich schadhaft gewesen waren.

»So ist es immer«, sagte Stephan Alexandrowitsch, »nach jeder Revolution sinkt das Niveau der allgemeinen Moral bis auf den Nullpunkt...!«

Er gluckste dabei, das war seine Art auszudrücken, daß es besser sei, darüber zu lachen als sein Los zu beweinen; dennoch blieb es tragisch, daß eine künstlerische Natur wie er zu niedriger Verwaltungsarbeit verdammt wurde. Vielleicht aber wollte Stephan auch nur sagen, daß all das eben Vergangenheit sei, während die Sonne und Kristiaschkas Anwesenheit das Glück der Gegenwart, ja eine neue, wirkliche Poesie verkörperten.

Kristiaschka überlegte, daß Stiva sich vermutlich noch nie irgend jemandem so anvertraut hatte wie ihr, und daß er gerade sie dazu auserwählte, rührte sie. Sie meinte, die schöne Seele dieses häßlichen Mannes zu erkennen und sagte sich, es sei schade, daß er in der Öffentlichkeit einen Halbnarren aus sich mache. Wenn er doch nicht so häßlich gewesen wäre! Etwas weniger häßlich, hätte er manches Mädchen glücklich machen können, und es wäre schön, der Gegenstand seiner romantischen Liebesgefühle zu sein. Aber das waren nur Träume; in Wirklichkeit war er wohl trotz aller schönen Worte ein gewohnheitsmäßiger Schürzenjäger; das mußte man schon aus seinem Betragen gegenüber den Mitbewohnerinnen in Tante Eudoxias

Haus schließen. Wieder einmal erwies sich, daß es im Leben nicht richtig zugeht.

Stephan Alexandrowitsch unterbrach diese Gedanken durch den Bericht von einem weiteren Unglück, das ihm schon als Kind zugestoßen war, während er mit seinem ziemlich rücksichtslosen älteren Bruder spielte; aber er wurde in der Erzählung dadurch unterbrochen, daß eine Bande von Kindern, wild wie junge Welpen, im Galopp an der Bank vorbeisauste, wobei einer von ihnen sich des Pakets bemächtigte, das Kristiaschka abliefern wollte.

Stephan sprang auf, stieß einen wütenden Schrei aus und begann so heftig zu gestikulieren, daß ihm der Zwicker von der Nase fiel und an der Kette hin und her baumelte. Aber die kleinen Banditen waren schon unerreichbar fern und an der nächsten Ecke in der Menge der Passanten untergetaucht. Es war aussichtslos, sie zu verfolgen oder nach ihrer Spur zu suchen.

Eine kleine Gruppe von Gaffern sammelte sich um Kristiaschka, welche Mühe hatte, die Tränen zurückzuhalten.

»Wenn das kein Unglück ist...«, sagten die einen, und: »Da sieht man's wieder: die sowjetische Jugend!« die anderen, worauf ein dritter sofort zur Vorsicht mit solchen Aussprüchen mahnte. Stephans Herz war schwer von der Verzweiflung seiner wilden Steppenblume; er hätte all sein Blut hingegeben, wenn er dafür das gestohlene Paket zurückerhalten hätte, und die Unfähigkeit, zu helfen oder auch nur zu trösten, war ihm furchtbar. Er nahm Kristiaschka sachte am Arm und zog sie aus dem Park. Sie schluchzte leise und erklärte, daß sie es nie wagen würde, zu Tante Eudoxia zurückzukehren. Stephan Alexandrowitsch Shukow dachte angestrengt nach.

»Wir müßten einen Weg finden, Tante Eudoxia zumindest den Preis der Wolle zurückzuerstatten«, sagte er, »leider verfüge ich im Augenblick nicht einmal über drei Rubel, ich habe mich auf der Reise völlig verausgabt und erhalte erst in einer Woche wieder mein Gehalt. Ich kenne auch niemanden, bei dem ich mir etwas ausleihen könnte, und auf den einen Schuldschein der Landwirtschaftsanleihe kann ich zwar hundert Rubel gewinnen, aber die nächste Ziehung ist erst in drei Monaten.«

Sie gingen eine Weile schweigend nebeneinander her, dann sagte Stephan halblaut und wie zu sich selbst:

»Ein Mittel gäbe es ja, zu Geld zu kommen: Man müßte sich in einem Park vom Hund einer braven Bürgersfrau beißen lassen... Man kann jeden Hund reizen, ohne daß sein Besitzer die

Absicht bemerkt, und das bringt zehn bis zwanzig Rubel Schmerzensgeld. Schwieriger ist es schon, sich überfahren zu lassen, denn es darf ja niemand erkennen, daß es sich um Absicht handelt; wenn ein Radfahrer jemanden umwirft, so kostet ihn das fünf bis zehn Rubel. Früher, wie es mir ganz schlecht ging, habe ich das hin und wieder versucht. Nach langen Mühen hat mich schließlich ein uralter Hund gönnerhaft ins Bein gebissen, aber die Frau, die danebensaß, gehörte gar nicht zu dem Hund, der Hund gehörte niemandem, und so hatte ich nichts von der Sache als ein zerrissenes Hosenbein und die Genugtuung, daß ein Polizist den herumstreunenden Hund erschoß. Mit dem Radfahrer war es ähnlich: Ich wurde niedergestoßen, ohne daß mir viel geschah, aber es stellte sich heraus, daß der Mann das Rad soeben gestohlen hatte. Der arme Teufel ist zweifellos lange eingesperrt worden für diese Sache, und mir blieb als Andenken die Narbe am Knie.«

Zum Beweis, daß er nicht lüge, blieb Shukow stehen, zog das Hosenbein hoch und zeigte Kristiaschka die Spur jener alten Verletzung an seinem weißen Knie. Kristiaschka mußte trotz der Tränen lachen. Nein, sie wollte nicht der Anlaß sein, daß Stephan Alexandrowitsch sich abermals auf so gefährliche Weise Geld verschaffte. Noch ehe sie ausgeredet hatte, schien ihm jedoch ein Einfall gekommen zu sein, denn er schlug sich an die Stirn: Fand man im Augenblick keine Lösung, so brauchte man ja nichts anderes zu tun, als die ganze Angelegenheit zu vertagen. Jene Frau, bei der Kristiaschka die Strickwaren abliefern wollte, wußte ja gar nicht, daß sie eine Lieferung erhalten sollte; von dieser Seite war also nichts zu fürchten. Kristiaschka mußte nur sagen, sie hätte alles richtig abgeliefert und die Bezahlung werde in einigen Tagen erfolgen.

»Und wenn Tante Eudoxia nun hingeht und das Geld selbst holen will?« sagte Kristiaschka.

»Wir erklären ihr eben gleich, daß jene Frau vorhat, für einige Tage zu verreisen«, antwortete Stephan, der um Ausreden nie verlegen war, und Kristiaschka fügte sich schließlich diesem Plan trotz seiner offensichtlichen Mängel. Was sollte sie auch anderes tun? Nun war doch wieder Hoffnung, und sie drückte fest und dankbar Stephans Hand, dessen Mitgefühl sie tief bewegte.

»Außerdem«, erklärte Stephan schließlich, »hat es keinen Sinn, sich allzuviel Sorgen zu machen: Die Dinge entwickeln sich immer anders, als man glaubt; denke nur an die Erfahrungen, die ich gemacht habe, ein Mann, den man immerhin für tot auf dem Schlachtfeld ...« Er vollendete den Satz nicht, denn er schämte sich, daß er sich auch im vertrauten Gespräch mit Kristiaschka zu den billigen Scherzen hinreißen ließ, mit denen er sich die Umwelt vom Leib hielt.

Kristiaschka kehrte nach Hause zurück, und Stephan folgte ihr in vorsichtiger Entfernung, um nicht mit ihr zugleich das Haus zu betreten, was Tante Eudoxias Argwohn erregt hätte. Als das Mädchen den Gang betrat, hörte sie schon streitende Stimmen und dazwischen Ninas Schluchzen. Tante Eudoxia öffnete auf Kristiaschkas Klopfen; ihre grauen Haare waren in Unordnung, und ihre Augen blitzten wütend.

»Ach, du bist es«, rief sie, »du kommst eben recht, um Nina zu trösten, dieses Miststück!«

Kristiaschka, die eine neue Katastrophe ahnte, folgte Tante Eudoxia klopfenden Herzens ins Zimmer. Dort lag Nina wie ein Häufchen Elend auf dem Sofa, ihr Gesicht war naß von Tränen. Tante Eudoxia berichtete schnell, was sich ereignet hatte: Nina war vom Büro nach Hause gekommen, und zwar schon vor der gewohnten Zeit. Sie war blaß und schien erregt, aber es war unmöglich, auch nur ein Wort aus ihr herauszubekommen. Sie hatte sich in ihr Zimmer zurückgezogen und dort heimlich zu weinen begonnen. Als Tante Eudoxia schließlich zu ihrer Nichte hineinging, um sie zu trösten, fand sie diese am Tisch sitzen, den Kopf auf den gekreuzten Armen, und hemmungslos schluchzen. Vor ihr stand die Fotografie eines Fliegeroffiziers. Immer noch schluchzend, hatte Nina dann alles gebeichtet ...

Als Tante Eudoxia in ihrem Bericht bis zu diesem Punkt gelangt war, klopfte es abermals an der Tür, und sie mußte unterbrechen. Es war Stephan, der ein Mädchen weinen gehört hatte und natürlich annahm, es sei Kristiaschka und es handle sich um die gestohlenen Strickwaren. Er stieß Tante Eudoxia beiseite und stürmte ins Zimmer, wo er Nina in Tränen aufgelöst fand und Kristiaschka, die noch nichts begriffen hatte, aber der Freundin beruhigend über das Haar strich.

Tante Eudoxia begann also die Geschichte noch einmal von vorne, und es stellte sich heraus, daß Nina von jenem Offizier, den sie liebte und dem sie verlobt war, einen Brief erhalten hatte; einen Brief, in dem er schrieb, er müsse noch in dieser Nacht Rußland verlassen, er sei abkommandiert, um am Krieg in Spanien teilzunehmen.

Nina richtete sich auf, trocknete ihre Tränen und rief anklagend:

»Und diese alte Hexe hat mir dazu erklärt, daß er sich zweifellos freiwillig gemeldet hat, denn am Krieg in Spanien nähmen nur Freiwillige teil. Mischa müßte sich also gemeldet haben, um mich nicht mehr sehen zu brauchen und um nicht gezwungen zu sein, mich zu heiraten!«

»Genau das habe ich gesagt, und das halte ich auch aufrecht!« rief Tante Eudoxia.

Nina sprang auf und trat wütend vor die Tante hin:

»Dabei weiß ich genau, daß er todunglücklich ist, daß er weg muß!«

»In einem Brief kann man auch den Unglücklichen spielen«, meinte Tante Eudoxia, »das ist gar nicht so schwierig.«

»Trotzdem«, widersprach Nina, »alles, was du sagst, ist unlogisch. Wenn er mich nicht heiraten will, so braucht er doch deswegen noch nicht in den Spanienkrieg zu gehen. Er kann sich ja mit mir aussprechen. Ich habe Stolz genug, um mich nicht einem Mann an den Hals zu werfen, der mich nicht mehr will ... Aber selbst wenn ich nicht so stolz wäre: Ich habe ja gar kein Mittel, ihn dazu zu zwingen, da ich schließlich kein Kind von ihm erwarte!«

»Wenn ich dich richtig verstehe«, sagte Tante Eudoxia, der plötzlich die Beine schwach geworden waren, so daß sie sich schnell auf den Diwan gesetzt hatte, »wenn ich dich richtig verstehe, so deutest du damit an, daß du und er ... Wie die Hunde ...!« Sie beendete den Satz nicht, sondern barg das Gesicht in den Händen.

»Genau das«, schrie Nina. »Wir haben miteinander geschlafen, und nicht nur ein einziges Mal!« Nach diesen Worten wandte sie sich ab, warf sich neben der Tante auf den Diwan und brach abermals in Tränen aus.

Kristiaschka und Stephan, die stummen und machtlosen Zeugen dieses Dramas, hielten sich abseits. Endlich fragte Kristiaschka:

»Es ist also Krieg in Spanien, Stiva?«

»Ja«, antwortete Stephan, »ich werde es dir noch erklären ... Kleine Ursachen, große Wirkungen ..., nein, im Gegenteil: Ich will sagen, große Ursachen, kleine Wirkungen ..., jedenfalls siehst du, meine liebe Steppenblume, daß der Bürgerkrieg in Spanien uns jede Frage über die gestohlenen Stricksachen erspart!«

Er warf Kristiaschka verstohlen eine Kußhand zu und verdrückte sich in den zu dieser Stunde menschenleeren Gang. Er eilte die Stiege hinauf und verkroch sich in seiner Dachkammer, wo er nach einigem Suchen den deutschen Bierkrug mit dem Bildnis des Generals Ludendorff aus einer Lade kramte. Immer noch in Eile, lief er dann wieder hinunter auf die Straße, mußte aber bald seinen Schritt mäßigen, denn die Reserven eines Mannes, der zwanzig Jahre zuvor für tot auf dem Schlachtfeld liegengeblieben war, sind nicht mehr unerschöpflich. Steifbeinig und mit umkippenden Knöcheln marschierte er durch die Straßen bis zu dem Altwarenmarkt der Stadt. In einigen windschiefen Buden auf einem unbebauten Geländestück wurden zahllose Gegenstände feilgeboten, die auf den ersten Blick für jedermann wertlos waren: Alte Küchengeräte, schadhafte Einrichtungsgegenstände, alte Kleider, schiefe Möbel und anderes. Vor jeder dieser Hütten stand ein Verkäufer oder eine Verkäuferin, Menschen, denen die Not ins Gesicht geschrieben war oder die irgendwelchen Träumen nachhingen. Sie nahmen wohl an, daß sie mit dem Rest ihrer Habe den Grundstock eines kleinen Handels hätten, von dem sie leben könnten, und sie hofften auf den Verkauf der wenigen Dinge, die sie über den Bürgerkrieg und die Revolution hinweg gerettet hatten. Es waren die kläglichen Reste dessen, was einst ein Heim gewesen war; Plünderungen hatten sie vermindert, Feuersbrünste waren über sie hinweggegangen, die Zeit hatte an ihnen genagt.

Zwischen den Bergen dieser armseligen Dinge, die dem flüchtigen Blick wie Abfallhaufen erscheinen mochten, die nur auf den großen Besen warteten, flanierten die Spaziergänger und die Kauflustigen wachsamen Auges, aber den Mund von unwiderstehlichem Ekel verzogen. Sie nahmen bald diesen, bald jenen Gegenstand auf, um ihn zu prüfen, und setzten den unverdrossenen Lobsprüchen der Verkäufer ihr verächtliches Lächeln entgegen. Schönheit und Erhaltungszustand des zweifelhaften Objekts waren einige Minuten lang Gegenstand einer Diskussion, dann wurde das unschuldige Ding auf den Berg wartender Waren zurückgeworfen, und der Spaziergänger setzte seinen Weg fort, die Lippen im Ekel geschürzt. Er war nachdenklich geworden und suchte bei der nächsten oder übernächsten Bude die Gelegenheit zu einem günstigen Kauf, die inzwischen so selten geworden war, daß sie sich gar nicht mehr ergab.

Stephan pflanzte sich am Eingang des Altwarenmarktes neben einer fröstelnden Dame auf, die früher einmal zweifellos der besten Gesellschaft Rußlands angehört hatte; heute trug sie einen

offensichtlich selbstgeschneiderten Mantel, zu dem ein alter Tür-
vorhang das Rohmaterial abgegeben hatte. Diese Dame saß auf
einem Stuhl und hatte zu ihren Füßen eine kleine Sammlung
von Briefbeschwerern in verschiedenen Farben, deren Boden zu
einem Teil aus kleinen Bildchen, zum Teil auch aus verblaßtem
lilafarbenem Samt bestand. Auf Stephans anderer Seite bot ein
Bursche mit frechem Gesicht Einzelteile eines Fahrrades und drei
Paar sehr alter Stiefel an, die offenbar im Jahr 1812 französischen
Leichnamen von den Füßen gezogen worden waren; außerdem
hatte er noch ein ausgestopftes Gürteltier und einige Bände
einer Puschkin-Gesamtausgabe zu verkaufen.

Stephan gönnte weder der Dame zu seiner Rechten mit ihren
Briefbeschwerern noch dem unsympathischen jungen Mann, der
offenbar alles, was er anbot, zusammengestohlen hatte, einen
Blick, sondern hielt sich straff aufrecht und heftete den Blick auf
den Horizont, wo der Flußlauf eine schmale helle Linie bildete;
vor sich hielt er mit ausgestrecktem Arm den Bierkrug mit dem
Ludendorff-Bild, so starr und wortlos wie ein orientalischer Bettler die Almosenschale.

Eine brave Bürgersfrau irrte sich denn auch und legte im Vorbeigehen ein Kopekenstück in den Krug. Stephan wurde wütend
und vollführte mit seinem Prunkstück eine so heftige Bewegung,
daß die Münze in hohem Bogen durch die Luft flog; blaß vor
Zorn, erklärte er dazu, daß er nicht der Mann sei, irgend jemanden um Almosen zu bitten. Die Frau antwortete begütigend, daß
man sich ja schließlich irren könne, vor allem, da er in Haltung
und Kleidung durchaus nicht wohlhabend aussehe, sondern eher
wie ein Bettler. Stephan entgegnete, nun erst wirklich beleidigt,
daß sie über das Aussehen anderer Leute nicht zu Gericht sitzen
sollte, da sie doch selbst daherkam wie eine zerlumpte Kupp-
lerin.

Nun brach die gute Frau in gellendes Geschrei aus und drohte,
ihren Mann zu holen; dann werde man schon sehen, ob so ein
abgerissener Lump sie ungestraft beleidigen könne.

Menschen sammelten sich um die beiden Streitenden. Ein
kleiner Mann, der sich aber sehr aufrecht hielt und dessen langer grauer Schnurrbart vom Tabak angegilbt war, griff nach dem
Bierkrug, hielt ihn kennerisch unter die Nase, an der ein Tröpfchen hing, und nickte dann blinzelnd.

»Ja«, sagte er, »das erinnert einen an die gute alte Zeit... Ich
habe auch gegen Ludendorff gekämpft... Wo sind Sie denn gestanden, he?«

Es stellte sich heraus, daß der kleine Mann im Jahre 1916 Kompaniechef in einem anderen Regiment, aber in der gleichen Division gewesen war.

»Es muß traurig sein, sich von den lieben Kriegserinnerungen zu trennen«, sagte er düster. »Wieviel soll der Krug denn kosten, Kamerad?«

Stephan verlangte zehn Rubel, der alte Hauptmann gab ihm mit einer brüsken Bewegung den Krug zurück, vollführte eine regelrechte Kehrtwendung und trollte sich brummend; seinem Gemurmel war zu entnehmen, daß er die Abschaffung der Knute bedaure: Auf eine so übertriebene Forderung gäbe es nämlich keine andere Antwort als zehn Knutenhiebe!

Stephan spielte wieder einmal den stolzen Spanier und wandte sich zwei Komsomolzen in Uniform zu, die wissen wollten, wer eigentlich der General auf dem Bierkrug sei. Er behandelte sie als unwissende Grünschnäbel und beschimpfte sie so unflätig, daß die beiden Jungen verblüfft verschwanden.

Die kleine Ansammlung löste sich auf. Niemand blieb bei der hochgeborenen Dame stehen, die ihre Hände in die Ärmel zurückgezogen hatte und mit den Füßen den Boden stampfte, um sie zu erwärmen, aber der Jüngling mit dem Galgengesicht verhökerte tatsächlich nach langem Handeln ein Paar seiner Stiefel.

Die Minuten verstrichen, wurden zu Viertelstunden und schließlich zu einer Stunde. Der Hauptmann, der Ludendorff bekämpft hatte, tauchte wieder auf; er gab sich als absichtsloser Spaziergänger, und neben ihm ging diesmal ein dicklicher Mann, der ein Käppi aufhatte und dessen Hosen an viel zu langen Trägern hingen, so daß der Bund unter dem Bauch saß. Stephan tat, als kenne er den Hauptmann nicht, aber dieser trat auf ihn zu und erklärte, er bringe einen Kriegskameraden mit, der den Krug gerne ansehen würde. Stephan antwortete nichts, sondern reckte den beiden nur mit bösem Gesicht sein Prunkstück entgegen. Der Dicke befingerte den Krug grinsend, drehte ihn hierhin und dorthin, öffnete den Deckel, tat, als wolle er trinken und spuckte gleich darauf wütend aus, weil der Krug so staubig war. Schließlich bot er fünf Rubel, nicht etwa, weil der Krug soviel wert sei, sondern nur, weil es sich eben um eine gemeinsame Erinnerung handle. Stephan antwortete, daß er doch zum Teufel gehen solle mit seinen fünf Rubeln; er lasse sich nicht hereinlegen, auch nicht von einem Kriegskameraden. Endlich, nachdem man lange debattiert hatte, einigte man sich auf sechseinhalb Rubel.

»Sechs Rubel und fünfzig Kopeken!« erklärte Stephan Alexandrowitsch. »Das ist mein äußerster Preis.«

Der Dicke legte bedauernd das Fünfzig-Kopeken-Stück zu den sechs Rubeln in die offene Fläche seiner schmutzigen Hand und ließ alles in Stephans Hand gleiten, der das Geld sogleich in die Tasche schob und mit einemmal ganz fröhlich wurde. Rasch und elastisch und ohne in den Knöcheln umzukippen, begab er sich nach Hause und pfiff eine Melodie, die eine entfernte Verwandtschaft mit Michael Glinkas Oper *Ruslan und Ludmilla* nicht verleugnen konnte.

Kristiaschka nahm die sechseinhalb Rubel entgegen, ohne sich zu fragen, auf welche Weise Stephan sie aufgetrieben haben mochte. Sie hatte schon wieder, und zwar mit doppelter Geschwindigkeit, zu stricken begonnen; Nina war vom Kummer überwältigt eingeschlafen, und Tante Eudoxia hatte einen besonders schwierigen Kunden bei sich: einen rauhen Landmann, der wissen wollte, wann seine immerzu kränkliche Frau, die zu nichts mehr nütze war und nur Kosten verursachte, endlich sterben werde.

So nahm das Leben seinen Lauf, der stets nur für kurze Zeit friedlich genannt werden konnte. Stephan ging allmorgendlich ins Büro, aus dem er auf Engelflügeln heimkehrte, um seiner Sixtinischen Madonna nahe zu sein – das war der neue Name, den er seiner geliebten Steppenblume gegeben hatte. Allabendlich erzählte er einige ehrfurchtslose Anekdoten über die Bräuche und Absurditäten der Bürokratie. Nina hingegen irrte nach Büroschluß oft noch lange Zeit durch die Stadt, um ihren Kummer im Alkohol zu ertränken, aus dem er jedoch immer wieder an die Oberfläche stieg; dazu rauchte sie eine Unzahl Zigaretten, denen es aber ebensowenig gelang, ihre Nerven zu beruhigen. Mischa hatte noch nicht einen einzigen Brief geschrieben, seit sie ihn in Spanien wußte.

Tante Eudoxia erklärte gallig, daß dieses Schweigen ein Beweis dafür sei, daß er mit Nina brechen wolle, und Stephan widersprach mit dem Hinweis darauf, daß die sowjetischen Freiwilligen in Spanien schon aus Gründen der Geheimhaltung nicht schreiben dürften. Das bot immer wieder Anlaß zu heftigem Streit.

Eines Tages hatte Kristiaschka im Gespräch ahnungslos den Namen Frol Lubitschin fallenlassen. Tante Eudoxia fuhr auf, spitzte die Ohren, ging zur Tür, um zu sehen, ob jemand auf dem Gang sei, und flüsterte Kristiaschka dann zu:

»Sprich diesen Namen nie vor Menschen aus, die du nicht sehr gut kennst; der Mann könnte dir heute noch sehr schaden, denn es ist nicht gut, wenn man zu seinen Freunden gehört hat!«

»Ich habe nicht zu seinen Freunden gehört, o nein«, protestierte Kristiaschka, »aber wir haben natürlich alle Frol Lubitschin gut gekannt... in so einem kleinen Dorf!«

Tante Eudoxia machte »Pst!« und legte den Finger auf den Mund; dann ließ sie den Blick argwöhnisch über die Wände gleiten, von denen man ja nie wußte, ob sie nicht Ohren hatten. Endlich zog sie Stephan Alexandrowitsch und Kristiaschka ganz nahe zu sich heran und vertraute ihnen geheimnisvoll flüsternd an, daß Frol Lubitschin zu jenen Parteileuten gehöre, die bei der letzten Reinigung ausgestoßen worden seien.

»Pst!« machte Tante Eudoxia vielsagend. »Verschwunden, unauffindbar! Das Geräusch von Stiefeln in der Nacht, ein Auto von der GPU, Moskau, die Lubljanka, und dann nichts mehr...! Für Frol Lubitschin, der ja nur ein kleiner Mann war, bedeutet das vielleicht Alma Ata oder Kolima, irgendeinen Ort im hohen Norden, es läuft ja alles auf dasselbe hinaus...«

Tante Eudoxia war erstaunlich gut unterrichtet, offenbar durch ihren Freund, den abergläubischen Bonzen, der ihr vermutlich so manches Geheimnis anvertraute. Er war übrigens immer noch gut angeschrieben und saß fest auf seinem Posten.

Flüsternd erzählte Tante Eudoxia weiter; sie berichtete, daß der Marschall Tuchatschewsky füsiliert worden sei, und sie kannte auch die Hintergründe dieser Affäre.

»Geschieht ihm nur recht«, erklärte Stephan ungerührt, »er war ein kleinadeliger Offizier, der sich aus Ehrgeiz den Bolschewiken angeschlossen und die Seeleute von Kronstadt auf dem Gewissen hat.«

Tante Eudoxia legte abermals den Finger an die Lippen und schärfte den beiden ein, den Namen Frol Lubitschin ja nicht mehr auszusprechen. Kristiaschka versprach es, obwohl sie von all dem überhaupt nichts verstanden hatte: Weder von der GPU noch von der Verschickung ins Polargebiet oder gar von der Geschichte jenes Marschalls mit den Seeleuten von Kronstadt; für sie war das alles ebenso verwirrend und unklar und obendrein uninteressant wie der Krieg in Spanien, so daß sie sogar vergaß, sich von Stephan nähere Erklärungen zu erbitten.

Am nächsten Morgen fühlte Stephan Alexandrowitsch sich elend; seine Zunge war geschwollen, und seine Wangen brannten. Er glaubte zunächst, die Gelbsucht zu haben, aber die Spiegel-

scherbe, deren er sich bediente, zeigte ihm ein hochglühendes
Gesicht, das obendrein noch gesprenkelt war.

Mir stockt eben das Blut, sagte er sich, es kann ja auch nicht
gesund bleiben in dieser schlechten Büroluft. Ich bedarf einer
gründlichen Reinigung wie die Partei!

Er stürzte zum Kassenarzt, der eine bösartige Nesselflechte kon-
statierte, Stephans Gesicht mit einer bläulichen Flüssigkeit be-
pinselte und ihn für vier Tage krank schrieb.

Den Schal bis zur Höhe der Augen um das Gesicht gewunden,
kehrte Stephan Alexandrowitsch in seine Dachkammer zurück
und hütete sich, den Damen unter die Augen zu kommen; er
wollte sich so entstellt nicht vor ihnen zeigen. Abends jedoch
klopfte Kristiaschka an seine Tür, weil sie von seinem Ausbleiben beunruhigt gewesen war.

»Herein«, rief Stephan und maskierte sich mit einem Hemdärmel. Kristiaschka trat, verschreckt von diesem gespenstigen
Anblick, einen Schritt zurück, aber Stephan beruhigte sie durch
eine Handbewegung, berichtete von seinem neuesten Mißgeschick
und beschwor sie, wieder zu gehen. Aber Kristiaschka setzte sich
auf sein Bett, und Stephan mußte, durch den Hemdärmel geschützt,
von seinem Besuch bei dem Kassenarzt erzählen, über den er
sich gründlich mokierte, weil er in ihm nicht viel anderes als
einen Heilgehilfen sah. Über seine eigenen Scherze lachte er so
heftig, daß die schützende Hülle von seinem Gesicht glitt, aber
Kristiaschka versicherte ihm sogleich, es sei gar nicht so schlimm:
Er könne sich ruhig auch in dieser blauen Bepinselung zeigen,
das ändere nichts an ihrer Freundschaft für ihn.

Daraufhin erzählte nun Stephan die Geschichte vom Blau-
bart, die Kristiaschka nicht gekannt hatte; sie hörte gespannt
und zitternd zu und ging schließlich, um dem Kranken eine Tasse
Tee zu bereiten. Danach ließ sie sich wieder an seinem Bett nieder, das im Grunde nur aus einigen Strohsäcken bestand, und
sie beglückwünschte ihn zu der geschickten Dachreparatur.

»Im allgemeinen verstehen Künstler, vor allem Poeten und
Musiker, sich ja nicht auf diese Arbeiten«, sagte Shukow, »aber
ich war schließlich bei der Artillerie, und als Artillerist muß
man in diesen Dingen geschickt sein.«

In den vier Tagen seines Krankenurlaubs verließ Kristiaschka
ihn stets nur für kurze Zeit. Da seine Kammer über keinen Stuhl
verfügte, strickte sie auf dem Boden sitzend, brachte ihm zu essen
und pinselte ihm das Gesicht ein, ohne daran zu denken, daß
diese Krankheit ja ansteckend sein könne.

Stephan Alexandrowitsch fühlte sich im siebenten Himmel und sah in ihr einen wahren Engel der Nächstenliebe. So häßlich und so ekelerregend er auch war, für sie blieb er doch immer derselbe, der Mann, der dank einer Bekanntschaft im Eisenbahnabteil seine Illusionen wiedergefunden hatte. Sie sah nicht das Methylenblau und nicht seinen struppigen Bart, sondern nur seine innere Schönheit, und diese war es ja auch, die bei einem Mann zählte. Wie anders war Kristiaschka als Nina, diese dumme Gans, und Tante Eudoxia, die alte Löwin, die schon reif war für die Verarbeitung als Bettvorleger; gewiß, auch sie waren gekommen, um nach Stephan Alexandrowitsch zu fragen, waren aber angewidert zurückgewichen, als sie durch den Türspalt sein mephistophelisches Gesicht erblickt hatten.

Auf dem Höhepunkt seiner Verzückung wagte Stephan den Gedanken, daß es von der Zärtlichkeit zur Liebe schließlich nur ein Schritt sei; ein Schritt, den – warum nicht – seine Sixtinische Madonna früher oder später vielleicht wagen würde. Er segnete seine Krankheit als eine Prüfung, die das Schicksal Kristiaschka auferlegt habe, um ihm zu zeigen, was für ein unvergleichlicher Mensch diese mitfühlende Madonna sei. Freilich sagte er sich auch, daß es sich um eine höchst ungewöhnliche Verbindung handle, denn sie mußte eine wahrhafte Madonna genannt werden, und er war im Grunde doch nur ein elender Hilfssekretär achter Klasse in der Sozialversicherung.

Eines Abends, als Kristiaschka sich zum Heilmitteldepot begab, um ein Fläschchen Methylenblau zu holen, wäre sie beinahe von einer großen Limousine mit Chauffeur überfahren worden, deren plötzliches Bremsengekreisch sie beiseite springen ließ. Hinter einem Wagenfenster war daraufhin das Gesicht einer Frau aufgetaucht, in der Kristiaschka ihre Schwester Ljuba erkannt hatte.

»Kristiaschka!« rief sie. »Was machst denn du hier in der Stadt... Komm doch her!«

Kristiaschka näherte sich. Im Fond des Wagens saß neben Ljuba ein dicker Mann, der gut gekleidet war und glasige Augen und ein blasses Gesicht hatte; eine schwarze, ölige Locke fiel unter der Uniformmütze in seine Stirn, und er lächelte, aber sein Lächeln konnte die Härte, ja Wildheit des Gesichtes nicht mildern.

»Gestatte, daß ich dir meinen Mann vorstelle«, sagte Ljuba, deren Kleid Kristiaschka als ein wahres Wunder erschien: Es war eigentlich kein Kleid, sondern ein Negligé aus ockerfarbenen

Spitzen, das der Mann mit dem harten Gesicht seiner Frau aus Stockholm mitgebracht hatte und von dem weder er noch sie wußten, daß es eine Frau nur in ihrem Heim tragen durfte. Allerdings hatte Ljuba unter die Spitzen ein Unterkleid angezogen. Um ihre Schultern lag ein Persianercape, und ihre Lippen waren ganz leicht geschminkt, viel diskreter als jene Ninas an ihren freien Tagen. Ljuba trug die Haare lang und hatte die Zöpfe um den Kopf gewunden.

Es kam zu keinem langen Gespräch, weil Ljubas Gatte erklärte, man dürfe sich nicht verspäten, das Bankett habe zweifellos schon begonnen. Ljuba ließ sich von seinem bösen Gesicht nicht einschüchtern – sie behandelte ihn offenbar so, wie Kristiaschka einst auf der Weide das Hornvieh behandelt hatte – und widersprach ohne Scheu: Man habe noch eine ganze Menge Zeit. Daraufhin schwieg ihr Mann, und Ljuba erkundigte sich, ob sie Kristiaschka vielleicht ein Stückchen mitnehmen und dann irgendwo absetzen könne. Da dies nicht der Fall war, mußte Kristiaschka versprechen, Ljuba zu besuchen, und erhielt ein Kärtchen mit der Adresse. Dann fuhr das Automobil ab. Kristiaschka blieb reichlich verblüfft zurück und sagte sich, daß im Leben offenbar auch schlechte Sitten guten Lohn fänden.

Sie ging jedoch trotz der Einladung nicht zu ihrer Schwester und erzählte niemandem von dieser Begegnung, nicht einmal Stiva.

IV

Jiggs lachte über Squirrel, weil dieser nicht imstande war, einen Bullen in Zivil zu erkennen; Squirrel war Buddy, Jiggs hatte ihm diesen Namen gegeben, weil es sich nun einmal so gehörte: Jedes Bandenmitglied erhielt einen Spitznamen; das sollte bedeuten, daß man mit dem Tag, an dem man ein Vampir wird, auch ein anderer Mensch wird, so wie die Könige, wenn sie einen Thron besteigen, nur noch einen Vornamen und eine Nummer haben.

Wäre das Amt eines Präsidenten der Vampire erblich, so könnte Jiggs einen Nachfolger haben, der sein Sohn sei. Dieser müßte sich dann Jiggs II. nennen, das wäre natürlich lustig, aber bei den Bandenchefs war das nun einmal nicht so wie bei den Königen. Vor allem aber: Wenn ein ehemaliger Bandenchef einmal alt genug ist, um Kinder zu haben, erinnert er sich kaum noch daran, daß er einst eine Bande Jungens kommandiert hat. Es ist komisch genug, was man alles vergißt, wenn man älter wird, aber Jiggs schwor sich täglich, daß er nicht schlapp machen würde wie die anderen, wenn er einmal in das bürgerliche Alter käme.

Jiggs also hatte Buddy Squirrel genannt, was soviel hieß wie Eichhörnchen; dies hing damit zusammen, daß Buddy die Eisenklammern des hohen Kamins so flink hinaufgeklettert war. Lizzie, die immerzu widersprechen mußte, hatte natürlich eingewendet, daß ein Vampir nicht zugleich ein Eichhörnchen sein könne, das wäre ein gar seltsames Tier. So fuhr sie denn fort, ihn Buddy zu nennen, während die anderen Mitglieder der Bande ihn Squirrel nannten; ihm selbst war es gleichgültig, ob man ihn so oder anders rief, nur wenn jemand Squirrel sagte, so wußte er manchmal nicht gleich, daß er gemeint war. Außerdem stand fest, daß er Lizzie schon darum liebte, weil sie ihn immer noch Buddy nannte; damit war etwas zwischen ihnen, das nur ihnen beiden gehörte.

»Ich kann's ja nicht verstehen, Squirrel, daß du die Bullen in Zivil nicht erkennen kannst«, sagte Jiggs, »schau dir den Kerl doch an, da drüben, tut so, als hätte er nichts anderes vor, als sich einen Wildwestfilm anzuschaun oder auf der Post Geld an seine Mutter einzuzahlen ... Wetten, daß das ein Bulle ist?«

»Woran erkennst du das?« erkundigte sich Squirrel.

»Kann ich nicht sagen ... Das muß man spüren. Ein Kennzeichen gibt's ja: die Augen. Schau dir die Augen an, sie sehen aus wie Austern, hell, schwammig und kalt. Solche Augen hat niemand, der nicht ein Bulle in Zivil ist.«

»Aber es muß doch auch welche geben, die schwarze Augen haben wie du und ich?«

»Gibt's auch, aber im Dienst machen sie trotzdem Austernaugen, das wirst du schon noch sehen. Es braucht eine Zeit, bis man's lernt. Bei mir war es anfangs genau wie bei dir, aber ich habe schnell gelernt.«

Sie gingen langsam an dem Geheimen vorbei, der am Gehsteigrand stehengeblieben war. Er hatte ein Zündholz zwischen den Zähnen, die Hände in den Taschen seines Überrocks und den Hut in den Nacken geschoben; sein Blick schien irgendwo in der Ferne zu hängen wie der eines Mannes, der vor sich hin träumt oder doch an nichts Bestimmtes denkt, nicht an den nächsten Wildwestfilm und auch nicht an die Geldsendung für seine Mutter, sondern an irgend etwas ganz Unbestimmtes: an eine längst verflossene Liebschaft, an einen neuen Wagen, eine Reise zu den Niagarafällen oder die Ermordung des Präsidenten Lincoln.

»Links unter der Achsel haben sie den Revolver«, erklärte Jiggs, »das macht einen kleinen Buckel unter dem Rock, aber man muß genau hinsehen, um ihn zu erkennen, denn die Schneider sind da sehr geschickt. Wenn du einen Burschen siehst, der diesen komischen Blick hat und einen auffallend weiten Rock, so kannst du ziemlich sicher sein, daß er ein Geheimer ist!«

Squirrel schnitt eine Grimasse, die wohl ausdrücken sollte, daß er sich für unfähig hielt, jemals einen Bullen in Zivil zu erkennen. Sie gingen bis an die nächste Ecke.

»Bist du dem da aufgefallen?« erkundigte sich Squirrel. »Glaubst du, daß er dich angeschaut hat?«

»Die schaun jeden an, diese Hunde ... Sie machen es so wie die Typen in den Casinos, du hast es im Film sicher schon gesehen, die Türsteher in Miami oder Las Vegas: Die sehen dich mit ihren Röntgenaugen an, mit dem unschuldigsten Blick und dem nettesten Grinsen, und dabei registrieren sie ganz genau, wieviel Piepen du in der Tasche hast.«

»Und wenn so ein Bulle dich anschaut..., ist dir das ganz egal?«

»Klar, Mensch, man wird doch noch spazierengehen dürfen! Außerdem gibt's doch Hunderte Burschen wie wir. Trotzdem empfiehlt es sich, von Zeit zu Zeit den Weg zu wechseln, wenn wir Liefergänge haben...«

Sie gingen schweigend einige Schritte weiter, dann fuhr Jiggs fort:

»Es gibt noch einen anderen Trick, wenn du in der Subway zum Liefern fährst: Du mußt auf dem Bahnsteig bis zum letzten Augenblick warten und erst aufspringen, wenn der Zug schon abfährt; hat dich wirklich jemand verfolgt, so bleibt der Bulle zurück und hat das Nachsehen. Umgekehrt, wenn du selbst im Zug bist, und er bleibt an einer Haltestelle stehen, so darfst du erst aussteigen, wenn er schon wieder abfährt. Du springst noch schnell heraus, und der Bulle bleibt drinnen und ist der Dumme ... kapiert?«

»Und ob ich das kapiere«, sagte Squirrel mit dem Gehaben eines Burschen, der seiner sicher ist. Ja, es belustigte ihn beinahe, und die Vorstellung gefiel ihm, einen Geheimen abzuhängen, wie Jiggs es eben geschildert hatte; aber das Vergnügen daran war nicht ganz echt: Wenn er sich so richtig hineindachte, erwachte ein leichter Krampf in seinen Eingeweiden.

Mit dem unschuldigsten Gesicht, die Hände in den Taschen seiner grünen Bluse, verhielt Jiggs den Schritt vor einer Kreuzung. Er erkundete das Gelände mit raschen Blicken nach links und rechts: Ein paar Männer und Frauen waren wohl in Sicht, aber niemand, vor dem man sich fürchten mußte, nichts Verdächtiges. Die Luft war rein. Sie gingen auf die andere Straßenseite und schlugen die Richtung ein, aus der sie gekommen waren, immerzu im arglosen Bummelschritt, den Buddy sorgfältig imitierte.

»Hast du gut aufgepaßt?« erkundigte sich Jiggs. »Bevor du in das Haus hineingehst, gehst du erst einmal daran vorbei und kehrst nur um, wenn du sicher bist, daß die Luft rein ist!«

Buddy nickte zum Zeichen des Verstehens. Er gab gut acht und war durchaus bei der Sache. Er fühlte sich auch wohl im Freien, das Wetter war milde, und ein lauer Wind zeigte an, daß man schon bald auf Coney Island würde baden können. Es war allerdings viel angenehmer, an das Baden auf Coney Island zu denken als an die Lieferungen, bei denen man nicht geschnappt werden durfte. Aber er hatte ja keine Wahl. So war nun einmal die Freiheit: Sobald man sich dafür entschieden hat, einer Bande anzugehören – und es war ja sein freier Wille gewesen, denn er hätte schließlich auch ablehnen können, ohne daß sie ihn geradezu umgebracht hätten –, mußte man eben mitmachen, ohne aufzumucken, und dem Chef gehorchen. Jiggs war entschlossen, ihm beizubringen, wie die Lieferungen durchgeführt würden; folglich gab es für Squirrel keine andere Möglichkeit, als die Lektion zu lernen, und zwar so gut als möglich.

Vor einem niedrigen baufälligen Haus blieb Jiggs endlich stehen. Die vier Stock hohe Fassade war zweifellos seit Jahren nicht mehr renoviert worden. Nach einem letzten Blick die Straße hinauf und hinab trat Jiggs in den Hausflur und Buddy hinter ihm. Das Haus war scheußlich, viel scheußlicher als das, in dem Buddys Mutter wohnte. Es stimmte, daß sie nie in ihrem Leben im Waldorf-Astoria wohnen würde, aber es war ebenso wahr, daß es sowohl in Brooklyn als auch in Harlem Häuser gab, die viel schäbiger waren als jenes, das seine Mutter bewohnte. Hier war alles unglaublich schmutzig, und der Schmutz auf den Stufen war so alt, daß die Gummisohlen kaum Halt auf ihnen fanden. Unter dem Lastenaufzug war eine Grube, in die offenbar alle Mieter vom ersten bis zum vierten Stock ihre Abfälle warfen, und auf den abblätternden Wänden, deren ursprüngliche Bemalung nicht mehr feststellbar war, sprangen unanständige Zeichnungen ins Auge; manche von ihnen waren so hoch angebracht, daß ihre Urheber sich die Mühe gemacht haben mußten, eine Leiter herbeizuschaffen.

In jedem Stockwerk hörte man in das Stiegenhaus dringenden Lärm aus den Wohnungen. Eine Mutter brüllte ihre Kinder in einer Sprache an, die Buddy nicht verstand; ja, das ganze Haus widerhallte von Worten und Sätzen, von denen Buddy überhaupt nicht begriff, daß irgend jemand sie aussprechen konnte. Den Polacken und Jugos gelang es offenbar doch. Irgendwo wurden auch weichere Laute vernehmbar, eine ganz sentimentale Melodie – das war wohl Spanisch; Buddy verstand es nicht, aber er erkannte die Sprache der mexikanischen Schallplatten wieder. Er entsann sich auch eines komischen Kerls, den seine Mutter eines Tages zum Essen mitgebracht hatte: einen Mexikaner, der halbtot vor Hunger gewesen war und allerlei Geschichten wußte, einer jener Männer, die den Rio Grande durchschwimmen, um sich auf den großen Pflanzungen in Kalifornien als Obstpflücker ihr Geld zu verdienen. Man nennt sie »nasse Hemden«, weil sie auf diese Weise in die Staaten gelangen. Die Grenzwachen drücken ein Auge zu, wenn so billige Arbeitskräfte ins Land kommen, aber wenn sie wieder hinaus wollen, geht es nur selten ohne Fußtritt ab. Buddys Mutter hatte sich gefragt, wie es dieser Mexikaner ohne Papiere und ohne Arbeitserlaubnis bis New York geschafft hatte, und dort war er dann schließlich auch gescheitert. Ein anderes Mal war es ein Stromer aus Portoriko gewesen, denn die Portorikaner durften frei in die Vereinigten Staaten einreisen. Den hatte man mit einer ganzen Anzahl seiner Landsleute als Hilfsarbeiter angeworben. Es gab da Männer, die ihr Geld mit dieser menschlichen Ware verdienten und sie auf irgendwelchen alten Kähnen möglichst billig in die Vereinigten Staaten verfrachteten. Der Kasten, auf dem dieser Mann gefahren war, war jedoch schon zu alt gewesen und halb durchgerostet: Er war vor dem ersten nordamerikanischen Hafen gesunken, und dreiviertel der Männer waren dabei ertrunken. Der Mann, den Buddys Mutter aufgelesen hatte, war bei dieser Gelegenheit vierundzwanzig Stunden im Wasser gewesen, bis man ihn auffischte, und dabei noch nässer geworden als die Mexikaner, die durch den Rio Grande schwimmen. Buddy hatte das immer so nett gefunden an seiner Mutter: Sie hatte ein gutes Herz für diese Stromer, sie brachte sie von der Straße mit herauf, als sei sie von der Heilsarmee, und setzte ihnen eine warme Mahlzeit vor. Manchmal wünschte Buddy sich, daß sie zu ihm ebenso nett und freundlich wäre, und wenn er jetzt daran zurückdachte, so mußte er sich sagen, daß er in diesem Fall wohl bei seiner Mutter geblieben wäre.

Es stank rings um ihn nach angebrannten Speisen, nach Abwaschwasser und nach Waschküche. An den Wänden des Ganges stieg die Feuchtigkeit in grünen Flecken hoch, und nur hin und wieder mengte sich in diese Elendsgerüche der Hauch eines billigen Parfüms und der Duft von Reispuder. Es gab natürlich auch Mädchen in dieser Straße, hübschgekleidete Dinger, die so aussahen, als hätten sie sich gewaschen, und die man nicht geradezu Huren nennen konnte. Gingen sie an einem vorbei, so schwebte eine Wolke von Düften hinter ihnen her, und dennoch wohnten sie in widerlichen Höhlen, wie dieses Haus eine war. Sie waren so kokett, diese Mädchen, daß man sie in einem Schweinestall hätte unterbringen können oder auf einem Misthaufen, sie hätten dennoch eine Möglichkeit gefunden, sich nett und appetitlich herzurichten und durch die Straßen zu schweben, als bewohnten sie ein Appartement in der Fifth Avenue.

Im vierten Stock mündete nur noch eine einzige Tür auf den Treppenabsatz. An diese klopfte Jiggs in einem ganz bestimmten, offenbar vereinbarten Rhythmus: drei Schläge, eine Pause und dann wieder drei. In der Mitte der Tür, ungefähr in Augenhöhe, glänzte ein Stückchen Metall, so groß wie eine Aspirin-Tablette. Darauf wies Jiggs mit dem Finger und lächelte. Als Buddy den Grund für die Geste und das Lächeln nicht begriff, erklärte Jiggs, daß diese Vorrichtung besonders praktisch sei: Das Guckloch sei so klein, daß der Dahinterstehende zwar hinausblicken könne, dem Mann auf dem Gang jedoch selbst das Auge unsichtbar bleibe.

Hinter der Tür hörte man Stöckelschuhe herankommen, und dann wurde es einen Augenblick still: Das war die Sekunde, da das Guckloch in Aktion trat. Schließlich wurde der Riegel zurückgeschoben.

Ein Mädchen öffnete die Tür. Ein Mädchen mit hellbrauner Haut und dunklen Augen, aber platinblondem Haar. Wenn man genauer hinsah, konnte man freilich an den Wurzeln feststellen, daß sie eigentlich eine Brünette war; übrigens verrieten es auch die Augen. Sie trug ein eng anliegendes weißes Kleid, das an der Seite geschlitzt war, so daß man ein apfelgrünes Unterkleid mit schwarzer Spitze erblicken konnte. Sie neigte zur Fülle, hatte aber noch eine gute Figur, denn sie war noch jung; lange würde sie wohl nicht mehr so bleiben. Um den Hals trug sie ein Kettchen, das wie Gold aussah und von dem eine Muschel zwischen den Brüsten herabhing. Es war ein wenig überraschend, daß sie so etwas am Hals trug, was von Hawaii stammen konnte, da sie doch offenbar als Blondine gelten wollte; aber die Frauen sind nun einmal inkonsequent.

»Hallo, Baby«, sagte Jiggs, der sich offenbar so vertraulich gab, um Buddy zu imponieren.

»Ich habe dir schon gesagt«, antwortete die falsche Blondine, während sie die Tür schloß, »daß du noch ein paar Jahre warten solltest, bevor du angibst wie Paul Muni ... Und selbst dann, wenn du einmal alt genug bist, möchte ich dir empfehlen, dich noch ein wenig bleichen zu lassen. Aschanti!«

Sie hatte eine tiefe Stimme, eine jener Stimmen, die den Frauen aus dem Bauch zu kommen scheinen und den Männern bis in den Bauch hinabgehen.

»Schon gut«, sagte Jiggs, »die Platte kenn' ich. Ich stelle dir Squirrel vor, einen neuen Mann, der mich nächste Woche ersetzen wird!«

Das Mädchen maß Buddy vom Kopf bis zu den Füßen und pfiff dann geringschätzig.

»Kompliment, das nächstemal wirst du mir wohl einen Säugling anbringen!«

»Er ist unser Jüngster«, gab Jiggs zu, »aber er ist in Ordnung, und eben weil er so jung ist, wird niemand auf ihn achten. Ich weiß, was ich tue: Ich suche schon lange nach einem unverdächtigen Lieferanten für das Zeug ...«

»Du hältst dich wohl für einen kleinen Edison, Aschanti? Wenn du nur selber daran glaubst!«

Sie gingen aus dem Vorzimmer in einen größeren Raum, der wie ein Hotelzimmer aussah und ziemlich rein gehalten war. Das Parkett war gebohnert, an den Wänden hingen die Bilder von Schauspielerinnen und das Wappen der Yale-Universität, unter dem ein Sofa stand, das mit einem geblümten Stoff bezogen war. Genaugenommen war es eher eine Studentenbude als ein Hotelzimmer.

Das Mädchen nahm drei Gläser und zwei Flaschen aus einem Wandfach.

»Trinkt er schon, dein Kleiner?« erkundigte sie sich.

»Er fängt langsam an. Wenn ich ihm sage, daß er trinken soll, so trinkt er; stimmt's, Squirrel?«

Buddy nickte lächelnd. Er hatte zwar noch keine besondere

Vorliebe für Alkohol, aber er begann, sich an das Trinken zu gewöhnen, und wenn Jiggs ihn aufforderte zu trinken, so kam eine Ablehnung natürlich nicht in Frage.

Das Mädchen füllte die Gläser zur Hälfte mit Gin, zur Hälfte mit Coca-Cola, eine Mischung, die Buddy besonders scheußlich fand.

»Ist Luigi da?« fragte Jiggs.

»Nein«, antwortete das Mädchen, »er ist in Geschäften unterwegs. Aber er wartet schon seit drei Tagen auf dich. Er hat sogar Slim zu dir geschickt, aber du scheinst nicht zu Hause gewesen zu sein.«

»Ich war zu Hause«, sagte Jiggs nachlässig, »und habe das Klopfen auch gehört, aber ich hatte keine Lust...«

»Der Herr will sich wohl rar machen?«

»Nenn es, wie du willst!«

»Es ist nicht ungefährlich, mit Luigi solche Sachen zu machen. Er liebt das gar nicht...!«

»Na, wennschon; auf mich kann er doch nicht verzichten.«

»Niemand ist unersetzlich... Der Beweis dafür ist der Kleine da, den du uns als deinen Nachfolger präsentierst.«

»Den habe ich ausgebildet, er stammt aus meiner Schule und wird so arbeiten wie ich. Ich bringe euch schließlich nicht irgend jemanden. Lassen wir das; hast du alles?«

Das Mädchen trank sein Glas zur Hälfte leer. Buddy tauchte in das seine nur die Lippen. Nicht einmal ein Blumentopf war in Reichweite, in den er den Rest dieser widerlichen Mischung hätte schütten können, die in der Kehle wie Feuer brannte. Jiggs kippte den ganzen Inhalt seines Glases hinunter, wie es sich für einen Bandenchef ziemte.

»Dok wird es bringen«, sagte das Mädchen, »wundere dich nicht über sein Gesicht. Er hat Pech gehabt.«

»War es schlimm?«

»Nicht so arg. Der Dampf hat ihm das Maul versengt, das war alles, jetzt sieht er aus wie Sitting Bull. Er wird wohl noch drei oder vier Tage so herumlaufen. Er ärgert sich fürchterlich darüber, denn er kann damit nicht ausgehen: Die Polizei kennt diese Krankheit, und er würde auf der Straße auffallen wie eine rote Verkehrsampel!«

Das Mädchen stand auf und öffnete eine Tür im Hintergrund des Zimmers. Ein leichter, aber ekelerregender Apothekengeruch strich herein. Das Mädchen rief:

»He, Dok, Jiggs ist da!«

Man hörte, wie ein Schemel zurückgeschoben wurde, dann klirrte ein Eimer oder ein anderer Metallgegenstand. Schließlich erschien ein Mann in der Tür, von dem nichts zu sagen gewesen wäre, wäre er nicht rings um den Mund ganz rot gewesen. Es war nicht die Röte vollblütiger Menschen oder alter Alkoholiker, sondern ein unnatürliches, chemisches Rot, als habe man die Haut mit bestimmten Chemikalien eingepinselt. Im übrigen war der Mann keineswegs bemerkenswert, mittelgroß, weder schlank noch dick und mit jenem leicht gekrümmten Rücken behaftet, wie ihn Menschen haben, die in der Regel an einem Tisch oder Schreibtisch arbeiten. Er blinzelte, offenbar um seine Augen an etwas anderes zu gewöhnen, an etwas, wo man nicht so genau hinsehen mußte wie bei seiner Arbeit. Er trug einen weißen Arbeitsmantel, der nicht mehr ganz sauber, aber auch noch nicht ausgesprochen schmutzig war, begrüßte Jiggs durch ein Grunzen, erblickte Buddy und sah Jiggs daraufhin fragend an. Offenbar war er nicht sehr redselig, der Mann mit dem Indianermaul, aber da es ja praktisch keine Indianer mehr gab, verglich man seine rote Mundpartie wohl besser mit einem gesottenen Hummer.

»Das ist Squirrel«, sagte Jiggs erklärend, »ich bilde ihn aus.«

Der Mann, der Dok genannt wurde, verzog den Mund zu einem halben Lächeln.

»Lustig«, sagte er trocken zwischen den zusammengepreßten Zähnen, »dein Lehrling braucht sich die Türen gar nicht mehr öffnen zu lassen, er schlüpft einfach unten durch!«

Das halbe Lächeln ergriff auch den anderen Mundwinkel: das war Doks Manier, laut herauszulachen.

»Trinken Sie einen Schluck mit uns, Dok?« erkundigte sich Jiggs. Dok schüttelte nur den Kopf. »Immer noch enthaltsam?« fragte Jiggs, und Dok nickte. Dann nahm er aus der Tasche seines Arbeitsmantels ein kleines, wohlverpacktes Päckchen, das so aussah wie eine feine Toilettenseife in ihrer Schachtel. Jiggs nahm es an sich und steckte es in eine Tasche seiner Bluse.

»Auf Wiedersehen, Jiggs . . .«, sagte Dok und reichte ihm die Hand, »ich kann mich leider nicht aufhalten, ich habe *Quaker Oats* auf dem Feuer.«

Bevor er hinausging, kniff er Buddy in die Wange und sagte:

»Nicht älter als mein Kleiner, und muß doch schon arbeiten!«

Es klang bedauernd, und als er das Zimmer verließ, zuckte er die Achseln. Die falsche Blondine füllte ihr Glas und das Jiggs' von neuem und lächelte, als sie sah, daß Buddy an dem seinen nur genippt hatte; aber sie nötigte ihn nicht, mehr zu trinken.

»He, Darling«, sagte Jiggs, »hast du nicht zwei oder drei kleine Dinger für den braven Jiggs? Mir sind sie seit drei Tagen ausgegangen!«

Die Blonde brummte, was er denn noch wolle, er stelle ja Ansprüche wie ein Graf.

»Nun sei doch nicht so«, drängte Jiggs, »zwei oder drei so kleine Dinger, das kannst du schon für mich tun!«

Das Mädchen kroch auf den Diwan, und Buddy drückte sich beiseite, um sie durchzulassen. Wenn sie so nah war, roch man geradezu, daß sie eine Farbige war. In dieser Haltung war das Kleid noch enger, und in dem Schlitz an der Seite wurde ihr Bein bis weit über das Knie sichtbar. Sie angelte sich ein Buch aus der Reihe auf dem Wandbrett und nahm irgend etwas, was dahinter versteckt war.

»Was ist das?« sagte Jiggs in diesem Augenblick. »Das kenne ich noch nicht!«

Dabei wies er mit dem Finger auf ein goldenes Kettchen, das sie unter dem Strumpf um den Knöchel trug. »Ein Geschenk von Luigi?«

»Von wem sonst?« sagte sie. »Du glaubst doch nicht, daß es eine Ehrengabe vom Kongreß ist.«

»Und was steht auf dem kleinen Plättchen geschrieben?«

»Nichts als mein Name!«

Sie sagte diese drei Worte *Just my name* mit ihrer tiefen Bauchstimme auf eine Art, daß es Jiggs beinahe umschmiß. Sie war eines jener Mädchen, die einem die Temperatur hochtreiben, wenn man sie bloß ansieht, und wenn sie gar zu reden beginnen, so schnellt die Quecksilbersäule gleich bis zum roten Strich. Und wie sie einen ansehen!

Sie gab Jiggs, was sie hinter den Büchern hervorgeholt hatte: drei dünne Zigaretten.

»Gestattest du, meine Schöne?« fragte Jiggs. »Ich kann nämlich nicht mehr länger warten!«

Sie setzte sich in ihren Sessel und Jiggs auf den Diwan; er zündete seine Zigarette an und begann in tiefen Zügen zu rauchen. Während er sich ganz diesem Genuß hingab, fragte sie Buddy nach seinen Eltern. Ob er mit ihnen lebe und ob er Jiggs schon lange kenne. Buddy fühlte sich so eingeschüchtert wie in den ersten Tagen in der Schule Pater Corellis, und antwortete nur mit Ja oder mit Nein.

Jiggs war mit seiner Zigarette schnell zu Ende: sie war ja ganz klein und dünn gewesen, und er hatte so kräftig an ihr gezogen.

Er erhob sich und dankte der Blonden, die nur lässig »Addios, Caballero!« sagte und Buddy zum Abschied die Wange streichelte. Noch ehe die beiden gegangen waren, öffnete sie das Fenster, damit sich der Marihuana-Rauch verteile.

Als sie wieder auf der Straße standen, sagte Jiggs:

»Jetzt hast du gesehen, wie man's macht. Ich hoffe, du brauchst keine Nachhilfestunden bei Einstein, um es zu kapieren!«

»Wer ist Dok?« fragte Buddy.

»Ein richtiger Arzt, der einmal krumme Sachen gemacht hat und deswegen nicht praktizieren darf. Er ist ein Ausländer, aus Litauen oder wie sein verdammtes Land heißt; habe es mir nie merken können, wo es eigentlich liegt. Er ist ganz jung in die Staaten gekommen, mit einem Doktordiplom aus seinem komischen Ländchen, das hier natürlich nichts wert war, und hat toll geschuftet, um die Einbürgerung zu erreichen: tagsüber Studien, nachts Arbeit in den Docks oder als Tellerwäscher. Du kennst die Burschen ja, es gibt da eine Sorte, die schafft das: tagsüber die Nase in den Büchern und nachts harte Arbeit und in sechs Monaten sprechen sie unsere Sprache! Er muß damals noch ganz gut ausgesehen haben, denn er hat sich ein nettes Mädchen beigebogen und ihr ein Kind gemacht. Ihr Vater war erst wütend, hat sich aber schließlich in sein Schicksal gefügt. Die Kleine hat ihren Alten sogar so weit gebracht, daß er dem hoffnungsvollen Medizinstudenten eine kleine Praxis einrichtete. Ein prima Start, findest du nicht? Vor allem für so einen lausigen Ausländer, von dem man nicht einmal weiß, aus welchem Winkel der Welt er kommt! Er läßt sich also in Springfield, Illinois, nieder, weil der Schwiegervater dort wohnt, aber es geht nicht gut; er sah wohl zu gut aus, jedenfalls entdeckte eine seiner Patientinnen ihr Herz für ihn, und er sah ein, daß er seine Frau nie wirklich geliebt habe. Er läßt sie sitzen, mit dem Neugeborenen, das kaum die Augen aufgemacht hat, aber der Vater wird diesmal ernsthaft böse und rennt zum Kadi. Dok hat alles unterzeichnet, ohne es sich näher anzusehen, darum muß er jetzt die ganze Praxis aufgeben, alles herausrücken, was der Schwiegervater ihm eingerichtet hat ... Vierzehn Tage später erweist sich die große neue Liebe als eine Seifenblase, unser Dok sitzt da, hat nichts, ist die Prozeßkosten schuldig und so weiter. Was dann kam, weiß ich nicht mehr genau. Er hat irgendwann eine Stellung als Schiffsarzt gefunden, auf einem hübschen Dampfer von einer Panama-Linie, ist aber auch dort geflogen – warum, weiß ich nicht. Von da an ging's abwärts, immer weiter, das fängt an und hört nicht mehr auf, bis einer ganz unten ist. Ich glaube, er hat alles auf dem Kerbholz, was solche Ärzte tun: Abtreibungen, Rauschgiftverschreibungen, falsche Bescheinigungen über Arbeitsunfähigkeit und so weiter.«

»Und was ist aus dem Kind geworden?« wollte Buddy wissen.

»Das blieb bei der Mutter. Er hat es niemals wiedergesehen, denn er hat nie gewagt, die Mutter zu besuchen – die hätte ihn auch entsprechend empfangen! Jetzt hat er endlich etwas Festes gefunden: Er verarbeitet das Rohmaterial für Luigi. Das ist gut bezahlt, wenn auch natürlich nicht so, wie's die Sache wert wäre, denn Luigi läßt sich nichts abgehen: Er hat zwei Wagen, ein Appartement in der Vierzigsten Straße, ein Haus auf Long Island und drei Freundinnen. Er diniert mit Senatoren und fährt von Zeit zu Zeit auf Besuch nach Sizilien ... Das verschlingt natürlich den Hauptanteil am Gewinn, aber Dok ist immer noch besser bezahlt, als wenn er eine Kassenpraxis mit lauter armen Leuten hätte ...«

»So hat er sein Kind also nie wiedergesehen ...«, sagte Buddy nachdenklich.

»Das hast du mich schon gefragt! Ihm läßt's aber auch keine Ruhe. Er legt auch immer etwas von dem zurück, was er verdient. Es scheint nichts zu geben, was ihm Spaß macht. Tootsie sagte mir ...«

»Wer ist Tootsie?«

»Die Blonde mit dem Kettchen am Fuß!«

»Auf die bist du scharf, stimmt's?«

»Das sieht man, nicht wahr?« sagte Jiggs lachend. »Aber man sieht auch, daß es bei ihr genauso steht. Glaube mir, ich müßte nur die Hand ausstrecken. Aber ich werde mich hüten: Luigi kann sehr ungemütlich werden, wenn er von so etwas Wind bekommt ...!«

»Wenn er aber außer ihr noch zwei andere hat – kann da sie nicht ...!«

»Wie sich der kleine Moritz das so vorstellt! Luigi hat Anspruch auf drei Weiber, denn er kann sich's leisten und legt die Dollars dafür hin. Wehe, wenn da eine sich selbständig machen würde ... Im übrigen aber können sie sich nicht beklagen, sie haben's nicht schlecht, und darum spuren sie auch!«

»Und was hat Tootsie dir gesagt ...?«

»Sie hat mir gesagt, Dok sei so unglücklich ohne sein Kind, daß er daran denke, ein anderes zu adoptieren. Aber so einfach ist das gar nicht, da gibt es eine Unmenge Formalitäten, und er hat keine Chance, daß er eines adoptieren darf: Er hat doch schon gesessen, die Polizei hat ein Auge auf ihn... Dabei hätte es jedes Kind bei ihm so gut wie nirgends sonst. Das sind Sachen, da staunst du, Squirrel?«

Buddy antwortete nicht, sondern zupfte Jiggs hastig am Ärmel. An der Straßenecke stand so ein komischer Mann, der nichts tat und irgendwohin blickte. Als die zwei an ihm vorbei waren, sagte Jiggs:

»Du hast dich nicht geirrt, das war einer! Du siehst, du machst schon Fortschritte, mein Kompliment!«

»Und du...? Hattest du nicht Angst, mit der... Ware in der Tasche?«

»Ich bin hier noch nie vorbeigegangen, er kann mich nicht kennen...!«

»Aber er kann dich doch einfach so mitnehmen, auf gut Glück..., das kann er doch?«

»Klar kann er das, aber sie suchen nie dort, wo man was hat. Du glaubst doch nicht, daß ich das Zeug noch in der Bluse habe? Das steckt schon längst in einer kleinen Tasche an meinem Hosenbein. Sie leeren dir die Taschen aus, lassen dich die Schuhe ausziehen, aber weiter denken sie schon nicht mehr.«

»Irgendwann werden sie aber doch...«

»Wenn sie's einmal wissen, dann muß man eben etwas anderes finden. Eines Tages hat mich einmal einer geschnappt, so wie du sagst: auf gut Glück, unter einer Einfahrt. Ich hatte eben geliefert und nichts bei mir, aber das hat ihn nicht gehindert, mir aufs Maul zu dreschen; dabei hatte er einen Ring am Finger, dieser Schweinehund, ich habe noch vierzehn Tage lang blaue Flecken gehabt! Komm, wir nehmen die Subway! Sicher ist sicher, denn die Bullen sind schlau. Die lassen dich vorbeigehen, tun, als ob sie dich gar nicht gesehen hätten, und dann hängen sie sich an, um zu sehen, bei wem du ablieferst! Der Hersteller und die Bezieher, das interessiert sie natürlich am meisten, die Lieferanten, das sind die kleinsten Leute in so einem Ring, die sind ihnen ziemlich egal und kriegen auch nicht viel ab, wir sind ja minderjährig. Stehst du einmal vor Gericht, so brauchst du bloß zu flennen und zu erklären, du bist ein Opfer der Verhältnisse, das zieht immer!«

»Ist dir das schon einmal passiert?«

»Mir kann so etwas nicht passieren...!« sagte Jiggs, aber zugleich machte er mit Mittel- und Zeigefinger jenes Zeichen, durch das man das Schicksal beschwört. »Ich sage das nur für dich, wenn sie dich eines Tages schnappen: Heule, weine, was du kannst, sag, daß deine Eltern dich nicht lieben und sich nicht um dich kümmern, das wirkt todsicher!«

»Und die kleinen Zigaretten... sie riechen so komisch... Schmecken sie denn wirklich gut?«

»Du meinst Marihuana? Das ist eine große Sache! Wenn du den Katzenjammer hast oder sonst etwas, zwei oder drei Zigaretten und du glaubst in den Wolken zu schweben. Du fühlst dich wohl und pfeifst auf alles andere, selbst die Bullen in Zivil mit ihren Austernaugen sind dir gleichgültig, und du fühlst dich einer Marlene Dietrich gewachsen – nur hast du natürlich weniger Verlangen nach ihr als sonst, du verstehst: Du schwebst ja in den Wolken und bist nicht mehr ganz auf der Erde.«

Buddy erinnerte sich an die Vision, die er gehabt hatte, als er ganz oben auf dem Fabrikschornstein klebte: Das Jüngste Gericht, Gottvater, der im Licht thronte und all die wiederauferstandenen Toten, die nur noch auf ihn, Buddy, gewartet hatten, um ins Paradies einzugehen oder in die ewige Verdammnis. Auch er hatte in jener Nacht die Erde verlassen, ohne auch nur eine einzige dieser komischen Zigaretten geraucht zu haben, die vermutlich gar nicht imstande waren, so großartige Visionen zu erzeugen wie die des Jüngsten Gerichts.

»Du mußt es auch einmal versuchen«, sagte Jiggs, »ich habe dir vorhin keine abgegeben, weil ich selbst im ganzen nur drei hatte, aber ein anderes Mal wird es schon klappen. Ich gebe dir eine von den großen, die sehen genauso aus wie die richtigen Zigaretten, und wenn ein Polizist sie bei dir findet, so merkt er nichts. Nur der Geruch ist gefährlich, der ist ganz anders als der von bloßem Tabak...«

»Ja, ich habe gesehen, wie Tootsie das Fenster öffnete.«

»Sie ist das schon so gewöhnt, denn sie raucht ebenfalls. Aber sie nimmt nicht nur Marihuana, sondern auch stärkere Sachen, Koks und Heroin. Ich nicht, mir genügen die Zigaretten... und wie steht's bei dir?«

»Bei mir«, sagte Buddy lachend, »bei mir braucht's nur eine ganz gewöhnliche Zigarette, und ich muß schon kotzen.«

»Nun, du wirst schon sehen: Wenn du einmal einen richtigen Katzenjammer hast...«

Buddy mußte an seinen Vampir denken, an jenen, der ihm immer das Blut aus dem Hinterkopf gesaugt hatte, und strich sich unruhig mit der Hand über den Nacken. Er fühlte nichts; es war nichts da. Aber bei der halben Kopfwendung hatte er ein Stück hinter ihnen auf dem Trottoir undeutlich einen Mann gesehen, der ihn an jenen Bullen erinnerte, an dem sie vorhin vorbeigegangen waren. Buddy haschte nach der Hand von Jiggs und flüsterte ihm zu, daß der Geheime von vorhin sie offenbar verfolge. Jiggs spähte aus den Augenwinkeln, ohne den Kopf richtig zu wenden, nach hinten.

»Jetzt hast du dich geirrt«, sagte er nach einer Weile. »Man braucht schließlich nicht in jedem Mann einen Geheimen zu sehen, es gibt an die vier Millionen Männer in New York...!«

Buddy dachte an die Millionen in New York, die Millionen Amerikaner und die vielen Europäer und Asiaten; mit all den Unzähligen, die schon tot waren, mußte das eine so ungeheure Menge geben, daß selbst Gottvater sie mit seinem Blick nicht mehr umfangen konnte; er würde tatsächlich eine Ewigkeit brauchen, um über sie zu richten, und es war noch sehr die Frage, ob diese Gerichtssitzung überhaupt ein Ende nehmen würde.

Sie gelangten an eine Subway-Station. Jiggs gab Buddy einen Nickel, damit dieser ihn in den Schlitz werfe, und ging vor ihm durch die Sperre, denn schließlich war ja er der Chef der Vampire.

Die Kundschaft, die sie beliefern wollten, wohnte in der Nähe des Washington-Square, in einem sehr alten Haus dieses Künstlerviertels; früher einmal mochte es ein Stallgebäude gewesen sein, und das Straßenpflaster schien auch noch aus jener Epoche zu stammen. Buddy kannte diese Gegend, denn Pater Corelli hatte hin und wieder seine besten Schüler in eine Kirche mitgenommen, die hier lag und in der man einen berühmten Organisten hören konnte. Buddy entsann sich noch recht gut der großen Orgel, deren Musik auf ihn ganz außerordentlich Eindruck gemacht hatte; es war gewesen, als schwebe er auf diesen Tönen zum Himmel. Am Tag des Jüngsten Gerichtes, dessen war er sicher, würde man nicht Trompeten oder Fanfaren hören, sondern Orgeltöne ...

Eine Frau öffnete ihnen die Tür; sie war nicht mehr ganz jung, aber noch schön. Sie trug einen dicken Haarknoten, wie er früher Mode gewesen war, und drei oder vier Kämme darin, und dazu einen japanischen Kimono, ein Kollier und dicke Ringe aus Jade.

Sie begrüßte Jiggs in einem harten, akzentgefärbten Amerikanisch und sagte lächelnd, daß sie schon sehr auf ihn gewartet habe: Sie seien schon lange ohne Ware. Dann griff sie schnell nach dem kleinen Päckchen; in ihren Augen schoß eine Flamme auf, und sie rief:

»Dave...! Die Konfitüre ist endlich da!«

Mit diesen Worten stürzte sie in das nächste Zimmer. Jiggs stieß Buddy vor sich her und sagte:

»Geh nur hinein, es ist eine komische Bude, du wirst sehen!«

Das Zimmer war tatsächlich höchst eigenartig. Auf den ersten Blick konnte man es für ein Atelier halten, obwohl es nicht sehr hoch war. Auf dem Teppich lag eine große Malerleinwand ausgespannt, neben ihr auf einem Tischchen eine kleine Sammlung von Farbtöpfen; ein Mann in einem blauen Monteuranzug, der lange graue Haare hatte, malte eifrig.

Er brummte, man solle ihn nicht stören, er sei eben in Stimmung, und das sei nicht der Augenblick für einen Besuch. Er ließ den Pinsel kräftig und fieberhaft über die Leinwand gleiten; dabei stieß er ein leises Ächzen aus, das sich beinahe wie eine Reihe von Klagetönen anhörte.

Das Bild war nicht weniger sonderbar als der Gesamteindruck des Raumes. Es stellte ein Tier dar, offenbar irgendein Insekt, das zugleich aber Merkmale eines großen Säugetieres aufwies; seine Konturen waren schwarz nachgezogen, in einer einzigen, aber nicht sehr zügigen Linie, die so aussah wie ein schwarzes Band, das man erst zusammengedrückt und dann in beliebigen Schlingen über die Leinwand geworfen hatte. Das Teuflische an dieser Zeichnung war, daß die Verschlingungen des Bandes nicht eine Figur bildeten, aus der man ein Tier erkennen konnte, so daß der Maler die kleinen unregelmäßigen Flächen zwischen dem schwarzen Geringel erst mit Farben bedecken mußte, um es herauszuarbeiten; für jede dieser kleinen Flächen nahm er nur eine einzige klare und glatte Farbe, so wie er sie in dem Töpfchen hatte. Das sah im ganzen recht fröhlich aus, für den aber, der es schuf, war es wohl keine Freude, denn das Stöhnen des Künstlers klang ganz so, als leide er Schmerzen.

Jiggs und die Frau mit dem Kimono, die das Päckchen mit der Droge noch immer in der Hand hielt, sahen dem Maler zu. Buddy ließ den Blick durch das Zimmer schweifen. Er hatte noch nie eine Einrichtung wie diese gesehen. Alles war hier orientalisch; verschiedene Buddha-Statuetten standen herum, aber auch Götterbilder mit sechs Armen. Die Wände waren mit persischen Stoffen bespannt, auf denen japanische Säbel und absonderliche Musikinstrumente hingen. Sah man diese an, dann wirkte der Flügel im Hintergrund ausgesprochen befremdlich. Links von dem Klavier war eine Türöffnung durch einen Vorhang verschlossen, der nichts weniger denn exotisch war. Er bestand aus

Bierkapseln, die man an Schnüren aufgefädelt hatte, so daß man von ferne einen seidigen oder metallischen Glanz wahrnahm. Ein leiser Luftzug bewegte diesen Vorhang, der leicht hin und her wogte wie eine Welle auf dem Strand, wenn fast kein Wind geht; dabei schlugen die Kapseln mit einem kaum hörbaren metallisch-raschelnden Geräusch aneinander. Buddy entdeckte auch einen Diwan in einer dunklen Ecke und eine Reihe von Geldscheinen verschiedener Länder, die an der niedrigen Decke befestigt waren. Vor einem Spiegel erhob sich eine seltsame Skulptur: zwei Hände, die ineinander lagen, zarte, schmale Hände aus grün patinierter Bronze, ein bemerkenswertes Stück der alten Khmer-Kunst, was Buddy freilich nicht wissen konnte.

Sein Blick war eben wieder zu dem Maler zurückgekehrt, als das Rascheln der Kapselschnüre lauter wurde und ein zweiter Mann eintrat; er trug eine rote Leinenhose, einen Sakko aus grünem Tweed und ein schreiend gelbes Hemd, das am Hals nicht durch eine Krawatte, sondern nur durch eine Lederschnur geschlossen war. Auf seinem dicklichen Körper saß ein kleiner Kopf; man hätte nie angenommen, daß dieser Kopf zu einem so großen Körper gehöre, es war, als habe die Natur sich geirrt und auf den Hals eines Oliver Hardy den schmächtigen Kopf Stan Laurels geklebt. Dieser Mann lächelte breit, als er das kleine Päckchen in der Hand der Frau sah. Er rieb sich die Hände, schnaufte begeistert und streckte sich auf dem Diwan aus. Dabei wies er auf den Maler und legte den Finger dann an die Lippen zum Zeichen, daß man den Künstler nicht stören dürfe. Dieser aber warf im gleichen Augenblick den Pinsel weg, richtete sich hoch und zeigte dabei einen athletischen Körperbau und Arme, deren Muskulatur sich unter den aufgeschlagenen Ärmeln kräftig abzeichnete. Er begann mit den Händen, die noch voller Farbkleckse waren, in seinen Haaren zu wühlen, schlug sie vors Gesicht, was ihm eine Anzahl bunter Striche rings um das Kinn einbrachte, und brüllte, daß die Eingebung vorbei sei, er sei nicht mehr in Stimmung, und alles nur wegen der zwei Neger, die ausgerechnet in diesem Augenblick hätten hereinkommen müssen . . .

»Ach, sei doch still«, sagte die Frau im Kimono, »freust du dich nicht auch, daß wir endlich Nachschub erhalten haben?«

Der Maler goß wütend einen Topf blauer Farbe über seine Leinwand, verteilte sie schnell mit dem Handballen und lachte dabei höhnisch. Schließlich richtete er sich auf, trat zurück und sagte zu Jiggs:

»Du hast Glück, Nigger: Nicht jeden Tag kann man der Ermordung eines Meisterwerkes beiwohnen!«

Mit seinem farbverschmierten Mund sah er aus wie ein Clown. Er stürzte sich auf das kleine Päckchen, riß die Verschnürung ab und schnaufte gierig.

»Ich hoffe, es ist nicht wieder ein Gemengsel aus lauter Rückständen wie das letztemal«, sagte er dabei.

»Das glaube ich nicht, Mister«, sagte Jiggs, der spaßeshalber den unterwürfigen Ton angenommen hatte, mit dem die Negersklaven in den historischen Filmen sprechen, »ich bin ja nur der Austräger, aber ich glaube, alles ist in Ordnung, Euer Ehren. Es ist reiner Stoff aus Yunnan.«

Buddy hatte Mühe, das Lachen zu verbeißen, denn er wußte natürlich, daß Jiggs sich um den Inhalt des Päckchens überhaupt nicht gekümmert hatte; er hätte ja Dok fragen können, ob es sich um Auslese handle oder um ganz ordinäre Ware.

»Laß das doch, Eddie, jedenfalls ist es besser als nichts«, sagte der Mann mit dem kleinen Kopf.

»Dann los, Zita«, rief Eddie, »bereite den Rest vor!«

Die Leute hatten eine seltsame Art, zu sprechen und zu leben. Buddy hatte dergleichen noch nie gesehen, aber er fand sie nicht unsympathisch. Sie sagten zwar auch Nigger wie so mancher andere, aber an der Art, wie sie dieses Wort aussprachen, erkannte man, daß sie im Grunde nichts gegen die Farbigen hatten. Im Gegensatz zu dem, was seinerzeit jener bärtige Stromer mit dem Tirolerhütchen gesagt hatte, gab es also offenbar doch Weiße, bei denen man sehr genau erkannte, daß man für sie nicht in erster Linie ein Neger, sondern ein Mensch wie jeder andere war.

Zita ging durch den Vorhang aus den Flaschenkapseln, und Eddie setzte sich neben den Mann mit dem kleinen Kopf auf das Sofa.

»Ist der Kleine dein Bruder?« fragte er Jiggs.

»Nein ... er ist mein Freund, er wird mich bei den nächsten Lieferungen vertreten.«

»Daraus wird nichts«, sagte Eddie plötzlich ernst und böse. »Wenn den die Bullen erwischen, wird er alle Adressen angeben.«

»Er wird sie ebensowenig angeben wie ich, selbst wenn die Bullen ihm zusetzen. Er ist in Ordnung. Mich haben sie auch schon einmal erwischt, und ich habe nicht eine einzige Adresse genannt; warum sollte er anders sein!«

»Setzt euch doch, ihr beiden«, sagte Eddie, »oder nein, bring uns etwas zu trinken, Jiggs, im Kühlschrank steht alles, was wir brauchen. Aber laß mir Zita in Ruhe, hörst du?«

Buddy ließ sich in einen Sessel fallen, während Jiggs in die Küche ging.

»Da staunst du, nicht wahr«, sagte Eddie zu Buddy, »so einen Bau wie diesen hast du noch nicht gesehen?«

Buddy verneinte. Er fühlte sich wohl. Noch nie vorher hatte er in Gesellschaft eines Weißen gesessen, und jetzt saß er den beiden Männern gegenüber, als müßte es so sein, und sie sprachen mit ihm ganz ruhig, als seien sie allesamt von der gleichen Hautfarbe.

»Du mußt wissen«, fuhr Eddie fort, »das hier ist nicht meine Wohnung; sie gehört Zita. Sie hat einen Narren gefressen an diesem asiatischen Kram; ich für meine Person kann die Buddhas nicht riechen. Dafür ist ihr wieder meine Malerei zuwider, und so verstehen wir uns recht gut; stimmt's Dave?«

Dave, das war der Mann mit dem kleinen Kopf auf dem großen Körper, stieß nur ein Grunzen aus, das zustimmend klang.

»Zita hat sich aus meiner Malerei nie etwas gemacht«, sagte Eddie. »Dabei habe ich bei meiner letzten Ausstellung im Whitney-Studio mehr als die Hälfte meiner Bilder verkauft und habe einen ganzen Packen guter Kritiken ...«

»Laß ihn doch in Ruhe«, sagte Dave. »Du mußt doch nicht immer so angeben. Der Kleine glaubt dir auch so, daß du ein großer Künstler bist!«

»Mir hat dieses Tier sehr gut gefallen, das Sie da eben gemacht haben«, sagte Buddy, »und es tut mir sehr leid, daß Sie dann die Farbe darübergegossen haben.«

»Ich mache ein neues, wenn die Eingebung wieder über mich kommt; aber Gott weiß, wann das ist; manchmal vergehen Monate, und es stellt sich die richtige Stimmung nicht ein.«

»Ich habe dir schon hundertmal gesagt«, brummte Dave, »daß es Unsinn ist, auf diese sogenannte Eingebung zu warten wie auf einen Besuch, der nicht kommt. Man muß jeden Tag malen, auch dann, wenn man keine Lust dazu hat, statt sich vollaufen zu lassen oder verzweifelt die Farbe ums Maul zu schmieren.«

»Ausgerechnet du mußt mir das sagen!«

»Ich bin kein Künstler; ich habe eben aus meinem Leben selbst ein Kunstwerk gemacht.«

»Um große Worte bist du ja nie verlegen.«

»Von deinen kleinen Gemälden wird nicht mehr übrigbleiben als von meinen großen Worten!«

»Und ich sage dir, daß in zwanzig Jahren, bestimmt aber nach meinem Tod...«

»Du glaubst wirklich, daß du noch zwanzig Jahre am Leben bleibst?«

»Nach meinem Tod werden sich die Museen und Sammlungen um meine Bilder reißen.«

»Das ist nicht einmal unmöglich, in so manchem Museum hängen schon jetzt noch ärgere Sachen.«

»Es tut mir sehr leid, daß Sie dieses Bild zerstört haben«, sagte Buddy auf einmal in den Streit der Männer. »Ich mochte es gerne!«

»Wirklich?« schrie Eddie, plötzlich interessiert. »Kannst du mir auch sagen, warum?«

Buddy überlegte.

»So ganz genau kann ich das nicht sagen«, erklärte er schließlich, »aber vielleicht mochte ich es, weil es einem anderen Tier ähnlich sah, das früher neben meinem Bett an der Wand zu sehen war, früher, als ich noch zu Hause schlief; es war aus ein paar Rissen im Kalk entstanden, und ich hatte mit dem Fingernagel ein wenig nachgeholfen...«

»Der Kleine ist gar nicht so dumm«, sagte Eddie zu Dave.

Jiggs kam durch den Vorhang ins Zimmer zurück; er trug ein Tablett mit Gläsern, einer Flasche und einem Metallkübelchen, in dem Eiswürfel lagen. Hinter ihm kam Zita mit einem zweiten Tablett. Auf dem stand ein kleiner Grill, und daneben lagen ein paar Pfeifen. Sie stellte alles neben den Diwan auf den Boden und schenkte dann vier Whiskys ohne Wasser auf die Eiswürfel.

»Du solltest nichts mehr trinken«, sagte Dave zu Eddie, »vor allem nicht vor dem Rauchen.«

»Kümmere dich nicht um mich«, sagte Eddie, »wenn ich dann krank bin, kannst du mich ja pflegen. Das tust du doch ohnedies gerne!«

Beim dritten Whisky fühlte Buddy sich ganz traurig werden, und in seiner Magengrube bildete sich jenes Unbehagen, das so schlimm war wie die Angst. Er fürchtete sich vor dem Lächeln der Buddha-Statuetten, die er vorhin so nett gefunden hatte, die ihm aber jetzt auf einmal feindselig, ja geradezu drohend erschienen. Er wußte zwar nicht, womit sie ihn bedrohten, aber es stand für ihn fest, daß sie etwas Böses im Schilde führten. Und diese Tänzerin mit ihren vielen Armen und dieser Krieger mit dem Helm, dem Schuppenpanzer und dem großen Säbel, die sahen beide um nichts freundlicher drein, mochten sie auch nicht ganz so beunruhigend sein wie sein Vampir. Seit Buddy von zu Haus fortgelaufen war, hatte der Vampir sich nicht mehr bemerkbar gemacht – vielleicht würde er nie mehr wiederkehren?

Zita hatte sich auf den Teppich hingestreckt und ein seltsames hartes und glänzendes Kissen unter den Kopf geschoben, das wohl auch aus dem Orient stammte. Sie plauderte mit Jiggs, der neben ihr auf dem Teppich saß, und sie waren lustig wie alte Freunde. Eddie und Dave auf dem Diwan hingegen stritten weiter; sie sprachen dabei so laut, daß Buddy sie sehr gut verstehen konnte, aber der Gegenstand ihrer Auseinandersetzung interessierte ihn nicht.

»Dieses Ekel, der Mussolini... der ist doch das Letzte...!« sagte Eddie. »Ich würde viel darum geben, wenn ich ihm ein Dutzend Kugeln in den Balg jagen könnte.«

»Du brauchst dich nicht zu genieren, seine Adresse kann ich dir geben: Palazzo Venezia, Rom. Du verlangst eine Audienz unter irgendeinem Vorwand, ich weiß nicht... es wird dir schon ein Grund einfallen... Du könntest zum Beispiel sagen, du bist ein großer amerikanischer Maler und bittest um die Erlaubnis, ihn zu porträtieren. Er empfängt dich, du öffnest deinen Malkasten, in dem du eine automatische Pistole verborgen hast, und du drückst ab, immer wieder, bis er den Bauch voll Blei hat...!«

»Mach dich nur immer lustig, aber ich sage dir, früher oder später wird er auf diese Weise enden.«

»Möglich, aber dann wirst es jedenfalls nicht du sein, der die Sache in der Hand hat. Wenn du es so sehr auf ihn abgesehen hast, warum hast du dich dann nicht freiwillig in die abessinische Armee gemeldet? Stell dir vor, du lernst ein Flugzeug fliegen, machst eine Sondertour mit deiner Maschine und läßt eine Bombe haargenau auf das Zelt Badoglios fallen: Die italienische Armee haut ab, der Negus empfängt dich in seinem Palast in Addis-Abeba und ernennt dich zum Marschall von Äthiopien.«

»Das hätte ich nicht übers Herz gebracht«, sagte Eddie mit schwerer Zunge, und er sah dabei aus wie ein trauriger Clown, da sein Mund ja noch mit Farbe verschmiert war. »Ich bin überzeugter Pazifist und Kriegsdienstverweigerer, das weißt du doch.«

»Dann halt auch am besten dein Maul. Wenn man die Arbeit nicht selbst tun kann, redet man besser gar nicht darüber... Du bist mir schon der Richtige: gebaut wie ein Herkules, und dabei ein Pazifist. Wieso haben sie dich denn nicht eingezogen?«

»Mein Urin war nicht in Ordnung...«

»Dein Urin, dein Urin ... du hast einfach zuviel Whisky getrunken dein ganzes Leben lang, das ist alles.«

»Wenn ich Marschall von Äthiopien wäre, auf einem weißen Pferd ... dann wärst du sicherlich blaß vor Neid!«

»Wie du das wieder sagst!«

»Da ist schon etwas dran«, sagte Eddie und lachte kurz auf. Dann schwieg er eine Weile und wandte sich schließlich an Buddy:

»Und du, Kleiner, kennst du die Abessinier?«

»Ich weiß, wo das ist«, sagte Buddy, »aber ich habe nie einen gesehen.«

»In New York dürftest du dazu auch kaum Gelegenheit haben«, meinte Eddie. »Der einzige Abessinier hierzulande ist der Gesandte, und der ist jetzt arbeitslos, der arme Kerl.«

»O nein«, sagte Dave, »er hat eine Menge zu tun: Er schreibt jeden Tag einen Brief an den Völkerbund.«

»Höchste Zeit, daß ich etwas esse«, erklärte Eddie und ging unsicheren Schrittes in die Küche.

»Da siehst du, wie weit einer kommen kann«, sagte Dave zu Buddy, »der Mann verträgt keinen Alkohol mehr; nach drei oder vier Gläsern ist er fertig. Und das alles, weil er eine Entziehungskur gemacht hat. Dabei habe ich ihm vorher gesagt, daß sie einen dabei fertigmachen, daß man nachher nicht einmal mehr einen Schluck Alkohol verträgt. Aber er wußte es ja besser, er war fest überzeugt, daß er nach dieser Kur ohnedies kein Glas mehr anrühren würde. Trotzdem hat es kaum länger als zwei Monate gedauert, und er war wieder soweit, und alles war umsonst, was er während der Kur ausgestanden hat. Zwei Monate hat er es ausgehalten, zwei Monate, in denen er nicht arbeiten konnte, denn selbst mit dem Alkohol und der Opiumpfeife geht es nur hin und wieder. Du hast ja gesehen, wie er malt – nun, damals war es noch schlimmer, er schwitzte dicke Tropfen, brachte einen Farbtupfen an und übermalte ihn dann gleich wieder, er zitterte wie ein Baum im Wind und rollte schließlich heulend auf dem Teppich hin und her. Ich habe ihm zugesehen; ich saß hier auf dem Diwan und hatte ein Glas in der Hand; warum sollte ich mich seinetwegen zurückhalten! Abends war er dann soweit, er fiel über die Flasche her, trank die Hälfte aus und malte dann die ganze Nacht. Das Bild, das auf diese Weise entstand, finde sogar ich beinahe gut; jedenfalls ist es weniger schlecht als die anderen. Ich für meine Person werde nie aufhören zu trinken. Lieber sterbe ich zehn Jahre früher und trinke bis dahin lustig weiter, als daß ich zehn Jahre länger lebe, ohne zu trinken. Wenn ein Mann nicht trinkt, was hat er dann schon? Dabei hat er noch Zeit, er ist noch nicht einmal vierzig, er sieht nur mit seinen grauen Haaren älter aus. Und er ist ungemein kräftig, Zita wird es dir bestätigen, du verstehst schon, was ich meine. Er hätte es weit bringen können, wenn man ihn rechtzeitig als Mittelgewichtler trainiert hätte, aber er hatte ja immer nur seine Malerei im Kopf und wollte nicht mit seinen Fäusten, sondern nur mit dem Pinsel Geld verdienen. Er hat dir erzählt, daß er auf der Ausstellung im Whitney-Studio Bilder verkauft hat – ich kann dir sagen, wie das war: Zita gab mir Geld, und ich habe durch Strohmänner ein paar Bilder angekauft, denn sie war überzeugt, daß er verrückt würde, wenn nicht wenigstens einige der Gemälde Interessenten fänden. Ich halte ja nichts davon, aber um Zita gefällig zu sein... und außerdem – man kann ja nie wissen. Selbst er kann eines Tages berühmt werden oder kann einmal den Mut haben, von der Brooklyn-Brücke oder aus dem Fenster eines Wolkenkratzers zu springen. Das kann man ja nie wissen. Drei meiner besten Freunde haben durch Selbstmord geendet, einer, als ich dreißig war, der zweite, als ich vierzig wurde und der dritte an meinem fünfzigsten Geburtstag. Jetzt bin ich bald sechzig, und da hat Zita sich vermutlich gesagt...«

Er unterbrach sich, denn in diesem Augenblick erschien Eddie ebenso schwankend wie vorhin, und schwenkte ein kaltes Brathuhn, in das er schon hineingebissen hatte.

»Du Ferkel«, schrie Zita, »kannst du dich denn nicht benehmen? Wir haben doch Besuch!«

Sie sprang auf und rannte in die Küche, von wo sie mit Tellern und Eßbestecken zurückkehrte.

»Besuch ...? Ich höre immer Besuch!« sagte Eddie, hielt sich mühsam aufrecht und fuhr mit dem Hühnchen durch die Luft.

»Du siehst aus wie Samson im Kampf gegen die Philister«, sagte Dave. »Los, mach nur weiter, schlag zu, du wolltest doch Mussolini den Schädel spalten!«

Zita entwand wütend Eddie das Huhn, verteilte die Teller und zerlegte dann das Geflügel. Eddie ließ sich auf dem Boden nieder und vergaß zu essen, Buddy jedoch fand das kalte Hühnerfleisch ausgezeichnet.

»He, Nigger«, sagte Eddie zu Buddy, »hast du nicht eine Schwester? Wenn du eine hast, so schick sie mir. Ich liebe die farbigen

Mädchen, das wäre eine Abwechslung, denn Zita hat eine Haut wie eine Steckrübe!«

Zita zuckte die Achseln, und Jiggs antwortete mit vollem Mund an Buddys Stelle:

»He, Maler«, sagte er, »hast du nicht eine Schwester? Ich würde sie mir gerne vorknöpfen. Ich mag die Weißen, die sind so weich, man sinkt hinein wie in ein Kopfkissen...!«

»O doch«, lallte Eddie, »ich habe eine Schwester, aber ich will verdammt sein, wenn ich weiß, wo sie sich herumtreibt. Könnte höchstens sein, daß ich ihr eines Tages in der Subway begegne; klar, Nigger, dann schicke ich sie dir, so wahr ich Edmund heiße, Edmund C. Woodcock. Aber ich sage dir gleich: Weich ist die nicht, nicht weicher als ich, nicht weicher als das da!«

Dabei krümmte Eddie den Arm und schlug mit der anderen Faust auf seinen enormen Bizeps.

»Es wäre dir also gleichgültig, wenn deine Schwester einen Neger heiratete?« erkundigte sich Dave.

»Blöde Frage, wenn sie ihn mag, ist er auch mir willkommen. Ich bin doch kein Rassenapostel wie dieser Dummkopf Hitler oder wie Mussolini, der es ihm noch nachmachen muß: Er hat Gesetze gegen die Juden erlassen, um die Reinheit der italienischen Rasse zu sichern. Wir kennen doch die Makkaronis – wenn mir da jemand von reiner Rasse spricht, dann kann ich nur lachen!«

»Ich bin ebensowenig Rassenhasser«, erklärte Dave, »eine Rasse ist so gut wie die andere, es gibt keine minderwertige Rasse.«

»Was du nicht sagst«, widersprach Zita, »natürlich gibt es minderwertige Rassen.«

»Jetzt melden sich wohl deine germanischen Ahnen...«

»Im Ernst«, erklärte Zita, »ich bin überzeugt, daß es minderwertige Rassen gibt. Deswegen sind aber doch alle Menschen vor dem Gesetz gleich, Rasse und Justiz haben nichts miteinander zu tun.«

»Das ist natürlich blasse Theorie, mein armes Mädchen«, sagte Eddie. »Dave hat schon recht: Wenn man sich einmal für die Ungleichheit der Rassen ausspricht, dann ist das Unglück schon geschehen. Es fehlt nicht mehr viel... in ein paar Monaten wirst du selbst ›Heil Hitler‹ schreien, nur weil dein Großvater aus Frankfurt stammt.«

»Ich?« schrie Zita, von Wut halb erstickt und mit zornglitzerndem Blick. »Sag das noch einmal, wenn du dich traust!«

223

Aber sie wartete gar nicht darauf, daß Eddie die Beleidigung wiederholte, sondern stellte ihren Teller auf den Teppich und verabreichte ihm eine kräftige Ohrfeige. Eddie fiel hintenüber, stieß das Tischchen um und setzte sich zwischen seine Farbtöpfe, die ihren Inhalt über den Teppich entleerten. So blieb er sitzen, sah Zita grinsend an und sagte:

»Ach, entschuldige, meine Teure, ich hatte ganz vergessen, daß du ja eine Jüdin bist, die Juden sind jene höhere Rasse, an die du glaubst! Damit verliert meine Behauptung von vorhin allerdings an Wahrscheinlichkeit.«

»Ich, eine Jüdin?« rief Zita, nun außer sich vor Wut.

»Vielleicht nur zu einem Achtel«, meinte Eddie beschwichtigend, »aber du weißt doch...«

»Wenn ich Jüdin bin, und sei es auch nur zu einem Achtel, dann bist du Präsident des Antialkoholikerbundes!«

Nun lachten alle. Man aß das Huhn und trank dazu kräftig weiter.

»Du bist gut gebaut«, sagte Eddie zum Schluß, »vielleicht wiegst du, ich schätze, hundertdreißig Pfund?«

»Das wird wohl hinkommen«, antwortete Jiggs.

»Ich werde um zwanzig oder fünfundzwanzig mehr haben. Trotzdem, versuch's einmal: Wenn du meinen Arm beugen kannst, setze ich eine Anzeige in die *New York Times*, um meine Schwester zu finden, und schicke sie dir dann!«

»Bei fünfundzwanzig Pfund mehr Gewicht«, maulte Jiggs, »da habe ich ja keine Chancen.«

»Versuch's immerhin.«

Eddie rappelte sich mühsam auf, wankte zum Klavier und stemmte den rechten Ellbogen so auf den Deckel des Instruments, daß die Hand in die Luft ragte. Jiggs stellte sich ihm in der gleichen Haltung gegenüber, dann legten sie die Hände ineinander. Dave gab das Signal:

»Eins..., zwei..., drei..., los!«

Buddy wünschte natürlich, daß Jiggs gewinne: Jiggs war sein Freund, war vielleicht auch nicht sein Freund, aber er war auf jeden Fall Chef der Bande. Außerdem war er ein Schwarzer, und der andere, mochte er noch so nett sein, war doch ein Weißer. Jiggs mußte gewinnen, um zu beweisen, daß die Schwarzen im Sport mehr los haben. Darum fand er es auch nicht richtig, daß Dave vorhin gefragt hatte: So würde es dir also gar nichts ausmachen, wenn deine Schwester einen Neger heiratet? Darauf würde ein Mann wie Eddie immer antworten, daß es ihm egal sei. Man hätte ihn fragen müssen: Stelle dir einmal vor, du würdest als Neger aufwachen; wage zu sagen, daß dir das gleichgültig wäre. – Buddy war sicher: Es gab nicht einen Weißen, der mit gutem Gewissen sagen könnte, es sei ihm gleichgültig...

Jiggs hielt sich gut. Dave schrie:

»Nicht schwindeln, Eddie: Die linke Hand gehört auf den Rücken!«

Eddie keuchte, eine dicke Ader trat ihm blau aus der Stirn. Er warf Jiggs einen haßerfüllten Blick zu, und Buddy fühlte, daß er imstande wäre, Eddie aus ganzer Kraft zu hassen, so, wie er noch nie jemand gehaßt habe. Die zwei ineinander verkrampften Hände erzitterten, und endlich gab der dunkelbraune Arm erst langsam, dann immer schneller nach.

Eddie schüttelte den Kopf und holte tief Luft:

»Nicht schlecht, mein Junge«, sagte er zu Jiggs und klopfte ihm anerkennend auf die Schulter. »In deiner Gewichtsklasse brauchst du kaum einen Gegner zu fürchten.«

»Wenn man bedenkt«, sagte Dave zu Eddie, »daß du um einen Viertelzentner schwerer bist, kann man eigentlich nicht behaupten, daß du gewonnen hast...«

Mit hängenden Armen und tapsig wie ein Gorilla ging Eddie auf Dave los; dabei trat er in einen Teller, den er zerbrach. Man konnte nicht erkennen, ob er tatsächlich die Absicht hatte, Dave etwas zu tun: Vielleicht wollte er sich auch bloß auf den Diwan fallenlassen. Zita jedoch wartete nicht solange und ließ, um das Schlimmste zu verhüten, eine Flasche so kräftig auf Eddies Schädel niedersausen, daß er zusammenbrach. Er stürzte dabei in sein Bild, dessen Leinwand krachend zerriß, und lag dann ganz weich in seinem bunt beklecksten Monteuranzug auf dem Teppich. Dave stand auf, ergriff Eddie bei den Füßen und zog ihn ohne jedes Zeichen von Erregung ins Nebenzimmer. Als er zurückkam, rieb er sich die Hände wie jemand, der froh ist, eine unangenehme Arbeit hinter sich zu haben.

»Jetzt wird er eine Weile schlafen, und wir haben unsere Ruhe«, sagte er, »das ist der Augenblick, um ein Pfeifchen zu rauchen...«

Zita bemühte sich, die Verwüstung zu beseitigen; sie hob die Scherben des Tellers und die Fetzen des Gemäldes auf und rollte den mit Farben beklecksten Teppich zusammen. Buddy prüfte inzwischen die zahlreichen Rauchutensilien. Dave entzündete ein kleines Wachslicht in einem Glas, an dem oben ein beweglicher Skarabäus saß; man konnte ihn so verschieben, daß er die Flamme verdeckte und man sie nicht vor Augen hatte. Es war ein

Tier, das Buddy nicht leiden konnte, und der kleine gläserne Käfer hätte schon genügt, um ihm das Opiumrauchen widerlich zu machen. Die Pfeifen allerdings waren hübsch: helle Holzstäbchen mit schwarzen Schäften und silbernen Köpfen. Aber der Käfer an der kleinen Lichtquelle blieb trotzdem widerlich.

Zita zog die Vorhänge zu, und Jiggs erhob sich. Er sagte, sie müßten nun gehen, und bedankte sich für den Whisky und das kalte Huhn. Im Vorzimmer gab Zita ihm drei Dollar Trinkgeld, rief ihn dann aber noch von der Stiege zurück und gab ihm einen vierten Dollar für Buddy.

»So, Squirrel, jetzt hast du's gesehen«, sagte Jiggs, als sich die Tür hinter ihnen geschlossen hatte. »Das also ist das Künstlerleben!«

»Das Haus hat eine Stiegenbeleuchtung, und die Treppe ist aus Stein«, sagte Buddy, »davon abgesehen aber führen sie sich nicht besser auf als die Leute in meinem Viertel!«

»Klar, die Menschen sind ja auch immer die gleichen; es gibt eben nur eine Methode für Suff und Liebe, ob man nun ein Tramp ist oder ein Senator, ob man in Lizzie verliebt ist oder in Florence Nightingale oder in Mrs. Vanderbilt. Und wenn eine von ihnen dir Hörner aufsetzt, dann liegst du schief, so und so, das ist doch klar!«

Nach diesen großen Worten gingen sie eine Weile schweigend nebeneinander her; sie hatten die Hände in die Hosentaschen vergraben und die Kragen ihrer Jacken aufgestellt, denn es nieselte leicht. Als sie die Subway-Station erreichten, sagte Buddy:

»Trotzdem! Sie waren schon komisch. Himmel, waren die komisch!«

»Dabei weißt du ja nichts von ihnen! Der alte Dave war jahrelang Zitas Freund: zehn oder zwanzig Jahre lang, was weiß ich. Jetzt ist er sechzig und kann nicht mehr ... Da hat er ihr gestattet, sich einen Jüngeren zu nehmen, unter der Bedingung, daß sie zu dritt leben.«

»Offenbar ist ihm das lieber, als wenn sie sich mit einem Jungen aus dem Staub gemacht hätte!«

»Die Nachbarn erzählen, daß Dave zusieht, wenn's die beiden miteinander treiben ...«

»Woher wollen sie denn das wissen!«

»Das weiß ich nicht, aber so absonderlich ist das gar nicht, schließlich leben sie ja zu dritt ... Und da Dave ja einverstanden ist und ohnedies weiß, was vorgeht ...«

»Ich glaube, er will sie nur behalten!« sagte Buddy nachdenklich, »zweifellos liegt ihm daran am meisten: Sie soll tun, was sie will, aber sie darf ihn nicht verlassen.«

»Dave würde krepieren, wenn sie ihn allein ließe. Sie tun, als könnten sie einander nicht riechen, aber sie können doch einer ohne den anderen nicht auskommen. Was die Finanzen anlangt, so stehen die beiden Männer sich prima: Keiner von ihnen hat auch nur einen Cent. Sie hat die ganze Marie, denn ihr Alter, der in irgendeinem Verwaltungsrat sitzt, hat ihr eine Rente ausgesetzt. So was kann uns nicht passieren; stell dir vor, eines der Mädchen würde uns Wohnung, Verpflegung, einen Wagen und das Kino zahlen...!«

»Wäre dir das nicht recht?« fragte Buddy.

»Wofür hältst du mich, Squirrel? Du wirst schon sehen, wie ich die Sache anpacke; warte noch ein wenig, dann schicke ich Lizzie los!«

Wenn Buddy daran dachte, daß Lizzie für Jiggs auf die Straße gehen sollte, nur damit er genug Geld habe, dann begann sein Blut zu kochen. Wäre er größer und stärker gewesen, hätte er nicht nur hundertzwei Pfund gewogen, so hätte er Jiggs jetzt gezeigt, daß man von Lizzie so nicht sprechen durfte. Jiggs ließ die drei Dollars in der Tasche klimpern.

»Wie man's macht, ist egal«, sagte er, »Hauptsache, das Geld ist schnell verdient, und damit ist die wirkliche Arbeit ausgeschlossen. Ich werde dir zeigen, wie man zu Dollars kommt, es gibt da die verschiedensten Möglichkeiten. Du kannst dabei in einem Tag mehr Dollars machen, als wenn du eine ganze Woche hindurch deine blöden Zeitungen verkaufst.«

»Das glaube ich gern«, sagte Buddy nachdenklich.

Nach einem kleinen Schweigen lachte Jiggs mit einemmal unvermittelt auf.

»Woran denkst du?« erkundigte sich Buddy.

»Mir ist eben eingefallen, daß sie mich eines Tages eingeladen haben, mit ihnen zu rauchen.«

»War das gut?«

»Viel war nicht los, Dok hat ihnen offenbar nicht die beste Ware geliefert. Zita glaubte, ich würde nachher nicht gerade stehen können, da ich doch mit der Sache erst angefangen hatte, aber das war Unsinn. Ich bin kerzengerade nach Hause gegangen wie immer. Gut an der Sache war nur, daß wir alle vier auf dem Teppich nebeneinander lagen, ich ganz nahe bei Zita; ich habe allerlei mit ihr treiben können, sie hat's geschehen lassen, und die beiden Männer haben nichts bemerkt!«

Buddy glaubte nicht ein Wort von dieser Geschichte. Zita hatte doch eben erklärt, daß es minderwertige Rassen gäbe; und da sollte sie nun einen Neger so nahe heranlassen? Jiggs gab wohl nur an, er log wie alle anderen!

So lernte Buddy nach und nach das Leben kennen. Er bedauerte nun nicht mehr, seiner Mutter davongelaufen zu sein. Er hatte in den letzten Wochen mehr vom Leben erfahren als in all den Jahren vorher, in allen Jahren, seit er überhaupt fähig war, etwas zu begreifen. Und das war schließlich das Ausrücken wert. Allein die Erkenntnis, daß alle Menschen, in den Hinterhöfen oder in den Palästen, im Grunde gleich sind, Landstreicher und Millionäre, Künstler und Gauner – allein diese Erkenntnis war die Sache schon wert.

Sein zweiter Lehrmeister war Lizzie; auch sie zeigte ihm einige Methoden, sich ein paar Dollar zu beschaffen. Zu diesem Zweck übernahm sie das Kommando einer kleinen Truppe von Vampiren. Sie bestand außer Buddy aus zwei Burschen, nämlich Speed und Trig, und zwei Mädchen: der dicken, die man Poison nannte, und einer anderen, die Babs gerufen wurde. Speed, der etwas größer war als die anderen, trug auf dem Rücken einen Sack mit alten Whiskyflaschen, in die man Wasser mit etwas Kaffee getan hatte, so daß sie auf den ersten Blick so aussahen, als seien sie mit Whisky gefüllt; die Originalverschlüsse waren mit großem Geschick wiederhergestellt und auf den Flaschen befestigt worden. So stromerten sie am frühen Morgen zur Stunde der Lieferwagen durch die Geschäftsstraßen, bis sie ein Auto fanden, das Whiskyflaschen in Kisten geladen hatte. Sie halfen dem Fahrer beim Abladen der Kisten, der meist recht froh war, bei dem eiligen Geschäft ein paar hilfreiche Hände zu finden, und während er im Laden war, wurden schnell einige Flaschen ausgetauscht: Der gewässerte Kaffee kam in die Lieferkisten, der echte Whisky in den Schultersack. Dann verschwanden sie und verkauften die Flaschen einige Ecken weiter in einem schmutzigen griechischen Laden, dessen Inhaber für derlei Geschäfte bekannt war. Er hatte immer mächtig Angst, daß man ihn schnappen könne, stieß seine kleinen Lieferanten schnell in das dunkle Hinterzimmer und blickte ängstlich auf die Straße, ob ihnen auch niemand gefolgt war.

»Macht schnell«, keuchte er dann, »gebt schon her, und wenn man euch einmal erwischen sollte, so laßt es euch nicht einfallen, meinen Namen zu nennen; ich habe gute Beziehungen zur Polizei, an mir würde nichts hängenbleiben, aber die Bullen, die mich kennen, würden euch zur Sau machen, darauf könnt ihr euch verlassen!«

Man mußte immer lange mit ihm handeln. Lizzie verlangte zwei Dollar für jede Flasche, ließ sie dem Griechen aber schließlich um einen, dann ging's wieder weiter.

Jiggs nahm an Unternehmungen dieser Art niemals teil. Er war der Meinung, daß der Chef einer Bande so kleine Raubzüge nicht selbst befehligen dürfe. Ihm genügte es, die anderen loszuschicken. Ja, er nahm sich sogar vor, auch die Rauschgiftlieferungen künftig nur noch aus dem Hintergrund zu dirigieren, sobald Buddy soweit sein würde, ihn bei Luigi zu ersetzen.

Die anderen brachten, ohne zu schwindeln, getreulich alles, was sie auf ihren Raubzügen erbeutet hatten, und Jiggs verteilte ebenso gerecht die Beute unter alle Mitglieder, wobei er als Präsident allerdings dreimal soviel erhielt wie einer der anderen, und Speed, der Vizepräsident, das Doppelte. Die vier Mitglieder des Komitees, zu denen auch Lizzie gehörte, hatten im Fall besonders geglückter Aktionen Anspruch auf Sonderprämien.

An schönen Tagen »arbeiteten« sie auch im Park und besonders gerne im Zoologischen Garten, zur Dämmerstunde, wenn es nicht mehr sehr hell war. Das Angriffsobjekt war meist ein Mann, der allein auf einer Bank saß. Eines der Mädchen mußte sich neben ihn setzen; sie schlug die Beine übereinander, beugte sich vor, damit er in ihren Brustausschnitt sehen konnte, und angelte sich schließlich eine Zigarette, für die sie ihn um Feuer bat. Durch all das hatte der Mann meist Appetit bekommen, fühlte sich ermutigt und legte schließlich einen Arm um das Mädchen, um sie zu küssen. In diesem Augenblick, da er abgelenkt und beschäftigt war, fielen die Burschen über ihn her, schlugen ihn mit einem Stück Gummischlauch über den Schädel, nahmen ihm die Brieftasche ab und zogen ihn aus, wenn er gut gekleidet war. Der Anzug und die Schuhe wanderten ebenfalls in den Laden des schmutzigen Griechen, der nebenbei ein Altkleidergeschäft betrieb.

Hatten sie den Eindruck, daß es sich um einen Mann handelte, der nicht ganz richtig war – so was sieht man schließlich –, so gab nicht eines der Mädchen den Lockvogel ab, sondern Speed, der ein hübscher Junge war. Begann der Mann dann heranzurücken und Speed zu befingern, so war es eine Kleinigkeit, ihm die Brieftasche abzunehmen, denn man wußte ja, daß die Warmen nicht nach der Polizei zu schreien wagen; das geht meistens für sie selber schlecht aus und bringt ihnen eine Anzeige ein.

Bei einer Aktion dieser Art wurde neben einer Brieftasche mit dreißig Dollar auch noch eine goldene Armbanduhr erbeutet; die Vampire kamen überein, daß Buddy diese Uhr erhalten sollte, da sein Geburtstag in Kürze bevorstand. Aber Buddy lehnte ab, denn er wollte keine Uhr tragen, die einem Warmen gehört hatte.

Am nächsten Tag brachte Lizzie ihm eine Uhr, die zwar nicht so schön war wie jene goldene, aber dafür auch nicht mit dem Makel eines früheren Besitzers behaftet; Lizzie hatte sie bei Bloomingdale mitgehen lassen, ganz allein und so geschickt, daß der Verkäufer überhaupt nichts bemerkt hatte. Buddy war nun einigermaßen verlegen, aber da er nicht zimperlich sein und vor allem Lizzie nicht kränken wollte, nahm er das Geschenk an.

Ein anderes Arbeitsgebiet waren die Betrunkenen. Es war ziemlich einfach, einem Kerl die Taschen umzudrehen, der an einer Hauswand oder an einem Laternenpfahl zusammengesackt war, um seinen Rausch auszuschlafen. Die Vampire taten dann stets so, als wollten sie ihm helfen, auf die Beine zu kommen, und ernteten dabei von den anderen Passanten meist noch gerührte Blicke (wie freundlich doch diese jungen Leute sind ..., ja, Kinder haben eben noch ein gutes Herz!). Und wenn der Betreffende sich wehrte, weil er doch dunkel ahnen mochte, was mit ihm geschah, so schöpfte niemand Verdacht, wußte man doch, wie widerspenstig Betrunkene oft sind.

Eines Tages entdeckten sie einen auf einem Friedhof; er saß dort auf dem Gruftdeckel und hatte sich bis zur Bewußtlosigkeit betrunken; der Hals einer Flasche ragte ihm aus der Rocktasche. Zweifellos handelte es sich um einen Witwer, der sich am Grab seiner Frau ausgeweint hatte; seine Augen waren ganz rot, vom Weinen oder vom Trinken. Er war so fertig, daß er alles mit sich geschehen ließ; es war gar nicht nötig, ihm eine über den Schädel zu hauen. Während Speed und Trig ihm die Taschen ausleerten, sang er leise, von Schluchzen unterbrochen, ein Liedchen vor sich hin, in dem der liebe Gott vorkam. Er hatte einige fünfzig Dollar in der Brieftasche und keine Uhr, aber einen Parker-Füllfederhalter und ein goldenes Feuerzeug, für das der Grieche zehn Dollar bezahlte; es handelte sich also um einen geglückten Fang.

Das ermutigte die Bande, schon wenige Tage später abermals den Friedhof aufzusuchen, aber diesmal blieb der Erfolg aus. Sie stießen nur auf eine verschüchterte Hausfrau mit einem großen Chrysanthementopf, die außer einigem Kleingeld nichts bei sich hatte und so erschrak, daß sie unfähig war, auch nur den leisesten Schrei auszustoßen.

Waren die Vampire nicht damit beschäftigt, auf diese oder andere Weise Geld zu beschaffen, so bemühten sie sich, es auf möglichst sinnvolle Art wieder unter die Menschen zu bringen: durch die Spielautomaten, Schießbuden, Kraftmesser, Horoskopautomaten oder in der Billardhalle. Jiggs wurde immer schlechter Laune, wenn Speed ihn dabei schlug, und Speed hielt es dann für angezeigt, den Chef hin und wieder gewinnen zu lassen. Jeder dieser Ausflüge wurde im Kino abgeschlossen, wobei jene Filme besonders beliebt waren, wo zwei oder drei entschlossene Burschen in einen Laden eindringen, »Hände hoch!« schreien und dann dem Kassierer mit dem Pistolenknauf eins über den Schädel geben, um mit der Kasse abhauen zu können. Prima war es auch, wenn drei Wagen mit kreischenden Bremsen vor einer Bar vorfuhren, die das Hauptquartier der feindlichen Bande war, und wenn dann die Maschinenpistolen zu rattern begannen, Fensterscheiben, Spiegel und Scheinwerfer zerschossen wurden und so weiter. In manchen Filmen wurden die Gegner auch in einem Keller an die Wand gestellt und dann der Reihe nach umgelegt, das war in Mode gekommen seit dem Massaker der Valentin-Leute, einem Markstein in der Geschichte des amerikanischen Gangstertums, wie Jiggs gerne sagte.

Im übrigen kauften sie große Mengen Eiskrem und Popkorn und leisteten sich auch hin und wieder ein paar Würstchen bei Karl oder eine Portion Spaghetti bei Giambattista; sie ließen die Musikautomaten stundenlang spielen, improvisierten ein Baseballmatch auf einem Bauplatz oder gingen zum Fluß baden, denn es war inzwischen warm geworden, und man konnte sich an der Sonne trocknen lassen. Bei dieser Gelegenheit stellte sich heraus, daß Poison schon wieder zugenommen hatte und daß Lizzie tasächlich ausgezeichnet gebaut war. Man legte den Mädchen Maßbänder um den Hintern und um die Brust, Poison leugnete, auch nur ein Pfund zugenommen zu haben, und Jiggs sagte höhnisch:

»Vielleicht irre ich mich auch, und du hast die Figur der Miß Universum...«

Hin und wieder gingen sie auch zu den Eltern des einen oder anderen Bandenmitglieds, wenn diese gerade nicht da waren, oder sie stiegen zu einem der Dächer hinauf, wo man sich zwischen Radioantennen und aufragenden Kaminen völlig unbeobachtet fühlen konnte.

»Wenn meine Alte wüßte, was ich alles schon getrieben habe, würde sie tot umfallen!« sagte Speed. Er hatte auf dem Dach des Hauses, in dem seine Eltern wohnten, insgeheim eine Meerschweinchenzucht angefangen; das war sein Hobby, und er hatte jedem der Meerschweinchen einen Namen gegeben, den Namen eines Bandenmitglieds. Das hübscheste der Weibchen hieß Lizzie, das dickste Poison, und das kleinste Meerschweinchen rief er Buddy; natürlich gab es auch ein kräftiges Männchen, das Speed Jiggs genannt hatte.

Hier hielten sich die Vampire oft stundenlang auf; sie dösten in der Sonne, lasen Comic Strips, würfelten und tranken Coca-Cola. Wenn sie die Abende in ihrem Schlupfwinkel im Keller verbrachten, mußten meist die Mädchen herhalten; das vollzog sich in irgendeinem dunklen Winkel oder im Tresorraum, während die anderen draußen Marihuana-Zigaretten rauchten und das Leben durch eine rosige Brille sahen.

Buddy ging Lizzie nicht von der Seite, und die anderen hänselten sie wegen dieser Anhänglichkeit und wegen der Sympathie, die sie dem kleinen Squirrel entgegenbrachte. Wenn Jiggs solche Spötteleien hörte, erklärte er immer, daß Lizzie durchaus das Recht habe, sich des Kleinen anzunehmen: Das sei ihr mütterlicher Instinkt, ein ganz natürliches Gefühl, das bei allen Mädchen schon ziemlich früh erwacht; warum würden sie sonst ihre Puppen wiegen und mit ihnen reden wie richtige Mütter, noch ehe sie Brüste hätten? In Lizzies Alter war ein Gefühl dieser Art somit um so weniger erstaunlich.

Lizzie zuckte zu diesen Worten nur die Achseln, aber es war nun einmal Tatsache, daß selbst Jiggs ihr nicht zu widersprechen wagte, wenn sie in bezug auf Buddy irgendeine Entscheidung traf. So hatte sie sich zum Beispiel dagegen ausgesprochen, daß man dem kleinen Neger das Marihuana-Rauchen beibringe, und Jiggs hatte sich diesem Machtspruch ebenso gefügt wie die anderen.

Buddy erging sich in endlosen Grübeleien. Es war richtig: Lizzie behandelte ihn so, als ob er ihr Sohn wäre; sie war zu ihm ganz so, wie er es von seiner Mutter vergeblich erwartet hatte. In jener ersten Nacht, in dem Unterschlupf im Fabrikkeller, war er in ihren Armen eingeschlafen und genau in der gleichen Lage wieder aufgewacht, so daß er annehmen mußte, sie habe sich absichtlich nicht bewegt, um ihn nicht aufzuwecken. Er konnte sich nicht erinnern, daß seine Mutter zu ihm je so zärtlich gewesen sei; sie hatte vielleicht ein gutes Herz, aber offenbar nur für die Stromer, für die Männer vom Rio Grande und die Landstreicher aus Portoriko. Es stimmte auch, daß zwischen ihm und Lizzie nichts von dem war, was sich sonst zwischen Burschen und Mädchen begibt; es war tatsächlich eher so wie zwischen Mutter und Kind.

Wenn Buddy irgendeiner Gewalttat beiwohnte, irgendeiner Aktion, an der sich Lizzie genauso energisch beteiligte wie die anderen Vampire, die auf den Überfallenen einschlugen, wenn sie mit einer zufriedenen Grimasse die Hand aus der Tasche eines Betrunkenen ans Licht zog und die Beute prüfte, dann war Buddy als Jünger Gandhis noch immer etwas betroffen. Dennoch brachte er es nicht übers Herz, Lizzie zu verurteilen. Er wäre überhaupt nicht imstande gewesen, Lizzie irgend etwas vorzuwerfen. Das ergab natürlich ein schwieriges Problem: Wie sollte er sein Prinzip der Gewaltlosigkeit mit seiner bedingungslosen Verehrung für Lizzie in Einklang bringen? Sicher war nur, daß er von Tag zu Tag Lizzie mehr bewunderte, mehr als Gandhi.

Etwas, was Buddy gar nicht verstand, waren die intimen Beziehungen zwischen den Burschen und den Mädchen. Wenn man von Poison absah, die mit jedem beliebigen schlief und eines Abends sogar einen der einsamen Männer auf einer Bank als flüchtigen Liebhaber akzeptiert hatte, statt ihm die Brieftasche zu ziehen – wenn man also von Poison absah, waren alle Mädchen in festen Händen. Dennoch protestierte nicht einer, wenn Jiggs sein Mädchen auf einer Parkbank aussetzte, wo der Auserwählte ihrer Raubzüge sie so lange befingern durfte, bis die anderen zuschlugen, oder wenn Jiggs es für nötig fand, eines der Mädchen den Burschen von einer anderen Bande in die Quere zu schicken, um diese auszuhorchen. Die Vampire fühlten sich als Besitzer ihrer Mädchen, was sie nicht hinderte, diese zuweilen ohne große Worte gegeneinander auszutauschen, was Buddy ziemlich düstere Vorstellungen von der Tugendhaftigkeit der Mädchen und der Treue der Burschen vermittelte. Jiggs war einer von jenen, die gerne in anderen Gewässern fischten, aber Lizzie tat, als sei ihr dies völlig gleichgültig. Man durfte annehmen, daß sie ihn nicht wirklich liebte und wohl nie geliebt hatte und daß sie sein Mädchen nur geworden war, weil dem Chef nun einmal die Hübscheste zustand. Buddy war sicher: Wäre er Lizzies Erkorener gewesen, er hätte sich nie mit einem anderen Mädchen abgegeben. Aber er war es nun einmal nicht.

Wenn sie gemeinsam ausgingen, so hielt sie ihn an der Hand, wie es eine Mutter mit ihrem Jungen tut. Keines der anderen Mädchen hielt den Burschen an der Hand, sie balgten sich eher wie junge Hunde oder küßten sich gierig, als wollten sie sich beißen.

Eines Abends kamen Speed und Trig, beide ein wenig außer Atem, mit einem Mulattenmädchen in den Keller, wo die anderen schon versammelt waren. Das Mädchen hatte ein blaues Auge, und Speed erzählte, er habe sie auf der Stiege des Hauses getroffen, in dem seine Eltern wohnten. Sie hatte ihn gefragt, in welchem Stockwerk sie wohl Mrs. Smith finden könne, ein alter Trick, um ins Gespräch zu kommen, und nach ein paar Worten hatte sie sich dann küssen lassen. Speed hatte sie aufs Dach geführt, wo er Trig wußte, und dann hatten sie ihr beide so lange zugesetzt, bis sie gestand, daß sie zu den Skorpionen gehöre und den Auftrag habe, für diese Bande zu spionieren. Speed war stolz, daß er gleich so etwas geahnt hatte. Er hatte dann noch herausbekommen, daß das Mädchen erst seit kurzem bei den Skorpionen sei, deswegen habe sie sich gegen den Auftrag nicht wehren können. Offenbar hatte man es nicht eben mit einem gefährlichen Ding zu tun.

Jiggs erhob sich nach diesem Bericht vom Diwan und verabreichte dem Mädchen zunächst, und um sie in die richtige Stimmung zu bringen, eine kräftige Ohrfeige. Sie begann sogleich zu flennen. Alle standen um sie herum, und Poison stieß mit dem Schuh kräftig gegen das Schienbein der Spionin, genau auf die Kante des Knochens, dorthin, wo es am stärksten schmerzt. Das Mädchen bückte sich, um nach dem mißhandelten Bein zu tasten, erhielt aber von Jiggs einen Kinnhaken, daß sie hintenüber und mit dem Kopf gegen die Wand flog. Dort blieb sie liegen, das Gesicht in den Händen verborgen, den Körper vom Schluchzen geschüttelt.

Jiggs trat hinzu und zog ihr mit einem Ruck den Sweater über den Kopf; sie trug nichts darunter, nicht einmal einen Büstenhalter, und Jiggs lachte über ihre kleinen, festen Brüste, die so aussahen, als wären sie ganz neu. Man sah ihm an, woran er dachte, aber er war einer von jenen, die immer ein wenig weiter denken, als man von ihnen glaubt. Er überlegte einen Augenblick und befahl dann dem Mädchen, seine Blue-Jeans auszuziehen. Sie tat es, und als sie nichts mehr auf dem Leib hatte als den kleinen Slip, dessen helles Blau zu dem Braunton ihrer Haut einen hübschen Kontrast abgab, da sagte Jiggs, daß nun jeder der Burschen über sie hergehen müsse: Das sei ein Befehl; denn man müsse dem Chef der Skorpione zeigen, was dabei herauskomme, wenn er solch eine kleine Idiotin zu den Vampiren zum Spionieren schicke.

Das Mädchen rollte sich auf dem Boden zusammen und begann ganz jämmerlich zu blöken.

»Sie hat keinen Nervenzusammenbruch!« erklärte Jiggs. »Sie tut nur so.«

Dann gab er ihr einen Stoß in die Rippen, um sie zum Aufstehen zu zwingen.

»Peter ist ein Schwein!« fuhr Jiggs fort. »Wir haben einen Waffenstillstand mit ihm, und er spioniert bei uns! Wir werden es ihm schon zeigen...!«

Speed lag in seinem Sessel und sog an einer Marihuana-Zigarette. Als Vizepräsident wäre er wohl der erste gewesen, aber er erklärte, er empfinde nicht das geringste, wenn er die Kleine anschaue, er fühle sich zudem in seinem Sessel so wohl, daß er für nichts in der Welt...

»Ich habe gesagt: Es ist ein Befehl!« wiederholte Jiggs drohend.

»Was man alles tun muß, um ein vorbildlicher Vampir zu sein!« sagte Speed achselzuckend und erhob sich. Alle lachten. »Wenn ich denke, daß es zweifellos Burschen gibt, die sich um dieses Mädchen prügeln... denn um jedes Mädchen prügeln sich irgendwelche Burschen...!«

»Um mich nicht!« maulte Poison. »Um mich haben sie sich noch nie geschlagen. Eher muß ich mich mit ihren Mädchen herumschlagen, um an die Burschen zu kommen!«

Abermals lachten alle. Buddy ging die Sache auf die Nerven, außerdem war er müde. Er liebte den Geruch des Marihuana-Rauchs, aber er machte ihn auch immer ein wenig traurig. Dazu kam, daß der halbdunkle Kellerraum einen auch sonst düster stimmen konnte, und wenn er hier einschlief, so krampfte sich ihm immer das Herz ein wenig zusammen, der Dunkelheit wegen, in der man stets irgendwelche Geräusche hörte: den Wind, die Ratten, die Sirenen der Dampfboote...

Speed erklärte schließlich, daß er gehorchen werde, aber nicht vor allen anderen! Jiggs stellte es ihm frei, in den Tresorraum zu gehen, und Speed stieß das Mädchen dort hinein.

Er kam schon bald wieder heraus, allein.

»Du hast gekniffen!« sagte Jiggs. »Ich wette, du hast sie gar nicht angerührt!«

»Nicht angerührt!« Speed war entrüstet. »Geh doch hinein

und frage sie selber! Glaubst du, ich brauche eine Dreiviertelstunde dazu?«

Buddy mußte an Dave denken, den alten Liebhaber der Frau im Kimono. Er konnte nicht mehr und hatte sich durch Eddie ersetzen lassen müssen, er war zu alt, daran änderte auch seine papageienhaft bunte Kleidung nichts. Demnach gab es also doch Unterschiede zwischen den Menschen, zum Beispiel den des Alters. Ein alter Mann ist nicht mehr so hinter den Mädchen her wie ein junger, das machte immerhin einen beträchtlichen Unterschied.

Der nächste ging nach nebenan. Man hörte, wie das Mädchen sich über irgend etwas beklagte: Offenbar ging er nicht so zart mit ihr um wie Speed, und er blieb auch länger. Dann kamen noch vier Burschen an die Reihe, was eine weitere Stunde dauerte, und man begann, an etwas anderes zu denken. Lizzie las einen Roman, »Sturm über Jamaica«, der sie leidenschaftlich interessierte, denn es kam ein Mädchen darin vor, das war wie eine kleine Heilige, nur zum Schein, aber dabei so gewitzt, daß man sie ohne Beichte in den Himmel gelassen hätte. Dieses Mädchen ermordet auf einem Schiff einen Mann, und niemand ahnt, daß sie das gewesen ist. Einer der Burschen zog sein Messer an einer der Zementstufen ab, und Poison würfelte mit Babs. Jiggs legte eine andere Platte auf das Grammophon, das er mit voller Lautstärke spielen ließ.

Der Junge, der sein Messer geschliffen hatte, hörte auf, er war an der Reihe, als letzter. Er schob die Klinge in die Scheide an seinem Gürtel und ging nach nebenan. Als er im Dunkel verschwand, pfiff er leise vor sich hin.

Die Minuten verrannen, man hörte nichts, und auch der Junge kam nicht wieder. Jiggs ging nachsehen, was aus ihm geworden sei, und fand ihn mit dem Mädchen auf dem Boden liegen und eine Whisky-Flasche neben ihnen. Sie hatten sich gemeinsam vollaufen lassen! Jiggs streichelte ihm den Kopf etwas unsanft mit der Schuhsohle, der Junge wachte auf und trollte sich verschreckt zurück zu den anderen. Das Mädchen, das splitternackt auf dem Boden lag, rührte sich nicht, sondern stöhnte nur leise.

»Jetzt ist Squirrel dran!« sagte Jiggs, als er wieder in den großen Raum trat. »Er ist alt genug. Als ich so alt war, hatte ich das längst hinter mir.«

Lizzie hob den Blick und sah Jiggs über den Rand ihres Buches hinweg fest an; auch die anderen sahen alle Jiggs und Lizzie an. Mit einemmal lag Spannung in dem Raum. Wenn Jiggs tatsächlich Lizzies Kleinen zu der Spionin der Skorpione schickte, dann überschritt er die Grenzen seiner Macht. Würde Lizzie sich das gefallen lassen? Aber Lizzie zuckte nur die Achseln und vertiefte sich dann wieder in ihr Buch.

Buddy hatte genau begriffen, was Jiggs von ihm wollte, und er suchte den Blick Lizzies, um bei ihr Hilfe zu finden. Aber sie las eifrig und schien sich für alles, was um sie her vorging, nicht zu interessieren. Daraufhin klatschte Jiggs leise in die Hände. Das galt Buddy und sollte wohl soviel heißen wie: Los, worauf wartest du?

Da Buddy sich noch immer nicht rührte, ging Jiggs auf ihn zu und ergriff ihn behutsam am Arm. Er führte ihn in den Tresorraum, und Buddy mußte dabei immerzu denken, warum sich denn Lizzie nicht einmischte. War es ihr denn wirklich gleichgültig, ob er mit diesem Mädchen schlief oder nicht? War auch sie der Meinung, daß es an der Zeit sei und er endlich erfahren müsse, wie es sei, wenn man mit einem Mädchen schläft? Dabei war das Glück, das er empfunden hatte, als er in ihren Armen geschlafen hatte, so gewesen, daß er nie an etwas anderes gedacht hätte... an das, was Jiggs mit ihr tat. Verglichen mit diesem Glück, von dem die anderen nichts wußten, existierten die Vergnügungen zwischen Burschen und Mädchen überhaupt nicht. Wenn dieses Glück des Beisammenseins ihr ebensoviel bedeutete wie ihm, dann hätte sie Jiggs jetzt widersprochen und sich Buddys angenommen, ihn behütet. Nun aber ging alles so vor sich, als sei sie der Meinung, er gehöre zu irgend jemandem, zu einem beliebigen Mädchen. Er fühlte sich verraten. Er haßte sie. Das, was Jiggs allein wohl nie erreicht hätte, das brachte nun die Wut auf Lizzie zuwege. Wenn es ihr gleichgültig war, daß er mit diesem Mädchen schlief, nun gut, dann würde er eben mit ihr schlafen...!

Das Mädchen von der Skorpionen-Bande lag noch immer auf dem Boden. Jiggs öffnete eine Dose Ananas und besprengte das Gesicht der Schlafenden mit dem Saft. Sie erwachte und bedeckte sogleich ihr Gesicht, als sie Jiggs sah.

»Du brauchst dich nicht zu fürchten, Kleine«, sagte Jiggs, »der da ist unser Benjamin. Es handelt sich um eine Premiere: Nimm dich seiner an...«

Dann ging er und schloß die Tür hinter sich.

Es war ein seltsamer Augenblick, und er hatte etwas Rührendes. Buddy stand in der einen Ecke, hart an den Stellagen mit den Vorräten, zu seinen Füßen lag der blaßblaue Slip des Mädchens.

Er trug seine Blue-Jeans und dazu ein schwarz und rot gestreiftes Trikotleibchen, während das Mädchen in der Gegend des Tresors auf dem Boden saß, nackt, mit angezogenen Knien, um die sie die Hände gelegt hatte. Sie sah Buddy unverwandt an, das eine Auge, jenes, auf das Speed geschlagen hatte, konnte sie noch nicht ganz öffnen, es war geschwollen.

»Du mußt entschuldigen«, sagte sie dann lächelnd, »ich bin noch ein wenig durcheinander, ich habe zuviel getrunken!«

Sie sah reizend aus mit ihren ganz jungen Brüsten, ihren schlanken, runden Schenkeln, der straffen, seidig-glatten Haut, die im Kerzenlicht matt schimmerte.

»Stimmt's, daß du's noch nie versucht hast?« fragte sie. »Dann soll ich vielleicht die Kerze auslöschen?«

Buddy schüttelte stumm den Kopf.

»Oh là là«, sagte sie und wiegte den Kopf leicht über ihren runden Knien hin und her, »da staune ich aber!« Sie sah Buddy abermals an und lächelte ihm von neuem zu. »Vor mir brauchst du dich nicht zu fürchten«, sagte sie. »Ich fress' dich nicht auf, komm nur näher!« Sie streckte die Hand aus, aber er rührte sich nicht.

»Wie heißt du?«

»Buddy!«

»Nun, sehr gesprächig bist du nicht. Komm, setz dich zu mir!«

Sie war so nett, daß Buddy sich tatsächlich neben sie setzte.

»Nenne mich Angel..., so heiße ich.«

»Angel ist ein hübscher Name«, sagte Buddy.

»Brrr«, machte sie, »warm habt ihr's nicht hier unten!«

Buddy erhob sich und suchte im Dunkeln eine Weile herum, ehe er bei den Schuhputzerkästen, den Trophäen zahlreicher Strafexpeditionen, auch einen leeren Sack fand, den er Angel um die Schultern legte.

»Du bist nicht so gemein wie die anderen«, erklärte Angel, »aber das kommt schon noch... die Gemeinheit kommt mit den ersten Schnurrbarthaaren.«

»Das würde ich nicht so fest behaupten«, widersprach Buddy, der sich wieder neben sie gesetzt hatte.

Sie schwiegen eine Weile, dann fügte Buddy hinzu:

»Warum bist du eigentlich zu Speed spionieren gegangen...? Sehr klug war das nicht, du mußtest doch sicher sein, daß er dich durchschauen würde!«

»Ich konnte mich nicht drücken: Peter hatte es ausdrücklich befohlen.«

»Und was wollte er eigentlich erfahren?«

»Lauter Unsinn. Er hat lange nichts von euch gehört und war der Meinung, das sei die sogenannte Ruhe vor dem Sturm. Er ist überzeugt, ihr bereitet einen Überfall vor!«

»So ein Trottel. Wir haben Waffenstillstand, und ich weiß ganz genau, daß Jiggs ihn respektiert!«

»Es ist schon komisch mit den Burschen ...«, sagte Angel nachdenklich, »ich meine da nicht gerade dich. Die Mädchen sind nicht so sonderbar. Aber die Burschen mit ihrer Kraft und daß sie immerzu etwas unternehmen müssen ...«

»Nun, die Mädchen kommen ganz gut durch, auch ohne diese Kraft. Übrigens sind sie gar nicht so schwach, wie sie immer sagen!«

»Wenn wir Mädchen ebenso stark wären wie die Burschen, dann hätte es heute etwas gegeben!« sagte Angel und hob die geballte Faust vor Buddys Gesicht.

Sie schwiegen wieder, dann fragte Buddy:

»Warum bist du zu den Skorpionen gegangen?«

»Warum nicht? Meine Mutter wohnt auf ihrem Gebiet, es war gar nicht anders möglich, du weißt doch, wie das ist. Erst habe ich mich natürlich geweigert, aber du kannst dir nicht vorstellen, wie sie mir zugesetzt haben. Sie haben mich in die Waschgrube einer Garage geworfen und mit abgelassenem Öl übergossen. Mehr brauche ich dir ja nicht zu sagen: Die Kleider und die Wäsche waren natürlich beim Teufel, und ich habe acht Tage lang gestunken; meine Mutter war wütend, für sie kam noch dazu, daß sie das an meinen Vater erinnerte. Der war bei der Marine und roch immer nach Dieselöl. Als ich noch immer nicht wollte, haben sie mich in einen Wagen gezerrt und mit leeren Taschen hundert Meilen von New York abgesetzt, mitten in der Nacht. Ohne einen Cent konnte ich dann Anhalter machen, stundenlang gehen, bis ich endlich einen Wagen fand. Er hatte einen Negerfahrer, der an mir herumfingerte, so daß ich heraussprang, wieder ein paar Stunden ging, bis sich ein weißer Fernlastfahrer meiner erbarmte ... auf einer Tankstelle. Wie meine Mutter mich empfing, kannst du dir denken. Ich habe so getan, als wisse ich von nichts und hätte alles vergessen, das brachte meine Mutter endlich zum Schweigen, denn ich hatte das schon als Kind: Ich ging mitunter nachts spazieren und wußte am Morgen nichts mehr davon.«

»Das nennt man schlafwandeln«, erklärte ihr Buddy mit erwachendem Interesse, denn er hatte noch nie jemanden kennengelernt, der diese Krankheit hatte. »Bist du auch auf das Dach geklettert?«

»Ja, überall herum, auch am Rand des Daches... alles, ohne aufzuwachen!«

»Wurdest du dabei nicht schwindlig, wenn du so hoch oben spazierengingst?«

»Wenn man schläft, dann wird man auch nicht schwindlig... man weiß ja nicht, wo man ist. Himmel, bin ich betrunken! Buddy, reib mir doch mal den Rücken, mir ist kalt!«

Buddy rieb und massierte sie, und Angel ließ es sich gern gefallen. Buddy fand es seltsam, daß er, Lizzies Kleiner, nun ein Mädchen verwöhnte.

»Laß deinen Arm da, Buddy«, bat sie, »der hält mich gut warm!«

»Und weiter?«

»Was weiter?«

»Was haben die Skorpione dann mit dir gemacht?«

»Das mit dem Öl noch einmal, aber diesmal perfekt: Wie ich ganz schwarz und schmierig war, haben sie mich in Hühnerfedern gerollt, dann haben sie einen Indianertanz rund um mich aufgeführt und geschrien: ›Du bist eine Henne... du bist eine Henne!‹«[*]

»Das ist gemein!« sagte Buddy mit Nachdruck; dabei verwirrte ihn aber die Berührung mit Angels Schulter und ihrer nackten Hüfte. Zugleich war er ein wenig stolz darauf, diesem fremden Mädchen gegenüber beinahe väterlich-fürsorglich sein zu können. »Und dann?«

»Dann habe ich's aufgegeben und bin Mitglied der Bande geworden und die Freundin von Jake, der im Komitee der Skorpione ist. Ich habe nicht schlecht gelebt die ganze Zeit, bis Peter, dieses Schwein, den Einfall hatte, mich zu Speed zu schicken, um ihn auszuhorchen. Meine Mutter wird mir vielleicht etwas erzählen, wenn ich heimkomme! Diesmal weiß ich nicht, was ich sagen soll, sie sieht doch das blaue Auge und die Beule am Schienbein. Wenn ich wieder sage, daß ich nicht weiß, was mit mir geschehen ist, sperrt sie mich ein oder steckt mich in eine Anstalt... da ist mir noch lieber, die Vampire gehen der Reihe nach über mich her!«

Buddy war ein wenig schockiert von diesem Zynismus, aber er begriff immerhin, daß die Härten der Freiheit ihr noch immer lieber waren als die Überwachung in einer Anstalt.

---

[*] Unübersetzbares Wortspiel: poule - Henne, aber auch Dirne. (Anmerkung des Übersetzers.)

»Und was ist mit deinem Vater?«

»Mein Vater? Der hat sich seit Jahren nicht mehr blicken lassen. Wenn ein Mann zur See fährt und nie zu Hause ist, wie soll man dann ein gutes Familienleben führen? Meine Mutter hat sich einen anderen gesucht, einen Ersatz-Vater, auch einen Seemann, aber er fährt auf einem Hafenschlepper. Er redet nicht mit mir, er ist eifersüchtig. Ich begreife es nicht, meine Mutter denkt ohnedies nur an ihn, und ich störe sie doch nicht, wo ich doch nie zu Hause bin!«

Das verstand Buddy. Seeleute waren als Väter ebenso ungeeignet wie Eisenbahner, das wußte er aus eigener Erfahrung, sie reisten zuviel. Aber schließlich gab es auch Angestellte und Beamte, Männer, die jeden Abend zur gleichen Stunde nach Hause kamen, die als Väter genau solche Versager waren, ganz abgesehen von den Familien, wo der Vater in Ordnung ist und die Mutter das Problem. Und dann gab es noch die großen Brüder. Lizzie hatte so einen, es war nur ein Glück, daß er nicht in New York arbeitete, sondern in Detroit, bei Ford. Aber wenn er auf Urlaub nach Hause kommt und Lizzie bei den Mahlzeiten nicht am Tisch sitzt – was die Arme dann von ihm einstecken muß: Er hält ihr lange Moralpredigten und verbietet ihr, abends auszugehen! Es gibt kaum eine Familie, sagte sich Buddy, wo alles in Ordnung ist. Bei den Millionären mag das Geld das eine oder andere erleichtern, aber von einer Kinderschwester aufgezogen zu werden, ist auch nicht das Wahre! Man hat dann allerdings das College, und die Eltern lassen einen in Ruhe, und wenn er auf die Universität hätte gehen können, er, Buddy, der so leicht gelernt hatte, dann wäre vielleicht noch etwas aus ihm geworden!

»Woran denkst du?« fragte Angel.

»An nichts.«

»Schäme dich, so zu lügen!« sagte sie und schlang ihm den Arm um den Hals. An seinem Ohr murmelte sie dann: »Komm!« und Buddy erinnerte sich plötzlich, warum sie eigentlich da nebeneinander im Halbdunkel saßen. Er war ihr dankbar, daß sie so diskret blieb; es hätte ja auch sein können, daß sie gelacht hätte und gezwitschert, etwa: Komm schon, Buddy, fangen wir an, dazu haben sie uns ja schließlich allein gelassen . . .! Angel jedoch war sehr nett und ganz sanft und behutsam, aber Buddy war noch immer nicht so recht in Stimmung zu dem, was Jiggs von ihm erwartete.

»Küß mich auf das geschwollene Auge«, flüsterte sie, noch immer an seinem Ohr, »das wird mir guttun.«

Er tat es, ein wenig ungeschickt. Sie roch gut nach Ananas, ihre Haut war ein wenig klebrig vom Zucker. Sie streckte sich auf dem Sack aus und zog Buddy an seinem Trikotleibchen an sich. Er gab nach und lag auf einmal ausgestreckt neben ihr, in ihren Armen.

»Ich höre dein Herz ganz wild schlagen«, flüsterte sie, »mache ich dir denn soviel Angst?« Sie lachte leise, dann wurden sie beide still. »Es geht mir schon etwas besser, jetzt«, sagte sie nach einer Weile, »ich bin nicht mehr so betrunken wie vorhin... auch mein Auge tut nicht mehr so weh... Willst du es noch einmal küssen?«

Er drückte vorsichtig einen zweiten Kuß auf das geschwollene Auge. Der Körper des Mädchens straffte sich und drängte sich leicht an ihn.

»Es ist nicht, weil es sein muß«, sagte sie leise, »du gefällst mir, weißt du..., die anderen mochte ich gar nicht, Jake nicht und Peter, und schon gar nicht deine Kameraden, die Vampire... jetzt ist es das erste Mal, daß es mir gefällt... verstehst du?«

»Bei mir... bei mir ist es überhaupt das erste Mal«, sagte Buddy.

Angel überlegte.

»Ich weiß...!« sagte sie dann. »Es wird eine schöne Erinnerung, paß auf! Für dich noch besser als für mich. Jiggs glaubt, er zwingt mich zu etwas, aber es ist das erste Mal, daß es wirklich freiwillig ist... Wie komisch doch das Leben ist!«

Mit dem Fuß stieß sie die Kerze um, die erlosch. Dann zog sie Buddy mit weichen Händen das Leibchen und die Hose aus. Er wehrte sich nicht. Er dachte nur, daß sie imstande wäre, Jiggs zu sagen, es sei nichts gewesen, er konnte also gar nicht davonlaufen. Wer weiß, was sie Jiggs erzählen würde, bei den Mädchen mußte man auf alles gefaßt sein, und wirklich verstand sie ja keiner... Und wie behutsam sie war in allen ihren Bewegungen, wie eine kleine Katze, und wie wenig sie wog, wenn sie so auf ihm lag!

Er wußte nicht genau, was eigentlich mit ihm geschah. Er zwang sich, nicht an Lizzie zu denken, aber er hatte dennoch nichts anderes im Kopf als sie. Er kannte das Lustgefühl schon und fand, zu zweit sei es nicht viel besser. Als sie schließlich entspannt und weich wie Kautschuk von ihm wegrollte, ließ er sie liegen und zog sich sogleich im Finstern an. Der Raum hatte nur einen Ausgang. Buddy stieß die Tür rasch auf, und ein vielstimmiges Begrüßungsgebrüll seiner Kumpane scholl ihm entgegen. Von allen Seiten stellte man ihm schmutzige Fragen, nur

Lizzie, die immer noch las, unterbrach sich nicht und hob nicht einmal den Kopf.

Buddy rannte durch das Zimmer, stürzte in den Keller hinaus, über die Stiege hinauf und immer weiter. Auf der Straße war es mondhell; der Schatten des Fabrikschornsteins war sehr lang. Buddy irrte auf den Kais herum, ohne zu wissen, wohin er eigentlich wollte. Plötzlich erkannte er in einem Autowrack das Hotel Dodge wieder, wo er seinerzeit am ersten Abend seiner Freiheit geschlafen hatte. Es war ein kurzer Schlaf gewesen, weil doch jenes Schwein von einem Landstreicher sich an ihn herangemacht hatte. Er fand auch den Ort wieder, wo der bärtige Gene und seine zwei Kumpane gelagert hatten; es war nichts mehr von ihnen zu sehen als ein wenig Asche von ihrem Feuer und eine alte Konservendose.

Buddy kroch unter die zerfetzte Wagenplane des Lastwagens und schlief sofort ein. Erst nach einiger Zeit weckte ihn der Lärm, den die Ratten verursachten, als sie sich in irgendeinem Winkel balgten. Wo sollte er hingehen? Hier hielt er es nicht mehr aus. Sollte er die Bande verlassen, aus Brooklyn fortgehen, zu seiner Mutter zurückkehren? Der Gedanke, daß er Lizzie nicht wiedersehen würde, erschien ihm unerträglich, und er kehrte in den Keller der Vampire zurück. Der Mond stand nun hoch am Himmel, und der Kamin warf nur einen kurzen Schatten. Auf der obersten Stufe der Kellertreppe blieb Buddy stehen und lauschte; es war ganz still und völlig finster. Er strich ein Streichholz an und hielt es so lange, bis es ihm die Finger verbrannte; das zweite brannte, bis er in das Zimmer mit dem Sofa gelangte und eine Kerze fand. Neben der Kerze lag Lizzies Buch. Er ging nach nebenan, in den Tresorraum, wo der Sack noch immer an der Erde lag. Von einem der Wandbretter nahm er sich eine Dose mit Schinken und holte sich dazu ein paar Biskuits, dann ließ er sich in einem der Sessel nieder. Er aß und las dabei die ersten Seiten des Romans »Sturm über Jamaica«.

Seit er bei der Bande war, hatte er nichts mehr gelesen. Es gefiel ihm, und er begriff, daß es auch Lizzie gefiel. Wenn man für ein Mädchen etwas übrig hat, dann ist es wichtig, daß man auch in den Neigungen mit ihm übereinstimmt, zum Beispiel im Geschmack bei der Lektüre. Buddy sagte sich, daß er sich nie mit einem Mädchen besser verstehen würde als mit Lizzie. Angel war sanft, nett und zutraulich gewesen, aber Lizzie war sie nicht, und wäre Angel noch hier, so hätte er sie jetzt mit einer Ohrfeige an die Luft befördert. Das hätte er übrigens vorhin tun sollen, statt ihr nachzugehen und bei ihr zu liegen und so weiter; und wenn Jiggs geschimpft hätte, dann hätte er eben auch auf Jiggs pfeifen müssen!

Nach einer Weile schlief er in dem Sessel ein, und das Buch glitt ihm aus den Händen. Geräusche und Stimmen weckten ihn schließlich, das waren die anderen, die zurückkamen. Es war hellichter Tag, er schien durch die kleinen Fenster ins Zimmer. Sie hatten sich getroffen, um an der Bai zu angeln, und kamen nun, um Buddy zu holen. Jiggs hatte ein ganz tolles Angelzeug, von dem kein Mensch wußte, wie er darangekommen war. Das war natürlich glatter Unsinn, man fischte ebenso gut mit einem Ast oder einem Stock, einem Stück Eisendraht und einem Endchen Speck als Köder, aber Jiggs mußte ja immer angeben.

Lizzie, die sich ein wenig abseits hielt, nickte Buddy einen Gruß zu, kam aber nicht näher, und er wagte nicht, auf sie zuzugehen. Von diesem Tag an war Lizzie nie mehr so, wie sie vorher zu ihm gewesen war. Es war aus mit den Spaziergängen Hand in Hand. Sie waren Kameraden, aber auch nicht mehr, sie hielt immerzu ein wenig Distanz, und er vermochte nichts gegen die Schranke, die sie zwischen ihnen aufrichtete. Das versetzte ihn in so bedrückte Stimmung, wie er sie noch nie empfunden hatte.

Übrigens machte keiner der anderen eine Anspielung auf die Ereignisse vom Abend zuvor. Einzig Poison, die ihre Zunge ja nie im Zaum hatte, erzählte auf dem Weg zum Angelplatz, daß die Burschen, als Buddy davongerannt war, von der Spionin der Skorpione noch immer nicht abgelassen hätten. Sie hatten sie festgehalten, und Jiggs hatte ihr mit einer Rasierklinge ein Kreuz auf dem Kopf ausrasiert. Sie würde sich wohl oder übel die Haare ganz abschneiden müssen.

Buddy antwortete nicht. Im stillen aber sagte er sich, daß Jiggs tatsächlich gemein sei, und Angel tat ihm aufrichtig leid. Mit dem ausrasierten Kreuz, dem blauen Auge und der Beule am Schienbein konnte sie ihrer Mutter natürlich nicht weismachen, daß sie den Abend im Kino verbracht und hinterher einen Becher Eiskrem gegessen habe.

In den Tagen und Nächten, die auf diese Ereignisse folgten, vervollständigte Buddy seine Kenntnisse. Es war das übliche, und es war doch immer wieder neu, selbst wenn es keine Zwischenfälle gab, er lieferte Doks Fabrikate hierhin und dorthin, und von Zeit zu Zeit ergab sich auch etwas Unvorhergesehenes.

Einmal mußte er durch ein Kellerfenster schlüpfen, das so eng war, daß nur er, der Schmächtigste der Bande, hindurch konnte. Er fiel innen zu Boden, stieg die Treppe ins Erdgeschoß hinauf und öffnete die Tür zu dem Laden, in dem die Vampire sich wieder für einige Zeit verproviantieren wollten. Speed und Buddy bildeten dann die Nachhut und fielen, als die anderen mit der Beute schon längst um die Ecke waren, einem Bullen in die Hände; er war nicht in Zivil, es war ein ganz richtiger Polizist mit Uniform, Mütze, Schulterriemen und Gummiknüppel, einer jener verdammten Irländer, die alle sechs Fuß lang sind.

Er bekam Speed am Arm zu fassen, der seinen Sack fallen lassen mußte, und Buddy blieb ebenfalls, weil man doch einen Kameraden in der Gefahr nicht im Stich läßt. Zum Glück machte Speed nicht schlapp; er war kaltblütig genug und versuchte nicht erst, dem Bullen einzureden, daß er der Sohn des Lebensmittelhändlers sei und nur eben ein paar Konserven für Papa geholt habe. Mitten in der Nacht hätte er ihm diese Geschichte ja ohnedies nicht abgenommen. Speed behielt einen klaren Kopf, verhandelte mit dem Irländer von Mann zu Mann mit dem Ergebnis, daß dieser sich bereit erklärte, sie für zehn Dollar laufen zu lassen. Speed gab ihm das Geld, und der Lange half ihm noch, den Sack wieder auf den Rücken zu werfen, und stand auf der Straße Schmiere, bis die zwei verschwunden waren. Es war allerdings ein Glück, daß Speed soviel Geld bei sich gehabt hatte!

An einem anderen Abend streiften sie auf dem Güterbahnhof herum. Sie stahlen aus einem abgestellten Waggon eine Kiste, ohne sie näher besichtigen zu können, denn sie hatten Schritte und Stimmen gehört. Möglicherweise waren es Eisenbahner – man wußte, daß auch sie sich hin und wieder heimlich etwas aus den Waggons holten –, aber es konnte natürlich auch eine Streife der Bahnpolizei sein, und die packte hart zu. Buddy und die anderen schleppten also, so schnell sie konnten, die Kiste in den Unterschlupf der Bande; sie war ekelhaft schwer, was dafür sprach, daß sie Konserven enthielt, aber als man sie schließlich öffnete, enthielt sie nichts als Bibeln! Funkelnagelneue Bibeln, säuberlich gebunden, eine neben der anderen, so ziemlich das einzige, womit man beim besten Willen nichts anfangen konnte. Sie waren wütend, sich umsonst geplagt zu haben, denn die Kiste war auf dem letzten Wegstück so schwer gewesen, daß sie alle geschworen hatten, sie müsse Waffen oder Kugellager enthalten. Für die Bibeln interessierte sich der Grieche bestimmt nicht, sein Kundenkreis war nicht danach; man konnte sie höchstens den Krummbeinen von der Heilsarmee anbieten, die immerzu singend durch die Straßen zogen. Speed widersprach und gab zu bedenken, daß die Heilsarmee nie und nirgends für irgend etwas bezahlte, sondern im Gegenteil noch absammelte. Als ob ihn das auf einen Gedanken gebracht hätte, setzte er hinzu, daß es ihm Spaß machen würde, sich einmal eines dieser Mädchen von der Heilsarmee vorzuknöpfen, eine mit Brille und einem der komischen Hüte, mit schwarzen Strümpfen und flachen Schuhen – nur um zu sehen, was sie für ein Gesicht schneiden würde, wenn es ihr plötzlich ein Neger besorgte... Es war ja nicht sehr wahrscheinlich, daß es dazu kommen würde, aber alle mußten lachen, wenn sie es sich vorstellten.

Jiggs sagte, er habe einen Vetter, der sei Pastor in Tuscaloosa, Alabama. Dem könnte man die Bibeln schicken, natürlich nicht alle auf einmal, sondern hin und wieder fünf oder zehn Stück – der Vetter würde dann in seiner Kirche für sie alle beten! Bei diesem Gedanken lachten die Vampire noch mehr als bei Speeds Einfall mit dem Heilsarmeemädchen. Tatsächlich aber geschah weder das eine noch das andere; die Kiste mit den Bibeln blieb einfach im Tresorraum stehen neben den Kisten, die man den Schuhputzern abgenommen hatte.

Auf ihren Streifzügen durch die Umgebung forschten die Vampire stets nach offenen Autos und fanden immer wieder einmal eines, in dem etwas liegengeblieben war. Eines Abends entdeckten sie auf diese Weise eine hübsche lederne Aktentasche; sie lag auf der hinteren Sitzbank. Buddy und Poison bezogen Posten an den Straßenecken, um Schmiere zu stehen, und Trig hatte die Aufgabe, die Aktentasche zu angeln. Da er es nie lassen konnte, mit seinem Messer zu spielen, stach er auch diesmal in die schöne Lederbespannung der Sitzbank, worauf ein winziges, über und über behaartes Hündchen unter dieser hervorkam und ein mäusefeines Gebell hören ließ. Trig hätte einfach abhauen können, aber er spielte nun einmal gerne den Helden; darum griff er nach dem Hündchen, stopfte es sich vorne ins Hemd, schnappte dann die Aktentasche und verschwand in einem sehenswerten Sprint.

In der Tasche fand sich nichts, was man von vornherein wertvoll nennen konnte; sie enthielt eine Reihe von Plänen – vielleicht gehörten sie zu einer Maschine, mit der man Todesstrahlen erzeugen konnte! Möglicherweise würde der Ingenieur eine Anzeige einrücken.

ERBITTE RÜCKGABE DER DOKUMENTE
HOHE BELOHNUNG, VOLLSTE DISKRETION.

Jiggs jedenfalls hielt es für angezeigt, in den nächsten Tagen die Zeitungen durchzusehen, aber man tat es dann doch nicht. So war es immer: Jiggs sagte, man müßte dies oder jenes tun, aber wenn es nicht ein Projekt war, das sofort verwirklicht werden mußte, vergaß er es wieder, und so wanderte die Aktentasche mit den Plänen zu den Bibeln, die schon anfingen, sich mit Schimmel zu bedecken.

Poison fand dies alles sehr unvorsichtig; wenn die Polizei einmal auf den Gedanken kam, den Fabrikkeller zu durchsuchen, hatte sie damit sogleich eindeutiges Belastungsmaterial in der Hand. Daraufhin befahl ihr Jiggs, die Tasche in den Fluß zu werfen, aber Poison vergaß es; sie war in dieser Hinsicht ebenso gedankenlos wie alle anderen, wurde für den Augenblick von einem Einfall, einem Trick, einer Vorstellung angezogen, dachte gleich darauf aber wieder an etwas anderes. Buddy fand sie allesamt ziemlich leichtsinnig und sagte sich, daß er, wäre er der Chef der Bande, mit viel größerer Vorsicht ans Werk gehen würde.

Das Hündchen knurrte und kläffte den ganzen Tag und zeigte seine winzigen Zähne. Man hatte ihm in einer leeren Kiste mittels einiger Schuhputzerlappen ein geradezu komfortables Gehäuse zurechtgemacht, aber es weigerte sich, darin zu schlafen. Offenbar war es nur an Samt und Seide gewöhnt, man wußte ja aus den Magazinen, wie die Flohkästen für diese Art Hunde aussehen: ein Bettchen mit Daunen und noch mancherlei, was keiner der Vampire je gehabt hatte, Bändchen hier und Bändchen dort, eine Wiege wie für den Familiennachwuchs der Morgans. Man durfte sich also nicht wundern, daß der Luxusköter nicht in den Lumpen schlafen wollte. Er hatte sich unter der Stiege in einem ganz dunklen Winkel verkrochen, und wenn man nach ihm zu greifen versuchte, knurrte er und schnappte nach den Fingern.

Jiggs erklärte, das Vieh mit seinem immerzu knurrenden Maul gehe ihm auf die Nerven; es sei das typische Luxusgeschöpf und bis oben voll Vorurteilen, was man daran sah, daß es Neger und arme Leute nicht leiden konnte. Hunde wie dieser riechen das Elend und die schwarze Haut, und sie sind instinktiv dagegen, selbst wenn ihre weißen Besitzer sie nicht eigens dazu abgerichtet haben. Überdies war es möglich, daß der Hund eine Polizistenseele hatte, und es war zu befürchten, daß er sie alle bei der erstbesten Gelegenheit verpfeifen würde.

Trig fand es seltsam, daß es Hunde mit Polizistenseele geben sollte, von den Polizeihunden natürlich abgesehen, die ja speziell ausgebildet wurden und imstande waren, aus dem Geruch eines Menschen zu erkennen, ob er ein entsprungener Sträfling war oder nicht. Man müßte, meinte Trig, einmal versuchen, Hunde auf Polizisten zu dressieren, und da ihm dies selbst nicht sehr wahrscheinlich vorkam, erging er sich in langen Betrachtungen über das verflucht parteiische Temperament der Hunde.

Poison hatte in *Reader's Digest* einen Artikel über Seelenwanderung gelesen und erklärte, es sei durchaus denkbar, daß die Seele eines Polizisten nach dem Tod des Bullen in einem Hund Wohnung nehme. Nun lachten alle, und Jiggs regte an, über das Schicksal des gefährlichen Köters zu beraten. Es war schließlich nicht ausgeschlossen, daß er eines Tages verschwand und seinen rechtmäßigen Besitzer zum Schlupfwinkel der Bande führte.

Poison widersprach: Sie hielt das alles für Unsinn und war der Meinung, daß dieses faustgroße Tierchen mit seinen blaßrosa Haaren viel zu klein und harmlos sei, um sich als Polizist zu gebärden; es sei lediglich schlechter Laune, weil es bei seinem Wohnungstausch so schlecht abgeschnitten habe; es werde sich schon noch eingewöhnen.

Sie erhob sich, holte ein paar Würstchen aus einer Dose, legte sie auf einen Teller und schob sie dem Hündchen hin. Dieses aber machte keine Miene, hineinzubeißen, sondern blieb in seinem dunklen Winkel, und das Gespräch wandte sich anderen Dingen zu.

Nachts, als Buddy allein auf dem Diwan lag und schnarchte, fühlte er plötzlich etwas Warmes an seiner Wange; das war der kleine rosa Hund, der im Finstern herangetrottet war, um bei ihm zu schlafen. Buddy zündete eine Kerze an und sah, daß der Teller leer war; die Würste waren verspeist, und der Hund klopfte zum Zeichen der Zufriedenheit mit dem Schwänzchen auf den Boden. Geschmeichelt von der Sympathie, die das wählerische Geschöpf ihm entgegenbrachte, ließ Buddy das kleine Tier an seiner Seite schlafen; er war sicher, daß kein anderes Mitglied der Bande auf diese Weise ausgezeichnet worden wäre.

Die anderen waren denn auch reichlich verblüfft, als sie am Morgen sahen, wie gut sich Buddy mit dem Hund verstand. Lizzie, an die Buddy noch immer nicht herankam, tat, als sei ihr das Leben gleichgültig; Poison jedoch versuchte das Hündchen zu streicheln, und mußte sich anknurren lassen. Es war offenbar, daß es eine besondere Vorliebe für Buddy hatte und bereit war, ihn als neuen Herrn anzuerkennen.

Jiggs, der nun über diesen Bandenzuwachs einigermaßen beruhigt zu sein schien, schlug vor, dem Hündchen einen Namen zu geben. Babs hielt Flee für passend, das bedeutete Floh, und viel größer war das Vieh ja nicht, Poison aber war für Rusty wegen der rötlichen Farbe. Man einigte sich auf Rusty, da dieser Name außerdem noch den Vorteil hatte, daß man ihn auf ein Männchen wie auf ein Weibchen gleichermaßen anwenden konnte. Ja, wie stand es nun damit? Jiggs wollte sich sogleich von der Sachlage überzeugen, aber Rusty war noch immer nicht gut auf ihn zu sprechen und kläffte ihn an. So wurde also Buddy beauftragt, Rustys Geschlecht festzustellen. Er entdeckte zwischen den blonden, rosigen Bauchhaaren des Tierchens winzige Zitzen, womit auch dieser Fall geklärt war.

Es kam zu einer zeremoniellen Taufe, bei der einige Dosen Hummer geöffnet und mit Whisky flambiert wurden. Babs war eine ausgezeichnete Köchin; wenn sie sich eines Tages entschließen sollte, geregelter Arbeit nachzugehen, würde sie bestimmt einen guten Platz in einer reichen Familie finden. Während die Mädchen mit der Vorbereitung des Festmahls beschäftigt waren, verschwand Poison und erschien bald darauf wieder mit einer ungeheuren Pralinenpackung. Sie war zweifellos ein Mädchen, das sich zu helfen wußte, wenn sie auch nicht fein war; aber sie mußte über einen einzigartigen Trick verfügen, in zwei Minuten an die besten Bonbons zu kommen. Jiggs erklärte anerkennend, Poison sei zwar in der Horizontale so wenig wählerisch wie ein Strohsack, müsse aber eine Königin des Ladendiebstahls genannt werden.

»Lieber eine Matratze als ein Blaustrumpf«, rief Poison.

»Stimmt«, sagte Jiggs, »eine dritte Möglichkeit scheint es für Mädchen tatsächlich nicht zu geben!«

»Was willst du damit sagen?« erkundigte sich Lizzie ruhig.

»Ach, wie man das eben so sagt, ich habe mir nichts weiter dabei gedacht«, begütigte Jiggs mit einem kaum merkbaren nachlässigen, ja beinahe verächtlichen Unterton.

Es zeigte sich, daß Rusty Hummer nicht mochte; man öffnete für sie Büchsen aller Art und entdeckte schließlich, daß kleine Würstchen ihrem Geschmack noch immer am meisten zusagten. Sie fraß sich daran satt und rollte sich dann zu einem Schläfchen auf einem Diwanpolster zusammen, in der Mulde, die Buddy während der Nacht mit seinem Kopf eingedrückt hatte. Das war nun der Augenblick, wo man sie taufen konnte. Buddy besprengte sie feierlich mit einigen Tropfen Starkbier.

Nach dem Hummer wurden Ananasscheiben gegessen und dann das Ganze mit Bier und Whisky hinuntergespült. Die Bonbons bildeten den Abschluß. Selbst Lizzie taute auf, und nach der ersten Marihuana-Zigarette war sie fast ebenso gut aufgelegt wie alle anderen. Babs versprach, eine Leine für Rusty heranzuschaffen, es gebe sehr hübsche bei Gimbels. Jiggs mahnte zur Vorsicht: Rusty werde schon so, wie sie war, als teurer Hund auffallen, selbst wenn man ihr Fellchen hinfort nicht mehr pflegte; keinesfalls dürfe man durch eine Leine aus Krokodilleder oder etwas Ähnliches noch den Eindruck unterstreichen, daß es sich um einen Hund von reichen Leuten handle; eine gute Schnur, mehr sei nicht notwendig, und bei weiteren Spaziergängen müsse ohnedies Buddy das Hündchen tragen, denn es habe zu kurze Beine, um Schritt zu halten.

Auf das Mahl folgte eine ausgiebige Siesta. Danach beschloß man, einen Spaziergang zu machen. Man bummelte zu den Kais, und Rusty machte die Reise in Buddys Jackentasche mit. Als man am Ziel war, durfte das Hündchen auf den Boden hinunter. Es erkundete das Terrain schnuppernd und schweifwedelnd. Offenbar roch es hier ganz anders als in jenem vornehmen Viertel, in dem es sonst zu Hause war, aber es schien Rusty Spaß zu machen, und schließlich tappte sie in eine schmutzige Pfütze und schüttelte sich. Da die Haare nun an ihrem Körper klebten, erschien sie klein wie eine Ratte; ja, es gab zweifellos Ratten, die größer und fülliger waren als Rusty. Hinter Steinen herzulaufen, war offensichtlich nicht ihr Fall, man durfte auch nicht zuviel von ihr verlangen. Es war schon ein Erfolg, wenn sie sich mit den Kais anfreundete, die man zweifellos eine schmutzige und unerfreuliche Gegend nennen mußte.

Alle Vampire brachten der kleinen Rusty die zärtlichsten Gefühle entgegen, und Buddy liebte sie geradezu. Bei den Unternehmungen mußte sie allerdings fast stets zu Hause bleiben: Ein Hund hätte die nächtlichen Ausflüge denn doch zu sehr kompliziert. Aber auf die Spaziergänge wurde sie immer mitgenommen, und Buddy, der ja jede Nacht mit ihr auf dem kleinen Sofa schlief, hatte den Eindruck, sie habe sein Leben verändert. Nun hatte er nachts auch keine Angst mehr, er war nie mehr allein, weder bei Tag noch bei Nacht, und in einem gewissen Sinn begann Rusty ihm sogar Lizzie zu ersetzen, die er verloren hatte.

Aber Buddy sollte nur zu bald erfahren – und in den späteren Jahren würde es ihm noch auf viel furchtbarere Weise deutlich werden –, daß das Glück stets nur kurz ist. Eines Morgens weigerte sich Rusty, die Portion Hackfleisch zu verspeisen, die ihr gewohntes Frühstück geworden war. Ihre Schnauze war ganz heiß. Buddy, der Unheil ahnte, redete ihr gut zu, fragte sie, was denn nicht in Ordnung sei und was er für sie tun könne. Aber Rusty drückte sich nur immer tiefer in das Kissen und blickte ihn starr mit ihrem feuchten Blick an, durch die Haare hindurch, die ihr über die Augen fielen. Es sah aus, als verstehe sie, was Buddy ihr sagte, und als antworte sie durch ihre Blicke, aber Buddy wußte sich diese Antworten nicht zu deuten. Er schob Rusty in sein Hemd und ging bis zum nächsten Drug-Store. Der Mann hinter der Theke sagte, das sei die gewöhnliche Erkrankung von Rassehunden; offenbar hatte man vergessen, Rusty impfen zu lassen. Obwohl angesichts dieser Umstände nur wenig Hoffnung war, daß Rusty mit dem Leben davonkomme, erstand Buddy alle Medikamente, die der Mann ihm empfahl.

Zwei Tage lang beschäftigten sich die Vampire ausschließlich mit Rusty und ihrer Krankheit, und Buddy gab ihr alles ein, was sie nehmen mußte. Dennoch ging es mit dem Hündchen schnell abwärts. In der dritten Nacht war der Hinterleib gelähmt; es hatte seit drei Tagen nichts gefressen, und das Körperchen war unter dem dicken Fell geradezu winzig geworden. Man konnte meinen, Rusty wisse, daß sie sterben werde. Sie verbarg sich hinter dem Kissen, als wollte sie in Ruhe gelassen werden, und warf nur hin und wieder Buddy einen Blick zu, einen Blick der Not und des Vorwurfs.

Die Vampire diskutierten über das Thema der tierischen Empfindungen. Fühlte so ein kleiner Hund, daß er sterben werde? Poison sagte ja, warum nicht? Jiggs erklärte, daß man sich völlig falsche Vorstellungen mache, er für seine Person glaube nicht daran. Buddy schrie, sie sollten endlich aufhören, von Tod und Sterben zu reden, und daraufhin zogen sich die anderen in eine Ecke des Kellerraums zurück und besprachen halblaut, ob es nicht besser sei, Rusty zu töten, damit sie nicht mehr leiden müsse. Poison meinte, Buddy werde dies niemals zulassen, aber der Streit wurde nicht ausgetragen, denn schon am nächsten Morgen gab Rusty, bei der Buddy die ganze Nacht gewacht hatte, ihre Hundeseele zurück an den lieben Gott. War es auch nur eine Hundeseele, so war sie doch rein und unschuldig und hatte nichts von der Seele eines Polizisten; es war die Seele einer Hündin aus einem noblen Quartier, die dennoch Buddy geliebt hatte, einen Neger ohne Eltern, der einsam und melancholisch war.

Rusty erhielt ein rührendes Begräbnis. Die Vampire versammelten sich um das Grab, das man in einer Ecke des Fabrikhofes ausgescharrt hatte. Buddy hatte aus Kistenholz einen kleinen Sarg und ein Kreuz angefertigt; jeder warf eine Handvoll Erde in die Grube, und Buddy schaufelte sie dann zu. Die Mädchen hatten Blumen mitgebracht, und Jiggs, der immerhin einen Vetter hatte, der Pastor war, las eine Bibelstelle: eine Stelle aus einer jener halbverschimmelten Bibeln, die sie aus dem Eisenbahnwaggon gestohlen hatten. Er hatte zu diesem Zweck die Bibel einfach aufgeschlagen und dort, wo sie sich öffnete, zu lesen begonnen:

»Und meine Seele sucht noch und hat's nicht gefunden; unter tausend habe ich *einen* Mann gefunden, aber ein Weib habe ich unter den allen nicht gefunden. Allein schaue das: Ich habe gefunden, daß Gott den Menschen aufrichtig gemacht, aber sie suchen der Künste und Umwege viele.«

Das hatte zwar zu der augenblicklichen Situation nicht eben viel Beziehung, aber Jiggs hatte vorher eine ganze Weile vergeblich nach Gebeten gesucht; offenbar war es keine Bibel, aus der die Prediger immer ihre Gebete vorlasen.

Nach dem Begräbnis kehrte man in den Kellerraum zurück, trank einen Schluck und aß ein paar Bissen, wie es Brauch ist nach Begräbnissen. Poison bat Jiggs, ihr jene Bibelstelle noch einmal aufzuschlagen, sie hatte den Sinn beim ersten Anhören nicht ganz begriffen, und es war ihr gewesen, als hätten diese paar Sätze eine Gemeinheit gegen die Frauen enthalten.

Jiggs mußte lange Zeit blättern, schließlich aber fand er die Stelle wieder und las sie noch einmal laut vor. Nun begann eine eifrige Diskussion. Jiggs war mit der Bibel einer Meinung, dann nämlich, wenn man das Wort des Predigers Salomo so auslegen durfte, daß es nur einen richtigen Mann auf tausend gäbe, und es wurde den anderen ziemlich klar, daß Jiggs sich selbst für diesen einen hielt. Und daß es nicht eine wahre Frau unter all diesen Frauen gegeben habe, das hielt Jiggs für ebenso möglich. Lizzie zuckte die Achseln, aber Poison bellte los: Wenn sie diesen Kerl gekannt hätte, der sich Salomo nennt, dem hätte sie es schon gezeigt; in jedem beliebigen Bett hätte sie ihm Achtung vor den Frauen beigebracht, diesem falschen Fünfziger.

Alle lachten, und auch das war Brauch, daß nach dem Totenmahl gelacht wurde, als Reaktion auf die Traurigkeit der Zeremonie.

Über das, was der Prediger Salomo noch weiter gesagt hatte, ergaben sich unter den Vampiren keine bestimmten Meinungen;

woher sollte man wissen, ob es der Fehler Gottes oder der Menschen war, wenn es so seltsame Menschen gab? Was konnte man denn dagegen tun? Wer konnte sich denn selbst aus dem Dreck ziehen ohne Umwege und Künste.

Das Gelächter, das den Worten Poisons gefolgt war, und die verbohrte theologische Diskussion der Vampire gingen Buddy fürchterlich auf die Nerven. Er aß so gut wie nichts, trank aber eine ganze Menge, und da seine Stimmung trotzdem immer schlechter wurde, versuchte er schließlich, zum erstenmal, eine Marihuana-Zigarette.

Er rauchte eine, dann eine zweite und dritte. Er konnte nicht mit Sicherheit sagen, ob dies seinen Kummer verminderte, aber er fühlte sich im ganzen irgendwie gedämpft und abgestumpft. Dann stellte sich ein Brechreiz ein, dem er nachgab.

Als alles vorüber war, streckte er sich auf dem Diwan aus und schlief ein, während die andern weiterschwatzten; er hörte es noch eine ganze Weile im Halbschlaf. Schließlich aber beruhigten sie sich und gingen auf den Zehenspitzen fort; Lizzie blieb als Krankenwärter zurück. Als Buddy nach einiger Zeit die Augen wieder aufschlug, sah er sie in einem Sessel sitzen und »Sturm über Jamaica« lesen; ihre Brauen waren zusammengezogen und der Mund leicht geöffnet, sie war sichtlich völlig im Banne des Romans.

Buddy seufzte, und sie hob den Blick, lächelte ihm zu und fragte ihn, ob er einen Wunsch habe. Er hatte nur einen Wunsch: daß sie bei ihm bleibe. Sie legte das Buch, in dem sie nicht mehr viel zu lesen hatte, auf den Tisch und blickte irgendwohin in die Ferne. Buddy hatte sich auf den Rücken gedreht und starrte zur Decke. So verharrten sie beide inmitten eines großen Schweigens, und Buddy mußte noch einmal an die Bibelworte denken. Wenn es auch wahr sein mochte, daß es keine Frau gab, die wirklich etwas taugte, er für seine Person war doch sehr glücklich, daß Lizzie hier an seiner Seite weilte. Sie war zwar seinem Herzen nicht mehr so nah wie vor der Geschichte mit Angel, aber doch zweifellos näher als in den Tagen und Wochen vor dem Tod der kleinen Rusty. Vielleicht war das das Leben: Nicht das Unmögliche verlangen, sondern sich zufriedengeben können.

Er zündete eine Marihuana-Zigarette an und ahnte, daß er sich dies angewöhnen würde. Bei den ersten Zügen würde er wohl noch lange Zeit an Rusty denken müssen, aber auch die Erinnerung an das Hündchen würde bald nicht mehr so schmerzhaft sein und immer sanfter werden.

Marihuana war gut, es entrollte so etwas wie ein goldenes Netz zwischen dem Ich und den Dingen, es schuf im Herzen und im Kopf und überall bis in die Fußspitzen.

Das Leben ging weiter. Buddy besorgte nun die Rauschgiftlieferungen ganz allein. Dok war wieder gesund, er war um den Mund nicht mehr so rot, die Dünste seiner Giftküche vermochten ihm offenbar nichts mehr anzuhaben. Tootsie, das Mädchen mit dem Kettchen am Knöchel (*Just my name*), war sehr nett zu Buddy. Jedesmal gab sie ihm einen Dollar Trinkgeld und einige Marihuana-Zigaretten. Dok zeigte ihm das Laboratorium, in dem in Glaskolben allerlei Lösungen kochten; es gab Probierröhrchen und Fläschchen, und das Ganze roch nicht so gut, wie eine Küche riechen müßte, sondern stank geradezu.

Buddy lernte auch Luigi kennen, den Boß. Das war ein Mann, der sich sehr elegant trug; seine Haare lagen lackschwarz am Kopf, das Gesicht war blaß, in der Krawatte steckte eine Perle. Luigis Anzug war marineblau mit diskreten Streifen und machte ihm eine Silhouette wie mit der Schere aus einem Modemagazin geschnitten. Die Schuhe spiegelten, und der perlgraue Hut hatte genau die gleiche Farbe wie die Krawattennadel. Allein die goldene Armbanduhr Luigis mochte zwei- bis dreihundert Dollar gekostet haben.

Unter Luigis Sakko wölbte sich nichts, er trug zweifellos keinen Revolver, aber er machte einem dennoch Angst mit seiner Art, nur mit der einen Mundhälfte zu sprechen, so daß sich das Gesicht bei jedem Wort in seltsame Falten legte. Seine Haut schien ganz dünn zu sein und war so blaß, als pudere er sich nach dem Rasieren. Er flößte Buddy immer Angst ein, obwohl er stets freundlich mit ihm sprach. Bei ihrer ersten Begegnung erkundigte er sich nach Buddys Alter und versprach ihm Vorwärtskommen und bessere Bezahlung, wenn er weiterhin verläßlich arbeiten würde. Er gab sich ganz wie ein netter Vater, aber Buddy fühlte dennoch, daß Luigi im Grund ein hundsgemeiner Kerl war, und er mußte, wenn er ihn sah, immerzu an jenes Massaker denken, bei dem eine Bande eine andere mit der Maschinenpistole im Keller umgelegt hatte. Buddy wußte, auch Luigis Augen würden glänzen, wenn er einmal in die Lage käme, so etwas zu tun...

Als Luigi einmal mit Buddy gemeinsam das Haus mit dem Laboratorium verließ, nahm er ihn ein Stück in seinem Wagen mit; es war ein schwarzer Cadillac mit vier Türen und so groß wie ein Küstenpanzerschiff; der Chauffeur trug ein weißes Jackett und sagte immerzu: »Yes, Sir, sehr wohl, Sir.« Von dem Mann, der im Fond saß, behauptete Luigi, er sei sein Sekretär, aber Buddy wußte natürlich, daß es sich lediglich um einen Leibgardisten handle, denn er sah die breiten Schultern des Mannes, die Narbe an der Wange, die in die Stirn gezogene Hutkrempe und den Schulterriemen der Pistolentasche unter der Achsel, weil der Rock ein wenig offenstand. Buddy staunte, daß der Leibgardist eines so großen Gangsters tatsächlich in Fleisch und Blut genauso aussah, wie sie im Kino oder in den Comics gezeigt wurden.

Es machte Buddy Spaß, in so einem Wagen dahinzurollen, dessen Polster mit grauem Leder bezogen waren, so grau wie die Perle und der Hut Luigis. Dieses Grau war offenbar seine Lieblingsfarbe. Buddy sagte sich, daß es vielleicht dieser Wagen war, der ihn und seine Zeitungen seinerzeit bespritzt hatte, und wenn es so war, so war es zweifellos ein seltsames Zusammentreffen; aber so etwas sollte es ja schon gegeben haben.

Drei Straßen weiter wurde Buddy abgesetzt. Es kam natürlich nicht in Frage, daß Luigis Cadillac ihn bis zu der ersten Kundschaft mitnahm, das wäre unvorsichtig gewesen. Beim Abschied sagte Luigi, er werde Buddy am nächsten Sonntag in sein Haus auf Long Island mitnehmen und ihn mit seiner Frau und seinen Kindern bekannt machen, deren jüngstes etwa so alt sei wie Buddy.

Buddy ging nachdenklich weiter. Nach allem, was Jiggs ihm erzählt hatte, war er der Meinung gewesen, daß Luigi zwar drei Freundinnen habe, von denen Tootsie eine sei, aber keine angetraute Frau und keine Kinder. Er fragte sich, ob die Kinder Luigis wohl ein schönes Leben hätten. Vermutlich fehlte ihnen nichts, aber Buddy war trotzdem nicht sicher, ob er sich einen Vater wie Luigi gewünscht hätte, einen Luigi natürlich, der kein Weißer war. Er hielt es für unwahrscheinlich, denn Luigi machte ihm Angst. Dennoch konnte es sein, daß die Kinder ihren Vater absolut nicht fürchteten. Wie immer es war, es blieb das Schlimmste, überhaupt keinen Vater zu haben.

Der Kunde, den Buddy an diesem Tag beliefern mußte, war ebenfalls ein seltsamer Heiliger. Er wohnte in einer guten Gegend und war – wenn Jiggs nicht geflunkert hatte – ein russischer Fürst. Seine Frau, seine richtige Frau, war eine französische Sängerin und früher einmal berühmt gewesen. Zumindest sagte man so. Im Grund aber mochte sie wohl nur eine jener großen internationalen Kurtisanen gewesen sein, wie es sie in Europa früher gegeben hatte, Frauen, die Könige und Minister in ihrem Schlafzimmer begrüßt hatten, die ein eigenes Schloß hatten und hunderttausend Dollar auf der Bank von Männern, deren Ruin sie gewesen waren. Zudem hatte sie das Glück gehabt, eben noch rechtzeitig, in irgendeinem Kasino, diesem russischen Fürsten zu begegnen, der noch immer steinreich war, soviel hatte er 1917 aus Rußland mitgenommen. Jiggs erzählte eine sehr lustige Geschichte von ihm: Vor ein paar Jahren kamen die Eltern des Fürsten bei einem Eisenbahnunfall ums Leben. Die Särge mit ihren Leichen wurden in der Gepäckaufbewahrung von Chikago für den Fürsten bereitgehalten, aber er vergaß aus irgendeinem Grund, sie abzuholen. Irgendwann fiel es ihm dann doch ein, und er fuhr im Wagen hin, sie abzuholen, mit ihm seine Frau, seine drei Brüder und zwei Schwestern, denn in den russischen Adelsfamilien gab es fast ebensoviel Nachwuchs wie bei den russischen Bauern. Auf der langen Fahrt begann die große Familie dann aus Langeweile zu trinken, ein Fläschchen Wodka nach dem anderen, und als sie schließlich in Chikago anlangten, sangen sie dem Beamten am Aufbewahrungsschalter sechsstimmig das Wolgalied vor. Dennoch rückte dieser die Särge nicht heraus: Er hatte sie nicht mehr, sie waren irgendwo anders hingeleitet worden, durch einen Irrtum oder weil der Prinz so lange nichts hatte hören lassen. Der Beamte telefonierte und entdeckte eine Möglichkeit in Milwaukee, Wisconsin. Also ab nach Wisconsin, aber es war auch dort nichts mit den Särgen, und die fürstlichen Waisen gaben es schließlich auf. Jiggs war nicht sicher, wie die Sache ausgegangen war. Der Fürst hatte dann eine Anzeige in der *New York Times* aufgegeben und demjenigen eine hohe Belohnung versprochen, der die Särge auftreibe. Durch diese Anzeige oder durch einen Zufall war der Prinz schließlich doch auf die Särge gestoßen: Man hatte sie längst beerdigt, und zwar auf einem russischen Friedhof, und niemand wußte, wer es veranlaßt hatte. Es war eine würdige Begräbnisstätte: eine Gruft, so groß, daß nicht nur zwei Tote in ihr Platz gehabt hätten, sondern auch eine lebendige zwölfköpfige Arbeiterfamilie.

Jiggs übertrieb ja immer, wenn er etwas erzählte, aber Buddy mußte zugeben, daß der Fürst und seine Frau tatsächlich so aussahen, als seien sie imstande, ihre toten Eltern von einer Gepäckaufbewahrung abzuholen. Der Fürst war in einen Dressing-Gown aus gestreifter Seide gekleidet und sprach mit einer leisen, gleichsam gepolsterten Stimme, in der nur die »r« fürchterlich hart rollten. Sein Gesicht war so weiß wie Mehl, denn er ging niemals aus, sondern blieb stets in seinem Appartement, das allerdings groß genug war: Es nahm zwei Stockwerke eines großen Hauses ein. Sein Diener war ein Weißer, aber ging stets schwarz gekleidet, hatte ein weißes Vorhemd vor der Brust und sah genauso aus wie die Diener in den Filmen, wenn sie stumm erscheinen und dem Herrn des Hauses auf einem goldenen Tablett ein Telegramm überreichen.

In der Wohnung des Fürsten lagen die Teppiche übereinander, und andere hingen an den Wänden. Die Vorhänge waren dreimal so dick wie in anderen Wohnungen, so daß man keinen Lärm hörte, aber auch nicht viel Tageslicht durch die Fenster fiel. Die Fürstin verabscheute nämlich den Lärm ebenso wie das Licht.

Buddy kam über die Dienstbotenstiege, wurde aber dann in einen Salon geführt, der mit alten Möbeln und Glasschränken angefüllt war. Er fragte sich, warum der Lakai ihm nicht einfach das Päckchen abnahm (es war die stärkste Ware: Heroin), es auf ein silbernes Tablett legte und dem Fürsten brachte. Offenbar hatte der Fürst gesagt: »Joshua (oder Sidney oder wie immer) – es wird ein Negerknabe kommen. Lassen Sie ihn eintreten, ich will ihn selbst sprechen.« Warum, wußte Buddy nicht, aber er hatte es schon lange aufgegeben, sich nach den Beweggründen reicher Leute zu fragen. Dann kam der Fürst in den Salon, und die Streifen seines seidenen Dressing-Gown schimmerten matt wie die kostbaren Dosen in den Vitrinen. Er drückte Buddy die Hand – war er auch Fürst, so war er offenbar doch nicht hoffärtig –, und Buddy entdeckte ein goldenes Armband an seinem Handgelenk, kein Uhrarmband, sondern nur ein Goldband, wie es die Frauen tragen, aus massivem Gold und mit einer Schlange aus blauen Steinen darauf, die den Rachen aufsperrte. Dabei war der Fürst offenbar kein Warmer: Jiggs hatte Buddy erklärt, daß die Russen eben so seien, alle ein wenig bizarr, und man dürfe sich über nichts wundern.

Der Fürst sah Buddy kurz an und rief dann mit seiner seltsam abgedämpften Stimme, daß dieser Knirps erstaunlich dem Bild eines kleinen Mohren ähnele, das er seit langem besitze, und er nahm Buddy mit sich in einen anderen Salon, um ihm dieses Bild zu zeigen. Er drückte auf einen Knopf unter dem Rahmen, und sogleich fiel Licht auf das Bild. Es stellte einen jungen Neger dar, der tatsächlich Buddy ähnlich sah, jedoch ganz anders gekleidet war. Er trug weder Blue-Jeans noch ein Leibchen, sondern eine Bluse aus gelber Seide mit einem Spitzenkragen und eine komische weiße Perücke auf dem Kopf; auf einem seiner Finger saß ein Papagei.

Der Fürst erklärte, dies sei ein kleiner Neger, der am Hofe Ludwigs XV. gelebt habe, und fragte Buddy, ob er wohl gerne im achtzehnten Jahrhundert gelebt hätte. Buddy antwortete, daß er von dieser Zeit keine Vorstellung habe. Dann führte der Fürst Buddy zu seiner Frau, um ihr zu zeigen, wie ähnlich Buddy jenem Bild sei. Die Fürstin, die ihr Bett so gut wie niemals verließ, ruhte auf einer unglaublichen Menge kleiner Kissen und Schlummerröllchen, und das Deckbett war mit kostbaren Spitzen bezogen. Durch das dichtverhängte Fenster drang nur ein matter Lichtschimmer, vermutlich weil man nicht sehen sollte, daß ihr Gesicht so runzelig war wie ein Affenhintern, aber nicht so rot, sondern im Gegenteil weiß wie bestimmte Champignon-Sorten. Neben dem Bett lagen zwei weiße Hunde, die so dick waren, daß sie offenbar überhaupt nichts anderes mehr tun konnten als fressen und schnarchen; sie sahen Buddy gar nicht an.

Die Fürstin sprach mit dem drolligen Akzent der Französinnen, die stets »s« sagen statt »th«, und rief sogleich, daß die Ähnlichkeit frappant sei und Buddy ein süßer Kerl. Sie reichte ihm eine Schachtel mit Bonbons und erklärte, dies seien Rahat-Lukums, die sie direkt aus Ägypten beziehe. Buddy, der keine Ahnung hatte, worum es sich handelte, nahm eines und fand es eklig, es klebte an den Zähnen und schmeckte scheußlich. Dann fragte die Fürstin, ob Buddy nicht lieber in ihre Dienste treten als den Heroin-Lieferanten abgeben wolle, aber er schüttelte nur stumm den Kopf, und sie lachte laut auf.

Der Fürst nahm Buddy an der Hand und führte ihn zurück in den großen Salon. Buddy wäre schon gerne wieder draußen gewesen; er meinte, in diesem düsteren Appartement, in dem sich kein Lüftchen regte und kein Laut zu hören war, ersticken zu müssen. So überreichte er denn dem Fürsten das Päckchen, aber dieser setzte sich auf ein Sofa und wies auf den Platz daneben für Buddy. Das war denn doch zuviel der Herablassung: So ein Grad von Vertraulichkeit kann ebenso unangenehm werden wie die Verachtung. Buddy jedenfalls fühlte sich auf dem gelbseidenen Sitz gar nicht wohl.

»Was für ein Mensch bin ich in deinen Augen?« sagte der Fürst plötzlich, nachdem er Buddy eine Weile gemustert hatte. »Was würdest du sagen, wenn du jetzt mein Porträt machen müßtest?«

»Ein Porträt...? Ich weiß nicht... Ich kann doch gar nicht zeichnen!« antwortete Buddy.

»Ich meine ja auch kein richtiges Porträt, sondern eines in Worten, eine Beschreibung... so wie du es sicher einmal in der

Schule tun mußtest: Beschreibe deinen Vater – hast du nie so eine Schularbeit machen müssen?«

Buddy dachte nach und kratzte sich den Kopf. Jiggs hatte recht: Die Russen waren alle sonderbar, aber der Fürst war zweifellos ein wenig verrückt.

»Ich weiß nicht...!« sagte er schließlich. »Ich kenne Sie doch gar nicht!«

Der Fürst unterdrückte ein Lachen, es gluckste in seinem Hals, dann zitterte er ein wenig, drückte sich ganz nahe an Buddy und legte ihm den Arm um die Schulter. Das ging natürlich zu weit: Er war also doch ein Warmer oder so pervers, daß ihm einfach alles paßte, was ihm in den Weg kam! Darauf hätte Jiggs mich vorbereiten müssen! sagte sich Buddy, dann hätte ich mich besser vorgesehen und wäre gar nicht so lange geblieben! Er befreite sich flink und erhob sich, um zu gehen.

»Warte einen Augenblick«, rief der Fürst, lief hinter ihm her und steckte ihm ein paar Dollar in die Hand. Dann kniff er ihn ins Ohr und sagte: »Du bist ja reichlich heikel für einen kleinen dreckigen Schuhputzer!«

»Ich habe nie Schuhe geputzt«, sagte Buddy, »und Ihr Geld können Sie sich auf den Hut stecken!«

Er warf die Münzen von sich, die lautlos über die dicken Teppiche rollten, und rannte davon. Er verirrte sich in den Gängen, öffnete ein paar Türen, die alle nicht hinausführten: Eine ging ins Badezimmer, eine andere in einen Büroraum; schließlich entdeckte er ein kleines Kabinett, in dem sich der Lakai an einem Tisch lümmelte und in einer Zeitung las. Er sah kaum auf, beschrieb nur eine vage Geste mit der Hand in der Richtung des Ausgangs und verzog sein Holzgesicht nicht um einen Millimeter: Für ihn, das sah man, existierten Neger nicht. Buddy erzählte Jiggs nichts von diesem Abenteuer.

Nicht alle Kundschaften Luigis waren so sonderbar wie der Fürst oder das Trio Zita-Eddie-Dave, aber so ganz richtig war doch auch keiner von ihnen. Da war eine Schauspielerin von einer Broadway-Bühne; die mußte Buddys Schritte schon kennen, und wenn sie ihn auf dem Gang hörte, dann machte sie schon alles für die Spritze zurecht, um nur ja keine Minute zu verlieren. Wenn sie die Droge nicht hatte, konnte sie nicht spielen. Eine andere war Modezeichnerin, eine lange Person, die gebaut war wie ein Spargel. Sie lief in ihrem Studio stets in den seltsamsten Drapierungen herum, so daß Buddy immerzu ihre Schenkel sah und mitunter auch ihre Brüste. Sie war sehr launisch, nicht sehr gesprächig und schnaufte immer ein wenig, weil das Gift, das sie nahm, ihre Nasenschleimhaut angegriffen hatte. Jiggs sagte, sie habe mit dem Koks angefangen, weil sie Liebeskummer hatte; in ihrem Studio gab es nämlich einen hohen Spiegel, in dessen Rahmen Fotos steckten, Bilder eines sehr gut aussehenden jungen Mannes, der wie ein Tarzan gebaut war. Man sah ihn im Golf von Mexiko fischen, in einer Schneewüste auf einem Rennschlitten sitzen oder mit einem Jagdgewehr in der Hand dem erlegten Löwen mit heldischer Pose den Fuß auf den Nacken setzen.

Eines Tages schickte Luigi Buddy zu zwei Mädchen. Sie lebten zusammen, hatten aber nichts miteinander. Die eine war in einem Reklamebüro angestellt, die andere arbeitete als Girl in Radio City. Als Buddy in die Straße kam, wo die beiden wohnten, sah er einen kleinen Menschenauflauf und ein paar Polizisten: Eine der beiden war aus dem Fenster gesprungen. Buddy machte kehrt und brachte das Päckchen zu Dok zurück, der ein paar mitleidige Bemerkungen über das arme Ding fallenließ, das sich das Leben genommen hatte. Tootsie aber fuhr ihm sogleich über den Mund. Sie sagte, wenn das Mädchen vom Leben genug hatte, so hatte sie auch ganz recht, aus dem Fenster zu springen, und es sei überflüssig, ihr eine Leichenrede zu halten. Es sei besser, Buddy noch einmal loszuschicken mit dem Zeug, denn die andere werde es nun, da ihre Freundin tot sei, noch nötiger brauchen als bisher.

Es gab auch arme Leute in Luigis Kundenkreis: einen Advokaten ohne Klienten, eine Friseuse, einen Pensionisten der Handelsmarine. Sie mußten beinahe alles, was sie verdienten, für das Rauschgift aufwenden, und es gab sogar noch Ärmere, Herumtreiber und Huren, für die Buddy die Lieferung hinter den Spiegeln in den Toiletten gewisser Spelunken versteckte, oberhalb der Wasserspülung oder in Telefonkabinen.

Die Nettesten waren noch immer das Trio Zita-Eddie-Dave. Sie waren nie schlechter Stimmung, und man konnte glauben, das Opium habe bei ihnen dieselbe Wirkung wie ein Schluck guten Whiskys. Dabei konsumierten sie aber eine ganze Menge. Dave hatte eine köstliche Sammlung künstlerischer Aktfotos und Reproduktionen unanständiger Gemälde, darunter eine Papierrolle mit Farbbildern, in denen ein japanisches Paar in voller Kleidung sehr komplizierte Dinge in den seltsamsten Stellungen trieb. Die Ausführung war so sorgfältig, daß man alle Einzelheiten erkennen konnte, und Buddy fragte sich, wie denn solche

Dinge einen Mann vom Alter Daves noch interessieren konnten, aber es war ja immer gut, alles zu kennen, was es gab.

Mit den Bullen ging es überraschend gut, von dem einen Mal abgesehen, wo ein Geheimer Buddy von ferne gefolgt war. Da wußte aber Buddy schon ganz genau, woran man die Bullen in Zivil erkennt, und hatte bemerkt, daß man ihn verfolgte. Er war stehen geblieben, hatte eine Zeitung gekauft und das Päckchen mit dem Kokain dabei heimlich unter einem Paket Zeitungen versteckt, die auf dem Tisch des Händlers gelegen hatten. Dann war er absichtlich langsam weitergegangen, und der Geheime hatte ihn eingeholt und an einer Hauswand gestellt: Was er hier treibe, und was er bei sich habe. Er hatte Buddy durchsucht, aber natürlich nichts gefunden, und konnte auch Buddys Erklärung nicht widerlegen, daß er Student sei und Ferien habe. Buddy war sehr zufrieden mit sich gewesen, denn er hatte bei der ganzen Sache so gut wie keine Angst gehabt und lachte bei dem Gedanken an die Frau hinter dem Zeitungsstand, die das Kokain vielleicht für Staubzucker halten würde. Möglicherweise hatte sie damit gar nicht so unrecht, denn Dok gab ihm nicht immer reines Kokain mit, sondern mischte es gelegentlich mit Zucker oder mit Mehl. Die armen Kerle, die zum Preis des Rauschgifts Zucker und Mehl kauften, Dinge, die ihnen nicht helfen konnten! Aber Buddy hatte nun eingesehen, daß Dok und Luigi nicht so unrecht hatten: Man kann sich im Leben nur durchsetzen, wenn man auf die anderen keine Rücksicht nimmt. Ja, genau besehen, war das die Moral der Geschichte und die Erkenntnis, die Buddy aus seiner Lehrzeit zog: Die Welt war in zwei Menschengruppen geteilt: jene, die es den andern eintränkten, und jene, die dumm genug waren, die Suppe auszulöffeln.

Buddy war nun ganz sicher, daß dies das Leben war: dem andern einen Schlag versetzen, ehe er noch ausholen konnte; es war im Leben wie beim Boxen. Man hatte nur die Wahl, entweder ein wehrloser armer Teufel oder ein kleiner Joe Louis zu sein.

Eines Tages ging Buddy mit Lizzie und Poison spazieren; sie bemerkten am Ende ihrer Straße einen kleinen Menschenauflauf. Die Mädchen beschleunigten sogleich neugierig ihren Schritt, um zu sehen, was dort vor sich gehe: Hatte es einen Unfall gegeben oder eine Rauferei? Jedenfalls war es interessant, Näheres zu erfahren. Buddy folgte ihnen ohne sonderliche Eile. Er sah hinter den Menschen eine Kette von Polizisten, Lautsprecherwagen und ein paar Bullen, die Revolver und Maschinenpistolen in der Hand hatten. So warteten sie, rieben sich die Nase oder kauten auf der Unterlippe; man sah jedenfalls, sie waren schon ungeduldig und wollten losschlagen. Jenseits der polizeilichen Absperrung öffnete sich ein kleiner Platz, und im Hintergrund des Platzes erhob sich ein großes Gebäude, ein Krankenhaus. Buddy steckte die Nase zwischen den Rücken zweier Polizisten hindurch und konnte vier andere sehen, die am rechten Rand des Platzes hart an der Mauer geduckt vorgingen und sich immer wieder in Toreinfahrten deckten. Schließlich warf einer von ihnen etwas durch die Glastür des Krankenhauses, und die Scherben fielen klirrend auf das Pflaster. Poison, die neben Buddy stand, preßte aufgeregt seinen Arm, und Lizzie ließ ein anerkennendes Pfeifen hören. Aus dem Loch in der Tür des Krankenhauses drang weißer Rauch: Die Bullen hatten eine Tränengasbombe geworfen, setzten sich Gasmasken auf und stürmten nun über den Platz gegen das Gebäude vor. Die vier, die sich vorhin in einer Toreinfahrt gedeckt hatten, gaben ihnen dabei Feuerschutz.

Ein paar Sekunden lang sah es so aus, als werde überhaupt nichts geschehen. Die Polizei hatte das Krankenhaus betreten, aber man hörte noch nichts. Plötzlich jedoch bemerkte Buddy an einem Fenster der ersten Etage einen Mann in einem weißen Mantel, der sich mit zwei Polizisten herumboxte; im nächsten Augenblick schon stürzte er aus dem Fenster, kam aber auf einem Rasenstreifen auf und versuchte, hinkend zu entkommen. Er mochte sich bei dem Sturz das eine Bein verknackst haben. Die Polizisten, die vor dem Gebäude Wache hielten, holten ihn jedoch schnell ein, ein Pistolenknauf sauste auf seinen Schädel nieder, und der Mann im weißen Mantel sackte zusammen. Zwei Polizisten zerrten ihn an den Beinen über den Platz bis zu der Absperrkette, wo die Polizeiautos standen, und warfen ihn dort wie ein Paket in den Arrestwagen.

Poison gluckste vor Vergnügen. Hinter den Fenstern in der ersten Etage des Krankenhauses mußte ein Gang verlaufen; Buddy sah Polizisten gebückt über den Gang schleichen und Männer in weißen Mänteln, die versuchten, hierhin und dorthin zu entkommen. Bald aber tauchten auch von der anderen Seite Polizisten auf, und dann sah man nur noch eine Gruppe weißbemantelter Leute, die die Arme erhoben. Bald darauf kamen alle durch die zerbrochene Glastür heraus auf den Platz; die Bullen hielten ihre Gefangenen an den Armen, und diese sahen recht mitgenommen aus. Sie husteten und weinten wegen der Tränengasbomben, und die meisten bluteten aus der Nase oder hatten zerschlagene

Lippen. Die Polizisten hatten ihre Gasmasken abgenommen. Zwei von ihnen trugen einen Verletzten, einen Bullen, dessen Kopf herabhing und der einiges abgekriegt haben mochte.

Lizzie applaudierte: Man hatte etwas sehen wollen und tatsächlich etwas zu sehen bekommen. Zwei Ambulanzen fuhren vor. In den einen legte man den ohnmächtigen Polizisten, in den anderen die am schwersten verletzten Gefangenen; jene, die noch aufrecht stehen konnten, wurden in den Arrestwagen zusammengepfercht.

Die Polizisten, die die Absperrkette gebildet und sonst nichts getan hatten, begannen plötzlich die Gummiknüppel zu schwingen, um den Platz von den Menschen zu räumen. Der Wagen mit den Polizeioffizieren fuhr mit heulender Sirene ab, man hörte seine Pneus noch drei Ecken weit zwitschern. Alle anderen Wagen folgten ihm, und schließlich blieben auf der Straße nur noch einige diskutierende Gruppen von Zuschauern zurück. Einer von ihnen war auf der Seite der Polizei, denn die Krankenpfleger hatten durch ihren Streik und durch die passive Resistenz das Gesetz gebrochen. Ein zweiter stimmte ihm zu: Da sah man wieder, wie gleichgültig den Angestellten eines Krankenhauses das Schicksal der Kranken war; sie streikten ohne Rücksicht auf die Menschen, die ihnen anvertraut waren.

Die Kranken! dachte Buddy, die werden nicht eben guter Stimmung gewesen sein während des Kampfes! Und das Köstlichste war ein Schild am Ende der Straße, auf das in großen schwarzen Buchstaben geschrieben stand: *Krankenhaus! Ruhe!*

Ein dritter war anderer Meinung als die zwei, die zuerst gesprochen hatten, und fragte sie, ob sie überhaupt wüßten, was so ein Krankenpfleger in der Woche erhalte. Bei dem Streik hatte es sich lediglich um eine Erhöhung von fünf Dollar gehandelt, und die war abgelehnt worden. Ein paar andere stimmten ihm zu, aber die zwei Anhänger der Ordnung blieben fest und erklärten, daß in Krankenhäusern und ähnlichen öffentlichen Anstalten ein Streik schlechthin unmoralisch sei.

Der Streit erhitzte die Gemüter so, daß plötzlich eine Ohrfeige klatschte:

»Da, nimm das, das ist vielleicht unmoralisch, aber es wird dir guttun!«

Der Mann, der dem anderen die Ohrfeige gegeben hatte, rettete sich im gestreckten Galopp, und die zwei Streikgegner verfolgten ihn; die übrigen Umstehenden jedoch blieben neutral und sahen der Jagd lachend zu. Lizzie war richtig aufgekratzt und erklärte, sie habe Durst. Man nahm ein Glas Milch in einer Milchbar, und als sie heimgingen, wies Buddy auf das Schild *Krankenhaus! Ruhe!*, und nun lachten sie alle.

Ein anderes Mal mußte Buddy eines seiner Päckchen in einen Puff liefern; er sah aber gar nicht so aus, sondern war ein sehr elegantes Haus. Die Kunden mußten für einen Besuch fünfzig bis hundert Dollar anlegen, es handelte sich also um ein feines Unternehmen. Luigi schien an der Sache beteiligt zu sein, jedenfalls war der Besitzer des Hauses einer seiner besten Freunde. Es war kein Bordell im üblichen Sinn, sondern ein sogenanntes *Rendezvous-Haus*, wohin man die Mädchen telefonisch bestellte. Unter ihnen gab es welche, die waren so feurig wie Clara Bow, so gut gekleidet wie Myrna Loy, so rasant wie Myriam Hopkins; mitunter waren es auch verheiratete Frauen, die sich auf diese Weise Geld für ihre Garderobe verdienen wollten, für einen Nerz zum Beispiel, den der Gatte nicht berappen wollte, so daß sie, wenn sie es zu so einem Mantel gebracht hatten, zu Hause erklärten, es sei Nerzilla. Andere wieder waren Töchter aus guten Familien, aus Familien mit Hauspersonal, die nur kamen, weil es ihnen Spaß machte und weil sie eben etwas Verbotenes tun wollten – zumindest erzählte man sich das.

Die Abnehmer für den Koks waren jedenfalls nicht die Mädchen, sondern die Kunden des Etablissements, und es gab eine ganze Reihe von Stammkunden, die zwar wohl ein Viertelstündchen mit einer platinblonden Schönheit im Bett verbrachten, die aber im Grund nicht wegen der rosafarbenen Negligés und Straußenfedern kamen, sondern eben wegen der Droge. Der Verbrauch im Haus war somit beträchtlich, und Buddy hatte hier verhältnismäßig große Lieferungen abzugeben. Diese trug er natürlich nicht so einfach unter dem Arm, sondern hatte sie in einem Baseballhandschuh versteckt, in den er während des ganzen Weges mit der rechten Faust hineinschlug wie jemand, der unterwegs zu einem Baseball-Spiel ist; dagegen konnte schließlich auch ein Bulle mit Austernaugen nichts einwenden.

Die Chefin empfing Buddy in einem Raum, der ein Mittelding von Salon und Boudoir war. Alles war ebenso ruhig und weich und gepolstert wie bei dem komischen russischen Fürsten. Sie erkundigte sich sehr freundlich, wie es Luigi und Dok gehe, gab Buddy zwei Dollar Trinkgeld und setzte ihm obendrein ein Glas französischen Champagners vor. Buddy trank es leer und schnalzte anerkennend mit der Zunge; das war einmal etwas wirklich Gutes, fast so gut wie Gin.

In diesem Augenblick knallte etwas gegen die Tür, und sie sprang weit auf. Ein Mann fiel rücklings in das Zimmer, ein anderer warf sich mit einem richtigen Rugby-Hechtsprung auf ihn und begann, das Gesicht seines Gegners mit den Fäusten zu bearbeiten. In der nächsten Sekunde erschien aber schon ein dritter, der dem ersten zu Hilfe kam. Er war sechs Fuß hoch und wog mindestens zweihundertvierzig Pfund. Buddy sah sofort, daß dieser dritte der einzige war, der wirklich etwas vom Ringen verstand; er legte dem Mann, der den Hechtsprung gemacht hatte, einen richtiggehenden Nelson an und preßte, bis jener ganz blau um den Mund wurde und aufhörte, mit den Armen in der Luft herumzurudern. Zu zweit nahmen sie ihn dann bei den Händen, streckten ihn auf dem Boden aus, und der Große setzte sich ihm auf die Brust; so blieben sie eine Weile sitzen, der Sieger lächelte die Chefin an, und diese lächelte ein ganz klein wenig zurück – sie war die ganze Zeit über hinter ihrem Schreibtisch sitzen geblieben. Neben dem Schreibtisch gab es einen Kamin, wie er nur noch in den ganz vornehmen Häusern üblich ist, bei den Millionären und in den Luxusbordells, und vor dem Kamin lagen auf einer in den Boden eingelassenen Marmorplatte einige schwere Buchenscheite. Auf diese fiel der Blick des Ringers.

»Halte ihm die Hand fest!« sagte er zu seinem Gefährten, erhob sich, griff nach einem der schweren Scheite und ließ es mit voller Kraft auf die Hand des liegenden Mannes niedersausen. Dieser stieß nur einen einzigen Schrei aus, und der Ringer fuhr fort, mit dem Holz auf die Hand einzuschlagen, bis sie ganz violett und blutig war. Der andere schrie nun nicht mehr, entweder, weil er ohnmächtig war, oder, weil er zeigen wollte, daß er hart im Nehmen sei; vielleicht aber fürchtete er auch nur, durch das Geschrei Aufsehen zu erregen und die Polizei zu alarmieren; unter Gaunern galt ja immer der Grundsatz, daß sie ihre Rechnungen untereinander und im stillen abmachten. Als der Ringer ihn schließlich wieder auf die Beine stellte, wurde der Mißhandelte ganz blaß im Gesicht und schnitt eine seltsame Grimasse; er hielt die zerschlagene rechte Hand mit der linken und sagte:

»Du irrst dich, Nick, ich war's nicht, es war Vic ... ich habe dich nicht hereingelegt!«

Vic, das war der Mann, der als erster ins Zimmer gestürzt war; er hatte sich an den Schreibtisch gelehnt und zuckte nur die Achseln. Der Ringer schenkte sich Champagner ein und trank in kleinen Schlucken, ließ dabei aber sein Opfer, das vor dem Kamin stand, nicht aus den Augen. So groß sein Schädel war, so klein waren seine Augen, und sein Blick war auf eine widerliche Weise durchdringend.

»Hau ab, Ned!« sagte er dann. »Ich will dich hier nicht mehr sehen. Wenn du wenigstens die linke Hand behalten willst, mach künftig einen Bogen um dieses Haus. Ich hab' dir eine Hand gelassen, damit du deinen Kaffee umrühren kannst, aber wenn ich dich noch einmal erwische, ist's auch damit Essig!«

Ned schnitt eine Grimasse, die wohl ein Lächeln sein sollte, und hob seinen Hut auf, der während des Kampfes auf den Teppich gerollt war; dann schenkte er mit der Linken auch für sich Champagner ein, trank das Glas leer und ging, wobei er mit einem Finger der Linken grüßend an die Hutkrempe tippte; die rechte Hand hatte er unter den Rockaufschlag geschoben.

Nick stieß mit dem Fuß das Scheit in seine frühere Lage zurück und sagte zu Buddy:

»Da siehst du, Kleiner, wie's einem geht, der seine Kameraden hereinlegen will. Denk daran: Immer ehrlich spielen, sonst geht's dir einmal genauso!«

Dann ging er mit Vic, der prüfend seinen schmerzenden Unterkiefer hin und her schob, ins Nebenzimmer.

»Was hat er denn gemacht... dieser Ned?« erkundigte sich Buddy bei der Chefin.

»Was er gemacht hat?« sagte sie und zündete sich so langsam, wie sie offenbar alles tat, eine Zigarette an. Vielleicht würde sie sich sogar, wenn man das Haus einmal brannte, noch die Zeit nehmen, ihr Make-up zu überprüfen, ehe sie sich in Sicherheit brachte. »Was er gemacht hat? Nun, er hat eines unserer Mädchen herumgekriegt und sie für seine eigene Rechnung arbeiten lassen...«

»Nick ist kräftig«, sagte Buddy, »ich verstehe nicht, daß Ned das nicht einkalkuliert hat; er mußte sich doch denken, daß Nick ihn zusammenschlagen würde.«

»Ned war noch vor einem Jahr ein guter Weltergewichtler«, sagte die Chefin, »darauf hat er sich vielleicht verlassen. Jetzt freilich ist es für ihn mit dem Boxen vorbei. Selbst wenn die rechte Hand verheilt, wird sie immer wie aus Glas sein, und seine Linke war nie berühmt, die war schon immer sein schwacher Punkt. Mit einer besseren Linken hätte er vermutlich eine große Karriere als Boxer gemacht.« Sie betrachtete nachdenklich ihre Nägel, blies den Rauch ihrer Zigarette vor sich hin und sagte schließlich: »Mit ihm wird es ein übles Ende nehmen... Irgendwo im Morgengrauen auf einem verlassenen Bauplatz mit einem

Messer im Rücken... oder man wird ihn aus dem Wasser fischen mit zerfressenem Gesicht, damit ihn keiner erkennt. Man darf nie einen Kameraden hereinlegen, Buddy, merk dir das, du siehst, wohin das führt. So, und jetzt machen wir die Flasche leer!«

Ein anderes Mal war Buddy mit der ganzen Bande in dem Lokal, in dem sie immer Billard spielten. Es war voll Menschen, Rauch und Lärm. In dem dunstigen Halbdunkel sah man kaum die Wände, und auch die Gesichter der Männer, die an den Tischen tranken, waren fast nicht zu erkennen. Nur die grünen rechteckigen Flächen der Billards hoben sich aus dem Dunst heraus, denn über ihnen hingen große Lampen mit starken Birnen, die gegen das Lokal zu grün abgeschirmt waren. Die Kugeln, die über das Tuch rollten, schimmerten matt, und die hellen Billardstöcke blinkten in dem starken Licht. Um einen der Tische drängten die Zuschauer sich besonders dicht, hier war ein richtiges Match im Gang zwischen einem Mann von mexikanischem Aussehen und einem großen Blonden mit rosiger Haut. Der Mexikaner war einer der besten Spieler aus der Runde, die hier ihr Stammlokal hatte, der große Blonde gehörte zu den *Golden Bugs*, einer berühmten Basketball-Mannschaft. Er hatte einige Freunde mitgebracht, die offenbar in der gleichen Mannschaft spielten, denn auch sie waren so schlank und groß wie Giraffen.

Das Match hatte natürlich so manchen der Zuschauer zum Wetten verlockt. Zwei ziemlich betrunkene Männer hatten auf den Mexikaner gesetzt und versuchten jedesmal, wenn der Blonde am Spiel war, einen Wirbel zu inszenieren. Er aber kümmerte sich nicht darum, man sah ihm an, daß er ein Mann war, der seine Nerven sehr in der Gewalt hatte. Aber je ruhiger er blieb, desto mehr erregten sich die beiden Betrunkenen, und da es immer jemanden gibt, der gerne mitschreit, begann bald eine ganze Gruppe mehr oder weniger vollgelaufener Männer auf den Blonden und seine Gefährten zu schimpfen, Anzüglichkeiten loszulassen, zu erklären, daß Basketball ein Spiel für Mädchen sei, und was es dergleichen Dummheiten eben gibt.

Was Buddy am meisten verblüffte, war der Umstand, daß alle Basketballer so offensichtlich von demselben Typ waren; je dichter es die Anzüglichkeiten regnete, desto weniger schienen sie sich darum zu kümmern. Buddy sagte sich, daß sie vielleicht nur darum so ruhig blieben, weil es für sie allzuleicht gewesen wäre, die Stänkerer, die alle um mindestens einen Kopf kleiner waren, zum Schweigen zu bringen. Es gibt ja gerade unter den Ringertypen recht friedliche Menschen. Schließlich aber wurde die

Stimmung doch bedrohlich, weil der Mexikaner sich von dem ständigen Gehänsel seiner Wetter angefeuert fühlte und zugleich sehen mußte, daß der Blonde mehr Punkte markierte als er. So sagte er denn, es sei eine alte Weisheit, daß die betrogenen Ehemänner mehr Glück im Spiel hätten, und es sei nun einmal das Schicksal aller Basketballer, von ihren Mädchen betrogen zu werden, während sie sich bemühten, den Ball in den Korb zu bringen. Daraufhin lehnte der Blonde seinen Billardstock an die Wand und sagte ganz ruhig, er sei gekommen, um Billard zu spielen; wenn das nicht möglich sei, ohne dabei beschimpft zu werden, dann gebe er lieber die Partie verloren; soviel liege ihm nämlich gar nicht an dem Gewinn. Daraufhin machte einer der beiden Betrunkenen noch einen Witz und blies dem Blonden den Rauch seiner Zigarette unter die Nase. Dieser jedoch hob den Mann ganz leicht an sich heran, drehte ihn um und schickte ihn mit einem zugleich kräftigen und sanften Fußtritt durch den ganzen Raum bis zu dem Tisch, an dem die Anhänger des Mexikaners gesessen und getrunken hatten. Der Tisch geriet ins Wanken, die Gläser fielen um und rollten von der Platte, aber der Mexikaner nützte den Augenblick, da der Blonde ihm den Rükken kehrte, um ihn mit dem Billardstock über den Kopf zu schlagen. Der lange Blonde bewegte den Kopf, als wolle er ein paar Wassertropfen aus den Haaren schütteln, und machte sich dann mit immer der gleichen Ruhe an die Verfolgung des Mexikaners. Der war auf das Billard gesprungen, um sich zu retten, stieß dabei aber an eine der starken Lampen, die herunterfiel und mit einem explosionsähnlichen Knall zerbarst. Die Panik, die daraufhin im ganzen Lokal entstand, benützte der Mexikaner, um im Trubel zu entkommen.

Buddy wurde vom Strom mitgerissen und fand sich auf einmal auf der Straße wieder. Die *Golden Bugs* sammelten sich und beschlossen, die Aufsässigkeit der Mexikaner nicht länger zu dulden; sie zogen los, um die Lokale der Umgebung nach Stänkerern jener Art abzusuchen, die ihnen soeben entwischt waren. Schon in der ersten Tanzbude, die sie betraten, stand hinter der Bar ein Mann, der dem Aussehen nach ein Landsmann ihres Billardgegners sein konnte, jedenfalls hatte er den gleichen kleinen schwarzen Schnurrbart. Dieser wurde ihm zum Verhängnis: Ohne irgendeine Erklärung zu geben, holten sie ihn hinter der Theke hervor und warfen ihn dann unsanft auf seinen Arbeitsplatz zurück. Im nächsten Lokal hatte die Kunde sich schon verbreitet: Man wußte, daß die *Golden Bugs* an diesem Abend auf der Jagd nach Mexikanern seien, und jeder, der mexikanisch aussah, machte sich vorsorglich aus dem Staub. Im dritten Lokal war es das gleiche. Als die Basketballer eintraten, wandten sich ihnen alle Gesichter zu, aber es waren Gesichter einwandfrei weißer Männer, von denen sogar die meisten blonde Haare hatten, oder es waren Neger, denen man jedenfalls ansah, daß ihnen kein Tropfen mexikanischen Blutes durch die Adern rann; all diese Menschen hatten ihre Ahnen anderswo als in Mexiko: in Kalabrien oder in Irland, in Deutschland oder in Schottland, in Finnland, Polen oder Norwegen, aber keiner sah nach dem Land zwischen dem Rio Grande und Yukatan aus. Keiner dieser Menschen machte den Mund auf, und somit gab es eine tiefe Stille.

Buddy, der hinter der Gruppe der *Golden Bugs* hereingekommen war, um die Szene mit anzusehen, fühlte sich plötzlich nicht mehr wohl in seiner Haut. Das sah brenzlig aus. Wenn diese kräftigen Burschen nirgends Mexikaner fanden, so würden früher oder später die Neger die Zeche bezahlen müssen... Von einem der Tische stand ein Mann auf, der sich im Schutze seiner blonden Haare offenbar ziemlich sicher fühlte, denn er ging zu dem Musikautomaten, warf ein Geldstück ein und wählte Alexanders *Ragtime-Band*. Immerhin fand Buddy, daß der Mann Courage habe. Inzwischen war der Billardspieler durch das Lokal zu der Treppe gegangen, die zu den Waschräumen hinunterführte. Alle Blicke folgten ihm, dann hörte man Geschrei und schließlich das Geräusch von Schritten. Der Blonde kam wieder herauf und berichtete seinen Gefährten, er habe in einer Telefonzelle einen Mexikaner entdeckt.

»Der hat das Telefonieren verlernt und spuckt jetzt Zähne. Der Kerl hat behauptet, er sei ein Mischling aus einem Ungarn und einer Indianerin aus Alaska... und das soll ich glauben!«

Die Blonden lachten aus vollem Hals, und der Wirt, der selbst hinter der Theke stand, sagte:

»Das köstlichste an der Geschichte ist, daß der Mann die Wahrheit gesagt hat. Ich kenne nämlich ihn und seinen Vater. Der war erst Holzfäller in Alaska und wurde dann Docker hier in New York, und seine Mutter sah aus wie eine Eskimofrau...«

Dann stiftete der Wirt den *Golden Bugs* eine Runde aus Dankbarkeit dafür, daß sie ihm nicht das ganze Lokal zerteppert hatten, und der Musikautomat spielte *Bye bye black bird*. Die Platte war noch nicht zu Ende, als man schon eine andere Musik hörte: die Polizeisirene. Die Bullen kamen in einem Überfallwagen, um in dem Viertel wieder Ordnung zu schaffen. Blitzschnell war das Lokal leer, und Buddy rannte, so schnell er konnte, um sich zu retten.

Nun, das war eben die Lehrzeit, und die Lehre des Lebens war, daß man zuschlagen mußte, ehe der andere zuschlug. Über das Faktum gab es ja keine Diskussion, aber mit dem Prinzip, das dieser Handlungsweise zugrunde lag, war Buddy nicht einverstanden. Er anerkannte die Gewalt nur so, wie man eben eine Überschwemmung oder eine Feuersbrunst anerkennt, aber er konnte ihr nicht zustimmen. Er wußte, er selbst würde nie ein Schläger werden. Um so schlimmer für ihn. Und wenn man alles in allem nahm, so gehörte er doch wohl zu der Sorte, die sich lieber unterdrücken ließ; er wäre jedenfalls nicht imstande gewesen, anderen auf die Hände zu steigen. Das Leben mochte tatsächlich so sein wie ein Hagel von Schlägen, aber wenn man gut aufpaßte, so konnte man doch vielleicht zwischen den Hagelkörnern durchschlüpfen. Es gab doch immer wieder Gelegenheiten, wo man einem anderen die Hand reichen konnte, statt ihm eine aufs Maul zu hauen. Buddy hatte recht, wenn er so dachte: Das sollte ihm schon wenige Tage später ein neues Erlebnis beweisen.

Jiggs hatte sich schon einige Tage lang nicht mehr gezeigt. Er hatte solche Zeiten, die er Krisen nannte. Dann blieb er zu Hause bei seiner Mutter, lag zu Bett, aß eine Menge und hörte Radio. Man konnte nicht sagen, daß er schlappmachte, aber er fühlte sich jedenfalls nicht in Form. Es hatte keinen Sinn, ihn zu stören, wenn es so war, man mußte warten, daß es vorbeiging.

Buddy war also mit Poison und Lizzie ins Kino gegangen. Der erste Film war ausgesprochen lächerlich, Shirley Temple hatte die Hauptrolle, und es war klar, daß das Leben der Mädchen ganz anders war, als sie es darstellen wollte. Im zweiten Film ging es um einen Chirurgen, der wegen eines Kunstfehlers vor Gericht kam und, um sich zu rehabilitieren, gefährliche Versuche an sich selbst vornahm. Diese Geschichte fanden die Mädchen langweilig, aber Buddy gab sie zu denken. Gewiß, der Arzt in dem Film war ein ganz anderer Typ als Dok. Man müßte wissen, ob es das wirklich gibt: einen Mann, der sein Leben dafür riskiert, daß man nicht mehr schlecht von ihm denkt. Buddy konnte nicht anders, er mußte jenen Chirurgen bewundern. Zugleich aber fragte er sich, ob er an der Stelle des Arztes ebenso gehandelt hätte, denn es war eine Frage des Mutes.

Aus diesen Überlegungen riß ihn Lizzie. Sie blieb plötzlich stehen, führte die Hand zum Herzen und sagte:

»Himmel, ist mir schlecht, mir ist auf einmal ganz miserabel.«

Sie beugte sich über den Gehsteigrand und erbrach sich. An der Unruhe, die Buddy sogleich empfand, erkannte er, daß er Lizzie noch immer liebte. Um sich selbst zu beruhigen, versuchte er Lizzie gut zuzureden.

»Im Kino war es sehr warm ....«, sagte er, aber Lizzie antwortete nicht. Nur Poison sagte:

»Nein, das war nicht die Luft im Kino, sondern die Eiskrem, ich fühle mich auch nicht besonders.«

Buddy haschte nach Lizzies Hand, und sie überließ sie ihm. Es war seit der Geschichte mit Angel zum erstenmal, daß sie so gingen. Hand in Hand langten sie vor dem Keller der Bande an, weder er noch Lizzie sprachen ein Wort, während Poison ungerührt alle Krankheiten aufzählte, die sie gehabt hatte; es waren sämtliche Kinderkrankheiten, die es überhaupt gab, und sie war denn auch sehr stolz auf ihre Masern, auf den Mumps, den Keuchhusten und vor allem auf den Scharlach. Außerdem hatte man ihr die Mandeln entfernt, Wucherungen in der Nase operiert und den Blinddarm herausgeschnitten.

Lizzie legte sich gleich auf den Diwan, sie fühlte sich noch immer so elend wie zuvor. Poison wollte eine Platte auflegen, aber Buddy verbot es ihr: Sie sehe doch, daß Lizzie krank sei. Poison wurde wütend und verschwand. Sie war zwar auf alle Krankheiten stolz, die sie durchgemacht hatte, konnte es aber nicht leiden, wenn jemand anderes krank war.

Als sie allein waren, sagte Lizzie leise:

»Ich weiß sehr gut, was es ist, Buddy: Ich bin schwanger.«

»Im Ernst?« fragte Buddy. »Bist du auch ganz sicher?«

»Ganz sicher!«

Buddy überlegte. In ihm wogten einander widersprechende Gefühle durcheinander. Er war sich nicht klar darüber, ob es ihm Kummer bereitete oder ihn zornig machte, daß Lizzie nun ein Kind von Jiggs erwartete. Er dachte nicht gerne daran, daß Lizzie und Jiggs miteinander schliefen; wenn der Gedanke ihm einmal kam, so stieß er ihn weit von sich und bemühte sich, ihn zu verjagen. Das Kind würde Lizzies Kind sein, nicht das von Jiggs, denn Lizzie würde ihr Kind lieben, während Jiggs sich nicht darum kümmern würde. Buddy stellte sich das Baby vor: Jiggs würde sich nicht mit ihm beschäftigen, und so würde eben Buddy es tun, ja, er könnte sogar für das Kind sorgen, denn er verdiente als Luigis Lieferant Geld genug, um eine so kleine Familie zu erhalten.

Lizzie lag auf dem Rücken und hatte den Blick starr auf den Plafond geheftet.

»Ich kann es nicht behalten«, sagte sie, »meine Mutter würde mich hinausschmeißen und dafür sorgen, daß ich in eine Besserungsanstalt für Mädchen komme. Und Jiggs würde ebenfalls in so eine Anstalt eingewiesen werden, das ist doch klar.«

»Denke nicht immer an Jiggs!« sagte Buddy gereizt. »Die Hauptsache bist jetzt du.«

»Hauptsache!« sagte Lizzie höhnisch. »Das alles gibt es gar nicht. Ich darf das Kind einfach nicht bekommen.«

So hatte Buddy die Angelegenheit noch gar nicht betrachtet. Genaugenommen hatte Lizzie recht; mit siebzehn Jahren konnte sie noch gar nicht Mutter werden. Und wenn sie sich heirateten, sie und Jiggs? Jiggs allerdings würde einen seltsamen Ehemann abgeben!

Buddy beugte sich über Lizzie.

»Bist du auch ganz sicher, daß es das ist?« fragte er leise, und Lizzie erklärte ihm, warum sie selbst nicht mehr im Zweifel sei. Buddy hatte von den einfachsten und verläßlichsten Anzeichen der Schwangerschaft nur sehr oberflächlich gewußt; was Lizzie ihm nun auseinandersetzte, war immerhin überzeugend. Sie fürchtete es schon lange, denn es war nun schon drei Monate her... Allerdings war es auch früher einmal ganz ähnlich gewesen, und dann hatte sich gezeigt, daß es doch kein Kind geworden war. Diesmal aber... außerdem gab es schon eine ganze Reihe Dinge, die sie nicht mehr essen wollte, und andere, nach denen sie besonders verlangte.

»Ich muß sehen, wie ich es wegbringe«, sagte sie, »sonst gehe ich selber drauf dabei... Ich habe keine Wahl... entweder schlucke ich zwanzig Schlaftabletten, oder ich lasse es mir nehmen.«

Buddy war bestürzt. Wenn es so stand, wenn sie nur diese Wahl hatte, dann durfte sie natürlich nicht zögern. Er dachte an den Chirurgen im Film, der sein Leben wagte, um seinen Ruf wiederherzustellen. Lizzies Fall war demgegenüber viel schwieriger. Für sie gab es keinen Ausweg; sie mußte entweder sich selbst vernichten oder die Frucht in ihrem Leib.

»Geh zu Dok«, sagte sie, »erzähle ihm alles und bring ihn her.«

»Es würde mich zwar wundern, wenn er tasächlich mitkäme, aber ich werde ihn darum bitten... Brauchst du sonst nichts?«

»Ich brauche nur Dok!«

Buddy rief ein Taxi an; der Chauffeur zögerte, aber Buddy zeigte ihm zwei Dollar zum Beweis, daß er ihn nicht hereinlegen wollte. Jiggs hatte ihm einmal von einer Strafexpedition gegen eine feindliche Bande erzählt. Sie hatten zu viert ein Taxi genommen und waren in jene Straße gefahren, wo die Gegner schon auf sie warteten. Der Chauffeur hatte Lunte gerochen und gezaudert, weiterzufahren. Da hatte ihm Jiggs seine Pistole in die Rippen gesetzt und gesagt: »Los, wenn du deine Kinder wiedersehen willst, drück auf die Tube!« Der Chauffeur hatte Gas gegeben, und Jiggs und seine Gefährten hatten im Vorüberfahren sämtliche Fenster des Schlupfwinkels der gegnerischen Bande zerschossen. Dann hatten sie irgendwo das Taxi verlassen, natürlich, ohne es zu bezahlen, und Jiggs hatte dem Chauffeur gesagt: »Du hast fünf Sekunden Zeit, hinter der nächsten Ecke zu verschwinden!« – Der Chauffeur hatte nicht einmal fünf Sekunden gebraucht ...

Auf dieser Fahrt konnte Buddy keinen mißtrauischen Chauffeur brauchen, darum hatte er ihn sogleich beruhigt und sich absichtlich neben ihn gesetzt. Der Taxifahrer erwies sich als geschwätzig und plauderte mit Buddy, als seien sie schon weiß Gott wie lange miteinander befreundet. Da es ziemlich weit war bis zu Dok, hatte der Chauffeur Zeit, eine ganze Menge zu erzählen. Er berichtete, daß er aus Rußland stamme und einen Bruder habe, der Farmer in Kalifornien sei. Vor einer Woche seien drei russische Flieger aus Moskau gekommen und in San Jacinto, zwanzig Meilen von jener Farm, gelandet. Das köstlichste daran aber sei, daß einer der drei Flieger ebenfalls Gromow hieß wie die zwei Brüder und vielleicht ein entfernter Vetter sei. Sie debattierten dann eine Weile darüber, was wohl vorzuziehen sei: Taxichauffeur in New York oder Flieger in Sowjet-Rußland.

»1917 haben diese Schweine drei Mitglieder meiner Familie getötet«, sagte der Taxichauffeur, »aber die drei Flieger, die es von Moskau nach Kalifornien geschafft haben, das sind echte Asse!«

Buddy hörte dem Geschwätz nur mit einem Ohr zu; ihn beschäftigte immerzu die Frage, ob Dok wohl bereit sein würde, mit ihm zu kommen.

Er mußte lange klopfen, ehe ihm geöffnet wurde, und als es soweit war, stand nicht Tootsie vor ihm, sondern Dok selbst. Er sah müde aus und noch mehr mitgenommen als sonst, so daß er beinahe wie ein alter Mann wirkte. Als er Buddy erblickte, hellte sein Gesicht sich jedoch auf.

»Guten Tag, Kleiner«, sagte er, »was führt dich zu mir? Ich habe heute nichts für dich fertig.«

»Deswegen komme ich auch gar nicht«, sagte Buddy.

»Warum denn?«

Buddy zögerte und starrte auf die Spitzen seiner Schuhe.

»Ist Tootsie nicht da?« erkundigte er sich dann; er hatte sich im Taxi überlegt, daß Tootsie ihm vermutlich helfen würde, Dok zu überreden.

»Nein ... sie ist vorgestern abend bei einer Razzia im Coconut-Club hopgenommen worden. Ein Glück nur, daß sie keine Ware bei sich hatte. Als die Polizei jedoch ihre Personalien aufnahm, stellte sich heraus, daß sie vom FBI gesucht wird. Es soll da einen Richter in Denver, Colorado, geben, der sich sehr freuen wird, wenn man ihm Tootsie vorführt. Es handelt sich um irgendeinen galanten Diebstahl, eine alte Geschichte.«

»So ein Pech!« sagte Buddy.

»Mach dir keine Gedanken«, beruhigte ihn Dok, »Luigi läßt Tootsie nicht im Gefängnis. Er hat dreitausend Dollar Kaution gestellt, und sie kommt schon morgen wieder heraus. Sie hat ihn ziemlich in der Hand, denn sie weiß zuviel von seinen Geschäften. Wenn er sie fallenläßt, würde sie vermutlich auspacken, und das kann er nicht riskieren ...«

»Klar«, sagte Buddy verständnisvoll, »sie braucht doch nur von dem Laboratorium zu erzählen, und Luigi geht schwer ein ...«

»Es ist nicht nur das. Sie kann Luigi Schwierigkeiten machen, Luigi aber dem Senator van Bolten. Dieser noble Herr hat sich nämlich der Organisation Luigis bedient, um das Telefon seines Gegenkandidaten abhören zu lassen. Das ist natürlich illegal, und wenn es herauskommt, ist der Herr Senator erledigt. Tootsie weiß das alles, denn Luigi wird schwatzhaft, wenn er zärtlich ist ...«

Buddy dachte, daß auch Dok für einen Mann seines Berufes manchmal ziemlich viel redet, er war doch sonst so wortkarg! Aber Jiggs hatte ihm schon gesagt, daß die Schwatzhaftigkeit die Hauptsünde aller mittelmäßigen Verbrecher sei; nur die wirklich großen Bosse verstünden es, eisern das Maul zu halten.

»Auf diese Weise«, schloß Dok, »wird jener Richter in Denver überhaupt nicht erfahren, daß die New-Yorker Polizei Tootsie erwischt hat.«

»Das freut mich für Tootsie.«

»Mich auch. Aber jetzt sag, was du willst, ich habe nicht viel Zeit, ich hab' die Polente auf dem Feuer!«

Buddy wurde wieder verlegen, aber Dok griff ihm unter das Kinn und hob seinen Kopf:

»Los, rede schon«, sagte er, »ich fresse dich nicht auf!« Es klang beinahe zärtlich.

»Also bitte«, sagte Buddy stockend, »da ist ein Mädchen ... ich bin mit ihr befreundet. Sie ist krank und möchte, daß Sie zu ihr kommen.«

»Warum ich? Ihr werdet doch wohl einen Arzt in der Nähe haben!«

»Sie möchte, daß Sie kommen, Dok. Es handelt sich um das Mädchen von Jiggs.«

»Ach so! Was hat sie denn?«

»Sie werden ja sehen, es geht ihr sehr schlecht.«

»Wie alt ist sie?«

»Bald siebzehn.«

»Hat sie keine Mutter? Warum schickt sie denn dich?«

»Sie liegt nicht bei ihrer Mutter ...«

»Ich kann's nicht ändern, heute kann ich keinesfalls hinkommen.«

»Ich bitte Sie, Dok, machen Sie es möglich, Sie müssen gleich mitkommen!«

»Geht es ihr sehr schlecht?«

»Ja.«

Dok sah Buddy noch einmal prüfend an, zuckte dann die Achseln und verschwand brummend in seinem Laboratorium. Als er wiederkam, hatte er den weißen Mantel ausgezogen und einen Hut aufgesetzt, und in der Hand trug er eine große Ledertasche, die schon ziemlich mitgenommen aussah. Als sie die Stiege hinuntergingen, sagte Buddy:

»Sie sehen auch nicht besonders aus, Dok ... Sie sollten einmal Urlaub machen!«

»Urlaub? Das würde nicht viel helfen«, antwortete Dok und rieb sich nachdenklich die schlecht rasierten Wangen. Dann warteten sie nebeneinander am Gehsteigrand auf ein Taxi.

»Nein ... das würde nicht viel ändern«, wiederholte Dok und warf von der Höhe seines gekrümmten Rückens herab einen nachdenklichen Blick auf Buddy. Er lächelte bitter und setzte hinzu: »Du weißt, Squirrel, daß ich einen Jungen habe; er ist nicht viel älter als du, und ich habe seit Jahren nichts mehr von ihm gehört. Und letzten Freitag drehe ich zufällig das Radio auf und höre seine Stimme in einer Quizsendung. Seit drei Wochen macht er das schon und beantwortet alle Fragen. Der wird noch

ganz berühmt... Wenn er wüßte, was aus mir geworden ist...
Du verstehst, was ich sagen will... Man wird immer bestraft,
irgendwann, es ist ganz sicher. Wenn du vor Jahren etwas angestellt hast, einmal kommt der Tag, wo du dafür bezahlen mußt.
Ich hatte immer noch die Hoffnung, daß ich ihn eines Tages
wiedersehen würde; aber er ist jetzt schon reich und gilt als Wun-
derkind... In einer Hinsicht ist das ja schade... Wäre er ein
kleiner Taugenichts geworden, so wäre ich vielleicht doch irgendwann wieder an ihn herangekommen...«

»Nicht alles wird bestraft«, sagte Buddy, »denken Sie an Luigi
oder an Speed, einen meiner Kameraden. Neulich hat ein Bulle
uns erwischt, in flagranti mit den Konserven auf der Schulter, aber
für zehn Dollar hat er uns laufen lassen.«

»Ich spreche doch nicht von der öffentlichen Justiz«, sagte Dok
und machte einem herannahenden Taxi ein Zeichen. »Es gibt
da noch ganz andere Dinge...« Als sie nebeneinander im Wagen saßen, brütete Dok stumm vor sich hin. Er hatte offenbar
keine Lust, den Faden des Gesprächs von vorhin wiederaufzu-
nehmen, und Buddy respektierte sein Schweigen. Er ließ das
Taxi an der Ecke vor der Fabrik halten. Als sie durch eine Bresche
in der Mauer in den großen Fabrikhof schlüpften, sagte Dok
anerkennend:

»Tolle Gegend hier... Ihr könnt umlegen, wen ihr wollt, hier
merkt es kein Mensch.«

»Stimmt«, sagte Buddy und warf einen langen Blick auf den
schwindelerregenden, hohen Schornstein mit dem Buchstaben P.

Lizzie döste, als sie den Raum betraten, schlug aber sogleich
die Augen auf. In ihrem kleinen, bronzefarbenen Gesicht blitzten
die Augen wie jene Rustys vor ihrem Tod. Lieber Gott, laß sie
nicht sterben, ich bitte dich, betete Buddy stumm. Lizzie lächelte
Dok zu und reichte ihm ihre schmale, magere Hand, die so zart
war wie die Hand von Buddys Mutter. Ihre schwarzen Haare, die
sie in der Regel in der Mitte gescheitelt trug, waren in Unordnung und feucht vom Schweiß. Dok öffnete seine alte Tasche
und begann mit der Untersuchung. Als er sein Ohr auf Lizzies
Brust legte, sagte sie:

»Das braucht's gar nicht, Dok; ich bin nicht krank, ich bin
schwanger!«

Er richtete sich auf, warf das Stethoskop in die Tasche zurück
und sagte ärgerlich:

»Ich bin kein Geburtshelfer... Dazu hättet ihr mich nicht
holen sollen!«

»Dok«, sagte Lizzie, »es ist nicht wegen der Entbindung... es ist wegen des Gegenteils...«

Dok machte einen schmalen Mund, legte die Stirn in Falten und sah erst das Mädchen an und dann Buddy.

»Du kleines Aas!« sagte er zu Buddy. »Das hättest du mir auch früher sagen können. Holt mich da einfach zu einer Abtreibung... Du weißt wohl nicht, wen du vor dir hast!«

»Als ob Sie das noch nie getan hätten!« sagte Buddy ebenso wütend wie verzweifelt.

»Eben darum... Glaubst du, ich habe Lust, wieder damit anzufangen... Ich weiß, was das kostet.«

»Dok... Sie werden doch Lizzie nicht im Stich lassen«, flehte Buddy.

»Dafür gibt es genug andere Ärzte in Brooklyn... Das ist nicht mein Fach.«

»Nur Sie können uns helfen, Dok; wenn Sie sich weigern, tut Lizzie sich bestimmt etwas an.«

»Ich habe dir schon gesagt: Man muß im Leben für alles bezahlen, früher oder später, das ist nun einmal so.«

»Kann sie etwas dafür, daß in diesem Viertel alle Mädchen zu irgendeiner Bande gehören müssen? Sie ist dazu gezwungen worden wie alle anderen, und ein Mädchen, das in eine Bande eintritt, wird automatisch die Freundin von irgendeinem... Kann sie etwas dafür, daß Jiggs sie für sich genommen hat und daß sie nun schwanger ist von ihm? Sie ist daran doch nicht schuld!«

»Aber ich jedenfalls noch weniger!« sagte Dok.

Sie diskutierten noch eine Weile ergebnislos, bis Lizzie, die bis dahin nichts gesagt hatte, sich einmischte.

»Gib's auf, Buddy«, sagte sie schwach, »er hat recht, ich muß bezahlen... Es kostet mich schließlich den Preis der Schlaftabletten. Nicht jeder hat das Glück, als Sohn reicher Leute aufzuwachsen wie der Junge von Dok. Wenn der eines Tages einer ein Kind macht, werden die Eltern des Mädchens sie bestimmt in eine teure Privatklinik bringen, deren Ärzte sich nicht lange zieren!«

»Wie lange ist es jetzt her?« erkundigte sich Dok trocken.

»Nicht ganz vier Monate...«, sagte Lizzie.

»Dann ist es höchste Zeit... Ich komme morgen gegen ein Uhr wieder!«

Grußlos und mißmutig vor sich hin murmelnd ging Dok.

Buddy blieb den ganzen Abend über bei Lizzie. Er bereitete ihr ein kleines Abendessen, aber sie hatte keinen Hunger und aß nur ganz wenig. Gleich darauf erbrach sie von neuem. Sie mußte nach Hause zurück, sie konnte nicht einfach wegbleiben, ihrer Mutter wegen. Das sah Buddy ein. Die Lage war verteufelt schwierig. Lizzie erhob sich und nahm Buddys Arm, um die Stufen hinaufzukommen. Er brachte sie bis nach Hause, sie mußten zu Fuß gehen, denn sie fanden kein Taxi. In schmerzliche Gedanken versunken, kehrte er allein in den Bandenkeller zurück. Lieber Gott, betete er wieder, mach, daß sie nicht stirbt. Wenn sie nämlich stirbt, dann bringe ich Jiggs um, diesen Schweinekerl!

Tags darauf erwartete er sie mittags mit einem Taxi vor der Wohnungstür ihrer Mutter. Sie kam heraus, er machte ihr ein Zeichen, und sie beschleunigte den Schritt. Ja, sie hatte gut geschlafen. Nein, ihre Mutter ahnte nichts...

Lizzie fühlte sich viel besser als am Tag vorher. Es hatte sich offenbar doch nur um eine jener vorübergehenden Übelkeiten gehandelt, wie sie schwangere Frauen gelegentlich befallen; man mußte sich darüber keine Gedanken machen. Unterwegs sahen sie Speed, Trig, Poison, Babs und zwei andere Burschen von der Bande. Buddy ließ das Taxi halten, und Speed kam herzu. Buddy sagte ihm schnell, daß Lizzie krank sei, eine Unterleibssache, und daß ein Arzt käme, um sie zu untersuchen; sie sollten sich also heute nicht im Keller zeigen. Treffen morgen zur gleichen Zeit. Speed maulte zwar ein wenig und meinte, es sei schade, sie hätten gerade einen so niedlichen Plan; aber Buddy nahm sich gar nicht die Zeit zuzuhören, um was für einen Plan es sich handle. Er klopfte an die Scheibe, damit der Chauffeur weiterfahre.

Dok war pünktlich und schien verhältnismäßig guter Laune.

»Da habt ihr mir ja etwas Schönes eingebrockt, ihr kleinen Lumpen!« sagte er an Stelle eines Grußes. Er verlangte von Buddy abgekochtes Wasser, Handtücher und Seife. Buddy hatte sich schon so etwas gedacht und brachte alles herbei. Dann, als Dok die Vorbereitungen beendet hatte, machte Buddy sich dünne und hockte sich im Tresorraum auf den Boden, auf jenen Sack, wo er mit Angel... Diese Angel, derentwegen Lizzie sich beinahe mit ihm zerstritten hätte... Auch daran war Jiggs schuld. Und es war auch seine Schuld, daß Lizzie sich jetzt vor Dok so hinlegen mußte. Jiggs war ein Schweinehund, und wenn es stimmte, daß man für jede Schlechtigkeit im Leben bezahlen mußte, dann war es Zeit, daß Jiggs damit anfing, sonst würde er nie mehr fertig. Aber es stimmte ja wohl nicht... Er fuhr aus seinen Gedanken auf: Dok hatte ihn gerufen.

War es denn schon vorbei? Nein, es war noch nicht soweit. Man mußte es auf zweimal machen, Lizzie würde es ihm schon erklären, er werde Mittwoch wiederkommen, und dann würde es länger dauern. Bis dahin dürfe Lizzie sich nicht rühren...

Als Dok gegangen war, erklärte Lizzie, was dies zu bedeuten habe: Dok hatte ein Mittel eingeführt, das er Mittwoch wieder herausnehmen werde. Das dumme an der Sache war nur, daß sie sich natürlich bewegen mußte – wie sollte sie denn anders nach Hause kommen? Zu Hause konnte sie dann liegenbleiben bis Mittwoch.

»Und was wirst du deiner Mutter erzählen?«

»Irgend etwas... daß ich etwas Unrechtes gegessen habe oder Koliken habe... Soviel kümmert die sich gar nicht um mich.«

»Aber Dok hat doch gesagt, du sollst dich nicht rühren!«

»Trotzdem, hier kann ich nicht bleiben. Ich will noch ein wenig ruhen, dann müssen wir uns nach einem Taxi umsehen.«

Buddy bedauerte nun, daß er Speed verscheucht hatte: Gerade Speed war unübertrefflich, wenn es galt, einen Wagen aufzutreiben; er stahl sie, wie ein anderer Semmeln stiehlt, und fuhr auch ausgezeichnet. Buddy nahm sich vor, bei Speed Fahrunterricht zu nehmen und sich zeigen zu lassen, wie man einen abgestellten Wagen aufknackt. Es wäre jetzt viel praktischer gewesen, einen auf solche Weise »geliehenen« Wagen zu haben, denn die Taxis waren in dieser Gegend selten und hielten nur ungern an.

Im nächstgelegenen Drug-Store setzte Buddy Lizzie hinter einen Tisch und machte sich auf die Suche nach einem Taxi. Aber es währte eine Viertelstunde, ehe er eines hatte.

Als er sie zu Hause abgesetzt hatte, wanderte er ziellos durch die Straßen, trank in einer Bar zwei Glas Milch und aß ein Paar Würstchen; dann bummelte er über die Kais und ging schließlich in ein Kino. Schon in der Mitte des Films aber hielt er es nicht mehr aus, er konnte sich nicht auf die Handlung konzentrieren und ging zurück in den Keller. Hier lief er wie ein Tiger im Käfig auf und ab, und wenn in diesen Minuten jemand mit ihm Streit gesucht hätte, so wäre Buddy vermutlich losgegangen wie eine Lokomotive. Er rauchte dann drei Marihuana-Zigaretten und fühlte schließlich, daß er ein wenig ruhiger wurde. Auf dem Kissen, das noch ein wenig von Lizzies Geruch an sich hatte, schlief er ein.

Er erwachte von lautem Stimmengewirr. Speed und die anderen waren gekommen und hatten ein tragbares Radiogerät mitgebracht, das sie aus einem Kabriolett gestohlen hatten, durch einen Schlitz im Verdeck. Es wurde entschieden, den kleinen Kasten zu behalten; der Grieche bezahlte ohnedies immer nur einen Bruchteil des wahren Wertes, und das Radio konnte den Plattenspieler wirkungsvoll ergänzen. Speed und die anderen waren von dieser tönenden Beute so angetan, daß sie völlig vergaßen, nach Lizzies Befinden zu fragen. Speed baute sogleich eine Antenne, es war erstaunlich, wie geschickt er in allem Handwerklichen war, und es gelang ihm tatsächlich, das kleine Ding schon nach wenigen Minuten zum Funktionieren zu bringen. Es krachte zwar eine kleine Weile, dann aber knisterte es nur noch leise, und man vernahm eine sorgfältig artikulierende Stimme:

»In Chikago hat Kardinalerzbischof Mundelein gelegentlich der trimestriellen Diözesankonferenz energisch gegen die Maßnahmen protestiert, mit denen Hitler und die Reichsregierung gegen die Katholische Kirche in Deutschland vorgehen... London: Mr. Stanley Baldwin, der britische Premierminister, hielt vor achttausend jungen Menschen beiderlei Geschlechts eine Ansprache und vertraute ihnen als den Abgesandten der Jugend aus allen Teilen des British Empire die Zukunft des christlichen Staatswesens an, in Achtung vor dem Individuum, dessen wahrer Wert in den Diktaturen verkannt werde... Genf: Señor del Vayo trug dem Völkerbundrat den Protest der Regierung von Valencia gegen die fortgesetzte Einmischung Italiens zugunsten Generals Franco vor... Talloires, Frankreich: Mr. Titulescu und Mr. Litwinow sind zu einem Frühstück zusammengetroffen...«

»Stell einen anderen Sender ein«, sagte Trig zu Speed, »die gehen mir auf die Nerven mit ihren Nachrichten aus Europa!«

»Stimmt!« pflichtete Buddy ihm bei. »Was geht es uns an, was diese Idioten da drüben treiben!«

Speed drehte an einem Knopf; der Apparat pfiff, krachte und knatterte und gab schließlich das Lied *El Relicario*, gesungen von Rachel Meller, von sich, nicht eben den neuesten Schlager. Die Begeisterung für den kleinen Apparat kühlte sich ein wenig ab, aber Poison vermochte Speed zu einem Tanz zu bewegen, und schließlich waren es drei oder vier Paare, die sich zu den Rhythmen des Paso doble in dem kleinen Raum drehten. Buddy hätte sie am liebsten alle zum Teufel geschickt; er mußte an Lizzie denken, die jetzt zu Hause bei ihrer Mutter lag, dieser lieblosen Mutter, die möglicherweise sogar etwas ahnte. Ihm war nicht nach Späßen zumute, und die anderen verursachten ihm Übelkeit mit ihrem Geschwätz und Gehopse. Glücklicherweise folgte auf *El Relicario* die Durchsage der Wallstreet-Börsenkurse, für die man sich bei den Vampiren nicht mehr interessierte als für die europäische Politik. Speed suchte etwas anderes und überdrehte den kleinen Apparat dabei, so daß er eine volle Stunde brauchte, ehe er ihn wieder in Schuß hatte. Inzwischen diskutierten die anderen über dies und jenes und tranken eine Coca-Cola nach der anderen. Schließlich wurde man des störrischen Radios müde, und Poison schlug vor, einen Ausflug nach Coney Island zu machen: Es sei so heiß, ein Bad wäre durchaus angebracht. Sie hängten sich an einen Lastwagen und, als dieser abbog, an den nächsten und gelangten so auf den Badestrand hinaus. Es war voll in Coney Island, Tausende und aber Tausende von Menschen, die allesamt beinahe nackt waren und einander wohl oder übel berühren mußten, weil eben kein Platz war. Da lagen Männer wildfremden Mädchen zwischen den Beinen herum, und andere stiegen über sie weg. Bei den Dicken sah man beängstigende Falten, wenn sie saßen, andere hatten die Hüte tief in die Augen gezogen oder die Röcke hoch aufgeschlagen, so daß man die Krampfaderbeine sah. Die Männer hatten Bierflaschen in der Hand und bisweilen gefaltete Zeitungen als Sonnenschutz auf dem Kopf, die Kinder liefen meist völlig nackt zwischen den Erwachsenen umher und kreischten durchdringend.

Die Mitglieder der Bande streiften einige Male den ganzen Sektor ab, fuhren zweimal auf der *Scenic Railway*, schossen mit dem Luftdruckgewehr und kauften Nugat. Dann warfen sie sich schließlich ins Meer; die Burschen hatten ihre Unterhosen anbehalten, die Mädchen hatten sich Badetrikots ausgeliehen. Nur Buddy blieb am Strand sitzen und sah ihnen zu, er saß und träumte, denn die unzähligen Menschen, von denen der Sand rings um ihn wimmelte, erinnerten ihn wieder an seine Vision vom Jüngsten Gericht. An jenem letzten Tag der Menschheit würden alle diese Fettklöße, die sich hier ihrer Hüllen entledigten, all die Arbeiterweiber, denen es egal war, wieviel man von ihnen sah, all die hübschen Püppchen, die sich bräunen ließen, weil sie sich ihrer weißen Hautfarbe schämten und bisweilen negroider aussahen als Lizzie – all diese Menschen würden auch beim Jüngsten Gericht wie Heringe aneinandergepreßt sein, aber aufrecht stehen müssen und nicht im Sand liegen dürfen; kalte Schauer würden ihnen über den Rücken rinnen, und sie würden an ganz andere Dinge denken als an den Bronzeton ihrer Haut. Und dann würde Gottvater von seiner lichtstrahlenden Wolke herab sagen: »Wo ist Buddy? Wo ist Daniel W. Murchison, gemeinhin genannt Buddy? Wo ist dieser unglückselige Buddy, der sich mitschuldig gemacht hat an der Sünde der Abtreibung, begangen durch Dorothy Smallfox, genannt Lizzie – wo ist dieser unglückselige Buddy?« Dann würde Buddy aufstehen, wie er es in diesem Augenblick tun mußte, weil ein offenbar halbverrückter Hund vor ihm hin und her sauste und ihn jedesmal mit Sand bespritzte. Gottvater würde ihm ein Zeichen geben, auf die Seite der Verdammten hinüberzugehen mit all den anderen Menschen, die hier in Coney Island badeten. Es galt nun nicht mehr, sich in der Sonne rösten zu lassen: Sie würden an den Höllenfeuern gebraten werden, denn viele sind berufen, aber nur wenige auserwählt. Trotzdem – selbst wenn er in der Hölle dafür büßen müßte, daß er Dok zu Lizzie geholt hatte, er wäre trotzdem bereit, es ein nächstes Mal wieder zu tun. Lizzie würde wohl nie ahnen, daß er, um ihr zu helfen, selbst die ewige Verdammnis auf sich nehmen würde; sie würde es nie ahnen, und er würde es ihr nie erzählen, damit sie nicht etwa über ihn lachte. Nahm man aber an, daß es mit der Hölle seine Richtigkeit hatte, nun, dann war es um so schlimmer für Buddy, aber für den Augenblick blieb es ohne Belang: Er konnte nichts anderes tun als Lizzie helfen, ihr Kind loszuwerden.

Der zweite Eingriff, den Dok vornahm, ging nicht so schnell vonstatten wie der erste, und er verlief auch viel schmerzhafter. Buddy wartete lange Zeit in dem kleinen Tresorraum und war schließlich, auf dem Boden sitzend, eingeschlafen, als Dok ihn ins Zimmer rief. Lizzies Gesichtszüge waren gespannt, ihr Blick war vage und unruhig und die Stirn mit Schweiß bedeckt; ihre Haare lagen in wirren Strähnen auf dem Kissen, so daß man glauben konnte, ihr Kopf sei mit Schlangen bedeckt. Sie lächelte Buddy unsicher an und hob ein wenig die Hand, ließ sie aber gleich wieder auf die Decke zurückfallen.

»In Ordnung«, sagte Dok, der sich eben in dem kleinen Blechbecken die Hände wusch. »Du warst sehr mutig, Mädchen ... ich konnte dich ja nicht narkotisieren ... Es tut mir leid, daß du diese Schmerzen hattest, ich habe es so sachte gemacht als nur irgend möglich.«

Lizzie schüttelte leicht den Kopf.

»Es ging wohl nicht anders«, sagte sie, »danke, Dok!«

Dok wies auf den Sessel, wo ein größeres Stück Leinwand zu einer Kugel zusammengerollt war, und sagte zu Buddy:

»Das muß verbrannt werden ... Wenn du zart besaitet bist, schau lieber nicht hinein.«

Dok strich Lizzie noch einmal über die Stirn, dann nahm er seine Aktentasche und sagte auf Wiedersehen. Buddy begleitete ihn bis zur Stiege. Als Dok die Stufen hinaufging, sagte er:

»Sie ist wirklich zäh. Sie hat sich nicht bewegt und nur die Zähne zusammengepreßt. Dabei sind die Schmerzen fast dieselben wie bei einer Geburt.«

»Was war es denn«, erkundigte sich Buddy, »ein Junge oder ein Mädchen?«

»Das konnte man noch nicht sagen.«

Dok reichte Buddy die Hand und sah ihn einen Augenblick lang nachdenklich an. Woran mochte er denken? An jenes Kind, das in einigen Monaten zur Welt gekommen wäre und keinen Vater gehabt hätte? Oder dachte er an alle Kinder ohne Vater, an seinen vaterlosen Sohn und an den vaterlosen Buddy.

»Da fällt mir ein, Squirrel«, sagte Dok, »wir haben noch gar nicht vom Geld gesprochen. Sieh zu, daß du hundert Dollar auftreibst...«

»Soviel hab' ich nicht«, antwortete Buddy, »aber mit der Zeit wird es schon klappen... Ich hätte auf jeden Fall irgend etwas getan, vielleicht nicht gerade Geld, sondern irgend etwas anderes, ein Geschenk für Ihren Sohn...«

»Wie du dir das vorstellst«, schrie Dok wütend, »als ob mich das noch etwas anginge!«

Er ging die Stiege vollends hinauf, sah Buddy noch einmal starr an, so daß dieser sich abermals fragte, was in Doks Schädel wohl vor sich gehe, und schärfte ihm schließlich ein:

»Denk an die hundert Dollar, das ist bestimmt nicht teuer, ein Freundschaftsbeweis... Und wenn sie Fieber bekommen sollte, dann kannst du mich holen.«

Er schüttelte noch einmal die Hand Buddys, der mit ihm auf den Fabrikhof getreten war, und verschwand, gebückt wie stets, mit seinem schleppenden Schritt.

Buddy kehrte zu Lizzie zurück, die noch immer regungslos dalag und die Augen geschlossen hielt. Es war vollkommen still. Sie atmete tief und sagte, ohne die Augen zu öffnen:

»Eine Geburt wäre mir leichter gefallen, das weiß ich, und mehr Schmerzen kann sie auch nicht verursachen... Das kann ich nicht noch einmal überstehen... So schnell soll mich keiner mehr anrühren...«

Buddy tupfte ihr mit einem Handtuch den Schweiß von der Stirn.

»Du bist nett«, sagte sie, »danke; was hätte ich ohne dich angefangen?«

Sie drehte den Kopf ein wenig auf dem Kissen und bemerkte dabei das zusammengerollte Leintuch.

»Wirf das weg!« sagte sie schnell und hart.

Buddy nahm den Wickel auf und überlegte. Verbrennen war leicht gesagt; in dem ganzen Raum gab es keinen Ofen. Er ging hinaus auf den Fabrikhof und erblickte Rustys Grab. Ein zweites Begräbnis... Der Ekel schnürte Buddy den Magen zusammen. Ein paar Sekunden starrte er nachdenklich auf das Grab des kleinen Hundes. Die sinkende Sonne ließ den Fabrikschornstein einen so langen Schatten werfen, daß er bis zum Grab Rustys reichte. In diesem Augenblick kam Buddy der rettende Einfall: Ein Krematorium war besser als ein Grab! Er kehrte in den Keller zurück, in jenen Winkel, wo er sich in der ersten Nacht versteckt hatte, als die Zudringlichkeit jenes Tramps ihn aus dem Hotel Dodge vertrieben hatte. Nach einigem Suchen fand er den halbvollen Benzinkanister, dessen Gepolter ihm damals zum Verhängnis geworden war. Ohne ihn hätte er allerdings auch Lizzie niemals kennengelernt, und sie wäre in ihrer augenblicklichen Notlage ohne Hilfe gewesen. Somit war es letzten Endes doch ein Glück, daß er an den Kanister gestoßen war...

Hinter dem Schornstein goß er das Benzin über das kleine Bündel und steckte alles in Brand. Im Schimmer der letzten Sonne war die Flamme beinahe unsichtbar, aber der Rauch tiefschwarz.

»Bist du verrückt?« sagte eine Stimme hinter ihm. »Mit so etwas ziehst du uns doch die Bullen auf den Hals... Auf Rauchwolken reagieren die sofort.«

Es war Poison, die ganz allein gekommen war und plötzlich neben Buddy stand.

»Reg dich nicht auf«, sagte er, »in ein paar Sekunden ist alles vorbei!«

Im Grunde aber wußte er, daß Poison recht hatte und daß es möglicherweise doch noch eine Weile dauern konnte, bis alles verbrannt sein würde.

»Was verbrennst du da eigentlich?« erkundigte sich Poison. Sie kauerte sich neben ihn auf den Boden. Es stank und brauchte ein paar Minuten, ehe die Flammen alles verzehrt hatten. Schließlich stieß Buddy die verkohlten Reste des Leintuches mit dem Fuß bis zur Mauer, dorthin, wo neben Altmaterial auch einige Abfälle lagen, halb verfaulte Bretter und alte Zeitungen. Poison sah ihm dabei zu und sagte:

»Ist Lizzie noch immer krank?«

»Es geht ihr schon besser«, antwortete Buddy und klopfte dabei auf ein Stück Planke. Gemeinsam kehrten sie in den Keller zurück, wo Lizzie auf dem Diwan lag und vor sich hin döste.

»Du mußt leise sein«, raunte Buddy Poison zu, »und vor allem keine Musik!«

Poison ging in den Nebenraum und kam mit einer Flasche Gin und zwei Fläschchen Coca-Cola zurück, die sie auf den Tisch stellte.

»Ich weiß doch, was sich gehört«, sagte sie gekränkt, bemerkte jedoch zugleich die Arzneien und insbesondere eine größere Flasche, die Dok hiergelassen hatte. Diese nahm sie auf, hielt sie gegen das Licht und las, was auf dem Etikett stand; dann pfiff sie leise und sagte:

»Das kenne ich..., jetzt wird mir manches klar..., statt hier Verstecken zu spielen, hättet ihr mich besser eingeweiht, ich kenne mich da ein wenig aus, meine Schwester Pat hat das auch mitgemacht... Arme Lizzie..., du tust mir wirklich leid...!«

Nach diesen Worten drückte sie einen temperamentvollen Kuß auf Lizzies Wange.

»Sachte, sachte«, mahnte Buddy, »du darfst sie nicht erschrekken.«

»Du spielst wohl hier den Chefarzt...«, sagte Poison verächtlich. »Immerhin hast du schon mancherlei gelernt, seit du bei den Vampiren bist!«

Das war auch Buddys Meinung. Es fehlte nur noch, daß sie ihm das Morden beigebracht hätten. Und war das noch ein großer Unterschied? War nicht die Mittäterschaft bei einer Abtreibung fast Beihilfe zu einem Mord?

Er nahm das dicke, leere Arzneiglas und warf es wütend gegen die Zementwand, wo es in tausend Stücke zersprang. Poison hatte inzwischen die Gläser gefüllt. Lizzie lehnte ab: Sie wollte kein Gin-Coca, lieber einen Ananassaft. Poison holte eine Dose, aber noch ehe sie wiederkehrte, vernahmen sie von der Stiege her Schritte und Stimmen. Es waren Speed und die anderen. Buddy wurde unruhig; er fragte sich, was für eine Krankheit er erfinden sollte, da man Lizzie doch ansah, daß sie Schweres hinter sich hatte. Aber er brauchte seine Einbildungskraft gar nicht zu bemühen, denn Speed rief, kaum daß er eingetreten war:

»Sie haben Jiggs niedergeschossen!«

Sie hatten Jiggs niedergeschossen! Heiß stieg die Freude in Buddy auf – so hatte Jiggs also doch bezahlen müssen, und es stimmte, daß einem das Leben früher oder später die Rechnung präsentierte. Zugleich aber warf er sich vor, sich über den Tod eines Mitmenschen zu freuen, mochte dieser auch ein Schweinehund gewesen sein wie Jiggs.

Lizzie hatte den Kopf gewendet und sah Speed fragend an. Man erkannte aus ihrem Blick, daß sie Näheres zu wissen wünschte, daß sie Einzelheiten hören wollte, und zwar schnell. Was man jedoch aus ihrem Blick nicht sehen konnte, war, ob die Nachricht sie mit Kummer erfüllte oder mit Erleichterung. Buddy wußte: Wäre es schlimm für Lizzie, Jiggs zu verlieren, dann würde selbst er, Buddy, alles darum geben, um Jiggs am Leben zu erhalten oder ihn wieder zum Leben zu erwecken, vielleicht sogar seinen linken Arm... Er haßte Jiggs, wie er noch nie jemanden gehaßt hatte; er hatte ihn schon am ersten Abend gehaßt, als Jiggs ihn gezwungen hatte, auf den Fabrikschornstein zu klettern. Aber dieser Haß des ersten Tages war nichts im Vergleich zu dem, den er jetzt empfand, da Lizzie soviel hatte leiden müssen. Und trotzdem – hätte Lizzie im Augenblick nichts anderes gewünscht, als daß Jiggs noch am Leben sei, Buddy hätte einen Arm dafür hingegeben...

»Sie haben Jiggs niedergeschossen«, wiederholte Speed, »er ist ernsthaft verwundet, aber es scheint, daß er mit dem Leben davonkommen wird...«

Lizzies Kopf rollte in die Mulde des Kissens zurück. War sie glücklich oder enttäuscht? Buddy hätte es gerne gewußt, aber Lizzies angespanntes Gesicht mit den wirren Haaren drückte nichts aus als ungeheure Müdigkeit.

Speed machte sich wichtig und ließ sich Zeit, ehe er wie ein Schauspieler in seinem Bericht fortfuhr. Sie waren also beide spazierengegangen, er und Jiggs, und hatten einen kleinen Ausflug ins Gebiet der Skorpione unternommen, um zu sehen, was diese Bande denn treibe. Man hatte schließlich nichts von ihnen gehört, seit sie Angel als Spionin zu den Vampiren geschickt hatten. Jiggs und Speed hatten nämlich einen Tip bekommen. Sie wußten, daß Peter, der Chef der Skorpione, einen kleinen Puff eingerichtet hatte; natürlich nicht ein feines Etablissement, wie es Luigis Freund Nick unterhielt, sondern bloß eine müde Bude in einem leeren Haus auf einem Lagerplatz, für den sich bisher kein Käufer gefunden hatte. Der Kerl, der die Sache bisher geführt hatte, war eines Tages verschwunden; entweder hatte ihn jemand von der Konkurrenz umgelegt, oder er hatte sich einfach dünngemacht, weil seine Gläubiger zu lästig geworden waren.

So war eines Tages sein kleines Unternehmen auf dem Lagerplatz verwaist, obwohl es ziemlich komplett eingerichtet war mit Waschbecken, Badewannen, Stauen, Dampfheizung und Resten eines Parkettbodens. Peter war der Meinung gewesen, daß solch ein Unternehmen eine starke Hand brauche, und hatte im Namen der Skorpione Besitz von dem herrenlosen Gut ergriffen. Sie hatten alles vom Boden bis zum Keller gereinigt, Matratzen und Sessel herangeschafft und schließlich sogar ein halbes Dutzend Mädchen rekrutiert, die bereit waren, die ersten Insassen des Etablissements zu werden. Nun funktionierte das neue Bordell schon seit zwei Wochen, und Peter machte ausgezeichnete Geschäfte. Er war natürlich billig, begnügte sich mit ein bis zwei Dollar pro Kopf und verlangte für ein Glas Schnaps nur fünfzig Cents. Es war eine Umgebung, in der er nicht gut mehr verlangen konnte, aber die Zahl der Kunden verhalf ihm dennoch zu guten Einnahmen.

Jiggs und Speed hatten sich im Schutz der Lagerschuppen an das Haus herangepirscht und das Gelände erkundet; denn sie beabsichtigten, Feuer an das Bordell der Skorpione zu legen. Sie hatten dabei auch eine ganze Reihe von Peters Kundschaften beobachten können; er hatte schäbiges Publikum: Dockarbeiter, Busschaffner und Reisevertreter der billigsten Sorte; sie sahen allesamt so aus, daß man sehr gut begriff, daß sie ein Mädchen bezahlen mußten, wenn das Verlangen sie ankam ...

»Da du gerade von den Mädchen sprichst«, sagte Poison, »ich bin sicher, daß die Sache ganz andere Hintergründe hat: Jiggs ist hinter so einem jungen Ding von den Skorpionen her, und nur deswegen ...«

Speed fuhr Poison an, sie sollte nur ja das Maul halten, wenn sie nichts Besseres wisse. Aber Buddy dachte, daß sie möglicherweise recht hatte. Ein Schweinehund wie Jiggs war zweifellos imstande, bei den Skorpionen auf Mädchenjagd zu gehen, während Lizzie durch seine Schuld auf der Fleischbank lag.

Speed berichtete weiter: Während sie das Kommen und Gehen rings um das Haus beobachteten, krachte es plötzlich hinter ihnen, und zwar mindestens drei Revolver zugleich. Es mußte sich also auch eine Wache der Skorpione auf dem Gelände herumgetrieben und die anderen alarmiert haben. Jiggs und Speed ließen sich sogleich zu Boden fallen, aber es half nichts. Sie waren zwischen dem Haus und den Skorpionen gefangen. Speed zog seinen Revolver, aber Jiggs zischte ihm zu: »Nicht schießen!« Zugleich wies er mit dem Finger in die Richtung, in der man hoffen durfte, den Skorpionen zu entkommen. Sie robbten auf dem Boden dahin, wobei ihnen ein Haufen ineinandergestapelter Blechbadewannen einen gewissen Schutz bot. Tzing! machte eine Kugel, eine einzige, ganz hell; sie mußte irgendwo gegen eine Blechwand geschlagen sein. Schließlich kletterten sie über die Badewannen und einen Haufen abgelegter Rohre auf das Dach eines Geräteschuppens und von diesem weiter auf andere Dächer... Erst, als sie zwischen einigen Holzhäusern wieder auf einer staubigen Straße standen, hatte Speed bemerkt, daß Jiggs den linken Arm hängen ließ. »Es hat mich erwischt«, hatte Jiggs geflüstert, bis dahin hatte er durchgehalten. Mit keinem Wort hatte er verraten, daß er getroffen worden war, ja, er war sogar mit einem einzigen brauchbaren Arm auf das Schuppendach geklettert. Das war allerhand!

»Und weiter?« erkundigte sich Lizzie ruhig. »Wo ist er jetzt?«

»Untergekrochen«, sagte Speed trocken. »Wo, darf ich nicht sagen, es ist ein Geheimnis.«

»Du hast eben nie Vertrauen zu uns!« sagte Poison streitsüchtig.

»Das hat mit Vertrauen nichts zu tun«, erklärte Speed, »selbst wenn ein Mädchen den Mund zu halten versteht und wenn ein Bursche wirklich hart im Nehmen ist... irgendwann reden sie dann doch, mit irgendeinem Trick bringst du doch jeden zum Reden. Darum gilt nur ein Grundsatz: Je weniger Leute in ein Geheimnis eingeweiht sind, desto besser!«

»Trinkst du einen Schluck?« fragte Poison.

»Danke..., das habe ich schon besorgt«, antwortete Speed, wichtigtuerisch. Man sah es ihm an: Er fühlte sich wie einer jener alten Krieger, die wieder einmal unversehrt aus einer harten Schlacht heimgekommen sind und längst vergessen haben, wie ihnen das Herz pochte, solange es noch krachte. Buddy ließ sich durch dieses Gehaben nicht täuschen; er hatte schließlich auch von Jiggs' Erzählungen nicht viel gehalten, von der Sache mit dem Portorikaner zum Beispiel, den Jiggs angeblich durch Fußtritte vom Hausdach auf die Straße hinunter befördert hatte, wo er genau vor dem Kühler des Einsatzwagens der Polizei auf dem Trottoir zerspritzte, oder von der Taxifahrt durch eine feindliche Bande hindurch, bei der Jiggs dem Taxifahrer den Revolver an die Rippen gedrückt haben wollte... Das gab es alles, natürlich, aber nicht mit Jiggs; der begnügte sich damit, davon zu reden und sich diese Heldentaten zuzuschreiben. Und selbst wenn Jiggs einmal so etwas erleben sollte, so war das noch immer kein

Grund, so stolz darauf zu sein, wie Speed es jetzt sichtlich war. Im Grunde genommen hatten sie sich reichlich dumm betragen und waren doch die Besiegten in der ganzen Affäre. Man sah Speed übrigens an, daß er seine Nerven noch nicht wieder in der Gewalt hatte: Er rieb sich in einem fort das Kinn.

»Aber du kannst uns doch sagen, ob Jiggs gut versorgt ist?« erkundigte sich Trig.

»Darum brauchst du dich nicht zu kümmern. So schlimm ist die Sache auch wieder nicht. Schulterschuß, an sich eine schwere Verletzung, aber das Geschoß hat die Schulter glatt durchschlagen und ist vorne wieder herausgekommen. Er kann die Finger bewegen, man darf annehmen, daß das Fleisch sich um den Schußkanal schließen wird. Aber er kann natürlich nicht ausgehen, vor allem, weil er doch mit einem Arm in der Schlinge nicht voll einsatzfähig ist gegen die Skorpione; die sind ja jetzt scharf auf ihn!«

»Wenn alles so vor sich gegangen ist, wie du uns erzählt hast«, sagte Poison nachdenklich, »so ist nicht einzusehen, warum die Skorpione es besonders scharf auf Jiggs haben sollten. Wenn sie wirklich hinter ihm her sind, so steckt etwas anderes dahinter... und zwar eine Sache mit einem Mädchen!« Buddy nickte zustimmend.

»Du gefällst mir!« sagte Speed. »Du nimmst dich selbst so wichtig, daß du dir gar keinen anderen Grund für eine Schießerei vorstellen kannst als ein Mädchen!«

»Speed hat recht!« sekundierte nun Babs. »Nimm die großen Gangsterschlachten... in keiner von ihnen ist es um Mädchen gegangen, immer um ganz andere Dinge!«

»Bei den wirklichen Gangs«, sagte Speed anzüglich, »kriegt ein Mädchen, das nicht spurt, eine übers Maul, das ist alles!«

Die Atmosphäre war gewittrig geworden. Babs machte einen Versuch, sie zu entspannen und sagte zu Lizzie:

»Nun... du wirst doch nicht hier liegen bleiben, Lizzie? Komm mit, wir machen einen Abendbummel!«

»Siehst du denn nicht, daß sie krank ist?« murrte Buddy böse. Er war der Meinung, es sei höchste Zeit, daß die anderen sich trollten oder wenigstens Rücksicht auf Lizzies Zustand nahmen.

»Was hat sie eigentlich?« fragte Speed.

»Dumme Sache...«, erklärte Buddy, »Unterleib... sehr schmerzhaft!« Wenn Speed seine Geheimnisse hatte, so hatte er, Buddy, auch ein Geheimnis; er würde Lizzie und was mit ihr geschehen war, nicht verraten. Er warf Poison einen schnellen Blick zu und sagte sich, daß er diese Kuh büßen lassen würde, wenn sie etwas ausplauderte.

»Dann also ...«, sagte Speed uninteressiert und wandte sich zum Gehen, »übrigens hat sie ja jetzt Zeit, sich auszuruhen, solange Jiggs nicht hier ist!«

Nach vier Tagen, die Lizzie bei ihrer Mutter verbracht hatte, erschien sie eines Morgens bei Buddy im Keller. Er war noch allein und machte beinahe einen Luftsprung vor Freude, als er sie sah. Er hatte sich schrecklich gelangweilt ohne sie, aber es war nicht nur das gewesen ...

Lizzie reagierte nicht sonderlich auf seine Begeisterung. Sie erzählte, daß sie Jiggs gesehen habe, er hatte ihr Botschaft zu ihrer Mutter geschickt. Seine Wunde vernarbte schnell, er aber fand, es gehe zu langsam. Sie hatte ihm Zeitungen und Marihuana-Zigaretten gebracht. Er ließ die Vampire grüßen.

»Hast du ihm ... erzählt?« fragte Buddy.

Sie antwortete nicht sogleich, sondern sah ihn mit einem eigentümlichen Blick an.

»Nein ..., warum auch?« sagte sie schließlich; es war eine Antwort, die Buddy verwunderte. Belog sie ihn? Aber warum sollte sie das tun? Es gelang ihm nicht, sich die Gründe auszumalen, die Lizzie für Jiggs empfand – falls sie überhaupt noch etwas für ihn übrig hatte. Von dieser Beziehung würde er nie etwas verstehen. Es mußte irgend etwas zwischen ihnen sein, irgend etwas mußte sie aneinanderbinden, nicht nur die Tatsache, daß sie miteinander schliefen, das war ja bekannt. Etwas anderes, von dem niemand etwas wußte, etwas, was sie Buddy nie gesagt hatte. Stimmte es, daß Jiggs ihr eine Nachricht geschickt hatte? Oder war sie aus eigenem Antrieb losgegangen, um ihn aufzusuchen und nach ihm zu sehen – weil er ihr fehlte? Daraus würde folgen, daß Speed ihr verraten hatte, wo sich Jiggs verbarg. War sie zu ihm gegangen, weil sie mit ihm schlafen wollte? Aus gewissen Anzeichen glaubte Buddy schließen zu können, daß sie Jiggs verabscheute, aber andererseits schien sie zu jenen Mädchen zu gehören, die einen Burschen verabscheuen, aber trotzdem noch Lust haben, mit ihm zu schlafen; das nennt man dann »sie sind ihm hörig«! – Aber das konnte es auch nicht sein, denn sie konnte so kurz nach dem Eingriff doch nicht daran denken, mit Jiggs ... Das war einfach nicht möglich! Sie hatte doch, als Dok gegangen war, ganz so getan, als wolle sie davon

überhaupt nichts mehr wissen! Und nichts hatte darauf hinge-
deutet, daß sie für Jiggs eine Ausnahme machen würde!

Buddy erkannte, daß dieses Bild: Lizzie im Bett mit Jiggs oder
mit einem anderen, ihn nicht mehr verließ, daß es Besitz von
ihm ergriffen hatte und ihn schmerzte, als habe man ihm einen
Nagel ins Herz gerannt. Sollte sie tatsächlich wieder anfangen
mit Jiggs und noch einmal schwanger werden – auf ihn, Buddy,
brauchte sie dann nicht mehr zu zählen! Er würde Dok nicht
noch einmal herbeiholen!

Sie hatte etwas, sie verbarg ihm etwas. Sie war nicht wie sonst,
es war genauso, als hätte sie soeben mit Jiggs geschlafen und
wüßte, wie sehr dies Buddy schmerzte. Und wenn sie sich so
wortkarg und düster gab, so war es eben deswegen, weil sie
wußte, daß sie ihn kränkte. Aber es mußte doch etwas anderes
sein, denn es war einfach unmöglich, daß sie knapp nach dem
Eingriff schon wieder mit Jiggs schlief! Er mußte Poison fragen,
die in diesen Dingen ja Bescheid wußte; er mußte sie fragen, wie
lange man warten mußte, ehe man wieder konnte . . . Und wenn
alles falsch war, was er sich zurechtgelegt hatte – warum war sie
dann so seltsam und verstockt? Ihre schlechte Laune versetzte ihn
in Unruhe, ja, sie brachte ihn auf, denn er hatte sich etwas anderes erwartet.

Er wurde beinahe wütend, weil sie so gar nichts bemerkte. Sie
hätte zum Beispiel feststellen können, daß er seine schöne Armbanduhr nicht mehr trug, die Uhr, die sie für ihn bei Gimbels
gestohlen hatte. Er trug sie nicht mehr, denn er hatte sie dem
schmutzigen Griechen verkauft, der ihm nur zwanzig Dollar
dafür gegeben hatte, zwanzig lumpige Dollar, die Buddy Dok
gebracht hatte, als Anzahlung auf das Honorar. Dok wollte bezahlt sein, obwohl er doch bestimmt nicht alles ausgab, was er
damit verdiente, daß er Koks und die anderen Dinge in seiner
Küche fabrizierte und präparierte; Dok, von dem Buddy immer
geglaubt hatte, er interessiere sich gar nicht für Geld, sondern
habe nur den einen Wunsch, seinen Sohn wiederzusehen, diesen
Sohn, der inzwischen ein Quiz-Star im Radio geworden war . . .
Man mußte es eben aufgeben, irgend jemanden verstehen zu
wollen. Er vermochte Dok nicht zu begreifen und Lizzie ebensowenig, Lizzie, die immer gut zu ihm war.

Mitunter war sie gut gewesen, jetzt aber gab sie sich gleichgültig und vielleicht sogar feindselig, und vermutlich lag ihr
mehr an Jiggs als an Buddy . . . Hatte sie Jiggs wirklich nichts von
Doks Eingriff gesagt? Und warum sollte sie ihm das verborgen

haben? Welche Gründe konnten sie dazu bewegen? Entweder sie sagte die Wahrheit, dann war sie dämlich, oder sie log, dann war sie ein Luder.

Lizzie streckte sich auf dem Diwan aus und sagte:

»Mir reicht's, ich bin wieder einmal völlig fertig.«

»Du hättest nicht zu Jiggs gehen dürfen. Wie bist du überhaupt hingekommen?«

»Zu Fuß.«

»Ist es weit gewesen?«

»Nicht so sehr – in Williamsburg.«

Sie nannte auch noch den Namen der Straße und die Hausnummer.

»Bei wem hält Jiggs sich dort auf?« wollte Buddy wissen.

»Das Zimmer gehört einem Burschen, der gerade ein Jahr abbrummt... Er hat einen Wagen gestohlen und dann die Bullen beschimpft; wird eine Weile dauern, ehe er wieder auftaucht.«

»Wie ist denn Jiggs an diese Bude gekommen?«

»Keine Ahnung; er scheint den Schlüssel gehabt zu haben, er hat ja ein paar solcher Quartiere. Du kennst doch Jiggs, er macht aus allem ein Geheimnis.«

»Meiner Meinung nach«, sagte Buddy, »war das nichts anderes als ein Absteigequartier, in dem er sich mit dem Mädchen traf!«

»Hör einmal, Buddy«, sagte Lizzie böse, »wenn Jiggs einem Mädchen nachsteigt, so geht dich das einen Dreck an. Es ist nicht deine Sache, sondern meine...«

Sie meinte, was sie sagte, und Buddy war verzweifelt. So hatte sie noch nie zu ihm gesprochen. Es war ihm, als sei zwischen ihnen etwas in die Brüche gegangen, als könne es nie wieder so werden, wie es vorher war, vor diesem seltsamen Streit. Aber er wußte auch, daß er sich das schon einmal gesagt hatte, damals, bei der Sache mit Angel. Und genaugenommen wußte er gar nicht mehr so recht, wie es vorher gewesen war, ganz am Anfang. Er hatte mit einemmal das Gefühl, daß sein alter Vampir sich wieder auf seinem Nacken niederlasse. Lange Zeit hatte er das nicht mehr empfunden, und er zog den Kopf zwischen die Schultern. Es gab keinen Vampir mehr, es würde nie mehr einen geben, der ihm das Blut aussaugte, denn jener Vampir war nichts anderes gewesen als die Summe aller Schrecken, die seine Kindheit verdüstert hatten. Nun aber war er ein Mann, und das, was ein Mann auszustehen hatte, war viel schlimmer als das schmerzhafte Unbehagen, das jener Vampir ihm verursacht hatte.

»Sag einmal, Buddy«, ließ sich Lizzie vernehmen, »willst du mir einen Gefallen tun?«

Welche Frage! Natürlich war er bereit, ihr einen Gefallen zu tun, trotz allem, was er von ihr dachte. »Klar«, sagte Buddy.

»Dann sei so nett und besorge mir eine Packung Aspirin; ich sehe, daß keines mehr da ist.«

Auf dem Rückweg vom Drug-Store schlenderte Buddy am Rand des Trottoirs entlang, hielt den Kopf gesenkt und hatte sich völlig an seine Gedanken verloren. Plötzlich bremste ein Wagen knirschend neben ihm, die hintere Tür öffnete sich, und vier Hände packten zielsicher Buddys Schultern und Arme; er wurde in den Fond des Wagens geworfen, und der Junge am Volant gab Gas, daß der Wagen heulend davonschoß.

Der Mann neben dem Fahrer hatte sich umgedreht und hielt Buddy einen Revolver unter die Nase.

»Entweder du hältst das Maul«, sagte er, »oder...«

»Kapiert«, sagte Buddy trocken; er hatte in diesem Augenblick festgestellt, daß das Mädchen, das den dritten Platz auf der vorderen Sitzbank innehatte, offenbar Angel war. Sie schwieg und drehte sich nicht um, er sah auch nur ihren Rücken, aber er war sicher, daß sie es war. Sie fuhren eine ganze Weile; der Bursche am Volant war in Ordnung, er beachtete alle Vorschriften, um keinem Bullen aufzufallen. Der mit dem Schießeisen mochte Peter sein, Angels Boß. Und die zwei, die ihn in den Wagen gezerrt hatten, waren natürlich auch Skorpione, aber sie waren keine Neger, sondern sahen eher wie Filipinos aus. Sie waren beide ziemlich kräftig und hatten richtige Leibgardistenvisagen, wenn ihnen auch die Brutalität noch nicht so deutlich im Gesicht geschrieben stand wie jenem Mann, der in dem schwarzen Cadillac neben Luigi gesessen hatte. Immerhin konnte man schon ahnen, daß sie in vier oder fünf Jahren recht stattliche Leibgardisten für einen großen Gangster abgeben würden.

Eine Zeitlang fuhren sie durch eine Gegend, die Buddy kannte: vorbei an jenem Kindermuseum, in dem er zum erstenmal in einer Schulbank gesessen hatte und wo der Pater Corelli ihm die schöne Schmetterlingssammlung gezeigt hatte, vorbei an der Pilgerkirche, in der angeblich die größte Orgel der Vereinigten Staaten stand und in der der Besucher jener Frau, die einst Onkel Toms Hütte geschrieben hatte, beschäftigt gewesen war... Was er eigentlich getan hatte, wußte Buddy nicht mehr, er erinnerte sich nicht einmal an den Namen jener Frau, die dieses berühmte Buch geschrieben hatte.

Peter, der seine Pistole wieder eingesteckt hatte, musterte Buddy mit glitzernden Augen; dabei sah er aus wie ein Zieraffe mit den schwarzen Haaren, die er so pomadisiert hatte, daß sie am Schädel klebten. Angel rührte sich noch immer nicht, als habe der Blick Buddys in ihrem Rücken sie versteinert. Vermutlich war sie der Grund, warum Peter nun so wütend auf Jiggs war – sie hatte sicherlich berichtet, wie die Vampire auf den Befehl ihres Chefs mit ihr umgesprungen waren.

Nach einer Weile nahm der eine Filipino seinen Schal vom Hals und band ihn Buddy vor die Augen, damit dieser nicht sah, wohin es ging. Aber Buddy hatte sich inzwischen schon einigermaßen orientiert und fühlte auch an den Kurven, daß man in ungefähr nördlicher Richtung fuhr. Nach weiteren zehn Minuten hielt der Wagen, Buddys Bewacher ergriffen ihn an den Armen und schleppten ihn drei Stufen hinauf und dann nach rechts in einen längeren Gang. Als man Buddy schließlich die Augenbinde abnahm, befand er sich in einem dürftig möblierten kleinen Raum mit einem Schreibmaschinentischchen, einem Telefon und einem Kalender der Cunard-Linie. Das Mädchen auf dem Kalender war blond, ihre Haare wehten im Wind, und sie ähnelte ein wenig Tootsie. Alles, sogar die drei Stühle, war mit Staub bedeckt, so daß man annehmen durfte, das Büro werde seit einiger Zeit nicht mehr benützt. Durch das einzige Fenster sah man auf einen Lagerplatz mit verschiedenen niedrigen Gebäuden, zwischen denen allerlei Schutt aufgeschichtet war. Auch den Stapel Blechbadewannen entdeckte Buddy, von dem Speed gesprochen hatte, und wußte nun, wo er sich befand: Die Skorpione hatten ihn also in Peters berühmten Puff gebracht, mußten aber wohl einen Hintereingang benützt haben, denn von der anderen Seite war die Zufahrt kaum möglich.

Peter hatte sich auf einen der Stühle gesetzt, die Füße auf das Tischchen gelegt und spielte mit der Hand auf der Tastatur der Schreibmaschine. Plötzlich blickte er auf und fragte:

»Wo ist Jiggs?«

»Ich weiß nicht«, sagte Buddy, den die beiden Filipinos an den Armen gefaßt hielten; sie zerrten ihm dabei die Schultern so nach hinten, daß die Ellbogen einander im Rücken berührten.

»Es wäre besser für dich, wenn du gleich sprechen würdest, Squirrel«, sagte Peter, »spiel dich jetzt nicht auf den harten Burschen hinaus, du bist zu jung. Wir bringen dich zum Reden, darauf kannst du dich verlassen.«

»Wie soll gerade ich wissen, wo Jiggs sich verborgen hat«, sagte

Buddy, »ich bin der Jüngste unter den Vampiren und noch nicht lange bei der Bande.«

Buddy schämte sich ein wenig dieser Antwort, sagte sich aber auch, daß in dieser Situation jedes Mittel der Selbstverteidigung gestattet war. Er suchte Angel mit dem Blick, konnte sie aber nicht entdecken. Außer Peter und den zwei Leibwächtern war nur noch der Bursche im Zimmer, der das Auto gelenkt hatte. Angel hatte die Skorpione bis zum Schlupfwinkel der Vampire geführt, und jetzt hatte sie sich dünnegemacht... Aber Peter hatte sicherlich auch ohne Angel gewußt, wo die Vampire ihr Hauptquartier hatten, Angel war vielleicht nur mitgefahren, weil sie ja jeden einzelnen der Gegner genau genug kennengelernt hatte. Wie dem auch sei, die Rolle, die sie in dieser Geschichte spielte, war schmutzig genug; immer haben die Mädchen so schmutzige Rollen.

»Wenn du hier wie ein Rechtsanwalt auftreten willst«, sagte Peter, »so werde ich dir zeigen, wie ich den Richter mache. Vor allem aber bist du nicht der Verteidiger, sondern der Angeklagte, und so etwas wie einen Verteidiger gibt es bei uns gar nicht.«

»Aber du kannst dir doch denken«, sagte Buddy ruhig, »daß Jiggs nicht so dumm ist, uns allen zu sagen, wo er sich verborgen hält.«

Diese so offensichtlich sinnvollen Argumente brachten Peter ein wenig aus dem Konzept. Er gab dem Burschen, der den Wagen gelenkt hatte, ein Zeichen; es war ein Mestize, dessen Hals so kurz war, daß der Kopf direkt zwischen den Schultern zu sitzen schien, und seine Ohren standen so weit vom Kopfe ab, daß der Schädel etwas Affenhaftes hatte. Der Mestize trat heran, gab Buddy eine kräftige Ohrfeige und gleich darauf eine zweite mit der linken Hand.

»Nun, wie ist es«, erkundigte sich Peter, »kehrt die Erinnerung wieder?«

»Ich weiß doch nichts!« sagte Buddy.

Peter gab dem Mestizen abermals ein Zeichen. Ein Direkter auf Buddys rechte Schläfe versetzte ihn in eine halbe Betäubung, aber der Uppercut mit der Linken, der nicht genau traf, sondern seine Nase rasierte, weckte ihn wieder auf. Die beiden, die ihn hielten, preßten seine Arme noch fester, und in seinem Kopf begannen einige dicke Glocken zu läuten. Er wand sich, aber die Hunde hielten eisern fest, er hatte keine Chance, loszukommen. Ein Leberhaken ließ ihn sich zusammenkrümmen, und ein linker Schwinger riß ihm den Kopf wieder hoch. Buddy wußte, daß seine einzige Chance war, zu Boden zu gehen. Mit einem k.o.-geschlagenen Gegner konnten auch die Skorpione nichts anfangen. Aber es war noch weit bis zu dem Knockout, er war bei klarem Bewußtsein und mußte an die Nacht denken, in der Jiggs ihn geschlagen hatte. Hier wie dort empfing er Schläge, und plötzlich empfand er einen stechenden Schmerz im Unterleib: Er hatte den Kniestoß nicht kommen sehen. Buddy dachte an Lizzie, wie sie nach dem Eingriff dagelegen hatte, Schweiß auf der Stirn und die Haare in filzigen Strähnen, die aussahen wie Schlangen. Die Mädchen hatten Leibschmerzen, aber die Burschen kassierten die Schläge. Hin und wieder bekamen die Mädchen allerdings zu allem übrigen ebenfalls Schläge, und somit war es wohl besser, ein Junge zu sein.

Buddy kippte in eine leichte Ohnmacht. Die Filipinos legten ihn auf den Boden, und er kam erst wieder zu sich, als man ihm einen Eimer Wasser über den Kopf schüttete. Sie zogen ihm die Jacke und das Hemd aus. Peter kniete neben ihm auf dem Boden und lächelte, die Filipinos preßten seine Schultern gegen das Parkett. Peter zog an seiner Zigarette, blies den Rauch von sich und drückte das glühende Ende in die Haut von Buddys Oberkörper. Während Buddy sich krümmte und schrie, entsann er sich dessen, was die Vampire in der ersten Nacht mit seinen Füßen gemacht hatten. Lynchjustiz... diesmal aber waren es nicht Weiße, die so mit einem Neger verfuhren...

Peter brachte seine Zigarette wieder zum Glühen, und die ganze Operation begann von vorne, zweimal, dreimal, und jedesmal heulte Buddy und hatte schließlich nichts mehr im Kopf als die Adresse, die Lizzie ihm genannt hatte. Mit zusammengepreßten Zähnen wiederholte er sie in Gedanken, wie man es tut, um etwas nicht zu vergessen, und dabei hätte er sie doch vergessen müssen. Tief in seinem Innern saß der wilde Entschluß fest, nichts zu sagen und sich zu verschließen wie eine harte Nuß; es würde ihnen nicht gelingen, etwas aus ihm herauszubekommen.

Peter gab seinen Leibwächtern ein Zeichen; sie stellten Buddy auf die Beine und setzten ihn auf einen Stuhl. Peter ging nachdenklich auf und ab, er warf seine Zigarette weg und zertrat sie. Schließlich pflanzte er sich vor Buddy auf und sagte:

»So, deine Ehre ist gerettet, Squirrel, du hast dich gut gehalten, jetzt aber ist es höchste Zeit, auszupacken, wenn du nicht willst, daß wir zum dritten Grad übergehen. Beim dritten Grad redest du nämlich auf jeden Fall, also kannst du's auch jetzt schon tun ... Los, wie lautet die Adresse?«

»Ich kenne sie nicht«, sagte Buddy schnell, in einem Atemzug. Seine Zunge schmerzte ihn. Er mußte sich gebissen haben, als er sie zwischen die Zähne nahm, aber er hatte es gar nicht gefühlt.

Peter sagte den andern, sie sollten Buddy auf dem Stuhl festbinden. Der Mestize mit dem Affenkopf ging aus dem Zimmer und brachte einige Handtücher. Man verknotete sie um die Stuhlbeine und Buddys Knöchel und fesselte seine Ellbogen an die Rückenlehne. Jeder Knoten wurde verdammt fest angezogen. Buddy wunderte sich, daß seine Schreie von vorhin in der Nachbarschaft kein Aufsehen erregt hatten. Das Haus lag offenbar ziemlich isoliert, und da es noch nicht Mittag war, hatte das Bordell auch noch keine Besucher. Nur Angel mußte ihn gehört haben, zweifellos hatte sie ihn gehört, dieses Miststück, aber sie dachte gar nicht daran, Hilfe zu holen. Dabei konnte sich Buddy einfach nicht vorstellen, wie es war, diese Schreie zu hören und nichts zu tun; sie war an jenem Abend so nett und sanft und wirklich liebevoll mit ihm umgegangen. Vermutlich hatte sie zuviel Angst vor der Rache ihrer eigenen Bande. Wie waren diese Mädchen, wie war diese Angel nur, die ihm gesagt hatte, daß sie es mit ihm, nur mit ihm aus Liebe getan hatte, und die jetzt imstande war, ihn schreien zu hören und nichts zu tun. Einmal sind sie zärtlich und weich wie ein Vergißmeinnicht, diese Mädchen, und tags darauf sind sie wild und grausam wie Tigerkatzen. Selbst mit Lizzie war die Sache nicht völlig klar, auch bei ihr war Galle im Honig, sonst hätte sie ihn nicht eben so behandelt, ihn, der stets alles für sie getan hatte ... Und die Zunge, in die er sich gebissen hatte, tat verdammt weh!

Die drei Skorpione schoben den Stuhl, auf den Buddy gebunden war, ganz nahe an die Tür. Peter nahm Buddys rechte Hand zwischen seine Hände und sagte:

»Du hast Mädchenhände, Kleiner, schade um sie. Aber da du nicht vernünftig bist, kann ich nicht anders – schließlich ist es dein Dickkopf, für den du leidest!«

Die Filipinos schoben den Stuhl noch ein Stückchen weiter vor, so daß Buddy nun die Türangel in Reichweite hatte; die Tür war halb geöffnet. Peter schob mit seinen Händen Buddys Hand in den Spalt, und der Mestize mit dem Affenkopf drückte die Tür langsam zu. Dadurch schloß sich auch der Spalt bei den Angeln, und Buddys Finger wurden so kräftig zusammengepreßt, daß er einen Schrei nicht unterdrücken konnte. Er versuchte mit aller Kraft, die Hand zurückzuziehen und die Finger aus der Presse zu befreien. Peter gab dem Gorilla ein Zeichen, und dieser schob die Tür langsam wieder auf.

Buddy betrachtete seine Fingernägel. Sie wiesen keine Spur der Mißhandlung auf. Peter fragte nach der Adresse von Jiggs, aber Buddy schüttelte den Kopf, und die Skorpione begannen von neuem, wobei die Tür nun stärker zugedrückt wurde. Buddy heulte vor Schmerz. Diesmal waren Zeige- und Mittelfinger ganz schwarz unter den Nägeln, das Blut tropfte heraus und setzte sich unter den Nägeln ab. Buddy weigerte sich noch immer zu sprechen.

Nach dem dritten Mal wurde er ohnmächtig. Als er wieder erwachte, hingen seine Hände wie leblos zwischen den Knien; die Spitzen seiner Finger fühlte er nicht mehr oder vielmehr, es war ihm, als habe man sie ihm abgeschnitten. Aus seinen Nägeln war das Blut auf die Blue-Jeans getropft.

Peter beugte sich zu ihm und fragte ihn, ob er Lust auf eine vierte Behandlung habe; diesmal aber würden die Knochen brechen, und er riskiere, sich der Hand überhaupt nicht mehr bedienen zu können. Buddy schüttelte den Kopf. Er hatte Tränen in den Augen und mußte an den Boxer denken, dem in jenem noblen Bordell die rechte Hand mit einem Holzscheit zerschlagen worden war. Er hatte zugeschaut, ohne sich einzumischen, und hatte es nicht einen Augenblick lang für möglich gehalten, daß er einmal in eine ähnliche Lage geraten würde. Der Schmerz der anderen existiert eben nicht, man macht sich nichts aus ihm. Und da man nichts tut, um den anderen Leiden zu ersparen, kommt man früher oder später selbst an die Reihe. Gottvater auf seiner strahlenden Wolke – mit welchem Recht urteilte er, der noch niemals gelitten hatte...? Es war eine Lästerung, dieser Gedanke, hatte doch Gottes Sohn gelitten und war gekreuzigt worden, was gewiß nicht angenehmer gewesen war, als wenn einem die Finger in einer Tür zerquetscht wurden. Der Schmerz der anderen zählt eben nicht... Hätten die Schmerzen des Heilands für jeden Menschen Bedeutung, so würde wohl niemand mehr wagen, einem anderen weh zu tun. Man muß im Leben wählen, ob man zu jenen gehören will, die geschlagen werden, oder zu den anderen, die diese Schläge austeilen. Wieder eine Lästerung: Christus leidet noch immer, heute so gut wie damals. Ich, Buddy, habe mich wie ein Schwein betragen, meiner Mutter gegenüber, aber auch gegenüber dem Pater Corelli, und ich habe mitgeholfen, Lizzies Kind zu töten...

Peter ergriff von neuem seine Hand, und nun gab Buddy die Adresse an, er sagte, wo Jiggs sich verborgen hielt.

»Du bist härter, als wir geglaubt haben«, sagte Peter, »aber was hast du schon davon? Hättest du's uns gleich gesagt, so hättest du jetzt nicht drei zerquetschte Finger!«

»Was hättest denn du an meiner Stelle getan?« sagte Buddy.

»Genau dasselbe«, antwortete Peter lächelnd. Er dachte einen Augenblick nach und fügte dann hinzu: »Und du, an meiner Stelle, hättest ganz bestimmt dasselbe getan wie ich!«

»Gewiß nicht!« sagte Buddy mit Nachdruck; er zog eben sein Hemd über den Kopf und hielt einen Augenblick inne, ehe er weitersprach. »Ich könnte es einfach nicht.«

»Wenn die Vampire mich gefangen hätten und bearbeiten würden – du würdest nicht mithelfen, mir die Finger zu quetschen und was es dergleichen mehr gibt?«

»Ich würde es nicht tun«, sagte Buddy, »denn jetzt weiß ich ja, wie das ist.«

Das war eine Antwort, die Peter offensichtlich nicht erwartet hatte; er sah ihn mit erwachendem Interesse an.

»Du bist ein komischer Kerl!« sagte er dann. »He, Stevie, bring ihm kaltes Wasser... Oder noch besser: Sag Angel Bescheid, sie ist schließlich unsere Krankenschwester...«

Er setzte sich an den kleinen Tisch und schrieb mit der Fingerspitze die Adresse in den Staub. Stevie, der Gorilla, kam mit Angel wieder, die ein Waschbecken mit Wasser trug. Sie stellte es auf den Tisch, ergriff Buddys Hand und tauchte sie in das Wasser. Er verzog das Gesicht.

»Bleib so, möglichst lange, du wirst sehen, das tut gut«, sagte Peter. »Ich habe mir einmal einen Finger in einer Autotür gequetscht, Stevie, dieser Trottel, hatte es so eilig, denn die Polizeimotorräder waren hinter uns her... erinnerst du dich, Stevie?«

Der Gorilla grinste.

»Ja, der verdammte Stevie..., aber er hatte recht, denn wenn wir nicht schnell gemacht hätten, wären die Burschen über uns gekommen... Du wirst sehen, Squirrel: die Nägel werden abgehen, aber in zwei bis drei Monaten hast du schöne neue Nägel. Selbst in deinem Beruf wird dich das nicht behindern, du bist ja kein Pianist.«

Buddy hörte gar nicht auf das, was Peter sagte; er beschäftigte sich nur mit Angel, jener Angel, die hier vor ihm stand und aus dem Fenster blickte, um seinem Blick nicht standhalten zu müssen. Woran mochte sie denken? Woran dachten sie nur alle, die

Burschen und die Mädchen? Bei Peter wußte man's: Der wollte Jiggs erwischen, es ihm heimzahlen, das war klar. Aber die Mädchen? Er hob die Hand aus dem Wasser und fühlte sogleich heiß brennenden Schmerz sich beinahe unerträglich über die ganze Hand ausbreiten. Es war also nicht nur der Schmerz, den er empfunden hatte, als sich die Tür über seinen Fingerspitzen schloß, sondern es waren überdies noch diese stechenden Schmerzen wie von Brandwunden, von denen er nicht wußte, wie lange sie anhalten würden!

»Wir gehen gleich los!« sagte Peter, und seine Augen blitzten vor Ungeduld, die dicke Oberlippe hatte sich von den weißen Zähnen zurückgezogen: Die Rache ist ein Gericht, das heiß gegessen wird. »Und du, Kleiner, kommst mit uns, denn es ist schließlich nicht ausgeschlossen, daß du uns hereingelegt hast – aber dann...«

»Dann möchtest du nicht an meiner Stelle sein?« sagte Buddy.

»Genau das habe ich gemeint!«

Angel verschwand, kam aber gleich darauf wieder. Sie hatte ein Tiegelchen Cold-Cream geholt, zweifellos aus dem Kosmetik-Arsenal des Stammpersonals, das hier für Peter »arbeitete«. Behutsam trug sie eine dünne Creme-Schicht auf die verletzten Finger Buddys auf, dann machte sie aus einem Handtuch geschickt eine Schlinge, in der er die Hand tragen und ruhig halten konnte. All das aber tat sie, ohne ihn auch nur einmal anzublicken.

Buddy stand auf.

»Nun, tragen dich die Beine?« erkundigte sich Peter gutgelaunt.

»Wie du siehst!« antwortete Buddy böse.

Sie nahmen in dem Auto die gleichen Plätze ein wie vorhin, nur daß diesmal Angel nicht mit von der Partie war. Offenbar war Peter der Meinung, daß sie bei einem Unternehmen dieser Art nicht zu verwenden sei. Zur Linken erschien die Manhattan-Brücke... dann kamen die Marinedocks, die Krane und der in der Sonne beinahe unsichtbare Funkenregen der Schweißer..., das ohrenbetäubende Geräusch der Niethämmer... und ganz oben, in seiner kleinen Kabine, der Mann, der den Kran dirigierte, an dessen dünnen Stahltauen ein tonnenschweres Kanonenrohr hing. Es sah aus, als spiele er, wie ein Junge spielt... Dann kam ein Wagen mit Whisky-Kisten..., das Schaufenster eines großen Warenhauses... Lizzie war Spezialistin im Warenhausdiebstahl, die verstand sich auf so mancherlei... Zahllose Autos auf einem kleinen Raum zusammengepreßt, drängend, hupend, und die Menschen, die es alle eilig hatten, obwohl ihre Gesichter Langeweile, ja Ekel ausdrückten. Schaufensterpuppen und Fluten von geblümten Stoffen für die vielen braven Hausfrauen... Ein Reisebüro versprach Ferien in Nassau. In Nassau, jener Stadt, in der Gene, der alte Strolch mit dem Tirolerhut, einst seine Ferien verbracht hatte, solange, bis eines Tages seine blonde Frau für einen schwarzen Zahnarzt das Mäulchen hatte aufsperren müssen... Ferien in Nassau oder in Waikiki, jedenfalls gab es genug Orte auch außerhalb New Yorks... Und dann wieder Stoffe und die Frauen, die sich um die billigen Reste bei einem Ausverkauf zankten... Und all das, um den Tag zu erleben, an dem sie, nur mit einem Leichenhemd bekleidet, auferstehen und vor Gott hintreten würden, der, auf seiner strahlenden Wolke über ihnen schwebend, Recht sprechen würde...

Rotlicht, stopp! Im Wagen nebenan ein Mädchen, das so aussah, als sei sie wütend, und der Mann am Volant, der sich die Nägel reinigte. Buddy tastete nach dem Verband um seine Hand. Der Schutzmann schien mit seiner Uniform sehr zufrieden zu sein, er machte große, selbstgefällige Gesten mit den Händen, um diesen oder jenen Wagen über die Kreuzung zu lotsen. Und er war doch nur ein armes Würstchen, ahnungslos, denn woher sollte er wissen, daß hier, vor seiner Nase, vier Burschen mit mehr oder weniger dunkler Haut vorbeiflitzten, die nichts anderes im Sinn hatten, als Jiggs eine tüchtige Abreibung zu verabreichen. Ja, wenn man wüßte, was so jeder im Kopf hatte, was jeder beabsichtigte, der an einem vorbeiging: eine Abtreibung oder eine falsche Arbeitsbestätigung..., es war doch gut, daß man es nicht wußte.

Bald darauf gelangten sie nach Williamsburg; es war ein schäbiges Viertel, das schäbigste von Brooklyn. Buddys Mutter hätte hier nie eine Wohnung genommen...

Peter gab dem Gorilla ein Zeichen, und er hielt neben einem Verkehrsposten. Peter fragte ihn nach der Straße.

»Noch drei Blocks geradeaus, dann nach rechts«, sagte der Bulle.

Peter hatte die Ruhe weg, das mußte man ihm lassen: in einem gestohlenen Wagen sitzen, einen Überfall planen und dabei einen Bullen nach dem Weg fragen... Aber dieser schwerfällige Ire war offensichtlich ungefährlich, er war nicht einmal auf den Gedanken gekommen, daß der Wagen möglicherweise gestohlen sein könnte. Was hatte so einer eigentlich im Kopf?

Die Schulden, die er am Monatsende hatte...? Die zehn Dollar, um die er ein paar Burschen erleichtert hatte, die ihm bei einem Ladendiebstahl in die Fänge geraten waren?... Vielleicht aber sehnte er sich auch nach den guten Zeiten des Alkoholverbots zurück, wo er sich gut stand durch den Verkauf des beschlagnahmten Fusels... Damals fuhren die ganz hartnäckigen Säufer hinaus aufs Meer zu den schwimmenden Bars, die außerhalb der Hoheitsgewässer ankerten und Whisky ausschenken durften... Hätte ich jetzt eine Marihuana-Zigarette, so würde ich mich wohler fühlen... Da ist ja eine, ganz unten in der Westentasche...

Er brachte die Zigarette ans Tageslicht, aber sie war zerbrochen und ausgeronnen, unmöglich, sie zu rauchen. Buddy warf sie aus dem Wagenfenster. Peter saß vor ihm neben dem Mestizen; man sah es seinen Schultern an, daß er schon geradezu gespannt war und ganz hart von der Begierde, auf Jiggs loszugehen; Buddy konnte sein Profil nicht sehen, sondern nur die Wangenlinie, aus der ein Muskel immer wieder hervortrat. Offenbar rann Peter der Speichel im Mund zusammen bei dem Gedanken, auf Jiggs einschlagen zu können oder noch besser, ein ganzes Magazin in ihn zu verfeuern. Die beiden Filipinos rührten sich nicht, sie hatten die echte Ruhe der Burschen, die bei allen harten Sachen dabei waren... Dritter Block, eine kleine Gasse nach rechts, eine Gasse mit niedrigen Häusern aus Ziegeln, die vor Schmutz starrten, ein paar Kinder, die ein Stück weiter hinten Baseball spielten, ein Hund, der sich die Sonne auf den Bauch scheinen ließ..., und der Gorilla, der die Kurve so scharf nahm, daß die Reifen quietschten...

Buddy sprang den Mestizen von hinten an und riß zugleich am Lenkrad, so daß der Wagen in voller Fahrt aus der Kurve brach, auf den Gehsteig sprang und in das Glasportal einer kleinen Gaststätte krachte, wo er sich auf die Seite legte. Buddy hörte weder die Schreie der Menschen noch den Lärm des Zusammenpralls. Er wurde durch die Wagentür ins Freie geschleudert, zugleich mit dem einen Filipino, aber da die Tür sich unter dem Stoß des Anpralls geöffnet hatte, war Buddy unverletzt. Er stand sogleich wieder auf den Beinen und sauste davon: Einmal links, dann rechts durch Gassen, die beinahe ausgestorben waren, bis er schließlich auf eine größere Straße gelangte, in der viele Menschen die Gehsteige bevölkerten. Hier fiel er in sein normales Gehtempo und verlor sich schnell in der Menge. Er wollte nach Manhattan, über die Brooklyn-Brücke, denn er war entschlossen, nicht in den Keller der Vampire zurückzukehren. Adieu Lizzie, es mußte sein. Seine Lehrzeit lag hinter ihm, er wußte nun genug für das Leben, und auch Lizzie konnte ihm nichts mehr beibringen, was er nicht schon am eigenen Leib erlebt hatte.

Er hätte allerdings gerne gewußt, was aus Peter und den anderen geworden war. Er hatte sich nur einen Augenblick lang umgesehen und bemerkt, daß der Filipino auf dem Gehsteig liegengeblieben war, verletzt, vielleicht sogar tot. Möglicherweise hatte auch der Wagen zu brennen begonnen, denn der Mestize hatte zweifellos nicht die Zeit gehabt, die Zündung auszuschalten. Und die Gesichter der Menschen in dem Gasthaus, als der alte Buick in die Glastür sauste!

Jiggs mußte in seinem Zimmer den Krach des Unfalls gehört haben; wenn er ans Fenster kam, konnte er sehen, wie man seine Feinde, die Skorpione, mit gebrochenen Gliedern oder überhaupt zusammengeschmort aus dem Autowrack zog.

Auf der Brücke von Brooklyn pfiff der Wind, und es war wesentlich weniger warm als in den engen Straßen zwischen den hohen Häusern; noch wärmer mußte es in der Gasse sein, in der Jiggs wohnte und in der jener alte Buick als Benzinfackel brannte. Das Wasser unter der Brücke kräuselte sich unter der Kraft des Windes, der auch den Rauch der Schiffe ganz flach auf die Wasseroberfläche drückte. Die zahllosen Fenster des Woolworth-Gebäudes spiegelten die Sonne, sie glitzerten rötlich, und Buddy sah, daß die Sonne gar nicht mehr so hoch stand ... Es mußte schon wesentlich später sein, als er geglaubt hatte. Wenn er nur seine Uhr nicht verkauft hätte, er hätte sie behalten sollen als Erinnerung an Lizzie. Nun konnte Dok lange warten auf den Rest seiner Bezahlung. Hundert Piepen – warum nicht gleich tausend! Buddy war schließlich kein Woolworth-Enkel. Wenn er die restlichen achtzig Dollar wirklich noch haben wollte, mußte er nun zu Jiggs gehen, denn der hatte ja Lizzie das Kind gemacht!

Buddy setzte sich in den Park unweit von City-Hall. Nein, er hatte noch keinen Hunger, aber die Finger schmerzten ganz scheußlich. Er verbarg seine verbundene Hand zwischen zwei Knöpfen seiner Weste. Er begann nachzudenken. Es war zum Beispiel möglich, daß Jiggs, als Lizzie ihn besuchte, gesagt hatte: »Gib meine Adresse Squirrel, aber laß dir nichts anmerken. Und dann schicke ihn unter irgendeinem Vorwand auf die Straße, laß ihn irgend etwas holen, zum Beispiel Aspirin. Ich weiß, daß die Skorpione mich suchen. Sie werden Squirrel erwischen und ihn so lange rösten, bis er alles sagt, was er weiß; er hat so zarte Hände, auf die brauchen sie nur einmal zu klopfen, und er packt aus – was hältst du von meinem Plan? Ich sitze dann natürlich mit meiner ganzen Artillerie am Fenster und warte auf die Skorpione.«

Oder eine andere Vermutung, da man doch nie weiß, was die Mädchen im Kopf haben: Lizzie sagt, sie sei einverstanden, und der ganze Plan läuft ab wie vorgesehen, nur daß Jiggs natürlich die Sache mit dem alten Buick nicht ahnen konnte, denn es war ja für Buddy selbst auch eine plötzliche Eingebung gewesen und obendrein prima durchgeführt. Andernfalls wäre nämlich Buddy von Jiggs vermutlich genauso beschossen worden wie die Skorpione, die mit ihm waren. Vielleicht hatte Jiggs sogar Speed, Trig und einige andere alarmiert und hinter den Fenstern aufgestellt, und es hätte blaue Bohnen geregnet. Freilich war es auch möglich, daß Lizzie sich widersetzt und den Plan verworfen hatte, weil sie nicht wollte, daß Buddy als Köder diene und den Skorpionen ausgeliefert werde; dann hatte Jiggs sie wohl gezwungen, er hatte ja alle Möglichkeiten dazu. Wie immer man die Sache drehte, Lizzie konnte so manches für sich vorbringen, und wirklich gemein von den beiden war nur Jiggs, immer wieder Jiggs.

Im ganzen konnte man also sagen, daß Buddy zwar schlappgemacht hatte, daß aber eben das zu einem guten Ende geführt hatte. Er war in der Lage eines Soldaten, der ein militärisches Geheimnis verrät, das aber nicht stimmt: Seine Vorgesetzten haben ihm absichtlich etwas Irreführendes anvertraut und ihn damit zum Gegner geschickt; er wird gefangengenommen, läßt sich das Geheimnis entreißen, der Feind glaubt im Besitz der richtigen Pläne zu sein und geht in die Falle. Der Soldat aber wird nach Kriegsende von seinem Vorgesetzten hoch ausgezeichnet.

Das ist sogar bei Frauen möglich: Man braucht nur eine Spionin anzunehmen, eine richtige Spionin, der ihre Vorgesetzten so ein falsches Geheimnis anvertraut haben; sie liebt den armen Kerl, den sie damit hineinlegen muß, aber kann doch nicht anders, denn der Befehl kommt von ganz oben. Wenn der Mann dann aus dem Krieg heimkommt, tut er alles, um ihr nicht zu begegnen, denn er schämt sich, daß er das Geheimnis verraten hat, das sie ihm anvertraute und von dem er ja nicht wußte, daß es eine Falle für den Gegner war; sie jedoch tut alles, um ihn wiederzufinden, denn sie liebt ihn noch immer . . . Das wäre vielleicht eine Geschichte! Das gäbe einen ganzen Film, und nicht den schlechtesten, mit Marlene Dietrich und Philipp Holmes!

Aber nein, sagte sich Buddy, ich braue mir da nur Unsinn zusammen. Jiggs war ja gar nicht imstande, so einen Plan zu entwickeln; woher konnte er denn wissen, daß die Skorpione mich schnappen würden. Er hätte höchstens in jener Gaststätte an der Ecke telefonieren und mit verstellter Stimme zu Peter sagen können: »Geht los und streift ein wenig um das Hauptquartier der Vampire; dabei könnt ihr Squirrel schnappen, der weiß, wo sich Jiggs versteckt hält!« Auch Lizzie hatte natürlich Gelegenheit gehabt, die Skorpione zu informieren. Trotzdem, es wäre zu gemein und zu kompliziert, solche Geschichten gibt es nur auf der Leinwand. Die Skorpione waren zweifellos zufällig oder höchstens auf der Suche nach Jiggs vorbeigekommen. Peter war nicht ganz sicher, daß ich etwas von Jiggs wisse, aber er konnte es vermuten, denn es war schon vier Tage her seit Jiggs' Verwundung, und vier Tage ist eine lange Frist für ein Geheimnis. Peter nahm an, es sei schon etwas durchgesickert, darum zerquetschte er mir die Finger, um zu erfahren, wo Jiggs sich verborgen hält. Jiggs war also völlig unvorbereitet, die Skorpione hätten ihn überrascht, und statt dessen hörte er nur den Krach und dann die Sirene der Verkehrswacht und der Ambulanzwagen...

Meine Geschichte, überlegte Buddy, geht viel besser aus als die mit dem Soldaten; denn wenn ich auch schlappgemacht habe, so habe ich doch alles wiedergutgemacht durch die Sache mit dem Buick; ich müßte nicht einmal rot werden, wenn ich Lizzie all dies erzählte...

Buddy wurde ganz heiter, und mit einemmal schüttelte das Lachen ihn innerlich so stark, daß die Finger noch stärker schmerzten als zuvor.

Meine Geschichte, dachte er, endet sogar ausgezeichnet: Ich bin Lizzie los. Fort mit Schaden, ich werde nie wieder jemanden lieben. Die Liebe bringt nur Unannehmlichkeiten. Das köstlichste daran ist, daß es im Leben noch mehr Zufälle gibt als im Film. Wenn das stimmt, könnte ich ja Drehbuchautor in Hollywood werden – Jiggs hat schließlich immer behauptet, ich hätte eine schöne Schrift, und die habe ich auch. Es muß ein schönes Leben sein, als Drehbuchautor in Hollywood. Aber ob sie dazu auch Neger nehmen? Das glaube ich wieder nicht. Sie haben bestimmt keine Negerschriftsteller...

Gut, in Gottes Namen denken wir lieber daran, wo wir diese Nacht schlafen werden. Viel Lust habe ich nicht, noch einmal ins Hotel Dodge zu gehen oder mir am Hafen etwas zu suchen. Hat meine arme Mutter mich suchen lassen? Hat sie wenigstens der Polizei mein Bild gegeben? Aber zu ihr will ich eigentlich auch nicht. Vielleicht würden mich die drei Leute in Greenwich Village bei sich schlafen lassen, der alte Dave, Eddie und ihre gemeinsame Freundin Zita? Die sind nett, die wollen sicher nicht, daß ein armer Neger unter irgendeiner Brücke schlafen muß oder unter einer Toreinfahrt in der Bowery. Das ist die Lösung, gehen wir also zu den drei Künstlern... Die haben sicher Mitleid mit einem armen Neger, dessen Fingerspitzen aussehen wie Würstchen aus Hackfleisch. Außerdem muß ich die Blutflecken von meiner Hose waschen...

Buddy spuckte aus: Seine Zunge blutete noch immer.

V

Tante Eudoxia befragte die Karten für Nina, die ihr gegenüber auf dem Diwan saß; Kristiaschka strickte. Tante Eudoxia sagte, Mischa sei bei bester Gesundheit, aber viel unterwegs, und seine Briefe würden mit einer gewissen Verspätung eintreffen. Sie wendete eine Karte: Das war die Herz-Dame; diese legte sie auf den Karo-Buben, was bedeutete, daß Mischa viel und oft an Nina denke. Eins, zwei, drei, vier, fünf – die Herz-Sieben; eins, zwei, drei, vier, fünf – der Herz-König; eins, zwei, drei, vier, fünf – Treff-Zehn. Die Karten hätten gar nicht besser liegen können. Eine französische Gouvernante, die in früheren Jahren die Kinder eines russischen Grandseigneurs erzogen hatte, war die Vermittlerin dieser Kunst gewesen; von ihr hatte Tante Eudoxia das Kartenlesen gelernt. Wie hatte sie nur geheißen? Ach ja, richtig: Isabelle Lebœf. Sie hatte den Chic eines Helleu-Bildes. Helleu, müßt ihr wissen, war der Maler der Pariser Gesellschaft und ihrer Damen. Isabelle Lebœf hatte einen höllischen Chic, und auch ihre Schönheit schien vom Teufel zu stammen, wenn ihre blauen Augen blitzten. Man fragte sich, wenn man sie sah, nur, warum ein so schönes Geschöpf nicht schon in Frankreich reich geheiratet habe; die Franzosen waren doch bekannt dafür, die Schönheit einer Frau über ihre Herkunft zu stellen! Der Mann, in dessen Diensten sie stand, war eine durchaus bizarre Persönlichkeit und mit ebensolchen Ideen. Als sein ältester Sohn Alexis sechzehn Jahre alt wurde, bat jener Grandseigneur die hübsche Gouvernante, Alexis in die Liebe einzuführen. Isabelle protestierte wütend, davon stehe kein Wort in ihrem Anstellungsvertrag. Der Grandseigneur diskutierte nicht mit ihr, sondern ließ sie auspeitschen. Das Gejammer der Gouvernante rief Alexis herbei; er trat für sie ein, erklärte ihr, daß er sie liebe, und entführte sie dann in einem Schlitten. Verfolgt von der Polizei des Zaren, überschritten sie die Grenze und ließen sich schließlich auf Mallorca nieder, jener paradiesischen Mittelmeerinsel, auf der auch Chopin und George Sand, ein lungenkranker polnischer Komponist und eine zigarrenrauchende französische Dichterin, einen Teil ihrer Liebesromanze erlebt hatten. In Moskau jedoch erzählte man sich, die Gemeinschaft zwischen Alexis und Isabelle sei völlig platonischer Natur, denn Alexis liebe sie einfach zu sehr, um sich mit ihr zu betragen wie Hund und Hündin. Inzwischen hatte der Grandseigneur zum Gegenschlag ausgeholt und seinem Sohn ein ganzes Paket Liebesbriefe von der Hand Isabelles zugestellt, aus denen einwandfrei hervorging, daß die Gouvernante die Geliebte ihres Brotgebers gewesen war. Es handelte sich um ausgezeichnete Fälschungen, die unglücklicherweise just in dem Augenblick in die Hände des Jungen kamen, als Isabelle zu Einkäufen ins Dorf gegangen war. Er las sie einmal und ein zweites Mal, dann schoß er sich durch den Mund, so daß sein Schädel zertrümmert wurde und sein Blut auf den Teppich rann. Daraufhin wurde Isabelle Lebœf verrückt, und der alte Grandseigneur ging in ein Kloster.

Nina war geradezu entzückt von dieser Erzählung. Das war noch Liebe, das konnte man so nennen! Ach, Mallorca, Paris, Venedig, die Zagranitza! Tante Eudoxia wußte wunderbare Geschichten über die Zagranitza! Tante Eudoxia brummte, daß Nina mit ihren bedenklichen Gelüsten gar nicht würdig sei, eine Liebe wie die zwischen Alexis und Isabelle zu erleben! Kristiaschka sagte nichts, aber sie dachte mit einem gewissen Realismus, daß sie jene Liebe vorziehen würde, die auf das Leben abzielt, während die andere im Tod endete. Eins, zwei, drei, vier, fünf – Mischa wird im nächsten Winter wiederkehren.

»Wie... nicht früher?« rief Nina verzweifelt.

Eins, zwei, drei, vier, fünf... Plötzlich warf Tante Eudoxia sich in ihrem Sessel herum. Sie hatte die Augen geschlossen, ihre Nasenflügel bebten, sie schien zu leiden. Nina und Kristiaschka kannten diese Trance-Zustände schon; sie wußten, daß

Tante Eudoxia nun ihre Visionen hatte, daß sie in die Zukunft blickte. Bald darauf kam Tante Eudoxia wieder zu sich, sah sich verwirrt um und berichtete, daß sie viel Rauch und Feuer gesehen habe. Offenbar habe Mischa soeben ein spanisches Dorf überflogen, das brannte. Er sei einer großen Gefahr entronnen, aber heil und gesund. Nina zitterte vor Angst und wollte unbedingt Einzelheiten wissen, aber Tante Eudoxia erklärte, alles gesagt zu haben; sie versicherte lediglich noch einmal, daß Mischa gesund und unversehrt sei, das könne sie bei der Heiligen Jungfrau beschwören.

Es klopfte an die Tür. Kristiaschka ging öffnen. Es war Stephan. Da es inzwischen sehr warm in der Stadt geworden war, hatte er seinen wattierten Überrock und die Fellmütze abgelegt, aber die Hose, die er trug, war noch dieselbe, das erkannte man an den Stopfstellen ganz unten und am Knie. Neu war nur die Jacke, eine sandfarbene Jacke mit einem ungeheuren Fleck, der noch den Rand eines ungeschickten Reinigungsversuches zeigte, und die Mütze, ausgesprochene Dutzendware. Er nahm sie ab und rief fröhlich:

»Gegrüßt sei meine Sixtinische Madonna!«

Dabei faßte er Kristiaschka um die Taille und versuchte sie zu den Rhythmen des Donauwalzers zu schwenken, den er vor sich hin trällerte. Er stank nach Schnaps, lachte in einem fort, ließ Kristiaschka schließlich fahren und zog ein Täfelchen Schokolade aus der Tasche. Das war freilich ein seltener Genuß! Kristiaschka hatte Schokolade noch nie gegessen oder auch nur gesehen und fand sie sehr gut. Mit gesenkter Stimme erklärte Stephan dann, daß er den Keller des großen Hauses durchforscht und dabei eine Unzahl alter Flaschen mit Korken entdeckt habe. Die Korken waren in der Sowjetunion noch kostbarer als die Flaschen, er brauchte also auf dem Altwarenmarkt nicht lange zu warten. Binnen weniger Minuten war er den ganzen Segen los und hatte dafür die Jacke, die Mütze und die Schokolade eingetauscht. Er brach abermals in Lachen aus. Dann wurde seine Miene bekümmert, und er begann, sich zu entschuldigen: Er hatte wohl daran gedacht, sämtliche Korken und die dazugehörenden Flaschen zu verhökern und dafür ein Geschenk für Kristiaschka zu kaufen, aber da nun der Sommer komme, habe er doch auch an seine Garderobe denken müssen.

In diesem Augenblick hörte man Tante Eudoxia aus ihrem Zimmer fragen, wer denn da sei, und Kristiaschka flüsterte Stephan schnell zu, nichts zu erzählen: Tante Eudoxia durfte nicht erfahren, daß er ihren Keller beraubt hatte. Auch der Rest der Schokolade wurde schnell in Stephans Rocktasche verborgen. Als sie das Zimmer betraten, fragte Tante Eudoxia mißtrauisch:

»Ihr hattet euch doch eben soviel zu erzählen – was war denn eigentlich los –? Ihr wißt doch, daß ich diese Geheimniskrämerei nicht leiden kann!«

Kristiaschka erstarrte zu einer Statue der Unschuld und antwortete:

»Ich habe Stiva zu seiner neuen Sommerausstattung beglückwünscht, Tantchen!«

Tante Eudoxia warf aus ihren kleinen, sehr klaren Augen einen flüchtigen Blick auf Stephan.

»Ich möchte nicht behaupten, daß Sie den Helleuschen Chic haben, mein armer Stephan Alexandrowitsch«, sagte sie und hob die buschigen Brauen, »Sie nicht...!«

»Wie meinen?« fragte Stephan betroffen, denn obwohl er nicht eben ungebildet war, kannte er den Maler Helleu nicht.

»Ich weiß schon, was ich sagen wollte!« brummte Tante Eudoxia.

»Nun, das ist immerhin schon etwas«, versicherte Stephan seufzend, »niemand versteht einen besser, als man sich selbst versteht... *wenn* man sich versteht!« fügte er lachend hinzu.

Er bemerkte die auf dem Tisch verstreuten Karten. Er sammelte sie zu einem Päckchen, legte dieses in die offene Linke und ließ sie mit einem harten Schlag der anderen Hand so hochschnellen, daß sie sich in regelmäßigen Abständen geschichtet auf seinem Unterarm nebeneinanderlegten. Mit einem zweiten Schlag warf er alle Karten in die Luft und fing sie so auf, daß sie zugleich zu einem Päckchen wurden, zwei Karten ausgenommen, die auf den Teppich fielen. Er hob sie auf: es waren die Pique-Dame und der Herz-Bube, deren Anblick Tante Eudoxia in rätselhafte Erregung versetzte.

»Nur bei Puschkin hat die Pique-Dame unheilvolle Bedeutung«, sagte Stephan scherzend. »Wählen Sie vier Karten, meine wilde Steppenblume, ohne sie mir zu zeigen!«

Kristiaschka tat, wie er wollte.

»Unter diesen vieren suchen Sie sich nun abermals eine aus; Sie können sie unserer teuren Nina zeigen.«

Nina beugte sich über Kristiaschkas Schulter, die mit dem Finger auf eine der vier Karten tippte.

»Und nun«, fuhr Stephan fort, »nehmen Sie bitte Ihr Kopftuch ab und geben Sie es mir.«

Er machte aus dem Tuch eine Tasche, die er an allen vier Ecken zwischen den Fingern hielt.

»Und jetzt, meine Sixtinische Madonna, zerreißen Sie die vier Karten, und zwar jede in acht Stücke...!«

»Das ist ja Vandalismus!« schrie Tante Eudoxia und warf sich auf Kristiaschka, um die vier Karten zu retten, aber Stephan hielt sie zurück:

»Ich weiß, daß Sie noch andere Spiele haben, verehrte Tante, und ich schwöre bei der Heiligen Jungfrau von Kasan, daß ich Ihnen zum Ersatz für dieses ein neues Spiel verehren werde; vertrauen Sie auf Stephan Alexandrowitsch.«

Kristiaschka zauderte und sah Tante Eudoxia fragend an; diese zuckte die Achseln und wollte wohl sagen, daß einem bei Stephan derlei nicht überraschen dürfe. Also zerriß Kristiaschka die Karten und legte die Stücke dann in das zur Tasche geformte Kopftuch, das Stephan ihr hinhielt. Er rüttelte und schüttelte nun den improvisierten Behälter, um die Kartenstücke gut zu mischen, beschrieb große magische Gesten mit der linken Hand über dem Kopftuch und murmelte unter fürchterlichen Grimassen einige kabbalistische Formeln. Dann hob er den Blick zur Zimmerdecke, als überkomme ihn die Inspiration, und senkte schließlich ganz langsam die Hand in die Tasche, um ein Stückchen Karte hervorzuholen, das er nicht anblickte. Er bat Nina, eine Schale mit Wasser zu holen, tauchte das Kartenstückchen hinein und klebte es so gegen die Fensterscheibe, daß man vom Zimmer aus nur den gemusterten Rücken sah. Diese Operation wiederholte er siebenmal, bis schließlich eine ganze Karte an der Fensterscheibe klebte. Stephan hauchte darüber hin und wandte sich an Kristiaschka:

»Wollen Sie mir nun sagen, meine süße Feldmaus, welche Karte Sie vorhin ausgesucht hatten?«

»Herz-Zehn«, antwortete Kristiaschka.

Stephan öffnete mit großer Geste den Fensterflügel und zeigte triumphierend die rekonstruierte Karte nun von vorne; es war tasächlich die Herz-Zehn!

Kristiaschka war außer sich vor Überraschung, und Nina ließ ihr anerkennendes Pfeifen hören. Tante Eudoxia, deren Grundsatz es war, über nichts zu staunen, erklärte, dies seien die ersten Schritte in der Kartenkunst.

»Dann mach es doch nach, Tantchen«, rief Nina böse.

»Derlei ist nicht mein Fach«, sagte Tante Eudoxia verächtlich, »das ist die Bauernfängertour herumziehender Zigeuner!«

Stephan setzte sich neben Kristiaschka auf den Diwan. Er hatte die Beine übereinandergeschlagen und hielt die Hände vornehm gefaltet; obwohl sein Kopf gesenkt war und man durch den blitzenden Zwicker seine Augen nicht sehen konnte, war zu erkennen, daß Stolz seine Brust schwellte. Ebenso deutlich aber war, daß er sich betrunken hatte; seine Wangen glühten, und seine Zunge war schwer. Zweifellos hatte er einen Teil des Geldes, das ihm der Verkauf der Korken eingebracht hatte, in Wodka angelegt, und da sein Magen und seine Nerven ohnedies schwach waren, hatte er nicht viel trinken müssen, um betrunken zu werden.

Kristiaschka fragte ihn, wo er denn die Kartenkunststücke gelernt habe. Stephan sagte, daß damit die Gefangenen sich die Zeit vertrieben hätten. Ein kriegsgefangener Franzose, der im Zivilberuf Bühnenzauberer war, hatte ihm diese Tricks beigebracht, und noch einige andere wie das Seil, das man von einem Zuschauer zerschneiden läßt und dennoch wieder im ganzen zum Vorschein bringt. All das sei auch nach den Worten jenes Illusionisten nur die Elementarschule des Handwerks, Stephan sei sich durchaus darüber klar, andererseits wäre es ihm aber früher nicht widerfahren, zwei Karten auf den Boden fallen zu lassen; er sei im Augenblick eben nicht in Übung und habe überhaupt keine sichere Hand mehr.

Kristiaschka sagte sich, daß es immerhin noch gut gegangen sei: Stephan war doch ziemlich blau und hatte das ganze komplizierte Kunststück recht gut zu Ende geführt. Sie fragte ihn, warum er diese Kenntnisse nicht beruflich ausgewertet habe.

Sogleich malte sich auf den bizarren Zügen Stephans tiefste Verlegenheit. Er nahm den Kneifer von der Nase, putzte die Gläser mit seinem Taschentuch, aus dem Tabakkrümel zu Boden fielen, und setzte ihn umständlich wieder auf die Nase. Dann hüstelte er, ergriff Kristiaschkas Hände, ließ sich mit einem Knie auf den Teppich sinken, küßte Kristiaschkas Finger und rief:

»Ich schulde Ihnen ein rückhaltloses und aufrichtiges Bekenntnis, Sie Engel der Reinheit! Ja, es ist die Wahrheit, ich habe tatsächlich zeitweise mein Brot mit diesen Fähigkeiten verdient. Aber das ist eine der schwärzesten Seiten in dem düsteren Buch meiner armseligen Existenz!« Er stammelte, versuchte, tief zu atmen, und fuhr schließlich, immer noch kniend, fort: »Ich bin der verächtlichste aller Menschen, und ich wage nicht, zu meiner Entschuldigung anzuführen, daß es nur die bitterste Not war, die mich hinabsteigen ließ in diese tiefsten Gründe der Verworfenheit. Aber es ist ebenso wahr, daß in all diesen Dingen meine Notlage eine entscheidende Rolle gespielt hat.«

Er hielt inne, blickte Nina an und schielte zu Tante Eudoxia hinüber. Es war offensichtlich, daß seine Beichte ihm leichter gefallen wäre, wenn sie nicht zugehört hätten. Gewiß wäre es ihm nicht schwergefallen, sich ausschließlich seiner Madonna anzuvertrauen, deren mildes Herz er seit langem kannte.

»Ich war in äußerster Bedrängnis«, fuhr er fort, »es war in den schlimmsten Wochen der großen Hungersnot, und ich zog mit meinem Marionettentheater von Ort zu Ort. Aber ach, die armen Bauern, die selbst nichts hatten, konnten mich nicht mehr bewirten, und ich mußte mich mit ebenso seltenen wie geringfügigen Lebensmittelspenden zufriedengeben. Meine Rippen traten hervor, ich war so dünn wie ein abgestorbenes Blatt und durchsichtig, als stünde ich vor dem Röntgenschirm. Ich hatte genug von der Not auf dem Land und gelangte schließlich in eine kleinere Stadt, wo ich in einem leeren Gasthaussaal meine Marionetten vorführte und hinterher einige illusionistische Kunststücke zeigte. Das Publikum war zahlreich, und die Sammlung brachte mir drei oder vier Rubel ein. Nach der Vorstellung trat ein Mann auf mich zu, der durch seinen Intellektuellen-Schnurrbart eine auffallende Ähnlichkeit mit Nietzsche hatte und tatsächlich Deutsch wesentlich besser sprach als Russisch. Er war einer jener Deutschen, die in geschlossenen Gruppen seit Jahrhunderten in Rußland siedeln, ohne zu Russen geworden zu sein. Dieser Mann also nahm mich beiseite und fragte mich, ob ich bereit sei, meine Vorstellung vor Kindern und jungen Leuten der örtlichen Schule zu geben, deren Direktor er war. Ich sagte mit Freuden zu, aber der Direktor erklärte mir, daß er an meinen Zauberkunststückchen viel stärker interessiert sei als an den Fabeln und Possen meiner niedlichen Puppen.«

Stephan seufzte und rief dann:

»Himmel, ist dieses Bekenntnis peinlich!« Er kratzte sich am Hinterkopf und nahm den Faden seiner Erzählung wieder auf: »Der Direktor präzisierte dann, daß er eine ganz bestimmte Idee verfolge, und ich möchte mit Ihnen, meine Damen, wetten, daß diese Idee nur in einem der verkorksten germanischen Gehirne geboren werden konnte. Er begehrte nicht mehr und nicht weniger, als daß ich meine Zauberkunststücke mit einem Kommentar versehe, in dem ich behauptete, daß all dieser magische Kram ebenso gut und ebenso schlecht sei wie die Wunder der Bibel, oder mit anderen Worten, daß die Wunder der Bibel nichts anderes gewesen seien als Jahrmarktszauberei. Ich hatte nämlich an jenem Abend Wasser in Wein verwandelt – zum Schein natürlich – so wie es Christus auf der Hochzeit zu Kana getan hatte – er natürlich, ohne zu schwindeln. Ich lehnte entrüstet ab: Dazu wollte ich mich denn doch nicht hergeben! Der Schuldirektor setzte ein verstimmtes Gesicht auf und riet mir süßsäuerlich, die Sache doch noch zu überdenken; obendrein sei es für eine unterkunftslose Person wie mich ziemlich gefährlich, wenn ich mich weigerte, an der Campagne gegen die Religion teilzunehmen, die nun einmal zum Aufbau des Sozialismus gehöre. Er appellierte an mein staatsbürgerliches Gewissen und stieß dunkle Drohungen aus, als ich mich standhaft weigerte. Er nannte mich einen Konterrevolutionär, Popendiener, Dunkelmann. Dann wechselte der Pädagoge plötzlich die Taktik und appellierte an die Kameradschaft aller Geistesarbeiter; er stellte mir vor, daß er als Angehöriger der schöpferischen Intelligenz dieselben Rationen erhalte wie ein Schwerarbeiter, und schließlich gab ich tatsächlich nach. Ich wich zurück vor der Drohung und verfiel der lockenden Erwartung einiger Mahlzeiten, die diesen Namen verdienen würden. Mit einem Wort, ich war wieder einmal schwach geworden.«

»Das ist ja allerhand!« sagte Tante Eudoxia.

»Ich selbst finde es heute widerlich«, erklärte Stephan, »und stimme damit mit Ihnen allen überein; ja, ich weiß es besser als Sie, denn ich war doch schließlich das Opfer dieses ekelerregenden Vorgangs. Wollen Sie aber bitte zugleich bedenken, verehrte Tante Eudoxia, daß ein ausgehungerter Mensch sich im Zustand herabgeminderter Widerstandskraft befindet und daß selbst seine heiligsten Prinzipien...«

»Das Fasten erhebt den Menschen!« sagte Tante Eudoxia mit Nachdruck. »Denn es hilft mit, die geistigen Gaben zu steigern. Seht zum Beispiel mich an...«

Stephan sprang auf die Füße, pflanzte sich vor dem Schreibtisch Tante Eudoxias auf, stemmte die Fäuste in die Hüften und schrie:

»Ich weiß! Popows Esel hatte sich daran gewöhnt, nicht mehr zu fressen. Er ist nur leider nach drei Wochen eingegangen!«

Mit großen Schritten ging Stephan im Zimmer auf und ab.

»Es war wirklich verwerflich, teuerste Tante!« sagte er mit großen Gesten. »Ich produzierte mich vor diesen jungen Menschen und zeigte allen Schülern, daß nichts leichter sei, als Wasser in Wein zu verwandeln, und daß Brotvermehrung und Manna-Regen in der Wüste im Grunde Taschenspielerstückchen seien und nichts anderes, als ob man aus einem leeren Hut eine Taube hole; das gleiche gelte für die Durchquerung des Roten Meeres und die Auferweckung des Lazarus. Das alles, so behauptete ich, beweise nichts anderes, als daß die Hauptfiguren der heiligen Bücher etwas von Physik verstanden hatten. Mit grimmiger Inbrunst habe ich alles vorgetragen und mich in meine eigene Erniedrigung hineingewühlt. Die jungen Leute waren begeistert von meinen Demonstrationen, sie lachten, diese Pioniere und Fanatiker des Atheismus, diese kleinen Wölfe mit Menschengesichtern, und die Mädchen waren um nichts besser als die Jungen; ja, ich wage zu gestehen, daß ihr Beifall meiner Eitelkeit angenehm ins Ohr klang, denn im Grunde ist mein Wesen wohl das eines Komödianten, der sich am Beifall berauscht.«

»Immerhin berauschen Sie sich nicht nur am Beifall, Stephan Alexandrowitsch«, sagte Tante Eudoxia und schnupperte prüfend in die Wolke von Schnapsdunst, die sich im Zimmer verbreitet hatte.

»Auf allgemeines Verlangen wiederholte ich meine skandalöse Beweisführung vor einem breiteren Publikum, vor Arbeitern, kleineren Funktionären der Partei und vor Beamten. So wurde ich in dem Städtchen berühmt. Man grüßte mich auf der Straße, man lud mich bald hierhin, bald dorthin ein. Machen Sie sich bitte klar, welche Prüfungen und welchen Zwiespalt das für mich bedeutete, für mich, eine künstlerische Natur, einen Theaterenthusiasten, der nichts lebhafter begehrte als den Erfolg. Seither allerdings habe ich jeglicher Eitelkeit entsagt . . .«

»Dies ist eine Behauptung, der einige Tatsachen entgegenstehen«, erklärte Tante Eudoxia, aber Stephan fuhr unbeirrt fort:

»Ich nahm beinahe sichtbar an Gewicht zu. Ich wurde von meiner antireligiösen Raserei so mitgerissen, daß ich schließlich wütete wie nie zuvor ein überzeugter Atheist. An der maßlosen Heftigkeit meiner Lästerungen hat Gott, dessen bin ich sicher, das wahre Maß meiner Liebe zu ihm erkannt! Indessen gebärdete ich mich in der Stadt wie ein Pfau; ich genoß meine Popularität, war es doch das erste und, wie ich heute weiß, auch das letzte Mal, daß ich die Ambrosia der Berühmtheit kosten durfte. Ich wuchs über mich hinaus und tat wesentlich mehr, als der Pädagoge mit dem Nietzsche-Schnurrbart von mir erwartet hatte. Ich schlug ihm vor, die alte Kirche des Ortes, die als Garage benützt wurde, in ein antichristliches Museum umzugestalten! Der Direktor war außer sich vor Begeisterung, gab die Idee als die seine aus und war sicher, daß die Schaffung solch eines Museums seiner Beförderung nur dienlich sein konnte . . . Die

Arbeiten wurden energisch begonnen, und ich legte selbst mit Hand an. Man mußte zu diesem Zweck die Fundamente der Kirche verstärken, die einst den Heiligen Cyrill und Methodus geweiht war. Der Schuldirektor haßte als rechter Germane die slawischen Apostel noch mehr, als ein bloßer Marxist sie gehaßt hätte. Bei diesen Arbeiten wurde der Grund unter dem Altar aufgegraben; ich beteiligte mich natürlich daran, und schließlich stieß in einigen Metern Tiefe meine Hacke auf menschliche Gebeine; zweifellos handelte es sich um das Grab besonders angesehener Personen, ja vielleicht sogar um die Gebeine der Heiligen...«

In diesem Augenblick der Erzählung stieß Tante Eudoxia einen schwachen Schrei aus; ihr schwerer Leib sank hinter dem Schreibtisch zusammen, und ihr Kopf fiel nach vorne auf die gefalteten Hände. Stephan hielt verblüfft inne und unterbrach auch seine unruhige Wanderung durch das Zimmer. Nina bemühte sich, Tante Eudoxia wieder ins Leben zurückzurufen, und Kristiaschka ging hinaus, um Wasser und ein Handtuch zu holen. Man wusch der alten Löwin die Schläfen und die Stirn, und schließlich hob sie wieder den Kopf.

»Bei dem Wort ›Gebeine‹ aus dem unreinen Mund des unreinen Stephan Alexandrowitsch hatte ich eine Vision«, sagte Tante Eudoxia schwach und wendete sich zu Nina. »Dein Mischa, der noch nicht weiß, daß die Fliegerei eine teufliche Erfindung ist, stand mit anderen Offizieren vor einer spanischen Kirche; sie lächelten alle, weil ein anderer Offizier sie fotografierte; schließlich ist ja auch die Fotografie eine teufliche Erfindung. Und wißt ihr, was ich zu beiden Seiten des Kirchenportals gesehen habe? Ich sah Mumien, vier, fünf, vielleicht auch sechs ganz trockene Mumien, die man aufrecht gegen das Portal gelehnt hatte, die Reste seliger Nonnen, die der Pöbel ausgegraben hat und vor denen sich dein Mischa mit seinen Kameraden lächelnd fotografieren ließ!«

»Nun«, sagte Nina unbedacht, »wenigstens beweist dies, daß Mischa am Leben ist!«

Stephan stützte beide Hände auf die Schreibtischplatte, beugte sich zu Tante Eudoxia nieder und sagte drohend:

»Sie sollten mich nicht mit diesen militanten Atheisten vergleichen, meine Teuerste! Je mehr ich mich als Gottesleugner gebärdete, um so tiefer wurde in mir die Gläubigkeit! Darin besteht der deutliche Unterschied zwischen den spanischen Grabschändern und mir. Ich möchte noch hinzufügen, daß ich jene

Gebeine aus der kleinen Kirche der Heiligen Cyrill und Methodus wohlweislich beiseite geräumt habe ...«

»Um dann mit dem Schuldirektor und vor seinen Schülern mit eben diesen Gebeinen die niedrigsten Späße zu treiben!«

»Woher wissen Sie das?« staunte Stephan.

»Ich sehe die Szene so deutlich vor mir, als wohnte ich ihr in diesem Augenblick bei!«

»Es stimmt«, gab Stephan zu, »daß wir uns mit diesen Gebeinen einige geschmacklose Scherze erlaubten und daß die Schulkinder, die uns dabei an die Hand gingen, geradezu entzückte Zuschauer waren. Aber Sie müssen auch wissen, verehrte Tante Eudoxia, daß ich eines Nachts heimlich in die Kirche schlich und dabei in einem Sack die wertvollsten Teile der Skelette mit mir führte: Schädel, rechte Arme und Hände, weil nun einmal der Schädel der Sitz der Gedanken ist, weil der rechte Arm handelt und die rechte Hand schreibt.«

»Was beweist Ihnen denn, daß die unter der Kirche bestatteten Geistlichen überhaupt schreiben konnten?« erkundigte sich Tante Eudoxia. »Sehr wahrscheinlich ist das nicht.«

»Wie dem auch sei«, sagte Stephan, »ich brachte diese wertvollen Reliquien jedenfalls zu einem Diakon, der sich verborgen hielt und mir versprach, als Gegenleistung einige Messen für mein Seelenheil zu lesen.«

»Ein Diakon liest doch keine Messen!« rief Tante Eudoxia.

»Nun, dann eben Gebete, wenn es keine Messen sein konnten ...«

»Sind Sie ganz sicher, Stephan Alexandrowitsch«, fragte Nina lachend, »daß Sie diesem Diakon nicht ein paar Rubel herausgelockt haben, um Wodka dafür zu kaufen?«

»Ich glaube, daß ich das getan habe«, gab Stephan zu, nachdem er sich geräuspert hatte. Er nahm seinen Rundgang durch das Zimmer wieder auf und fuhr fort: »Aber ich habe Ihnen noch nicht alles gesagt. Es kam dann der Tag, da die Einrichtung des Museums beendet war. Man hatte allerlei zusammengetragen: Fotografien, Diagramme, Wandsprüche und Gegenstände des christlichen Kultus, die durch entsprechende Kommentare lächerlich gemacht wurden. Lenins berühmter Ausspruch von der Religion, die Opium für das Volk sei, war in großen schwarzen Buchstaben auf ein rotes Band geschrieben, das an der Kirchenwand entlanglief. Als alles bereit war, wurde das Museum mit großem Pomp eröffnet, zu welchem Zweck ein hoher Parteifunktionär eigens aus der Hauptstadt gekommen war. Ich hatte in einer Ecke der Kirche ein altes Klavier aufstellen lassen und begann nach der Zeremonie vor dem Publikum, das fast ausschließlich aus jungen Leuten bestand und in dem man nicht eine einzige reifere Frau sah, die Internationale zu spielen. Der Parteimann aus Moskau hatte gerade seine Rede beendet, ich intonierte die ersten Akkorde, und im gleichen Augenblick schlug der Blitz in die Kuppel der alten Kirche, und grollender Donner hallte in dem hohen Raum wider. Der elektrische Schlag war so gewaltig, daß er mir durch die Finger in den Leib fuhr und mich beinahe von meinem Stuhl warf. Der Bonze aus Moskau brach in lautes Lachen aus, und seine Umgebung tat es ihm prompt nach, aber ich sah doch, daß bei einigen jüngeren Leuten dieses Beispiel nicht verfing und manches der glatten Wolfsgesichter plötzlich bleich wurde!«

»Wenn der Blitzschlag Sie doch getötet hätte, Sie Satansbraten!« rief Tante Eudoxia.

»Sachte, sachte«, begütigte Stephan, »indem Gott mir aus heiterem Himmel Blitz und Donner schickte, schlug er mich, ohne mir das Leben zu nehmen. Ich verstand sogleich, was er damit bezweckte: Er verschonte mich mit Rücksicht auf die Glut meines Glaubens!«

»Nie noch hat man eine solche Kluft zwischen dem Glauben eines Menschen und seinen Handlungen gesehen«, sagte Tante Eudoxia.

»Noch nie!« erklärte Stephan stolz. »Beim Jüngsten Gericht werde ich einen Ehrenplatz inmitten der scheußlichsten Sünder einnehmen, aber wir werden vor Ihnen in die ewige Seligkeit eingehen, Sie abscheuliche Pharisäerin. Ja, Tante Eudoxia!« schrie Stephan mit überkippender Stimme. »Gott wird mir dafür danken, daß ich die Reliquien gerettet habe und daß ich mich dann aus der Gegend verdrückte, obwohl der Parteimann aus Moskau mir den Vorschlag gemacht hatte, in die Hauptstadt zu kommen, wo ich eine sehr gut bezahlte Stellung bekleidet hätte und Organisator der antireligiösen Campagne auf dem flachen Land geworden wäre!«

Nach diesen Worten ließ Stephan sich auf den Diwan fallen und brach in Tränen aus; sein gekrümmter Rücken zuckte, das Gesicht hatte er in den Händen verborgen. Das Herz Kristiaschkas wurde weit vom Mitleid für diesen Mann, der das tiefste Elend seiner sittlichen Existenz hatte durchschreiten müssen.

»O diese widerliche Wanze«, ächzte Tante Eudoxia, »wenn ich sie doch mit meiner Ferse zerquetschen könnte!«

»Ganz richtig!« schluchzte Stephan unter Tränen. »Das wäre nur die logische Folge, das verdiente Ende nach meiner ganzen nichtswürdigen Lebensführung. Das Ende eines Manneslebens, das Ende Stephan Alexandrowitschs, der sich nicht gescheut hat, mit den jungen Pionieren zu marschieren und im Chor mit ihnen das Lied zu brüllen:

> Nieder mit den Rabbinern,
> Mit den Mönchen und Popen!«

»Mir sind meine Absätze zu gut, um Sie zu zertreten, Sie widerliche Wanze«, sagte Tante Eudoxia, »die Flammen der Hölle warten auf Sie, Sie werden in aller Ewigkeit geröstet werden!«

»Gottvater wird mit meinem Elend Erbarmen haben«, sagte Stephan schluckend. »Denn es sind die Stolzen, die seinem Herzen mißfallen, es sind die selbstgefälligen Geister wie der Ihre, die ihn beleidigen, werte Tante Eudoxia, Sie Komplicin des Großinquisitors!«

»Sie sehen in mir eine Komplicin des Großinquisitors, Stephan Alexandrowitsch? Nun, dann will ich Ihnen sagen, was Sie in meinen Augen heute schon sind: ein flambiertes Omelett, für immer von Flammen umzuckt!«

»Ein flambiertes Omelett?« schrie Stephan Alexandrowitsch. »Das ist ja ausgezeichnet! Ich will sogleich zur Hölle fahren, wenn ich mich erinnere, wann ich das letzte Mal eines gegessen habe. Ich glaube, das war während meiner Gefangenschaft. Ich war als Landarbeiter eingesetzt und wohnte bei einer mecklenburgischen Bäuerin, die recht zutraulich war. O goldene Erinnerung an die verrückte Jugendzeit! Ich war wohlgenährt, damals, ja, beinahe dick, ich hatte volle Wangen, Sie hätten mich gar nicht wiedererkannt... Ein flambiertes Omelett! Hi, hi, hi!«

»Ein kurzes Schweigen trat ein. Tante Eudoxia sammelte die Karten auf und legte sie wieder zurück in die schöne Kassette aus Malachit. Stephan nahm seine deutsche Meerschaumpfeife aus der Tasche – sie war vielleicht ein Geschenk jener mecklenburgischen Bäuerin –, stopfte sie und zündete sie schließlich an; er gab auch Nina Feuer, die aus ihrer Schachtel eine jener langen Zigaretten mit Papp-Mundstück genommen hatte. Tante Eudoxia fächelte mit einem Blatt Papier den Rauch von sich fort, wirbelte dabei aber eine ganze Staubwolke von ihrem Schreibtisch auf.

»Welche Hitze«, stöhnte Tante Eudoxia, »ich liebe diese Jahreszeit nicht. Dieser allzu klare Himmel erinnert mich an einen Juli-morgen des Jahres 1905; die Morgenröte hatte den Himmel wie mit Blut übergossen. Es war der Tag, liebe Nina, an dem dein Großvater Leonid, Gott habe ihn selig, bei der Belagerung von Port Arthur getötet wurde; wir erfuhren es erst vierzehn Tage später. Und an einem Augusttag des Jahres 1914, als dein Groß-onkel Basil in den Krieg zog, aus dem er nicht mehr wiederkeh-ren sollte, war der Himmel am Morgen genauso gewesen... So ein Himmel verspricht blutige Ernte. Zu schönes Wetter ist von übler Vorbedeutung... Nun wollen wir aber Kristiaschka bit-ten...«

In diesem Augenblick klopfte es an die Wohnungstür, und Kristiaschka ging öffnen. Draußen stand ein junger Mann, ein Fremder. Er war blond, hatte ein frisches Gesicht und war einfach, aber sehr reinlich gekleidet. Sein Blick war sehr ernst, milderte sich aber, als er auf Kristiaschkas liebliches Gesichtchen fiel, in dem sich die frischen Farben des Landlebens noch erhalten hatten.

Der junge Mann stellte sich vor und erklärte, er heiße Iwan Porphyrowitsch Witschnikoff. Kristiaschka fand ihn sehr höflich. Er fragte, ob hier Nina Konstantinowna Gussewa wohne. Kri-stiaschka, die immer schüchtern wurde, wenn sie einem ihr un-bekannten Menschen gegenüberstand, nickte nur stumm.

»Wollen Sie bitte Nina Konstantinowna fragen, ob sie bereit wäre, mich für einen Augenblick zu empfangen?« sagte Iwan.

Kristiaschka kehrte in das Zimmer Tante Eudoxias zurück und übermittelte Nina die Botschaft. Diese zeigte sich über-rascht.

»Was will denn der von mir?« sagte sie. »Das ist der Sohn von meinem Bürovorsteher!«

»Also wieder einmal einer, dem du den Kopf verdreht hast!« sagte Tante Eudoxia.

»Den Kopf verdreht! Ich muß schon bitten, Tante Eudoxia, das ist doch ein Student! Ich habe schließlich keine Kinder-bewahranstalt!«

Nina lachte hell auf, es klang, als fiele eine ganze Schnur Perlen zu Boden. Sie tat einen kurzen Griff in die Haare und ging dann, um Iwan Porphyrowitsch Witschnikoff zu begrüßen. Tante Eudoxia bat Kristiaschka, Wasser aufzustellen, damit man dem Gast Tee vorsetzen könne.

Im Vorzimmer, hart an der Tür, tuschelten Iwan und Nina miteinander; er blieb dabei immerzu ernst, sie wirkte ein wenig gelangweilt. Als Kristiaschka vorbeiging, um das Wasser zu holen, hielten sie einen Augenblick inne, und Tante Eudoxia machte eine mißbilligende Bemerkung über die immerwährende Geheimniskrämerei der jungen Leute. Kristiaschka machte nur eine unbestimmte Geste, die alles bedeuten konnte, und goß den Tee auf. Stephan Alexandrowitsch war inzwischen erschöpft auf dem Diwan eingeschlafen, die Asche seiner deutschen Pfeife hatte seine Jacke gründlich verunreinigt. Als Nina schließlich wieder erschien, und zwar ohne Iwan, der schon wieder gegangen war, erklärte Tante Eudoxia ihr, sie wünsche nicht, daß all diese Verehrer bis ins Haus kämen. Nina zuckte die Achseln und verteidigte sich mit der Behauptung, der junge Mann habe ihr eine dringende dienstliche Nachricht bestellen müssen. Daraufhin sagte Tante Eudoxia, davon glaube sie kein Wort, und Nina wurde nun erst recht böse: Sie habe genug von diesen ebenso stupiden wie unzutreffenden Bemerkungen, ihr Herz schlage nur für Mischa. Um sich zu beruhigen, forderte sie schließlich Kristiaschka auf, mit ihr einen kleinen Spaziergang zu machen.

»Von mir aus, geht zum Teufel, ihr zwei läufigen Wanzen«, murrte Tante Eudoxia so drohend, daß Stephan erschrocken ein Auge aufschlug, es aber sogleich wieder schloß. Dabei drückte er sich noch tiefer in die Höhlung des alten Sofas, was seine Pfeife vollends aus dem Gleichgewicht brachte. Sie kollerte herab und entleerte sich über seine Hose, die noch immer so schlecht zugeknöpft war wie seinerzeit im Zug: Es war Stephan offensichtlich nicht gelungen, für jedes Knopfloch den passenden Knopf zu finden.

Nina schob ihren Arm unter den Kristiaschkas. Sie gingen schweigend bis zum Platz der Oktoberrevolution, wo inzwischen der Bau des fünfzehn Stockwerke hohen Parteigebäudes vollendet worden war.

»Ich muß mit dir sprechen«, sagte Nina, »dabei sollte ich aber eigentlich von der Sache schweigen!«

Kristiaschka antwortete nicht. Die Weisheit ihres reinen Gemüts sagte ihr, daß man nie jemanden drängen soll, der sich zu eröffnen wünscht; wenn Nina darauf brannte, ihr ein Geheimnis anzuvertrauen, so würde sie dies auf jeden Fall tun, auch wenn Kristiaschka sie nicht dazu ermunterte.

Sie gelangten auf den weiten Vorplatz der Kirche mit den Zwiebeltürmen und den vergoldeten Kreuzen, die im Licht der untergehenden Sonne blinkten. Der Platz war so groß, daß die beträchtliche Anzahl der Spaziergänger sich auf ihm völlig verlor und die einzelnen Gruppen aussahen wie Grüppchen von

Ameisen in einer weiten Einöde. Als sie in der Mitte des Platzes waren und weit genug von allen anderen Menschen entfernt, sagte Nina leise, als fürchte sie, trotzdem gehört zu werden:

»Iwan ist gekommen, um mich zu warnen. Ich finde das sehr nett von ihm. Im Büro laufen Gerüchte um..., es handelt sich um Frol Lubitschin. Du weißt, daß Frol Lubitschin eine Schwester hat, sie heißt Larissa...«

»Nein«, sagte Kristiaschka, »davon wußte ich nichts.«

»Also diese Larissa war in erster Ehe mit einem Agronomen verheiratet, einem Ingenieur, der an Typhus gestorben ist. Vor einem Jahr hat sie sich zum zweitenmal verheiratet, und zwar mit einem Mann vom Rundfunk. Das sah zunächst sehr gut aus, man glaubte, sie habe eine ausgezeichnete Partie gemacht, aber nun hat der NKWD eine Haussuchung bei ihr vorgenommen und eine Fotografie des Panzerzuges von Trotzki gefunden...«

Bei diesem verhaßten und gefährlichen Namen hatte Nina ihre Stimme zu einem Flüstern gesenkt.

»Wer ist Trotzki?« erkundigte sich Kristiaschka.

»Das kann ich dir jetzt nicht erklären... Jedenfalls ist er ein Hauptfeind der proletarischen Revolution... Er lebt zur Zeit in Mexiko, wo er Komplotte gegen die Sowjetunion schmiedet – im Dienste der Imperialisten. Während des Bürgerkrieges war er Vorsitzender des Revolutionären Kriegs-Sowjets, aber heute findest du ihn nicht mehr in den Geschichtsbüchern... Kurz...«

»Was hat dieser Vorsitzende mit der Schwester von Frol Lubitschin zu tun?« wollte Kristiaschka wissen.

»Nicht viel und doch zuviel: Während des Bürgerkrieges fuhr Trotzki immer in einem Panzerzug. Auf der Fotografie, die nun dem NKWD in die Hände gefallen ist, kann man ganz deutlich Larissas Mann, den Funker, erkennen, er steht ein paar Schritte neben Trotzki. Darum sind nun Larissa und ihr zweiter Gatte in den Norden verschickt worden, jeder in ein anderes Lager, und Frol Lubitschin wurde seines Postens enthoben: wegen Mangels an Wachsamkeit. Er hätte darüber wachen müssen, daß seine Schwester nicht einen Komplicen des Verräters Trotzki heiratete...«

Sosehr sich Nina auch um Klarheit bemüht hatte, für Kristiaschka war der Sachverhalt doch reichlich dunkel geblieben. Dieser Vorsitzende des Kriegs-Sowjets während des Bürgerkriegs, der zugleich ein Feind der proletarischen Revolution war... Diese Fotografie eines Panzerzugs, derentwegen die Schwester und der Schwager Frol Lubitschins in den hohen Norden deportiert worden waren...

»Iwan hat das alles aus einem Gespräch erfahren, das sein Vater mit einem Kollegen geführt hat«, berichtete Nina weiter, »Iwan hat das Gespräch belauscht. Dieser Kollege hat Iwans Vater auch gesagt, er solle im Büro ein Auge auf mich haben und mich genau überwachen, denn ich sei doch in der Schule eng mit Larissa befreundet gewesen!«

»Ist das wahr?«

»Aber keine Spur! Wir sind in dieselbe Schule gegangen, aber sie war ja ein Jahr älter und somit in einer anderen Klasse. Ich habe sie so selten gesehen, daß ich schon ganz vergessen hatte, wie sie aussieht, ja, ich hatte überhaupt alles vergessen, was ich von ihr wußte, bis auf ihren Namen. Dennoch: Dadurch bin ich jetzt verdächtig!« Kristiaschka ergriff Ninas Hand. Das Herz war ihr schwer geworden, die Tränen rannen ihr aus den Augen.

»Werden sie jetzt dich auch in den hohen Norden verschicken, Ninotschka?«

»Das kann jedem von uns widerfahren, auch unseren Eltern, Verwandten und Freunden, allen Menschen zum Beispiel, die sich hier auf diesem Platz befinden ...«

»Und hat jeder, der verschickt wird, etwas Unrechtes getan?«

»In einem gewissen Sinn ja ...«

Kristiaschka sah Nina von der Seite an. Die liebe Nina, sie hatte sich ihrer angenommen, als sie, Kristia, hilflos und allein in dieser großen Stadt herumgeirrt war, nicht wußte, wovon sie leben sollte und nichts besessen hatte als ihre absurde Neigung zu Akim. Nina, die sie auf jenem Kolchosenball so falsch beurteilt hatte und die trotz ihrer französischen Frisur ein Herz aus Gold hatte. Nina war der einzige Mensch auf der ganzen Welt, der gut zu ihr gewesen war, der einzige außer Stephan Alexandrowitsch, der aber war ein Fall für sich, ein reichlich komplizierter Fall ...

»Ich bin sicher«, sagte sie darum, »daß es niemanden gibt, der unschuldiger wäre als du!«

»Glaube nur das nicht!«

»Was kannst du in dieser Sache tun?«

»Nichts ... man kann gar nichts tun. Obwohl ... Tante Eudoxia und Stephan sind nicht eben die besten Empfehlungen für mich. Wenn der NKWD sich einmal bei uns umsieht, stößt er auf die Tante, die mit dem Aberglauben Geschäfte macht, und auf einen Halbverrückten, der lange Zeit als Landstreicher gelebt hat und im Ausland war. All das kann meine Lage erschweren.«

»Und was hat Iwan dir geraten?«

»Er war der Meinung, ich solle bei Tante Eudoxia ausziehen. Es wäre besser, wenn ich nicht mehr dort wohnte.«

»O Nina, du wirst uns doch nicht verlassen?«

»Ich kann mir's auch nicht recht vorstellen.«

»Und Frol Lubitschin – was ist eigentlich aus ihm geworden?«

»Er ist nur abgesetzt. Er ist, glaube ich, in Charkow und zur Zeit ohne Arbeit. Denn wer will schon einen Mann einstellen, der vom NKWD abgesetzt wurde?«

»Der arme Frol Lubitschin . . . ich weiß noch, wie er zu meinem Vater gekommen ist und uns allen Angst gemacht hat!«

»Armer Frol Lubitschin? Ich finde, der ist nicht zu beklagen. Er hatte eben zuviel Ehrgeiz, er wollte eine Rolle spielen, das bringt ein gewisses Risiko mit sich. Aber ich . . . Und das schlimmste bei all dem ist Mischa!«

»Ich habe auch gleich an ihn gedacht, aber nicht gewagt, dich zu fragen . . .?«

»Nun, du kannst dir doch denken, daß Mischa, wenn er von der Sache erfährt, unsere Verlobung auflösen wird – und wenn er nichts erfahren sollte, so ist es meine Pflicht, ihn zu informieren. Das Ergebnis wird natürlich in beiden Fällen das gleiche sein: Ein Fliegerhauptmann kann keinesfalls ein Mädchen heiraten, das als verdächtig gilt. Ich bin sicher, daß er mich liebt, aber seine Karriere wird er mir darum doch nicht opfern.«

»Die Männer sind so seltsam«, sagte Kristiaschka hilflos, »wenn ich ein Mann wäre und dich liebte, so würde ich lieber Bauer und lebte mit dir, als dich zu verlieren, um Flieger bleiben zu können.«

»Man sieht eben, daß du kein Mann bist!« sagte Nina mit einem bitteren Lächeln.

Sie setzten ihren Weg fort. Die Sonne war nun hinter den Häusern versunken und strahlte nur noch die vergoldeten Kreuze an und die Spitzen der Zwiebeldächer. Eine frische Brise erhob sich und wirbelte auf dem weiten Platz einige Staubwolken auf.

»Was hast du vor?« erkundigte sich Kristiaschka. »Wollen wir ins Kino gehen?«

»Um zu sehen, was die Bergwerksarbeiter im Donbass geleistet haben oder Tschapajew . . .?«

»Deine Geschichte, die gäbe einen guten Film: Mischa kommt aus Spanien zurück; seine Brust ist mit Orden geschmückt, er erfährt, daß du verdächtig bist, entführt dich in seinem Flugzeug, und ihr lebt glücklich miteinander in Mallorca . . .«

»Ach, Kristiaschka . . .! Dabei ist Mallorca sogar von den spanischen Faschisten besetzt. Ein wirklicher Film würde zeigen, wie Mischa mich mit eigener Hand tötet und für diese Heldentat einen weiteren Orden bekommt!« Nina lachte wider Willen kurz auf. »Schade, daß es schon so spät ist, ich wäre gerne noch baden gegangen«, sagte sie dann.

»Wo kann man denn hier baden?«

»Es gibt eine Art Strandbad am Dnjepr-Ufer. Wenn du einmal dorthin gehen willst, so kann ich dir ein Badetrikot leihen.«

»Sind dort viele Menschen?«

»Eine Menge junger Leute und außerdem ein paar ganz dicke alte Herrschaften.«

»Da würde ich mich nie hintrauen!«

»Wir nehmen einfach Iwan mit, er schwimmt ausgezeichnet; er ist zwar ein Intellektueller, aber auch ziemlich sportlich. Er hat dich übrigens reizend gefunden...!«

Kristiaschka errötete unter ihren Sommersprossen.

»Ganz reizend sogar, das kannst du mir glauben!«

Nun lächelte Kristiaschka, und wenn sie lächelte, so sah man von ihren Augen fast nichts mehr, so voll waren ihre Wangen; lachte sie richtig, so verschwanden die Augen ganz.

An diesem Abend schlief sie lange nicht ein. Sie wälzte sich auf der Matratze, die man auf den Boden gelegt hatte, hin und her und weinte leise vor sich hin. Erinnerungen aus ihrer ländlichen Kindheit stiegen in ihr auf. Draußen, auf dem Land, konnte ein Mädchen einen Jungen lieben, ohne um diese Liebe nur darum bangen zu müssen, weil es einen Mann namens Trotzki gab. Auf dem Land fürchtete man auch nicht, daß die Polizei ins Haus kommen und alles durchsuchen werde, um Papiere oder Fotografien zu finden, denn es hatte in ihrem ganzen Heimatdorf niemanden gegeben, der Papiere oder Fotografien besaß. Der einzige Gegenstand dieser Art, den sie kannte, war das Porträt des Marschalls Woroschilow in der väterlichen Stube. Dennoch waren die Milizsoldaten gekommen, um Sascha, den Kulaken, zu holen. Lebte man also wirklich auf dem Lande wie in der Stadt in stetem Schrecken? Wenn sie bis zu ihrer Ankunft in der Stadt nicht gewußt hatte, daß der Schrecken überall war, so war der Grund dafür offenbar ihre große Jugend; sie hatte eben noch nicht gewußt, was das Leben war. Dennoch blieb es bestehen, daß es in der Stadt schlimmer war als auf den Dörfern. Allerdings hatte sie erst in der Stadt wirkliche Freundschaft und Freundeshilfe kennengelernt, während sie auf dem Land lediglich unglücklich geliebt hatte – und zwar Akim, diese traurige Figur. Was mochte aus ihm geworden sein – ein Verbrecher? War er vielleicht im Gefängnis? Jedenfalls hatte es ganz so ausgesehen, als würde er auf die schiefe Ebene kommen. Vielleicht aber war er auch zur Polizei gegangen? Kristiaschka sah in Gedanken Akim, den Nichtsnutz, unter den Polizisten, die jene verhängnisvolle Haussuchung bei Larissas zweitem Mann vorgenommen hatten. Alles, was die Großen und Mächtigen taten, war unverständlich und oft auch unerwartet. Akim, auf den sich niemand verlassen konnte, Akim, der Angeber, konnte einen respektablen Polizisten abgeben; ein Radiotechniker mußte ins Straflager, weil er unter einem Mann gearbeitet hatte, der in Wirklichkeit ein Verräter war. Dieser Iwan, der so sauber und höflich aussah – konnte man es wissen, ob er einen nicht früher oder später denunzieren und als verdächtig bezeichnen würde? Jeder war für jeden verdächtig... Nein, es gab doch Ausnahmen! Tante Eudoxia, so heftig sie auch gegen das Fleisch und die jungen Leute wetterte, und Stiva bei all seiner Verrücktheit, seiner Verkommenheit und seiner Spottlust – ihnen beiden konnte man sich anvertrauen, sie würden niemanden an die Behörden verraten. Und Nina würde sich eher selbst denunzieren und irgend etwas erfinden, als jemand anderen ins Unglück stürzen.

Obwohl das Fenster offen war, lag die Luft warm und schwül in dem kleinen Raum. In der hellen Nacht konnte Kristiaschka den dunklen Umriß von Ninas Lockenkopf auf dem Kissen erblicken; sie sah, daß die Freundin unruhig schlief. Zweifellos verfolgten ihre Ängste sie bis in den Traum; sie fürchtete sich vor der Polizei und war verzweifelt, wenn sie daran dachte, daß Mischa sie nun wohl nicht heiraten würde.

An der Wand über dem Bett bildeten die Reproduktionen der Gemälde aus der Eremitage helle Flecken, die Bilder jener in schwarzen Samt gekleideten Amazonen und der Insassinnen des Smolyn-Instituts in ihren seidenen Kleidern; diese Bilder und das Porträt jenes goldbetreßten zaristischen Offiziers würden in den Augen eines NKWD-Mannes zweifellos ebenfalls als Belastungsmaterial gewertet werden. Auch das Bildchen von dem Pferderennen in Paris mit den eleganten und so seltsam gekleideten Menschen konnte man als Beweis dafür nehmen, daß Nina lieber in Paris als in Rußland gelebt hätte; das konnte unter Umständen genügen, ihre Verschickung zu begründen. Man müßte diese Bilder also entfernen.

Nina drehte sich von der einen Seite auf die andere. Kristiaschka überlegte lange, ob sie sich zu ihr legen sollte, um sie zu beruhigen, um ihr etwas Sicherheit zu geben. Aber Nina gegenüber würde sie nicht wagen, von den geheimsten Regungen ihres Herzens zu sprechen.

Nina sprach Kristiaschka nicht wieder von dem, was sie bedrückte, ja, es kam nicht zu der geringsten Anspielung, und Kristiaschka achtete diese Zurückhaltung. Sie fühlte, daß sie ihren Zuspruch Nina nicht aufdrängen durfte, solange diese nicht danach verlangte. Aber sie empfand dabei einen leisen Schmerz, es tat ihr leid, die Schätze ihrer mitfühlenden Seele nicht für Nina heben zu dürfen. Sie wagte nicht einmal die Vermutung zu äußern, daß die Bilder an der Wand von Ninas Kabinettchen unter Umständen verhängnisvoll werden könnten.

Nina blieb bei Tante Eudoxia. War das unvorsichtig? Vielleicht. Aber wer konnte es ihr vorwerfen? Das Leben ging friedlich weiter. Kristiaschka strickte nun nicht mehr; sie hatte begonnen, Blusen zu besticken. Eines Tages kam Iwan, um Nina und Kristiaschka zu einem Badeausflug abzuholen.

»Diesmal kommt er deinetwegen!« sagte Nina leise zu Kristiaschka, die verlegen errötete. Obwohl Nina ihr gut zuredete und offenbar nichts dabei fand, ihren Körper zu zeigen, weigerte Kristiaschka sich standhaft, sich auszuziehen. Sie wartete geduldig, bis Nina und Iwan gebadet und sich wieder angekleidet hatten, dann gingen sie zu dritt in ein Tanzlokal. Nina und Iwan tanzten zu den seltsamen Rhythmen westlicher Musik, und Kristiaschka lehnte immerzu ab, sooft auch einer der anderen jungen Männer sie zum Tanz aufforderte. Alles, was sie hier sah, war so ganz anders als ein Fest auf dem Dorf. Die Musik, das Lachen, die Stimmen und stürmische Lebhaftigkeit dieser jungen Leute betäubten sie beinahe.

Auf dem Heimweg nahmen sie die Straßenbahn. Kristiaschka mußte es den anderen nachtun und sich im Gedränge der Passagiere an die Halteschleifen hängen. Das behagte ihr gar nicht. Auf dem Platz der Oktoberrevolution stiegen sie endlich aus. Das hohe Parteigebäude war fertig und wurde auch schon benützt. Trotz der späten Stunde sah man durch das Portal aus poliertem Marmor immer wieder Menschen kommen und gehen. Iwan erklärte den Mädchen, daß hier Tag und Nacht gearbeitet werde. Kristiaschka sagte, daß man auf dem Land nur in der Erntezeit bis tief in die Nacht hinein arbeite, und sie fragte, wie spät es eigentlich sei. Iwan wies mit dem Finger auf die große Uhr, die ganz oben von dem Parteigebäude leuchtete. Kristiaschka bekannte, daß ihr das nichts helfe, sie kenne das Zifferblatt nicht. Iwan war zunächst verblüfft und wurde dann beinahe ärgerlich – so wußte man also heutzutage auf dem Land nicht mehr als in den Zeiten der Leibeigenschaft!

Nina verteidigte Kristiaschka: Die Bauern brauchten ja keine Uhr, sie seien gewohnt, ihre Arbeiten nach dem Sonnenstand einzuteilen. Aber Iwan hatte bei dieser Gelegenheit mit einer gewissen Verspätung erkannt, daß die reizende Kristiaschka, die weder dumm noch häßlich war, nicht einen Schimmer von Bildung hatte. In seiner Entrüstung ob der zurückgebliebenen Dörfer, in denen man lebte wie unter der Zarenherrschaft, schlug er Kristiaschka vor, ihr abends ein wenig Unterricht zu geben; er habe Ferien und würde es gerne tun. Im nächsten Monat müsse er dann mit einer Studentengruppe auf Ernteeinsatz gehen.

»Sind denn nie Studenten zur Ernte in Ihr Dorf gekommen?« erkundigte sich Iwan.

»Nein«, sagte Kristiaschka, »nie.«

Nun, das sei natürlich sehr schade. Er bedaure zutiefst, daß ihn die Erntearbeit nie in Kristiaschkas Heimatdorf geführt habe, dann hätte er sie nämlich schon früher kennengelernt... Hier hielt Iwan ein; er war im Begriff, ihr ein Kompliment zu machen, und wagte es nicht. Sie wußte seine Zurückhaltung zu schätzen – er war also offenbar anders als diese ungezogenen jungen Leute, diese Draufgänger und Nichtsnutze, wie Akim einer gewesen war.

»Was hättest du denn getan«, erkundigte sich Nina anzüglich, »wenn du sie früher kennengelernt hättest?«

»Das kann ich nicht sagen«, antwortete Iwan verlegen, »aber sie könnte dann vermutlich zumindest lesen und schreiben.«

»Oh, ich kann schreiben«, sagte Kristiaschka, »ich kann meinen Namen schreiben und einige Worte: Sonne, Pferd, Kuh, Fluß.«

»Genug, um ein Gedicht zu schreiben!« sagte Iwan.

Stephan, der schon seit einigen Stunden zu Hause war, schnitt eine unzufriedene Grimasse, als er erfuhr, daß Kristiaschka baden gewesen sei. Aber sein Gesicht hellte sich sogleich auf, als sie ihm erzählte, daß sie sich nicht ausgezogen, sondern nur den anderen zugesehen habe. Und hinterher war sie dann beim Tanz? Er bedeckte sich das Gesicht mit den Händen. Kristiaschka berichtete, daß sie alle Tänzer wieder fortgeschickt habe, und Stephan Alexandrowitsch beglückwünschte sie zu ihrer Haltung; ja, er verstieg sich zu einer langen Rede über die heutige Jugend, die nichts anderes im Kopf habe als frivole und durchaus nicht unschuldige Vergnügungen. Iwan lächelte zu diesen Worten und erklärte, daß er die Geistesverfassung der Jugend von einst aus der Lektüre der klassischen Literatur wohl kenne, daß er aber der Meinung sei, die Moral der Sowjetjugend sei jener der jungen Leute unter dem Zarenregime eindeutig überlegen. Stephan gab zu bedenken, daß es seit dem Bürgerkrieg in Rußland eine erkleckliche Anzahl räuberischer Banden gäbe, die ausschließlich aus Jugendlichen bestünden und nach rein kriminellen Gesichtspunkten organisiert seien. Iwan aber widersprach auch in diesem Fall: Die Existenz solcher Banden sei in Nachkriegszeiten und in einem so ausgedehnten Land ebenso natürlich wie unvermeidlich. Es handle sich um heimatlose Waisen, deren Kindheit nur aus Gewaltakten und Plünderungen bestanden habe, so daß sie zwangsläufig selbst zu jungen Raubtieren geworden waren, die sich in einem Dschungel wähnten. Inzwischen habe sich die Regierung jedoch mit der Umerziehung und Besserung der verwahrlosten Jugend so emsig beschäftigt, daß Auswüchse der geschilderten Art selten geworden seien.

»Ta-ta-ta«, warf Stephan ein, »das sagt man so. Sehen Sie sich nur einmal unsere reizende Kristiaschka an; wissen Sie, was ihr kürzlich passiert ist, vorlauter Jüngling? Nun, dann hören Sie: Wir sitzen im Gorki-Park auf einer Bank; die entzückende Kristiaschka hatte zwei Strickwesten, das Ergebnis der mühevollen Arbeit ihrer reinen Hände, in einem Paket neben sich gelegt. Plötzlich stürmt eine Bande von Halbwüchsigen auf uns zu, reißt das Paket von der Bank und enteilt. Nun werden Sie mir wohl nicht mehr sagen wollen, daß es die Besprizorni heute nicht mehr gibt!«

»Sieh mal an«, sagte Tante Eudoxia, »davon habt ihr mir ja gar nichts erzählt! Wenn ich mich recht erinnere, hat Kristiaschka mir dennoch das Geld für die beiden Strickwesten gebracht, obwohl...«

»Stiva hat es mir gegeben«, erklärte Kristiaschka.

»So war das also!« rief Tante Eudoxia entrüstet. »Du hast dich vor mir gefürchtet... Was hast du denn eigentlich gefürchtet – daß ich dich auffresse? Bin ich denn ein Unmensch? Du scheinst mich ja sehr schlecht zu kennen!«

Kristiaschka sagte sich, daß Tante Eudoxia, wenn man ihr den Verlust des Paketes gestanden hätte, den Vorfall gewiß nicht so milde beurteilt hätte wie in diesem Augenblick, da alles schon so weit zurücklag. Das bewies, daß auch solche Dinge verjährten, zumindest in der privaten Sphäre. Wenn man Funker in einem

Panzerzug gewesen war, der einem Trotzki zur Verfügung stand, hatte die Zeit entweder gar keine oder sogar eine gegenteilige Wirkung. Ja, die Großen und Mächtigen, sie wurden ihr immer unverständlicher!

»Tante Eudoxia ist ein Ausband an Schalkhaftigkeit«, rief Stephan. »Wenn sie sich jetzt so gütig zeigt, so doch offensichtlich nur, weil sie ihre Rubelchen für die Strickwesten ja längst bekommen hat, und das ist das einzige, was sie interessiert!«

»Oh, schweigen Sie, Sie ekelerregende Wanze, Sie müßte man wirklich unter der Ferse zerquetschen!«

»Die ekelerregende Wanze würde darin nur eine besondere Ehre erblicken«, erklärte Stephan, der sich plötzlich der Hand Tante Eudoxias bemächtigt hatte und einen Kuß daraufdrückte, ehe sie dies durch eine brüske Bewegung verhindern konnte. Inzwischen nahm Iwan Nina beiseite und sagte zu ihr:

»Ich habe immer vermutet, daß man irgendwo auf dem Land noch Menschen finden müßte, die im tiefsten neunzehnten Jahrhundert leben. Aber siehe da, derlei gibt es sogar in der Stadt. Dieser Stephan ist doch reine Jahrhundertwende!«

»Er ist eine echte Kuriosität«, stimmte Nina zu, »man müßte ihn in ein Museum stellen.«

»In ein Museum... in ein Museum!« keifte Stephan, der Ninas Antwort gehört hatte. Er setzte seinen Kneifer zurecht und sagte: »Es wäre eine Ehre für mich! Es wäre eine Ehre, versteht ihr?« Die weiteren Worte sang er mit immer stärkerer Stimme: »Eine Ehre! Eine Ehre! Eine Ehre!« Dabei machte er einige Tanzschritte und beendete die intonierte Strophe durch ein glucksendes Hihihi.

»Reinste Jahrhundertwende«, wiederholte Iwan kopfschüttelnd.

»Stephan Alexandrowitsch«, sagte Tante Eudoxia, »ich werde Ihnen die paar Rubel zurückgeben, ich nehme keine Geschenke von Ihnen an!«

»Behalten Sie, behalten Sie sie, teuerste Tante Eudoxia«, sang Stephan. »Stephan Alexandrowitsch hat nicht eine Kopeke, aber er ist reich durch seine Ehre... Ja, reich durch seine Ehre!« Den letzten Ton hielt er hoch und lang aus wie ein Tenor.

»Wie haben Sie sich denn das Geld verschafft?« wollte Tante Eudoxia wissen.

»Das ist mein Geheimnis! Bin ich auch eine ekelerregende Wanze, so habe ich doch meine Geheimnisse! Stephan Alexandrowitsch Shukow hat zwar keine Grundsätze, aber er hat Geheimnisse, taratata, taratata!« Er blies die Backen auf, legte die Hände an den Mund und imitierte eine Trompete.

»Geheimnisse!« sagte Tante Eudoxia verächtlich. »Ich kenne niemanden, der einem weniger Rätsel aufgäbe als Sie armer Narr! Selbst ein Mensch mit nur durchschnittlicher Intelligenz kann in Ihnen lesen wie in einem offenen Buch!«

»Das ist immerhin interessant!« sagte Stephan, der sich in theatralischer Pose, einen Fuß vorgesetzt, die rechte Hand gegen das Herz gepreßt, neben dem Klavier aufgepflanzt hatte und erhobenen Hauptes den Betrachtern sein Profil darbot. »Darf ich wissen«, sagte er mit seiner Falsettstimme, »darf ich also wissen, welches mein Hauptfehler ist – da Sie nun einmal in mein Inneres blicken können?«

»Ihr Hauptfehler, Stephan Alexandrowitsch, ist selbstverständlich Ihr Egoismus, und zwar ein ungeheuerlich übersteigerter Egoismus!«

»Wie bitte?« fragte Stephan so verblüfft, daß er sogar vergaß, die Pose beizubehalten.

»Das wußten Sie nicht?« sagte Tante Eudoxia. »**Dann** ist die Sache erst recht bewiesen, denn gerade die größten Egoisten haben keine Ahnung von ihrer Eigensucht.«

»Und worin, ich bitte Sie, bekundet sich dieser sogenannte Egoismus?«

»Worin? Er ist aus jeder Ihrer Gesten ersichtlich, in jedem Ihrer Worte gegenwärtig. Zum Beispiel: Sie hegen für unsere Kristiaschka eine Leidenschaft, die ich senil nennen möchte, obwohl Sie, genaugenommen, noch kein Greis sind; dabei kennen Sie sie aber überhaupt nicht. Das Zusammensein mit ihr – wonach es Sie so sehr verlangt, benützen Sie zu nichts anderem, als zu einer Entblößung Ihrer häßlichen Seele – wenn man Ihnen überhaupt eine solche zugestehen will. Sie sind ein heuchelnder Satan, der immerzu von sich selber spricht und Kristiaschka nicht ein Wörtchen äußern läßt!«

Stephan reckte sich, wischte sein Augenglas, stützte sich dann auf das Klavier und murmelte gesenkten Kopfes: »Daran ist etwas Wahres. Ich bin tatsächlich ein Schuft... Ich habe ein Herz aus Stein!«

Er warf sich vor Kristiaschka auf die Knie, die verlegen wurde, weil sie es nicht liebte, daß er sich zum Narren machte, die ihm aber zulächelte, weil sie fand, daß er auch in solcher Verfassung noch ihr Mitgefühl verdiene.

»Diese Manie der Selbsterniedrigung ist ebenfalls charakteristisch für die Sonderlinge des vergangenen Jahrhunderts«, sagte Iwan zu Nina.

»Und sie ist typisch russisch – man braucht doch nur an Sinowjew und Kamenew zu denken; in ihrer Art und unter Berücksichtigung der Verschiedenheit der Probleme...«

Iwan warf ihr einen wütenden Blick zu, Nina aber sah ihn mit leichtem Spott an, in den sich vielleicht sogar etwas Verachtung mischte. Sie wußte, daß sie Iwan durch diesen Vergleich erbost hatte, und der junge, fanatisch gläubige Aktivist ärgerte sich um so mehr, als der Vergleich zwischen der Selbsterniedrigungs-Stimmung im neunzehnten Jahrhundert und den leidenschaftlichen Selbstanklagen bei den Schauprozessen nicht von der Hand zu weisen war. Stephan erhob sich wieder und lehnte sich an das Klavier; er hatte eine düstere Miene aufgesetzt. Tante Eudoxia fuhr in ihrer Strafpredigt fort.

»Sie beten Kristiaschka an wie ein Regenwurm einen Stern, aber es ist Ihnen noch nicht aufgefallen, daß das arme Kind so gut wie gar nicht lesen und schreiben kann!«

»Das ist allerdings wahr!« gab Stephan zu und bedeckte abermals das Gesicht mit den Händen, um ein Schluchzen zu ersticken.

»Sie kennt nicht einmal die Uhr, sie kann nicht die Zeit von einem Zifferblatt ablesen«, sagte Iwan, »und ich habe ihr eben vorgeschlagen, sie abends ein wenig zu unterrichten.«

»Was muß ich hören?« rief Stephan entrüstet und maß den jungen Mann von oben bis unten. »Sie machen sich anheischig, der Lehrer dieses Mädchens zu werden, da sie doch mich hat, Stephan Alexandrowitsch, der ich Dramaturg bin und in gewissen Stunden sogar Dichter und des Deutschen wie des Französischen kundig!«

»Da ich Englisch kann«, sagte Iwan trocken, »wird es uns nicht schwerfallen, in gemeinsamer Arbeit aus Kristiaschka eine Dolmetscherin ohnegleichen zu machen!«

Es klopfte an die Tür. Nina ging öffnen. Tante Eudoxia lauschte einen Augenblick und sagte dann:

»Das ist eine Kundin, los Stephan, klettern Sie in Ihre Bodenkammer, und ihr anderen macht auch, daß ihr weiterkommt. Bringt ihr von mir aus Deutsch, Französisch und Englisch bei, aber vergeßt nicht, sie auch Russisch zu lehren. So, und jetzt 'raus, aber schnell!«

Kristiaschka, Nina, Stephan und Iwan kletterten zum Dachboden hinauf, wo Iwan sogleich begann, dem Mädchen die Uhr zu erklären. Da keiner von ihnen eine Uhr hatte, zeichnete er ein Zifferblatt auf ein Stück Papier und legte zwei Zündhölzer als Zeiger darauf. Kristiaschka begriff schnell und konnte bald richtig auf die Fragen antworten, die Iwan ihr mit Hilfe der Zündhölzchen stellte. Dann schickte Nina, um etwas zu essen zu holen, zu der entgegenkommenden Hausfrau, die den ganzen Tag über in dem langen Gang am Herd stand und kochte, und verzehrte das Mahl in bester Laune in Stephans Bude, die mit Dachpappe abgedichtet und mit dem Bild Mazzeppas und der Gipsbüste Katharinas II. geschmückt war. Stephan allerdings machte sich noch immer Selbstvorwürfe, weil er sich nie darum bemüht hatte zu erfahren, wer seine Madonna denn wirklich sei – was man in einem gewissen Maß begreifen konnte, denn eine Madonna lebt ja im Absoluten, in der Seligkeit, und hat gar keine Geschichte. Er machte sich Vorwürfe, weil er nie daran gedacht hatte, Kristiaschka nach ihrem bisherigen Leben zu fragen, und darum überhäufte er sie nun mit Fragen, beklagte die armen Bauern, die als Kolchosenarbeiter ebenso unglücklich waren wie ihre Vorfahren in der Leibeigenschaft, und beklagte auch ihre Kinder, die wie Haustiere dahinlebten. Um das Phänomen zu erklären, daß Ochsen und Pferde auch einem kleinen Bauernmädchen gehorchten, erzählte er, daß diese Tiere alles größer sähen als der Mensch, so daß ein kleines Mädchen in ihren Augen eine durchaus achtunggebietende Erscheinung wird. Kristiaschka hatte von dieser Besonderheit der tierischen Augen nie gehört, überlegte eine Weile und sagte dann:

»Aber Stiva! Wenn die Ochsen und die Pferde mich tatsächlich größer sehen würden, als ich bin, dann müßte doch auch alles andere um mich herum, die Bäume, die Blumen, die Käfer ebenfalls größer für sie aussehen. Ein Apfel wäre für sie so groß wie ein Kürbis, und ein Pferd wäre dann in den Augen eines anderen Pferdes so groß wie ein Elefant... Ja, wenn der Ochse zu Boden sieht, so würden ihm seine eigenen Hufe riesig groß erscheinen... Verstehen Sie, was ich sagen will, Stiva?«

Nun war es an Stephan, nachzudenken. Er als Artillerist von 1916, der einmal für tot auf dem Schlachtfeld liegengeblieben war, er hatte immer angenommen, daß er in den Augen seiner Pferde so groß sei wie der Koloß von Rhodos. Woher war dieser Gedanke ihm nur gekommen? Er wußte es nicht mehr. Aber Kristiaschkas Einwand hatte Hand und Fuß, das ließ sich nicht leugnen.

»Kristiaschka hat recht«, entschied Iwan, »diese Geschichte vom

Größersehen des Tierauges gehört zu den Irrtümern einer überholten pseudowissenschaftlichen Weltanschauung.«

»Das ist doch klar, daß Kristiaschka recht hat!« rief nun auch Nina, und Stephan schwieg betreten.

»Ich glaube, Sie werden darauf verzichten müssen, ihr Physikunterricht zu geben«, sagte Iwan, »denn mit ihrem einfachen, aber gesunden Menschenverstand würde sie alle Ihre Lehren glattweg widerlegen.«

»Nun, dann werde ich sie eben Deutsch lehren!« antwortete Stephan Alexandrowitsch gutgelaunt, »kennen Sie Goethe, Iwan Iwanowitsch?«

»Iwan Porphyrowitsch, bitte!« berichtigte Iwan.

»Iwan Porphyrowitsch ... kennen Sie die Geschichte von der Suppe mit den Kieselsteinen bei Goethe?«

»Ich weiß nur, daß die Deutschen besondere Künstler sind, wenn es um Ersatzmittel geht... Die Suppe aber kenne ich nicht. Und Sie, Stephan Alexandrowitsch, kennen Sie das Zauberbuch des Mathias Sandorf bei Jules Verne...?«

»Jules Verne kenne ich nicht!« sagte Stephan hoheitsvoll. »Man hat mir versichert, das sei ein Jugendschriftsteller.«

»Er ist einer der größten Schriftsteller Frankreichs!« ereiferte sich Iwan.

Nina hielt es für geboten, einzuschreiten.

»Glaubt ihr wirklich, daß Goethes Kieselsteinsuppe und dieses Zauberbuch, von dem Iwan gesprochen hat – glaubt ihr, daß dies die Dinge sind, mit denen man Kristiaschkas Unterricht beginnen muß?«

Man einigte sich schnell: Damit konnte man nicht anfangen. Alle lachten und unterhielten sich großartig.

»Wissen Sie auch«, sagte Stephan, »daß ich zunächst ein wenig eifersüchtig auf Sie war, Iwan?«

»Warum sprechen Sie in der Vergangenheit?« erkundigte sich Iwan anzüglich.

»Weil ich inzwischen die Eifersucht aus meinem Herzen gerissen habe. Tante Eudoxias Worte über meinen einzigartigen Egoismus haben in mir so etwas wie eine geistige Revolution hervorgerufen, eine geistige und seelische Umkehr. Ich wußte, daß ich tief gesunken war, aber ich rühmte mich noch meiner Verworfenheit und war stolz auf sie, während ich doch im Grunde ein durchaus mittelmäßiger Mensch und eher unterdurchschnittlicher Charakter bin. Von heute an, glauben Sie, Iwan Porphyrowitsch, bin ich ein anderer Mensch!«

»Sie sind unheilbar«, sagte Iwan, »und auf eine schreckliche Art von gestern.«

»Da muß ich Ihnen eine Geschichte erzählen«, sagte Stephan, »die Geschichte eines Schauspielers namens Michael. Sein Vatername ist mir entfallen. Man bewunderte die Originalität seiner Hüte so sehr, daß die Stutzer von Petersburg sie immer wieder kopierten. Eines Tages fragte ihn jemand, woher ihm denn die Einfälle zu so originellen Kopfbedeckungen kämen. ›Ich erfinde sie ja gar nicht‹, sagte der Schauspieler, ›ich hebe sie mir bloß auf. Es sind Hüte nach einer längst vergangenen Mode, an die sich nur heute niemand mehr erinnert.‹ Und so, Iwan Porphyrowitsch, ist es auch mit mir: Im Augenblick sieht es in Ihren Augen so aus, als sei ich völlig aus der Mode gekommen. Aber warten Sie nur, ich bin die Moderne von morgen, hihihi!«

Abermals lachten alle herzhaft. Man konnte nicht leugnen, daß Stephan Alexandrowitsch Geist hatte. Er war ein Komödiant wie der Mann mit den alten Hüten, ein Komödiant, der auf sein eigenes Theater immer wieder hereinfiel und der seinen Stil und sein Repertoire seinem jeweiligen Publikum anzupassen wußte. Vor den Unbekannten in einem Eisenbahnabteil konnte er sich verabscheuungswürdig und hochfahrend zeigen, aber er konnte sich auch so drollig gebärden, daß selbst ein junger Mann wie Iwan ihm seine Sympathie nicht versagen konnte. Es schien, daß Iwan anfangs recht schlecht von Stephan Alexandrowitsch gedacht hatte; er hielt ja auch nichts von diesen Gespenstern aus einer vergangenen Epoche. Aber es war zu erkennen, daß er seine Meinung änderte, und das freute Kristiaschka, die es gerne sah, daß ihre Freunde sich auch untereinander vertrugen. Zugleich aber empfand sie einen ersten Schimmer jener Enttäuschung, die alle Frauen überkommt, wenn sie erkennen, daß die Männer in einem Männergespräch Dinge sagen, von denen sie den Frauen gegenüber nie gesprochen hätten. Wären nicht zwei Männer aufeinandergetroffen, dann wäre auch nie von Kieselsteinsuppe oder von Mathias Sandorfs Zauberbuch die Rede gewesen, auch wenn sie Stephan ein stundenlanges Tête-a-tête gewährt hätte. Dabei hätte sie die Geschichte dieser seltsamen Suppe brennend gerne kennengelernt, es mußte sich dabei ja um eine Art Fabel handeln, von der Kristiaschka sicher war, daß sie sie verstanden hätte. Man mußte annehmen, daß die Männer, auch wenn sie noch so verliebt waren, sich um den Verstand der Mädchen wenig kümmerten und wohl nicht allzuviel von ihm hielten. Woher kam ihnen nur diese Einstellung, wo sie doch selbst dumm genug waren zu glauben, daß Ochsen und Pferde die Dinge größer sähen, als sie in Wirklichkeit sind!

Stephan hatte gelogen oder sich doch selbst etwas eingeredet, als er behauptet hatte, er habe die Eifersucht aus seinem Herzen verbannt. Was immer er tat, um es zu verbergen, man sah, daß die zwischen Iwan und Kristiaschka aufkeimende Freundschaft ihn immerzu beschäftigte. Man kann die Eifersucht nicht fortschicken wie einen lästigen Bedienten ... Tagtäglich hastete Stephan, kaum daß sein Büro geschlossen hatte, nach Hause, denn er wurde wahnsinnig bei dem Gedanken, daß Iwan, der Hochschulferien hatte, den ganzen Tag über Zeit hatte, dem erwachenden Verstand der lieblichen Kristiaschka die entsprechende Bildung beizubringen. Sie machte übrigens erstaunliche Fortschritte, deren Schnelligkeit Stephan zugleich begeisterte und bekümmerte, denn sie bezeugten einerseits die außerordentliche Bildungsbereitschaft der Schülerin, andererseits aber auch die pädagogischen Fähigkeiten des jungen Lehrers. Kristiaschka, das bescheidene Steppenblümchen, blühte auf unter dem milden Regen dieser neuen Kenntnisse ... Das hätte das Thema zu einem Gedicht abgeben können, zu einem Gedicht, das Stephan sich zu schreiben vornahm; aber die Inspiration floh ihm, er zerriß einen Entwurf nach dem anderen, ohne etwas zustande zu bringen. Er wußte auch, warum das so war: Alle Wege seines Geistes waren versperrt durch den Zorn, den Zorn darüber, daß er diese Chance nicht wahrgenommen hatte, solange Kristiaschka noch gar nichts von Iwan wußte. Er hatte Gelegenheit gehabt, diese liebliche Blume mit dem Tau der Bildung zu benetzen, und hatte es versäumt, er hatte Kristiaschka falsch eingeschätzt. Er hatte von vornherein angenommen, daß ein Steppenblümchen in seiner Unschuld und Lieblichkeit solcher Kenntnisse gar nicht bedürfe, ja, daß das Wissen einem solchen Gewächs gar nicht förderlich sei. Es stimmte, er hatte sich aus diesen Gründen nie für Kristiaschkas Intelligenz interessiert, was soviel heißt wie: Er hatte angenommen, es sei gar keine nennenswerte Intelligenz bei ihr vorhanden. Nun aber zeigte sich, daß sie durchaus intelligent zu nennen war; sie war natürlich keine Intellektuelle und würde nie eine werden, aber sie hatte eine natürliche Aufgeschlossenheit und Aufnahmebereitschaft, wie man sie bei einer einfachen Bauerntochter kaum je vermutet hätte. Stephan hatte immer geglaubt, sie sei ein Landmädchen wie alle anderen, mit einem goldenen Herzen und liebenswürdigem Charakter, zugleich aber simpel und oberflächlich und Höherem nicht zugänglich. Wie sehr hatte er sie verkannt! So irrte man sich also selbst in dem Menschen, für den man gern das eigene Leben hingeben würde! Er war von seinem eigenen Standesvorurteil geblendet gewesen und hatte sie angebetet, wie man ein schönes Tier verehrt und liebt, aber eben ein Tier. Er hatte sich an ihrem Menschengeist versündigt. Er hatte sich an seiner Liebe versündigt. Er sah sich als den unglücklichsten Menschen und litt unter der Unfähigkeit, diese doppelte Schuld von seiner Seele zu wälzen.

Es kam vor, daß Stephan nach Hause kam und nur Tante Eudoxia vorfand. Kristiaschka und Iwan gingen hin und wieder in das eine oder andere Museum – ohne ihn. Dann warf er sich auf seine Strohschütte und weinte, die Tränen benetzten seinen Kneifer und benahmen ihm die Sicht. Schließlich tröstete er sich mit einem Gläschen Wodka aus der Flasche, die er zwischen Dach und Dachpappe verborgen hielt.

Kristiaschka zeigte besondere Neigung für Literatur und für Geschichte. Beide Gebiete brachte Iwan ihr auf die angenehmste Art nahe, indem er ihr von seinem eigenen Entwicklungsgang und den Abenteuern seines Geistes auf dem Weg von der Pubertätsromantik bis zum Realismus des Mannes erzählte, den die Erfahrung schließlich dahin brachte, die Welt so zu sehen, wie sie ist. Er erzählte ihr, wie er die geschichtlichen Studien begonnen habe: nicht etwa bei der Urgeschichte und den Anfängen der Menschheit, sondern, im Gegenteil, mit der Geschichte der jüngsten Vergangenheit. Er war zuerst vor allem für die Länderkunde begeistert gewesen, denn ein alter Lehrer hatte mit beinahe poetischer Kraft die Südsee und Afrika, aber auch zum Beispiel Pompeji vor seinen Augen erstehen lassen, und Iwan hatte von diesen Ländern und Städten geträumt wie so viele Russen, die nicht die Möglichkeit haben, ihr rauhes Land zu verlassen. Dann aber hatte der Geschichtslehrer Einfluß gewonnen, ein Freiwilliger von 1918, der es verstanden hatte, Iwan für die Taten eines Budjenny und Lenin, eines Bucharin und Tschapajew zu begeistern.

Kristiaschka fragte, welchen Anteil denn eigentlich dieser Trotzki an der großen Revolution gehabt habe, und Iwan antwortete: Gar keinen. Den Namen Trotzki spreche man am besten gar nicht aus. Dann wollte Kristiaschka etwas über den Marschall Tuchatschewski wissen, dessen Namen sie mit ihrem unfehlbaren Gedächtnis behalten hatte, seit Tante Eudoxia und Stephan ihn einmal erwähnt hatten. Iwan antwortete, daß dieser

Marschall ein Verräter sei, ein Konterrevolutionär und Agent des angelsächsischen Imperialismus, aber Kristiaschka ließ nicht locker und begehrte zu wissen, wie die Sache mit den Matrosen von Kronstadt gewesen war. Iwan lächelte, sah sich um, ob ihnen auch niemand zuhöre, und erklärte dann, daß die Matrosen von Kronstadt ursprünglich echte und rechte Revolutionäre gewesen seien; in der weiteren Folge jedoch hatten sie sich als Feinde der Revolution erwiesen. Das Leben des Marschalls Tuchatschewski sei im großen und ganzen ähnlich verlaufen, nur könne man von ihm nicht sagen, daß er irgendwann wirklich aufrichtig der Sache der Revolution diente; er habe vielmehr vom Augenblick seines Übertritts zu der neuen Regierung an ganz im Sinne seines persönlichen Erbes als zaristischer Offizier darauf hingearbeitet, durch einen Staatsstreich nach dem Muster Bonapartes selbst an die Macht zu kommen. Das machte nun wieder einige Aufklärungen über Person und Geschichte Napoleons notwendig. Einige Geschichten, wie die Dekoration des Soldaten Lazareff (von dem Stephan abzustammen behauptete) durch den kleinen Kaiser mit den glatt anliegenden schwarzen Haaren, waren ja in ganz Rußland so verbreitet, daß auch Kristiaschka sie schon gehört hatte, ebenso wie die Berichte besonderer Grausamkeit aus dem Winterfeldzug der Großen Armee in Rußland im Jahre 1812. Iwan sprach dann über die weitere Entwicklung im neunzehnten Jahrhundert, über den Dekabristen-Aufstand und warf einen Blick zurück auf Pugatschoff, jenen Kronprätendenten, den Iwan der Schreckliche gezwungen hatte, seine eigenen Vettern zu hängen und zu pfählen. Kristiaschka fand, daß Iwan der Schreckliche sich nicht besser aufgeführt habe als die Soldaten Napoleons, aber Iwan hielt dem entgegen, daß Grausamkeit die Größe nicht ausschließe und daß ein Herrscher, der die Macht und den Ruhm seines Landes im Auge habe, das Blutvergießen nicht immer vermeiden könne; ebenso könne auch ein moderner Staat, ja sogar ein sozialistischer Staat genötigt sein, das Leben eines Teils seiner Bürger zu opfern. Kristiaschka dachte an Sascha, den Kulaken, und an Frol Lubitschin, die einer wie der andere solchen Grundsätzen zum Opfer gefallen waren ... Hätte man Frol Lubitschin nicht nur abgesetzt, sondern richtiggehend verurteilt, so hätte er vielleicht in einem der Polarlager mit Sascha Wolodjewitsch zusammentreffen können.

So stellte Kristiaschka mit einiger Überraschung fest, daß es in der Geschichte so manches Unwürdige und Widersinnige gab; sie verlor den Geschmack an der Geschichte, weil man in ihr kaum je auch nur Spuren jener Gefühle fand, die sie vor allen anderen schätzte, nämlich des Mitleids und der Milde. Sie bat Iwan, ihr lieber von Literatur zu sprechen, in der ja auch viel vom Tod die Rede war, aber in der doch hin und wieder edlere Gefühlsregungen den Ausschlag gaben. Iwan hatte im Laufe seines letzten Semesters eine linguistische Übung über Stevensons Novelle »Die Schatzinsel« besucht. Er brachte das Buch nun mit zu Tante Eudoxia und las laut daraus vor, wobei er neben der Übersetzung auch die nötigen Erklärungen gab. Auf diese Weise lernte Kristiaschka ein paar Worte Englisch.

Stephan Alexandrowitsch gab bei dieser Gelegenheit zu bedenken, wie häufig das Thema der Insel in der englischen Literatur sei. Defoes »Robinson Crusoe« rücke sie geradezu in den Mittelpunkt, was wohl damit zusammenhänge, daß England selbst eine Insel sei; aus diesem Zusammentreffen erhelle das Vorwalten des wirtschaftlichen Denkens im neunzehnten Jahrhundert. Durch diese und andere Bemerkungen ließ Stephan bei aller Absonderlichkeit erkennen, wie stark seine Phantasie und wie anregend seine seltsamen Gedankengänge sein konnten. Kristiaschka fragte sich, wie es denn komme, daß ein und derselbe Mensch sich in seinen Beziehungen zu verschiedenen Personen so verschiedenartig geben könne; das war etwas, was sie immer von neuem in Staunen versetzte, denn sie bildete sich ein, gegenüber jedermann die gleiche zu sein. Zweifellos brachte Iwan ihr eine große Menge von Kenntnissen bei und sagte ihr Dinge, von denen sie bis dahin nichts geahnt hatte; jedoch auch das vermochte sie nicht zu verändern, es gesellte sich lediglich zu jenem stetigen und unveränderlichen Wesensgrund ihrer Persönlichkeit, dessen Hauptmerkmale die Empfindsamkeit, die Duldsamkeit und das Mitleiden waren.

Iwan erzählte ihr die Träume seiner Jugend und wie er es bedauert habe, daß er zu jung gewesen sei, um unter Budjenny, Woroschilow oder Tschapajew zu kämpfen; wie sehr hatte er seinen Geschichtslehrer beneidet, der bei einem Gefecht mit den weißen Kosaken verwundet worden war und das tschechische Expeditionskorps bis Wladiwostok verfolgt hatte.

Iwan hatte lange Zeit das Gefühl gehabt, einer Generation anzugehören, die zu durchaus mittelmäßigen Schicksalen verdammt sei und auf die nichts anderes warte als der düstere Kreis undankbarer Aufgaben im Frieden. Er gestand ihr auch, daß er zwischen seinem zwölften und dreizehnten Lebensjahr durch eine mystische Krise hindurchgegangen sei. Er war ihr nur entronnen, um gleich darauf in ein anderes Extrem zu verfallen, in den äußersten Nihilismus; er hatte damals mit einer Reihe gleichgesinnter Kameraden einen Nihilistenklub gegründet, und sie hatten sich nicht gescheut, sogar das sogenannte russische Roulett zu spielen. Er erklärte Kristiaschka auch, worin dieses Spiel bestand: Man gab in eines der sechs Löcher einer Revolvertrommel eine Patrone, ließ die Trommel dann am Ärmel so lange rotieren, bis niemand mehr sagen konnte, wo die Patrone saß, und drückte die Waffe dann an der eigenen Schläfe ab; wollte es der Zufall, daß die einzige Kugel vor den Schlagbolzen zu liegen kam, dann krachte der Schuß, und der Schädel war durchlöchert. Dreimal war die Reihe dieses Experiments an ihn gekommen, und dreimal hatte er vor den versammelten Kameraden das schwache »klick« gehört, mit dem der Bolzen auf eine leere Kammer schlug. Einer seiner Freunde von damals hatte jedoch nicht soviel Glück gehabt und hatte sich bei dieser Gelegenheit selbst das Leben genommen.

»Ach, wie dumm ist doch die Jugend!« sagte Iwan nachdenklich. Erst die Begegnung mit seinem Geschichtsprofessor hatte etwas Licht in sein Leben gebracht. Er hatte begriffen, daß die glorreichen Errungenschaften der Generation seiner Väter, dieser Generation, um die der Pulverrauch und der Klang der Fanfaren wie eine Aureole des Ruhmes lagen, auch seine Generation verpflichteten. Er hatte die Irrwege der Arbeiterbewegungen in Deutschland, Frankreich, England und Amerika kennengelernt; er hatte empfunden, daß überall in der Welt die Revolution schwelte und daß die Erschütterungen vom Oktober 1917 noch nicht völlig verklungen seien. Und seither träumten er und seine von ihrem Nihilismus geheilten Kameraden von der herannahenden Stunde der Weltrevolution, an der nun auch ihre Generation aktiv Anteil nehmen würde, so lange, bis die Weltunion der sozialistischen Republiken mit Moskau als Hauptstadt Wirklichkeit sein würde.

Kristiaschka lauschte diesen begeisterten Reden und sagte sich, daß in der Zeit, da die Studenten ihr russisches Roulett gespielt hatten und auf die Weltrevolution hofften, sie und ihre Familien auf dem Land von der Arbeit geradezu erdrückt worden waren; sie hatten sich in Regen und Hagelschauern, bedroht von der Trockenheit und von Männern wie Frol Lubitschin, bemüht, ihr Geflügel und ihr Vieh vor der Kollektivierung zu retten, denn die Bauern wußten sehr genau, was sie taten, wenngleich sie nie Muße genug hatten, sich so weit zu bilden, daß sie an das Proletariat anderer Länder und an die Weltrevolution denken konnten. Sie sagte sich auch, daß die Bauern soviel Arbeit hatten, daß sie sich um das Los der Proletarier in Frankreich, England und Amerika nicht kümmern konnten. Sie waren vollauf damit beschäftigt, an den nächsten Tag zu denken, denn eine einzige verspätete Frostnacht konnte die ganze Ernte vernichten; wie sollten sie also an Zeiträume von zehn und zwanzig Jahren und an das Herannahen der Weltrevolution denken? Wie immer das alles auch war, selbst ein Frol Lubitschin war machtlos gewesen gegen den Frost und hatte ihnen nicht drei Ernten anstelle von einer ermöglicht. Und so würde wohl auch ein Bauer nie genauso denken können wie ein Arbeiter und noch weniger so wie ein Student.

Iwan hatte stets eine Gruppe seiner Kameraden angeführt. Schon im ersten Schuljahr war er zum Verwalter des Schreibmaterials gewählt worden; das war eine verantwortungsvolle Position, denn Hefte, Bleistifte und Radiergummi gab es im freien Handel ja nicht zu kaufen, so daß sie einen beträchtlichen Anreiz für die Diebe bildeten. Eines Tages waren sämtliche Tintenfässer verschwunden. Einer seiner Kameraden, ein schlechter Schüler, wurde von allen Seiten verdächtigt, ohne daß sich jedoch seine Schuld nachweisen ließ. So mußte also Iwan auf eigene Kosten Tintenfässer beschaffen; er fand sie, wenn auch in sehr verschiedener Art und Größe, auf dem Altwarenmarkt. Einige Monate darauf erkrankte einer seiner Kameraden schwer und wünschte flehentlich, Iwan an seinem Krankenbett zu sehen; er gestand ihm, daß er der Dieb gewesen war, ersetzte ihm seine Auslagen und starb. Iwan hatte niemandem die Wahrheit über diese Geschichte erzählt; mit dem Geld, das der Sterbende ihm gegeben hatte, hatte er einen schönen Kranz gekauft und diesen dann auf das Grab gelegt. O ja, ein Student konnte sich den Luxus des Verzeihens und der Seelengröße sehr wohl gestatten; wenn hingegen auf dem Land das Sattelzeug eines Pferdes aus dem Stall verschwand, so schlug man den Verdächtigen so lange, bis er gestand, oder man stahl sich einfach den Ersatz beim Nachbarn. Man verwirrte sich den Sinn gar nicht erst mit so komplizierten Gefühlen...

Iwan war auch der Delegierte der Klasse in der Redaktion der Wand-Zeitung. Auch das bedeutete zugleich Ehre und Verantwortung. Auf dem Land hingegen, wo man weder schreiben noch lesen konnte, war man völlig sicher vor dieser Verantwortung und gelangte auch nie in den Genuß solcher Ehren. Im übrigen ließ sich eine Wand-Zeitung, die sich mit der Feldarbeit beschäftigte, nur schwerlich denken.

Iwan war, wie er sagte, als Pionier wiederholt auf Ernteeinsatz gegangen, aber solch eine Gelegenheitsarbeit war im Grunde ja nicht viel anderes als ein Spiel. Iwan würde wohl nie wissen, was es bedeutete, an Erntetagen bis zu zwanzig Stunden zu arbeiten; er würde nie wissen, was es bedeutete, nach der Ernte das Feld zu pflügen, nach dem Pflügen zu eggen und nach dem Eggen zu säen; er wußte nicht, wie es war, dreihundertfünfundsechzig Mal im Jahr im Morgengrauen aufzustehen, um das Vieh zu tränken. Für die Pioniere war der Ernteeinsatz eine Art Sport gewesen; die wirkliche Bauernarbeit aber hat mit Sport nicht das geringste zu tun.

Am Abend versammelten sich die Pioniere um ihre Lagerfeuer zu Gesellschaftsspielen, Kraftstückchen und allerlei anderem Unfug. Hätten sie wie die Bauern den ganzen Tag über geschuftet, so wäre ihnen abends nicht nach solchen Kraftproben zumute gewesen. Nach dem Ernteeinsatz gingen sie dann in die Ferien, irgendwohin ans Schwarze Meer; dort badeten sie, und nach den Bädern hörten sie Vorträge über Liebknecht und Rosa Luxemburg, über Sacco und Vanzetti und über Tschiangkaischek, den Sieger von Schanghai. Das Leben der Studenten und der Pioniere war paradiesisch zu nennen im Vergleich zum Los einer jungen Bäuerin. Iwan war ein Privilegierter des sozialistischen Systems; die Revolution hatte also doch nicht alle Vorrechte abgeschafft, sondern nur die alten durch neue ersetzt. Es mochte sein, daß die Gerechtigkeit bei diesem Wandel gewonnen hatte, aber eine absolute Gerechtigkeit würde es wohl nie und nirgends in dieser Welt geben.

Kristiaschka sagte Iwan nichts von diesen Überlegungen, die übrigens in ihr keinerlei Bitterkeit auslösten. War auch das Los des Bauern besonders hart, so dachte sie doch immer wieder mit ausgesprochener Sehnsucht an das ländliche Leben. Sie legte großen Wert auf die Gespräche mit Iwan, in denen sich ihr die ganze Welt entschleierte. Sie sehnte sich nun nicht mehr nach jenem dumpfen Leben eines besseren Haustiers, das sie in der liebeleeren Kleinwelt des Dorfes geführt hatte; dennoch war ihr bisweilen, als müsse sie in der Stadt ersticken, und ihr Körper litt darunter, daß er seine Kräfte nun nicht mehr verwerten konnte.

Eines Tages, als sie mit Iwan baden war, hatten die Burschen versucht, einige Zementblöcke zu heben, die für den Bau eines Sprungturmes am Flußufer bereitgelegt waren. Iwan sagte zu ihr:

»Du bist doch kräftig, du solltest es einmal versuchen!« Kristiaschka weigerte sich, aber als einer der Krakeeler, der Iwans Worte gehört hatte, sich darob über sie lustig machte, wurde sie wütend, faßte einen Zementblock mit beiden Händen und stemmte ihn in einem Schwung über ihren Kopf. Nun applaudierten all die jungen Männer, die in ihren Badetrikots herumstanden und zugesehen hatten; sie alle hatten noch nie ein so kräftiges Mädchen gesehen. Jeder wollte nun feststellen, wie stark Kristiaschka eigentlich sei; man suchte nach größeren Blöcken, man wetteiferte im Weitwurf von Pflastersteinen, und was immer man tat, Kristiaschka triumphierte über alle Burschen. Einer der jungen Männer, der Mitglied eines Athletikklubs war, schlug ihr vor, Mitglied zu werden, aber sie lehnte ab. Iwan sagte ihr, daß sie seiner Meinung nach unrecht habe, und sie erinnerte sich an Akim, der auf dem Kolchosenball jenem Parteibonzen versichert hatte, daß Kristiaschka, wenn man sie richtig trainiere, bis zu den Olympischen Spielen des Jahres 1940 eine beachtliche Verstärkung des russischen Teams sein würde, ob man sie nun im Kugelstoßen oder im Diskuswurf ausbilde. All das waren jedoch Eitelkeiten, denen sich ihre bescheidene Natur widersetzte.

Als sie am Abend Stephan alles erzählte, stieß dieser entsetzte Schreie aus: seine Madonna als Diskuswerferin! Das wilde Steppenveilchen als Rivalin des Herkules – das war ja geradezu lästerlich. Dennoch fand sich Kristiaschka in der nächsten Woche bereit, mit Iwan in jenen Athletikklub zu gehen; er hatte ihr nämlich auseinandergesetzt, daß man jede Fähigkeit entwickeln müsse, die dazu angetan sei, den Ruhm der Sowjetunion unter den anderen Staaten zu vergrößern. Stephan hatte natürlich gejammert, daß es ein Skandal sei, wenn sich seine Madonna im Leibchen und in kurzer Hose in einem Stadion zur Schau stelle, aber der Erfolg gab Iwan recht: Fast ohne spezielles Training errang Kristiaschka bei den Wettkämpfen der Provinz den Lorbeer im Diskuswurf und im Kugelstoßen, ihr Name erschien in der Zeitung, und ihr Trainer schwor, daß sie in weniger als einem Jahr Unionsmeisterin sein würde. Er versprach ihr große Auslandsreisen und im Jahr 1940, bei den Olympischen Spielen, den Sieg über die Amerikanerinnen, Tschechinnen und Polinnen. Sie, Kristiaschka Tupitsyna, werde der Anlaß dafür sein, daß am Flaggenmast im Olympischen Stadion die rote Fahne der UdSSR hochgezogen werde.

Kristiaschka wurde durch das alles zutiefst eingeschüchtert und dachte nur immerzu, daß das Gerede von ihren Erfolgen zweifellos bis in ihr Dorf dringen würde, so daß wohl damit zu rechnen war, daß eines Tages Vater Agafon mit der Peitsche in der Stadt auftauchte. Tante Eudoxia fand es verabscheuungswürdig, daß ein Mädchen den Zuschauern eines Wettkampfes seine Schenkel zeige, und Stephan mischte sich scheu unter die Sportbegeisterten, wobei der Anblick seiner Kristiaschka im Trikot und kurzen Hosen ihn Tränen vergießen ließ, während der allgemeine Beifall für ihre Siege trotz allem sein Herz mit Stolz erfüllte.

Iwan, der sich von Kristiaschka nicht trennen wollte, erreichte auf dem Umweg über seinen Vater, der ein hoher Beamter in der Textilwirtschaft war, daß man ihn vom Ernteeinsatz der Pioniere befreite. Kristiaschka fragte ihn, wie es denn komme, daß er nicht, wie vorgesehen, auf das Land hinausfahre. Er sagte, er habe zu arbeiten und müsse sich auf Prüfungen vorbereiten und nehme darum an dem Ernteeinsatz nicht teil.

Eines Tages, als sie zu zweit auf die Tramway warteten, erkannten einige junge Leute die erfolgreiche Sportlerin und bereiteten ihr auf der Straße eine improvisierte Ovation. Eine kleine Menschenmenge sammelte sich an, und Kristiaschka, die von all dem immer verlegener wurde, entzog sich diesem Beweis der allgemeinen Sympathie durch wilde Flucht. Als man Stephan, der eben seine Zeitung las, diesen Vorfall erzählte, blickte er nur kurz auf und erklärte, daß Kristiaschka nun eben ernten werde, was andere für sie gesät hatten.

Diese Spitze nahm Iwan sehr übel auf. Er sagte, daß die Fossilien von der Jahrhundertwende eine Errungenschaft unserer Zeit wie den Sport überhaupt nicht gerecht beurteilen könnten, worauf Stephan wieder erklärte, daß diese körperlichen Übungen doch nichts anderes seien als eine Vorbereitung auf den Kriegsdienst; eines Tages werde Kristiaschka nicht mehr die Kugel und den Diskus schleudern, sondern Handgranaten; er, Stephan, kenne den Krieg und halte ihn für das schlimmste aller Übel, dem man sogar die Unterdrückung, die Ausbeutung und selbst die Leibeigenschaft vorziehen müsse; und das Widerlichste, was es auf der Welt gebe, sei eine Frau in Uniform!

»Aber Stephan«, sagte Iwan, »wie kommen Sie darauf, daß Kristiaschka eines Tages in den Krieg ziehen müßte? Es wird gar keinen Krieg geben, denn die Union der Sowjetrepubliken hegt gegen keine andere Nation der Welt Angriffsabsichten!«

»Was Sie nicht sagen«, äffte Stephan ihn nach, »es wird keinen Krieg geben! Die jungen Leute sind doch unbezahlbar! So wissen Sie also gar nicht, Sie hirnloses Küken, daß der zweite

Weltkrieg schon begonnen hat? Oder glauben Sie vielleicht, daß unser lieber Mischa, der ehrenwerte Verlobte unserer reizenden Nina, auf die Franco-Banditen nur Konfetti abwirft? Hihihi, Konfetti, nur Konfetti!«

Die Unterhaltung fand in Stephans Dachkammer statt; er imitierte den Motorenlärm und machte mit ausgebreiteten Armen ein Flugzeug nach. Daran schloß er plötzlich die Geste eines Faschingsnarren, der Konfetti in die Winde streut.

»Selbst wenn es in Westeuropa einen Krieg geben sollte«, erklärte Iwan, »so wird die Sowjetunion *nicht* daran teilnehmen. Stalin ist viel zu geschickt; er wird ruhig zusehen, wie Faschismus und Kapitalismus einander zerfleischen·...!«

»Und nachher?« sagte Stephan. »Nachher wird Väterchen Stalin nichts anderes mehr zu tun haben, als die gebratenen Kastanien aus dem Feuer zu holen; das wird der Augenblick des endgültigen Triumphs der Sowjetmacht in ganz Europa sein, verlassen Sie sich darauf.«

Das war nicht das erstemal, daß Stephan und Iwan in Gesprächen über weltpolitische Probleme aneinandergerieten. Kristiaschka versuchte zwar immer wieder, sie zum Schweigen zu bringen, aber es war vergeblich. Ihr gingen diese Diskussionen über die Möglichkeit eines Konflikts zwischen dem Faschismus, dem Kapitalismus und der Sowjetunion schrecklich auf die Nerven. Vor allem aber fürchtete sie, daß die Nachbarn durch die dünnen Zwischenwände die defätistischen Äußerungen Stephans hören und ihn denunzieren könnten, wo sie doch noch nicht einmal sicher war, daß die Verdachtsgründe gegen Nina inzwischen beseitigt waren. Sie hatte Iwan darüber befragt und die immerhin beruhigende Auskunft erhalten, daß jenem Zwischenfall von damals, als Iwans Vater vor Nina gewarnt wurde, nichts weiter gefolgt sei und daß man sich keine Sorgen zu machen brauche; aber konnte man das je wissen? Es war schon genug, daß Kristiaschka für Nina zittern mußte, sie wollte nicht auch noch für Stephan fürchten müssen, der dabei vor allem seine Stellung riskiert hätte. Dieses Risiko erschien Kristiaschka um so dümmer, als man ja nur etwas Zurückhaltung üben mußte, um einem kleinen Beamten wie Stephan sein lächerliches Amt und seine armseligen Bezüge zu erhalten.

Stephan saß auf seiner Bettstatt und schenkte Tee in Gläser, die aus Flaschenböden bestanden; das war sein Geschirr. Dabei schwenkte er eine Zeitung vor Iwans Gesicht hin und her, neigte sich dann zu ihm und sagte ihm ins Ohr:

»Sie junger Born der Wissenschaft, der mit allem fertig wird, glauben Sie wirklich, daß die Elite der alten sowjetischen Garde, daß die Kamenew und Radek, daß die Sinowjew und Bucharin tatsächlich Agenten des westlichen Kapitalismus gewesen seien und seit zwanzig Jahren auf nichts anderes hinarbeiten als auf den Sturz des Sowjetregimes?«

»Ich glaube es«, sagte Iwan, »so wie ich glaube, daß Sie, Stephan Alexandrowitsch Shukow sind, ein berühmter Schwarmgeist!«

»Tatata, ich hatte einmal zufällig Gelegenheit, Bucharin kenkenzulernen. Das war ein Mann, der völlig unfähig gewesen wäre, irgendeine . . .«

»Die sowjetische Justiz bietet uns alle Garantien . . . Vergessen Sie aber vor allem nicht, daß diese Männer ja gestanden haben . . .«

»Wenn man mich eines Tages anklagt, die Pläne des Lenin-Mausoleums gestohlen zu haben, um sie an Hitler zu verkaufen, so würde der NKWD zweifellos ein Mittel finden, mich als schuldig hinzustellen!« Stephan lachte das ihm eigene närrische Lachen, und Nina erhob sich; sie erklärte, daß sie von diesen Dingen nichts mehr zu hören wünsche, und reichte Kristiaschka die Hand, um sie mit sich fortzuziehen.

»Ich begreife eure Erregung, meine zarten Hühnchen!« rief Stephan, um sie zu versöhnen. »Ich füge mich und werde kein Wort mehr über Politik sagen. Ich will auch gerne beschwören, daß Sinowjew und Kamenew Spione im Solde Hitlers, Mussolinis und Poincarés waren.«

»Poincaré regiert nicht mehr in Frankreich«, sagte Iwan, »er ist tot.«

»Ich weiß«, antwortete Stephan, »aber ich weiß auch, daß Sinowjew und Kamenew ihm schon vor Jahren all die geheimen Erfindungen des genialen Popow verkauft haben!« Er wischte sein Augenglas rein, blickte nervös um sich und fuhr dann fort: »Reden wir also von etwas anderem. Wird meine herkulische Madonna mir die Ehre geben, mit mir ins Theater zu gehen? Ich habe heute abend Gelegenheit, zwei Plätze für das Gastspiel des Moskauer großen Balletts zu bekommen. Sie nickt! Dann enteile ich also!«

Er trank seinen Tee aus und stürzte aus dem Zimmer.

Iwan lächelte etwas gezwungen und sagte, daß er eigentlich für morgen dasselbe vorgehabt habe, und Nina rief:

»Das ist ja großartig, dann nimmst du eben mich mit, Iwan,

sofern dir meine Gesellschaft angenehm ist und Kristiaschka nicht Lust hat, zweimal dasselbe Stück zu sehen?«

»Aber nein«, sagte Kristiaschka, »geh nur morgen mit Iwan.«

»So wichtig ist es gar nicht«, sagte Nina, »es handelt sich schließlich nur um eine Provinztournee mit der zweiten Besetzung; mit der Khamitzewa und Andrei Czezkewitsch.«

Man ging zu Tante Eudoxia hinunter und berichtete ihr von den bevorstehenden Ereignissen. Sie nahm jedoch die Nachricht von dem Gastspiel erstaunlich ruhig auf und erklärte, daß – was immer man sagen wolle – das Moskauer Ballett im Vergleich zum alten zaristischen Ballettkorps nur Hühnerdreck sei.

Nina wühlte inzwischen in dem Koffer unter ihrem Bett, um Kristiaschka dem Anlaß entsprechend einzukleiden. Ein schwarzseidener Rock mit einer Reihe roter Knöpfe vorne würde wohl das Richtige sein, dazu eine apfelgrüne Bluse mit Sonnenblumenmuster. Es war wohl alles ein wenig eng, aber Nina fand, das sei weiter nicht schlimm: Kristiaschka müßte nur immer, ehe sie sich setzte, den Rock ein wenig hochziehen und sich im übrigen sehr vorsichtig bewegen. Auch die hübschen goldkäferfarbigen Stiefelchen waren ein wenig eng, und es war nicht leicht, sie zuzuknöpfen, aber die praktische Nina hatte eine Stricknadel zur Hand, und so ging es schließlich.

»Als ob es Kristiaschkas Art wäre, heftige Bewegungen zu machen«, sagte Iwan, der sich umgedreht hatte und nun wieder in die Stube zu blicken wagte.

»Auf Wangen und Lippen müßte man ein wenig Rouge auflegen...«, sagte Nina, »doch, doch, glaube mir nur, und schau mich nicht so verschreckt an. Bei der Deckenbeleuchtung im Theater siehst du ohne Rouge wie eine Wasserleiche aus.«

Kristiaschka ließ es also geschehen, und Nina schminkte sie für den Abend. Das, was Nina »ein wenig Rouge« auflegen nannte, erwies sich als eine richtiggehende Kriegsbemalung. Kristiaschka betrachtete sich in dem kleinen Spiegel über dem Tisch, war entsetzt und begann, trotz Ninas Widerspruch, mit einem Handtuch die Farbe aus dem Gesicht zu wischen; es blieb noch immer genug Rouge an den Wangen haften, und schließlich gab Kristiaschka zu, daß sie sich nun besser gefalle als vorher.

Stephan erschien außer Atem und klopfte sich vielsagend an die Brust: Dort, über seinem Herzen, saßen die beiden Theaterkarten. Dann stürzte er in seine Dachkammer, um sich umzukleiden. Das Ergebnis dieser Bemühungen war ein Stephan in einer Russenbluse mit besticktem Kragen und der hellen Jacke, von der der große Fleck noch immer nicht verschwunden war. Er stank nach Veilchenparfüm und hielt den Spazierstock mit dem ziselierten Silbergriff in der Hand. Er sagte, man habe Zeit genug und könne zu Fuß gehen. Die Hausfrauen, die sich auf dem Gang zu schaffen machten, stießen kleine Schreie der Bewunderung aus, als Kristiaschka an ihnen vorbeiging, und beglückwünschten sie zu ihrem Aufzug. Auf der Straße reckte Stephan sich stolz wie ein Spanier, schob seinen Arm unter den Kristiaschkas und ließ mit der anderen Hand sein Stöckchen kokett durch die Luft sausen. Es war das erste Mal, daß er Kristiaschkas Arm zu nehmen wagte, aber in diesem Fall, da man gemeinsam ins Theater ging, war es doch wohl in der Ordnung. Die wärmende Berührung mit dem muskulösen Arm seiner Madonna erregte ihn nicht wenig.

»Wie sind Sie eigentlich zu den Theaterkarten gekommen, Stiva?« erkundigte sie sich.

»Einer meiner Bürokollegen hat sich die ganze Nacht hindurch angestellt, um sie zu bekommen. Dabei war die Schlange der Wartenden einem mächtigen Gewitter ausgesetzt gewesen, und der Ärmste, der heute abend ins Theater gehen wollte, liegt nun mit einer bösen Angina und hohem Fieber... Ja, so ist das Leben; man macht sich die Mühe und wird krank, und der gute Stephan Alexandrowitsch hat den Gewinn davon, hihihi!«

Die Luft war mild. In den Bäumen des Gorki-Parkes zwitscherten die Vögel. Die Madonna und ihr Kavalier gingen an dem Parteigebäude vorbei. Kristiaschka bewunderte in der schimmernden Wandverkleidung aus Marmor die schwarzen, roten, grünen und gelben Adern. Die Stadt hatte doch ihre Vorteile. Wenn man stets auf dem Dorf lebte, kam man nie ins Theater. Stephan pfiff eine Melodie, die ein Auszug aus den Polowetzer Tänzen sein konnte, und schlug im Vorbeigehen mit dem Stock gegen die Masten, an denen die Porträts der großen Männer befestigt waren; um Kristiaschka auch seinerseits zu bilden, las er dabei jeden der Namen laut vor, Bebel, Lermontow, Nekrassow, Darwin, Tolstoj, Victor Hugo, Herzen, Emile Zola, Robespierre, Liebknecht, Rosa Luxemburg.

Sie überquerten den Vorplatz der großen Kirche. Eine leichte Brise wirbelte hier einige Staubwolken auf, und im Abendfrieden klingelten leise die Schellen einiger kleiner, dicht behaarter Droschkenpferde.

Kristiaschka kannte das Theater schon von außen; sie hatte noch nie ein schöneres Gebäude gesehen. Es hatte eine monumentale Freitreppe, schwere Säulen aus dunklem Stein, lange Reihen von Büsten auf einem Hintergrund aus Mosaik und an der Frontwand einige Bildwerke, die im Begriff schienen, sich in die Lüfte zu erheben.

Schon wallte eine Menge von Besuchern die Stufen hinauf und betrat durch eine der drei großen Türen die Eingangshalle. Kristiaschka fand, daß all diese Menschen sich hätten festlicher kleiden können. Nur einige Offiziere bildeten eine rühmliche Ausnahme, und einige wenige Bürger hatten sich dunkel gekleidet; die Masse der übrigen aber, die Beamten, Ingenieure und Dienststellenleiter, waren in ihren Straßenanzügen gekommen und gingen ins Theater ebenso gekleidet wie in ihr Büro, vielleicht, weil sie keinen besseren Anzug besaßen.

Das Innere des Theaters war so prächtig, daß Kristiaschka starr vor Staunen war. Hier gab es noch eine zweite Stiege, die mit dunkelgrünen Marmorplatten belegt war, während die Rampe in Alabasterglanz schimmerte. Da und dort gewahrte sie Karyatiden, die Fackeln hielten, und die Mauern waren mit großen Wandgemälden bedeckt, die Kämpfe der Russen gegen Türken, Ungarn und Polen darstellten.

Ein Milizsoldat bedeutete Stephan, daß er den Stock in der Garderobe abgeben müsse. Stephan widersprach wütend und behauptete, er sei ein Kriegsversehrter, der einst für tot auf dem Schlachtfeld liegengeblieben war; er könne sich nicht von seinem Stock trennen!

Der Milizsoldat blieb noch immer stumm, ergriff aber Stephan an der Schulter, während Kristiaschka nach der Hand des Freundes haschte, als wollte sie ihn beruhigen und bitten, keinen Skandal zu machen. Stephan murrte, gehorchte aber schließlich. Am oberen Ende der Treppe stand ein junger Mann in einem schwarzen Anzug, der sich die Eintrittskarten zeigen ließ. Stephan griff in die Innentasche über seinem Herzen – die Karten waren nicht da. Er grub in allen Taschen herum, aber auch das blieb ohne Erfolg. Es gab nur eine Erklärung: Irgendein Filou mußte sie ihm während des Gedränges am Eingang aus der Tasche gestohlen haben. Welche Schande, welche Verzweiflung! Die anderen Theaterbesucher lächelten amüsiert über sein lautes Gejammer. Stephan zog die Jacke aus und suchte fieberhaft weiter, während der Mann im schwarzen Anzug ihn trocken ersuchte, doch kein solches Aufsehen zu machen. Stephan gab ihm eine unhöfliche Antwort, und Kristiaschka litt unsäglich. Schon lange hatte Stephan sich nicht mehr so unwürdig und als Possenreißer gebärdet; sie haßte nichts so sehr wie seine Narreteien, denn sie schämte sich für ihn. Endlich jedoch stieß Stephan einen laut hallenden Triumphschrei aus: Er hatte die Eintrittskarten ganz auf dem Grund der Brusttasche doch noch gefunden. Dem Triumphgeschrei folgte eine Reihe von saftigen Verwünschungen über seine eigene Ungeschicklichkeit. Der junge Mann im schwarzen Anzug machte der Szene dadurch ein Ende, daß er Stephan die beiden Karten aus der Hand nahm und sagte:

»Ein Platz Orchester, ein Platz Balkon.«

»Was soll das heißen?« schrie Stephan schon wieder wütend. »Die Plätze liegen nicht nebeneinander?«

»Offensichtlich nicht«, sagte der junge Mann und wies auf die Nummern, die auf die Karten gedruckt waren.

»Da soll doch der Teufel dreinfahren«, ächzte Stephan, »einer meiner Bürokollegen stellt sich die ganze Nacht in die Schlange, um zwei Karten zu bekommen, ein nächtliches Gewitter durchnäßt all die armen Idealisten, mein Bürokollege liegt im Bett mit Angina und hohem Fieber, ich, Stephan Alexandrowitsch, bin der glückliche Nutznießer seines Mißgeschicks, und nun werde ich meines Vergnügens beraubt, so daß ich als der unglücklichste aller Menschen hier stehe...!«

Die Tirade Stephans wurde nicht minder belacht als seine Entkleidungskunststücke, und Kristiaschka war völlig erschreckt von der Aussicht, allein in das Theater hineingehen und hinter dem Orchester Platz nehmen zu müssen. So schlug sie denn vor, auf das Ballett zu verzichten und nach Hause zu gehen. Aber Stephan, der an Schicksalsschläge ja gewöhnt war, hatte sich schon wieder in der Hand; er schob Kristiaschka auf den Eingang zum Parterre zu, schickte ihr ein Abschiedsküßchen mit den Fingerspitzen und hastete dann, links und rechts an Schultern und Rücken stoßend, auf die Stiege zu, die zum Balkon emporführte.

Kristiaschka ließ sich von der Menge treiben und gelangte schließlich, ohne recht zu wissen wie, auf ihren Platz zwischen einem dicken Mann mit glattrasiertem Kopf, der in einem fort aus einem Schächtelchen Lakritzenbonbons aß, und einer sehr mageren Frau von traurigem Aussehen, die ein pflaumenblaues Kleid nach einer längst vergangenen Mode trug und über ihre grauen Haare ein Stückchen schwarzen Schleier gezogen hatte. Die Sitzreihen waren noch halb leer. Kristiaschka wandte sich um und erkannte Stephan in der ersten Balkonreihe; er beugte sich vor und machte ihr ein kleines Zeichen mit der Hand; dann

aber schien ihn die Verzweiflung ob ihrer Trennung zu über-
kommen: Er warf beide Arme empor wie eine Marionette, wie
eine seiner eigenen Marionetten in der Zeit, da er mit diesen
kleinen Schauspielern aus Holz und Pappe und einem großen
Theaterkoffer über Land gereist war. Sie antwortete diskret und
mit einem kleinen Lächeln auf seine verzweifelten Grimassen, die
er schnitt, und wandte den Blick dann wieder dem Vorhang zu,
der rot war und goldene Quasten hatte. Der Dicke mit dem kah-
len Kopf reichte ihr die Dose mit den Bonbons, und es zeigte
sich bei näherem Hinsehen, daß es sich um Karamellen handelte;
der Mann mußte also seine Beziehungen haben, denn an Karamellen kam man nicht so ohne weiteres heran. Kristiaschka
zauderte und griff dann zu, aus Angst, den freundlichen Nachbarn durch eine Ablehnung zu kränken. Es schmeckte ausgezeichnet. Die Dame mit den grauen Haaren hatte eine eisen-
geränderte Brille aufgesetzt und las in einem Buch, das mit Stahl-
stichen illustriert war und aus derselben Epoche zu stammen
schien wie ihr Kleid. Das Theater hatte sich inzwischen gefüllt,
und das erwartungsvolle Gemurmel der vielen Menschen lag wie
ein leises Brausen in der Luft.

Ein Mann in einem Anzug, der eine gewisse Ähnlichkeit mit
einem Smoking hatte, erschien vor dem Vorhang, legte eine
Hand über die Augen, weil die Rampenlichter ihn blendeten,
und las dann von einem Papier, das er aus der Tasche gezogen
hatte, eine Mitteilung ab, die Kristiaschka nicht verstand, die
jedoch auf dem blassen und mageren Gesicht der grauhaarigen
Dame den Ausdruck tiefer Enttäuschung hervorrief. Einige Nachzügler traten knarrend und lärmend ein, der Ansager verneigte
sich und verschwand. In der Reihe hinter Kristiaschka mußte
sich alles erheben, um ein junges Paar einzulassen, das im letzten Augenblick gekommen war; als sie sich hinter Kristiaschka
vorbeidrückten, streifte ein Ellbogen ihr Genick, und sie wandte
sich um. Es waren Iwan und Nina, sie hatten ihre Sitze genau
hinter Kristiaschka, und alle drei lachten überrascht auf. Kristiaschka wollte sich erkundigen, durch welches Wunder die beiden
noch ins Theater gelangt seien, aber sie hatte keine Gelegenheit
mehr dazu, denn in diesem Augenblick begann das Orchester –
das Kristiaschka bisher nicht gesehen hatte, weil es ja in einer
Versenkung untergebracht war – mit einer heiteren Melodie, und
der Vorhang hob sich. Kristiaschka hatte noch nie gesehen, wie
so ein Vorhang sich hebt, und war davon so abgelenkt, daß sie
den jungen Mann von asiatischem Typ beinahe übersehen hätte,

der in einem weißseidenen Kostüm von sportlichem Zuschnitt auf der Bühne erschien. Er ließ auf zwei Stöcken Teller rotieren und versetzte sie durch kaum erkennbare Bewegungen in so schnelle Drehung, daß sie schließlich flimmerten wie Insektenflügel.

Nach diesem chinesischen Jongleur erschienen fünf Kuban-Kosaken, die einen prächtigen Säbeltanz vorführten, und danach ein Zauberer, der Wasser in Wein verwandelte, Kaninchen aus seinem Hut holte und eine Taube in einem Blatt Zeitungspapier verschwinden ließ. Kristiaschka wandte sich im Dunkeln um und erkannte Stephan, der sich weit über die Balkonbrüstung beugte; sie konnte sogar sehen, daß er ihr ein kleines Zeichen machte, das wohl besagen sollte, er habe seinerzeit all diese Dinge mindestens ebensogut gemacht wie dieser Mann auf der Bühne. Das Programm nahm seinen Fortgang mit einem dicken jungen Mann, der sehr blaß war und vor einem Klavier auf die Bühne schritt, das drei Arbeiter hinter ihm herschoben. An dieses Klavier setzte sich dann ein anderer Mann, und der dicke blasse Jüngling sang einige populäre russische Romanzen, darunter jenen »Gruß an eine Rosenknospe«, den Akim so geliebt hatte. Die Melodie rührte denn auch in Kristiaschkas Herzen eine Reihe schmerzlicher Erinnerungen auf, die Erinnerung an ihre erste und einzige Liebe. Danach zeigte der Sänger, daß er auch das klassische Repertoire beherrsche, und sang so kräftig, daß der Lüster klirrte, die berühmten Arien aus »Boris Godunow«, aus den »Perlenfischern« und aus »Othello«. Der Beifall, der schon bei den vorhergehenden Nummern recht lebhaft gewesen war, steigerte sich noch am Ende der Darbietung. Auf diesen Sänger folgte ein Chor des Rotarmistenensembles, der über ausgezeichnete Bässe und einige sehr gute Tenor-Solisten verfügte. Drei der Lieder, die der Chor vortrug, waren Kristiaschka schon bekannt: »Die Lerche über den Feldern«, »Die Nachtigall und der Tau« und »Nehmt meinen Kummer mit, ihr Wellen!« Diese Lieder gehörten nämlich zu dem sehr alten Schatz jener Melodien, die wohl in allen ländlichen Familien des europäischen Rußland immer wieder gesungen werden. Kristiaschka würgte es in der Kehle, sie hatte die Augen voll Tränen und applaudierte aus voller Kraft den Sängern der Roten Armee, die für sie einen Abglanz ihrer Kindheitsjahre heraufgerufen hatten; die Erinnerung war so mächtig geworden, daß Kristiaschka inmitten dieses prächtigen Theatersaales beinahe eine Vision hatte: Sie sah das Vaterhaus und die große Stube, in der alles von Schmutz klebrig war, in der die Schweine Zutritt hatten und die Hühner über den Estrich liefen. Es war eine Vision, in der nichts fehlte, nicht einmal der Geruch des Stalles, in dessen Brodem sie so lange geschlafen hatte, nicht einmal das fröhliche Murmeln des Bächleins, in dem der Fischotter auf die Jagd ging.

Sie trocknete sich die Tränen aus den Augen, und der Dicke zu ihrer Linken reichte ihr stumm die Dose mit den Karamellen. Die beinahe halluzinatorische Erinnerung an die Umwelt ihrer frühen Jugend hatte sie so schmerzlich erregt, daß sie es nun erst recht bedauerte, das mitfühlende Herz Stephans nicht an ihrer Seite zu wissen. Wie süß kann die Traurigkeit sein, wenn Freundschaft sie durchtränkt und schließlich aufhellt.

Nach dem Gruß des Armeechores kam es zu lauten Ovationen, und schließlich wurde es hell im Saal. Die kleine Pause gestattete Kristiaschka, sich umzudrehen, um Nina und Iwan zu begrüßen. Nina berichtete, daß es gar nicht so schwer gewesen sei, zu den beiden Plätzen zu kommen. Sie hatten Tante Eudoxia ihren Kummer darüber anvertraut, daß sie nicht mit Kristiaschka ins Theater gehen konnten, und Tante Eudoxia hatte ihnen ein Billettchen an jenen Würdenträger der Partei mitgegeben, der schon seit Jahren keine größere Entscheidung ohne ihren Rat traf. Diesen hatte es nur einen Telefonanruf gekostet, und die beiden hatten zwei vorbestellte Plätze erhalten, die ein anderer hoher Beamter wegen dienstlicher Verhinderung nicht benützen konnte. Der freundliche Mann hatte ihnen sogar seinen Wagen zur Verfügung gestellt, und so waren sie noch eben rechtzeitig im Theater eingetroffen.

Kristiaschka beglückwünschte die beiden Freunde zu ihrer Geschicklichkeit, empfand zugleich aber ein leichtes Bedauern bei dem Gedanken, daß die Anwesenheit der beiden Stephan die Freude an jener günstigen Fügung verderben würde, die ihm die zwei Theaterkarten in die Hände gespielt hatte. In diesem Augenblick fragte Nina schon, wo denn Stephan eigentlich geblieben sei. Kristiaschka wies mit dem Finger zum Balkon, wo der Gute schon aufrecht stand und durch große Gesten die Aufmerksamkeit der drei zu erregen suchte. Er war auf den Balkon geraten, und sie hatten einen Parkettsitz? Das konnte auch nur einem notorischen Pechvogel wie Shukow widerfahren! Nina und Iwan wollten sich schier ausschütten vor Lachen, und Kristiaschka verübelte ihnen heimlich diese Heiterkeit auf Kosten ihres unglücklichen Freundes. Zu dritt begaben sie sich an das Büfett, um ihn zu treffen. Er begrüßte sie freundlich und bewies dadurch seine Selbstbeherrschung, denn im Grunde war er natürlich wütend über die Tücke der Zufälle, die ihn auf den Balkon verbannt hatte, während Nina und Iwan ebenso zufällig nun unmittelbar hinter Kristiaschka saßen. Er tat auch gar nicht erstaunt darüber, daß sie nun doch im Theater waren und noch im letzten Augenblick wie durch ein Wunder Karten erhalten hatten; das zeigte Kristiaschka, die ihn schon einigermaßen kannte, wie wütend er war.

Stephan erkundigte sich, was sie trinken wollten, und bestellte dann eine Runde Wodka, die er bezahlte. Iwan wollte demgegenüber nicht zurückstehen und ließ ebenfalls Wodka auffahren. Kristiaschka erinnerte sich an ein anderes Büfett, an das Jahresfest der Kolchose in ihrem Heimatdorf, und an den fürchterlichen Akim, der bei dieser Gelegenheit Nina eine Schüssel Schlagsahne aufgesetzt hatte.

Stephan reichte ihr einen Teller mit kleinen Kuchen, von denen sie einen nahm, danach forderte er auch Nina und Iwan auf. Plötzlich entdeckte er einen Stoß Tassen, nahm drei davon und begann mit ihnen und einigen der kleinen trockenen Kuchenstücke so geschwind und geschickt zu zaubern wie jener Illusionist auf der Bühne. Der Büfettkellner protestierte: Sein Material und seine Kuchen seien für solche Zwecke nicht zu haben, aber Stephan bezeichnete ihn als übereifrigen Pedanten und ließ sich nicht stören, so übel der Kellner die Sache auch aufnahm.

Kristiaschka stand wie auf glühenden Kohlen; sie sah alles wieder vor sich, was sich mit Akim begeben hatte – konnte sie denn nie vor einem Büfett stehen, ohne daß es zu einem Skandal kam? Der Kellner kam hinter dem Büfett hervor und nahm eine drohende Haltung an, während Stephan ihn, noch immer mit den Tassen und den Kuchen beschäftigt, hurtig weiter beschimpfte. In diesem Augenblick erschien ein gewichtiger Herr auf der Bildfläche und erklärte zu Kristiaschkas Erleichterung, man solle derlei doch nicht übertreiben, einen gewissen Sinn für Humor müsse jeder ins Theater mitbringen, und jener Herr, der mit den Tassen spiele, sei immerhin amüsant.

Kristiaschka erkannte in dem gewichtigen Mann mit dem wächsernen Gesicht und der pechschwarzen Haarlocke ihren eigenen Schwager wieder, den Gatten Ljubas, den sie erst vor einigen Wochen zufällig auf der Straße kennengelernt hatte – er war damals in einem Dienstauto mit Chauffeur gefahren. Gleich darauf fühlte sie, daß jemand sie in die Rippen stieß: das war Ljuba selbst. Sie trug noch immer jenes Negligé, das ihr Mann ihr aus Stockholm mitgebracht hatte. Aber da nun Sommer war, hatte sie die Pelzstola durch eine Boa aus grauen Straußenfedern ersetzt. Dem glanzvollen Abend trug sie dadurch Rechnung, daß sie sich einen hohen spanischen Kamm ins Haar gedrückt hatte, auf dem zahllose falsche Edelsteine blitzten.

»Kristiaschka, Liebste, wie schön, dich wiederzusehen!« rief sie in ungeheuchelter Begeisterung. »Warum bist du nie zu uns gekommen? Gestatte, daß ich dir meinen Gatten vorstelle ... aber richtig, den kennst du ja schon! Wo ist denn dein Platz? Im Parkett? Ich habe dich nicht gesehen, wir sitzen in der großen Mittelloge. Wir treffen uns nachher beim Ausgang, einverstanden?«

Kristiaschka drückte ihrem Schwager die Hand und stellte Nina und Iwan vor. Der Schwager gab eine Runde Wodka aus, und der Kellner servierte sie mit beflissenem Lächeln, um den mächtigen Mann nicht zu verstimmen. Man sprach über die Qualität des Gebotenen. Auch Ljuba hatte die Lieder wiedererkannt, die man zu Hause vor Jahren gesungen hatte, die Romanze von der Rosenknospe, das Lied von der Lerche über den Feldern, von der Nachtigall und vom Tau und manches andere. Aber Ljuba hatten diese alten Lieder nicht traurig gemacht, sondern lediglich ein wenig zum Nachdenken angeregt.

»Sie sind ja ganz nett«, sagte Ljuba, »aber so verstaubt ...!«

Dabei hielt sie das Wodka-Glas mit zwei Fingern und spreizte die anderen ab, dehnte die Worte und spitzte den Mund, als sie »verstaubt« sagte, und wirkte im ganzen dermaßen versnobt, daß Kristiaschka am liebsten laut herausgelacht hätte.

Stephan nützte den Stimmungsumschwung und begann mit neuen Kunststücken. Er bedeckte die vier Kuchenschnitten, die doch alle gesehen hatten – bitte sehr, vier Schnitten Kuchen –, mit einer Tasse, hob diese dann auf und, siehe da, die Kuchen waren verschwunden! Sie tauchten im nächsten Augenblick unter einer anderen Tasse auf, die Stephan vorsorglich umgestülpt hatte. Triumphierend stand Stephan in einem kleinen Kreis interessierter Zuschauer und führte seinem andächtigen Publikum immer neue Varianten vor.

»Ich gebe Ihnen das Rezept«, sagte er, zu Ljubas Gatten geneigt, aber mit Trompetenstimme, »Sie sind doch ein hoher Parteibeamter – was meinen Sie, wie sehr Ihnen meine Kenntnisse zustatten kämen! Sehen Sie nur genau hin, Genosse, und stellen Sie sich vor, Sie müßten das Zentralkomitee davon überzeugen, daß die Produktion an Stahl oder Wolle oder Leder in

Ihrem Distrikt gegenüber dem Vorjahr beträchtlich angestiegen ist... Nun bitte, Sie können die Ziffern hin und her sausen lassen wie ich diese kleinen Kuchen, von denen niemand mehr weiß, unter welcher Tasse sie ursprünglich waren. Die Ziffern hüpfen dann von einer Kolonne in die andere, ganz nach Bedarf!«

Ljubas Gatte lachte mit einer gewissen Zurückhaltung, die Umstehenden jedoch um so kräftiger. Kristiaschka zupfte Stephan am Ärmel. Er war schon wieder drauf und dran, sich Ungelegenheiten zu machen. Es war zu erkennen, daß vier Glas Wodka genügt hatten, ihm die Selbstkontrolle zu rauben... Wie unvorsichtig er war!

Während sie Stephan fortzog, erloschen einige Lampen im Foyer zum Zeichen dafür, daß die Pause beendet sei und das Programm seinen Fortgang nehme. Kristiaschka begleitete Stephan bis zum Fuß seiner Stiege, und er ging mit kleinen, hüpfenden Schritten zum Balkon hinauf, wobei er ein paar Takte aus Tschaikowskys Ballett vom Nußknacker vor sich hin trällerte. Aber er vergaß nicht, sich einige Male nach Kristiaschka umzudrehen und ihr durch verstohlene Gesten seine zärtliche Freundschaft zu verstehen zu geben. In diesem Augenblick erschien Nina und bot sich an, ihren Platz mit Stephan zu tauschen, damit er bei Kristiaschka sitzen könne. Sie wollte schon hinter Stephan her und die Stiege hinauflaufen, aber Kristiaschka hielt sie zurück. Sie dankte Nina für ihren guten Willen, vertraute der Freundin zugleich aber ihre Sorge an, daß Stephan, wenn er hinter Kristiaschka säße, bestimmt wieder eine seiner Narreteien vom Stapel lassen und ihr damit das Erlebnis des Abends verderben würde.

»Das wäre tatsächlich zu befürchten«, sagte Iwan streng, »denn was er sich eben vor dem Büfett geleistet hat, war ein starkes Stück. Jeder weiß, daß in den Berichten der Provinzialbeauftragten der Partei nicht immer alles so ganz genau stimmt. Aber das gerade jenem Mann öffentlich ins Gesicht zu sagen, der diese Berichte abfaßt und für sie verantwortlich ist, das grenzt an Wahnsinn.«

Als sie auf ihre Plätze gelangt waren, wandte Kristiaschka sich um und erkannte nun tatsächlich im Halbschatten der tiefen Mittelloge Ljuba und ihren Gatten und noch drei oder vier Paare hoher Würdenträger. Die Männer waren alle dick wie der Mann Ljubas und auch wie er gekleidet, die Frauen trugen Kleider nach jener Mode, die sie wohl für die westliche hielten.

Im zweiten Teil des Programms sah man noch einmal die Kuban-Kosaken und hörte abermals das Rotarmisten-Ensemble, aber dann kam endlich das Ballett. Eine Truppe der Moskauer Ballett-Akademie tanzte »Schwanensee« von Tschaikowsky, »Petruschka« von Igor Strawinsky und »Coppélia« von Léo Delibes, mit den Solisten, deren Namen Kristiaschka schon auf dem Programm gesehen hatte. Sie fand die Ballettvorführungen hinreißend, poetisch und ihren schönsten Träumen gleichwertig. Der dicke Mann mit dem glattrasierten Schädel, der ihr immerzu Karamellen angeboten hatte, applaudierte, als wollte er sich die Hände brechen, aber die grauhaarige Dame in dem pflaumenfarbenen Kleid blieb starr sitzen, hielt die Hände auf ihrem alten Buch verschränkt und blickte mit bitterem Gesichtsausdruck zur Decke. Auch sie war der Meinung, daß diese Tänzer im Vergleich zum zaristischen Ballett nur Hühnerdreck seien.

Nach dem klassischen Ballett folgten Volkstänze, die zum Teil von der gleichen Gruppe gezeigt wurden. Sie begeisterten Kristiaschka womöglich noch mehr. Die Tänzerinnen waren in sehr weite blaue und gelbe Seidenkostüme gekleidet, die auch bei den Drehbewegungen noch ein wenig den Boden streiften, so daß man nur die Fußspitzen sah. Sie bewegten sich zu den Rhythmen der Streichinstrumente leicht und graziös wie Blumen und ganz so, als hätte ein Windhauch sie in Bewegung versetzt. Zum nächsten Tanz erschienen sie in kurzen bunten Bauernkitteln, hatten leuchtende Bänder in das Haar geflochten und trugen rote Stiefelchen, mit deren Fersen sie im Rhythmus auf die Bühnenbretter klopften. So temperamentvoll und bewegt dieser Tanz auch war, Kristiaschka war doch enttäuscht. Sie hätte es vorgezogen, als letzten Eindruck die blumenhafte Grazie der Mädchen in den langen Seidengewändern mit nach Hause zu nehmen.

Während der ganze Saal noch applaudierte und von Hervorrufen widerhallte, strebte Kristiaschka dem Ausgang zu, um möglichst vor Ljuba und ihrem Gatten das Theater verlassen zu können. Aber Stephan, der sie nicht aus den Augen gelassen hatte, holte sie auf der großen Treppe ein, sagte ihr tausend unsinnige Dinge und trödelte so lange herum, bis Nina und Iwan und bald auch Ljuba, ihr Gatte und die anderen Insassen der Mittelloge herangekommen waren. Ljuba besorgte die Vorstellung am Fuß der Freitreppe, auf der schon eine kleine Schlange von Menschen stand, die für den nächsten Tag Eintrittskarten zu erringen hofften. Dann wurden alle in drei große schwarze

Dienstwagen verfrachtet, und man fuhr zu Ljuba, die nicht wenig stolz war, ihre neue Wohnung zeigen zu können. Sie hatte drei Zimmer in einem Neubau, in denen eine ganze Reihe sehr selten gewordener Dinge zu sehen war: eine Lampe, deren Fuß aus einer alten Muskete bestand, die auf ihrem Schaft Einlegearbeit aus Perlmutterblättchen aufwies und somit als ein wahres Museumsstück gelten konnte. Der Lampenschirm trug ein schweres rosafarbenes Seidengehänge, und die Ledersessel hatten in den Armlehnen eingelassene Aschenbecher. Smyrna-Teppiche, Spiegeltische, beschwert mit französischem Cognac und Sekt von der Krim, vervollständigten die tatsächlich luxuriöse Einrichtung. Nina war begeistert und eilte mit kleinen Schreien des Entzückens durch die Zimmer; sie hatte dergleichen noch nie gesehen. Ljuba hingegen erklärte, daß dies noch nichts sei, man habe lediglich versucht, das Heim ein wenig behaglich zu gestalten; ihr Gatte setzte hinzu, daß in zehn Jahren jeder Sowjetbürger ebenso wohnen werde.

Stephan, der noch nicht nüchtern geworden war, erzählte, daß er als Kind einst den Sommersitz des Fürsten Jussupoff besucht habe... »Wie hieß denn nur dieses verdammte Kaff, macht nichts, es wird mir später einfallen...«

Nina, die Stephan nun schon genügsam kannte und seine frechen Reden fürchtete, fiel ihm ins Wort und bat Ljuba, das Muster ihrer Diwanpolster kopieren zu dürfen.

»Aber ich bitte Sie, meine Liebe«, sagte Ljuba, »sie stehen selbstverständlich zu Ihrer Verfügung.«

Kristiaschka war todunglücklich. Wäre Stephan nicht hier gewesen, so hätte sie sich aufrichtig über Ljubas Wohlstand gefreut; die liebe Ljuba, wie sehr gönnte sie ihr den Aufstieg von der väterlichen Scheune, wo sie sich ihren dörflichen Liebhabern hingegeben hatte, in diese vornehme Umgebung. Da aber Stephan mit anwesend war, fürchtete sie irgendeinen neuerlichen Skandal oder zumindest eine Situation, die noch peinlicher sein würde als die Vorfälle bei dem Theaterbüfett.

Das ließ denn auch nicht auf sich warten. Stephan erzählte stammelnd und mit einem Glas Sekt in der Hand, daß er bei seiner Rückkehr aus der Gefangenschaft durch Wien gekommen sei und Schönbrunn besichtigt habe, jenes kaiserliche Schloß, in dem es eine lange Flucht prächtiger Zimmer mit kostbaren Intarsien, Teppichen und Miniaturen gebe.

»Davon will ich aber gar nicht reden«, sagte er, »viel trauriger ist es, daß noch viel Wasser den Dnjepr hinunterfließen wird, bis ein sowjetischer Volkskommissar so wohnt wie eine normale Familie des österreichischen Bürgertums!«

Ljuba empfand, daß die Worte dieses Sonderlings (warum hatte nur Kristiaschka einen so seltsamen Freund) Gewitterstimmung in der Schar ihrer Besucher schaffen könnten, darum drehte sie das Radio an, denn sie hatte auch ein Radio! Der Nachrichtensprecher berichtete, daß ein Señor des Vayo im Völkerbund gegen die fortgesetzte italienische Intervention in Spanien protestiert habe und daß Minister Titulescou mit Minister Litwinow in Talloirs (Frankreich) zu einem Frühstück zusammengekommen sei.

Einer der Parteimänner machte lächelnd eine Geste, die wohl ausdrücken sollte, daß man im Augenblick auf politische Nachrichten nicht neugierig sei, und Ljuba drehte an den Knöpfen, um Musik zu suchen. Man hörte eine der ersten Symphonien von Prokofieff, die einer der Würdenträger, der nichts davon verstand, als formalistisch bezeichnete; darauf folgte ein Nokturne von Chopin, dem ein anderer ebenso unmusikalischer Herr die Melancholie vorwarf.

Stephan war in einen Diwanwinkel gesunken und erzählte, daß es auf jenem Bauernhof in Mecklenburg, wo er als Kriegsgefangener gearbeitet hatte, eine Bad gegeben habe, so daß man in dieser Beziehung nicht von besonderen Fortschritten in Rußland sprechen könne. Ljuba lenkte ab und berichtete von einer Deckenfabrik in Tula, die sie mit ihrem Gatten besichtigt hatte; die Produktion sei so ungeheuer, daß zweifellos eines Tages selbst die Kolchosbauern in Decken schlafen würden.

Einer der Bonzen erklärte dazu, daß die Sowjetunion leider schon seit zwei Jahrzehnten von den kapitalistischen Staaten eingekreist sei und bedroht werde; wäre dem nicht so, so hätte das Zentralkomitee den Produktionsplan der Konsumgüterindustrie schon längst beträchtlich erweitern können. Wenn es also in Rußland noch nicht genug Betten, Fahrräder und Kochtöpfe gebe, so sei dies nicht die Schuld des Zentralkomitees, sondern die der Kapitalisten.

Iwan, Nina und Kristiaschka wagten den Mund nicht aufzutun; sie saßen starr vor Schreck auf ihren Stühlen und bangten vor den nächsten Worten Stephans so lange, bis dieser endlich unter der Wirkung der diversen alkoholischen Getränke in seiner Diwanecke kräftig zu schnarchen begann. Nun konnten die drei jungen Leute freier atmen. Man überließ Stephan seinen Träumen; die Parteileute schienen ihm seine zersetzenden Reden nicht übelzunehmen und hielten ihn offenbar – übrigens mit einigem Recht – für einen harmlosen Narren.

Nach einer Weile erklärten die drei Herren, die mit Ljubas Gatten befreundet waren, daß sie zu einer Konferenz in das Parteihaus müßten. Ja, noch jetzt, um Mitternacht, denn da Stalin nachts arbeitete, taten es ihm auch die höheren Beamten nach. Sie seien sogar schon etwas zu spät dran, denn meistens komme just um Mitternacht ein Anruf aus dem Kreml, womöglich sogar von der Nummer eins.

Daraufhin erklärte Ljubas Gatte, daß er noch einige Akten zu studieren habe, und Nina hielt es für geraten, das Signal zum Aufbruch zu geben. Sie berührte Stephan leicht an der Schulter, und dieser fuhr auf, wobei er einen Befehl brüllte, der wie »Dritte Batterie, Feuer!« klang. Als er bemerkte, daß er nicht an der Front stand, sondern in einem friedlichen und wohleingerichteten Zimmer, lächelte er, trat auf Ljuba zu und machte ihr wohlgesetzte Komplimente.

»Wir haben in Ihrem Heim einen wunderbaren Abend verbracht«, sagte er, »tatsächlich, ich müßte in meinen Erinnerungen sehr weit zurückgehen, um ein ebenso angenehmes Erlebnis zu finden. Ihre Liebenswürdigkeit und Schönheit machen Sie zu einer würdigen Schwester der unvergleichlichen Kristiaschka...«

Das war nun ein etwas zweischneidiges Kompliment, da Ljuba es zweifellos weiter gebracht hatte, und Stephan Alexandrowitsch geriet in einige Bedrängnis, als er diese Widersprüche aufklären wollte. Auf der Schwelle wandte er sich noch einmal um und sagte zu Ljuba:

»Ja, es ist so, Ihre Schwester ist der vollkommene Typus des reinen russischen Mädchens, darum ist es ja auch so schade, daß sie sich bereit gefunden hat, sich in der Arena zu produzieren... Nein, teure Ljuba, ich will damit nicht sagen, daß sie etwa einen Stierkampf liefert, wie es die grausamen Spanier tun; diese Art Schauspiele widerstreitet ja der russischen Sensibilität, man könnte sich derlei bei uns gar nicht vorstellen... Nein, sie tritt keinem Stier entgegen, aber sie schleudert einen Diskus in die Luft, und so dumm das auch ist, sie macht es ausgezeichnet. Aber stellen Sie sich nur einmal vor, hihihi, wenn man das malen wollte – ein Bild mit der Unterschrift ›Diskuswerfende Madonna‹?«

»Was ist das wieder für ein Unsinn?« erkundigte sich Ljuba flüsternd bei Kristiaschka, die verlegen errötet war. Iwan antwortete an ihrer Stelle und berichtete Ljuba von den sportlichen Erfolgen ihrer Schwester.

»Aber davon hatte ich ja gar keine Ahnung!« rief Ljuba. »Fedor interessiert sich nämlich nicht für Sport. Wenn das so ist, gehe ich natürlich das nächstemal ins Stadion, um dir zu applaudieren. Wie köstlich! Leb wohl, Liebe, auf bald!«

Als sie auf der Straße standen, sagte Stephan:

»Der gute Fedor hätte auch so höflich sein können, seinen Chauffeur ein wenig warten zu lassen; der Wagen könnte uns jetzt nach Hause bringen!«

»Er hatte ganz recht«, widersprach Iwan, »die Dienstautos sind nicht dazu da, belanglose Menschen wie uns nach Hause zu fahren!«

»Sie sind reichlich naiv, junger Mann!« sagte Stephan. »Glauben Sie wirklich, daß Fedor und Co. sich ihrer Dienstwagen nur zu wirklich dienstlichen Zwecken bedienen? Sie sind genauso korrupt wie die Beamten des zaristischen Regimes. Und solche Menschen geben sich heute als Leute von Geschmack aus. Habt ihr diese Einrichtung gesehen? Das Grausen könnte einen ankommen!«

»Dieser Geschmack, von dem Sie sprechen«, sagte Iwan, »ist ein Privileg der unterdrückenden Klassen in der kapitalistischen Gesellschaft. An diesem untrüglichen Geschmack erkennen die reichen Kapitalisten einander, durch ihn unterscheiden sie sich vom Volk, das die wirtschaftliche Last dieses luxuriösen Lebens zu tragen hat!«

»Wenn das so ist«, erklärte Nina, »dann ist der gute Geschmack also reaktionär! Wie denkst du darüber, Kristiaschka?«

Aber Kristiaschka dachte an ganz andere Dinge. Sie war noch immer betroffen von der Tatsache, daß Ljuba sich weder bei ihrer ersten Begegnung noch an diesem Abend nach Agafon und der Familie erkundigt habe; ja, Ljuba hatte nicht einmal gefragt, wie und warum Kristiaschka in die Stadt gekommen sei, was sie hier tue und wie sie hier lebe. Darum hatte Kristiaschka Ninas Frage überhört; sie ließ sie sich wiederholen und antwortete schließlich, daß sie zu diesem Problem keine Meinung äußern könne, sie habe sich noch nicht damit beschäftigt.

In diesem Augenblick schrie Stephan:

»Mein Stock! Ich habe meinen Stock in der Garderobe vergessen! Geht allein heim, ich laufe noch ins Theater!«

Iwan antwortete, daß um diese Stunde zweifellos niemand mehr in der Garderobe Dienst mache, aber Stephan war unbelehrbar:

»Ein so schöner Stock«, rief er, »er hat meinem Großvater

gehört!« Damit verschwand er im Dunkeln in Richtung auf das Theater.

Iwan schien recht zufrieden, daß man Stephan nun los war; er schob einen Arm unter den Ninas, den anderen unter den Kristiaschkas. In den leeren Straßen hallten ihre Schritte laut wider, und ihre Schatten liefen bald lang und bald kurz vor ihnen her. Nina zeigte sich entzückt von der milden Nacht und dem Milchglanz des Mondes.

»Er ist gar nicht milchig«, sagte Iwan, »seine Farbe erinnert mich viel eher an Asche!«

»Woher kommen dir plötzlich so düstere Gedanken?« fragte Nina.

»Ich habe meine Gründe.«

»Hast du dich im Theater nicht gut unterhalten ... Und bei Ljuba war es doch ganz nett?«

»Gut unterhalten ... Nun, wie man's nimmt ...«

Kristiaschka betrachtete verblüfft seinen zusammengekniffenen Mund und das Profil, das auf einmal so hart wirkte. Was hatte er nur? Stephan konnte doch nicht der Grund sein, denn an seine Späße und Absonderlichkeiten waren sie ja alle schon hinreichend gewöhnt.

Nach einer Weile des Schweigens sagte Iwan:

»Ihr erinnert euch, daß ich Stephan kürzlich zurechtgewiesen habe wegen seiner Meinung über unsere politischen Prozesse. Ich war damals so scharf, weil ich selbst im Innersten schon fürchtete, daß er recht hat. Ich bin einfach nicht imstande zu glauben, daß Bucharin und die anderen bezahlte Agenten der Imperialisten waren ...«

Er senkte die Stimme, nicht weil er etwa befürchtete, in der leeren Straße belauscht zu werden, sondern weil er nun eher mit sich selbst als zu den anderen sprach:

»Ich habe in den vergangenen Jahren gelernt und die Beweise dafür erhalten, daß diese Männer Helden sind, ja Übermenschen, und nun stellt sich heraus, daß sie Verräter waren und Mörder. Ich soll plötzlich glauben, daß unsere große Revolution von ihren Feinden gemacht worden ist. Alle Dialektik, in der ich mich geübt habe, hilft mir nicht, diesen Widerspruch aufzulösen. Irgend etwas stimmt da nicht. Stalin ist über jeden Verdacht erhaben, die anderen aber ... Nein, ich komme da nicht klar ...«

»Das also ist es«, sagte Nina, »und mit solchen Gedanken im Kopf bist du den ganzen Abend herumgelaufen? Ich kann dir immerhin das Kompliment machen, daß man es dir nicht angesehen hat. Aber wie kommst du gerade heute darauf – seit den Prozessen ist doch schon einige Zeit vergangen!«

»Es beschäftigt mich auch seit langem. Ich habe noch zu niemandem darüber gesprochen. Aber heute abend hielt ich es nicht mehr aus. Diese Nacht, die du so wunderbar findest, ist für mich die schlimmste meines Lebens.«

»Was geht dir denn daran so nahe?« erkundigte sich Kristiaschka, nun ernsthaft beunruhigt.

Iwan antwortete nicht sogleich. Er ging Arm in Arm mit seinen beiden Freundinnen stumm weiter und ließ den Kopf hängen, und sie sahen, daß er sehr litt. Vielleicht hatte er auch zuviel getrunken.

»Sag einmal«, hob Nina wieder an, »hattest du schon solche Zweifel, als du damals zu mir kamst, um mich zu warnen wegen des Verdachtes in der Lubitschin-Angelegenheit?«

»Ja, ich hatte sie schon damals, und darum hatte ich mich auch entschlossen, dich zu warnen. Es gelang mir nämlich nicht, die Absetzung Lubitschins gerechtfertigt zu finden und ebensowenig die Verhaftung seiner Schwester und seines Schwagers. Und wenn das alles auch noch für dich verhängnisvoll geworden wäre, dann ... Aber heute hat sich noch etwas viel Schlimmeres ereignet. Die Helden aus der alten Garde habe ich nicht gekannt und bin ihnen nie nahegekommen. Ich weiß also nicht sonderlich viel über sie und will darum auch nichts Abschließendes sagen. Aber mein Geschichtsprofessor – du erinnerst dich, Kristiaschka, ich habe dir von ihm erzählt, er ist der Mann, der mir eigentlich den revolutionären Glauben ins Herz gepflanzt hat. Unter allen Menschen, die ich kenne, habe ich eigentlich nur ihn wirklich bewundert und verehrt, und zwar mit der ganzen Inbrunst, deren ich fähig bin, seit meinem sechzehnten Lebensjahr. Dieser Mann, den zu verehren ich nicht aufhören kann, ist vor einer Woche verhaftet worden; ich habe es heute von einem Kameraden erfahren, der seine Ferien auf der Krim verbracht hat, in dem gleichen Ferienheim wie mein Lehrer. Ich höre nun im Geist den Staatsanwalt ihm Abweichung von der Parteilinie vorwerfen, eine Abweichung nach links oder nach rechts, und dieser Mann, der Lehrer, der mich denken lehrte und mir den Glauben an die Revolution eingab, wird als Zwangsarbeiter in die Polarregionen verschickt werden. Ihm fehlen zwei Rippen, es ist eine Kriegsverletzung, er wird die harte Arbeit im Norden keine drei Monate lang aushalten und dann elendig zugrunde gehen ...!«

Iwan befreite seine Arme, drückte die Hände an die Ohren und rief wie irr vor sich hin:

»Sie werden ihn umbringen..., ihn, meinen Lehrer!«

Iwan war stehengeblieben. Er zitterte am ganzen Körper und drückte die Fäuste gegen die Augen, als wolle er seinen Schädel vor dem Zerspringen bewahren.

»Und ich habe am 1. Mai defiliert, bin an der Spitze meines Jahrgangs gegangen und habe das rote Banner getragen, mit allen meinen Zweifeln im Kopf! Und so werde ich am Jahrestag der Oktoberrevolution abermals defilieren, das Banner tragen und immerzu daran denken müssen, daß sie den prächtigsten Menschen getötet haben, den ich gekannt habe. Und sie werden uns einen anderen Lehrer als diesen schicken, einen, der uns sagen wird, daß sein Vorgänger ein Feind des Volkes war und ein Konterrevolutionär, und ich werde diesen Lügen noch Beifall zollen müssen!«

Iwans lautes Selbstgespräch ließ einen verspäteten Passanten stehenbleiben und den Kopf wenden. Offenbar nahm er an, daß es sich um einen Betrunkenen handle, der hier vor sich hin lamentiere. Vielleicht aber lauschte hinter einem der offenstehenden Fenster ein Spion, hörte alles und benachrichtigte die Polizei... Nina jedenfalls legte Iwan die Hand auf den Mund, und Kristiaschka faßte seinen Arm und bat ihn zu schweigen:

»Tu's für mich, Iwan«, flüsterte sie, »ich bitte dich!«

Er blickte sie an und lächelte bitter.

»Die Liebe«, sagte er dann, »ist so etwas wie guter Geschmack, sie ist konterrevolutionär. Wäre ich ein konsequenter Marxist, so dürfte ich dich nicht lieben, wie ich dich liebe, Kristiaschka. *Sie* lieben niemanden, und sie haben recht. Man kann nicht zugleich die Revolution lieben und ein menschliches Wesen...«

»Sag doch nicht solche Dummheiten!« murmelte Kristiaschka. »Du hast heute ziemlich viel getrunken und bist es nicht gewöhnt. Du bist doch sonst so beherrscht. Der Champagner hat dir den Kopf benebelt, wir bringen dich jetzt zu Bett, und morgen hast du alles vergessen!«

Sie schämte sich ob ihrer armseligen Argumente und wechselte einen vielsagenden Blick mit Nina, es war der Blick zweier Frauen, die sich einig wußten in ihrem Mitleid für diese armen Jungen, die sich mit Problemen herumschlugen, die zu schwer für sie waren; aber es war nun einmal so, daß gerade die Besten sich diese Fragen stellen mußten. Sie brachten Iwan nicht zu seiner Wohnung, obwohl er nun schwieg und sich nicht mehr wehrte, sondern zu Tante Eudoxia. Sie waren übereingekommen, daß man ihn in diesem Zustand besser nicht allein ließ, und bugsierten ihn die Stiege hinauf in Stephans Dachkammer, wo er sich auf dem Boden ausstreckte und sogleich einschlief. Kristiaschka flüsterte Nina zu, daß sie bei Iwan bleiben und seinen Schlaf bewachen werde, wenn er zu bald erwachte, war er fähig, irgendeine Dummheit zu machen. Nina ging auf den Zehen in ihr Zimmer, Kristiaschka schlief, angezogen, wie sie war, auf der Strohschütte Stephans ein, der die ganze Nacht ausblieb. Man erfuhr auch nie, wohin ihn die Jagd nach dem Stock geführt hatte. Tatsache war, daß das schöne Erbstück verschwunden blieb.

Iwan kam nicht wieder auf den großen Prozeß zu sprechen und ebensowenig auf das Schicksal Larissas, ihres Gatten und Lubitschins. Es war, als habe er tatsächlich alles vergessen, was er darüber gesagt hatte und über die Verschickung seines geliebten Lehrers, ganz so, als hätte lediglich die Trunkenheit all dies aus ihm ans Licht geholt und das Erwachen habe alles wieder hinweggewischt. Nina und Kristiaschka achteten sein Schweigen und hüteten sich, im Gespräch Themen zu berühren, die zu einer Debatte über die große Reinigung führen konnten; auch die Namen Larissa und Lubitschin wurden nicht ausgesprochen, ebensowenig der des Geschichtsprofessors.

Stephan, der von diesen Vorgängen ja nichts wußte, war weniger vorsichtig und erzählte eines Abends bei Tante Eudoxia ein paar Anekdoten aus den zwanziger Jahren. Dabei sagte er, daß damals, bei seiner Rückkehr aus der Gefangenschaft, niemand so recht wußte, wer Stalin eigentlich sei. Sein Name war den meisten unbekannt. Iwan, der dabei war, wurde blaß und biß sich auf die Lippen, sagte aber nichts. Stephan behauptete auch, daß Lenin im Verlauf einer stürmischen Sitzung im Rat der Volkskommissare schriftlich die absolute Verläßlichkeit des Genossen Trotzki bestätigt habe; würde man Lenins Testament öffnen, sagte Stephan, so fände man zweifellos ein ganz und gar nicht schmeichelhaftes Urteil über Stalin; ja, Stephan verstieg sich zu der Behauptung, daß Stalin, wäre Lenin nicht so frühzeitig gestorben, den großen Genossen als Feind des Volkes liquidiert hätte.

Tante Eudoxia erkundigte sich mit vorsichtig gedämpfter Stimme, wie es denn komme, daß er, der unbedeutende Stephan Alexandrowitsch, die geheimsten Verhandlungen des Politbüros kenne – zumindest, soweit sie im Jahre 1919 stattgefunden hätten –, und wie er dazu komme, etwas über den Inhalt von Lenins Testament zu wissen.

Stephan begnügte sich damit, vielsagend zu antworten:

»Ich weiß, was ich weiß, meine Teure!«

Tante Eudoxia ließ sich auf weitere Erörterungen nicht ein, sondern bat ihn aus Angst vor Horchern, an solche Fragen lieber nicht zu rühren. Während der ganzen langen Rede Stephans hatten Nina und Kristiaschka angsterfüllt dagesessen und Iwan nicht anzublicken gewagt, der sich schließlich erhoben hatte und stumm gegangen war.

Der Sommer verging, und der Herbst kam ins Land. Iwan nahm den Besuch seiner Vorlesungen und Kurse wieder auf. Sein Bildungshunger und sein geistiges Streben überhaupt hatten nur noch literarische Ziele. Er führte Kristiaschka zu Puschkin, Lermontow, Gogol, Tolstoj und Tschechow heran. Er erschloß ihr die für sie neue Welt der Dichtkunst und des Romans, und sie wurde ihr bald vertraut. Sie entsann sich der seltsam erregten Stimmungen ihrer Kindheit, an den ersten Tagen des Frühlings oder im Winter, wenn die Sonne auf den knarrenden Schnee schien. All das, was sie damals so verworren und unklar empfunden hatte, fand sie heller, leuchtender und von der magischen Kraft des Wortes veredelt, bei den Dichtern wieder. Mit der Erinnerung stiegen auch die Menschen des Dorfes wieder in ihren Gedanken auf, die Menschen, die sie gekannt hatte, ihre Familie und die anderen. In den Romanen – wer hätte es geglaubt! – gab es Menschen, die nicht minder lebendig waren als diese Erinnerungen, Menschen, die man lieben konnte oder hassen mußte und die einem wirklich halfen, die stets etwas geheimnisvollen Mitmenschen besser zu verstehen.

So war es nicht zu verkennen, daß Stephan ganz gut in einen Roman Dostojewskijs gepaßt hätte. Es war nicht leicht, sich einen Roman dieses Autors zu verschaffen, er galt als nicht genehm. Iwan war es nach vieler Mühe gelungen, ein Exemplar des »Ewigen Mannes« aufzutreiben, und es stellte sich heraus, daß Stephan sehr wohl ein Vetter jenes Pawel Pawlowitsch Trussotsky sein konnte. Iwan hatte durchaus recht gehabt mit seiner Behauptung, Stephan Alexandrowitsch sei eine Figur von 1890. Er war sogar aus noch früherer Zeit, er war etwa um 1870 einzusetzen! Zweifellos war er ein lebendiger Anachronismus, der mehr als ein halbes Jahrhundert hinter seiner Zeit herhinkte; ja, so stand es um den guten Stephan.

Eines Abends, nach einem langen Spaziergang vor der Stadt, auf dem sie von Gontscharows Helden Oblomow gesprochen hatten, setzten sie sich am Rand eines Wäldchens ins Gras. Ein Gewitter war heraufgezogen, und bald zerriß der erste Blitz die dichten grauen Wolken. Die ersten schweren Tropfen zerspritzten auf dem Blattwerk. Sie flüchteten in ein Dickicht. Die Luft war voll vom Moderduft alten Laubes und vom Geruch der frischen Erde. Kristiaschka lachte, weil ihr ein großer Tropfen in den Nacken gefallen und den Rücken hinuntergeronnen war. Iwan küßte ihren Hals unter dem Vorwand, das Rinnsal abzufangen – es war, als hätte ein Dichter sich das ausgedacht. Dann suchte er ihren Mund und drückte sie schließlich in das weiche Laub.

So lernte Kristiaschka die Liebe auch von ihrer physischen Seite kennen, unter freiem Himmel, wie ein Gutteil der sowjetischen Jugend, die von der Wohnungsnot gezwungen wurde, heimliche Liebschaften unter den Sternen oder im Schutze des Nebels, auf weichem Laub oder in einem kühlen Straßengraben in Kauf zu nehmen, wie es die Jahreszeit eben ratsam erscheinen ließ.

Der Vorgang selbst brachte Kristiaschka keinerlei Befriedigung, nicht einmal die Befriedigung der Neugierde. Aber er brachte ihr zumindest eine Gewißheit, daß sie Iwan nicht liebte. Immerhin – da Iwan nun überglücklich war und sie mit tausend Zärtlichkeiten umgab, hatte auch sie nicht das Herz, sich ablehnend zu verhalten, und tat so, als empfinde sie für ihn die gleiche leidenschaftliche Zuneigung. Schließlich war schon das So-tun-als-ob ziemlich angenehm, und sie gingen daher immer öfter in jenen Wald.

Kristiaschka wurde vom Kreissportkommissar einberufen und erhielt ein kleines, aber modern und freundlich eingerichtetes eigenes Zimmer. Sie vergaß jedoch ihre Freunde nicht und ging abends oft zu Tante Eudoxia. Ihr Leben erschien ihr selbst nun ziemlich seltsam, teilte sie ihre Zeit doch zwischen dem Sport und Iwan, obwohl sie für beide nicht sonderlich begeistert war. Nicht ihr Leben war es, das sie so seltsam anmutete, sondern ihre eigene Natur, die reiflich ihre Lebensführung bestimmte. Das, was sie Iwan gewährte, nur weil sie nett sein wollte, hätte sie mit Inbrunst einst Akim gewährt. Und dennoch konnte Akim einem Vergleich mit Iwan nicht standhalten. Sie entsann sich ihrer Selbstgespräche und Zweifel in jener Zeit, da sie sich gefragt hatte, ob man einen Taugenichts tatsächlich lieben könne. Es hatte sich gezeigt, daß man dies sehr wohl konnte, wohingegen ein Junge, für den alles sprach und der die Liebe durchaus verdiente, trotz allem ungeliebt bleiben konnte. In den Armen Iwans dachte sie hin und wieder an Akim, und es konnte vorkommen, daß sie sich in Iwans Gesellschaft langweilte.

Als sie eines Abends Tante Eudoxia besuchte, erfuhr sie, daß am Morgen, genauer gesagt schon bald nach Tagesanbruch, zwei Polizisten an die Tür geklopft hatten. Nina zitterte vor Angst und war überzeugt, daß man sie abholen wollte; sie packte schon ihr Köfferchen, als einer der Polizisten erklärte, man müsse bei Stephan eine Haussuchung vornehmen, denn er habe sich am Abend vorher im Gorki-Park vor kleinen Mädchen exhibitionistisch gebärdet. Tante Eudoxia sagte, daß dies ja nicht ausbleiben konnte bei Stephans lächerlicher und zur Erfolglosigkeit verurteilten Leidenschaft für Kristiaschka. Er hatte seine Madonna weiterhin aussichtslos angebetet, dabei aber auf einem anderen Feld Befriedigung gesucht.

Die Polizisten fanden in Stephans Dachkammer eine Reihe erotischer Publikationen und obszöner Fotografien. Auch dazu erklärte Tante Eudoxia, nicht überrascht zu sein: Shukow sei in Deutschland gefangen gewesen, und man kenne ja die Vorliebe der Deutschen für solche Schriften und Bilder; dabei spuckte sie mit deutlichem Ekel auf den Boden.

Nina jedoch war außerordentlich erleichtert und erzählte alles haarklein ihrer Freundin. Kristiaschka hörte still zu und vergoß dann einige Tränen.

»Stephan ist das einzige menschliche Wesen, das mich je verstanden hat!« sagte sie, obwohl sie es besser hätte wissen müssen, denn Tante Eudoxia hatte doch eines Tages aufgedeckt, wie egoistisch Stephan Alexandrowitsch stets gedacht und gesprochen hatte und wie wenig er im Grunde von Kristiaschka wußte. Dennoch war an dem Stoßseufzer Kristiaschkas das eine wahr, daß Stephan der einzige Mensch gewesen war, in dessen Gesellschaft sie sich wohl gefühlt hatte. Das war wieder so ein Widerspruch ihrer Natur! Trotz allem, was dagegensprechen mochte, hatte sie das Gefühl, daß er sie wirklich kenne, und sie hatte durchaus recht, wenn sie dies für wichtig hielt, denn das ist nun einmal der Preis der Liebe: die Kenntnis des anderen und das, was man von sich selbst dem anderen gibt, die Erkenntnis jener Vorstellung, mit der man in einem anderen Ich gegenwärtig ist.

Die Monate vergingen, die Zeit verrann. Kristiaschka sah mit ihren Sportkameraden viele Orte des Distrikts und gelangte eines

Tages sogar nach Moskau. Sie stellte fest, daß diese Stadt genau der Vorstellung entsprach, die sie sich von ihr gemacht hatte. Hochgestellte Persönlichkeiten überreichten ihr Blumensträuße, beglückwünschten sie und drückten ihr die Hand, und doch war sie nicht glücklich. Iwan sprach nun nie mehr von Politik, sondern immerzu von Gedichten und von der Literatur im allgemeinen. Kristiaschka interessierte sich nicht sonderlich für Politik, aber sie wußte aus den Gesprächen ihrer Sportkameraden einigermaßen Bescheid. Zur Zeit waren Presse, Radio und Kino mit einer lebhaften antinazistischen Campagne beschäftigt. Man sprach nun nicht mehr von Reinigungen, sondern von den Auswüchsen des Hitlersystems, der Wiedergeburt der teutonischen Barbarei, die noch durch einen scheußlichen Antisemitismus verschärft werde. Kristiaschka lernte einen jungen Spanier kennen, der im Bürgerkrieg seine Eltern verloren hatte und von der Sowjetunion adoptiert worden war. Sie sah einen Film mit unverhüllt antideutscher Tendenz; er hieß »Alexander Newski oder die Schlacht auf dem Eis«, und sie mußte an Mischa denken, der in Spanien gegen die Legion Condor gekämpft hatte. Man durfte annehmen, daß er inzwischen längst wieder in Rußland weilte, aber er hatte sich bei Nina nicht gemeldet und ihr auch nicht eine Zeile geschrieben. Nina hatte sich übrigens einigermaßen getröstet; ihr neuer Freund war Architekt und Stadtplaner und arbeitete an einer Reihe von Anlagen, durch welche die Stadt verschönert werden sollte. Nina war eben wendig und geschickt... Kristiaschka überlegte, ob auch Mischa so wie die deutschen Flieger (nur eben mit einem roten Stern an den Tragflächen) Bomben geworfen und die spanische Bevölkerung terrorisiert habe. Sie schämte sich gleich darauf solcher Gedanken, denn es war nun einmal Tatsache, daß in Spanien der Faschismus die unterdrückende Kraft war und nicht die Sowjetunion. Darum applaudierte sie nach dem Film »Alexander Newski«, nach dem großen Sieg des russischen Volksheeres über die deutschen Ordensritter...

Der Sommer des Jahres 1939 war strahlend schön. Bei ihren vielen Reisen von einem Wettkampf zum anderen konnte Kristiaschka feststellen, daß das Getreide gut stand und eine reiche Ernte versprach. Sie verbesserte ihren eigenen Diskusrekord, rückte an die fünfte Stelle in der Rangliste der Sowjetunion vor und lag nur noch um vier Meter hinter dem Weltrekord. Eines Morgens besuchte sie zwischen zwei Zügen Tante Eudoxia, die nie auf den Gedanken gekommen wäre, daß ein junges Mädchen dadurch berühmt werden könnte, daß es eine Scheibe aus Holz oder Metall in die Luft warf. Tante Eudoxia sagte ihr, daß das Morgenrot dieses Tages so tief und blutig gewesen sei wie in den Jahren 1905 und 1914, worin man ein Anzeichen für große Ereignisse erblicken müsse, bei denen viel Menschenblut fließen werde.

Iwan war nicht in der Stadt, man hatte ihn zur Erntehilfe einberufen. Nina war mit ihrem Architekten auf einer Dienstreise und ließ es sich gut gehen. Kristiaschka ging also allein auf den Dachboden und trat in Stephans Kammer, in der nichts mehr an ihn erinnerte als die Dachpappe, mit der er einige Risse und Ritzen in der Wand abgedichtet hatte. Seine armselige Habe war von den zwei Polizisten mit fortgenommen worden, auch das Bildnis des nackt auf das Pferd gebundenen Mazeppa, als ob man auch darin einen Beweis für Stephans üble Sitten erblickt habe. Der arme Stiva, der so allein auf der Welt gewesen war, bis er Kristiaschka kennengelernt hatte, in welchem Teil des weiten Rußland stakte er nun mit seinen Zugstiefeletten durch den Staub? Unterhielt er Leidensgenossen und Aufseher mit seinen Narreteien und Grimassen und den Kartenkunststücken? Zweifellos aber war er einsamer als je zuvor in seinem Arbeitslager und im Schlafsaal der Sträflinge.

Mittags aß sie mit Juanito, dem jungen Läufer aus Spanien. Er trug die Haare noch immer sehr lang, so daß sie ihm in den Nacken hingen, während die Russen alle auf kurzen Haarschnitt achteten. Juanito machte Kristiaschka scheu und diskret den Hof; er spielte Gitarre und sang in seiner Sprache, die zugleich rauh und zärtlich wirkte, traurige Lieder. Sie waren so traurig wie die traurigsten Volkslieder, die Kristiaschka kannte, aber sie bargen doch ein geheimes Feuer, und bisweilen brach die Glut urplötzlich aus den schmeichelnden Klagen dieser Poesie hervor. Iwan liebte die spanischen Romanzen nicht, aber sein Urteil konnte nicht als unbefangen gelten, denn er war eifersüchtig auf Juanito. Diese Eifersucht ärgerte wiederum Kristiaschka, denn solange auch ihre Verbindung mit Iwan bereits dauerte, so wollte sie es doch nicht dulden, daß er sie als sein Eigentum betrachtete. Darum empfand sie hin und wieder die Versuchung, Juanitos scheue Ergebenheit zu erhören, nur um sich selbst zu beweisen, daß sie nicht Iwan gehörte. Übrigens war er reizend, dieser kleine Juanito. Er gebärdete sich auch keineswegs so hochfahrend wie jene Spanier, die Stephan in einem fort imitiert hatte, und war geschickt genug, Iwan stets freundlich zu begegnen, was diesen erst recht erbitterte. Vor allem aber war Iwan darüber aufgebracht, daß durch die häufigen Wettkämpfe in anderen Orten Juan und Kristiaschka, die zu einer Mannschaft gehörten, viel mehr beisammen waren als Iwan und seine Geliebte. Er verachtete Juanito, weil der junge Spanier kein Intellektueller war, und begann Gedichte auf Kristiaschka zu schreiben, um diesen Unterschied zu betonen. Juanito konnte keine Gedichte machen, schon gar nicht auf Russisch, das er nur gebrochen sprach; aber er konnte Gedichte vortragen und sich dazu auf der Gitarre begleiten, und es war offensichtlich, daß Kristiaschka diese Begabung ebenso zu würdigen wußte wie den poetischen Genius Iwans. Hin und wieder sagte sich Iwan, daß Kristiaschka nun eben kokett geworden sei und daß es ihr Spaß mache, die beiden jungen Männer gegeneinander auszuspielen; das aber war sehr ungerecht, denn Kristiaschka war absolut nicht kokett, sie langweilte sich nur und wartete auf etwas, das sie nicht kannte. Nicht auf die Ehe, nicht auf die große Liebe, nicht auf die erste Mutterschaft, nein: Sie wartete auf etwas, das ihr seltsames Schicksal bringen mußte, auf die Einsicht, daß ihr Leben einen Sinn habe. Es kam vor, daß sie heimlich weinte, und sie wünschte sich dann, daß Tante Eudoxia tatsächlich die Gabe hätte, in die Zukunft zu schauen. Wie gerne hätte sie sich von ihr sagen lassen, was das Leben noch für sie bereithalte; wie gerne hätte sie gewußt, wann das Ereignis eintreten würde, das ihrem Leben einen Sinn gab.

Sie aß mit Juanito in der Kantine des Sportheims. Sie fand ihn schlechter Laune, was sehr selten war, und er bekannte auch gleich, welchen Grund dies habe: Ribbentrop, der deutsche Minister des Auswärtigen, war vergangene Woche nach Moskau gekommen. Er hatte Molotow die Hand gedrückt und mit ihm einen Freundschaftsvertrag zwischen der Sowjetunion und dem Nazireich abgeschlossen!

Kristiaschka bat den Freund, doch von etwas anderem zu sprechen; die Politik gehe ihr auf die Nerven, und dieses Bündnis sei immerhin besser als ein Konflikt... Daraufhin ergriff Juanito die Hand Kristiaschkas, sah sie nachdenklich an und hatte dabei auf seinem Gesicht den unverkennbaren Ausdruck des Schmerzes. Und dann begann er in seinem seltsamen, mit spanischen Brokken durchsetzten Russisch auf sie einzureden; es war eine Mischsprache, die sie nun schon recht gut verstand, so daß sie hin und wieder selbst einzelne spanische Worte in den Mund nahm, wie *mañana* für morgen oder *querido* für teuer. Es konnte sogar vorkommen, daß sie diese Worte Iwan gegenüber verwendete, was diesem natürlich ganz und gar nicht gefiel. In dieser Sprache also berichtete Juanito, daß auf dem Moskauer Flugplatz zu Ehren Ribbentrops Hakenkreuzfahnen gehißt worden waren, also Fahnen mit jenem Zeichen, unter dem man seine Familie abgeschlachtet hatte! Das sei doch wohl Grund genug für seine Verwirrung!

Kristiaschka lächelte ihn beruhigend an und entschuldigte sich wegen ihrer Worte von vorhin. Er küßte ihr die Hand und sprach weiter. Es zeigte sich, daß er wirklich verzweifelt war. Ein Jahr vorher hatte Hitler Österreich eingesteckt, und Europa hatte nicht mit der Wimper gezuckt, es war wie damals gewesen, als Franco die Spanische Republik gemeuchelt hatte. Und so war es geblieben, Frankreich und England waren nur nach München gekommen, um Hitler alles zu bewilligen, und ein halbes Jahr darauf hatte er über das Bewilligte hinaus noch die ganze Tschechoslowakei verspeist. Man konnte sich an den Fingern abzählen, daß seine nächsten Ziele der polnische Korridor und Danzig sein würden, und just in diesem Augenblick blase Stalin die Propaganda gegen die Nazibarbarei ab und lasse es zu... Oh, diese Hakenkreuzfahnen auf dem Flugplatz von Moskau...!

Kristiaschka legte einen Finger auf den Mund und bedeutete ihrem jungen Freund, vorsichtig zu sein. Sie beschlossen einen Badeausflug; Kristiaschka trug ihm auf, seine Gitarre mitzunehmen, aber er vergaß sie. So ließen sie sich denn am Strand in der Sonne braten, an dem langen Dnjepr-Ufer, das zu dieser Stunde von Menschen wimmelte. Kristiaschka bedauerte, daß er die Gitarre vergessen hatte, aber Juanito fragte nur trotzig, was er denn hätte spielen sollen? Das Horst-Wessel-Lied wäre ja wohl aktuell, aber er kenne die Melodie nicht!

Die Zeit verging. An dem Tag, da die Sowjetunion Ostpolen, Litauen, Lettland und Estland annektierte, blieb Juanito im Männerschlafsaal den ganzen Tag auf seinem Bett liegen und redete niemanden an. Auch zu Kristiaschka kam er nur einen Augenblick lang auf den Gang, um ihr zu erklären, daß er allein sein wolle; da sie nicht nachgab und ihn unbedingt aufheitern wollte, rannte er wütend davon, und Kristiaschka hörte, daß er seine Gitarre auf dem Boden zerschlug.

Der Widerstand, den Finnland dem sowjetischen Angriff leistete, war für Iwan ein Anlaß, mit seinem Grundsatz des vorsichtigen Schweigens zu brechen. Er sprach jedoch auch jetzt noch nicht viel, sondern sagte nur in Gegenwart Kristiaschkas und Juanitos: »Das war ein Schlag ins Wasser!« – eine Redensart übrigens, die man damals in Rußland von so manchem heimlich hören konnte.

Der Zusammenbruch von Dünkirchen, der Fall von Paris und die Besetzung Frankreichs gingen beinahe unbemerkt vorüber, obwohl Tante Eudoxia immer wieder betonte, daß die Zeit des großen Blutvergießens nun auch für Rußland heranrücke. Iwan, Juanito und Kristiaschka verfolgten mit einiger Besorgnis die industrielle Mobilisierung in der Sowjetunion. Als Sportler und Studenten waren sie zwar Privilegierte des Systems, aber es konnte doch nicht ohne Auswirkungen bleiben, daß man zur gleichen Zeit die Nichteinhaltung der Arbeitsnormen mit Strafen belegte und den Arbeitsplatzwechsel verbot. Ja, die Direktoren der großen Kombinate erhielten sogar das Recht, ganze Gruppen von Arbeitern von einer Fabrik in die andere zu überstellen, die oft Hunderte von Kilometern auseinanderlagen, und zugleich wurden Burschen und Mädchen, die das vierzehnte Jahr hinter sich hatten, in den Arbeitsprozeß eingegliedert. Man mußte also annehmen, daß auch ihren Privilegien keine lange Dauer mehr beschieden sein würde, sagten sich Kristiaschka, Juanito und Iwan, kümmerten sich aber im übrigen nicht sonderlich um die Hintergründe dieser Maßnahmen. Sie fürchteten nur, daß man sie früher oder später auf einen Arbeitsplatz in der Industrie zwangsverpflichten würde. Nun war es nicht mehr notwendig, sich verdächtig zu machen, man konnte auch ohne solche Anlässe verschickt werden.

Diese Befürchtungen erwiesen sich jedoch als übertrieben. Iwan konnte seine Studien ungestört fortsetzen und die Prüfung als Englischlehrer ablegen. Zugleich aber brachte er auch Kristiaschka einiges von dieser Sprache bei, so daß die Gespräche zu dritt bald in ein regelrechtes russisch-spanisch-englisches Kauderwelsch ausarteten. Juanito mußte zwar einige Stunden des Tages in einer Drahtzieherei arbeiten, konnte sich aber im allgemeinen nicht beklagen, da die Sportler ja geschont wurden. Und Kristiaschka bildete sich in aller Ruhe zur Sportlehrerin aus.

Am 22. Juni 1941 bestieg Kristiaschka mit ihrer Vereinsmannschaft den Zug nach Shitomir. Sie waren alle recht guter Dinge: Man hatte gefürchtet, daß Hitler im Frühjahr Krieg anfangen würde, nun war der erste Tag des Sommers angebrochen, und es war noch immer Frieden! Als die Sportler aber den Bahnhof verließen, ließ ein dumpfes und immer heller und lauter werdendes Brausen sie die Köpfe heben, gleich darauf erfolgte eine schwere Explosion, deren Luftdruck Kristiaschka gegen eine Tür preßte. Sie konnte eben noch die Flügel einer abfliegenden Gruppe von Bombern und auf ihnen das Hakenkreuz erkennen. Plötzlich war dann Juanito neben ihr; sie zitterte in seinen Armen, und er sagte mit böse verzerrtem Mund: »So sehe ich sie lieber, die Hakenkreuzflugzeuge, als auf dem Flugplatz von Moskau!« Dann lachte er hysterisch auf.

VI

Buddy träumte, er befinde sich am Strand von Coney Island. Aber dieser lag völlig ausgestorben da, selbst die Karussells waren nicht in Betrieb. Weit und breit war kein Mensch zu erblicken, und die Stille war bedrückend. Er irrte über den Strand hin, aber es war so, als berührten seine Füße den Boden nicht, sondern schwebten einige Zentimeter über ihm dahin. Er stieß auf eine Musikbox, die im Sand halb versunken war, und warf ein Zehn-Cent-Stück in den Schlitz. Eine Platte begann sich zu drehen, aber man hörte keinen Ton von der Musik. Endlich entdeckte er ein menschliches Wesen, einen Mann, der sich auf einen jener Apparate stützte, aus denen man sein Horoskop ziehen kann. Dieser Mann war wie ein Aufseher gekleidet, wirkte weder jung noch alt und trug Stiefel, Lederkoppel und einen Revolver. Er lächelte, als Buddy herankam, und sagte zu ihm:

»Ich möchte wetten, Sie kommen wegen des Jüngsten Gerichts? Jaaa, das ist so eine typisch teuflische Idee gewesen, er hat es mir anvertraut. Das Jüngste Gericht wird gestrichen, hat er mir gesagt, auf unbestimmte Zeit vertagt. Das ist doch das Ärgste, was man den Menschen antun kann, denn von allen Übeln ist die Ungewißheit sicherlich das schlimmste. Ich wundere mich nur, daß Sie noch nichts davon gehört haben, inzwischen sind doch längst alle Menschen informiert. Sie sind der einzige ...«

In diesem Augenblick bemerkte Buddy den langen weißen Bart des Wächters. Als Buddy sich dann bestürzt von dem Mann verabschieden wollte, begann der Horoskop-Automat seltsam zu schaukeln und zu wanken und stieß, als er endlich umfiel, gegen Buddys Schienbein. In dieser Sekunde erwachte Buddy und fand sich am Fuß seines Feldbettes wieder. Vor ihm standen drei seiner Kameraden in Uniform, Übungshose und Übungsbluse, und lachten.

»Es tut uns leid, Dan, daß wir dich wecken mußten«, sagte einer, »aber der Leutnant hat den Wunsch, dich zu sehen!«

Buddy hieß nun nicht mehr Buddy, denn dieser Name paßte nicht zu seinem Alter. Man nannte ihn Dan, da er mit Vornamen Daniel hieß. Er wußte nun auch wieder, daß er sich nicht am Strand von Coney Island befand, sondern in New Jersey, in einem Rekruten-Ausbildungslager, und daß er Soldat zweiter Klasse Daniel W. Murchison war, Matrikel-Nummer 37.421.562. Er stand auf, zog sich an und ging in die Schreibstube, wo er wartete, bis er zum Leutnant hineindurfte.

Der Sergeant Timothy Potter war ein Kerl von zweihundertvierzig Pfund und balancierte weit zurückgelehnt seinen Stuhl auf zwei Beinen. Die Beine des Sergeanten lagen dafür auf dem Schreibtisch. Er hatte den Telefonhörer in der Hand und verlangte, zum Teufel! zum zehntenmal ein dringendes Militärgespräch mit Monteney, Kalifornien. Von dort stammte er nämlich. Er betrachtete Dan ganz so, als sehe er ihn gar nicht, ja, als ob er ein Stück Mauer sei, und sagte nach einer Weile des Wartens in den Apparat:

»Ich sage dringend, Fräulein, es handelt sich um Hitlers Tod... verstehen Sie? Sie mögen wohl meine Stimme nicht, he?«

Abermals trat eine kurze Stille ein, dann verklärte sich das Gesicht des riesigen Sergeanten plötzlich, soweit man das bei seiner dunklen Hautfarbe überhaupt sagen konnte, die wohl auch durch die Nachricht, daß Hitler tatsächlich gestorben sei, nicht um eine Nuance heller geworden wäre. Um so mehr veränderte sich jedoch seine Stimme, sie wurde zärtlich, ja, sie liebkoste beinahe mit jedem Wort:

»Hallo... Darling? Es tut gut, deine Stimme zu hören... Geht's dir gut? O nein, hier ist es drei Uhr nachmittags... Ja, er wird dich noch oft mit den Beinen stoßen, der wird kräftig wie sein Vater, du wirst sehen! Klar, daß es ein Junge wird... Und für mich dann meinen Lieblingskuchen, und zwar nicht zu knapp, groß wie ein Lastwagenreifen!... Ja, der Urlaub ist durch, vier Tage, Dienstag oder Mittwoch, ich schicke dir noch ein Telegramm...«

Das Gespräch, das Sergeant Timothy Potter mit seiner Frau führte, die kurz vor der Niederkunft stand, währte lange, denn seine Familie war zahlreich und die der Frau ebenfalls, und der Sergeant wollte von allen Mitgliedern der beiden Familien wissen, wie es ihnen gehe. Daran schloß sich dann eine endlose Diskussion über die Frage, wer wohl barbarischer kämpfe, die Japaner oder die Deutschen. Anlaß zu dieser Auseinandersetzung war die Tatsache gewesen, daß Ed, einer von Timothys Schwägern, gerade als Hilfsmechaniker auf einem amerikanischen Kreuzer in die japanischen Gewässer auslaufen sollte. Zum Abschluß sagte Timothy dann, daß es sinnlos sei, sich solche Sorgen um Ed zu machen, denn von all diesem Kummer würde die Muttermilch knapp, und sie könnte dann den Kleinen nicht selbst nähren. Das aber müsse sie tun, zumindest in den ersten Tagen, das mache die Kinder besonders kräftig. Daran schloß sich ein Gespräch über den Vornamen des Kleinen. Timothy Potter plädierte für Richard, so hieß nämlich Timothys Vater, der Schwarzseher, aber die Frau schien damit nicht einverstanden zu sein; es kam zu keiner Einigung, denn das zärtliche Geflüster des Sergeanten ging plötzlich in eine wahre Flut von Flüchen über. Das Gespräch war unterbrochen worden!

»Hallo . . .«, rief er in die Muschel, und dann noch einige Male, immer verzweifelter, »Hallo . . .«, bis er schließlich resignierte und den Hörer auflegte. Nun erst schien er zu bemerken, daß Dan im Zimmer war, betrachtete ihn nachdenklich vom Kopf bis zu den Schuhen und sagte:

»Ach, Sie . . ., stimmt, ich erinnere mich! Warten Sie eine Minute!«

Er nahm die Beine vom Tisch, stopfte sie mit einiger Mühe unter die Schreibtischplatte und beugte sich über die Annoncenseite der *New York Times*, die vor ihm lag. Er begann links oben zu lesen und verfolgte mit seinem dicken Zeigefinger die Zeilen. Er war auf diese Weise noch nicht an das Ende der ersten Kolonne gelangt, als das Telefon läutete. Der Sergeant brummte: Wer wollte denn schon wieder etwas von ihm . . .? Er las die Kolonne zu Ende, nahm dann den Hörer ab und meldete sich:

»Yes, Sir, hier ist Sergeant Potter, Schreibstube der dritten Kompanie . . ., fünf Minuten vor Viertel? Geht in Ordnung, Sir, wie Sie wünschen, Sir!«

Sobald ihm klar geworden war, daß am anderen Ende ein Offizier sprach, hatte er sich in seinem Stuhl straff aufgerichtet und mit der freien Hand seine Uniformbluse zurechtgezupft. Nach dem Ende des Gesprächs fluchte er aber wieder leise vor sich hin, kratzte sich den Kopf und ließ den sehr leeren Blick wieder über Dan hingleiten.

»Ich weiß . . ., ich vergesse Sie schon nicht«, sagte er dabei gequält, »der Leutnant hat Sie vorgeladen, stimmt's?«

»Für drei Uhr, Sergeant!« antwortete Dan. Der Sergeant blickte auf seine Armbanduhr, erhob sich sehr langsam und gewichtig und ging auf die Tür im Hintergrund des Zimmers zu. Er trat ein, zog sie hinter sich zu und erschien nach wenigen Augenblicken wieder.

»Sie können noch nicht 'rein«, sagte er dann zu Dan, »der Leutnant sagt, Sie sollen warten!«

Er ließ sich wieder auf seinen Stuhl fallen, spannte Papier in die Schreibmaschine und begann sehr schnell zu tippen, wobei er jedoch mehrmals innehielt und zur Decke aufblickte, als könne er von ihr die Worte ablesen, die ihm fehlten.

Dan hatte sich an die Wand gelehnt, die Hände hielt er auf dem Rücken verschränkt. Er konnte nicht lange stehen, die Knöchel taten ihm weh. Er wechselte die Stellung und lehnte sich mit der Schulter an die Wand, aber auch in dieser Haltung hielt er es nicht lange aus. Er ging ein paar Schritte längs der Wand auf und ab und blieb stehen, um die dienstlichen Nachrichten und Verlautbarungen zu studieren, die dort angeschlagen waren. Außerdem las er eine gedruckte Wandzeitung mit bunten Bildern, die Verhaltungsmaßregeln hinsichtlich der Malaria enthielt. Von der Gefahr der Moskitostiche war die Rede, von Vorbeugungsmaßnahmen, der Notwendigkeit der Desinfektion und wie man die Gasmaske aufsetzte. Als Dan all das gelesen hatte, begann er noch einmal von vorne, bis er schließlich alle Merksätze auswendig wußte und sich gegen die Malaria völlig gefeit fühlte. Dem Sergeanten Potter hingegen wünschte er einen Stechmückenangriff, er wünschte ihm den Leib voll bazillenhaltigem Wasser und stellte sich vor, wie Timothy Potter sich wohl ohne Gasmaske inmitten einer Giftgaswolke ausnehmen würde. Schließlich, als er das Stehen und Warten gründlich satt hatte, rutschte er längs der Wand zu Boden und setzte sich auf die Bretter, wobei er die Knie anzog und die Hände zwischen ihnen baumeln ließ. Als Sergeant Potter jedoch wieder einmal ein Wort von der Zimmerdecke ablas, fiel sein Blick auf den sitzenden Dan W. Murchison; er machte eine kurze, entschiedene Handbewegung, und Dan erhob sich.

Nach etwa einer Stunde sagte der Sergeant, er habe eine dringende Besprechung; wenn jemand nach ihm frage, so solle Dan nur sagen, Sergeant Potter sei im Verbindungsstab. Dann setzte er seine Mütze auf und ging. Dan ließ sich in den Sessel des Sergeanten fallen und suchte in den Schreibtischladen nach etwas, was er lesen könnte. Sie waren tatsächlich voll von Zeitschriften: *Town and Country, New Republic, National Geographic, Atlantic Monthly,* und ganz hinten in einer der Schubladen fand sich auch ein Kriminalroman mit Liebe. Dan überflog ihn und fand, daß die Geschichte reichlich kompliziert war: Eine Modezeichnerin von Hattie Carnegie geht zu Macy's, um ein Paar Abendhandschuhe zu kaufen, Handschuhe aus weißem Ziegenleder, die bis über den Ellbogen hinaufreichen. Der Autor beschrieb sie als ein rothaariges Mädchen mit vollen Lippen, tollen Körperlinien, beachtlicher Brust und berstend von Sex-Appeal. Sie probiert einen der Handschuhe, nicht aber den anderen, weil sie es eilig hat. Zu Hause findet sie dann in dem Handschuh, den sie nicht probiert hat, einen Ring, genauer gesagt, die Hälfte eines Doppelringes, einen jener Ringe, die aus zwei Teilen bestehen, deren einer die Initialen des weiblichen Vornamens trägt, der andere die des männlichen. Auf der Hälfte, die sie fand, stand ein großes M. Der Name konnte also Mildred, Muriel oder Marjorie lauten, ebensogut aber Michael, Martin, Max. Und dann...

In diesem Augenblick läutete das Telefon. Dan rührte sich nicht; was ging ihn der Sergeant an, wäre er doch hier geblieben! Aber der Apparat läutete beharrlich weiter, und Dan wollte eben abheben, als das Klingeln aufhörte.

Die Modezeichnerin also will den Ring zurückbringen, aber es ist schon zu spät, bei Macys ist bereits geschlossen, und sie geht zu El Marocco zu Abend essen, mit dem Ring am Finger...

Das Telefon läutete schon wieder, und zwar so lange, daß die Tür im Hintergrund des Zimmers sich öffnete und ein Mann in Leutnantsuniform erschien. Er schien überrascht, Dan anstelle Potters hinter dem Schreibtisch vorzufinden, tat den Mund auf, als ob er etwas sagen wolle, verschwand dann aber wieder, wobei er die Tür hinter sich zuschlug. Offenbar war der Leutnant sehr schlecht gelaunt.

Im zweiten Kapitel also fischt man einen Leichnam aus dem Hudson, den Leichnam eines hübschen braunhaarigen Mädchens; sie ist elegant gekleidet, Seidenwäsche, spitze Pumps und so weiter, und trägt an ihrem Finger einen dieser halben Doppelringe mit der Initiale V: Vincent, Victor oder Valentin, alles, was man will und was mit einem V beginnt. Dan langweilte sich: daß man bei diesen Kriminalgeschichten doch immer gleich sah, worauf alles hinauslief... Tatsächlich tauchte schon im dritten Kapitel ein Gangster namens Valerio auf, der sich im Büro des Nachtklubs, dessen Besitzer er ist, mit einigen seiner Kumpane an Sekt gütlich tut...

Die Tür öffnete sich – nicht im Büro Valerios, sondern in der Schreibstube der dritten Kompanie, der Leutnant trat ein, und Dan sprang auf, um die Ehrenbezeigung zu leisten. Der Leutnant deutete ihm vorzutreten. Dan tat drei Schritte und stand dann in der Mitte der Stube stramm.

»Ist der Sergeant nicht da?« fragte der Leutnant.

»Er ist beim Verbindungsstab, Sir«, antwortete Dan, noch immer unbeweglich und starr aufgerichtet.

»Aha, beim Verbindungsstab«, sagte der Leutnant, »dann weiß ich Bescheid!« Sein Tonfall ließ vermuten, daß es sich um ein wichtiges militärisches Geheimnis handle, das aber ihm, dem Leutnant, natürlich bekannt sei. Er ging langsam und nachdenklich um Dan herum, als wolle er an dessen Uniform irgend etwas Vorschriftswidriges entdecken. Schließlich, als er ihn ganz umschritten hatte, blieb er stehen, biß auf einen Fingernagel, betrachtete den gebissenen Nagel und die anderen Finger und sagte endlich:

»Soldat zweiter Klasse Dan W. Murchison..., mit Ihnen ist irgend etwas nicht in Ordnung.«

Dan blieb unbewegt stehen, als sei er aus Stein, und schwieg.

»Wissen Sie nicht, was ich meine?« fragte der Leutnant. Er war mittelgroß, hatte eine dunkle Hautfarbe, einen Goldzahn und eine hohe Stirn, aus der das Haar schon weit zurückgewichen war. Seine Hose wies eine untadelige Bügelfalte auf.

»Nein, Sir, ich weiß es nicht«, sagte Dan.

»Immer wieder wird mir Ihr Name genannt, und immer stinkt etwas, wenn ich ihn höre!«

»Das tut mir leid, Sir!«

»Wissen Sie, warum Sie in der Armee der Vereinigten Staaten Dienst tun, Soldat zweiter Klasse Dan W. Murchison?«

»Um Hitler, Mussolini und den Mikado zu bekämpfen, Sir, zumindest hat man mir das so gesagt!«

»Gut! Warum führen Sie dann so dumme Reden? Was war denn das mit der Fotografie unserer Präsidentin, mit der Sie sich den Hintern abwischen wollten, he?«

Dan hatte Mühe, sich das Lachen zu verbeißen. Darum also ging es! Eine große Wochenschrift hatte auf dem Titelblatt ein Bild von Eleanor Roosevelt gebracht, wie sie einen schwarzhäutigen GI umarmt; Dan hatte eines Tages, als er Küchendienst hatte, das Bild in einem Abfalleimer gefunden und erklärt, das sei auch der richtige Platz für so billige Propaganda; nun, da man die Neger für die Armee brauche, nun lynche man sie nicht mehr, nun verhätschele man sie und drücke ihnen Küsse auf die Wange. Ja, er hatte sogar hinzugefügt, daß der Chefredakteur eine noch viel nettere Titelseite hätte machen können, nämlich mit einem Kerl vom Ku-Klux-Klan in der weißen Toga mit der Kapuze, wie er gerade einen Negersoldaten küßt – so gut man nämlich mit so einer Kapuze küssen kann!

»Ich weiß nun, worum es sich handelt, Sir«, sagte Dan, »es tut mir leid, ich habe aber nicht davon gesprochen, daß ich mir mit diesem Zeitungsblatt den Hintern abwischen will.«

»Nun, ob Sie genau das gesagt haben oder etwas anderes, der Sinn war es jedenfalls. Soldat zweiter Klasse Murchison: Was glauben Sie, wieviel darauf steht, wenn man die Gattin unseres Präsidenten beleidigt?«

»Ich weiß nicht, Sir..., vermutlich ziemlich viel.«

»Wie denken Sie über ein Kriegsgericht, Daniel W. Murchison?«

»Nur Gutes, Sir. Es ist zweifellos eine sehr nützliche und notwendige Einrichtung. Ohne Kriegsgericht würden wir nie über Hitler, Mussolini und den Mikado siegen!«

»Nun, sehen Sie...!«

Der Leutnant schlug einen kurzen rechten Haken in Dans Bauch, aber nicht sehr stark, es war eher ein freundschaftlich-mahnender Boxhieb als eine Züchtigung. Er lachte und sagte:

»Sie sind doch ein verdammter Komiker, Murchison. Sind Sie der Murchison, der in *News Masses* ein paarmal Gedichte veröffentlicht hat?«

»Jawohl, Sir«, antwortete Dan, ein wenig verwundert ob der plötzlichen Fröhlichkeit des Offiziers.

»Das waren verdammt gute Gedichte«, sagte der Leutnant, »kommen Sie, Dan, wir setzen uns in mein Zimmer, da können wir besser plaudern...!«

Das Büro des Leutnants war wesentlich komfortabler eingerichtet als das des Sergeanten. Zumindest mußten hier die Besucher nicht an der Wand stehend warten, sondern konnten sich einem lederbezogenen Sessel anvertrauen. Der Leutnant bedeutete Dan, sich zu setzen, und hielt ihm eine Packung Chesterfield-Zigaretten vor die Nase. Dan nahm eine, und der Leutnant gab ihm mit einem dicken Bürofeuerzeug Feuer, mit einem jener Dinger, die gut und gerne ihre zwanzig Dollar kosten. Dann brannte er sich selbst eine an und blies die blauen Wolken zur Decke.

»Verdammt gut gemacht, Ihre Lyrik«, sagte er dann, »ich erinnere mich sogar an eine Verszeile: ›Für dich, mein Bruder,/ meine Hand und dein Herz...‹ Sagen Sie, Dan – schreiben Sie noch Gedichte?«

»Nein, Sir, habe seit drei Jahren keins mehr gemacht.«

»Und warum nicht?«

»Bin nicht in Stimmung dazu ...!«

»Was haben Sie denn getan, ehe Sie zur Armee gingen?«

»Immer dieselben fünf Punkte geschweißt, bei Chrysler in Detroit, am Fließband ...«

»Ja, die Spezialisierung und Mechanisierung treibt wilde Blüten bei uns; das ist natürlich nichts für ein Dichterhirn. Ich verstehe Sie!«

»Es ist schon so, wie Sie sagen, Sir, mit der Spezialisierung ...«

Der Leutnant beugte sich über die Schreibtischplatte vor:

»Sagen Sie, Dan – Sie müßten doch eigentlich Himmelstein gekannt haben, Fred Himmelstein?«

»Nur dem Namen nach, Sir.«

»Und Al Brass?«

»Vom Sehen. Ich bin zweimal mit ihm zusammengetroffen.«

»Sie wissen, daß Al Brass die *International Labor Defense* für den Norden vertreten hat?«

»Ja, das weiß ich.«

»Dann wissen Sie sicherlich auch, daß Al Brass Himmelstein hineinlegen wollte, Himmelstein, seinen ehemaligen Kameraden. Ich war es, der Himmelstein herausgeholt hat, denn ich war sein Anwalt ... Kennen Sie sich jetzt aus?«

»Klar, Sir«, sagte Dan.

Der Leutnant schob seinen Sessel ein wenig zurück und holte aus einem Schubfach seines Schreibtisches eine Flasche Bourbon-Whisky und zwei Gläser. Das erste Glas leerten sie auf einen Zug. Dann sagte der Leutnant:

»Also Dan, Sie Dichter, und zwar guter Dichter, wie ich denke – lassen Sie die Finger von der guten alten Eleanor. Vergessen Sie *New Masses* und *International Labor Defense*. Auf das kommen wir erst zurück, wenn Hitler in der Schlinge baumelt ...«

»Und Mussolini und der Mikado!«

»Klar! Mussolini und der Mikado auch!« sagte der Leutnant und Advokat und stürzte ein zweites Glas so schnell hinunter wie das erste. Beim dritten sagte er Dan, daß er ihn belohnen wolle; ob es ihm passe, einen Drei-Tage-Urlaub zu bekommen.

»Natürlich ...«, sagte Dan ein wenig zögernd; seine Zunge war schon schwer vom Alkohol. »Aber noch besser wäre es, wenn Sie meinem Freunde Jimmy Endicott auch einen Urlaub geben wollten ... und – wenn ich mir die Bitte erlauben darf – auch dem Freund von Jimmy, das heißt, er ist nicht so sehr sein Freund als sein Schützling, er heißt Sam Roebuck. Sam hat keine guten Nerven ... Er hat Heimweh und ist oft niedergeschlagen, er weint manchmal, wenn er an seine Mutter denkt, er ist eben noch ein Junge.«

»Geht in Ordnung, in beiden Fällen!«

Der Leutnant erhob sich, und Dan tat das gleiche. Sie gingen in das Nebenzimmer, wo Sergeant Timothy Potter inzwischen wieder eingetroffen war und sein unterbrochenes Ferngespräch wiederaufgenommen hatte. Er hatte nämlich vergessen, Darling einzuschärfen, daß sie die Korinthen für den Kuchen nicht etwa bei Gianbattista kaufen dürfe, diesem elenden Betrüger ... Als Potter den Leutnant erblickte, legte er blitzschnell den Hörer auf die Gabel und sprang auf, um die Ehrenbezeigung zu erweisen. Der Leutnant befahl ihm, drei Urlaubsscheine auszuschreiben: für den Soldaten zweiter Klasse Daniel W. Murchison und seine zwei Freunde ... wie waren doch ihre Namen, zum Teufel? Dann drückte der Leutnant Dan die Hand und ging in sein Zimmer zurück.

»Sie stehen offenbar gut mit dem Alten?« erkundigte sich der Sergeant.

»Es geht...«, antwortete Dan, »wir haben eine Weile an der gleichen Strippe gezogen.«

»Wie heißen also die beiden anderen?«

Dan nannte die Namen: James D. Endicott und Samuel P. Roebuck. Der Sergeant schrieb die drei Urlaubsscheine und überreichte sie Dan. Dieser grüßte vorschriftsmäßig und machte dann eine ebenso vorschriftsmäßige Viertelwendung.

Als er auf seine Stube kam, waren Jimmy und Sam nicht da. Nur drei Soldaten lungerten herum. Einer von ihnen lag auf dem Bett und las »Wahre Bekenntnisse«. Der zweite schrieb an sein Mädchen; er war dafür bekannt, daß er täglich zwei, mitunter sogar drei Briefe an sie schrieb, und das Köstlichste an der Sache war, daß trotzdem nie ein Brief für ihn bei der Post war. Ein einziges Mal hatte der Spieß seinen Namen gerufen, als er die Post austeilte, alle waren neugierig gewesen, und dann hatte sich herausgestellt, daß es ein Mahnbrief einer Versicherungsgesellschaft war, die ihre Prämie reklamierte, eine Prämie von fünfzig Dollar. Damit war es 'raus, daß dieses Mädchen auf die zwei oder drei täglichen Briefe nicht mit einer Zeile antwortete. Der dritte schließlich flocht an einem kleinen Teppich; flechten und knüpfen war seine Leidenschaft, seltsam genug bei einem Mann, aber bei diesem entschuldbar, denn er tat es für seine Mutter, die mit der kleinen Matte ein Kissen beziehen wollte.

Das Motiv des Musters war ein leeres Nest, über dem ein Vögelchen auf einem Ast saß, eine Vogelmutter wohl, denn irgendwo am Himmel flatterte ein winziger khakifarbener Vogel, aus dessen Schnabel ein Spruchband kam mit den Worten: »Ich komme wieder, Mamie!«

Als sie eingekleidet worden und zum erstenmal angetreten waren, hatte Sergeant Timothy Potter gefragt, ob Angsthasen unter ihnen seien; die sollten sich lieber gleich melden, denn die wollte man gar nicht in der Kampftruppe haben. Alle hatten den Jungen angeblickt, der auf der Stube begonnen hatte, Teppich zu knüpfen; sie meinten sicher zu sein, daß er Angst haben würde, aber er hob die Hand nicht und auch keiner von den anderen. Inzwischen hatten sie sich angewöhnt, ihm seine Eigenheiten nicht übelzunehmen, knüpfte er doch für seine Mutter. Man nahm auch allgemein an, daß er noch unberührt sei – mit neunzehn Jahren! –, und zwar, weil er eben seine Mamie so sehr liebe. Das war schließlich seine eigene Angelegenheit!

Dan fragte, ob jemand Jimmy oder Sam gesehen habe. Aber weder der Mann, der »Wahre Bekenntnisse« las, noch jener, der an sein Mädchen schrieb, oder gar der Junge, der an seinem Teppich knüpfte, wußten, wo Jimmy und Sam hingekommen seien. In diesem Augenblick wurde die Stubentür aufgestoßen; ein Korporal trat ein und fragte:

»Wer von euch hat den besten Intellektkoeffizient?«

Die drei, die schon in der Stube gewesen waren, wiesen ohne Zaudern auf Dan, der bei der psychotechnischen Untersuchung die beste Intelligenzziffer der ganzen Baracke erhalten hatte.

Der Korporal wandte sich also an Dan und sagte:

»Draußen steht eine Kiste Bier..., bringen Sie die ins Kasino, die Offiziere haben Durst!«

Dabei brach er in glucksendes Lachen aus, er war sichtlich begeistert von seinem uralten Witz.

Dan ließ sich Zeit, als er hinter dem Korporal hertappte, nahm dann die Kiste auf die Schulter und brachte sie zum Captain, der eben in einer lebhaften Diskussion mit zwei anderen Offizieren begriffen war; zweifellos unterhielten sie sich über die sicherste Methode, Hitler, Mussolini und den Mikado gefangenzunehmen, und waren sich nur nicht einig, ob man sich dazu eines Lassos, einer Mausefalle oder des Spezialpapiers Fliegentod bedienen solle. Vielleicht aber würfelten sie auch um die Ehre, die drei Genannten zu hängen, denn Dan sah auf dem Tisch zwischen den Offizieren ein paar Würfel liegen.

Als er die Kiste abgeliefert hatte, kehrte Dan in seine Stube zurück, in der sich inzwischen ein vierter Soldat eingefunden hatte, der damit beschäftigt war, sein Feuerzeug zu zerlegen; es war einer jener Burschen, deren Finger einfach alles zuwege bringen. Er reparierte Feuerzeuge, Taschenuhren und Füllfedern in kürzester Zeit, und man gab ihm hin und wieder auch etwas zu reparieren, das man gar nicht brauchte, bloß weil es so lustig war, ihm dabei zuzusehen. Diesen Mann fragte Dan, ob er Jimmy oder Sam gesehen habe. Er antwortete, ohne den Kopf zu heben:

»Sie sind im Krankenrevier.«

Dan ging also ins Krankenrevier, wo er tatsächlich Sam auf einem Metallbett liegen sah; ein Pfleger war eben dabei, ihm eine Bluttransfusion zu geben, und Jimmy saß auf der anderen Seite und sah zu. Als Dan eintrat und fragte, was denn los sei, sagte der Pfleger, daß Sam nicht genug rote Blutkörperchen habe, darum sei er mit den Nerven so schlecht beisammen. Jimmy erzählte Dan dann das Nähere: Er und Sam hatten an diesem Morgen auf dem Übungsgelände an einer Anschleichübung unter scharfem Maschinengewehrbeschuß teilgenommen; man durfte also weder den Kopf noch den Hintern in die Höhe heben, wenn man nicht ein paar Kugeln abbekommen wollte. Dan kannte die Tour schon, er hatte das auch mitgemacht und war von den Garben der scharfen Geschosse nicht sonderlich beeindruckt worden, weil er aus der Zeit seiner Mitgliedschaft bei den Vampiren an das Pfeifen und Peitschen von Schüssen gewöhnt war. Für Sam und Jimmy jedoch war diese Übung eine Art Feuertaufe, und Jimmy bekannte, daß er ganz scheußlich Angst gehabt habe; er habe nur keine Gelegenheit gehabt, sich dieser Angst richtig bewußt zu werden, denn Sam war schon auf der halben Kriechstrecke in einer so bejammernswerten Verfassung, daß er an allen Gliedern zitterte und man auf eine ganz große Dummheit gefaßt sein mußte. Jimmy hatte immer gefürchtet, daß Sam plötzlich aufspringen und Hals über Kopf davonrennen würde, wobei er natürlich nicht weit gekommen wäre. Es hatte Jimmys ganze Kraft gekostet, Sam unten zu halten und ihm immer wieder den Kopf gegen die Erde zu drücken. Auf diese Weise vorwärts zu robben, war etwa so anstrengend, wie einen Selbstmörder aus dem Niagarafall zu fischen.

»So hast du also«, sagte Dan, »Sam das Leben gerettet, und zwar im Maschinengewehrfeuer; das ist eine Waffentat, die die Auszeichnung mit dem Purple Heart verdient.«

»Das zählt nicht für das Purple Heart«, widersprach der Pfleger, der die Sache komisch fand, »denn es waren ja amerikanische Maschinengewehre. Aber die Idee ist nicht schlecht, mach es noch einmal unter deutschen Maschinengewehren, und du wirst sehen, du kriegst die Auszeichnung!«

Alle lachten, sogar Sam, der bis dahin noch nichts gesagt hatte, weil er sich schämte, daß seine Nerven ihn während der Kriechübung unter scharfem Beschuß im Stich gelassen hatten.

»Du hast Schwein gehabt, Sam«, sagte der Sanitäter, »daß du einen Freund wie Jimmy an der Seite hattest; seit ich hier Dienst mache, hat man mir schon zwei Rekruten auf die Station gebracht, die sahen aus wie Schaumlöffel. Du brauchst gar nicht nach Europa zu gehen, wenn du Leichen sehen willst, die eine MG-Garbe im Leib haben!«

Das war nun eine Bemerkung, über die niemand lachte. Als die Transfusion beendet war, verband der Sanitäter Sam.

»Wenn du dich revanchieren willst«, sagte er, »so kannst du mir das Ohr eines deutschen Maschinengewehrschützen aus Europa mitbringen.«

Als die Tür des Krankenreviers sich hinter ihnen geschlossen hatte, erklärte Dan den beiden, warum er sie gesucht habe. Die Aussicht auf drei Tage Urlaub machte auch Sam plötzlich gesund, und er schrie:

»Das ist ja großartig. Wann können wir die drei Tage antreten?«

»Jetzt gleich«, antwortete Dan.

Sie gingen zu dritt auf die Stube, um die Ausgehuniform anzuziehen. Der Sergeant von der Lagerwache, ein ebenso sturer Bock wie Timothy Potter, musterte sie eingehend, ließ sie kehrtmachen und befahl ihnen dann, sich anständig anzuziehen. Die drei Urlauber prüften einander genau, vermochten aber an ihrem Äußeren nichts zu entdecken, was den Vorschriften widersprach; sie zogen ihre Hemden zurecht und kontrollierten den Mützensitz, aber als sie zum zweiten Mal aus dem Tor wollten, schickte der Sergeant sie wieder zurück. Erst beim dritten Mal entdeckte Dan – offenbar wegen seines hohen Intelligenzkoeffizienten –, daß Jimmy die Krawatte der Sommeruniform zwischen zwei Knöpfen hindurch unter das Hemd geschoben hatte; das mochte dem Sergeanten mißfallen haben. Das war es auch tatsächlich gewesen, denn als sie nun die Krawatte aus dem Hemd hervorholten, ließ der Wachhabende die drei Urlauber passieren, nachdem er ihre Urlaubsscheine lange betrachtet hatte. Natürlich war das eine Schikane gewesen, denn es gab Regimenter, wo es Vorschrift war, die Krawatte ins Hemd zu stecken, und es wäre zu empfehlen, daß Sergeanten und Colonels sich darüber einigten.

Die drei Freunde bestiegen ein Taxi, und Jimmy befahl dem Chauffeur, zum Hotel »Theresa« zu fahren, zum besten Hotel von ganz Haarlem, an der Ecke der 7. Avenue und der 125. Straße. Jimmy war entschlossen, sich nichts abgehen zu lassen und auch seinen beiden Kameraden während dieser drei Urlaubstage jeden Wunsch zu erfüllen, denn er hatte nicht nur das Geld, das sein Vater ihm schickte, sondern auch seinen Stubenkameraden insgesamt drei Monate Sold abgewonnen, ehe sie draufkamen, daß er im Kartenspiel nicht zu schlagen sei.

Im Hotel »Theresa« bestellte Jimmy drei nebeneinanderliegende Zimmer mit Bad und Salon, das Beste vom Besten. Sie begannen damit, daß sie ein Bad nahmen, das war einmal etwas anderes als die Duschen im Lager. Da sie die Verbindungstüren offengelassen hatten, hörte Dan Jimmy singen; er sang so laut, daß es widerhallte, *Sophisticated Lady*, sein Lieblingslied. Jimmy hatte eine hübsche Stimme, Sam hingegen sang nicht; er hatte sich von seiner Nervenkrise unter dem Teppich der scharfen MG-Garben noch nicht ganz erholt. Nach dem Bad amüsierten sie sich damit, auf alle Klingelknöpfe der Reihe nach zu drücken. Es erschien ein Zimmerkellner, von dem Jimmy zunächst ein paar Flaschen Bourbon-Whisky, Eis und drei Gläser verlangte. Dann erkundigten sie sich, was man essen könne.

Der Kellner zog eine Speisekarte aus der Brusttasche, und die drei berieten. Man einigte sich auf geräucherten Lachs, Hühnchen auf karaibische Art, und zwar eines pro Kopf, und Champagner.

»Sehr wohl, Sir«, sagte der Kellner zu Jimmy, »und hinterher wohl noch etwas Gebäck... und Mokka, Sir, besten brasilianischen Kaffee, Sir?«

Er sagte immerzu Sir, als ob Jimmy ein Offizier wäre; ein komischer Kerl, dieser Kellner, und die drei lachten, während der Mann ging, um den Whisky zu holen und die Bestellung an die Küche weiterzuleiten.

Die drei Freunde entschieden, daß der Krieg auch sein Gutes habe: Ohne Krieg hätte man sich nie kennengelernt, und hätte der Krieg nicht alle Konventionen durcheinandergebracht, so wäre es drei Burschen wie ihnen niemals gelungen, Zimmer im Hotel »Theresa« zu bekommen.

Sam fand, daß das Schlimme an der Armee die Tatsache sei, daß man mit seinen Freunden nie lange beisammen bleiben könne; hatte man sich so richtig aneinander gewöhnt, so wurde der eine dahin und der andere dorthin versetzt, und man mußte sich nach neuen Kameraden umsehen. Die anderen warfen ihm seinen Pessimismus vor, Sam jedoch blieb dabei, daß er recht habe. Er war in Chikago einberufen worden, in seiner Heimatstadt, und hatte das unwahrscheinliche Glück gehabt, mit einem Schulfreund, ja, einem Spielkameraden zusammenzutreffen, einem köstlichen Kerl, der Schauspieler geworden war und noch beim Militär alle zum Lachen brachte, wenn er eine Parodie auf Hamlet oder Othello zum besten gab oder einen Steptanz vorführte. Nach drei Wochen jedoch, in denen sie sich prächtig verstanden hatten, war der Schauspieler nach Nome in Alaska versetzt worden, was ihm ungefähr soviel Spaß machte wie einem Russen, wenn ihn früher der Zar oder heute der NKWD nach Sibirien verschickte. Jimmy war nicht in der Stimmung, das alles so traurig zu finden; er war der Meinung, es sei die Hauptsache, man sehe etwas von der Welt, und wenn Sam seinen Schauspieler so gern wiedersehen wolle, so könne er sich ja freiwillig nach Alaska melden. Auf diese Worte hin stiegen dem kleinen Sam die Tränen in die Augen, weil Jimmy glaubte, er, Sam, liebe ihn weniger als jenen Schauspieler. Das sei ganz und gar nicht so, er habe nur einfach nach einem Beispiel für seine Theorie von den kurzen Freundschaften beim Militär gesucht. Natürlich wäre es prima, wenn Willie, so hieß dieser Schauspieler, als vierter Mann mit ihnen im Hotel »Theresa« wohnte.

Der Kellner kam und brachte den Whisky. Jimmy forderte ihn auf, mit ihnen zu trinken. Der Mann schien befremdet und antwortete, er trinke niemals. Dan fragte ihn, warum er nicht eingerückt sei. Darauf antwortete der Mann nicht, sondern versuchte, durch die halboffene Tür auf den Gang zu entwischen, aber Jimmy war schneller, packte ihn am Arm und wiederholte Dans Frage. Sam sagte:

»Laß ihn doch in Ruhe; siehst du nicht, daß er graue Haare hat?«

Der Kellner blickte Jimmy starr in die Augen; es sah so aus, als wollte er zu weinen beginnen, ehe er die ersten Worte herausbrachte:

»Ich hatte einen Sohn, der Soldat war; vor zwei Monaten ist in Omaha ein Munitionswagen in die Luft geflogen, und mein Sohn saß am Steuer... Ein junger Mann wie Sie, Sir, ein sehr braver Junge...«

Die Erregung hinderte ihn weiterzusprechen. Erst nach einer Weile fügte er stockend hinzu:

»Man hat nicht den winzigsten Teil seines Körpers wiedergefunden; ich habe nicht einmal ein Grab, das ich besuchen und
mit Blumen schmücken könnte!«

Der Kellner ging, und die drei blieben stumm zurück. Sam
machte Dan Vorwürfe, weil dieser begonnen hatte, den Alten
aufzuziehen, und Dan gab zu, sich blöd benommen zu haben.
Dann kam der Kellner wieder und brachte den geräucherten
Lachs. Die drei schwiegen betreten in seiner Gegenwart, er aber
sagte, als er ihnen Champagner einschenkte:

»Lassen Sie sich's nicht verdrießen, genießen Sie Ihren Urlaub.
Ich werde heute abend für Sie beten und Gott bitten, daß er Sie
aus diesem verdammten Krieg heil nach Hause führt!«

Nun hatten sie natürlich alle den Wunsch, dem alten Kellner
etwas Gutes zu tun, und Jimmy drückte ihm eine Zehn-Dollar-
Note in die Hand. Der Alte bedankte sich und versprach, drei
Kerzen für sie anzuzünden, und zwar in der Kirche von Father
Divine.

Das war ein schlechter Start für den Abend, aber mit Hilfe des
Whiskys gelangte man schließlich doch wieder in bessere Stimmung. Als der Kellner die drei Hühner brachte, zeigte er ihnen
Fotografien seines Sohnes, der tatsächlich ein schmucker Junge
gewesen war. Dann ließ sich der Alte trotz seiner Prinzipien zu
einem Glas Champagner einladen und trank auch den Kaffee
mit den dreien. Jimmy, dem der Alkohol schon in den Kopf
gestiegen war, sang mit voller Stimme *Sophisticated Lady*, und
Sam machte ihm vergeblich beschwörende Zeichen. Aber es sah
so aus, als sei der alte Kellner ganz froh über Jimmys gute Stimmung.

Nach dem Mahl streckten die drei sich auf den weichen Betten
aus und schliefen ein Stündchen, ehe man zu einem gewaltigen
Bummel loszog, der durch alle Nachtlokale von Haarlem führen
sollte.

In der Hotelhalle stand eine Frau vor der Portiersloge und sprach
mit dem Empfangschef. Sie stützte sich dabei mit einer Hand auf
die Glasplatte, es war eine Pose, die den Schwung ihrer Hüften
ganz toll zur Geltung brachte. Ihre Haut war hell, nicht dunkler
als Milchkaffee, wirkte samtweich und glänzte appetitlich; obendrein sah man ziemlich deutlich, daß sie unter ihrem Kleid
nichts anhatte.

Als Jimmy sie sah, ließ er ein bewunderndes Pfeifen hören.
Dan warnte ihn: Das sei eines jener Mädchen, die man nur an-
zurühren brauche, um einen elektrischen Schlag zu bekommen

wie von einem Zitterrochen. Sie gingen ganz nahe an ihr vorbei, und Sam stellte fest, daß sie nicht mehr ganz jung sei; das sei aber gerade das beste Alter für die Frauen; im Augenblick, da sie die ersten Fältchen um die Augen bekämen, seien sie im Bett am besten und nicht nur im Bett, sondern auch für das Gespräch, und überhaupt, wenn sie einem die Zeit vertreiben sollten. Es komme oft vor, meinte Sam, daß ein junges Mädchen im Bett ganz annehmbar sei, daß man aber nachher nichts mit ihr reden könne und sich fürchterlich langweile. Mit einer Frau wie dieser da vor der Portiersloge sei man aber immer gut bedient, ob man nun mit ihr im Bett liege oder nicht.

»Ich habe gar nicht gewußt, daß du so ein Kenner bist«, sagte Dan.

»Es war eben ein Fehler, mich für einen Burschen zu halten, der noch nichts erlebt hat«, antwortete Sam, und Jimmy grunzte nur, daß seiner Meinung nach die Frauen außerhalb des Bettes völlig unverwendbar wären.

Im ersten Lokal, das sie betraten, gab es eine Unmenge Menschen. Sie setzten sich an die Bar, und Jimmy bestellte Starkbier. Neben ihnen saß ein Kerl, der schon stockbesoffen war und aussah, als stamme er von einem Neger und einer Indianerin ab; er hob das Glas auf ihre Gesundheit und sagte dazu, sie könnten ihm leid tun, denn er, für seine Person, werde nie in den Krieg ziehen; er sei Kriegsdienstverweigerer aus Überzeugung und bedaure alle jungen Männer, die sich zur Armee pressen ließen, denn schließlich riskiere man gar nicht soviel als Kriegsdienstverweigerer, allenfalls ein halbes Jahr Gefängnis. Seit dem spanisch-amerikanischen Krieg sei nicht ein einziger Amerikaner wegen Verweigerung des Waffendienstes oder ähnlicher Vergehen hingerichtet worden.

»Wie heißt denn eigentlich der Bursche, den man als letzten füsiliert hat?« fragte der Betrunkene. »Es war wegen Desertion während des spanisch-amerikanischen Krieges. Ich habe seinen Namen einmal gewußt, aber längst vergessen. Du verstehst«, sagte er, nun zu Dan gewendet, »ich bin ein Mischling; ich habe Indianerblut zum Negerblut, aber auch Eskimoahnen und Chinesen, sogar ein paar Weiße dürften dabeigewesen sein; es ist ein richtiger Cocktail aus allem, was man sich denken kann. Das rinnt jetzt durch meine Adern. Ich bin nicht geschaffen, mich in einem Krieg totschießen zu lassen, denn in meinem Heimatdorf gibt es nicht einmal einen gemeinsamen Friedhof für die Weißen und die Farbigen. Wenn ich aber schon Soldat werde, so möchte ich wenigstens in der gleichen Erde verscharrt werden wie meine weißen Kameraden. Verstehst du, was ich sagen will? Was willst du trinken – ich gebe einen aus!«

»Ich verstehe sehr gut, was du meinst«, antwortete Dan, »darum möchte ich dich darauf hinweisen, daß du immerhin die Möglichkeit hast, auf Grund einer Kongreßentscheidung auf dem großen Militärfriedhof von Arlington beigesetzt zu werden, neben einer ganzen Reihe hoch ausgezeichneter Soldaten!«

»Ach, hör mir auf mit dieser Mistbande«, sagte der Mischling, »ich kann den ganzen Kongreß nicht riechen, lauter verkommene, gekaufte Individuen. Ich hatte einmal einen Freund, einen freidenkenden Weißen, Jazzmusiker; den hättest du hören sollen. Das Militärkommando von seinem Heimatbezirk hatte herausgefunden, daß er Ersparnisse genug hat und daß es für seine Frau reicht, falls man ihn zum Militär holt. Dabei ist der Mann gute vierzig Jahre alt und mit den Nerven so fertig, daß sie gar nichts mit ihm anfangen können. Das alles haben sie ihm nur angetan, weil er ihnen zu frei denkt und mit einer Japanerin verheiratet ist. Sie haben ihn eingezogen und ihm in der Abschiedsrede gewünscht, daß es ihm gelingen möge, recht viele Japaner umzubringen...

Aber paß auf, ich weiß noch eine andere Geschichte, denn ich habe ein gutes Gedächtnis, das beste in den Staaten, glaube ich manchmal. Ja, eines Tages habe ich sogar eine ganz große Nummer gestartet – mit einem Kollegen. Ich habe die ganze Bibel auswendig gelernt! Dazu habe ich ein Jahr gebraucht. Wenn einmal in deiner Gegenwart jemand behauptet, daß der Alkohol das Gedächtnis trübt, so brauchst du ihm nur zu sagen, daß Nelson Greenhouse, so heiße ich nämlich, an einem Abend soviel Glas trinken kann, wie die Bibel Seiten hat, und dabei immer noch ihren Inhalt hersagen kann... Aber wart einmal, jetzt weiß ich nicht mehr, warum ich eigentlich von der Bibel gesprochen habe...«

Alle lachten über den Gedächtniskünstler, der vergessen hatte, was er sagen wollte.

»Ich weiß schon«, fuhr Greenhouse fort, »ich wollte dir beweisen, daß ich das beste Gedächtnis der Vereinigten Staaten habe und daß ich einmal eine Nummer aufgezogen habe mit einem Kollegen... Himmel, aber was war es denn eigentlich, was ich nun wirklich sagen wollte? Trink inzwischen einen Schluck mit mir, Junge, die Armee soll leben!«

Bei dem Wort Bibel schlich sich eine ganz alte Erinnerung in

Dans Gehirn. Er war Buddy, er war noch Buddy, aber nur für Lizzie, denn die anderen Mitglieder der Bande nannten ihn Squirrel, weil er den Fabrikschornstein hinaufgeklettert war ... Bei dem Wort Bibel mußte er an die Beerdigung der kleinen Rusty denken, des niedlichen Hündchens, und an Jiggs, der an ihrem Grab eine Bibelstelle vorgelesen hatte. Was war das noch für ein Bibelwort gewesen? Er entsann sich nicht mehr. Sie waren nicht immer heiter gewesen, die Jahre seiner Jugend, aber das Leben jetzt war um nichts besser. Wünschte er eigentlich den Gang der Dinge umzukehren und diese Zeit noch einmal zu erleben?

Wohl nicht, denn was immer er anfing, es würde nicht viel besser enden.

Der Alkohol machte Dan pessimistisch. Wenn ihm jemand gesagt hätte, hier in der Bar: »Draußen auf der Straße stehen ein paar Deutsche bis zu den Zähnen bewaffnet; ihr macht jetzt einen Ausfall und geht mit den Fäusten auf sie los« – nun, Buddy wäre losgegangen, und wer war schuld daran? Zweifellos Jiggs, dieser Schweinehund. Was mochte wohl aus ihm geworden sein? Sicherlich war er auch in der Armee, und es behagte ihm wohl nicht, daß er als Soldat den Mund nicht so voll nehmen konnte wie sonst. Aber es war natürlich auch möglich, daß er gerne Soldat war und sich für ein Elitekorps gemeldet hatte als Freiwilliger für besonders gefährliche Unternehmungen, für die Sondereinheiten der Marineinfanterie zum Beispiel, bei denen jeder Mann schon zum Gabelfrühstück seinen Japaner verspeist hat. Das alles konnte man nicht wissen. Die harten Typen, die Gesetzlosen wie Jiggs, konnten sich in der Armee ebensogut als Drückeberger wie als Helden erweisen.

»Zum Teufel«, sagte der betrunkene Gedächtniskünstler, »jetzt weiß ich aber wirklich, wie das mit der Bibel war. Es war eine Kabarettnummer, und wir traten in den besten Lokalen auf. Mein Kumpel verteilte die Bibeln im Saal und forderte die Zuschauer auf, mit lauter Stimme eine Zeile aus der Bibel vorzulesen; ich stand auf der Bühne und setzte fort, ohne mich nur ein einziges Mal zu irren, und ich schwöre dir, es war kein Trick dabei, es ging ganz ehrlich zu, ich arbeitete nur mit meinem Gedächtnis ...«

Der Barkeeper, der schon die ganze Zeit in sich hineingelacht hatte, verschwand für einen Augenblick und tauchte mit einer Bibel wieder auf. Er öffnete sie irgendwo und las:

»Von den Kindern Pinehas: Gerson. Von den Kindern Ithamar: Daniel. Von den Kindern Davids: Hattus.«

Nelson Greenhouse fiel sogleich ein: »Von den Kindern Sechanza. Von den Kindern Pareos: Sacharja und mit ihm Mannsbilder, gerechnet hundertfünfzig... und noch eine ganze Reihe so verdammter Hurensöhne, das steht im Alten Testament, Esra VIII!«

Alle Umstehenden applaudierten und ließen Nelson hochleben. Er war komisch, aber er war in Ordnung.

»He, Dan«, sagte Jimmy, »der hat was von einem Daniel erzählt; ist das vielleicht ein Ahnherr von dir?«

»Es ist aber nicht der mit der Löwengrube«, sagte Nelson Greenhouse, »es gibt nämlich eine ganze Menge solcher Daniels in der Bibel. Jetzt laßt mich aber endlich weitererzählen... Was wollte ich denn sagen, Dan? Richtig, meine große Kabarettnummer, das war eine Sache, bis sie uns in zweiundzwanzig Staaten der USA verboten wurde auf Antrag so eines Essigpissers, irgendeines Bischofs, der behauptete, Bibelzitate dürften nicht in einem Kabarettprogramm erscheinen, dabei war er selbst ein ganz übler Bursche. Ein gesetzliches Verbot konnte er natürlich nicht erreichen, aber die Besitzer der Lokale trauten sich nicht mehr, uns zu engagieren, weil dieser Bischof Demonstrationen organisierte und seine Schäflein in den Saal schickte, um die Stühle zu zerdreschen... Aber das war es eigentlich auch nicht, was ich erzählen wollte. Wie bin ich bloß auf mein gutes Gedächtnis gekommen? Ha, jetzt weiß ich's. Da war doch diese Rede von F. D. R. Was hat er damals gesagt, unser Präsident? Er sagte, er kenne den Krieg und habe genug Leichen gesehen, um den Krieg zu hassen; und er versprach den Vätern und Müttern in Amerika, darüber zu wachen, daß ihre Boys nicht in den Krieg ziehen müßten. Das war doch schön gesagt oder nicht? Und dann erklärte er den Krieg – das kann man doch nicht machen! F. D. R. hat sich nicht richtig benommen, und ich habe ihm einen Brief geschrieben, um ihm zu sagen, daß er in seiner Radiorede feierlich die Verpflichtung übernommen habe, die Söhne Amerikas nicht in den Krieg zu schicken. Damit sei ich einverstanden, schrieb ich, aber mit seiner Kriegserklärung nicht, und darum beanspruche ich, als Kriegsdienstverweigerer anerkannt zu werden... Ich habe übrigens noch ein Postskriptum hinzugefügt: Wenn er mir garantieren könne, daß ich, falls ich falle, auf dem Weißenfriedhof meines Dorfes beigesetzt würde, dann wäre ich bereit, die Sache noch einmal zu überlegen. Da aber F. D. R. mir gar nicht geantwortet hat...!«

Greenhouse zuckte vielsagend die Achseln.

»Hattest du deine Adresse angegeben?« erkundigte sich Jimmy.

»Klar!« sagte der Mischling.

»Dann hast du dich korrekt verhalten.«

»Ich verhalte mich immer korrekt... Da, trink ein Glas mit mir, Junge.«

In diesem Augenblick erhob sich von einem der Tische ein großer dicker Mann mit weißen Haaren und sagte, so laut, daß alle es hören konnten, daß er zwei Söhne habe; einer sei bei der Luftwaffe, der andere bei der Marine, darum wolle er sich so defätistisches Geschwätz nicht anhören. Die jungen Schwarzen an der Bar wollten wohl, daß Hitler Amerika erobere, aber dann würden sie Augen machen, wie es unter Hitler den Negern und den Kriegsdienstverweigerern ergehen würde!

Der Mann ging inmitten allgemeinen Schweigens, und Nelson Greenhouse marschierte hinter ihm her: Er wollte ihm erklären, daß es nicht in seiner Absicht gelegen sei, ihn zu beleidigen, und daraufhin lachten alle befreit auf.

In dem zweiten Lokal, das die drei betraten, machte sich ein Mann an sie heran und fragte sie, ob sie nicht niedliche Fotos kaufen wollten. Er zeigte ihnen ein paar. Es waren nackte Mädchen in allerlei Stellungen, die meisten platinblond und mit nicht ganz frischen Brüsten. Dan sagte zu dem Mann, daß er von dieser Art Fotos schon genug habe, er brauche nur das Titelbild des *Yank Magazins* anzuschauen, das offenbar mit einer gewissen Absicht immer wieder auf diese Tour gemacht werde; vielleicht nicht direkt auf Befehl der Regierung, aber doch zweifellos in Hinblick auf die Armee.

»Ich kenne das *Yank Magazin*«, sagte der Mann, aber auf den Fotos in der Zeitschrift sind sie nicht völlig nackt wie auf den meinen. Die Modelle im *Yank Magazin* sind Starlets aus Hollywood und nichts für arme Leute wie unsereinen; was ich da habe, sind richtige Huren, an die man 'rangehen kann.«

»Würden sie mit einem Neger gehen, wie ich einer bin?« fragte Jimmy.

»Das kann ich nicht garantieren«, sagte der Mann, »aber ich habe auch farbige Mädchen.« Er begann sogleich in seinen Taschen herumzusuchen.

»Laß nur«, sagte Jimmy, »es lohnt nicht. Ob sie wirkliche Huren sind oder kleine Filmnutten, das ist gehupft wie gesprungen, vor allem, wenn man sie sich nur anschaut, und das hilft uns nichts, wir brauchen etwas Wirkliches...«

»Ich verstehe«, sagte der Mann, »Sie sind auf Urlaub. Nun,

vielleicht laden Sie mich zu einem Schluck ein, meine Kehle ist ganz trocken, habe heute noch nichts verkauft... Ich verstehe, was Sie wollen... Ja, das *Yank Magazin* ist nicht schlecht. Gar nicht so dumm, dieser Chefredakteur, der sagt sich: Im Krieg sind die Männer schmutzig und schlecht rasiert, und sie werden umgebracht. Da die Boys daran nicht denken sollen, setzt man ihnen andere Dinge in den Kopf, also gut gewachsene, saubere Mädchen mit feiner Haut und einem appetitlichen Popo; man kann nicht sagen, daß der Mann dumm ist!«

Darüber waren alle einer Meinung. In der dritten Bar waren Dan, Jimmy und Sam, der den ganzen Abend kaum etwas sprach, schließlich stockbesoffen, so besoffen wie eine dicke Frau, die neben ihnen an der Theke zusammengesunken war, heulte und schluchzte und die drei jungen Soldaten mit ihren Küssen bedeckte. Immer wieder von Schluchzen unterbrochen, sagte sie ihnen, daß sie sich nicht totschießen lassen dürften, es sei nun einmal so, daß die alten Senatoren und die großen Bosse der Politik, der Industrie und der Banken alle zwanzig Jahre ihr Blutbad brauchten und ihre Ration frischen Menschenfleisches. Es gebe nämlich kein besseres Geschäft als den Krieg, zumindest für all diese Herren und die Unternehmen, die ihnen gehören.

Jimmy offerierte der Heulliese ein Glas Gin, worauf sie sich, immer noch schluchzend, an seinen Hals hängte. Ein Seemann wollte ihr mit einem Fausthieb das Maul stopfen und traf dabei Jimmy, worauf alle drei nun gegen den Seemann losgingen, der jedoch in Begleitung eines Kameraden war, so daß die Rauferei bald allgemein wurde. Als der Wirt begann, mit einem Gummiknüppel unterschiedslos auf alle Köpfe einzudreschen, versöhnte man sich bei einer Runde Schnaps, und die Dicke weinte nur noch leise weiter. Jimmy nahm ein Taxi, in dem sie zu dritt ins Hotel zurückfuhren. An der Ecke des Mount-Morris-Parks stand eine Blumenhändlerin; Jimmy ließ halten und kaufte ihr den ganzen Korb Rosen ab, den sie vor sich hatte. Der Chauffeur protestierte zwar: Auf so große Gepäckstücke sei sein Wagen nicht eingerichtet, aber Jimmy fuhr ihm übers Maul und erklärte, Taxichauffeure hätten überhaupt keine Stimme, solange sie nicht Soldaten seien. Die Blumenhändlerin war zuerst sprachlos von dem plötzlichen Glück und versicherte, als sie ihre Fassung wiederfand, daß sie für alle drei beten werde. Offenbar war es eine Nacht, in der alle Leute für sie beten wollten...

Gegen zwei Uhr morgens langten sie vor dem Hotel an, und

Jimmy schleppte mit Dan den Korb Rosen in die Halle. Sam, der sich kaum noch auf den Beinen halten konnte, tappte hinter ihnen her zur Portiersloge. Ein Page erschien und fragte nach der Zimmernummer. Zu dem Portier, der ihnen den Schlüssel reichte, sagte Dan:

»Den Korb schaffen Sie aber nicht auf unsere Zimmer, sondern auf das Zimmer jener Dame, die heute abend hier stand, genau hier, vor der Portiersloge . . .«

Der Portier wußte nicht gleich, wer gemeint war, er sah schließlich allerlei Damen im Laufe eines Abends. Nun beschrieb Dan die Haltung, die Hüfte und das Kleid und äußerte auch die Vermutung, daß jene Unbekannte unter dem Kleid nichts auf dem Leib gehabt habe. Nun wußte der Portier Bescheid und lächelte: Es handelte sich zweifellos um Mrs. J. B. Holloway.

»Mrs. J. B. Holloway ist allerdings noch nicht nach Hause gekommen«, setzte er hinzu. »Aber ich werde veranlassen, daß die Blumen auf das Zimmer der Dame gestellt werden.«

In ihrem Salon tranken Dan, Jimmy und Sam noch einen Schluck Whisky, und Sam schlief in seinem Sessel ein. Als einige Zeit darauf das Telefon läutete, erwachte Dan mit schmerzendem Schädel und fand sich völlig angekleidet auf seinem Bett liegen.

Er hob den Hörer ab – Himmel, tat der Kopf ihm weh –, es war Mrs. Holloway. Sie zeigte sich entzückt von der Aufmerksamkeit. Sie hatte den Portier gefragt, von wem die großzügige Blumenspende stamme, und erkundigte sich nun, ob die drei Freunde Lust hätten, in ihrem Zimmer, Nummer 128, noch ein Gläschen zu trinken . . .

»Mit dem größten Vergnügen«, sagte Dan, »wir kommen hinüber.«

Jimmy lag wie Dan angezogen auf dem Bett, und es hielt schwer, ihn aufzuwecken.

»Geh zum Teufel«, murrte er, als Dan ihn schüttelte, und auch, als er schließlich aufrecht saß und von Mrs. Holloways Einladung erfuhr, erklärte er, daß er lieber weiterschlafen wolle. Dan gab nicht nach und schüttelte Jimmy so lange, bis dieser einwilligte, ihn zu begleiten. Bei Sam jedoch blieb alle Mühe vergebens; sie vermochten ihn nicht aufzuwecken, und er wäre auch viel zu betrunken gewesen, um sich an einem Gespräch zu beteiligen.

Noch immer ein wenig schwankend, sagte Jimmy:

»DDDu bist ein fabelhafter KKKamerad, Dan, das werde ich

dir nie vergessen. Schließlich hättest du ... hättest du jetzt ganz allein zu diesem dollen Weib hinübergehen können ... Wenn ich es genau überlege, wäre es sogar besser. Du hast sicher Glück. Du bist ein hübscher Junge. Während ich ... Und zu zweit wird es nie etwas!«

»Wir wollen uns doch nicht trennen«, sagte Dan, »du bist mein Freund, du mußt mitkommen!«

»Nichts zu machen«, sagte Jimmy. »Ich gehe nicht!« Damit begab er sich wieder zu Bett.

Dan zögerte, entschloß sich aber schließlich – warum auch nicht? Er wusch sich das Gesicht kalt ab, schob die Krawatte zurecht und strich sich ein wenig Frisiercreme ins Haar. Dann fuhr er mit dem Aufzug zum Appartement Nummer 128.

Mrs. Holloway kam selbst an die Tür, als er klopfte. Sie trug ein Hauskleid aus schwerer Seide, das genau die gleiche Farbe hatte wie die Rosen. Dan war überzeugt, daß sie darunter glühte wie ein Ofen. Sie drückte ihm die Hand, und er nannte seinen Namen. Sie dankte ihm noch einmal und lächelte, wobei ihre Augen ganz schmal wurden und sich in ihren Wangen kleine Grübchen bildeten; es war ein Lächeln, das einen noch am Tage des Jüngsten Gerichts auf die Seite der Verdammten hinüberholen konnte. Lieber würde Dan, das wußte er, mit ihr in der Hölle braten, als sich im Paradies in aller Ewigkeit langweilen.

»Waren Sie nicht drei?« fragte sie. »Wo stecken denn die anderen?«

Dan bejahte, sie seien drei Kameraden, aber die anderen beiden seien schon zu müde gewesen ...

Sie ging vor ihm her in einen Salon, in dem nun überall Rosen zu sehen waren, in einer Unzahl von Vasen. Hier stand ein schlanker großer Mann mit grauen Haaren und braunem Gesicht, der so helle Augen hatte, wie man sie sonst nur bei den Norwegern sieht. Er trug eine Smokinghose und darüber ein blaues Samtjackett. Diesen Mann stellte Mrs. Holloway als ihren Gatten vor; er sei Arzt, Chirurg und von der Regierung mit einer Sondermission betraut.

Die ist gut! sagte sich Dan. Er war zuerst der Meinung, Mrs. Holloway habe sich über die drei Soldaten lustig machen wollen, aber er erkannte, daß er sich geirrt habe. Sie war ebenso wie ihr Gatte, der Arzt, wirklich gerührt von der spontanen Geste der drei Soldaten, und sie fand in der wohl etwas übertriebenen Huldigung nicht einen Schimmer unangebrachter Galanterie. Die Überreichung der Rosen entsprang ihrer Meinung nach ausschließlich der Bewunderung dreier kleiner amerikanischer Soldaten für eine Dame, die überzeugt war, den dreien bekannt gewesen zu sein, erstens als Gattin eines der berühmtesten farbigen Ärzte von Amerika und zweitens als Präsidentin einer großen Wohlfahrtsorganisation, die sich damit beschäftigte, Bücher, Grammophone und noch manches andere an die Soldaten zu verteilen. Das mochte alles stimmen, aber es änderte nichts daran, daß Dan, der noch nie krank gewesen war und schon gar nicht auf dem Operationstisch gelegen hatte, von einem berühmten Arzt namens Holloway noch nie gehört hatte. Und da er um jede Dame, die irgendeinem Komitee angehörte, einen großen Bogen machte, hatte er auch von Mrs. Holloway noch nichts vernommen. Wie man sich doch in den Menschen irren konnte: Er war bereit gewesen, dieser Frau in die Hölle zu folgen, und mußte nun erkennen, daß sie zweifellos, und zwar im Sonderzug, ins Paradies eingehen würde. Am linken Ringfinger trug sie einen großen Diamanten, und an den Ohrgehängen blitzten ebenfalls Steine.

Sie tranken Whisky. Dan war durch die Überraschung völlig nüchtern geworden. Mrs. Holloway sprach von Amerikas Bemühungen in diesem Krieg, von Hitlers Rassenwahn und vom Schicksal Deutschlands nach Einstellung der Feindseligkeiten. Es war ein Gespräch, wie es die Offiziere hin und wieder mit den jungen Rekruten führen. Mr. Holloway zeigte sich als Anhänger des Grundsatzes, daß man Deutschland nach dem Krieg wieder in Kleinstaaten zerlegen müsse wie im achtzehnten Jahrhundert; Hitler jedoch solle man in einen Käfig sperren und über den Broadway fahren. Beide wollten wissen, was Dan davon halte, aber er erklärte, darüber noch nicht nachgedacht zu haben. Dabei sagte er sich: Wenn die wüßten, daß ich Gedichte in *New Masses* veröffentlicht habe und die Leute vom *International Labor Defense* kenne, dann würde der gute Doktor Holloway wohl vor Überraschung sein Glas hinunterschlucken.

Mrs. Holloway begann dann geradezu zu predigen; sie sprach davon, wie schön es sei, die prächtige Haltung der jungen Amerikaner zu sehen und die Entschlossenheit der ganzen Nation zum Kampf. Wahrheit und Güte, so sagte sie, seien immer die wahren Ziele ihres Lebens gewesen. Dan, der diese Tour schon reichlich satt hatte und den Alkohol nun wieder spürte, widersprach: Er setze die Schönheit über Wahrheit und Güte, sagte er, und Mrs. Holloway lächelte fein, als wolle sie sich stumm für dieses ungefüge Kompliment bedanken. Dann erkundigte sie sich nach seinen Eltern und fragte, ob sie nicht etwas für seinen Vater tun solle; aber Dan beruhigte sie mit der Mitteilung, daß er keine Eltern mehr habe. Daraufhin notierte sie seinen Namen und seine Militärmatrikel-Nummer. Sie sagte nicht, weshalb, aber zweifellos tat sie es, um diesem braunen Waisenknaben sein Los ein wenig zu erleichtern. Die Konversation schleppte sich nur noch mühsam fort. Doktor Holloway meinte, die Verluste würden nicht mehr so groß werden wie in früheren Kriegen, denn die Fortschritte der Medizin seien doch beträchtlich, und man könne so manchen am Leben erhalten, der noch im ersten Weltkrieg durch seine Verletzung zum Tod verurteilt gewesen sei. Dan dachte, daß Holloway gut reden habe: Er war ja nicht dabei und würde nie dazugehören, ob es sich nun um schwere oder leichte Verluste handelte. Man trank ziemlich viel Whisky, und Dan sagte sich, daß ein Chirurg, der soviel trank, keine sehr sichere Hand haben könne und daß er nicht gerne unter seinem Messer wäre. Der Krieg, das war wohl die große Zeit der Chirurgen, da konnten sie nach Herzenslust drauflosschneiden, Fleisch war ja genug vorhanden; und schnitt einer auch einmal daneben, so gab es keine Verwandten, die reklamierten, und keine Assistenten, die gegen ihn aussagen konnten; im Krieg war der tödliche Ausgang ja der Normalfall. Vermutlich trank der Mann soviel, weil er nicht mehr operierte (oder umgekehrt) und wurde von der Regierung nur zu Inspektionsreisen und Vortragstourneen eingesetzt.

Dan, der die Augen nicht mehr offenhalten konnte, gab vor, daß er um sechs Uhr früh in der Kaserne sein müsse, und erhob sich. Doktor Holloway gab ihm einen freundschaftlichen Rippenstoß, und Mrs. Holloway begleitete ihn noch bis zur Tür. Dort sagte sie »Auf Wiedersehen – hoffentlich!« mit einer jener Stimmen, die aus dem Bauch zu kommen scheinen und einem geradewegs bis in die Eingeweide hinabsteigen, und dabei lächelte sie ihn an, daß Dan wieder unsicher wurde: War sie wirklich fürs Paradies bestimmt, oder war ihre ganze Wohltäterei nur Angabe, und sie starb insgeheim vor Verlangen nach dem Soldaten zweiter Klasse Daniel W. Murchison, Matrikelnummer 37.421.562 ...?

Am nächsten Tag, als sie erwachten, war es Dan, als hätte er all das nur geträumt. Sam schnarchte noch immer. Jimmy saß in der Wanne und brüllte sein Lied von der *Sophisticated Lady*. Dan ging hinein, um ihm guten Morgen zu wünschen. Jimmy sagte blinzelnd:

»Na, wie war sie, dein nächtlicher Zitterrochen?«

»Eine Pleite!« fauchte Dan. »Wie ich ins Zimmer komme, steht da ein Ehemann! Sie ist ganz anders, als man glaubt, wenn man sie so sieht. Sie haben mich beide stundenlang angeödet und nur von Moral und Vaterland geredet!«

»Das ist doch allerhand!« sagte Jimmy verdutzt. »Wenn man nicht einmal mehr so einem Hintern trauen kann – woran soll unsereiner dann noch glauben!«

Er stieg aus dem Bad und schlüpfte in den Bademantel aus rotem Frotteestoff.

»Jetzt siehst du aus wie ein Champion im Halbschwergewicht«, sagte Dan.

»Dabei ist mir gar nicht danach«, seufzte Jimmy, »trotzdem, es war ein netter Abend, wenn man von dieser Wohltatenpräsidentin absieht; ich fasse es ja noch immer nicht, so ein Fahrgestell, und dann lauter Weihwasser im Kühler...!«

Sie versuchten gemeinsam, Sam zu wecken, hatten aber keinen Erfolg und entschieden daher, daß man ihn am besten ausschlafen lasse. Jimmy läutete dem Etagenkellner. Es war ein anderer als vom Abend zuvor und viel älter, so alt, daß er noch den Sezessionskrieg mitgemacht haben konnte, und auch gar nicht gesprächig. Mit dem war überhaupt nichts anzufangen, es hätte auch keinen Sinn gehabt, ihn zu fragen, warum er nicht eingerückt sei. Jimmy bestellte Rührei mit Schinken und starken Kaffee. Alles war ausgezeichnet, aber als sie es hinuntergeschlungen hatten, wurden sie erst so richtig müde und legten sich noch einmal zu Bett.

Es war Mittag, als Dan erwachte. Sam und Jimmy schliefen noch fest. Er nahm ein Bad und rasierte sich. Als er angezogen war, schrieb er Jimmy einen Zettel, daß er einen Besuch zu machen habe und gegen sieben Uhr abends ins Hotel zurückkehren werde. Er nahm ein Taxi und fuhr nach Brooklyn. Er wollte den Keller aufsuchen, in dem die Bande gehaust hatte. Er hatte die letzten fünf Jahre in Detroit zugebracht und war in dieser Zeit nicht ein einziges Mal nach New York gekommen; er wollte die Ecke wiedersehen, an der er so richtig ins Leben hinausgetreten worden war. Er entließ das Taxi ein Stück vor dem Fabrikgebäude, um ein wenig in den Straßen zu bummeln, in denen Jiggs einst – falls man seinen Erzählungen glauben durfte – den Taxichauffeuren die Pistole unter die Nase gehalten hatte, wenn sie von ihm Geld wollten. Er erkannte die Straße wieder, in der Peter, der Chef der Skorpione, ihn hatte in den Wagen zerren

lassen. Wo mochten die heute sein, Peter und die beiden Filipinos – bei der Marineinfanterie oder im Gefängnis?

Plötzlich aber hatte er den Eindruck, sich verirrt zu haben.
Hier mußte die Fabrik sein und der Rauchfang aufragen, aber
es gab weder eine Fabrik noch einen Rauchfang, sondern nur
eine große Wohnhausanlage, vor der Kinder auf der Straße spielten, Kinder und Burschen in dem Alter Buddys, als er den Vampiren in die Hände gefallen war. Und was spielten sie heute?
Noch immer Gangster und Polizei oder vielleicht Demokraten
und Diktatoren? Aber zweifellos würde niemand bereit sein, die
Deutschen zu spielen . . .

Dan fühlte, wie er immer trauriger wurde. Er war beinahe
niedergeschlagen, mehr, als wenn er die Fabrik noch vorgefun-
den hätte und den hohen Rauchfang mit dem P. Es war ihm, als
sei seine Kindheit nun erst wirklich tot und mit ihr jener Buddy,
der klopfenden Herzens zu Dok gelaufen war, damit dieser Lizzie
das Kind nehme. Dieser Buddy war ein kleiner Leichnam, das
war gar nicht er selbst in einem früheren Stadium! Lizzie war
zweifellos verheiratet, war dick geworden und hatte eine Menge
Kinder. Vielleicht weinte sie jetzt um ihren Mann, den man zur
Armee einberufen hatte und irgendwohin schicken würde, in
den Pazifik oder nach Nordafrika. Arme Lizzie! Auch in ihrem
Leben gab es vermutlich mehr schlimme Augenblicke als
gute . . .

Er ging auf den Kais spazieren. Auch dort war alles anders
geworden. Man sah nun viel mehr Kriegsschiffe als Frachter, und
die Frachter hatten Fliegerschutzbemalung, ein Geschütz auf dem
Vordeck und ein paar Maschinengewehre in Flugabwehr-Lafet-
ten. Seine Stimmung verdüsterte sich immer mehr, und er beschloß, in die Stadt zurückzukehren. Er nahm ein anderes Taxi.
Der Chauffeur war gesprächig und erkundigte sich, ob Dan
wohl bald nach Europa abgehe. Was das ihn wohl anging, er
fragte es so, als ob jeder Mann, der eine Uniform trug, verrückt
danach sei, nach Europa und auf ein Schlachtfeld zu kommen,
und es hörte sich so an, als sei dahinter ein Vorwurf versteckt,
wie es denn komme, daß Dan noch immer in New York sei,
statt auf die Deutschen loszugehen. Sie waren doch alle gleich,
diese Zivilisten, sie hatten den Bauch voll Heldentum, beklagten
sich bei jedem Soldaten darüber, daß der Krieg kein Ende nehme,
und fürchteten dabei nur, daß sie schließlich selbst noch dran-
kommen würden. Dan sagte denn auch ganz offen zu dem
Chauffeur, daß es ihm gar nichts ausmache, noch nicht in Europa

zu sein, im Gegenteil: je später, desto besser. Damit erreichte er wenigstens, daß der Mann keine Fragen mehr stellte.

Dan ließ sich nach Greenwich Village fahren, obwohl er wußte, daß Dave, Eddie und Zita nicht mehr hier wohnten. Es war nur, um die Gegend wiederzusehen und das Haus, in das ihn die drei komischen Bohemiens aufgenommen hatten, als er den Vampiren davongelaufen war. Sechs Monate hatte er hier gelebt, hatte es gut gehabt und ihnen das Mädchen für alles ersetzt. Er hatte sogar Opium mit ihnen geraucht und war obendrein noch gut bezahlt worden. Dann aber hatte es eingeschlagen: Dok und Luigi waren verhaftet worden, Luigi war dank seiner Verbindungen wieder freigekommen, Dok hatte sich im Gefängnis erhängt, an seinen Hosenträgern. Dave, Eddie und Zita waren vor Gericht gestellt worden und hatten ganz schön bluten müssen für das Rauschgift. Es war jedoch bei einer Geldstrafe geblieben, weil sie ja keinen Handel damit getrieben hatten. Dann war Dave krank geworden, eine schwere Venenentzündung, und schließlich hatte man ihm ein Bein amputieren müssen. Eddie war durch den vielen Alkohol halb verrückt geworden, und Zita hatte ihn in eine Heilanstalt einweisen lassen müssen. Sie selbst war mit dem einbeinigen Dave nach Kalifornien gegangen und hatte Eddie in ein angenehmes Pflegeheim in ihrer Nähe bringen lassen.

Das Haus, das früher ein Stallgebäude gewesen sein mochte, war noch unverändert. Aus einem der Fenster, die zu Zitas Wohnung gehört hatten, beugte sich eine Frau und machte einem Mann Zeichen, der sich gerade auf der Straße entfernte. Er wandte sich um, sah sie und grüßte freundlich zurück. Dan überlegte, ob er hinaufgehen, anläuten und die Frau fragen solle, ob er einen Augenblick eintreten dürfe, er habe hier eine Zeitlang gewohnt und würde die Räume gerne wiedersehen. Aber wozu?

Er betrat eine Bar, aß Würstchen und trank Kaffee dazu wie früher. Dann ging er zu Fuß durch die Straßen New Yorks nach Haarlem, in das Hotel zurück. Ein Gutteil der Passanten trug Uniform, und alle hatten sie Mädchen am Arm. Es war kaum zu glauben, was der Krieg aus den Frauen machte; sie waren nun noch leichter zu haben als sonst.

Der Portier bestellte Dan, daß seine Freunde ausgegangen seien, aber gegen sieben Uhr zurückkommen würden. Außerdem sei ein Brief für ihn hinterlassen worden. Er nahm ihn, steckte ihn in die Tasche und fragte sich, wer ihm denn in dieses Hotel schreiben konnte. Erst auf dem Zimmer öffnete er ihn; er war von Mrs. J. B. Holloway und enthielt nur zwei Zeilen: Sie hatte vergessen, ihn um eine ganz bestimmte Auskunft zu bitten, er möchte sie anrufen, sobald er ins Hotel zurückkomme...

Dan streckte sich auf seinem Bett aus. Was konnte sie schon wollen, diese Präsidentin so vieler Wohlfahrtskomitees? Wollte sie von ihm eine Liste aller Negerwaisen in der Armee, um ihnen allen etwas zu schicken? Die Bibel womöglich! Er hatte ganz und gar keine Lust, diese alte Schreckschraube noch einmal zu sehen; ja, plötzlich erschien sie ihm, zumindest wenn er an das Gespräch der vergangenen Nacht dachte, alt und widerlich, und er bildete sich ein, sie könnte seine Mutter sein. Dabei fiel ihm ein, daß er doch eigentlich nach seiner Mutter hätte sehen können. Sie lebte ja zweifellos noch, aber er hätte sie wohl nicht gefunden bei ihrer Manie, immer wieder umzuziehen. Er spann die Gedanken weiter und entdeckte zwischen seiner Mutter und Mrs. Holloway – unbeschadet der sozialen Unterschiede – gewisse Berührungspunkte in allem, was Moral und Religion betraf. Ja, es war sogar anzunehmen, daß seine Mutter sich gleich zu Kriegsbeginn in irgendeinem sozialen oder militärischen Hilfswerk hatte einschreiben lassen.

Er nahm den Hörer ab und verlangte das Appartement Nummer 128. Mrs. Holloway meldete sich, fragte ihn, wie es ihm gehe und ob es ihm passe, für einen Sprung zu ihr zu kommen ... der Sache wegen, die sie vergessen hatte. Er sagte, er werde kommen.

Als sie ihm öffnete, sagte er sich, daß sie ganz und gar nicht alt sei. Was er da wieder einmal zusammengedacht hatte! Sie hätte auch nicht seine Mutter sein können. Sie trug ein malvenfarbenes Kleid aus einem ganz leichten Material, das da und dort in verschiedenen Schichten übereinanderlag und offenbar sehr kompliziert geschneidert war. Sie begrüßte ihn mit dem verdammten Lächeln, das ihre Augen so klein machte und in den Wangen Grübchen aushob, und von einem Gatten war rein gar nichts zu sehen.

Sie forderte ihn auf, sich zu setzen, und schenkte Whisky auf die Eiswürfel in den Gläsern.

»Wie dumm von mir«, sagte sie dann, »stellen Sie sich vor, ich habe vergessen, wo denn eigentlich Ihr Ausbildungslager ist und wie es heißt!«

Dan gab die gewünschte Auskunft, und als er eben damit fertig war, läutete das Telefon. Sie hob ab und sagte ein paar Worte sehr ernst und ganz damenhaft in die Muschel: Sie fürchte, sie werde keine Zeit haben und ziehe es vor, diese Besichtigung auf morgen zu verschieben... du entschuldigst mich doch, Liebe, nicht wahr?

Sie kehrte an den Tisch zurück und setzte sich wieder in den Sessel. Im Vorbeigehen hatte sie genüßlich an einem der Rosenbuketts gerochen, dem Geschenk jener reizenden amerikanischen Soldaten, die durch ihre tadellose Haltung allein schon prädestiniert waren, diesen Krieg für sich zu entscheiden. Sie erklärte Dan, daß es eine Freundin gewesen sei, die mit ihr in die Galerie Wildenstein habe gehen wollen, um ihr ein Bild zu zeigen, das als Pendant zu einem anderen dienen könne, das sie schon besitze. »Wie frivol diese Frauen doch sind«, setzte sie hinzu, »als ob man in diesen Zeiten nichts anderes im Kopf habe als Gemälde.«

Sie besann sich ein wenig und fragte ihn dann, was er von der Malerei halte.

»Interessiert es Sie vielleicht, jenes Bild zu sehen, zu dem meine frivole Freundin ein Pendant gefunden zu haben glaubt?«

Sie wartete Dans Antwort nicht ab, sondern erklärte, daß sie zu diesem Bild eine so verrückte Neigung gefaßt habe, daß sie es selbst auf Reisen immer mit sich führe; sie könne es einfach nicht mehr entbehren. In manchen der wirklich großen Gemälde sei eine so erlesene Geistigkeit eingefangen, daß man ihr verfallen könne wie niemals einem menschlichen Wesen!

Während sie all dies sagte, nahm sie immer wieder andere schmachtende Posen ein, obwohl sie dabei ein ernstes, ja bisweilen sogar ein trauriges Gesicht machte. Dan antwortete, daß er einen Freund habe, der Maler sei, er heiße Eddie und male Dinge, wie man sie sonst nur in seinen Träumen sieht.

»Ich kann mir schon denken, wie er malt«, sagte Mrs. Holloway, »er ist wohl Surrealist?«

»Jedenfalls so etwas Ähnliches«, sagte Dan, »aber er hat zweifellos eine ganze Menge Talent.«

»Wenn das so ist, dann wird mein Bild Ihnen sicherlich nicht gefallen«, seufzte sie, »es handelt sich nämlich um einen französischen Maler aus dem achtzehnten Jahrhundert, um einen Perronneau.«

»Nun, wir können ihn uns ja mal ansehen«, sagte Dan.

Sie traten nun in das Schlafzimmer, das ganz in Blau und Rosa gehalten war. An der Wand hing das Porträt eines mageren, nicht sehr gut rasierten Mannes, der eine weiße Perücke trug, ein kleines Lächeln um die Lippen hatte und dessen Augen boshaft glitzerten. Dan mußte sogleich an das kleine Bildchen des Negerknaben denken, das ihm jener russische Prinz gezeigt hatte. Es stammte wohl aus der gleichen Zeit, das verriet schon die Perücke. Die Kleidung allerdings sah etwas anders aus. Vielleicht hatte dieser Mann den kleinen Neger gekannt, wenn sie beide am Hof Ludwigs XV. gelebt hatten?

»Man möchte meinen, er lacht über uns!« sagte Dan.

»Nicht wahr? Sie finden das auch?« flötete Mrs. Holloway .»Ich sehe, Sie lieben dieses Bild auch..., ich wäre sehr enttäuscht gewesen, wenn es Ihnen nicht gefallen hätte!«

Bei diesen Worten schwang so allerlei mit, das ganz verträumt klang, und der Tonfall war ganz seltsam, und alles, ohne daß es Dan gewußt hätte, wieso. Dann läutete das Telefon, und Mrs. Holloway wurde richtiggehend ärgerlich:

»Jetzt habe ich aber genug!« sagte sie, als sie zurückkam, und diesmal klang ihre Stimme schon beinahe gewöhnlich vor Wut. Sie standen einen Augenblick stumm nebeneinander und betrachteten das Bild. Sie stand ganz knapp neben ihm, mit einem ernsten Gesicht, abwesendem Blick und einem Gesichtsausdruck, der verzückt oder sogar ein ganz klein wenig verrückt genannt werden konnte, es war, als habe der Herr aus dem achtzehnten Jahrhundert sie verzaubert.

Dan fühlte, daß es warm war in diesem Zimmer, aber es war noch etwas anderes als die Wärme, es war wie elektrische Spannung um ihn, er war tatsächlich im Kraftfeld eines Zitterrochens.

»Was halten Sie von der Mode jener Zeit?« fragte sie, und es war, als unterdrücke sie dabei ein Seufzen. »Die war doch viel gefälliger, als was man heutzutage anzieht!«

»Klar!« sagte Dan.

Sie blickte auf ihr Kleid nieder, und dann wieder auf das Bild, als wolle sie die Stoffe vergleichen, die malvenfarbenen Schleier ihres Hauskleides und die blaßblaue Seide, die dieser Edelmann trug.

»Wie finden Sie denn mein Kleid?« sagte sie. »Ich fürchte immer, daß mir die Farbe nicht zu Gesicht steht...« Bei diesen Worten kam sie ihm noch etwas näher, als wolle sie, daß er nicht nur mit den Augen, sondern auch mit den Fingern prüfe und urteile, und er sah ihr tief in die Augen. In ihrem innersten Grund begannen irre Funken aufzublitzen. Dan legte ihr einen Arm um die Taille, begann mit einem der Reißverschlüsse zu spielen und sagte:

»Ich habe den Eindruck, dieses Kleid läßt sich nur mit Mühe ausziehen ...«

Sie ließ ihn den Reißverschluß öffnen, was einige Zeit währte, denn er war kompliziert angelegt, und es gab immer wieder einen anderen, kleinen Reißverschluß, der in einer unerwarteten Richtung abzweigte; es war eben ein Kleid, das einer der großen Modeschöpfer von Paris entworfen hatte.

Während Dan sich abmühte, sagte Mrs. Holloway (und es klang wie eine Klage):

»Dieses Bild strahlt zweifellos viel mehr Geist aus, als es in ganz New York gibt!«

»Klar!« sagte Dan, der in diesem Augenblick mit dem Oberteil des Kleides zu Rande gekommen war und entdeckt hatte, daß die Brust tatsächlich nackt war, so, wie er es schon am ersten Abend vermutet hatte; es waren die Brüste eines jungen Mädchens.

»Ich werde die Männer nie verstehen«, sagte sie, »werde ich je einen kennenlernen, der sich meiner Seele und ihres Heils annimmt? Dan, bitte denken Sie daran, daß Sie eine unsterbliche Seele haben!«

Es sah aus, als ängstige sie sich und leide schrecklich bei dem Gedanken, daß dem jüngeren Soldaten sein Seelenheil und das ihre gleichgültig sein könnten. Dann nahm sie sein Gesicht zwischen die Hände, küßte ihn wild und drückte ihn gierig an sich. Sie sank hintenüber auf das Bett und zog ihn mit sich. Sie keuchte, als ob sie viel zu leiden hätte. Sie riß ungeduldig am Unterteil ihres Kleides und zerrte den Strumpfgürtel vom Leib, daß er in den Nähten knackte.

»Nicht mehr Seele ... als ... ich weiß nicht wer ...«, murmelte sie, indem sie Dan mit fahrigen Bewegungen entkleidete. Sie war eine seltsame Frau, eine Frau, die es schon wert war, daß man ihr zuliebe am Tag des Jüngsten Gerichts auf die Seite der Verdammten hinüberwechselte. Sie war eine Frau, der es egal war, wenn sie ihre Selbstkontrolle verlor, und es war nur gut, daß dieses Luxusschlafzimmer mit dicken, schalldämpfenden Tapeten bespannt war. Sie schrie, ohne an sich zu halten, und es waren nicht nur Schreie, sondern geradezu herzzerreißende Klagen, die ganz tief aus ihr aufstiegen, und wenn sie einen Augenblick inniehielt, so nur, um unflätige Worte hervorzustammeln, alle, die sie kannte und die man bei dieser Gelegenheit überhaupt sagen konnte. Sie kannte sie, und sie scheute sich nicht, sie auch auszusprechen, sie, Mrs. J. B. Holloway, Präsidentin einer ganzen Anzahl von Wohlfahrtsorganisationen ... Und diese Mrs. Holloway gab nun den Ton an, schlug dann vor, das Terrain zu wechseln, denn im Badezimmer – das mußte doch interessant sein –, im Badezimmer gab es einen dreiteiligen Spiegel.

Als Dan zu Jimmy und Sam zurückkehrte, war es halb neun. Sie machten ihm aber keine Vorwürfe wegen der Verspätung, sie hatten ohne Ungeduld auf ihn gewartet und gewürfelt, und Jimmy hatte genausoviel verloren, als er hatte verlieren wollen. Sie hatten so ruhig gewartet, weil man sich in der Armee – so sagte Jimmy zur Begründung – an das Warten gewöhnt. Man wartet, bis man mit dem Impfen an die Reihe kommt, man wartet, bis sie einem das Eßgeschirr füllen, man wartet auf den Urlaub, auf die Inspektion durch den General und auf den Besuch des Senators oder eines Journalisten. Man wartet aber auch darauf, daß man erfahren wird, ob man hier bleibt oder versetzt wird, ob das Mädchen einen Brief geschrieben hat, man wartet auf den Tod oder auf die glückliche Heimkehr.

»Das wäre ein nettes Gedicht, was du da eben aufgezählt hast«, sagte Dan.

»Du gefällst mir... Ich bin doch kein Dichter wie du...«

»Ich war es auch nicht oft, nur hin und wieder«, antwortete Dan, »und jetzt bin ich es überhaupt nicht mehr. Jetzt bin ich der GI Daniel W. Murchison, Matrikelnummer 37.421.562, und sonst nichts.«

»Was hast du denn eigentlich bis jetzt getrieben... Hattest du vielleicht eine Besprechung mit General Marshall?«

»Nun, es war so ähnlich«, antwortete Dan.

Sie gingen in ein ungarisches Restaurant in der 45. Straße zu Abend essen und ließen ein festliches Menü auffahren. Die Zigeuner machten mit ihren Geigen einen Höllenlärm, und der Wirt offerierte den drei Soldaten eine Runde Marillenschnaps. Eine junge Frau, die mit einem noch jüngeren rosigen und blondhaarigen Marineleutnant an einem Tisch saß, begann zu flennen, weil die Tänze der Kapelle sie an ihre Heimat erinnerten, und der kleine Seeoffizier wußte nicht, wie er sie trösten sollte. Nach dem Essen, als man den Kaffee nahm, rief Jimmy den Primas heran und verlangte von ihm, daß die Kapelle *Sophisticated Lady* spiele. Der Mann kniff die Lippen zusammen und antwortete, daß er diese Art Musik nicht kenne, er habe das Konservatorium in Budapest absolviert und sei Preisträger für Violine gewesen. Nun wurde Jimmy böse und erklärte, es habe keinen Sinn, Soldat zu sein und für die Freiheit solcher Länder wie Ungarn in den Krieg zu ziehen, wenn jeder Zigeuner sich weigern könne, das Lieblingslied eines amerikanischen Soldaten zu spielen. Der

Inhaber des Lokals legte sich ins Mittel und forderte den Prim-
geiger auf, *Sophisticated Lady* zu spielen. Der tat es nur widerwillig; es wurde deutlich, daß er das Lied zwar recht gut kannte,
aber alle Rhythmen absichtlich veränderte. Jimmy gab den Mu-
sikern eine Handvoll Dollars, ließ den Primas aber leer ausgehen,
der einen Fluch zwischen den Zähnen zerdrückte. Das machte
Jimmy erst recht wütend; er schmiß den Tisch um, und der
kleine Marineoffizier telefonierte nach der Militärpolizei. Ehe
diese aber auf der Bildfläche erschien, hatte Jimmy die Rechnung
und den angerichteten Schaden bezahlt, den widerspenstigen
Zigeunerprimas umarmt und sich mit Dan und Sam aus dem
Staub gemacht.

Sie gingen wie am Abend zuvor von einer Bar zur anderen,
nur, daß sie diesmal mit einer gewissen Methode tranken. Sam
blieb dabei stumm wie stets. In einem der Lokale stießen sie
auf einen Zivilisten, der ihnen haarklein bewies, daß die Deutschen von einem anderen Affen abstammten, nämlich von
einem Gorilla-Ahnen; er behauptete, daß er Bescheid wissen
müsse, da er selbst aus Deutschland eingewandert sei. In einer
anderen Bar vertraute der Kellner, ein Sizilianer, ihnen an, daß
Mussolini sein Bündnis mit Hitler gebrochen habe, um mit
Amerika zu verhandeln; schon in der nächsten Woche werde Hitler genötigt sein, einen Waffenstillstand anzubieten. In einer
dritten Bar stießen sie auf einen betrunkenen Matrosen, der immerzu sagte, bevor er auf sein Unterseeboot zurückgehe, müsse
er ein jungfräuliches Mädchen küssen, sonst – dessen sei er sicher
– werde sein Boot sinken; er hatte seit dem Morgen nichts anderes getan, als in ganz New York nach einem unberührten Mädchen gesucht, hatte aber nicht ein einziges gefunden und nun
nur noch eine Stunde vor sich und somit kaum noch Hoffnung,
dem Seemannstod zu entgehen! Leichter fand man einen Eis-
berg in der Karibischen See als eine Jungfrau in New York. Er
war zweimal torpediert worden, einmal bei Pearl Harbor, das
andere Mal während der Seeschlacht von Midway auf der »York-
town«. Das dritte Mal würde es ins Auge gehen!

Ein Mädchen wollte ihn zum Trost küssen, aber man sah ihr
so deutlich an, daß sie keine Jungfrau war, daß der Seemann sie
von sich stieß und schrie:

»Verdammt noch einmal, lieber fahre ich so zur Hölle, als daß
ich mich von einem Miststück, wie du's bist, küssen lasse!«

Daraufhin sprangen zwei Männer, die mit dem Mädchen an
einem Tisch gesessen hatten, auf, packten den Matrosen und

warfen ihn zu Boden, und er blieb dort so ruhig liegen, als läge er schon auf dem Meeresgrund.

An diesem Abend fanden Jimmy, Dan und Sam niemanden, der für sie beten wollte. Die Tage folgen zwar aufeinander, aber sie gleichen sich nicht.

»Jungfrau oder nicht«, sagte Jimmy, »jetzt brauche ich unbedingt ein Mädchen!«

Er klopfte an die Scheibe eines Taxis und befahl dem Chauffeur, sie in das beste Haus zu bringen, das er hierherum kenne.

Es war ein Nobelbordell von der Art, die Dan alias Buddy kennengelernt hatte, als er noch Rauschgift lieferte; ein Haus wie jenes, in dem er der Bestrafung des Boxers beigewohnt hatte, der etwas Krummes hatte machen wollen und dem dafür die Hand zerschmettert worden war. So fein also war das Haus, in das der Taxichauffeur sie gebracht hatte, nur daß hier alle Mädchen Farbige waren, weil man ja mit farbigen Besuchern rechnete.

Dan suchte sich die Jüngste aus. Es war ein sanftes und beinahe trauriges Mädchen, das ihn ein wenig an Angel erinnerte. Er sagte ihr, daß er nicht die Absicht habe, mit ihr zu schlafen, sondern nur mit ihr plaudern wolle und einen Schluck dazu trinken.

»Ich gefalle dir also nicht?« erkundigte sie sich schüchtern. Dan beruhigte sie. Sie gefalle ihm sehr gut, aber er sei nicht in der Stimmung, er habe besondere Gründe dafür. Sie redeten von allerlei, und schließlich erzählte sie ihm ihr Leben. Es war ebenso traurig wie banal: Mit dreizehn Jahren war sie die Freundin eines jugendlichen Gangsterhäuptlings geworden – Dan kannte dieses Lied –, und der hatte sie dann auf die Straße geschickt, als sie fünfzehn war. Sie hatte ihn geliebt, aber er hatte sich nicht erweichen lassen, und schließlich hatte er sie an dieses Haus verkauft und kam regelmäßig jede Woche zum Kassieren. Sie wäre gerne abgehauen, aber sie hatte Angst, daß er ihr einen Denkzettel verabreichen und sie mit Vitriol behandeln würde.

Dan wurde plötzlich böse, der Katzenjammer des ganzen Nachmittags stieg in ihm auf, und er sagte ihr, es sei noch immer besser, in einem Bordell zu arbeiten, als in der Armee zu dienen. Dann schämte er sich seiner brutalen Antwort und gab dem Mädchen dreißig Dollar; sie bedankte sich mit vielen Worten und sagte, wenn alle so wären wie er, dann wäre es tatsächlich eine gute Sache, in einem Puff zu sein.

Auf dem Rückweg ins Hotel wurde Dans Stimmung immer schlechter; Jimmy sang wieder einmal *Sophisticated Lady*, und

Sam schwatzte so eifrig drauflos, daß man glauben mußte, ihm habe bis dahin nur das Verlangen nach einer Frau den Mund vernäht.

Tags darauf um elf Uhr vormittags rief Mrs. Holloway an und bat Dan zu sich. Diesmal mußte er sich nicht mit einer Reihe von Reißverschlüssen auseinandersetzen, denn die Dame, die er nun Helen nannte, trug einen Frisiermantel. Sie führte sich so auf, daß Dan sich schließlich sagte, es müsse schon etwas dran sein an dem Sprichwort, daß der Appetit beim Essen komme. Ihm selbst gefiel es aber nicht so gut wie beim erstenmal, obwohl sie diesmal vergaß, sich um Dans Seelenheil zu kümmern: Sie hatte offenbar mit seinem Körper genug zu tun.

Nachher wollte sie eine Vereinbarung für den nächsten Tag treffen, aber Dan sagte, er müsse in das Lager zurück. Sie umarmte ihn verzweifelt.

»Du mußt ins Lager zurück? Und dann womöglich an die Front? Daraus wird nichts, ich lasse es nicht zu, daß man dich dann irgendwohin transportiert, nach Europa oder in den Pazifik. Laß mich nur machen; ich werde mit meinem Mann sprechen, und der wird die Sache schon arrangieren... Ich will, daß du auf eine Dienststelle in New York kommst!«

Dan sagte, das sei nicht anständig, er sei schließlich Soldat. Aber sie verschloß ihm den Mund mit einem Kuß und setzte ihm mit tausend kleinen Neckereien zu, während er längst von dieser vulkanischen Tour genug hatte. Außerdem schockierte ihn Helen immer wieder durch ihre Schamlosigkeit, wobei Schamlosigkeit noch ein schwaches Wort war, denn Mrs. Holloway hatte die fleischlichen Leidenschaften in einem Maße intensiviert, das man schon pathologisch nennen mußte. Auf dem Höhepunkt der Erregung hatte sie sich die Nägel in die Handballen gepreßt, daß das Blut aus der Haut trat, und nachher erklärt, sie sei eine Stigmatisierte und das seien ihre Wundmale. Dieses Wort hatte ungemein skandalös gewirkt in dem Mund einer Frau, die ebenso fromm wie pervers war – alles zu seiner Zeit. Ganz davon zu schweigen, daß sie einen unverkennbaren und unverhüllten Hang zur Zerstörung alles Männlichen in sich hatte, der sie in einem Anfall ihres Wahns zu sehr bedenklichen Exzessen führen konnte.

Als Dan zu Jimmy und Sam zurückkehrte, sagte er ihnen, er habe den Urlaub satt, er habe New York satt und alles andere auch; er kehre in das Lager zurück. Jimmy und Sam waren wohl ein wenig betroffen, aber nicht sonderlich erstaunt. Man wußte, daß Dan solche Stimmungen hatte und daß er oft etwas tat, was keiner von ihm erwartete; dazu trieb ihn eben seine Natur als Dichter. Nach einiger Überlegung entschied Jimmy, daß sie ihn nicht allein gehen lassen wollten; sie würden alle gemeinsam ins Lager zurückkehren. Sam, der inzwischen wieder verstummt war, nickte nur mit dem Kopf.

Als sie die Stube in der Baracke betraten, war sie leer bis auf den einen Mann, der immerzu an seinen Teppichen knüpfte. Er sagte Dan, daß der Sergeant Potter ihn erwarte; Dan möge sich melden, sobald er zurück sei.

»Der weiß doch ganz genau, daß ich bis morgen früh sechs Uhr Urlaub habe«, antwortete Dan, »bis morgen früh sechs Uhr braucht die Armee nicht auf mich zu zählen!«

Er kroch in sein Bett, und Jimmy und Sam taten das gleiche. Sie schliefen noch nicht lange, als Timothy Potter in die Stube trat. Er bemerkte Dan und begann sofort zu brüllen, wieso Dan denn auf seinem Bett liegen und schnarchen könne, während er ihn suchen lasse?

Dan öffnete ein Auge, rührte sich nicht und sagte, daß er bis morgen früh sechs Uhr ordnungsgemäßen Urlaub habe und für niemanden zu sprechen sei. Der Sergeant wurde wütend, kreuzte die Arme über der Brust und fragte, ob er das als Gehorsamsverweigerung ansehen solle.

»Das ist keineswegs eine Gehorsamsverweigerung«, sagte Dan gelassen, »sondern das ist im Gegenteil eine Überschreitung Ihrer Befugnisse!«

»Ich werde Ihnen zeigen, was ich unter meinen Befugnissen verstehe!« brüllte Sergeant Timothy Potter. »Warten Sie nur ein Weilchen!«

»Es ist doch eigentlich komisch«, sagte Jimmy, als Potter gegangen war, »daß der Kerl mit dem niedrigsten Intelligenzkoeffizienten der ganzen Kompanie ausgerechnet Sergeant geworden ist!«

Timothy Potter kehrte nach wenigen Minuten mit dem Leutnant zurück, der im Zivilberuf Rechtsanwalt war und einst jenen Fred Himmelstein verteidigt hatte, den Dan kannte. Als sie den Leutnant sahen, sprangen Dan, Jimmy und Sam von ihren Betten auf und nahmen Haltung an, und der Junge, der vor seinem Teppich gesessen hatte, tat dasselbe.

»Hören Sie, Murchison«, sagte der Leutnant, »der Sergeant berichtet mir, daß Sie sich weigern, einen Befehl auszuführen!«

»Sie haben mir bis morgen früh Urlaub gegeben, Sir«, antwortete Dan, »aber wenn Sie mich brauchen, so stehe ich Ihnen natürlich zur Verfügung!«

Er ging mit dem Leutnant, der ihm unterwegs erklärte, daß der Captain bei den Kompanien nach einem Mann herumgefragt habe, der ein geschickter Stilist sei; es handle sich um eine sehr heikle Arbeit, und der Leutnant habe natürlich Dan Murchison vorgeschlagen, da er nun einmal einen Schriftsteller auf seiner Kompanieliste hatte.

»Ich bin kein Schriftsteller«, sagte Dan, »sondern Automechaniker.«

»In Ihrem Alter«, antwortete der Leutnant, »sind alle Schriftsteller Automechaniker, Cowboys, Wagenwäscher oder so etwas Ähnliches!«

»Worum handelt es sich denn eigentlich?« erkundigte sich Dan.

»Das wird Ihnen der Captain selbst erklären.«

Gefolgt von Dan, trat der Leutnant in sein Büro und rief den Captain an, konnte aber nicht gleich die Verbindung bekommen.

»Hören Sie, Murchison«, sagte der Leutnant während des Wartens und mit der Hand auf der Sprechmuschel, »ich möchte, daß Sie sich korrekt benehmen; legen Sie den Captain ja nicht herein... unter uns gesagt, er ist nicht der Klügste. Er behauptet zwar, im Zivilberuf Eisenbahningenieur gewesen zu sein, aber in Wirklichkeit war er nur ein kleiner Beamter. Also keine Späße. Er hat den Intellektuellen gegenüber immer Minderwertigkeitskomplexe und kann sie darum nicht riechen.«

»Ich habe mit allem gerechnet, als ich zur Armee ging«, sagte Dan, »nur nicht damit, daß ich hier als Intellektueller gelten würde!«

»Sehen Sie«, sagte der Leutnant, »das ist genau einer jener Geistesblitze, die der Captain nicht ausstehen kann, denn Sie sind zweifellos eher ein Intellektueller zu nennen als dieser Eisenbahnbeamte ein Offizier!«

»Das dürfte man ihm aber sicherlich auch nicht sagen«, meinte Dan, und der Leutnant lächelte. Er suchte noch einmal, den Captain zu erreichen, bekam diesmal die Verbindung und meldete, daß er den gesuchten Schriftsteller nun in seinem Büro habe; schließlich sagte er »Sofort, Sir!«, legte den Hörer auf die Gabel und befahl Dan, sich unverzüglich in die Schreibstube des Bataillons zu begeben.

Der Captain war ein kräftiger Mann mit niederer Stirn und einem schnurgeraden Scheitel in seinem kurzen Haar. Er forderte

Dan auf, Platz zu nehmen, und den Leutnant, der mitgekommen war, ebenfalls. Er bot ihnen Zigaretten an, das Päckchen ging von Hand zu Hand. Dann stützte der Captain die Ellbogen auf den Schreibtisch, fixierte einen Punkt irgendwo an der Zimmerdecke, um mit dem Blick nicht Dan zu begegnen, und begann nervös an seinem Füllfederhalter herumzufingern. Dan empfand Mitleid mit diesem Mann und machte sich in seinem Sessel so klein wie möglich, um ihn nicht noch mehr einzuschüchtern.

»Soldat zweiter Klasse Murchison«, sagte der Captain schließlich, nachdem er lange überlegt hatte, »ich brauche Ihre Dienste ... oder sagen wir Ihr Talent ... für eine sehr vertrauliche Angelegenheit ... oder besser: für eine heikle Angelegenheit ...«

Offenbar bereitete es dem Offizier Schwierigkeiten, die richtigen Worte zu finden. Die Worte, die sich seinem Geist zunächst anboten, befriedigten ihn nicht; er suchte nach einem anderen, das zutreffender wäre, und hoffte, seinen Gedanken nun präziser ausdrücken zu können, aber auch dieses neue Wort schien ihm nicht geeignet, und die unfruchtbare Suche nach passenden Ausdrücken machte es peinlich, ihm zuzuhören.

»Soldat zweiter Klasse Murchison«, fuhr der Captain fort, »Sie kennen doch sicher ..., ich will sagen, Sie haben doch sicher schon gehört ..., nein: Sie kennen zweifellos Jack Tarnowski und seine Braut Peg, das heißt natürlich seine Braut, die gar nicht mehr seine Braut ist, weil nämlich ..., das hat folgenden Grund ... Nun, darauf komme ich später zurück ...«

Dan, der keine Ahnung hatte, um wen es sich handle, nickte auf gut Glück mit dem Kopf.

»Peg und Jackie also ..., oder Jackie und Peg, wenn Sie wollen ..., nein, genaugenommen Peg und Jackie natürlich ... Sie wissen doch sicherlich ..., klar, daß Sie das wissen, Soldat zweiter Klasse Murchison, daß die beiden verheiratet sind. Davon haben Sie doch sicher gehört. Das heißt, sie sind so gut wie verheiratet, es ist noch nicht ganz soweit, aber es steht unmittelbar bevor ..., entweder für morgen ..., oder es ist überhaupt schon alles vorbei, und zwar seit heute nachmittag drei Uhr ...«

Der Captain hielt die Zigarette in der einen und die Füllfeder in der anderen Hand, und es war zu erkennen, daß er innerlich nach Fassung rang. In seinem Tonfall wechselten Wohlwollen und Gereiztheit miteinander ab. Dan machte eine unbestimmte Geste mit der Hand, und der Leutnant, der eine vorlaute Bemerkung seines Schützlings fürchtete, bombardierte ihn mit mahnenden Blicken. Dan war durchaus bestrebt, keinen Fehler zu machen, wollte zugleich aber dem Captain zu verstehen geben, daß er von der Hochzeit nichts gewußt habe. Das eine war so riskant wie das andere, und er konnte doch nicht einfach sagen: Nicht möglich! Denken Sie mal an, ich hatte keine Ahnung!

Der Captain befreite ihn aus seinem Zwiespalt, indem er ihm eine Zeitung reichte, die auf der Seite der Comic-Strips aufgeschlagen war; dabei wies er mit dem Finger auf einen der gezeichneten Streifen, der »Peg und Jackie« hieß. Nun begriff Dan, daß Peg und Jackie nicht wirkliche Menschen, sondern die Helden einer Geschichte seien, die täglich in Bildstreifen und Textblasen in einer Zeitung erzählt wurde. Er erkannte auch an der Nummer, die der Streifen trug, daß die Abenteuer von Peg und Jackie in diesem Blatt nun seit sechs oder sieben Jahren zu lesen waren. Jackie war ein hübscher, kräftiger Pole mit blonden, lockigen Haaren und einem bemerkenswerten Brustkasten. Peg war eine Brünette mit schlanken Hüften, einem enormen Busen und überlangen Augenwimpern über einem Blick, von dem man nicht sagen konnte, ob in ihm die Unschuld überwog oder die Perversität. Auf dem letzten Bildchen sah man einen Zug und einen Rennwagen nebeneinander herfahren, die Straße verlief neben den Schienen. Peg am Volant des Wagens, während Jackie einen Fuß auf den Kotflügel des Rennwagens stützte und mit dem anderen eben auf dem Trittbrett eines Waggons Fuß gefaßt hatte. Aus Jackies Mund lösten sich die Worte: »In einer Viertelstunde sind wir verheiratet, Liebling!« Zugleich half er in dieser halsbrecherischen Haltung einem Pastor aus dem Zug in den Wagen. Der hochwürdige Herr hatte trotz der schnellen Fahrt Kaltblütigkeit genug, um ein beruhigendes »Selbstverständlich!« in die Luft steigen zu lassen, während aus Pegs Mund nur das Wort »Whoopie!« kam, dessen Sinn sich lediglich aus der Situation erschließen ließ. Quer über den ganzen Schauplatz zog sich eine Brücke. Auf ihr hielt ein maskierter Reiter, der wütend war. Zumindest mußte man die Laute, die er in seiner Textblase ausstieß, solchermaßen deuten, denn sie bildeten kein Wort, sondern lauter aneinandergereihte z: »Z-z-z-z-z-!!!«

»Jetzt verstehen Sie doch..., jetzt begreifen Sie sicherlich, Soldat zweiter Klasse Murchison..., das bedeutet..., das ist doch der Beweis dafür..., daß Peg und Jackie jetzt..., ich meine heute..., verheiratet sind, also..., äh..., Mann und Frau, in bösen wie in guten Tagen, das ist doch so die Formel und das Ende aller Abenteuer und aller Widrigkeiten, die sie erlebt haben... Und alle Frauen, die in Jackie verliebt waren, und alle Männer, die ein Auge auf Peg geworfen hatten..., die sind doch jetzt tief enttäuscht..., oder sagen wir untröstlich... Und von den Männern sind..., bei den Männern kann man doch annehmen..., daß die meisten von ihnen..., ich meine, daß der Großteil aller Männer jetzt in der Armee dient. Diese Enttäuschung durch Peg bringt also ernsthafte Probleme für die Moral der Armee mit..., ich will sagen, stellt die Moral der Armee auf eine harte Probe und auch die psychologischen Leitungskommissionen..., wenn Sie wissen, was ich meine...«

»Ich sehe, worauf Sie hinauswollen, Sir«, sagte Dan und legte die Zeitung auf den Schreibtisch des Captains, »ich nehme nur an, daß die Gesamtheit der in Jackie verliebten Frauen für die Armee nicht sonderlich wichtig ist, wodurch auch das Problem selbst an Bedeutung verliert. Nehmen wir zum Beispiel die weiblichen Soldaten, das sind Frauen, die ohnedies niemals ein Mann angesehen hat, weil sie kurzbeinig sind und lahmarschig und weil sie ja nur in die Armee gegangen sind, um sich am Leben dafür zu rächen, daß es ihnen keinen Mann beschert hat. Und wenn die Männer sie jetzt anschauen, so doch nur, um sich über diese Schragen in Uniform lustig zu machen. Ich nehme an, daß die paar Dutzend Armeehelferinnen und Angehörigen weiblicher Korps, die allenfalls in Jackie verliebt sind, kein wirkliches Problem von Bedeutung schaffen könnten.«

»Ich gehe mit Ihren Überlegungen nicht konform«, sagte der Captain. »Sie haben vielleicht folgerichtig gedacht..., aber wenn wir zum Beispiel von den Armeehelferinnen absehen..., da bleiben doch noch immer die Männer in der Armee, nicht wahr? Zum Beispiel die Männer jenes Ausbildungsbataillons, das zu befehligen ich die Ehre habe... Nehmen wir an, sie sind in Peg verliebt... Mein Problem besteht nun darin, einer etwaigen Gefahr zu begegnen..., Abhilfe zu schaffen..., sozusagen etwas tun...« Die Stimme des Offiziers hatte sich zu immer lauterem Gebrüll gesteigert, und er schlug mit der Faust so heftig auf den Tisch, daß seine Füllfeder Tinte auf das Zeitungsblatt zu spritzen begann. »Etwas zu tun, damit meine Boys nichts von ihrer Kampfkraft einbüßen..., ihrer Kampfentschlossenheit wegen dieser Ehe..., ich meine Eheschließung..., äh..., Sie wissen schon. General Scharwsberg hat heute morgen eine Lagebesprechung abgehalten..., eine Besprechung auf höchster Ebene über dieses Thema. Das Ergebnis der Beratungen war der Entschluß, einen Brief an Chas Weinkopf zu schicken, das ist der

Autor der Peg-und-Jackie-Story, und ihn zu bitten, diese Hochzeit noch ein wenig hinauszuschieben..., uns eine Frist zu geben ..., nichts einfacher als das!« Der Captain legte abermals den Finger auf den gezeichneten Streifen, wobei er sich allerdings mit Tinte bekleckerte und somit genötigt war, mit einem Löschblatt die Hand zu reinigen und den Klecks aufzusaugen. »Nichts einfacher, denn es ist ja noch Zeit; Chas Weinkopf kann sich noch immer dafür entscheiden, daß Kopaho, das ist der Reiter mit der Maske, den Pastor mit dem Lasso fängt und auf die Brücke hinaufzieht oder ihn irgendwie anders erledigt, um ihn an der Vornahme der Trauung zu hindern..., an der Einsegnung will ich sagen, von Peg und Jackie...; diese Lösung jedenfalls oder eine andere...«

»Vollkommen richtig!« sagte Dan.

»Was sagten Sie?« blökte der Captain.

»Ich sagte: Vollkommen richtig, Sir!«

»Ach, vollkommen richtig? Jaaa... Der General hat also den Brief an Chas Weinkopf abgefaßt, ihn vervielfältigen lassen und sofort als eilige Kommandosache an alle seine hochgestellten Freunde befördert, Senatoren, Kongreßmitglieder, Admirale, Generale, große Leute im Pentagon... Es geht das Gerücht, daß der General unter diesen Brief sogar die Unterschrift von Marshall erhalten hat..., auch die von Averell Hariman und von Harry Hopkins... Ja, es soll sogar die Unterschrift vom Präsidenten in Aussicht gestellt worden sein. Das ist natürlich eine unschätzbare Hilfe für die glückliche Entwicklung..., ich meine für den guten Ausgang oder sagen wir am besten, für den glücklichen Ausgang unserer Reklamation, unseres Protestschrittes. Ich denke nun, daß ein Brief, den alle Männer des Bataillons unterschreiben, das zu befehligen ich die..., äh..., die Ehre habe, daß so ein Brief keinen schlechten Eindruck machen würde. Darum habe ich Sie kommen lassen..., ich habe Sie rufen lassen..., damit die Namen der einfachen Soldaten, im Verein mit den berühmtesten Namen unserer amerikanischen Demokratie..., und Sie werden diesen Brief schreiben, Soldat zweiter Klasse Daniel W. Murchison!« Die letzten Worte hatte der Captain triumphierend hinausgeschmettert und dabei die Faust abermals auf die Schreibtischplatte niedersausen lassen, diesmal jedoch ohne Schaden für die Zeitung, da er zuvor die Füllfeder auf einer Ablegeschale deponiert hatte.

»Wie Sie befehlen, Sir!« sagte Dan. »Ich werde den Brief morgen abliefern.«

»Morgen?« entrüstete sich der Captain. »Ich will den Brief heute noch, in zwei Stunden. Befehl ist Befehl!«

»Gewiß, Sir, in zwei Stunden!« sagte Dan, erhob sich und legte die Hand an den Mützenrand. Als er sich mit dem Leutnant zur Tür wandte, rief der Captain diesen zurück.

»Leutnant Palafox, Sie geben dem Soldaten zweiter Klasse Murchison einen Sonderurlaub... für außergewöhnliche Leistungen und vorbildliches Verhalten...«

»Um die Wahrheit zu sagen, Sir...«, begann Dan.

»Was soll das heißen?« schrie der Captain. »Sie weigern sich, einen Urlaub anzunehmen?«

»Nein, Sir!« sagte Dan. »Ich danke, Sir!«

Als er den Bataillonsstab verlassen hatte und mit dem Leutnant zurück zur Kompanie ging, sagte dieser:

»Sie sind wohl ganz von Gott verlassen, Murchison, einen Urlaub abzulehnen! Denken Sie doch an Ihre Kameraden, die sich nach nichts anderem sehnen – was das für einen Eindruck auf den Captain macht!«

»O. K., Sir«, sagte Dan, »also wieder drei Tage..., aber immer mit den beiden..., geht das in Ordnung?«

»Von mir aus!« sagte der Leutnant. »Und wohin geht's diesmal? Wieder nach New York?«

Dan kam plötzlich ein Gedanke.

»Wenn Sie gestatten, Sir, wäre mir Cheyenne, Wyoming, lieber. Das ist der Heimatort meines Kameraden Jim.«

»Also drei Flugkarten nach Cheyenne, Wyoming... Ich habe dort in den Felsen einmal kampiert... Ich werde Ihnen die Gegend auf der Karte zeigen, nettes Eckchen, ein kleiner See, ein Gasthaus, uralte Bäume und Lachsforellen, die dreißig Pfund wiegen..., lieben Sie eigentlich die Natur, Murchison?«

»Wenn Sie nichts dagegen haben, Sir, werden wir wohl in der Stadt bleiben. Wir sind alle drei keine sonderlichen Naturliebhaber.«

»Nun, das bleibt ja Ihnen überlassen. Wollen Sie sich in mein Büro setzen, um den Brief abzufassen?«

»Jawohl, Sir, danke!«

Sie gingen durch die Kompanieschreibstube, wo Sergeant Timothy Potter in schlechtester Laune hinter seinem Schreibtisch hockte. Er hatte eben wieder einmal mit Monterey, California, telefoniert und dabei erfahren, daß der Arzt sich geirrt habe: Der Junge, mit dem er so fest rechnete, würde erst in einer Woche zur Welt kommen. Das aber nötigte Potter, alles zu verschieben, was er schon für seinen Urlaub geplant hatte, und natürlich auch diesen Urlaub selbst. Leutnant Palafox sagte ihm, er solle drei Urlaubsscheine für Dan, Jim und Sam ausschreiben, Bestimmungsort Cheyenne, Wyoming, Transportmittel: das erste Flugzeug, das am anderen Morgen abging. Der Sergeant riß die Augen auf; seit er bei der Armee war, hatte er noch nie einen so geschickten Burschen getroffen wie diesen Dan Murchison!

Der Leutnant ließ Dan hinter seinem Schreibtisch Platz nehmen und stellte die Whiskyflaschen und die Zigarettendose vor ihn hin. Dan ging aber zuvor noch einmal auf einen Sprung in die Baracke, um Jimmy und Sam von dem bevorstehenden Urlaub zu informieren und ihnen zu sagen, wohin es diesmal gehe. Jimmy machte aus seiner Freude kein Hehl: Das sei einmal eine tolle Nachricht, und er werde sich nicht lumpen lassen. Er werde ihnen Cheyenne zeigen, eine schicke Stadt, etwas ganz anderes als New York, Dan würde sein Leben lang an die Tage von Cheyenne denken! Aus Cheyenne würde er bestimmt nicht vor Ablauf des Urlaubs zurückkehren!

Dann schloß Dan sich im Zimmer des Leutnants ein, trank zwei Glas Whisky, rauchte drei Zigaretten, hatte aber noch immer keinen brauchbaren Einfall für den Anfang des Briefes. Er schlief für ein Weilchen ein, wobei sein Kopf auf den gekreuzten Armen ruhte, und schließlich wurde eine halbe Stunde daraus. Er trank noch einen Whisky, zündete sich eine weitere Zigarette an und begann schließlich das folgende Schreiben herunterzuklopfen:

Dear Mr. Chas Weinkopf!

Im Namen aller meiner Kameraden vom Camp... habe ich die Ehre, Ihnen schriftlich die Gefühle bekanntzugeben, die uns alle erfüllen, seit wir von der bevorstehenden Hochzeit Pegs und Jackies wissen. Lieber Mr. Chas Weinkopf, Sie erhalten zweifellos sehr viele Briefe, und aus Anlaß dieses betrüblichen Ereignisses werden es noch mehr sein, aber ich bitte Sie, seien Sie nett, lesen Sie diesen Brief bis zum Ende. Er ist von Soldaten an Sie gerichtet, die alle guten Willens sind, Gott fürchten, ihr Land lieben und leidenschaftliche Parteigänger der amerikanischen Lebensart sind. Aber die bevorstehende Hochzeit Pegs und Jackies trifft sie im Tiefsten ihrer Herzen, und wenn Sie all diese Burschen, all diese Zwanzigjährigen so tief verwunden, was wird dann geschehen, Mr. Weinkopf? Ich will es Ihnen sagen: Sie werden beginnen, an allem zu zweifeln, sie werden kein Vertrauen mehr haben zu den Institutionen unseres Landes und werden nichts mehr achten können, nicht die Regierung, nicht die Armee, nicht die Erklärung der Menschenrechte, nicht die öffentliche oder auch nur die private Moral und schon gar nicht die Kriegsziele: die Befreiung der unterdrückten Völker und die Rettung der abendländischen Zivilisation. Sie werden weder Banken noch Gerichte, weder die Presse noch die Kultur, weder Radio noch Kino achten oder verteidigen wollen; wenn Sie Peg und Jackie miteinander verheiraten, nehmen Sie uns alles, *wofür wir kämpfen.* Die Boys im Camp sind bereit, für den Triumph der Demokratie ihr Blut zu vergießen, für den freien Handel und die Brüderlichkeit unter den Völkern, aber sie würden tief enttäuscht den Heldentod sterben, wenn sie sich auf dem Schlachtfeld sagen müßten, daß Peg nicht mehr ledig ist, ja, daß sie für das Baby, das sie erwartet, ein Höschen strickt und Jackie eben mal 'rausgegangen ist, um eine Wiege zu kaufen.

Sagen Sie nun nicht, daß Sie nichts dazu und nichts dagegen tun können und daß das Schicksal der beiden nun einmal sei, sich zu kriegen. Halten Sie sich immer vor Augen, daß solch eine Lösung alle jungen Soldaten doppelt verwunden würde. Einmal, weil sie sich von Jackie betrogen fühlen würden, von Jackie, einem jungen Mann in bester körperlicher Verfassung, der in all den Jahren, seit der Streifen nun läuft, überhaupt nicht gealtert ist. Dieser Jackie würde nun das Privileg haben, neben Peg zu liegen und nachts das Ohr auf ihren Leib zu legen, um zu lauschen, ob er das Kind höre. Er würde Zukunftspläne für dieses Kind machen und sich fragen, ob das Kleine einmal in die Fußtapfen Jimmy Walkers oder in die Fred Astaires, in die Lindberghs oder Jack Dempseys treten wird, und das, während all die Boys, die Peg lieben, fern auf den Schlachtfeldern des Pazifiks und Europas ihr Leben wagen.

Werter Mr. Weinkopf! Das Schicksal will gar nicht, daß Peg Mrs. Tarnowska wird. Ich habe nämlich eine Idee, Mr. Weinkopf: Warum soll diese Hochzeit nicht bis nach Kriegsende warten? Warum soll man nicht Jackie den Gedanken eingeben, sich zu einer Sondereinheit der Marine-Infanterie zu melden oder zu den Fallschirmjägern? Er wird sich dort zweifellos als ein echter und rechter Held erweisen, und Peg würde die Schwesterntracht bestimmt gut zu Gesicht stehen. Sie könnte ihm an die Front nachreisen und ihn irgendwo in Europa oder auf einer der pazifischen Inseln wiederfinden, ganz wie Sie es wünschen, Mr. Weinkopf.

Ich lege Ihnen diese Lösung unseres Problems nahe, ohne behaupten zu wollen, daß sie die beste ist. Sie sind sicherlich imstande, eine bessere zu finden. Halten Sie sich aber dabei vor Augen, daß die Ruhe unserer tapferen Toten auf den Soldatenfriedhöfen nicht durch die Vorstellung gestört werden darf, daß ihre liebe Peg einem anderen Mann angehört habe, solange sie noch selbst alle am Leben waren. Versetzen Sie sich in die Lage dieser Boys, denken Sie an die Schmerzen ihrer Väter und Mütter und antworten Sie mir dann offen und ehrlich: Können Sie es wirklich wünschen, auf das tragische Ende ihrer Leben, auf den heroischen Ausklang so vieler Soldatenschicksale einen letzten Schatten fallen zu lassen? Können Sie es wagen, den großen Schmerz noch zu vertiefen? Ich bin sicher, daß Sie es nicht tun werden, Mr. Chas Weinkopf, und in dieser Erwartung bitte ich Sie, der aufrichtigen Verbundenheit meiner Kameraden ebenso versichert zu sein wie der Ihres ergebenen

Daniel W. Murchison
Matr.-Nr. 37.421.562

Als Dan den Brief beendet hatte, brachte er ihn sogleich zu dem Captain, der ihn so großartig fand, daß ihm keine Worte des Lobes einfielen. Mangels geeigneter Worte der Anerkennung nahm er Dans Hand in seine Hände, drückte und schüttelte sie lange und mannhaft und blickte ihm dabei tief in die Augen, alles unter den Anzeichen tiefster Rührung. Dann schlug er sich an die Stirn, als sei ihm eben etwas äußerst Wichtiges eingefallen, stürzte zum Telefon und wählte eine Nummer. Er wollte mit Ira Parker verbunden werden, mußte aber zu seinem Leidwesen erfahren, daß Ira Parker nicht zu sprechen sei. Er wurde erst wieder ein wenig heiterer, als man ihm versicherte, Ira Parker habe ohnedies vor, ihn, den Captain, morgen aufzusuchen.

»Mit Ira Parker stehe ich sehr gut, müssen Sie wissen«, sagte er zu Dan, »ja, ich könnte ihn ruhig meinen Freund nennen, tatsächlich. Er ist Journalist, Reporter für *Stars and Stripes*, und wird morgen kommen, um Sie zu interviewen..., das ist eine Ehre für das Bataillon, das zu befehligen ich die Ehre habe..., Soldat zweiter Klasse Murchison, ich bin sehr zufrieden mit Ihnen!«

Damit drückte er abermals Dans Hand, und Dan sagte:

»Ich habe es gern getan, Sir, es ist auch nicht der Rede wert..., nur morgen, morgen früh fliege ich auf Urlaub nach Cheyenne, Wyoming!«

Der Captain richtete sich straff auf und sagte streng: »Soldat zweiter Klasse Murchison, wollen Sie wirklich Ihren Posten in dieser Situation im Stich lassen?«

»Gewiß nicht, Sir«, antwortete Dan, »ich werde den Sergeanten Potter sogleich informieren, daß er das Datum auf dem Urlaubsschein verändert..., um einen Tag.«

»Sagen wir gleich um eine Woche, Murchison. Bis dahin werden wir Sie hier zweifellos brauchen!«

Dan grüßte und machte eine Kehrtwendung; als er ging, lag der Blick des Captains mit väterlichem Wohlwollen auf ihm. Dan ging in die Baracke und sagte Jimmy und Sam, daß der Urlaub um eine Woche verschoben worden sei und warum.

»Das ist saublöd!« murrte Jimmy und setzte nach einer Weile nachdenklich hinzu: »Ich hatte mir schon vorgestellt, wie das sein würde, ihr beide und ich zu Hause an Mutters Tisch, bei einem Essen, wie nur sie es zustande bringt. Aber so ist es ja immer bei der Armee: nur keine Pläne machen!«

Sam hatte nichts gesagt, aber er nickte jetzt zu Jimmys philosophischen Worten. Der Junge, der die Manie mit dem Teppichknüpfen hatte, suchte fluchend in seinem Spind und zog dann eine Mundharmonika heraus, die er wortlos auf Dans Bett warf. Dazu machte er eine Kopfbewegung, die wohl ausdrücken sollte, daß Dan sie haben könne, wenn er wolle.

Dan sagte: »Danke« und streckte sich auf dem Bett aus. Er versuchte auf der Harmonika ein paar Töne zu blasen und erinnerte sich an den Gitarre-Unterricht bei Pater Corelli. Es fiel ihm nicht schwer, mit der Harmonika zurechtzukommen, sie gefiel ihm, es war eine bessere Ausführung, auf der man einen Hebel anheben konnte, um Baßtöne zu erhalten. Er versuchte sich an ein paar Takten von *Sophisticated Lady*, und Jimmy richtete sich auf seinem Bett sogleich begeistert auf.

»Das«, sagte er, »das mußt du spielen, wenn wir in Cheyenne Einzug halten!«

Ira Parker, der Reporter von *Stars and Stripes*, war ein kleiner, schlecht rasierter Mann mit roten Haaren, quecksilbrig und stets zu Witzen aufgelegt. Er lief in einer Felduniform herum, die trotz des Tarnmusters ausgesprochen schmutzig wirkte. Wer ihn so sah, fragte sich unwillkürlich, wo er denn die Handgranaten gelassen habe; er wirkte, als komme er geradenwegs aus dem Hexenkessel von Monte Cassino.

Das Interview ging im Gemeinschaftsraum des Camps vor sich; Dan und Ira saßen einander an einem Tisch gegenüber, und jeder hatte ein Glas Bier vor sich. Dan erklärte gleich zu Beginn, daß er über sich selbst nichts sagen wolle und daß er die ganze Sache für einen großen Unsinn halte. Daraufhin begann Ira eifrig zu gestikulieren und auf ihn einzureden, ohne sich den Bierschaum von den Lippen zu wischen; er behandelte Dan als einen Halbidioten und versicherte ihm, daß man einen Reporter von *Stars and Stripes* nicht so ohne weiteres daran hindern könne, einen Artikel zu schreiben, den er sich einmal in den Kopf gesetzt habe. Das beste sei, Dan füge sich und packe ein wenig aus, ein paar Erinnerungen, ein paar Worte über die Familie und über sein Mädchen; den Pfiff, die dramatische Wendung, die Pointen, das besorge dann schon er, Ira Parker!

»Ich habe keine Erinnerungen, keine Familie und kein Mädchen«, sagte Dan.

»Großartig«, schrie Ira, »dann bist du ja der perfekte unbekannte Soldat. Damit habe ich auch schon den Aufhänger... Der unbekannte Soldat wendet sich in der Gestalt Daniel W. Murchisons an Chas Weinkopf!«

Ira Parker kratzte sich am Hinterkopf und murmelte dann die ersten Sätze seiner Niederschrift vor sich hin:

»Aus Pietät und Treue gegenüber dem unbekannten Soldaten beschließen Peg und Jackie, ihre Hochzeit bis nach dem Endsieg über den Hitlerfaschismus zu verschieben... So oder ähnlich, das werde ich dann schon noch sehen. So, Dan, ich glaube, das wär's, ich will jetzt einmal meine Zeitung anrufen.«

Tags darauf, nach dem Wecken, brachte der Spieß einen ganzen Stoß *Stars and Stripes*. Das Blatt hatte Dans Brief an Chas Weinkopf abgedruckt und daneben eine Fotografie von Dan, die sich Ira Parker zweifellos beim Captain verschafft hatte; der Kommentar zu der ganzen Angelegenheit war mit Ira Parker gezeichnet. Zugleich mit dem Paket *Stars and Stripes* war auch ein ganzer Stoß jener Zeitung gekommen, in der die Streifen mit den Abenteuern von Peg und Jackie liefen. Das war natürlich das Schönste an der Sache, denn die Fortsetzung in dieser Nummer zeigte Jackie im Begriff, sich bei einer Kommandoeinheit der Marine-Infanterie einschreiben zu lassen, und Peg meldete sich als Krankenschwester; das letzte Bildchen ließ vermuten, daß beide nach England abgestellt würden.

Sergeant Timothy Potter steckte den Kopf durch die Barackentür und schrie herein, daß der Captain Murchison zu sehen wünsche, und zwar ein bißchen plötzlich. Dan sauste zum Bataillonsstab und fand dort seinen strahlenden Kommandeur, der ihm die Hände drückte. Auf dem Schreibtisch des Captains lagen die Nummern von *Stars and Stripes* und von jener Zeitung, in der Peg und Jackie veröffentlicht wurden.

»Murchison«, sagte er, »ich weiß nicht, wie ich Ihnen danken soll..., beziehungsweise meine Erkenntlichkeit aussprechen in meinem eigenen Namen..., und außerdem natürlich in eigener Person. Stellen Sie sich vor, der General hat mich angerufen, um Sie durch mich beglückwünschen und Ihnen seine Zufriedenheit ausdrücken zu lassen... Wollen Sie eine Zigarette? Nehmen Sie doch Platz, Murchison... Ich habe auch noch einen anderen Telefonanruf in Ihrer Angelegenheit erhalten... Ein Glück kommt ja selten allein... Das Glück läutet immer zweimal, Teman hat aus dem Hauptquartier telefoniert: Sie sind vom Sonderstab für psychologische Truppenbetreuung angefordert... Der Colonel hat am Telefon durchblicken lassen, daß Sie an höchster Stelle empfohlen worden seien..., an allerhöchster Stelle durch den Doktor..., durch den Professor J. B. Holloway, einen ganz außerordentlichen Mann, eine Leuchte der Wissenschaft..., einen der bedeutendsten Farbigen, die es in den Staaten überhaupt gibt. Herzlichen Glückwunsch, Murchison!«

»Das soll wohl bedeuten«, sagte Dan, »daß ich in New York bleibe?«

Aber der Captain war für so präzise Auskünfte noch nicht ruhig genug. Er lallte noch immer begeistert seine Wundergeschichte herunter:

»Ein höchst seltsames Zusammentreffen«, japste er, »eine Verkettung der Umstände... Ira Parker hat an seine Zeitung telefoniert und auch Chas Weinkopf; er hat ihm Ihren Brief am Telefon vorgelesen, und Weinkopf entschließt sich, ohne den Erhalt des Briefes abzuwarten, Peg und Jackie genau das tun zu lassen, was Sie vorgeschlagen haben, Murchison... Er läßt den Druck anhalten, tauscht die Streifen aus und so weiter, kurz, man spricht in ganz New York und in ganz Amerika an diesem Morgen von nichts anderem... Der Colonel im Hauptquartier war eben im Begriff, Ihren Brief an Chas Weinkopf zu lesen, in *Stars and Stripes*, als Professor Holloway ihn anrief, um ihm zu sagen..., um ihn zu bitten..., um von ihm zu verlangen, daß man den Soldaten zweiter Klasse Daniel W. Murchison angesichts seiner besonderen Fähigkeiten...«

»Das bedeutet also, Sir, daß ich meine Kameraden Jimmy und Sam verlassen muß..., daß ich von ihnen getrennt werde..., daß ich nicht mit ihnen gehen kann, wenn sie nach Europa verschifft werden?« fragte Dan, der von der Sprechweise des Captains schon angesteckt worden war.

»Das versteht sich von selbst«, sagte der Captain, »die Armee stellt jeden Mann auf den Platz, wo er dem Land am besten dienen kann..., aber damit ist noch nicht gesagt..., es ist trotzdem noch immer möglich, daß Sie nach Europa kommen, aber natürlich erst nach der Invasion, wenn die psychologische Umschulung dort drüben beginnt..., vorher gewiß nicht.«

»Zu diesem Zeitpunkt, Sir, werden Jim und Sam aber ganz bestimmt schon in Berlin sein!«

»Auch Sie werden nach Berlin kommen, Murchison, und zwar als Stellvertreter des unbekannten Soldaten bei der Unterzeichnung des Friedensvertrages. Jeder an seinem Platz und alles zu seiner Zeit, wenn es auch noch eine Weile dauern wird, bis es soweit ist.«

»Es wird ja gar keinen Friedensvertrag geben, Sir.«

»Wieso denn..., warum denn?«

»Weil wir die bedingungslose Kapitulation des Gegners fordern.«

»Das stimmt«, sagte der Captain betroffen.

»Die Sache wird sich nicht machen lassen, Sir.«

»Wieso denn nicht machen lassen, Murchison?«

»Ich will nicht in New York bleiben, wenn Jim und Sam nach Europa verschifft werden!«

»Sie werden der Armee dort dienen, wo man Sie hinstellt... Sie werden überall Ihre Pflicht tun!« sagte der Captain streng.

»Sorry, Sir«, sagte Dan, »wollen wir wetten, daß ich niemals in diesen psychologischen Sonderstab gehe?«

Dem Captain fielen beinahe die Augen aus dem Kopf; Zorn blitzte in seinem Blick auf, und dann huschte ein Schatten des Schreckens über sein Gesicht; der tiefe Haß und das Mißtrauen gegenüber allen Intellektuellen waren plötzlich wieder erwacht, sein Minderwertigkeitskomplex gegenüber den geistig besser ausgestatteten Exemplaren der Menschheit hatte wieder Gewalt über den armen Eisenbahnbeamten. Er beugte sich über den Schreibtisch und sagte:

»Befehl ist Befehl, Soldat zweiter Klasse Murchison.«

»In diesem Fall wohl nicht, Sir«, antwortete Dan, »stellen Sie sich einmal vor, ich rufe Ira Parker zum Telefon und lege ihm haarklein die Gründe dar, die Gründe dieser überraschenden Protektion durch Professor J. B. Holloway... Nehmen Sie nur einmal an, ich enthülle Parker alle Hintergründe der Angelegenheit; ich sage ihm, daß es Mrs. Holloway ist, die ihren Gatten beauftragt hat, mich mit allen Mitteln in New York zu halten, und was glauben Sie warum, Sir? Ich will es Ihnen sagen: weil ich mit der Frau dieser Leuchte der Wissenschaft geschlafen habe, oder vielmehr... Nun, Einzelheiten tun ja nichts zur Sache, jedenfalls legt sie Wert darauf, mich auch in Zukunft in ihrem Bett zu haben!«

Dan schwieg, er hatte Haltung angenommen, und auch der Captain war aufgestanden und ging schweigend in seinem Zimmer auf und ab. Schließlich blieb er vor Dan stehen und sagte:

»Sie sind ein problematischer Mensch, Murchison... Sie sind eine jener Naturen, mit denen immer etwas los ist.«

»Ohne, daß ich es wollte, Sir.«

»Sie bringen nicht nur die Gattin eines unserer bedeutendsten Gelehrten von ihrem vorgezeichneten Weg ab...«

»Entschuldigen Sie, Sir, aber das war absolut nicht notwendig; Mrs. Holloway hat von ihrem vorgezeichneten Weg eine sehr persönliche Auffassung...«

»Sie rühmen sich der Sache auch noch... Sie sprechen zu anderen über Ihre Ausschweifung. Sie sind kein Gentleman, Murchison.«

»Gewiß nicht, Sir, ich bin Automechaniker bei Chrysler.«

»Und Ihre Drohung, Ihre Erpressung..., das ganze Gerede mit dem Telefonieren und daß Sie Ira Parker informieren wollen..., das ist doch Unsinn. Er kann so etwas ja gar nicht in *Stars and Stripes* drucken.«

»Das wohl nicht, Sir; Ira Parker wird nicht gerade eine Notiz einrücken, die lautet: Man bittet uns bekanntzugeben, daß Mrs. Holloway, die Frau des bekannten Chirurgen, ein Verhältnis mit dem Soldaten zweiter Klasse Daniel W. Murchison hat und daß sie so an ihm hängt, daß Ihr Gatte auf ihren Wunsch die Versetzung dieses Murchison auf einen Druckposten in New York in die Wege leiten mußte... Nein, das wird Ira Parker natürlich nicht tun, aber er wird über die Sache reden.«

»Sie sind ein ausgesprochener Erpresser, Murchison«, heulte der Captain.

»Ich verteidige mich, so gut ich kann, Sir; einem einfachen Soldaten stehen ja nicht viele Möglichkeiten zu Gebote. Wenn ich die Wahl habe, Mrs. Holloway zu verlieren oder meine Kameraden, so verliere ich eben lieber Mrs. Holloway. Dabei kann ich mich nicht über sie beklagen, im Gegenteil. Sie will nur mein Bestes, aber die Menschen, die so ausschließlich unser Bestes wollen, sind noch unerträglicher als die anderen, die etwas gegen uns haben.«

Dieser Aphorismus verdüsterte das Gesicht des Captains, der

sich verpflichtet fühlte, über den Sinn des Satzes so lange nachzudenken, bis ihm der Schweiß von der Stirn rann. Schließlich
traten ihm die Adern an den Schläfen hervor, und er sagte erschöpft:

»Sie können sich zurückziehen, Murchison.«

Dan begab sich in die Baracke zu seinen Kameraden. Er hatte
die Nase voll, und mit einem Urlaub nach Cheyenne, Wyoming,
war auch nicht mehr zu rechnen.

In der Zwischenzeit führte der Captain ein geheimes Dienst-
gespräch mit jenem Colonel im Hauptquartier und ließ durchblicken, daß der Fall Murchison wesentlich komplizierter liege,
als man angenommen hatte. Es gäbe da gewisse höchst betrüb-
liche und äußerst private Affären, man riskiere einen ungeheuren
Skandal und, um diesen zu vermeiden schlage er vor, den Soldaten zweiter Klasse Daniel W. Murchison nicht etwa nach New
York zu versetzen, sondern so schnell wie möglich irgendwohin,
weit außerhalb der Staaten. Nähere Erklärungen könne er, der
Captain, telefonisch nicht abgeben, sei aber natürlich bereit,
zur vertraulichen Berichterstattung nach New York zu kommen;
der mögliche Skandal sei zu ungeheuerlich.

Das Ergebnis dieses Gesprächs bestand darin, daß Sergeant Timothy Potter tags darauf Dan mitteilte, er möge sich bereit halten, schon binnen kurzem nach Großbritannien abzugehen. Potter jubilierte dabei innerlich, denn er hatte Dan, diesen allzu
geschickten falschen Mechaniker und ebenso falschen Intellektuellen, immer gehaßt. Vor allem aber tat es ihm wohl, seine
eigene Wut über den verschobenen Urlaub an irgend jemandem
abreagieren zu können.

Als Dan seine Kameraden von der Katastrophe benachrichtigt
hatte, sagte Sam, daß er alles vertrage in der Armee, nur nicht
diese verdammte Manie, ein paar Leute, die sich gut miteinander
verstehen, immer wieder zu trennen; kaum sind drei oder vier
miteinander gut Freund geworden, so schickt man den einen nach
Island, den zweiten nach Neuguinea, den dritten auf Wache in
die Kanalzone und den vierten nach Casablanca. Jimmy fluchte,
wütete und donnerte, schickte alle Vorgesetzten zur Hölle und
nicht nur sie, sondern das gesamte Offizierskorps der Land-, See-
und Luftstreitkräfte der Vereinigten Staaten vom Feldwebel bis
hinauf zum General Marshall. Dann wollte er sich gemeinsam
mit Sam freiwillig nach Großbritannien melden, aber Sergeant
Timothy Potter, der sich in diesen Dingen auskannte, sagte den
beiden sogleich, daß sie gar keine Aussicht hätten. Daß sie beide

sofort nach England versetzt würden, sei ebenso ausgeschlossen, wie daß Dan hier bleibe. Die Armee sei eine ernste Angelegenheit, und man solle sie nicht mit einem Kino verwechseln, wo jeder sich seinen Platz aussucht, und wenn ihm ein anderer Platz besser gefällt, im Dunkeln bald hierhin und bald dorthin huscht.

Nach Dienstschluß gingen die drei aus dem Lager, nahmen ein Taxi und machten die Runde in einigen Bars, um ihren Kummer zu ersäufen. Um halb elf beschloß Jimmy, daß sie erst am Morgen ins Lager zurückkehren würden. Das galt dann als unerlaubte Entfernung von der Truppe, und man würde sie strafweise nach Europa expedieren. Dan, der ohnedies schon auf der Liste für den nächsten Transport stand, riskierte nichts dabei. Alle waren sich einig, daß dies ein großartiger Gedanke sei! Es erwies sich nur als einigermaßen schwierig, die Zeit bis zum Morgengrauen totzuschlagen. Glücklicherweise stießen sie auf ein Straßenmädchen mit einem weichen Herzen. Sie erzählten ihr, daß sie tags darauf nach Europa verschifft würden, um die Deutschen zu bekämpfen, und das gute Dinge gestattete ihnen, in ihrem Zimmer zu kampieren. Sie ließen sich zu viert mit einigen Flaschen häuslich nieder und schliefen dann, wie es eben kam, auf Teppichen, Sofas und Matratzen und waren so müde, daß keiner daran dachte, das Mädchen auch nur zu befingern.

Es war Punkt sechs Uhr, als sie sich in nicht gerade bester Verfassung der Torwache stellten. Der Wachhabende sagte zu ihnen: »Haut ab, Boys, ich will nichts gesehen haben.«

»Du willst uns also nicht melden?« fragte Jimmy drohend.

»Los, macht schon, daß ihr fortkommt«, schrie der Sergeant, der ein guter Kerl war, aber Jimmy griff ihm an das Koppelschloß, zog ihn zu sich heran und sagte ihm, daß er ihm das Maul verdreschen werde, wenn er nicht sogleich seine Meldung mache. Dem Sergeant war so etwas noch nicht vorgekommen; er erklärte sich das unerwartete Verlangen nach Bestrafung mit Volltrunkenheit und stieß Jimmy väterlich ins Lager. Nun war Jimmy mit seiner Geduld am Ende und schubste sich so lange mit dem Sergeanten herum, bis alle in das Wachlokal eskortiert wurden und man ihre Namen und die Nummer der Kompanie festgestellt hatte.

Eine Stunde später ließ Tomothy Potter Jimmy, Sam und Dan holen und sagte den beiden ersten, indem er mit den Augen blinzelte, daß er schon lange so schlau sei wie sie und daß sie keine Chance hätten. Dan hingegen riet er, sich endlich damit abzufinden, daß er allein nach Großbritannien abgehen müsse.

Den Bericht des wachhabenden Sergeanten zerriß er in kleine Fetzen und warf ihn vor den Augen der drei Freunde in den Papierkorb.

Dan mußte Jim und Sam sich selbst überlassen, denn er war nun mit einer Menge Dinge beschäftigt, die mit seiner Versetzung zusammenhingen. Eine Reihe von Formalitäten war zu erfüllen; er mußte in die Gaskammer, um das neueste Maskenmodell auszuprobieren und den allerneuesten Gasschutzanzug, eine Art Cellophan-Etui. Dan fragte sich, wie man in so einer Verpackung überhaupt noch kämpfen könne; jedermann sah in diesem Anzug aus wie ein Strauß Rosen aus einem Luxusblumengeschäft. Dann mußte er ins Krankenrevier, wo man ihn gegen eine Unzahl von Infektionskrankheiten impfte, die es zum größten Teil in Europa gar nicht gab. Infolge der vielen Spritzen bekam er etwas Fieber und durfte auf seinem Bett liegen bleiben und Harmonika spielen. Er war nun so weit, daß er *Sophisticated Lady* fast fehlerlos auf der Mundharmonika blasen konnte, aber schließlich bat ihn Jimmy, damit aufzuhören, weil diese Melodie seinen Kummer nur noch vermehre.

Und dann kam endlich der Augenblick des Abschieds. Jimmy und Sam hatten vom Leutnant die Erlaubnis erhalten, Dan zum Einschiffungshafen zu begleiten. Dan ging tief gebückt unter der schweren Last des Marschgepäcks und der Feldausrüstung. Mit ihm trat eine ganze Reihe anderer Soldaten am Kai an, der Truppentransporter lag schon da.

Sam, den die Erregung des Augenblicks etwas gesprächiger machte, erklärte, daß dieses Schiff ihm keinerlei Vertrauen einflöße, es sei doch über und über mit Rost bedeckt. Es war sechs Uhr morgens, aber sie hatten das Glück, eine offene Bar zu finden. Dann begann das Warten, und mittags erklärte ein arroganter Leutnant mit einer tadellosen Bügelfalte und blankgeputzten Knöpfen durch ein Megaphon, daß der Transport erst am nächsten Tag um die gleiche Zeit eingeschifft werde. Dan, Jimmy und Sam kehrten also in das Camp zurück, waren andern Tags wieder am Morgen draußen auf dem Pier, und mittags machte derselbe Leutnant dieselbe Mitteilung, die er schon tags zuvor durch das Megaphon gebrüllt hatte. So ging es eine Woche lang, und wenn der Leutnant sich der Lautsprecheranlage näherte, schrie schon der ganze Chor der wartenden Soldaten: »Die Einschiffung ist auf morgen verschoben...!« noch ehe er den Mund aufmachen konnte. Und alles lachte so laut, daß die Bretterbuden am Hafen zitterten.

Dan ging diese Warterei so auf die Nerven, daß er wohl nach England hinübergeschwommen wäre, wenn diese Insel ein wenig näher bei den Staaten gelegen hätte. Am siebenten Tag aber, als der Chor wieder die Mitteilung von der Verschiebung gebrüllt hatte, wartete der Leutnant einen Augenblick, bis alles ruhig war, und sagte dann trocken in das Mikrophon: »Alles antreten zur sofortigen Einschiffung!«

Tiefe Stille breitete sich über die Kais aus, dann aber ging ein Gemurre und Geraune los, Flüche wurden laut, aber im ganzen war man doch wohl erleichtert, daß das Warten nun ein Ende hatte. Dan, Jimmy und Sam umarmten einander und drückten sich die Hände.

Dan war in ganz guter Stimmung, als er inmitten des allgemeinen Wirbels den Laufsteg emporklomm. Ein Feldwebel wies jedem Soldaten seinen Platz auf dem Schiff an. Dans Platz war auf dem Oberdeck, neben einem Rettungsboot. Der Truppentransporter hatte einige tausend Mann an Bord zu nehmen; sie krochen und krabbelten durcheinander wie Läuse auf Lappen. Dan suchte Jimmy und Sam mit dem Blick, und er entdeckte sie tatsächlich, tief unten auf der Kaimauer, inmitten all der anderen Menschen, die schrien und winkten wie sie.

Dann sausten mit heulenden Sirenen Einsatzwagen der Militärpolizei heran, die Nachzügler brachten und ein paar Dutzend Soldaten, die sich in den Bars der Umgebung herumgetrieben hatten. Diese Suchaktionen nahmen den ganzen Nachmittag in Anspruch. Es hatte sich offenbar eine ganze Menge aus dem Staub gemacht, und Jimmy und Sam mußten ins Lager zurück, ehe das Schiff ablegte. So war also niemand am Kai, um Dan zu winken, als der mächtige Transporter langsam in den Hudson hinausdrehte, niemand winkte ihm, nur die Freiheitsstatue reckte den Arm mit der Fackel zum unpersönlichsten aller Grüße in den Himmel.

Schon in der ersten Nacht wurde Dan seekrank, aber am Morgen war ihm wieder besser. Seine Stimmung jedoch war dadurch auf den Nullpunkt gesunken, er hatte keinen Appetit und nicht einmal Durst. Man ließ sie Rettungsübungen für den Fall eines Torpedoangriffs machen. Die Boys stießen mit ihren Rettungsgürteln und Schwimmwesten aneinander und nahmen die ganze Sache als einen großartigen Spaß; wenn man sie aber genauer ansah, so erkannte man, daß ihnen im Innersten nicht so ganz wohl dabei war.

Man wußte nie, aus wieviel Schiffen so ein großer Konvoi bestand; es waren offenbar sehr viele, denn der ganze Umkreis des Meeres, so weit man sah und auch noch die Horizontlinie, waren mit Rauchfahnen bedeckt. Dan las »Vom Winde verweht«, mit einigen Jahren Verspätung. Ein Buch, das allen gefiel, konnte seiner Meinung nach kein wirklich gutes Buch sein, aber »Vom Winde verweht« sagte ihm zu. Er revidierte sein Urteil über Erfolgsbücher, nur die Beziehungen zwischen den schwarzen Sklaven und ihren weißen Besitzern in den amerikanischen Südstaaten erregten seinen Ärger. Er gab zu, daß die Sklaven, wenn sie gut behandelt und väterlich geführt wurden, mit ihrem Los im allgemeinen zufrieden waren. Auch die Hunde sind ja zufrieden, wenn sie genug zu fressen haben und nur hin und wieder einen Tritt abbekommen. Aber die Hunde arbeiten schließlich nicht, was übrigens nur von geringer Bedeutung ist. Wesentlich blieb, daß der Mensch um seiner Ehre willen zwischen Tier und Mensch unterscheiden mußte. Dan diskutierte darüber mit seinem Nachbarn auf dem Oberdeck, der nie auf den Gedanken gekommen wäre, Hunde und Sklaven miteinander zu vergleichen, der aber Dan schließlich zugab, daß man als freies Wesen mit leerem Magen noch immer besser lebte als vollgefressen, aber mit einem Halsband.

Mitten auf dem Atlantik kam ein gewaltiger Sturm auf; fast alle Soldaten wurden so seekrank, daß sie sich dem Tod nahe fühlten. Zugleich aber waren sie froh über das schlechte Wetter, das den Unterseebooten der Deutschen jeden Angriff ungemein erschweren mußte. Und endlich entdeckten sie flach über den Wellen einen dunkleren Streifen. Ein Offizier sagte Dan, das sei Wales. Tags darauf langte Dan in einem großen Sammellager unweit London an; es war ein Lager, das allen anderen Camps der amerikanischen Armee ähnelte, nur daß man hier in Wellblechbaracken schlief, die sich eng an die Erde drückten und aneinandergereiht aussahen wie eine lange Leitung aus einem halben Rohr.

VII

Kristiaschka saß auf einer Stufe der Saunakabine, ganz oben, schon beinahe unter dem Dach. Sie war völlig nackt. Sie war nicht allein, es waren sechs Menschen in der Hütte, alte Männer, Frauen und auch ein paar Kinder, und alle waren so nackt wie sie. Die Steine vor dem Ofen waren ganz heiß, und eine schwere

Frau mit Hängebrüsten schüttete einen Scheffel Wasser darüber aus. Im nächsten Augenblick schon war die kleine Hütte, die sorgfältig gegen Zugluft abgedichtet war, voll von heißem Dampf. Der Schweiß rann über die nackten Körper, und Kristiaschka meinte zu ersticken, denn dort oben, wo sie saß, war die Hitze am größten. So blieben sie eine Weile sitzen, schwatzten und lachten, und die Erwachsenen schämten sich ihrer Nacktheit nicht mehr als die Kinder. Es war üblich, daß man das Dampfbad gemeinsam nahm, in kleinen Gruppen, eine Familie mit den Nachbarn und nicht mehr bekleidet als einst Adam und Eva vor dem Sündenfall.

Dann begannen sie mit Birkenreisern aufeinander einzuschlagen. Das war lustig und tat wohl, und man hatte den Eindruck, daß alles aus dem Körper entweiche, was ihm nicht guttat, alle stockenden Säfte, alle widerspenstigen Fasern. Kristiaschka schrie vor Vergnügen unter den Schlägen zweier Knaben, die ihrerseits wieder von einem Mädchen gegeißelt wurden. Sie fühlte sich leicht, ja beinahe schwebend, hell und klar im Innern und reingebrannt an der Oberfläche. Der alte Nikitin hatte also offenbar doch recht: Der Krieg war kein Grund, plötzlich keine Dampfbäder mehr zu nehmen; man war es doch gewöhnt, man hatte jeden Samstag eines genommen. Die Bauern dieser Gegend waren viel reinlicher als jene in ihrem Heimatdorf, viel reinlicher als Agafon, ihr Vater, der sich überhaupt nur während der warmen Monate gewaschen hatte. Um zu zeigen, wie abgehärtet man war, gingen Männer und Frauen bisweilen aus dem Dampfbad hinaus und wälzten sich nackt, wie sie waren, im Schnee, man rieb sich die Haut mit dem Schnee ab, bis sie rot und wie gesotten aussah.

Das tat auch Kristiaschka. Sie ging hinaus und trat in den tiefen Schnee neben dem Weg. Sie sank bis zum Bauch ein, und für einen Augenblick blieb ihr der Atem weg; ihre Zähne schlugen aufeinander, aber es erfüllte sie ein unerklärliches Wohlgefühl. Sie schlüpfte in den Schnee, bis er sie wie ein weißes Daunenbett bedeckte. Niemand war so kühn wie sie, niemand hatte es gewagt, ihr zu folgen, und sie war ganz stolz, daß sie, die hier fremd war, den anderen ein Beispiel von solchem . . .

Das ohrenbetäubende Krachen einer Explosion ließ Schneepakete aus den Zweigen herabfallen und hallte lange wider in den weiten Wäldern, zugleich erzitterte die Erde. Kristiaschka wurde von einer Wolke dichten Schneestaubs verschüttet, konnte sich aber nach ein paar kräftigen Drehungen der Hüften befreien und schließlich mit den Armen auch den Schnee vor dem Gesicht beiseite schieben. Die Badehütte war nur noch ein rauchender Trümmerhaufen; sie sah aus wie eine Zündholzschachtel, auf die man versehentlich getreten ist, und in dem großen Schweigen nach der Explosion erhob sich ein vereinzelter Klageruf.

Kristiaschka stapfte durch den tiefen Schnee auf die Hütte zu. Die Beine zitterten ihr, als sie vor dem rauchenden und stinkenden Haufen stand. Es gelang ihr, den Körper eines Jungen unter den zersplitterten Brettern hervorzuzerren; er jammerte und klammerte sich an sie, es war einer der beiden, die sie vorhin mit den Birkenreisern bearbeitet hatten. Seine Beine waren zerschmettert und nur noch eine blutige Masse. Nach wenigen Minuten schon wurde er ganz weich und schlaff und sank an ihrem Körper zu Boden, als sie sich bückte, um ihn in den Schnee zu betten.

Sie versuchte die Sparren und Balken wegzuräumen. Der Pulverdampf benahm ihr den Atem, Blutgeruch lag in der Luft. Sie waren alle tot, die Granate hatte sie zerstampft, die Balken hatten sie zerdrückt. Dem alten Nikitin rann Blut aus der Nase, der graue Bart war ihm in den Mund geraten, und er starrte Kristiaschka aus großen toten Augen an. Seine Frau, die Dicke, die das Wasser auf die Steine geschüttet hatte, hatte sich über ein paar tote Kinder geworfen, als hätte sie in einer Reflexbewegung noch eben Zeit zu dem Versuch gefunden, ihre kleinen Leiber gegen das Unheil zu schützen.

Kristiaschka zitterte vor Erregung und Kälte, sie lief davon, in den Schneewald hinaus. Die Kälte hätte sie vermutlich bald getötet, wären nicht schon nach wenigen Minuten drei Reiter aufgetaucht und hätten am Waldessaum kurz angehalten. Kristiaschka winkte ihnen, einer sprang vom Pferd, stapfte durch den Schnee auf sie zu und legte ihr seine Lammfelljacke um die Schultern. Die drei brachten sie bis zu Nikitins Bauernhof, wo Kristiaschka sich sogleich vor den Ofen setzte. Sie fühlte, daß ihr Blut wieder zu kreisen begann, ihr Leib glühte wie Feuer.

Der Reiter, es war der, dessen Jacke sie um die Schultern hatte, stellte sich vor:

»Leutnant Rundukoff«, sagte er, »ich bin untröstlich, daß dies geschehen ist... dabei hatte ich den Leuten am Granatwerfer den strikten Befehl gegeben, nur auf erkannte Ziele zu feuern...!«

Kristiaschka schüttelte den Kopf und sah nur starr vor sich

hin. Nun traten auch die beiden anderen Reiter ein. Wie der Offizier trugen sie Lammfellmützen, auf denen der rote Stern saß, und Filzstiefel, waren im übrigen aber gekleidet wie Bauern. Der Leutnant jedoch hatte eine Feldbluse an, auf der die Auszeichnung eines »Helden der Sowjetunion« prangte. Sie meldeten, daß sie nachgesehen hätten: alle anderen Insassen der Badehütte seien tot.

Der Leutnant beschrieb mit der Hand eine vage Geste, die wohl sagen sollte, daß im Krieg die Granaten eben überallhin fielen, bald hierhin und bald dorthin, und Kristiaschka erhob sich, um in einem der anderen Räume des verlassenen Bauernhofes nach Kleidern zu suchen. Als sie ins Zimmer zurückkehrte, fand sie außer den drei Reitern noch zwei bäurisch gekleidete Männer vor. Sie machte Miene, dem Offizier seine Jacke zurückzugeben, aber dieser sagte, sie solle sie behalten. Dann gab er einen Befehl, und die zwei Neuankömmlinge gingen wieder. Vor dem Fenster sah Kristiaschka einige Reiter vorbeitraben, und dann vernahm sie nahes Gewehrfeuer.

Der Leutnant fragte, ob etwas zu trinken im Hause sei. Kristiaschka ging, brachte eine Flasche Samogon, einen Schnaps, den sich die Bauern selber brennen. Der Leutnant legte seine Maschinenpistole auf die Tischplatte, lächelte Kristiaschka an und reichte ihr die Flasche. Nach ihr tranken er und die anderen.

Auf diese Weise erbte Kristiaschka die lange und weite Lammfelljacke Andrej Rundukoffs, die ihr bis zu den Knien reichte und deren Ärmel ihre Hände bedeckten.

Am 22. Juni 1941, als die Stukas mit dem Hakenkreuz den Bahnhof von Shitomir angegriffen hatten, war sie nur kurze Zeit schreckerstarrt in Juanitos Armen geblieben. Dann hatte das Entsetzen sie hinausgetrieben auf die Straßen, die vom Staub zusammenbrechender Häuserfassaden erfüllt waren und vom Gedröhne der Flugzeugmotoren. Sie war über eine Barrikade aus Schutt und Balken geklettert, hatte sich plötzlich auf einem menschenleeren, großen Platz befunden und war sich klargeworden, daß sie Juanito verloren hatte.

Dann war es still geworden, die Menschen hatten sich wieder aus den Häusern gewagt, und Kristiaschka war zu Aufräumungsarbeiten eingeteilt worden. Danach bekam sie eine Kriegsdienstverpflichtung im Städtischen Wasserwerk, und drei Wochen später waren nach heftigem Artilleriebeschuß die ersten deutschen Panzer in die Stadt eingedrungen. Ein Werkmeister hatte Kristiaschka mit seiner Familie auf einem Wagen mitgenommen.

Er war nicht dumm, dieser Werkmeister. Er hatte keine Lust, auf den von Flüchtlingen verstopften Straßen nach Osten zu ziehen und dabei den Flugzeugen der Deutschen zum Opfer zu fallen oder von den Panzern eingeholt zu werden; er hatte sich nach Norden gewendet. Nach ein paar Tagen war das Pferd vor Übermüdung krepiert, man hatte den Marsch zu Fuß fortsetzen und sich dabei auf die Nachtstunden beschränken müssen. Ein Panzerspähwagen hatte sie entdeckt und kurze Zeit verfolgt; das hatte genügt, um die kleine Flüchtlingsgruppe zu zersprengen. Kristiaschka war allein auf Waldwegen weitergezogen, hatte sich zwei oder drei Wochen lang von Rüben und Mais genährt, die sie von den verlassenen Feldern genommen hatte, und auch in der einen oder anderen brandgeschwärzten Ruine Brot, etwas geräuchertes Fleisch und Kartoffeln gefunden. Sie floh vor jedem menschlichen Wesen, das sie mit ihren scharfen Augen erspähte, ohne sich zu fragen, ob dies ein Freund oder ein Feind sei, und schlief im Freien ausgezeichnet, denn das Wetter war prächtig. Ihre Schuhe hatte sie weggeworfen, und sie ging über den weichen Waldboden und über die Felder bloßfüßig wie als Kind. Und so war sie schließlich in jene kleine, versteckte und aus nur wenigen Häusern bestehende Waldbauernsiedlung irgendwo im Raum von Witebsk gelangt, todmüde und dennoch glücklich, denn hier, inmitten eines großen Sumpfgebietes, begnügten sich die Deutschen mit einigen Stützpunkten in den Dörfern, und der Wald war im wesentlichen in der Hand der Partisanen.

Auf dem Hof des alten Nikitin hatte sie ungefähr dasselbe Leben geführt wie in ihrem Heimatdorf, und der einzige Unterschied war, daß man hin und wieder von ferne das Grollen der Geschütze oder das Brummen eines Flugzeuges hörte. Manchmal kam auch ein Lastwagen der Deutschen, um Lebensmittel zu requirieren, und nachts schliefen bisweilen Partisanen im Stroh der Scheune. Kristiaschka hatte beim alten Nikitin, seiner Frau und seinen Kindern so etwas wie eine neue Familie gefunden, und man hatte ihr mehr Gefühl entgegengebracht als seinerzeit zu Hause. Es war wohl ein wenig seltsam für sie, auf das Land zurückzukehren und zur Bauernarbeit, nachdem sie Diskusmeisterin gewesen war und Schreiben und Lesen, Literatur und Geschichte gelernt hatte und sogar ein wenig Englisch und Spanisch verstand. Wie schnell war sie die Stufenleiter der klassenlosen Gesellschaft hinauf- und wieder hinuntergerutscht! Wie lange war es schon her, daß sie bei Tante Eudoxia gelebt hatte oder in der Sportschule in der Stadt? Ein Jahr oder eineinhalb

Jahre? Die Erinnerungen an die Zeit in der Stadt erschienen ihr geradezu unwirklich, wie das Gewebe eines angenehmen, aber weit zurückliegenden Traumes; ja manchmal hatte sie das Gefühl, hier, in dieser kleinen Waldsiedlung geboren worden zu sein, als eine Tochter des alten Nikitin...

Leutnant Rundukoff ging mit einem seiner Leute vors Haus. Kristiaschka fragte den anderen, wer dieser Offizier sei, und der Mann schien überrascht, daß Kristiaschka den Leutnant nicht kenne. Rundukoff war der Herr des Waldes im Umkreis von fünfzig Werst.

Der Partisan warf seine ganze Ausrüstung auf den Tisch – die Maschinenpistole, zwei automatische Revolver und seine Mütze – und setzte sich zum Ofen. Es war ein kräftiger junger Mann, der mit seinen blonden Borstenhaaren und dem roten Gesicht, der aufgebogenen Nase und den kleinen, flinken Augen wie ein großer Junge aussah.

»Der Leutnant«, sagte er dann bedächtig, »der Leutnant ist ein Held. In den ersten Tagen wurde er gefangengenommen und ist entkommen, er hat eine deutsche Wache dabei erdolcht. Dann hat er sich in einem Brunnen verborgen, ja, zwei Tage lang in einem Brunnen, während die Deutschen ihn suchten, und schließlich konnte er in den Wald entkommen. Ein Bauer hat ihm ein verborgenes Waffenlager gezeigt, das die letzten Reste eines eingeschlossenen sowjetischen Regiments angelegt hatten, damit die Waffen nicht den Deutschen in die Hände fielen. So hat es begonnen. Er hat dann Versprengte um sich gesammelt und entsprungene Gefangene, auch junge Burschen, die noch nicht eingezogen worden waren und die dieses Räuberleben und das Herumrennen mit den Waffen begeisterte. Jetzt kommandiert er dreihundert Mann oder mehr... Ich bin einer seiner Kameraden aus der ersten Zeit... Ich kann sagen, wir haben den Deutschen schon allerlei zu knacken aufgegeben. Jetzt sind sie die Belagerten, sie können sich nachts nicht aus ihren Häusern wagen und halten mit Mühe und Not ein paar Dörfer. Wir hingegen haben jetzt Funkverbindung mit Moskau, und man hat uns ein Flugzeug mit Waffen und Munition versprochen. Im Augenblick haben wir zu einem großen Teil deutsche Waffen, Beutewaffen, und das ist nie das Richtige.«

»Und diese Maschinenpistole?« fragte Kristiaschka mit einem scheuen Blick auf das mattblinkende Ding auf dem Tisch.

»Die ist russisch«, sagte der Partisan stolz, »auch die beiden Revolver, aber es wäre natürlich gut, ein paar neue Granatwerfer zu bekommen. Im Frühling werden wir dann mitten im Sumpf einen Streifen Land trockenlegen, damit dort Flugzeuge landen und uns leichte Artillerie bringen können, dazu Salz und Zündhölzchen.«

»Zündhölzchen und Salz?« fragte Kristiaschka, die glaubte, nicht richtig verstanden zu haben.

»Ja... das sind nämlich die Dinge, die am seltensten sind. Gegen eine Schachtel Zündhölzer geben uns die Bauern gerne ein Kilogramm Schweinefleisch, und gegen ein Pfund Salz ein paar Dutzend Eier. Haben Sie noch nie Partisanen gesehen?«

»O doch!« sagte Kristiaschka. »Hin und wieder schon.«

»Dann wundert es mich erst recht«, schloß der blonde Partisan, »daß Ihnen der Name des Leutnants unbekannt war!«

Rundukoff trat wieder ein, der zweite Reiter kam mit ihm. Der Leutnant trug nun einen deutschen Offizierspelz, von dem Adler und Hakenkreuz noch nicht heruntergetrennt waren. Er hatte einen Kanister in der Hand, den er auf den Tisch warf.

»Sieh einmal nach, was da drin ist!« sagte er zu dem Mann, der sich zum Ofen gesetzt hatte. Dieser öffnete den Verschluß und zog gerollte Geldscheine aus dem Benzinkanister, ein Röllchen nach dem anderen. Sie zählten flüchtig, es waren mindestens hunderttausend Mark.

»Wieder einer, der für seine alten Tage sparte oder der die Regimentskasse erleichtert hat«, sagte der Leutnant lachend, »dabei wird es für diesen Mann gar keine alten Tage geben!«

Kristiaschka sah Rundukoff an. Sie hielt es durchaus für möglich, daß er ein Held war, aber es gelang ihr nicht, ihn sympathisch zu finden. Mit seinen hohlen Wangen und den schmalen Lippen, mit den Augen, die so eng beisammenstanden, erinnerte er sie an Frol Lubitschin. Ja, er repräsentierte zweifellos denselben Typus.

Kristiaschka fragte ihn, ob er die Leichname in der Badehütte unbeerdigt lassen wolle. Er fühlte die Spitze, die diese Worte enthielten, und sagte mit einem kleinen Lächeln, das Kristiaschka wütend machte, daß seine Leute zu allem bereit seien, aber sie seien ihm, ihrem Kommandeur, zu schade, um als Totengräber eingesetzt zu werden. Kristiaschka war betroffen. Sie sagte sich, daß man Rundukoff nicht für das Mißgeschick mit dem Granatwerfer verantwortlich machen konnte; es sei eben Krieg, und derlei komme vor. Aber sie war auch sicher, daß ein anderer Offizier den Zwischenfall, dem der alte Nikitin und seine Familie zum Opfer gefallen waren, tiefer bedauert hätte als dieser Mann mit dem Raubvogelblick und dem harten Lachen. Sie verabscheute ihn, eben wegen dieser Härte.

Rundukoff befahl einem seiner Leute, eine Arbeitsgruppe unter den Bauern des Dorfes zusammenzustellen und sie die Gräber ausheben zu lassen. Der Partisan widersprach: Das sei überflüssige Mühe, es werde ohnedies bald wieder schneien, und der Schnee sei der beste Sarg. Der Leutnant sah den Mann nur kurz an, schnalzte leise mit den Fingern und machte mit dem Kopf eine Bewegung in Richtung der Tür. Der Mann schob eine seiner Pistolen in den Gürtel und ging, um den Befehl auszuführen.

Der Leutnant sah sich in der Stube um und ging pfeifend von einer Ecke in die andere. Auf einer Truhe entdeckte er eine große Schachtel; sie hatte Nikitins Frau als Aufbewahrungsort für allerlei Kleinkram gedient: für Nadeln, Schnüre, Zwirn, Knöpfe und ein paar Papiere.

»Bumaschki!« sagte der Leutnant, als er einige der Zettel geprüft hatte. »Quittungen, wie sie die Deutschen für requirierte Lebensmittel ausstellen. Und die habt ihr sorgfältig aufbewahrt. Von wem wollt ihr denn euer Geld bekommen, wenn Deutschland zerschmettert ist? Die russischen Bauern haben Hochachtung vor jedem Wisch, den sie nicht lesen können, und die Deutschen haben eine Leidenschaft für den Papierkrieg. Wir kümmern uns um solche Sachen nicht. Wenn jemand einmal die Geschichte der Partisanengruppe Rundukoff schreiben will, so wird er keine Archive zur Verfügung haben. Aber das macht nichts, denn es wird nicht genügend Historiker geben, um die Taten aller Rundukoffs in der Sowjetunion zu beschreiben!«

»Selbst wenn es genügend Historiker gäbe«, sagte Kristiaschka, »so hätten sie keine Leser. Es genügt, wenn man den Krieg erlebt hat, man braucht ihn nicht aus den Büchern noch einmal zu erleiden.«

»Du scheinst den Krieg nicht zu lieben ..., wie heißt du?«

»Kristia Tupitsyna.«

»Nun, wie steht's mit dir und dem Krieg, Kristiaschka?«

»Ich hasse ihn.«

»Damit hast du unrecht; so, wie ich ihn führe, hat der Krieg etwas Begeisterndes. Du solltest es einmal versuchen. Du bist kräftig, Kristiaschka, du wärest ein guter Partisan!«

Verwirrt und beinahe böse ging Kristiaschka aus dem Zimmer; sie hatte die lange Lammfelljacke angezogen, aus deren Ärmel ihre Hände kaum hervorlugten, und stapfte durch den Schnee der Straße, auf dessen Oberfläche sich da und dort schon Eiskrusten gebildet hatten. Sie sah den Partisan mit den kleinen lustigen Augen, der ein Grüppchen Bauern vor sich hertrieb, Frauen und alte Leute, die Schaufeln und Hacken mit sich trugen. Der Schnee lag so hoch, daß man annehmen durfte, die Erde werde nicht gefroren sein. Sie würde sich vermutlich ohne sonderliche Schwierigkeiten aufgraben lassen. Kristiaschka fühlte, daß sie eigentlich mit den Bauern gehen müßte, um ihnen zu helfen, aber sie kehrte um. Einige Häuser des Dorfes wiesen Einschüsse auf; die Geschosse hatten in dem hellen Holz dunkle Spuren hinterlassen. Mitten auf der Dorfstraße lag ein Leichnam in deutscher Uniform; das war offenbar jener Offizier, dem Leutnant Rundukoff den Pelzmantel abgenommen hatte und den Kanister mit dem vielen Geld. Was hatte der Deutsche hier vorgehabt, so ganz allein in der kleinen Waldsiedlung?

Kristiaschka kehrte in das Bauernhaus zurück, ging in den Stall und melkte eine der drei Kühe des armen Nikitin. Als sie mit dem Milcheimer in die Stube trat, war diese leer. Kristiaschka überlegte nicht lange, sondern kroch auf den Ofen und schlief ein.

Das Geräusch von Schritten weckte sie. Es war Rundukoff, der eine leere Pfeife im Mund hatte und von Kristiaschka wissen wollte, ob es im Haus Tabak gebe. Sie wies mit dem Finger auf ein paar getrocknete Tabakblätter, die in einem dunklen Winkel der Stube von der Decke hingen. Rundukoff nahm ein Blatt von der Schnur, rollte es zwischen den Fingern und stopfte es in seine Pfeife; dann zündete er sie an, schnitt eine Grimasse und warf den Pelzmantel auf den Boden. Auf diesen setzte er sich, lehnte den Rücken gegen die Wand und versank in seine Gedanken, erfüllte dabei aber die Stube mit dichten Rauchwolken. Schließlich fiel jedoch sein Kopf vornüber, die Pfeife rollte ihm aus der Hand auf den Boden, er war eingeschlafen. Kristiaschka sagte sich, daß der Leutnant sehr müde sein müsse. Er hatte, wie Frol Lubitschin, zwei tiefe Furchen zu beiden Seiten des Mundes, die von den Nasenflügeln herab und an den Lippen vorbeiliefen; aus ihnen sah man, wie müde er war, und sein graues Gesicht verriet, daß er nie genug Schlaf fand. Er erschien ihr ziemlich unvorsichtig: Wie konnte er neben ihr einschlafen, da er doch gar nichts von ihr wußte und auf dem Tisch in ihrer Reichweite die Waffen lagen. Sie zuckte die Achseln. Sie haßte ihn auch dieser Gleichgültigkeit wegen, und wie wenig Aufhebens hatte er vom Tod des alten Nikitin und seiner Familie gemacht! – Wo hatte man die Leichen übrigens bestattet?

Aber Kristiaschka sagte sich auch, daß man einen Helden der Sowjetunion nicht so ohne weiteres im Schlaf umbringe, schon gar nicht sie, eine Frau. Ein Deutscher allerdings in ihrer Lage hätte sich nicht gescheut, das ganze Magazin der Maschinenpistole auf den schlafenden Leutnant abzufeuern. Nachdenklich stieg Kristiaschka vom Ofen herab und betrachtete die Waffen auf dem Tisch. Sie nahm eine Pistole auf. Das Metall war kalt, aber es war eine andere Kälte als zum Beispiel die eines Baumes im Winter. Die Kälte der Waffe war Todeskälte, während die Kälte eines Baumstamms für den Frühling das Leben versprach. Sie hob die Pistole mit ausgestrecktem Arm und fand sie schwerer, als sie es sich vorgestellt hatte. Jetzt würde es genügen, auf den Abzug zu drücken, um ein Menschenleben auszulöschen, das Leben eines Menschenwesens, das zwanzig, dreißig oder vierzig Jahre gebraucht hatte, um sich heranzubilden, das seiner Mutter zahllose Sorgen bereitet hatte und unzähligen Krankheiten und Unfällen entronnen war, um dieses Alter zu erreichen; man konnte ein Loch in einen Kopf schießen, der voll von Ideen war, in dem aber selbst dann, wenn es sich um einen dummen Menschen handelte, noch immer eine Unzahl von Erinnerungen nistete, so wie auch das härteste Herz noch immer Gefühle beherbergt. Man mußte genau zielen, auf den Abzug drücken, und ein Mensch in der Kraft seiner Jahre war vernichtet. Und es waren Menschen, die diese Waffen herstellten, Menschen, die jenen glichen, die von den Waffen getötet werden sollten; ja, es kam zweifellos vor, daß ein Mann von der Waffe getötet wurde, die er hergestellt hatte oder seine Kameraden, denn die Partisanen schossen auf die Deutschen mit erbeuteten deutschen Waffen, und die Deutschen bekämpften die russischen Panzer mit der sowjetischen Panzerabwehrkanone 7,62. Wie dumm das alles war, wie absurd war doch so ein Krieg!

Der Schuß krachte und betäubte Kristiaschka. Noch in der gleichen Sekunde hatte Rundukoff unter dem Tisch Deckung genommen, er hatte reagiert, wie nur ein erfahrener, stets sprungbereiter Freischärler reagieren kann: Selbst wenn er schlief, blieb ein Teil seines Ichs wach, wartete auf die Gefahr und hielt sich bereit, ihr zu begegnen.

Als er sah, wer geschossen hatte, lachte er laut auf und sprang auf die Beine.

»Mit diesen Dingen darf man nicht spielen«, sagte er, »du weißt offenbar nicht recht, wie man damit umgeht; sieh her, ich will es dir zeigen.«

Er nahm Kristiaschkas Hand, die immer noch die Pistole hielt, und hob sie langsam bis zur Augenhöhe:

»Jetzt siehst du über die Kimme hinweg das Korn und dahinter das Ziel; diese drei Punkte müssen auf einer Linie liegen. Man schießt, während man die Waffe hochnimmt, im Augenblick, da diese drei Punkte übereinstimmen oder, genaugenommen, einen Sekundenbruchteil vorher...«

Er nahm die Pistole an sich, stieß die Tür auf, hob die Waffe und schoß. Über dem Krachen der Detonation schloß sich die Stille sogleich wieder. Der Leutnant trat auf den Hof hinaus und kam mit einem Huhn wieder, das er an den Füßen hielt, und das noch zuckte; er warf es vor dem Ofen auf den Boden. Dann reichte er Kristiaschka die Pistole, aber sie schüttelte den Kopf. Er zündete seine Pfeife wieder an. Von draußen hörte man ganz nahe die Schußfolge einer Maschinenpistole und gleich darauf Lachen und fröhliche Stimmen. Das waren Rundukoffs Leute, die sich mit einem jungen Schwein vergnügten, das zum Ziel ihrer Kugeln geworden war. Sie hatten es vom Schlitten aus gejagt.

Rundukoff ging hinüber, befahl ihnen, im Nachbarhause Quartier zu nehmen und ihm eine ordentliche Portion Schweinebraten zu bringen, wenn es soweit sei. Kristiaschka war mit vor das Haus getreten, um den Grund der Schießerei zu erfahren, und einer von Rundukoffs Leuten, die sie alle anstarrten, machte eine unanständige Bemerkung über sie. Im nächsten Augenblick krachte abermals ein Schuß, und die Kugel pfiff am Ohr des Spaßvogels vorbei. Dazu brummte der Leutnant etwas von Cäsar und seiner Frau; es war eine Bemerkung, mit der Kristiaschka nichts anfangen konnte, denn obwohl Iwan sie einigermaßen gebildet hatte, wußte sie doch noch nichts von der römischen Geschichte. Der Partisan, dem das unflätige Witzwort entschlüpft war, lachte mühsam, die anderen dafür um so lauter, und schließlich verschwanden alle in einem Riesenwirbel von Geschrei und Gelächter.

»Nun«, sagte der Leutnant, als er mit Kristiaschka wieder in der Stube war und die Pistole abgelegt hatte, »was essen wir denn vor dem Schwein?«

Kristiaschka ging in die Küche, zerschlug ein paar Eier und machte ein Omelett. Als sie es vor Rundukoff auf den Tisch stellte, forderte er sie auf, sich zu setzen, aber sie schüttelte nur wieder den Kopf. Er visierte sie scherzhaft mit der Pistole an und lachte dabei, so daß man seine Zähne sah; es waren große, ein wenig gelbliche Zähne, die raubtierhaft wirkten. Sie gehorchte, und er begann schmatzend zu essen. Da sie Hunger hatte, griff auch sie zu. Er beglückwünschte sie mit vollem Mund zu ihren Talenten als Köchin.

»Nur der Hunger treibt uns aus dem Wald«, sagte er, »erinnerst du dich an die scharfe Kälte im vergangenen Monat? Wir mußten das Brot zersägen, und ein Tönnchen Wein, das wir erbeutet hatten, war zu einem einzigen Block gefroren; die Eier lutschten wir wie Bonbons! Dann gingen uns die Vorräte aus, denn das Wild ist sehr rar geworden im Wald; die Tiere kennen alle unsere Schlupfwinkel und machen einen großen Bogen um sie.«

Er zog seine Uniformbluse aus, die schon ganz verwaschen war und an den Ellbogen durchgerieben. Darunter trug er einen dicken grauen Schal, der ziemlich sauber war und sehr neu wirkte.

»Hier ist es gemütlich«, sagte er und stieß einen Seufzer des Wohlbehagens aus. Dann wickelte er sich auch noch aus dem Schal und warf ihn fort. Kristiaschka fing ihn im Flug und prüfte ihn mit Kennermiene, hatte sie doch selbst so manchen Schal gestrickt.

Rundukoff hustete heftig, und das Blut stieg ihm in die Wangen. Er klopfte sich an die Brust.

»Da drin«, erklärte er, »hat einmal eine niedliche Tuberkulose begonnen, das war 1940. Das Leben im Wald hat sie ausgeheilt, jetzt kann ich hundert Jahre alt werden!«

»Wenn Sie nicht vorher gesund, aber an einer Kugel sterben«, sagte Kristiaschka.

»Die Kugeln fliehen mich, so wie das Wild unsere Schlupfwinkel meidet. Eines Tages waren wir eingeschlossen. Ich stand eine volle Stunde lang auf einer Lichtung, um den Kampf zu leiten, und in den Bäumen hatten die Deutschen Scharfschützen mit Zielfernrohren postiert. Ich erhielt einen Streifschuß am Gürtel und eine Kugel in den Stiefelabsatz, das war alles...«

»Wenn die Schützen von Ihrem Ruf der Unverwundbarkeit wissen, so sind sie schon nicht mehr unbefangen; vielleicht war das der Grund, daß sie nicht so genau schossen!« wandte Kristiaschka lächelnd ein.

»Was du da sagst, ist gar nicht so dumm«, gab der Leutnant zu. Kristiaschka musterte ihn mit unverhohlener Abneigung, überlegte einen Augenblick und setzte dann hinzu:

»Ich hätte es nie für möglich gehalten, daß ein Held der Sowjetunion seine Taten so hinausposaunt!«

Er biß sich auf die Lippen, die Finger seiner kräftigen, schmutzigen Hand klopften auf die Tischplatte. Er sah das Mädchen böse an und brach dann in Lachen aus:

»Ich bin kein Angeber«, sagte er, »ich bin nur stolz. Ich weiß, was ich wert bin – warum sollte ich den Bescheidenen spielen? Ich bin stolz, Andrej Rundukoff zu sein. Himmel, habe ich Hunger; wenn du im Wald lebtest wie wir, würdest du das verstehen, man frißt wie ein Wolf!«

Ein Fuß trat gegen die Tür, und diese sprang auf. Der Partisan mit der aufgeworfenen Nase und den kleinen lustigen Augen brachte ein appetitlich gebratenes Schweineviertel, das er vor den Leutnant auf den Tisch stellte. Rundukoff gab ihm einen freundschaftlichen Rippenstoß.

»Was machst du denn für ein Gesicht, Grigori!« sagte er dabei und wendete sich dann an Kristiaschka: »Weißt du, warum er schmollt? Weil ich nicht mit ihnen esse wie sonst immer. Das kannst du mir schon hingehen lassen, Grigori, heute esse ich eben einmal in Gesellschaft einer Dame. Es genügt schon, wenn sie meine Läuse bekommt, ich will ihr wenigstens die euren ersparen!«

Grigori riß das Maul auf, lachte verlegen, kratzte sich den Schädel und verbeugte sich dann linkisch vor Kristiaschka.

»Grigori«, fuhr der Leutnant fort, während er sich ein Stück Braten abschnitt, »erinnerst du dich noch an jenen deutschen Läusesammler, dem dieser Schal gehört hat?«

Grigori wurde rot vor Vergnügen, lachte kurz auf und ging; draußen hörte man ihn weiterlachen, er schien die Bemerkung sehr lustig zu finden. Der Leutnant legte Kristiaschka ein Stück Braten vor, nahm sich selbst und schob dazu einen Bissen Brot in den Mund. Kauend erzählte er dann die Geschichte jenes Deutschen, von dem er behauptet, daß er Läuse gesammelt habe.

Es war im vergangenen Frühjahr. Man hatte den deutschen Gefangenen am Leben gelassen, um von ihm Auskünfte zu erhalten, und er hatte alles gesagt, was man von ihm wissen wollte. Als man ihn durchsuchte, fand man eine Streichholzschachtel bei ihm, die voll lebender Läuse war, und zwar jene gefährliche rote Sorte, die den Erreger des Fleckfiebers nährt. In der deutschen Armee war es üblich, einen Soldaten, der diese roten Läuse hatte, sofort in Quarantäne nach hinten zu schicken, und zwar nicht nur ihn, sondern auch jene seiner Kameraden, die mit ihm zusammen gewohnt hatten. Die roten Läuse hatten dadurch eine gewisse Beliebtheit erlangt, und die Deutschen suchten sie emsig in den Lumpen der Bauern und trennten sogar die Nähte auf, um sie zu finden. In manchen Einheiten der Etappe hatte sich eine Börse für rote Läuse etabliert, und der Kurs war im vergangenen Winter schon ziemlich hoch gewesen: Es gab ein Fläschchen Wodka für ein bis zwei Läuse. Im Frühling war der Kurs noch höher gestiegen: Eine Laus brachte bis zu zwei Flaschen, und so hatte der Leutnant gegen vier rote Läuse seinen schönen Schal bekommen. Der Deutsche hatte sich als ein umgänglicher und geschickter Mann erwiesen, dem selbst die Partisanen einige Sympathien entgegengebracht hatten. Er hatte ihnen von einem Kameraden erzählt, der noch geschickter gewesen sei und normale Läuse mittels Mennige rot gefärbt habe. Ein deutscher Stabsarzt habe den Schwindel jedoch entdeckt, und der Allzugeschickte war zu einer Strafkompanie versetzt worden, zu einer jener Sondereinheiten, die den Minenräumdienst besorgen. Schon einen Monat darauf hatte ihm eine russische Mine das Lebenslicht ausgeblasen.

»Und diese Läusesammler...«, fragte Kristiaschka, »hatten die denn keine Angst vor dem Fleckfieber?«

Rundukoff hielt es für unwahrscheinlich, daß sich jemand vor Krankheiten fürchten könne, wenn es so viele andere Dinge gab, die man fürchten mußte. Er persönlich hielt übrigens alle Ärzte für Esel, denn sie hatten schließlich ihn selbst vor drei Jahren schon so gut wie aufgegeben, als sie bei ihm jene schwere Tuberkulose feststellten. Er schnitt sich ein zweites Stück Braten ab; er hatte tatsächlich einen Appetit, den man schon Freßgier nennen mußte.

»Ich konnte diesen Deutschen sehr gut leiden«, sagte er kauend, »er hieß Hans und war ein ausgezeichneter Koch. Er hatte nicht seinesgleichen, wenn es darum ging, im Wald Schlingen zu legen... Und dann kam ein Abend, an dem zwei meiner Leute fehlten. Ich fand sie erst drei Tage später nackt und verstümmelt in einer Scheune, der eine hatte einen Bajonettstich in den Mund erhalten, der bis zum Hirn durchgedrungen war. Sie waren mit Benzin übergossen, aber die Deutschen fanden keine Zeit mehr, sie zu verbrennen, sondern hatten vorher abhauen müssen. Es war ein Tiefschlag, und er hat mich hart getroffen, denn wir hatten damals so eine Art Waffenstillstand mit ihnen. Einen Monat darauf habe ich einen Holzbunker bauen lassen, ein Blockhaus mit einem schweren Maschinengewehr. Hans hat mitgeholfen beim Transport der Stämme und beim Ausheben des Fundaments... Rund um dieses Blockhaus haben wir ein Minenfeld angelegt, das nur einen einzigen Durchgang hatte. Als alles fertig war, wurden sechs Mann als Besatzung in das Blockhaus gelegt, und Hans schickte ich auf die Jagd. In seiner Abwesenheit verminten wir die ihm bekannte Passage und machten einen anderen Zugang zum Blockhaus frei. Er ging uns in die Falle: Er hatte der Versuchung nicht widerstehen können, den Deutschen Nachricht zukommen zu lassen, er nahm Verbindung mit seinen früheren Kameraden auf über einen Ortsvorsteher, der zu den Deutschen gehalten und alles an den Führer einer deutschen Patrouille weitergegeben hat. Ja, es hat sich später herausgestellt, daß Hans eine ganze Skizze von dem Blockhaus und dem Minenfeld angefertigt hatte. Bald darauf, in einer dunklen Nacht, kam der deutsche Stoßtrupp an, sie verließen sich auf ihren Plan und gingen in die Falle. Ich hatte die Minen so angeordnet...« Der Leutnant zeichnete mit dem Finger und mit Hilfe einiger Fettspritzer auf dem Tisch eine große Skizze. »Die Minen waren untereinander mit Zündkabeln verbunden, im Blockhaus selbst aber war kein Mensch, selbst das Maschinengewehr hatte ich wegschaffen lassen, damit kein Material verlorengehe. Die Minenreihen waren so geschaltet, daß jene, die den Rückzug verlegen sollte, erst zuletzt hochging. Wir beobachteten natürlich unsere Besucher. Sie verstanden ihr Handwerk, und es ist fraglich, ob wir sie bemerkt hätten, wenn wir nicht mit ihrem Kommen gerechnet und ihren Weg gekannt hätten. Es ist nämlich gar nicht leicht, eine Patrouille in Schneehemden und Kapuzen zu erkennen, wenn es Nacht ist und kein Mond am Himmel. Wir mußten gar nicht schießen. Der erste wurde hochgeschleudert und zerrissen, und dann ging es wumms ... wumms... los, rings herum und schließlich hinter ihnen. Nur drei waren nicht gleich tot: der Leutnant, der den Stoßtrupp führte, und zwei seiner Leute. Wir erledigten sie mit der Pistole, das war nur human, denn die Kälte hält den Brand auf, und die Agonie kann tagelang dauern.«

»Und was geschah mit Hans?«

»Der Dummkopf war bei uns geblieben, um uns seine Unschuld zu beweisen. Das war seine Überlegung, ein Gedanke, der nur diesen dicken deutschen Schädeln entspringen kann. Er hat sich vermutlich gesagt: Wenn ich vor dem Gefecht abhaue, schöpft Rundukoff Verdacht, und alles ist im Eimer. Wenn ich bleibe, so wird er nicht gerade mich verdächtigen, er wird annehmen, ich habe mit der Sache nichts zu tun gehabt...«

»Sehr klug war das nicht«, sagte Kristiaschka nachdenklich.

»Ich sage dir ja; eine typisch deutsche Überlegung. Sie kalkulieren immer alles ein, ausgenommen das, was sich dann wirklich ereignet.«

»Und was haben Sie dann mit ihm gemacht?«

»Ich habe ihn mir vorführen lassen. Er war bleich wie ein Blatt Papier, zitterte und zeigte mir Bilder von seiner Familie... Er schwor bei allen Heiligen, daß er unschuldig sei...!«

»Und Sie haben ihm wohl auch eine Kugel in den Kopf geschossen?« fragte Kristiaschka.

»Aber warum denn? Ich hatte mich doch schon so sehr an seine Kochkunst gewöhnt und ein wenig auch an seine Narreteien. Vor allem aber wußte ich, daß er keine Gelegenheit mehr haben würde, uns zu verraten, wir kannten ihn ja nun. Nein, er ist dann nur durch seine eigene Dummheit ums Leben gekommen. Er ging fischen, mit Handgranaten, und das Eis war zu dünn. Er brach ein und ertrank, er war eben schon zu fett geworden...!«

»Und das nennen Sie ein begeisterndes Leben?«

»Klar! Das war doch nur ein Detail, eine kleine Geschichte unter hundert anderen... Hör einmal, Kristiaschka, etwas ganz anderes: Ich habe noch Hunger!«

Kristiaschka buk ihm Krapfen und begoß sie mit Honig, und Leutnant Rundukoff erklärte, solch ein Festmahl habe er schon seit geraumer Zeit nicht mehr genossen. Er stopfte seine Pfeife und zündete sie an, dann zog er seine Stiefel aus. Er hatte solange damit gewartet, weil man schlecht in sie hineinschlüpfen kann, wenn man sie im Warmen auszieht, ehe sie sich selbst angewärmt haben. Von draußen hörte man Mädchengekreisch und Lachen, und Kristiaschka sah durch das Fenster, wie Mussia vor einer Horde Partisanen floh. Rundukoff sagte nichts dazu, er lächelte nur. Er wußte: Plünderung und Vergewaltigung sind seit jeher der Lohn des Kriegers, verbot man sie, so verlor der Krieg viel von seinem Reiz. Die gute Mussia würde eine Nacht verbringen, die ihr unvergeßlich bleiben würde – falls sie nicht ähnliches schon mit den Deutschen erlebt hatte.

Er hatte das alles wie in einem Selbstgespräch geäußert, aber Kristiaschka antwortete nicht. Es stimmte, daß die Frauen und Mädchen in den umliegenden Dörfern nicht eben scheu waren und auch nicht nach der Uniform gingen; der rote Stern und das Hakenkreuz galten ihnen in dieser Hinsicht zumindest gleichviel; vor allem aber hatten sie herausgefunden, daß nicht nur Deutsche die Hakenkreuzuniform trugen, sondern auch Österreicher, Ungarn, ja sogar Tataren. Es stimmte auch, daß die kräftige Mussia, eine junge Kriegerwitwe mit einem Bartanflug, nicht so prüde war, wie sie immer tat ...

Der Leutnant bewegte die Zehen genüßlich in den dicken Wollsocken und blies dichte Rauchwolken zur Decke. Kristiaschka wußte, woran er dachte: Nach dem Essen sollst du rauchen oder eine Frau gebrauchen. Das war nun einmal der Rhythmus des Kriegers. Sie räumte den Tisch ab, auf dem noch immer die Waffen lagen, und begann in der Küche abzuwaschen.

»Laß das doch sein!« sagte Rundukoff rauh. »Wir haben Besseres zu tun!«

Er stand auf und ging in der großen Stube auf und ab, aber man hörte seine Schritte nicht. Vor dem Fenster blieb er stehen. Der Schnee lag rosig überhaucht da, die Sonne war untergegangen und malte lange blaue Schatten in die Mulden.

»Ich weiß, woran Sie jetzt denken!« sagte Kristiaschka angriffslustig.

»Nein«, widersprach er, »du irrst dich.« Er wandte sich wieder ihr zu, aber sie sah sein Gesicht nicht, denn es lag im Schatten, dieses harte Gesicht mit den hervortretenden Backenknochen, in dem die Augen und die Zähne so seltsam blitzen, wenn er lächelte.

»Nein, du irrst dich. Ich habe eben daran gedacht, daß unser angenehmes Leben nicht mehr lange dauern wird ... Die Deutschen weichen von der Wolga zurück und werden auch den Don aufgeben müssen. Sie haben zwar Charkow wiedererobert, aber nicht für lange. Im nächsten Herbst schon oder längstens im Winter wird die Rote Armee dort stehen, wo wir jetzt sind, und dann geht es weiter nach Westen, nach Warschau ... Dann beginnt der ganze öde Kram wieder, die Grußpflicht, die Bestrafung der Soldaten für jede Nachlässigkeit in der Kleidung, der Papierkrieg und die ständige Beaufsichtigung durch einen Politischen Kommissar, die Schulungskurse, ehe man befördert wird, und so weiter!«

»Dann ist also Schluß mit dem Plündern und Vergewaltigen?«

»Das ist zu befürchten.«

»Mit anderen Worten: Der Siegesmarsch der Roten Armee hat nicht viel Anziehendes für Sie?«

»Er ist das natürliche Ende dieses Krieges, aber ich gebe zu, daß der Kampf selbst mir mehr am Herzen liegt als der endliche Sieg. Ich werde kaum bei jenen sein, die zur Siegesparade in Berlin antreten!«

»Was Sie brauchen, ist vermutlich ein anderer Krieg, ein dritter Weltkrieg nach diesem?«

»Jedenfalls besteht kein Grund zur Verzweiflung. Aller Wahrscheinlichkeit nach werden England und die Vereinigten Staaten nach der Niederwerfung Deutschlands nicht mehr lange zaudern, sondern die Sowjetunion angreifen.«

»Und würden Sie gerne an der Siegesparade in London oder New York teilnehmen?«

»In New York... das wäre ganz interessant. Aber ich versichere dir, ich bin wie der Jäger, der wirkliche Jäger, nicht ein Schlingenleger wie Hans; was mich lockt, ist die Jagd, nicht das Wildbret!«

Er trat auf Kristiaschka zu, ergriff sie am Arm und zog sie an sich. Sie hatte die Waffen auf dem Tisch in Reichweite, aber sie bedurfte ihrer nicht, sondern stieß ihn nur leicht von sich, als er sich über sie beugte, um sie zu küssen.

»Wie kräftig du bist!« sagte er erstaunt. »Dich könnte man nicht gegen deinen Willen nehmen!«

»Auch bei jeder anderen Frau müssen es mindestens zwei sein, wenn man sie gegen ihren Willen nehmen will!« antwortete Kristiaschka.

»Du fürchtest also nicht, daß ich meine Leute rufe, damit sie dich halten, und daß ich dich nachher ihnen freigebe?«

»So etwas tun Sie nicht... vor allem, weil ja auch die Frau ein Wildbret ist, und das, was Sie eben gesagt haben, das wäre keine Jagd mehr, sondern ein Schlachtfest!«

»Du scheinst ja mächtig viel von dir zu halten!«

»Aber noch immer weniger als Sie von sich!«

Er nahm eine der Pistolen vom Tisch, repetierte und legte sie auf den Ofen. Dann schwang er sich selbst hinauf, klopfte seine Pfeife aus und sagte gähnend:

»Ich vertraue mich deinem Schutz an, Kristiaschka... die Türen sind alle unverschlossen, du kannst gehen, wohin du willst, und vielleicht findest du sogar jemanden, mit dem du wiederkehrst und der mich umbringt, um dir einen Gefallen zu tun... Außerdem hättest du alles, was du brauchst, hier auf dem Tisch, wenn du nicht mehr ausgehen willst.«

Kristiaschka zuckte die Achseln, holte Holz und füllte den Ofen mit Scheiten. Der Leutnant schlief schon, als sie den Tisch an den Ofen schob, die restlichen Waffen ebenfalls auf den Ofen legte und sich dann auch hinaufschwang. Lautlos streckte sie sich neben dem Leutnant aus, der leise schnarchte. Die helle Nacht, deren Schimmer der Schnee aufnahm, warf matte Lichtfelder ins Zimmer. Mussia führte sich nun wohl reichlich ausgelassen auf mit den Partisanen und war sicherlich nicht minder betrunken als die Männer. Und der alte Nikitin, seine Frau und seine Familie, die lagen nun alle starr und steif unter dem Schnee. Der Krieg allein war unsterblich, der Krieg und Rundukoff. Als alter Oberst, als alter Wolf mit grauem Fell, würde er immer wieder, in allen Zeiten, die Horden der jungen Wölfe anführen, ein Rudel würde auf das andere folgen, sie würden mit kleinen Einschußöffnungen im Kopf unter dem Schnee liegen oder mit zerrissenen Leibern ein Minenloch bedecken. Noch als schlohweißer General würde Rundukoff, der ewige Rundukoff, Krieg führen zu seinem Vergnügen . . .

Sie schlief ein und erwachte von Rundukoffs Griff nach ihren Brüsten. Sie würde vor ihm sterben. Schon morgen konnte es sein. Wozu sich wehren, wenn der Tod so nahe ist? Er hatte sie gesehen, sie war nackt vor ihm gestanden, im Schnee, so hatte er sie kennengelernt. Was sollte ihr da noch die Scham? Und der Körper, den er nackt gesehen hatte, gab ihm recht mit allen seinen Fasern, er rief nach dem Mann, es war nicht möglich, ihn zum Schweigen zu bringen.

Rundukoff nahm sie wie ein Wolf, und sie war ihm eine ebenbürtige Gefährtin; sie fauchten und stöhnten und bissen einander, und sie erlebte jene Lust, die Iwan ihr nicht hatte geben können. Dankbarkeit und Haß mischten sich in ihrem Herzen, als er wieder einschlief, wobei er ihr den Rücken zukehrte. Sie lauschte seinem regelmäßigen Atem. Lau lag der Stahl der Pistole unter dem Kopfkissen. Ihm danken . . . ihm den Lauf an den Hinterkopf setzen . . . Dank für die Lust, die Kugel für den Sieg . . .

Sie schlief wieder ein, schlief tief bis zum Morgen. Als sie erwachte, saß Rundukoff schon in voller Uniform am Tisch und aß die übriggebliebenen Krapfen kalt mit dem gestockten Honig. Auch den Pelz hatte er schon an und die Fellmütze mit dem roten Stern auf dem Kopf. Vor dem Fenster sah Kristiaschka die zum Abmarsch angetretenen Partisanen.

Der Leutnant lächelte ihr zu. »Kommst du mit?« sagte er, und sie schlüpfte in die Stiefel, nahm eine Wollweste und zog die lange Lammfelljacke darüber, die er ihr am Tag zuvor gegeben hatte.

Die Partisanen hatten sich einen Schlitten besorgt; auf ihm lag ein halber Ochse und jener schwere Granatwerfer, der Nikitins Badehütte auf dem Gewissen hatte. Auf dem zweiten

Schlitten nahm Kristia Platz, sie saß zwischen zwei stämmigen Burschen, die sich offensichtlich schon seit einer Woche nicht mehr rasiert hatten; sie hatten harte, schmale Lippen und weiße Striche neben den Augen, dort, wo die Haut Fältchen machte, wenn sie die Augen zusammenkniffen im Schneelicht und beim Zielen.

Der Leutnant schwang sich in den Sattel. Seine Reiter saßen bereits zu Pferd, nun nahm er die Spitze der Kolonne. Die Schlitten glitten über den seidig raschelnden Schnee, bisweilen krachte er auch leise. Die Pferde hatten im Freien genächtigt, sie schüttelten Eiskristalle aus den Mähnen und trabten hurtig. Als sie die letzten Häuser des Weilers hinter sich hatten und der Weg in den Wald abbog, erschien eine große, blaßhelle Kugel inmitten des milchigen Dunstes. Zwischen den Bäumen und schwarzen Strünken hielten sich lange Nebelstreifen, das Holz sah feucht und hart aus wie Stein. Unter den ersten Sonnenstrahlen begannen die Äste leise zu knacken, es waren kurze, dumpfe, ganz schwache Detonationen. Schnell stieg die Glutröte in die Wolkenbänke hinauf. Ein Rabe hob sich von dem langen Brunnenschwengel, auf dem er die Nacht über gesessen hatte, und zog mit schweren Flügelschlägen ab. Am Rand des Weges sah man im reinen Schnee die feinen Trittspuren der Laufvögel.

Kristiaschka dachte an ihr heimatliches Dorf, an ihre Eltern. Was mochte aus ihnen geworden sein? Wie ging es ihnen unter der Besatzung? Lebten Anjuschka und Timofej noch, oder waren sie auf dem Schlachtfeld geblieben? Daß sie damals von zu Hause fortgelaufen war, das war die einzige wichtige Entscheidung ihres Lebens geblieben, die sie selbst getroffen hatte. Welch lächerlicher Willensakt – irrte sie nicht seither durch das Land, wie es die Umstände eben ergaben? Überließ sie nicht nun erst recht dem Schicksal die Sorge, ihre Schritte zu leiten? Und nun folgte sie sogar einem Mann, den sie haßte und dem sie doch die Erfahrung der ersten Wollust dankte. Wollust ohne Liebe mit diesem Mann des Krieges, weder Liebe noch Lust bei Iwan, und die dumme erste Liebe, jene Liebe, die sie ihm gar nicht eingestanden hatte, bei Akim. Worin bestand nun das Glück, und wo würde sie es finden? Konnte die Freundschaft Glück bedeuten? Die Freundschaft zählte in all dem gar nicht mehr mit, armer Stephan!

Der Himmel war nun lilafarben. Kristiaschka fühlte sich wohl, und es war auch nicht kalt auf dem Schlitten zwischen den zwei

447

Partisanen. Genußvoll atmete sie die Morgenluft, die ganz rein, ja gleichsam jungfräulich war. Rundukoff trabte heran, das Schlittenpferd machte eine heftige Bewegung mit dem Kopf und blies heißen Atem aus seinen Nüstern, der als dichte Wolke um das Gefährt schwebte. Die Hufe klapperten auf der gefrorenen Erde. Hohe Tannen, die den Schnee mit ihren Nadeln hielten und im Licht glitzerten, reckten ihre kerzengeraden Stämme schlank zum Himmel; es sah aus, als wollten sie eine stumme Klage zu den Wolken emporrufen: daß die Menschen in dieser wattigen Stille, in diesem heiligen, starren Winterschweigen immer noch Krieg führen, das war der große Widersinn.

Der Schlupfwinkel des Leutnants Rundukoff und seiner Partisanen war ein wohl ausgebautes, verborgenes Lager; es bestand aus einer Reihe halb unterirdischer Unterkünfte, in denen Menschen und Pferde untergebracht waren, aber auch das Kriegsmaterial, die Beutewaffen und die Lebensmittel; das Ganze war von vier Erdbunkern flankiert, die gut getarnt und in geradezu mörderischer Weise mit Waffen versehen waren. Die beste Tarnung allerdings bot der Schnee, so daß man, selbst wenn man auf wenige Meter herangekommen war, das Lager noch nicht entdecken konnte.

Die kleine Truppe konnte das Lager nur im Gänsemarsch betreten, denn sämtliche Zugänge waren vermint, und die einzige freie Durchfahrt hatte nicht viel mehr als Schlittenbreite. Die im Lager zurückgebliebenen Männer rissen die Augen auf, als sie Kristiaschka sahen, die an der Seite des Leutnants ihren Einzug hielt. So hatte sich der Leutnant also eine Frau mitgebracht, eine Frau zum eigenen Gebrauch, das war etwas Neues und gab Anlaß zu einer Reihe entsprechender Bemerkungen. Aber es war noch nicht alles: Der Leutnant gab Grigori den Befehl, aus einem großen, leeren Benzinfaß einen Kanonenofen zu machen und ihn in den Unterstand des Leutnants zu bringen. Bis dahin war in den Unterständen nicht geheizt worden, da die Rauchwolken den deutschen Flugzeugen ein Angriffsziel verraten hätten.

Der Unterstand des Leutnants war reichlich eng, eigentlich nur eine Wohnhöhle. Die Wände waren mit Rundhölzern ausgelegt, an denen die Waffen hingen; einige in das Erdreich gedrückte Kisten dienten als Schränke, und eine Lage Heu in der Ecke bildete das Bett.

Als der Ofen installiert war, ließ der Leutnant durch Grigori alle seine Leute zusammenholen und in der Mitte des Lagers antreten. Es war ein seltsamer Anblick, eher das Bild einer Räuberbande als das eines militärischen Verbandes. Die Männer trugen verschiedene Pelze, teils militärischen, teils zivilen Zuschnitts, und ebenso bunt waren die Pelzmützen, die Ohrenkäppchen und übrigen Kopfbedeckungen, mit denen sie sich gegen die Kälte schützten. Ihre Waffen stammten sowohl aus deutschen als auch aus russischen Arsenalen, und nur ihre Gesichter waren einheitlich unrasiert, so daß sie einen das Fürchten lehren konnten. Von einem Antreten im üblichen Sinn mit Richtungnehmen und Strammstehen war natürlich keine Rede; sie standen einfach auf einem Haufen und schwatzten angeregt, bis der Leutnant die Stimme erhob und ihnen Kristiaschka vorstellte. Er sagte, Kristiaschka gehöre fortan zur Truppe als gleichwertiger Kamerad und müsse so geachtet werden wie jeder andere Kämpfer. So ruhig und herzlich die Ansprache war, Kristiaschka – die durch die vielen Blicke reichlich verlegen geworden war – hörte doch die Drohung aus den Worten des Leutnants. Er hatte unmißverständlich durchblicken lassen, daß er es nicht dulden werde, wenn irgend jemand die Hand nach Kristiaschka ausstrecken würde.

Die Männer umringten daraufhin Kristiaschka, begrüßten sie und bezeugten ihr ihre Sympathie; einige freilich hielten sich abseits: Man sah es ihnen an, daß sie nicht damit einverstanden waren, nun eine Frau im Lager sehen zu müssen. Sie erblickten einen Verrat der Männergemeinschaft darin, daß der Naschalnik – der Chef – sich eine Frau zugelegt hatte, ein rosig frisches, appetitliches und kräftiges Mädchen, in dem der Leutnant selbst zweifellos nicht nur einen Kameraden sah.

Rundukoff gab ihnen jedoch keine Zeit zu langen Überlegungen, sondern ordnete die Verminung eines bestimmten Landstückes an. Er suchte dazu zwei Unteroffiziere und zwei Dutzend Männer aus, wobei er darauf achtete, jene heranzuziehen, die Kristiaschka unfreundlich begegnet waren. Eine Viertelstunde später war die kleine Truppe schon wieder unterwegs; diesmal gingen alle zu Fuß und hatten die kleinen Holzkisten auf dem Rücken, der Leutnant bildete mit Grigori und Kristiaschka den Schluß. Man kam ohne sonderliche Schwierigkeiten vorwärts, da der Sumpf zumindest oberflächlich gefroren war. Zwei Stunden lang wurde schweigend und unter Beachtung aller Deckungsmöglichkeiten marschiert. Der Führer an der Spitze der Kolonne ging mit regelmäßigen Schritten und ohne zu zaudern, er mußte den Wald ausgezeichnet kennen. Nach einer Weile befahl Rundukoff eine Rast. Man aß Ochsenfleisch, das man über einem

Feuer briet, und dazu deutschen Zwieback, und jedermann erhielt einen kleinen Becher Wodka. Nach weiteren zwei Stunden öffnete sich vor ihnen ein Tal, auf dessen Grund in einigen Windungen eine Straße verlief. Der Leutnant ließ halten und gab seine Befehle. Wie Wölfe schlichen sich die Männer an die Straße heran, auf der offenbar nur selten Kolonnen verkehrten, denn sie war nicht sehr ausgefahren. Vier Mann hoben die Löcher aus, die voneinander etwa so weit entfernt waren wie die Räder eines Lastwagens; die anderen waren an der Böschung mit ihren Maschinenpistolen in Stellung gegangen. Aber die Operation blieb ungestört, das Land lag leer und schweigend rings um die Patrouille.

Die Minen waren tief in die Erde versenkt worden, die Auslöser jedoch lagen knapp unter der Oberfläche und bestanden im wesentlichen aus einem Brettchen mit einer Spiralfeder und einer Vorrichtung, um den Druck weiterzuleiten. Schließlich wurde alles wieder sorgfältig mit Erde und Schnee bedeckt, so daß keine Spur von der Arbeit zu sehen war.

Kristiaschka langweilte sich fürchterlich; sie hatte sich das begeisternde Leben im Wald denn doch etwas anders vorgestellt. Während Rundukoff die Arbeiten überwachte, trieb sie sich ein wenig herum und hörte dabei zwei Männer murren: Die ganze Sache mit den Minen sei auf dieser Straße purer Unsinn; der deutsche Nachschub benütze solche Karrenwege gar nicht, der Naschalnik habe offenbar nur seine Autorität beweisen und den Männern den Herrn zeigen wollen in dem Augenblick, da er sich eine Frau mitgebracht habe.

Auf dem Rückweg marschierte man ebenso schweigend, und nur während der Rast wurde ein wenig geschwatzt. Grigori beglückwünschte Kristiaschka: Was den Marsch durch den Wald anlangte, sagte er, sei sie offenbar ebenso widerstandsfähig wie ein Mann. Rundukoff erklärte daraufhin, daß Kristiaschka es auch in den übrigen Körperkräften mit einem Mann aufnehmen könne, darüber aber lachte Grigori nur – das konnte er nicht glauben. Er trat zu einem gefällten Baum, der noch halb auf dem Strunk lag, und versuchte ihn mit beiden Armen ein wenig anzuheben. Es gelang ihm für eine Sekunde, dann ließ er den Stamm wieder fallen. Kristiaschka lehnte solch einen Wettkampf ab, aber Rundukoff ermunterte sie: Sie sollte es nur versuchen. So trat sie denn vor den Stamm, griff zu und hob ihn beträchtlich höher als Grigori. Da sie das Kraftstückchen mit der Sauberkeit des trainierten Athleten sehr eindrucksvoll fertiggebracht hatte, applaudierten die zwanzig Partisanen und konnten sich noch lange nicht beruhigen. Einer wagte es sogar, Kristiaschkas Arm unter der Pelzjacke zu betasten, und ließ ein bewunderndes Pfeifen hören. Rundukoff lächelte nur; ihm war es recht, wenn Kristiaschka fortan nicht nur seinetwegen, sondern auch wegen ihrer eigenen Kraft geachtet wurde.

Tags darauf kam es zu einer neuen Unternehmung. Man sperrte eine andere Straße, zwar nicht durch Minen, aber dadurch, daß man etwa zwanzig hochstämmige Tannen so fällte, daß ihre Stämme wie Fischgräten von beiden Seiten über die Straßen fielen und sich mit dem Astwerk ineinander verfingen. Die Stämme wurden an den Stümpfen nicht ganz durchgesägt, so daß sie an einem Punkt festgehalten waren. Eine Barriere dieser Art war selbst für einen der neuen deutschen Tiger-Panzer absolut unpassierbar. Die Arbeiten zur Beseitigung hätten größere deutsche Sicherungskräfte erfordert, denn man mußte die Arbeitergruppe ja gegen einen Partisanenüberfall schützen. Darum blieb die Straße auf lange Zeit gesperrt.

Ins Lager zurückgekehrt, aß man, erzählte Geschichten, spielte Karten, wusch die Wäsche und besserte die Kleidung aus. Auch die Waffenpflege war im Winter besonders wichtig und kostete viel Zeit.

Kristiaschka schlief im Heu neben dem Leutnant, der sich nie für lange auf das Lager streckte, obwohl man im allgemeinen viel schlief und schon bei Einbruch der Dunkelheit die Schlafstellen aufsuchte. Rundukoff erwies sich, als Kristiaschka ihn näher kennenlernte, als ein Nervenbündel, obwohl er sich beinahe phlegmatisch gab. Hin und wieder stellte sie ihm ihre Frage: die Frage, was er denn so begeisternd finde an diesem Leben. Er gab zu, daß es im Winter etwas einförmig zugehe, daß die Gelegenheit zu Unterhaltungen völlig fehle, aber es bleibe einem doch noch immer die Liebe! Er schien es auch gar nicht verwunderlich zu finden, daß sie zwar dieselbe Lust empfand wie er, zugleich aber ihre Abneigung gegen ihn ziemlich unverhüllt zeigte.

Eines Nachts sank die Temperatur um zehn Grad ab. Damit waren nun alle größeren Unternehmungen völlig unmöglich geworden. Der improvisierte Ofen im Erdloch des Leutnants glühte und spuckte Hitze in den kleinen Raum, und auch die anderen Partisanen scheuten sich nun nicht mehr, ihre Unterstände tüchtig zu heizen. Bei dieser Kälte brauchte man nicht mit deutschen Patrouillen zu rechnen. Die automatischen Waffen waren völlig unverwendbar, das Fett war erstarrt, die Wachen in den Erdbunkern drückten ihre Maschinengewehre an die Brust oder nahmen wenigstens die Schlösser zwischen die Beine, um sie einsatzfähig zu erhalten. In den Pausen zwischen langem, tiefem Schlaf betranken die Männer sich in ihren Höhlen.

Um die Langeweile zu vertreiben, hatte Kristiaschka wieder zu schnitzen begonnen, wie sie es zu Hause getan hatte, wenn es zu anderen Arbeiten zu kalt war. Nun war es freilich kein Joch für die Ochsen, dem sie ihre Kunstfertigkeit zuwandte, sondern der Holzkolben von Rundukoffs Maschinenpistole. Dieses Beispiel machte Schule, und bald begannen die meisten Partisanen an ihren Gewehrkolben, Messerschäften oder anderen Gegenständen herumzuschnitzen, so daß ihre mit den Motiven der russischen Volkskunst verzierten Waffen geradezu museumsreif wurden.

Unerwartet für alle brach die Sonne wieder durch, und ihre Strahlen brachten leichtes Tauwetter mit sich. Die Frostmilderung nützte der Leutnant zu einer kleinen Aktion; es sollte neue Verpflegung herangeschafft werden. Er nahm nur Grigori, Kristiaschka und zwei seiner Männer mit sich. Man brach auf, als es schon dunkelte, und da man zwei Schlitten mitnahm, sah das Ganze mehr einem Ausflug gleich als einer kriegerischen Aktion. Das Ziel war ein einsam gelegener Bauernhof, auf dem eine Bäuerin mit ihren zwei Kindern lebte und die Rundukoff gut aufnahm. Sie war den Partisanen ergeben, seit die Deutschen bei Stalingrad ihren Mann getötet hatten, und schätzte den Leutnant, obwohl er der Überbringer der Todesnachricht gewesen war; wie hätte sie inmitten des von den Deutschen besetzten Gebietes auch anders von dem Tod ihres Mannes erfahren sollen als über den Sender der Partisanen.

Olia, so hieß die Bäuerin, umarmte Kristiaschka und küßte sie herzlich. Eine Partisanin! Noch nie hatte sie eine gesehen! Sie wünschte Kristiaschka, viele Deutsche zu töten, und Kristiaschka – die keine Waffen trug und niemandes Tod beabsichtigte – antwortete, daß man zu diesem Zweck erst einmal Deutsche zu Gesicht bekommen müsse; im Augenblick sei das ganze Waldgebiet von Deutschen so frei wie vor dem Krieg!

Die Bäuerin briet ihnen eine Gans, und die Männer aßen mit bestem Appetit. Nach dem Essen erschien ein Mann, den sie Riezin nannten. Auch er beglückwünschte Kristiaschka zu ihrem Entschluß, verspeiste den Rest der Gans und trank den Schnaps aus, den die Partisanen in der Flasche gelassen hatten. Dann zog er sich mit Rundukoff zu einem Gespräch unter vier Augen zurück.

Man übernachtete bei Olia; alle schliefen gemeinsam in der großen Stube mit dem Ofen. Tags darauf belud man die beiden Schlitten mit Lebensmitteln und trat den Heimweg an. Kristiaschka wollte wissen, wer Riezin sei, aber der Leutnant lächelte nur vielsagend. Erst nach einiger Zeit ließ er sich zu einer näheren Auskunft herbei.

»Riezin«, sagte er, »ist ein eigentümlicher Mensch. Er ist Starost eines kleines Dorfes und ist auf Befehl des NKWD in dieser Stellung auch geblieben, als die Deutschen den Ort besetzten. Er informiert uns Partisanen über die Truppenbewegungen der Deutschen, über ihre Ausrüstung und über die Stärke der Sicherungsverbände. Er gibt uns für alle unsere Aktionen die wichtigsten Hinweise.«

»Und die Deutschen mißtrauen ihm nicht?« fragte Kristiaschka.

»Nein... denn er arbeitet zugleich auch für sie. Er ist für die Deutschen wichtig, weil er eine starke Autorität über alle Ortsbewohner ausübt, und sie verdächtigen ihn nicht, weil er sich ihnen – im Einverständnis mit dem NKWD – als Liquidator der jüdischen Besitztümer und Liegenschaften angeboten und nützlich gemacht hat. Er gibt gelegentlich auch der Abwehr und den Sicherungstruppen der Deutschen Fingerzeige. So hatten wir im vergangenen Winter sehr unangenehme Nachbarn: Deserteure, meist Ukrainer, richtige Banditen, wie sie in jedem Krieg auftauchen und sich zusammenfinden. Sie haben mir gelegentlich eines Zusammenstoßes in Riezins Dorf sogar ein paar meiner Leute erschossen. Diese Ukrainer hat Riezin an die Deutschen verraten; es kam zu einem Gefecht, bei dem die Banditen aufgerieben wurden und die Deutschen ein paar Dutzend Tote hatten, für uns also ein doppelt erfreuliches Ergebnis. Riezin ist übrigens der beste Kenner des Waldes und der Sümpfe, und hin und wieder dient er auch den Deutschen als Führer.«

»Was wird nach dem Krieg mit ihm geschehen?«

»Das ist schwer zu sagen. Ich nehme an, daß ihn ein hoher Funktionär des NKWD für seine Verdienste mit einem Orden belohnen wird, ein General der Armee jedoch wird ihn wegen der Zusammenarbeit mit der deutschen Besatzungsmacht zum Tode verurteilen lassen – es fragt sich also nur, was für Riezin schneller kommt. Ich persönlich glaube, daß er, als die Deutschen kamen, tatsächlich bereit war, für sie zu arbeiten, und daß er eher auf ihrer Seite stand als auf der der Sowjetunion. Erst durch den näheren Umgang mit den Deutschen und als er die Praktiken der Feldgendarmerie kennenlernte, begann der Haß gegen sie seine Abneigung gegen das Sowjetregime zu überwiegen. Was immer er fortan auch tut, er hat sich nach beiden Seiten hin kompromittiert, denn selbstverständlich werden auch die Deutschen früher oder später Beweise dafür finden, daß er für uns arbeitet. Ja, es scheint, daß sie ihn schon verdächtigen; darum gibt er ihnen schon jetzt von Zeit zu Zeit brauchbare Hinweise und verrät ihnen Dinge, die sie eigentlich nicht erfahren dürften. Wenn die Deutschen ihn nicht erschießen, bevor sie abziehen, wird der erste Truppenteil der Roten Armee, der in diese Gegend kommt, ihn füsilieren; hinterher kommt dann vielleicht der Orden und die Rehabilitierung.

»Und er ... sagt er sich das nicht selbst?«

»Das ist möglich, aber nicht wahrscheinlich. Um nicht darüber nachdenken zu müssen, betrinkt er sich, sooft er kann, und ist so gut wie niemals nüchtern. Ich werde ihn morgen wiedersehen. Übrigens«, fuhr der Leutnant nach einer kurzen Pause fort, »steht der Fall Riezin durchaus nicht vereinzelt da. Ich habe oft mit russischen Frauen und Mädchen zu tun, die mit deutschen Offizieren schlafen und mir dann berichten, was die Offiziere so untereinander reden. Sie werden später einmal als Huren der Faschisten liquidiert werden, und ich werde keine Gelegenheit haben, von den Diensten zu sprechen, die sie uns erwiesen haben ...«

Die nächste Zusammenkunft mit Riezin fand auf einer Lichtung statt, die vom Partisanenlager etwa eine Stunde zu Pferd entfernt war. Riezin hatte sich und sein Pferd so gut im Gesträuch verborgen, daß man ihn erst sah, wenn man ihn schon fast berühren konnte. Sie ritten noch eine Stunde gemeinsam weiter und gelangten an einen Schienenstrang. Zu beiden Seiten des Bahnkörpers war der Wald abgeholzt worden; das hatten die Deutschen getan, um den wichtigen Verkehrsweg besser überwachen zu können und die Gefahr von Überfällen zu vermindern.

Der Leutnant postierte zwei Gruppen mit schweren Maschinengewehren so im Wald, daß sie beide Seiten des Bahnkörpers mit ihrem Feuer bestreichen konnten. Unter dem Schutz der beiden MGs vergruben die übrigen Männer vier Minen mit besonders großer Sprengkraft zwischen den Schwellen. Dann wurden die Pferde beiseite geführt, die Maschinengewehrstellungen sorgfältig getarnt, und die Schützen gingen bei strengstem Rauch- und Sprechverbot in Deckung.

Kristiaschka hatte alles neugierig mit angesehen. Es schien, daß die winterlichen Spiele nun doch aufregender würden. Leutnant Rundukoff freilich wirkte so ruhig wie stets, und sein Gesicht war so unbewegt wie ein Kieselstein. Er unterhielt sich flüsternd mit Riezin, biß sich hin und wieder auf die Nägel und spähte angestrengt nach allen Richtungen. Riezin selbst sah nicht so aus, als fühle er sich für ein deutsches oder russisches Erschießungskommando bestimmt, und man hatte, wenn man die beiden Männer ansah, den Eindruck, daß sie sich über irgendein Problem der Waldwirtschaft oder über ein Aufforstungsprojekt unterhielten. Ja, wie zwei Fachleute über Holzwirtschaft, die sich ausschließlich mit friedlichen Dingen beschäftigen, so sahen die beiden aus.

Kristiaschka kauerte sich neben Grigori an die Erde, der für sich und seine Maschinenpistole hinter einem Baum ein Schützenloch aushob.

»Diesmal«, sagte der Partisan mit der kleinen aufgeworfenen Nase und den lustigen Augen, »diesmal wirst du die Kugeln zwitschern hören, und manche miauen geradezu, so wie eine ganze Kompanie läufiger Katzen, mein Schönchen.«

Schönchen war der Name Kristiaschkas unter den Partisanen.

»Das würde ich nicht zum erstenmal hören«, sagte Kristiaschka.

»Wo hast du es denn schon gehört? Vielleicht an dem Tag, da wir dich splitternackt im Schnee gefunden haben, Schönchen? Das war vielleicht komisch! Damals war aber nicht viel los. Heute wird es ernst! Du wirst die Kugeln summen hören wie die Bienen, wenn man ihnen den Stock umwirft. Bienen sind übrigens auch nicht ungefährlich, ich wäre als Kind einmal beinahe draufgegangen, als ein wildgewordener Schwarm mich angriff, und hatte einen Kopf so dick wie ein Kürbis... Magst du Kürbissuppe, Schönchen? Wie lange ist es her, seit ich die letzte Kürbissuppe gegessen habe!«

Er legte seinen kurzstieligen Spaten weg, er hatte tief genug gegraben. Nach einem Blick auf Kristiaschka aber nahm er ihn gleich wieder auf und begann das Schützenloch zu erweitern, damit auch das Schönchen geschützt sei, wenn es losgehe.

»Du wirst sehen«, sagte er, »daß der Leutnant sich nie ein Loch gräbt. Die Kugeln machen einen Bogen um ihn. Es ist wie mit dem Daniel in der Löwengrube, du weißt schon, was ich sagen will. Unseren Naschalnik kriegen die Deutschen niemals!«

Die Sonne sank, und leichter Nebel stieg vom Boden auf. Eiskalt sickerte die Feuchtigkeit von den Zweigen. Kristiaschka fröstelte; warten, immer nur warten. Wieviel Geduld brauchte man doch als Partisan!

Grigori begann wieder zu flüstern: Er meinte, Riezin habe sich geirrt, oder die Deutschen hätten ihre Meinung geändert; sie konnten doch nicht so beklopft sein, einen Zug bei Nacht loszuschicken. In diesem Augenblick knackten ein paar Zweige, und jeder griff nach der Waffe, aber es war nur ein Stück Rotwild, Grigori hatte es gesehen. Es war nicht mehr hell genug, um die Verfolgung aufzunehmen, und es wäre auch sinnlos gewesen; denn an einen Schuß war ja gar nicht zu denken, er hätte die Deutschen alarmiert.

Kristiaschka hatte sich längst auf den Boden des Erdlochs gesetzt. Grigori reichte ihr seine Feldflasche; sie nahm einen Schluck Bauernschnaps, der wärmte den Leib von innen her. Die Nacht kam mit ihrer Finsternis, und Kristiaschka verfiel in einen leichten Schlummer. Sie vergaß nicht, wo sie war und was ihr bevorstand, zugleich aber stiegen Erinnerungsbilder in ihr auf, Eindrücke von jenem Theaterabend, den sie mit Stephan, Iwan und Nina verbracht hatte, und von dem anschließenden Besuch bei ihrer Schwester Ljuba. Um wieviel lieber hätte sie jetzt auf Ljubas weichem Diwan gesessen, inmitten der Kissen mit den modernen Bezügen, statt hier in einem Erdloch neben diesem Halbwilden zu frieren, denn Grigori, so nett er war, blieb doch eine Art Räuber.

Rundukoff kam heran und sagte, es sei unwahrscheinlich, daß der Zug von den Deutschen nachts geführt werde; sie fürchteten stets die Dunkelheit, weil diese die Überfälle der Partisanen begünstige. Man würde gleichwohl bis zum Morgen warten.

»Halt die Augen offen, Grigori!« schloß der Leutnant.

»Und wie, Naschalnik!« antwortete der Partisan. »Ich will kein Auge zutun.«

Lautlos entfernte sich der Leutnant mit seinem Wolfsschritt, und Kristiaschka glitt zurück in ihren Halbschlaf. Sie fuhr auf, als ein fauchendes und schnaufendes Geräusch von ferne unmißverständlich das Herannahen einer Lokomotive verriet.

»Wie willst du denn im Finstern schießen, Grigori?« erkundigte sie sich flüsternd.

»Mach dir nur keine Sorgen, Schönchen ... es wird hell genug sein. Aber selbst ohne Licht sehe ich noch im finstersten Wald wie die Käuze.«

Das Schnaufen der Lokomotive kam rasch näher. Kristiaschka fühlte, daß ihr Herz stark und immer schneller zu schlagen be-

gann. Sie hatte bisher noch nie an Angst gedacht, jetzt aber...
Nein, sie hatte keine wirkliche Angst, sie war nur sehr erregt
und empfand beinahe so etwas wie eine Verzückung, ja, vielleicht sogar eine Begeisterung, von der Leutnant Rundukoff ihr
am ersten Tag ihrer Bekanntschaft erzählt hatte, der Leutnant,
dieser Wolf, ihr Geliebter. War er wirklich ihr Geliebter? Nein,
er war es nicht. Man konnte schließlich mit einem Mann schlafen, ohne ihn zu lieben. Ein Geliebter war zweifellos etwas
anderes...

Sie fühlte, daß Grigori neben ihr leicht bebte; er hatte alle
Muskeln gespannt und starrte in die Dunkelheit. Vermutlich
war er nicht weniger erregt als sie, und sie schämte sich seiner
Aufregung.

Der Zug keuchte in die Kurve, in der eine leichte Steigung
begann. Die Deutschen in den Waggons waren zweifellos weniger
aufgeregt als die Partisanen, mochten sie auch mit allen Sinnen
in die Nacht hinauslauschen. Oder waren sie völlig sorglos, weil
sie sich an die ständige Gefahr schon gewöhnt hatten?

Wäre Rundukoff in diesem Augenblick neben Kristiaschka gewesen, sie hätte ihn vielleicht ins Gesicht geschlagen, so stark
war plötzlich ihr Verlangen danach, es zu tun. Sie kroch in sich
zusammen und machte sich ganz klein, so daß nur noch Augen
und Stirn über den Rand des Loches ragten. Trotz der Dunkelheit
sah sie die Doppellinie der Schienen, und sie sah auch, wie
diese schimmernden Streifen langsam aufgerollt wurden und
kürzer wurden durch die dunkle Masse des Zuges, der mit der
Nacht verschmolz und immer näher kam. Lange Feuerstreifen
glühten mit einemmal auf, und Kristiaschka meinte schon, daß
nun der Donner der Explosion folgen müsse, aber es waren noch
nicht die Minen, sondern nur glühende Asche, die der Heizer
ausgeworfen hatte. Der Zug hatte nun die Gerade erreicht, und
das Stampfen und Fauchen der Maschine wuchs zu einem Lärm
an, der Kristiaschkas Kopf brausend erfüllte. Woher kam ihr nur
plötzlich das verrückte Verlangen, Rundukoff ins Gesicht zu
schlagen? Wie eine donnernde Antwort zerschnitt in diesem
Augenblick die Explosion der Minen das Geräusch, das die Lokomotive gemacht hatte. Zischend entwich Dampf, und noch ehe
das Getöse auf dem Bahnkörper verstummt war, begann das
dumpfe Hämmern der Maschinengewehre und das Tacktacktack
der Maschinenpistolen.

Erst einige Sekunden später hörte man Schreie und Befehle
und das Jammern der Verwundeten. In der fahlen Helligkeit des

ausströmenden Dampfes und aufzuckender Flammen sah Kristiaschka zwei offene Lastwaggons schwer und langsam hinter der
Lokomotive in die Luft steigen, die sich ebenso langsam auf die
Seite gelegt hatte. Vor diesem Hintergrund unruhiger Helligkeit
huschten und sprangen Schatten hin und her, und Grigori stieß
ein neues Magazin in seine MP. Dabei gab er ein leises Grunzen
von sich, einen Laut der Entspannung und des Wohlbehagens,
und schrie begeistert »Bum, Bum, Bum«, wie es die Kinder tun,
wenn sie Krieg spielen. Dann blendete ein ungeheurer Lichtschein Kristiaschka; es wurde plötzlich so hell wie von tausend
Blitzen, und tausendfacher Donner schlug über ihr zusammen,
während der Wirbelsturm eines gewaltigen Luftdrucks ihr das
Gesicht in die Erde drückte. Am Ende des Zuges war ein Munitionswagen hochgegangen; immer noch explodierte wie in einer
Kettenreaktion die Infanteriemunition, und über den Wald ergoß
sich ein Hagelsturm brennender und glühender Eisen- und Holz-
teilchen aus den Waggonwänden. Die Pferde wieherten irr vor
Angst, es hörte sich an wie furchtbare Schreie; Kristiaschka hätte
es nie für möglich gehalten, daß die ihr vertrauten Haustiere
solche Laute ausstoßen könnten. Und dann brannte der ganze
Zug, die Flammen erhellten den Schauplatz des Überfalls. Drei
Deutsche waren zu erkennen, sie erklommen so schnell sie konnten die gegenüberliegende Böschung. Grigori zielte kurz und
putzte sie weg. Zwei rollten wieder zurück, auf die Gleise zu,
der dritte rutschte langsam tiefer und legte sich dabei auf den
Rücken, während seine Beine noch ein paar Sekunden zuckten.

Kristiaschka hörte Rundukoffs ruhige Stimme. Er gab den Befehl, das Feuer einzustellen. Grigori sprang aus dem Loch,
schwenkte seine Maschinenpistole und begann herumzutanzen
wie ein Bär. Noch ein paar kleinere Explosionen erschallten aus
der Richtung des Munitionswagens, dazwischen hörte man
Schreie und Stöhnen. Der Leutnant befahl, daß vorerst niemand
seinen Platz verlassen dürfe. Die Wartezeit jetzt erschien Kristiaschka beinahe länger als vorhin das Warten auf den Zug. Endlich kam der Befehl, alle Männer krochen aus ihren Löchern
und gingen auf die Trümmer des Zuges zu.

Kristiaschka sah im Licht der verglühenden Waggons die Sil-
houetten der Partisanen mit schußbereiten Waffen vorgehen.
Der Leutnant hatte die Pistole in der Hand und ging voran. Einer
der Partisanen schickte einen kurzen Feuerstoß aus der gesenkten
Waffe, offenbar hatte er einem Verwundeten den Gnadenschuß
gegeben. Sie fühlte ein Würgen im Hals, als müsse sie erbrechen,

und gleich darauf stieg auch ein drückender Schmerz aus dem Magen auf. Sie rollte sich auf dem Grund des Erdlochs zusammen, um nichts mehr hören und sehen zu müssen; so blieb sie lange liegen, hörte aber noch immer vereinzeltes Stöhnen und hin und wieder einen Schuß. Dann fühlte sie eine Hand auf ihrer Schulter: es war Grigori. Er war in bester Stimmung und sagte ihr, es sei alles vorbei, darum habe er sich nach ihr umgesehen.

Auf dem Rückweg sangen die Partisanen. Man hatte zwei Pferde verloren, sie hatten sich losgerissen und waren davongaloppiert, und zwei Mann, einer war von einem Granatsplitter getötet worden, den anderen hatte eine Kugel getroffen. Man hatte die beiden Leichen über ein Pferd gelegt, die Beine baumelten auf der einen, die Arme auf der anderen Seite des Pferdeleibes. Der Leutnant hatte es immer so gehalten: Wenn irgend möglich, ließ er keine Toten auf dem Kampfplatz zurück. Die Toten hinderten die anderen nicht am Singen. Zwei der Reiter hatten Kameraden hinten aufsitzen lassen. Kristiaschka ritt, wie auf dem Hinweg, auf der Kruppe hinter Grigori, der immerzu vor sich hin sprach und sich die Einzelheiten des großen Ereignisses selbst noch einmal erzählte. An der Spitze der Kolonne ritt der Leutnant mit Riezin. Kristiaschka war durchgefroren bis auf die Knochen.

Als sie ins Lager kamen, wurden sie mit lautem Jubel und begeistertem Geschrei empfangen. Nur ein einziger trat stumm herzu und legte einem der Toten die Hand auf die Schulter.

Kristiaschka ging in den Unterstand und legte sich aufs Heu, aber trotz all der Anstrengungen fand sie keinen Schlaf.

Es war spät am Morgen, als der Leutnant erschien. Sie stand auf, um ihm das Heubett zu überlassen. Den ganzen Tag über sprachen sie nicht miteinander. Auf einem Gang durch das Lager mußte sie viele Hände schütteln: Man beglückwünschte sie von allen Seiten zu ihrer Haltung bei dieser Feuertaufe, Grigori hatte jedem, der es hören wollte, von ihrer Ruhe und Unerschrockenheit berichtet. Einer der Partisanen zeigte ihr zwei Eheringe in der hohlen Hand. Wo hatte sie nur gelesen, daß man den Toten die Finger abschnitt, um an die Ringe zu kommen, und daß man ihnen die Goldzähne ausbrach?

»Die Toten von ihren Ringen und Goldzähnen zu befreien«, sagte Grigori, »es ist viel leichter, als die eigenen Läuse loszuwerden.«

Einige Tage nach dem Überfall auf den Munitionszug bemerkte Kristiaschka, daß sie Läuse habe. Rundukoff, den sonst nichts zu erschüttern schien, reagierte erstaunlich auf diese Mitteilung. Er entwickelte sogleich einen kühnen Plan zur Eroberung eines deutschen Militärdepots, um frische Kleidung zu bekommen und die verlausten Lumpen verbrennen zu können. Es gelang Kristiaschka nur mit einiger Mühe, ihm vor Augen zu führen, daß die Neueinkleidung aller dreihundert Waldläufer auch durch solch einen Handstreich nicht zu verwirklichen sein würde. Derartige Magazine gab es im ganzen Umkreis nicht. Aber er blieb erregt, wie sie ihn noch nie gesehen hatte, und rief alle Leute zusammen. Er befahl eine allgemeine gründliche Entlausung. Die Leute murrten, denn die Läuse waren sie schon gewöhnt, und die Entlausung war ein mühsamer Vorgang, der sie drei Tage lang in Atem hielt. Der Leutnant besichtigte dann genau Hosen, Blusen, Mäntel und Decken, prüfte die Nähte und Knopflöcher, und man hatte schließlich Ruhe vor den Läusen — eine Woche lang. Dann war eine neue Generation dieser Parasiten ins Blutsaugealter getreten und fiel über die Partisanen her; ja, es zeigten sich sogar Kopfläuse.

Erbittert machte sich der Leutnant mit Grigori auf und kehrte nach ein paar Stunden mit einer Haarschneidemaschine zurück. Abermals murrten seine Leute, aber Rundukoff erklärte ihnen, daß es in allen Armeen der Welt Brauch sei, die Haare der Soldaten so kurz zu halten wie nur irgend möglich. Diese Tradition sei schon alt, ja man habe die Soldaten des Zaren Alexander, die Napoleon aus Rußland vertrieben hatten, ihrer kurzen Haare wegen Borstenköpfe genannt, zum Unterschied von den russischen Bauern, die damals noch lange Haare getragen hatten.

Kristiaschka ging mit gutem Beispiel voran, obwohl sie sich nicht ratzekahl scheren ließ. Sie opferte ihre schönen langen Locken der Schere und trug das Haar fortan noch kürzer, als Nina es getragen hatte und als die sogenannten französischen Frisuren der Stenotypistinnen in den Städten es verlangten.

Die Entlausung und der radikale Haarschnitt blieben die unangenehmsten Ereignisse des ganzen Winters, und der Weihnachtsfeier gelang es, sogar diese Eindrücke verblassen zu lassen. Am Weihnachtsabend wurden die unbedingt nötigen Wachen durch das Los bestimmt, die anderen aber zogen ins nächste Dorf. Es war der Weiler, zu dem auch der etwas abseits liegende Hof der Witwe Olia gehörte. Auf jedes Haus entfielen ein paar Partisanen; der Leutnant, Kristiaschka, Grigori und ein paar andere blieben bei Olia. Als sie sich zu Tisch setzten, waren alle schon ein wenig betrunken, aber man war festlich gestimmt. Der Leutnant hatte seine beste Uniform angezogen und war frisch rasiert, Kristiaschka trug ein Kostüm, das sie sich selbst geschneidert hatte; die Jacke war aus Segeltuch und reich mit Marderfellen besetzt, denn es wimmelte im Wald von diesen Tieren. Die Waffen und die Pelze hatte man alle auf einen Haufen geworfen und auf den Ofen gelegt, um den Tisch frei zu haben für das Mahl: In der Heiligen Nacht sollte all dies Kriegsmaterial für ein paar Stunden verschwinden, man wollte friedlich feiern mit allen Menschen, die guten Willens sind. Rundukoff zerlegte mit der Autorität und Würde eines Familienvaters die Truthenne, als ein Nachzügler eintrat. Er schien überrascht, so viele Männer in der Bauernstube zu finden, und machte Miene, sich betroffen zurückzuziehen; aber an diesem glücklichen Tag sollte keiner draußen durch den Schnee irren: Man bat den in seinem Pelz dichtvermummten Neuankömmling, doch in der Runde Platz zu nehmen, und er legte seinen Pelz ab. Darunter zeigte sich eine imposante Sammlung funkelnagelneuer Pistolen, Handgranaten und Munitionstaschen, allesamt von unbekannter Konstruktion, zu der man den Fremden fachmännisch beglückwünschte, ebenso zu dem weißen Skianzug, und man fragte ihn, zu welcher Partisanengruppe er gehöre, man habe ihn wohl erst kürzlich mit dem Fallschirm abgesetzt?

Der Mann, der bis dahin den Mund noch nicht aufgetan hatte, antwortete nun in einem Dialekt, den keiner verstand. Auch das war nicht so sehr verwunderlich angesichts der hundert Völker in der Sowjetunion, und man hatte schließlich ein paar polnische und ukrainische Worte in den Sätzen des Fremden erkennen können. So war denn ein paar Minuten lang Leutnant Rundukoff der einzige, der begriffen hatte, daß er einem Offizier des Sonderkommandos gegenübersaß, das eine deutsche Panzerarmee in diesem Raume zurückgelassen hatte – der Kerl war ein Deutscher!

Der Offizier gab es lächelnd zu. Er hatte sich in seinem Sektor umgesehen und nicht gewußt, daß die Partisanen im Dorf feiern würden. Im ersten Augenblick hatte er sogar noch geglaubt, Bauern vor sich zu haben; die Waffen auf dem Ofen, deren Schäfte und Läufe zum Teil unter den Pelzen hervorragten, hatte er zu spät entdeckt – und so hatte er sich denn gesagt, daß er, da er nun einmal Weihnachten mit ihnen feiern mußte, ebensogut bis zum Ende der Mahlzeit bleiben könne ...

Der Leutnant übersetzte die kleine Rede des Deutschen, und

Grigori, der schon längst nicht mehr nüchtern war, schlug seinem Nachbarn von der anderen Seite herzhaft und begeistert auf die Schulter und küßte ihn nach russischer Sitte. Es gab nur eine Meinung: In der Weihnachtsnacht waren sie alle Kameraden, und von allen Seiten versicherte man dem jungen Deutschen, dem man den erfahrenen Soldaten und guten Kriegsmann ansah, der Sympathie.

Rundukoff brachte den ersten Trinkspruch aus: auf Stalin! Der Deutsche ließ sich nicht lumpen, sondern leerte auch sein Glas, wie es die Russen taten. Dann, als die Gläser aufs neue gefüllt waren, revanchierte er sich und brachte einen Toast auf Hitler aus. Alle Partisanen brüllten vor Begeisterung und tranken auf Hitler. Nun folgte eine lange Reihe von Trinksprüchen, immer abwechselnd auf die Marschälle der beiden Lager: auf Schukow und auf Paulus, auf Rokossovski und von Kluge, auf Timoschenko und von Rundstedt, auf Konjew und von Manstein, auf Tolbuchin und Guderian und noch eine ganze Reihe anderer Offiziere mit weniger klangvollen Namen. Der Alkohol stieg immer höher in den Tafelnden, die Feststimmung wärmte sie durch, man begann zu singen. Der Deutsche, den man um Lieder aus seiner Heimat gebeten hatte, sang mit einer recht gefälligen Stimme »Ich hatt' einen Kameraden«, ein Lied, dessen Melodie die Partisanen bald aufnahmen und mitsangen, wobei sie mit ihren Messern auf die Tischplatte klopften, um den Rhythmus zu halten. Dann hatte Grigori einen Einfall: Er ging hinaus und kehrte nach ein paar Minuten mit einem Mann wieder, der eine Ziehharmonika trug. Der Deutsche sang wieder, und der Akkordeonspieler gab gut acht, versuchte eine Begleitung und spielte alsbald kräftig und sicher die deutschen Lieder nach, »Heimat, deine Sterne«, und das Lied von Lili Marlen, und schließlich waren die Partisanen nicht weniger gerührt als der Deutsche.

Die Stimmung schlug ins Männliche zurück, als man sich für die Waffen des Deutschen zu interessieren begann. Der Leutnant und sein Kollege von drüben diskutierten über die Vorzüge der Infanteriewaffen auf beiden Seiten. Der Deutsche gab zu, daß die russische Maschinenpistole, die auf fünfhundert Meter Entfernung noch so wenig streute, daß alle Schüsse in einem Feld von einem Quadratmeter saßen, der deutschen MP überlegen sei; ebenso sei das neue automatische Gewehr der Russen mit seinem Zehn-Schuß-Magazin weit besser als der deutsche Karabiner 98 K. Hingegen seien die Stalinorgeln bei weitem nicht so gefährlich und furchtbar, wie sich ihre Salven anhörten und wie das Raketengeschieße aussah. Da die Partisanen noch nie eine Stalinorgel gesehen hatten, bei der es sich ja um eine neue Waffe handelte, gaben sie dem Deutschen ohne weiteres recht. Um ihm ein Vergnügen zu machen, tauschten sie seine MP gegen eine der ausgezeichneten russischen Maschinenpistolen. Nun begann ein Wettstreit der Großzügigkeit. Der Deutsche zog sein Eisernes Kreuz I. Klasse aus seiner Tasche und überreichte es dem Leutnant, während Grigori eine schöne silberne Nahkampfspange erhielt und Kristiaschka zwei rote Bändchen mit der Medaille »Winterschlacht im Osten«.

»Charascho... gut... tovarisch russki«, sagte der Deutsche, während er versuchte, die Bändchen in Kristiaschkas kurzem Haar zu befestigen, und als sie lächelnd dankte, antwortete er: »Nix ponjemaisch.« Der Leutnant aber, der ebenso betrunken war wie alle anderen, heftete dem deutschen Offizier seine Auszeichnung eines »Helden der Sowjetunion« an die Brust.

Der Ziehharmonikaspieler ging zu Tanzweisen über. Man stieß den Tisch beiseite, und der Deutsche eröffnete mit Kristiaschka den Tanz; der Leutnant begann die füllige Olia herumzuschwenken, und Grigori zeigte mit verschränkten Armen und blitzschnellen Wechselschritten in der Hocke, daß er auch mit einer Menge Schnaps im Leib noch ein guter Solotänzer sei. Kindergesichter erschienen auf der Schwelle und starrten in den Saal, Mädchen gesellten sich zu den Partisanen, und bald tanzte man auch vor dem Haus auf dem niedergetretenen Schnee des Weges. Die Akkordeonklänge lockten Bauern und Partisanen aus dem Weiler heraus zum Haus Olias, und es begann ein Ball in der eiskalten Winternacht mit ungeheurem Geschrei und Gelächter und lautem Gekreisch der Mädchen und Frauen, die von den Partisanen dabei zu derb angefaßt wurden. Kristiaschka vergaß ihren Haß gegen den Krieg, ihre Abneigung gegen den Leutnant und allen Verdruß, den ihr das Leben schon bereitet hatte, betrank sich wie alle anderen und tanzte wie verrückt. Es war das Weihnachtsfest 1943, die Witwe Olia erinnerte sich noch daran, als im darauffolgenden Jahr der volle Schrecken des Krieges über ihren kleinen Ort dahinging und der deutsche Rückzug alle Häuser in Schutt und Asche legte; das Weihnachtsfest 1943 war das fröhlichste unter allen Festen und Feiern gewesen, die sie erlebt hatte!

Einige Wochen darauf kam das lang erwartete Flugzeug, aber es war keine große Transportmaschine, sondern ein einmotoriger

Hochdecker, der nur wenige Meter über den Baumwipfeln herankam. Man konnte die roten Sterne auf den Tragflächen erkennen und den Piloten, der aus der Kabine winkte. Sein Nebenmann warf ein Paket ab, und alle Partisanen, die der Motorenlärm aus ihren Unterständen gelockt hatte, stießen ein begeistertes Geschrei aus. Die Zweige milderten den Sturz des schweren Packens, er rollte weich in den Schnee, und die Männer Rundukoffs eilten hinzu. Der Inhalt war unversehrt, aber enttäuschend: Er bestand aus Medikamenten, die überflüssig waren, weil es nie Kranke gab und das Verbandszeug noch für lange Zeit reichte, und aus einem Umschlag mit Dokumenten.

Der Leutnant öffnete ihn und las die Schriftstücke. Eines von ihnen teilte ihm mit, daß er zum Hauptmann befördert sei. Ein anderes berichtete von den Erfolgen der Roten Armee, die Gomel, Kriwoj-Rog und Shitomir befreit hatte. Im Zusammenhang damit erhielt er den Befehl, mit seinen Leuten abzumarschieren und an einer bestimmten Stelle am Ufer der Düna Feldbefestigungen anzulegen. Eine Skizze war beigelegt und auch eine Karte mit dem ungefähren Frontverlauf. Rundukoff studierte die Dokumente. Die Front war erstaunlich nahe an das Operationsgebiet der Partisanen gerückt, ja, man mußte sich wundern, daß man noch keinen Geschützdonner hörte und daß die Fliegertätigkeit so schwach blieb. Er rief seine Leute zusammen und machte sie mit der neuen Sachlage vertraut. Die Siege der Roten Armee wurden mit Begeisterung aufgenommen, auch die Nachricht, daß ein Stellungswechsel bevorstehe, war den meisten willkommen.

Der allgemeine Aufbruch begann. Der neugebackene Hauptmann und Kristiaschka gingen gemeinsam durch das Lager. Es war geradezu unwahrscheinlich, was für Krimskrams sich angehäuft hatte in den paar Monaten. Das alles kam nun zum Vorschein, und Kristiaschka fühlte sich an den Altwarenmarkt erinnert, auf dem Stephan Alexandrowitsch die Flaschen Tante Eudoxias verkauft hatte.

Als die Sonne sank, brach man auf. Die Kolonne mit ihren vielen Schlitten und den Männern, die hintereinander ritten und gingen, war mit Vor- und Nachhuten einige Werst lang. Man marschierte nur nachts, tagsüber wurde gerastet und geschlafen. Zahlreiche Bomberschwärme zogen hoch am Himmel über der Marschkolonne hin, viel zu hoch, als daß man ihre Nationalität hätte erkennen können.

Kristiaschka saß auf einem Schlitten zwischen Grigori und

dem Hauptmann. Am Morgen des dritten Tages erreichten sie, ohne irgendeiner Truppe begegnet zu sein, die Düna. Der Hauptmann studierte die Karte, dann ging, nach der Rast, der Marsch längs des Flusses weiter. Nun war der Weg schlecht; auf dem Fluß krachte das Eis, das wohl bald brechen würde. Panzerfahrzeuge jedenfalls konnten den Fluß nicht mehr überqueren. Die Schlitten blieben häufig hängen, man würde sie bald ganz stehenlassen müssen, und die Pferde sanken oft tief in den lockeren Schnee ein, der nicht mehr trug.

Schließlich, an einem grauen Morgen, erreichte man das Düna-Knie, wo die Partisanen ihre Befestigungen anlegen sollten. Auf dem Steilufer wuchs Strauchwerk über toten Strünken, das andere Flußufer war flach und schien sandig. Nach einem Ruhetag, den alle nötig hatten, ging man an die Arbeit. Der Hauptmann ließ drei Erdbunker bauen, aus denen man mit den automatischen Waffen das ganze Flußknie bestreichen konnte. Es war eine schwierige Arbeit, denn wenn man zu tief grub, kam Grundwasser. Man mußte die Stellungen durch Knüppelpfade miteinander verbinden. Der Kapitän trieb seine Leute zur Eile an, aber sie waren trotz ihrer großen Widerstandskraft sehr erschöpft, hatten sich die Füße wundgelaufen und Frostbeulen an den Beinen. Kristiaschka schonte sich nicht und schleppte den ganzen Tag Säcke mit Erde aus den Ausschachtungen; die allgemeine Achtung vor dem Mädchen wuchs außerordentlich.

Hin und wieder gewahrte man auf dem anderen Ufer feindliche Reiter, aber sie blieben meist außer Schußweite. Die Sonne gewann an Kraft, aber noch immer hörte man nichts von der Front. Die Deutschen hatten sich offenbar irgendwo festgebissen und wichen nicht mehr so schnell. Eines Morgens brachen der Hauptmann, Kristiaschka, Grigori und ein paar andere zu einem Erkundungsvorstoß auf. Die ersten Blumen streckten die Köpfchen aus dem Moos, an den Zweigen saß der klebrige Saft der Knospen. Die Partisanenpatrouille entdeckte die Reste eines Lagers, das offenbar einer Truppe wie der ihren gedient hatte. Einige Gräber waren zu erkennen und ein paar verrostete Waffen. Kristiaschka schmückte die Gräber mit den ersten Frühlingsblumen. In den Baumwipfeln murrte der Wind, ein ganzes Völkchen von Vögeln zwitscherte im Wald. Man setzte den Streifzug fort. Kein Dorf zeigte sich, nicht einmal vereinzelte Häuser. Das würde die Versorgung der Partisanen schwierig gestalten. Plötzlich bemerkten sie, durch die Zweige eines niedrigen Buschrandes, drei Berittene, die auf einer großen Lichtung unbeweglich hielten. Waren sie Freunde oder Feinde? Wie sollte man dies wissen, da sich durch den Kampf in den Wäldern und die Beutestücke die Uniformen kaum noch voneinander unterschieden, jedenfalls nicht auf diese Entfernung! Die drei mochten sich die gleiche Frage gestellt haben, denn nicht einmal Grigori, der sehr scharfe Augen hatte, vermochte mit Sicherheit zu sagen, ob es sich um Deutsche oder um Russen handle.

Einer der Reiter auf der Lichtung hob sein Gewehr mit beiden Armen hoch und bewegte es dreimal auf und nieder. Der Hauptmann erklärte Kristiaschka, daß es sich dabei um ein Erkennungszeichen handle. An jedem Tag wurden zwei Zahlen zwischen zwei und zehn dafür ausgegeben, eine für die Anfrage, die andere für die Antwort, so wie die Parolen der Feldwachen für die Antwort auf den Anruf. Auf diese Weise erkennt man, ob eine verdächtige Gruppe aus Freunden oder Feinden besteht, man kann rechtzeitig Gegenmaßnahmen treffen oder aber unbesorgt heranreiten. Rundukoff hatte, seit er aus Riezins Gebiet abgezogen war, keine Verbindung mehr zu den Deutschen und kannte ihre Parolen nicht, und seinen eigenen Leuten gab er gar keine Zahlen mehr aus, denn man konnte nicht immer sicher sein, daß sie auch richtig zählen würden. Es war schon vorgekommen, daß zwei Partisanengruppen nach dem Austausch solcher Erkennungssignale aufeinander geschossen hatten, das hatte ihn drei Tote und zwei Verwundete gekostet.

Der Reiter in der Ferne erhob die Waffe abermals und gab wiederum das dreifache Zeichen. Nun glaubte Grigori erkennen zu können, daß es sich um einen deutschen Karabiner handle. Zugleich aber krachten schon die Zweige, und ein paar Kugeln pfiffen Kristiaschka an den Ohren vorbei. Die Deutschen hatten, als sie keine Antwort erhielten, kurz entschlossen das Feuer eröffnet, gleich darauf aber die Pferde herumgerissen und die Deckung des nahen Waldes aufgesucht.

Als die Bunker fertig waren, begann die Arbeit an den Waffen. Der Hauptmann ließ sich jede einzelne zeigen, und die beiden Waffenmeister bekamen viel zu tun. Man sparte sich die Mühe, Unterstände anzulegen: Das Frühjahr machte sich schon deutlich bemerkbar, der Schnee war geschmolzen, man konnte ohne weiteres auf improvisierten Lagern im Walde schlafen und ein paar Hütten aus Zweigen und Laub errichten. Die Erfrierungen brauchten nun, da es warm wurde, besondere Pflege, und nach dem langen Winter stellte sich bei allen Männern ein gewisses Verlangen nach Ruhe ein. Nur die Jäger und die Fallensteller und die Männer, die Wild in Schlingen fingen, hatten alle Hände voll zu tun, denn das Lager mußte ja aus dem Wald verpflegt werden. Die Männer begannen wieder, sich zu rasieren und sich die Köpfe häufiger zu waschen, da das Haar nun nachgewachsen war. Die Jüngeren nahmen Sonnenbäder auf den Hügeln über den Erdbunkern. Dabei sahen sie hin und wieder die Deutschen auf dem anderen Flußufer herumstreifen und wurden zweifellos auch von den Deutschen gesehen, aber beide Parteien schonten sich, und es fiel nur selten ein Schuß, die Front war ja noch weit, die große Auseinandersetzung stand noch bevor.

Eines Abends jedoch schlug die Granate eines mittleren Mörsers in den Wald unweit der Erdbunker ein. Der Hauptmann ließ das Feuer nicht erwidern; da er keine schweren Waffen hatte, wäre es ohnedies nur Munitionsverschwendung gewesen. Offenbar war auf der Gegenseite ein neuer Offizier frisch aus der Heimat oder aus einer französischen Garnison angekommen, der nun den wilden Mann spielen wollte, ohne den Krieg in Rußland zu kennen. Er blieb auch in den nächsten Wochen dabei, allabendlich ein paar Granaten über den Fluß zu schicken; sie schlugen so pünktlich jeweils um sieben Uhr ein, daß Rundukoff seine Uhr danach stellen konnte. In einer besonders dunklen Nacht jedoch hörte man verdächtige Geräusche vom Fluß her, leises Klappern und Klirren, und Rundukoff befahl Feuer aus allen Rohren auf die matt schimmernde Wasserfläche. In drei Minuten war alles vorbei, und am Morgen sahen dann die Partisanen, was los gewesen war: Man fand im Ufergestrüpp den Leichnam eines jungen, athletisch gebauten Deutschen, der nur eine Schwimmhose auf dem Leib hatte, und zwei Tage später kam ein zweiter an die Oberfläche, dessen Leib schon aufgetrieben war und den die Fische bereits angeknabbert hatten. Es waren Froschmänner, die den Versuch gemacht hatten, bei Nacht mit geballten Ladungen an die Bunkerstellung der Partisanen heranzukommen.
Eines Morgens kam ein Reiter in die Stellung, ohne daß jemand seine Ankunft gemeldet hätte. Es war Riezin, der sich ausgiebig lustig machte über die Feldwachen, die Rundukoff gegen die Waldseite hin ausgestellt hatte. Der Hauptmann ließ die beiden schuldigen Posten rufen und bearbeitete ihre Gesichter mit den Fäusten; sie nahmen die Schläge in strammer Haltung hin: Diese Art der Bestrafung war unter Partisanen das Recht des Naschalniks, und man respektierte ihn, eben weil er auf diese Weise zu strafen wußte.

Riezin hatte zwei Lämmer vor sich über den Sattel gelegt und wußte eine Menge zu erzählen. Im Süden wichen die Deutschen schneller als im Abschnitt Rundukoffs, der bald zwischen zwei tiefen Einbrüchen in die deutschen Linien liegen würde, womit die Bunkerstellung ihren Wert verlor. Die Schafe gaben Anlaß zu einem festlichen Mahl, und auch der Schnaps reichte noch für ein paar tüchtige Räusche: Wie lange hatte man sich schon nicht mehr betrunken!

Riezin, der Hauptmann, Kristiaschka und einige Männer hatten sich unter einem Dach aus Zweigen zu einer angeregten Runde zusammengefunden. Riezin war betrunken und machte mit hochrotem Gesicht Stalin nach, der bei seiner großen Rede im Juni 1941, als er den Vaterländischen Krieg der Sowjetunion proklamiert hatte, nicht von Genossen und Genossinnen, sondern von Brüdern und Schwestern gesprochen hatte. Rundukoff zog die Brauen zusammen. Der Sieg war nahe, es war nicht der Augenblick, sich über den Sieger lustig zu machen. Riezin hob sein Glas und brachte einen Toast aus auf alle jene, die mit dem Wort »Stoim na smiert« (Sterben wir, wo wir stehen) in den Tod gegangen waren und damit das Vordringen der Deutschen aufgehalten hatten. Er trank sein Glas aus und warf es über die Schulter. Ehe er sich wieder setzte, machte er Kristiaschka ein Kompliment über ihre kurzen Haare, eine Frisur nach westlichem Geschmack, und versuchte, ihr einen Kuß auf den Mund zu drücken. Da er nicht mehr ganz fest auf den Beinen stand, rutschte er ab und berührte nur ihre Wange mit seinen Lippen, aber im gleichen Augenblick krachte ein Schuß, dessen Echo sich längs der Flußufer fortpflanzte. Riezin fuhr auf, ein Blutstrom brach aus seinem Hals, er tat noch drei Schritte und stürzte erst zu Boden, als der Hauptmann die Pistole schon längst wieder in den Gürtel geschoben hatte.

Grigori und ein anderer warfen den Leichnam in den Fluß. Kristiaschka hatte sich nicht gerührt. Sie war gegenüber dem Tod und Gewalttakten aller Art bei weitem nicht mehr so empfindlich wie früher; selbst ihr Herz hatte sich verhärtet und ließ die Erregung nicht mehr überschäumen. Auch Rundukoff konnte sie nicht mehr hassen; sie haßte ihn ebensowenig, wie sie einen Stein gehaßt hätte, und alle Menschen waren für sie zu lebendigen Steinen geworden, zu Steinen, die lebten und Böses taten. Ein Mensch tut einem anderen weh, so wie einem ein Stein auf den Kopf fällt und Schmerzen verursacht. Die schnelle Liquidation Riezins weckte darum nur wenig Mitleid in ihr; sie hatte ja schon lange gewußt, daß für diesen Mann ein gewaltsamer Tod bestimmt war.

Der Hauptmann lächelte. Riezin hatte nicht gewußt, wie recht er mit seinem »Stoim na smiert« gehabt hatte! Unzufrieden war er nur mit seinem Schuß: Er hatte die Schläfe anvisiert und in den Hals getroffen, schlechter hätte es auch ein Rekrut nicht machen können! Es schien Rundukoff auch zu bedrücken, daß nach den Worten des kundigen Starosten kaum noch an der Entbehrlichkeit seiner Bunkerstellung zu zweifeln war; und wieviel Kraft hatten die vom Marsch ermatteten Partisanen auf die Unterstände und die Anlage der Befestigungen verwendet! Bitter sagte er, daß der Krieg anfange, langweilig zu werden; nun gehe alles wie am Schnürchen, aber für die Partisanen habe es in diesem Frühjahr noch nicht eine einzige größere Aktion gegeben. Grigori stimmte zu und verstieg sich zu der völlig ungereimten Behauptung, daß man seit dem Tage, da Schönchen bei der Truppe weile, keinen richtigen kriegerischen Spaß mehr gehabt habe. Es blieb nur zu hoffen, daß das Heranrücken der Front die Lage doch noch ändern und Kristiaschka den wirklichen Krieg zeigen werde.

Eines Morgens hörte man von ferne Geschützdonner. Es war ein dumpfes, halb ersticktes, immer wieder aussetzendes Rollen am Horizont, und man mußte darauf achten, wenn man es hören wollte. Eine Staffel russischer Yak-Maschinen brummte heran und flog nach Westen ab. Sie flogen niedrig, und nun gab es keinen Zweifel mehr: Diese kurzflügeligen, spitznasigen Maschinen kündigten die Nähe der Hauptkampflinie an. Es war auch höchste Zeit. Rundukoff war am Ende seiner Geduld, er wollte nicht mehr warten und immer nur warten und an diesem Fluß das Leben eines Spießbürgers in der Sommerfrische führen.

»Die Wölfe gönnen sich wohl nie Ferien?« sagte Kristiaschka, aber der Hauptmann antwortete ihr nicht. Er lauschte immer wieder auf ein Motorengeräusch und suchte den Himmel ab, um das Kurierflugzeug zu entdecken, das ihm einen neuen Einsatzbefehl bringen könnte.

»Du wirst sehen...«, sagte Kristiaschka, »für uns geht der Krieg hier zu Ende. Hier werden wir sein, wenn Schluß ist, und alle werden uns vergessen haben!«

Der Hauptmann zuckte die Achseln und rief Grigori zu, einen Unteroffizier heranzuholen. Diesem befahl Rundukoff dann, die Leute antreten zu lassen. In einer Stunde sollte alles bereit sein, nur mit dem Notwendigsten versehen, ohne Pelze und mit dem

Hauptaugenmerk auf Waffen und Munition. Freudige Erregung bemächtigte sich aller Männer; sie waren wilde, rauhe Naturen, denen das stille und seßhafte Leben nicht behagte. Sie waren von der bloßen Aussicht, daß es weitergehen sollte, und von der Hoffnung, wieder dabeizusein, begeistert. Die schweren Infanteriewaffen und Munitionskisten wurden den Pferden aufgeladen, ein Dutzend Berittener würde zur Aufklärung und als Vorhut genügen. Alle anderen gingen zu Fuß.

Man marschierte die ganze Nacht hindurch und ruhte bei Tag. So ging es eine Woche, obwohl der Marsch in dieser Sumpfregion beschwerlich war und angesichts der vielen Mücken auch die Raststunden keine wirkliche Erholung brachten. Ein paar Männer, die nicht mehr Schritt halten konnten, ergriffen die Schwänze der Pferde, um sich weiterschleppen zu lassen. Sie kannten den harten Partisanenbrauch, jene, die nicht mehr mitkonnten, ihrem Schicksal zu überlassen.

Bisweilen war der Wald so dicht, daß selbst das Tageslicht nicht bis auf den Weg durchdrang. Kristiaschka hatte das Gefühl, daß sie auf diese Weise eine Ewigkeit herumirren könnten, ohne einem Menschen zu begegnen, und daß sie schließlich einfach an der Erschöpfung zugrunde gehen würden wie eine Forschungsexpedition, die sich im Urwald verirrt hat.

In der achten Nacht kam einer der Aufklärer zu Hauptmann Rundukoff und meldete, man höre Explosionsgeräusche, und der Himmel sei rot von einem ungeheuren Brand. Eine Stunde später kamen sie durch einen Streifen lichten Waldes auf eine Ebene hinaus. Am Horizont brannte eine ganze Stadt; schwere, rosenfarbene Wolken stiegen langsam aus dem Gluthaufen auf. Sie marschierten auf den Brandherd zu, dessen Röte im ersten Sonnenlicht verblaßte, während die rosenfarbenen Wolken sich nun als schwarze Rauchballen entpuppten.

Der Hauptmann befahl seinen Leuten, hinter einer flachen Bodenwelle Stellung zu beziehen. Er wirkte unruhig wie ein Wolf, der den Wald gewöhnt ist und sich plötzlich in offenem Gelände bewegen muß. Zwischen den Partisanen und der Stadt lag etwa auf halbem Wege eine kleine Gruppe von Häusern mit einer Windmühle, die sich auf einem niedrigen Hügel erhob; auch ein Ziehbrunnen, dessen lange Stange in den Himmel ragte, war zu erkennen. Der Hauptmann schickte drei Berittene als Erkundungspatrouille aus. Sie kehrten schon nach kurzer Zeit mit der Mitteilung zurück, daß die Häuser leer seien; ihre Bewohner hatten sie verlassen. Nun machten sich alle Partisanen auf, um den neuen Stützpunkt zu besetzen. Das Vieh brüllte in den Ställen, die Kühe hatten prall gefüllte Euter. In ihrer Erschöpfung nach den langen Nachtmärschen verschmähten die Schnapstrinker aus dem Wald auch nicht die kuhwarme Milch, und man erschlug einige Hühner, um Suppe zu kochen.

Als die Mannschaft sich einigermaßen gestärkt hatte, befahl Rundukoff, die Häusergruppe in Verteidigungszustand zu setzen. Rings um den kleinen Weiler wurden Schützenlöcher ausgehoben und in aller Eile Erdstellungen für die schweren Maschinengewehre aufgeworfen. Der Weg war zwar in so schlechtem Zustand, daß man mit Marschkolonnen kaum rechnen mußte, aber Rundukoff wußte auch, daß einer zurückweichenden Truppe jeder Weg recht sein muß. Die Partisanen warteten lange. Es war immer dasselbe Warten für Kristiaschka; sie saß auf dem Boden und aß Kartoffeln, die sie in der heißen Asche gebraten hatte. War das, was sie um sich sah, ein Schlachtfeld, diese Ebene, die von gelbem und gelblichgrünem jungem Getreide bedeckt war, über das der Wind hinstrich?

Sie warteten lange, endlich hörten sie Motorengeräusch. Es waren zwei schwerbepackte Lastwagen, die auf der schlechten Straße heranschwankten und große Wolken hellen Staubes hinter sich herzogen. Die Maschinengewehrschützen warteten, bis die Wagen im Bereich des konzentrierten und gezielten Feuers waren, und hackten dann los. Es war, als würden die Holzwände der Aufbauten geradezu zersägt. Ein paar Deutsche, die ihren Stahlhelm aufhatten, sprangen aus dem Wagen in die Felder, wurden aber noch im Lauf getroffen und purzelten herum wie die Kaninchen. Einer der Lastwagen fing Feuer. Kristiaschka konnte deutlich sehen, wie der Fahrer hinter der zerschossenen Windschutzscheibe langsam zusammensank. In den schwarzen Rauch mischte sich bitterer Gestank; waren das die verbrennenden Autoreifen oder verbranntes Menschenfleisch?

In diesem Augenblick fiel mit einem hellen Krachen eines der Bauernhäuser in sich zusammen. Zur Rechten war ein dritter Lastwagen aufgetaucht... ein gelbliches Ding, das ein langes Rohr aufmontiert hatte... aber das war gar kein Lastauto, das war ein Panzer! Er rollte leise schwankend, breit, gelb und niedrig über das Getreide heran und wirkte mit seiner Wüstenbemalung hier in Rußland seltsam fremdartig. Das Turmgeschütz schwankte langsam in eine neue Richtung.

»Das ist ein Tiger, fünfzig Tonnen«, sagte der Hauptmann, »gegen den richten unsere MG...«

Er konnte den Satz nicht vollenden. Der »Tiger«, der vorhin mit einem einzigen Volltreffer ein Bauernhaus zusammengeschossen hatte, feuerte zum zweitenmal, und Kristiaschka hatte nicht die Zeit, den Knall des Schusses zu hören. Als sie wieder zu sich kam, sah sie ein seltsames Gesicht über sich gebeugt; es war schwarz verschmiert und von lustigen rosa Rinnsalen dicker Schweißtropfen gestreift, es gehörte zu einem jungen Mann, der ein grünes Hemd und eine schwarze Hose trug – einer der Deutschen aus dem Tigerpanzer. Sie sah um sich und erkannte unweit der Windmühle den großen Panzer, der nun den Deckel geöffnet hatte und auf dem zwei andere Soldaten in der gleichen Uniform saßen. Sie riefen dem Mann, der sich über Kristiaschka gebeugt hatte, ein paar Worte zu, die sie nicht verstand; nur das Wort »Partisan« kannte sie, und sie sah auch, wie einer der jungen Leute seinen Revolver zog.

Sie wußte, nun würde man mit ihr nach dem Kriegsbrauch verfahren, der für Widerstandskämpfer keine Gefangenschaft, sondern die Erschießung vorsieht.

Der junge Mann bei Kristiaschka, den die anderen Gottfried riefen und der eine helle Litze am Ärmel hatte, schien nicht einer Meinung mit den beiden anderen zu sein und behielt offenbar recht. Dann erschienen drei Soldaten in der graugrünen Felduniform der Deutschen und stießen einige Männer aus Rundukoffs Schar vor sich her. Dreimal knatterten die kurzen Salven der Maschinenpistolen, dann lagen die Partisanen mit dem Gesicht vornüber auf der Erde. Eine letzte Salve galt denen, die sich noch ein wenig bewegten.

Die drei Mann der Panzerbesatzung stritten nun nicht mehr. Einer von ihnen lachte laut auf und gab dem Mann mit der Litze, einem Unteroffizier, einen freundschaftlichen Rippenstoß; dann kehrte er mit seinen Kameraden zu dem Panzer zurück und untersuchte die Ketten des schweren Fahrzeugs.

Der Unteroffizier trat inzwischen wieder zu Kristiaschka. Sie blickte in sein Kindergesicht, das jedoch einen seltsam greisenhaften Ausdruck hatte. Der Mund wäre hübsch gewesen ohne den bitteren Zug, der ihn leicht verzerrte, und der Blick war kalt und hart wie der Blaustahlkolben seiner Pistole. Er hatte die Mütze ins Genick geschoben, die Ärmel seines Hemdes aufgeschlagen, und man sah die hellblonden Härchen seiner Unterarme. An der linken Brusttasche trug er ein Eisernes Kreuz. Offensichtlich war er einer jener jungen Männer, die das Feuer des Krieges hartgeschmiedet hatte und die ohne Übergang von der Schulbank in den Krieg geschickt worden waren, aus der Nestwärme der Familie in die Schmelzofenhitze der großen Vernichtungsschlachten; ein blonder Junge und doch Herr über dieses Untier mit seinen fünfzig Tonnen Stahl in einem Alter, da er sonst wohl an ein Fahrrad gedacht hätte. Er erinnerte Kristiaschka an Timofej, nur sein Blick war anders, denn Timofejs Augen blickten zärtlich wie die eines treuen Hundes. Vielleicht aber hatte Timofej heute auch schon einen anderen Blick, und in seinen Augen stand ebensoviel Grausamkeit, Angriffslust und Stolz?

Der Unteroffizier kniff die Lippen zusammen, rieb sich unschlüssig die Wange, schnalzte dann mit den Fingern und gab Kristiaschka durch ein Zeichen zu verstehen, sie solle auf den Panzer klettern, auf dem die drei Infanteristen sich schon niedergelassen hatten. Sie gehorchte. Die drei Deutschen sahen sie ohne das geringste Zeichen von Sympathie an; sie waren offensichtlich der gleichen Ansicht wie die beiden Panzerfahrer: Eine Partisanin hätte man genauso erschießen müssen wie ihre Gefährten.

Die drei Männer in der schwarzen Uniform schlüpften in das Innere des Ungeheuers. Der Motor sprang an, der Auspuff begann zu knattern. Der Unteroffizier stützte sich auf die Turmbrüstung und zündete sich eine Zigarette an, dann setzte sich der Panzer unter lautem Kettengerassel in Bewegung.

Kristiaschka hielt sich an einem Stahlkabel fest, das um zwei Benzinkanister geschlungen war. Als das Fahrzeug einmal besonders stark schwankte, wurde sie auf einen der Deutschen geschleudert und suchte Halt an seinem Arm. Er sah sie böse an, streckte ihr dann die Zunge heraus und machte mit den Händen eine obszöne Geste.

Die Hitze der Sonne und des Metalls wurde unerträglich, dazu roch es nach dem Öl des schweren Motors und nach Auspuffgasen; Kristiaschka wurde übel, und das dumpfe Brummen des Motors betäubte sie. Eine andere Häusergruppe tauchte auf. Mitten auf der Straße lagen platt und mit Staub bedeckt zwei tote deutsche Soldaten. Der Lenker legte einen anderen Gang ein, der Motor heulte auf, und der Panzer rollte mit vergrößerter Geschwindigkeit zwischen die Häuser. Zugleich begannen die Maschinengewehre zu hämmern. Eine Bäuerin, die neugierig unter die Türe getreten war, stürzte zusammen. Daß der Panzer über die beiden Leichname hinweggerollt war, hatte man überhaupt nicht gespürt. Sie waren genauso flach und gelb wie die Straße, von dem gleichen schmutzigen Gelb wie der Staub, den die

Deutschen neben Kristiaschka auf ihren Uniformen hatten und den sie zwischen den Zähnen knirschen spürte.

Das Fahrzeug rollte nun durch karges Land mit einzelstehenden Buschgruppen und kümmerlichen Tannen. Plötzlich fühlte Kristiaschka eine Hand auf ihrer Schulter. Sie wandte sich um. Der Unteroffizier beugte sich aus dem Turm herunter und reichte ihr eine angebrochene Flasche Champagner, aber mit so muffigem Gesicht, als sei sie eine Handgranate. Kristiaschka hatte schon sehr unter dem Durst gelitten, ihre Nasenschleimhaut und ihr Schlund waren von dem ätzenden Staub völlig ausgetrocknet. Sie trank einige Schlucke der warmen, prickelnden Flüssigkeit und reichte die Flasche dann ihrem Nebenmann. Sie fühlte, wie sich ihre Stimmung besserte. Im Grunde konnte ihr ja fortan alles gleichgültig sein, denn von Rechts wegen, wenn alles nach der Ordnung der Dinge gegangen wäre, läge sie jetzt neben ihren Kameraden von gestern mit dem Gesicht auf dem Boden. Der Alkohol im Blut machte sie sogar unempfindlich für die Trostlosigkeit der Landschaft ringsum, die eigens dazu geschaffen schien, den Hintergrund für die Schrecken des Krieges abzugeben.

Die leichte Brise ging in heftigere Windstöße über. Dichte Wolken des salpetrigen Staubes verdunkelten für Augenblicke die Sonne, dann stiegen Wolken auf, und der Tag wurde grau und düster. Am Horizont war nun eine der großen Verkehrsstraßen des Landes zu erkennen. Ein dichtes Gemengsel von Fahrzeugen aller Art schob sich auf ihr dahin; Traktoren, Lastautos, landwirtschaftliche Maschinen und Karren hoben sich mit harten Schatten vom Himmel ab. Die Straße beschrieb eine Biegung, und jenseits dieser Biegung, dort, wo über ihr ein flacher Hügel anstieg, erschienen drei schwarze Punkte. Gottfried, der ein Fernglas an die Augen gesetzt hatte, brüllte einen Befehl, und der Panzer hielt. Zugleich hörte man einige Einschläge, und aus dem Chaos auf der Straße spritzten Erdfontänen hoch. Die drei schwarzen Punkte waren russische Tanks, Muster T 34, sie hatten die Kolonnen unter Feuer genommen. Das Turmgeschütz des Tigerpanzers schwenkte, und ein gewaltiger Krach wollte Kristiaschka schier die Trommelfelle sprengen. Sie hielt sich verschreckt die Ohren zu; das lange 8,8-Zentimeter-Rohr des Tigerpanzers schob sich nach dem Schuß wieder vor. Zwischen zwei der russischen Tanks sprang eine Erdfontäne auf; ein zweiter, ein dritter Schuß folgte. Die Soldaten, die außen auf dem Panzer gesessen hatten, hatten sich zur Erde gleiten lassen und hinter dem Tiger Deckung genommen. Rauchwolken umgaben die russischen Tanks. Kristiaschka wagte sich nicht mehr zu rühren, sie hatte sich hinter den Turm geduckt, hielt sich krampfhaft an der Stahltrosse fest und kämpfte gegen einen Brechreiz. Nach einem weiteren Schuß fing einer der russischen Tanks Feuer, und eine dicke schwarze Rauchwolke von brennendem Öl stieg über ihm auf. Die beiden anderen T 34 wendeten und krochen langsam über den Hügelkamm aus dem Bereich des deutschen Panzergeschützes.

Der Tiger rollte wieder weiter, auf die Straße zu, die drei Infanteristen gingen hinter ihm her; sie hatten das Gewehr abgenommen und Stielhandgranaten unter dem Koppel. Auf der Straße und im Straßengraben lagen die Trümmer der zerschossenen Fahrzeuge, aber auch Wracks von Lastwagen, die schon vor Tagen hier liegengeblieben waren, Pferdeleichen und tote Soldaten. Die russischen Panzer hatten aus so kleinem Winkel gefeuert, daß jede der Panzergranaten mit ihrer hohen Durchschlagskraft mörderische Ernte gehalten hatte. Zu beiden Seiten dieses Berges aus unbrauchbarem Material und zerfetzten Leibern dehnte sich leer und schweigend die russische Ebene.

Ein Offizier, der verhältnismäßig sauber wirkte und glänzende Stiefel an den Beinen trug, kam mit vier ganz jungen Soldaten, deren kleine Gesichter unter den Stahlhelmen beinahe verschwanden, aus dem Straßengraben und rief den Panzer an. Er drückte dem Unteroffizier die Hand, wechselte mit ihm einige Worte, und schließlich kletterten alle gemeinsam auf das breite Heck zu Kristiaschka und den drei Mann mit den Handgranaten, die inzwischen ihre Plätze wieder eingenommen hatten. Der Offizier sah geflissentlich über Kristiaschka hinweg. Sein Blick war leer, und um die Augen hatte er helle Ringe von den Sonnenbrillen, die er wie den Augenschutz eines Motorradfahrers an einem Gummiband trug und in die Stirn geschoben hatte. Der Panzer tauchte in den Graben und erklomm dann mit einem dumpfen Aufheulen des Motors den Straßendamm. Durch die Trümmer der Fahrzeuge bahnte er sich seinen Weg so leicht, als rolle er auf Blumenbeeten dahin; hinter sich ließ er eine Fährte plattgewalzten Blechs, auf dem sich große Blutlachen ausbreiteten.

Da die gesamte Kolonne von den russischen Tanks vernichtet worden war, lag die Straße frei vor dem deutschen Panzer, und er rollte mit lautem Kettengerassel schnell auf ihr dahin. Man näherte sich einer größeren Siedlung, die ziemlich unversehrt zu sein schien. An der Einfahrtsstraße waren die Häuser leer, dann kam ein Platz mit einer Kirche und einigen Läden, einer Benzinpumpe und einem Springbrunnen zwischen drei Bäumen. Neben der Benzinpumpe stand ein Posten der Feldgendarmerie; er war an seinem metallenen Brustschild zu erkennen und biß ruhig in ein Maistörtchen. Unter den Bäumen war ein schweres Panzerabwehrgeschütz aufgestellt, um das drei Deutsche saßen, die ebenfalls mit vollen Backen kauten.

Der Offizier schrie den essenden Soldaten etwas zu, was ziemlich böse klang, und als die drei bei dem Geschütz darauf überhaupt nicht reagierten, sprang er vom Panzer ab und riß seine Pistole aus der Tasche. Die Geschützbedienung blieb trotzdem ruhig auf der Lafette sitzen und antwortete dem Offizier gelassen und ohne jedes Zeichen von Hochachtung. Der Mann mit dem metallenen Brustschild schlenderte heran, sagte ein paar Worte und schob dann dem Offizier die Pistole wieder in die Tasche. Damit schien die Situation entspannt, und man einigte sich; der Offizier stieg wieder auf und begann, sich mit dem Unteroffizier zu unterhalten, der den Panzer befehligte. Schließlich gab dieser Kristiaschka durch ein Zeichen zu verstehen, daß sie absteigen solle; die großen Benzinkanister wurden unter den Stahltrossen hervorgeholt und beiseite gestellt, und der Tiger manövrierte rückwärts, wobei er unter lautem Krachen und Klirren so tief in einen der Läden hineinfuhr, daß nur noch ein Stück seines langen Geschützrohres hervorsah. Die Soldaten brachen Zweige von den Bäumen und ordneten sie so an, daß das große Fahrzeug vollkommen getarnt war. Dann begab sich alles in eines der Häuser auf dem Platz, nur die Männer bei dem Geschütz und einer der Panzerfahrer blieben draußen.

Das Haus wirkte reinlich und hell, der Steinboden war offenbar erst kürzlich gewaschen worden, an den Fenstern hingen noch die Gardinen. Der Feldgendarm schien sich hier auszukennen; denn er ging voraus in einen großen ebenerdigen Saal, in dem in einem Lehnstuhl ein zum Skelett abgemagerter alter Mann saß, der mit leisem Stöhnen erwachte, gleich darauf aber wieder in seine Erstarrung zurückfiel. Aus einer der Türen trat ein junges Mädchen, das in schlechtem Deutsch nach den Wünschen des Feldgendarmen fragte und bald darauf mit Bierflaschen beladen wieder erschien. Sie ging noch einmal, brachte Gläser und stellte alles auf die Tische.

Kristiaschka lernte bei dieser Gelegenheit das deutsche Bier kennen und fand es ausgezeichnet; sie hatte nie dergleichen getrunken.

Das Mädchen lächelte Kristiaschka zu und fragte sie, ob sie Russin sei. Sie schien überrascht von Kristiaschkas Aufzug: Bluse, Männerhose, kurze Stiefel, wobei alles noch durch den Staub kriegerischer wirkte, der Kristiaschka von den Stiefeln bis zu den kurzgeschnittenen Haaren bedeckte. Das Mädchen war in Kristiaschkas Augen eine ebenso bemerkenswerte Erscheinung, hatte sie doch schon lange keinen plissierten Rock, kein gutgeschnittertes Leibchen und darüber eine gepflegte Frisur gesehen.

Kristiaschka nickte nur zu der Frage, ob sie Russin sei, mußte dann aber noch eine ganze Reihe weiterer Fragen über sich ergehen lassen: Woher sie komme? Wo sie wohne? Was sie denn eigentlich treibe?

Kristiaschka, die all die harten und unnachsichtigen Männerblicke auf sich fühlte, antwortete vorsichtshalber nicht. An ihrer Stelle gab Gottfried, der Unteroffizier, eine kurze Erklärung ab, in der das Wort »Flintenweib« vorkam. Das Mädchen erbleichte und wandte sich ab, um dem Alten in seinem Lehnstuhl ein Glas Bier zu reichen, nach dem er greinend verlangt hatte.

Auf das erste Glas folgten weitere. Kristiaschka begriff, daß die Männer von ihr sprachen; sie fürchtete sich vor allem vor dem Offizier und vor dem Feldgendarm. Von dem Unteroffizier, der sie am Morgen nicht erschossen hatte, brauchte sie auch jetzt nicht viel zu befürchten. Ein Mann der Panzerbesatzung erschien in der Tür, sprach mit Gottfried und trank auch ein Glas Bier; dann nahm er zwei Flaschen vom Tisch und ging wieder. Das junge Mädchen war wieder herangetreten und machte Kristiaschka ein Zeichen, mitzukommen. Sie gingen in das erste Stockwerk hinauf; dort setzte sie ihr in einer schwerverständlichen Mischung aus russischen Brocken und einer anderen Sprache auseinander, daß Kristiaschka gut daran täte, sich wieder als Frau zu kleiden. Es stellte sich heraus, daß Egle, so hieß das Mädchen, Litauerin war; die litauische Grenze war ganz nahe. Sie hatte ein Gutteil des Männergesprächs verstanden und berichtete Kristiaschka, daß der Offizier für die Erschießung war, während der Panzer-Unteroffizier erklärte, Kristiaschka sei seine Gefangene, und niemand dürfe sie anrühren. Dagegen hatte natürlich der Feldgendarm protestiert, aber wenn Kristiaschka erst einmal als Frau gekleidet erscheine, werde sich die Stimmung bestimmt zu ihren Gunsten ändern.

Kristiaschka wollte wissen, warum Egle hiergeblieben sei, der Ort sei doch so gut wie menschenleer und das Leben hier gefährlich.

»Mein Großvater ist hier«, antwortete Egle, »er ist zu schwach, um unter diesen Verhältnissen zu reisen.«

Während dieses Gesprächs hatte sie aus einer alten Truhe allerlei Kleidungsstücke hervorgesucht, und Kristiaschka zog sich um. Da es sich um halb ländliche Kleidung ohne strengen Zuschnitt handelte, paßte alles so einigermaßen. Sie wählte ein graues Kleid, Schuhe mit flachen Absätzen und einen Regenmantel, der ja irgendwann nötig werden konnte.

»Ich hasse die Deutschen ebenso wie die Russen«, flüsterte Egle, während Kristiaschka sich anzog. »Als unser Land besetzt wurde, habe ich geglaubt, es könne uns nichts Schlimmeres widerfahren als die Besetzung durch die Russen... und dann kamen die Deutschen. Aber all das ist natürlich kein Grund, einer jungen Russin nicht zu helfen, wenn die Nazis sich mit dem Gedanken tragen, sie zu erschießen!«

Kristiaschka dankte ihr und sagte, es sei schon sehr lange her, daß jemand gut zu ihr war. Daraufhin fiel Egle der hübschen Partisanin um den Hals und küßte sie, zweifellos in der Annahme, daß Kristiaschka bei ihrem Leben in den Wäldern von den Männern sehr viel hatte erdulden müssen. Tränen traten ihr in die Augen, und sie gestand Kristiaschka, daß sie 1939 von Russen und 1941 von Deutschen vergewaltigt worden sei; ihre Mutter war an diesem Kummer gestorben, und ihren Vater hatte man als Zwangsarbeiter nach dem Osten verschickt. Seither hatte man nichts mehr von ihm gehört.

»Wenn ich jetzt hierbleibe«, sagte sie, »so ist das nicht nur wegen Großvater. Ich habe alles so satt, ich habe so viel mitgemacht, daß ich einfach nicht mehr davonlaufen kann. Ich bleibe, was immer auch geschieht!«

Kristiaschka war betroffen. Dieses sanfte junge Mädchen da vor ihr, von dem man geglaubt hätte, es sei für ein ruhiges und zurückgezogenes Leben bestimmt, dieses Mädchen aus offensichtlich gutbürgerlichen Verhältnissen hatte die Schrecken des Krieges trotz allem am eigenen Leib viel ärger erfahren als Kristiaschka. Darum war es auch beinahe verwunderlich, daß sie eingegriffen hatte und daß es ihr noch nicht gleichgültig war, wenn ein russisches Mädchen als Flintenweib erschossen wurde, ein Mädchen, das immerhin auf der Seite jener Soldaten gekämpft hatte, denen Egle so schreckliche Erlebnisse verdankte. Und statt ruhig zuzusehen, tat sie nun ihr möglichstes, um Kristiaschka zu retten! Darüber konnte man lange nachdenken.

Kristiaschka sagte sich, daß die Grausamkeit demnach nicht

notwendig eine Gefährtin des Unglücks war, ebensowenig wie die Güte eine Tochter des Glücks genannt werden konnte. Härte und Güte waren also wohl dem Menschen angeborene Eigenschaften, auf welche die Erfahrungen des Lebens nur wenig Einfluß haben. Sie blickte in diesen Minuten auf ihr eigenes Leben zurück und meinte plötzlich, sich ihrer eigenen Härte schämen zu müssen, einer Härte, die ohne den Krieg und das Leben mit den Partisanen im Wald nicht weniger groß gewesen wäre. Trug an dieser Verhärtung ihres Herzens der Mangel an Liebe Schuld? Wohl nicht, denn Stephan hatte sie geliebt, Iwan hatte sie geliebt und auch Juanito und sogar Hauptmann Rundukoff – jeder auf seine Art, und es war nie die richtige Liebe gewesen. War also vielleicht *sie* unfähig zu lieben? Sie fühlte eine seltsame Rührung ihre Brust schwellen, und auf einmal stiegen ihr die Tränen in die Augen. Wie lange hatte sie schon nicht mehr geweint? Seit ihrer Kindheit? Sie straffte sich und kämpfte gegen die Rührung an, sie wollte nicht weinen, sie würde nicht weinen!

Egle blickte sie zärtlich an und achtete Kristiaschkas nachdenkliches Schweigen. Dann streckte sie ihr die Hände entgegen und lächelte ihr zu. Kristiaschka empfand das heftige Verlangen, sich diesem freundlichen Mädchen in die Arme zu werfen und ihr alles zu beichten: daß sie sich für ein Ungeheuer an Gefühllosigkeit halte und daß sie, Egle, die erste sei, die zu ihrem Herzen gefunden habe. Aber sie schüttelte nur den Kopf wie jemand, der aus einem schlechten Traum erwacht, und sagte, es sei nun wohl an der Zeit, wieder zu den Männern hinunterzugehen.

Der Offizier und der Feldgendarm waren nicht mehr da. Gottfried lächelte Kristiaschka an, als er sie zum erstenmal in weiblicher Kleidung vor sich sah; er ergriff ihre Hand und drehte sie herum, um sie von allen Seiten zu bewundern, und sagte ein paar Worte, die Egle übersetzte: Kristiaschka sei nun nicht mehr eine Partisanin, kein Mensch könnte in ihr ein Flintenweib vermuten, und es könne auch nicht mehr davon die Rede sein, daß sie erschossen werde.

Gottfried bot ihr ein Glas Bier an; nach der staubigen Fahrt konnten sie alle ihren Durst nicht loswerden. Mit Hilfe Egles entspann sich eine mühsame Unterhaltung. Kristiaschka wollte wissen, welche Pläne Gottfried habe und was nun weiter geschehen solle.

»Ich bin mit dem Offizier übereingekommen«, antwortete er, »hier die russische Verfolgung aufzuhalten. Wir bleiben!«

Kristiaschka wandte ein, daß dies ihrer Meinung nach purer Wahnsinn sei: Die russischen Panzer würden in großer Zahl auftauchen, und man werde die Stellung nicht eine Viertelstunde lang halten können.

»Wenn alle deutschen Soldaten, die noch über Waffen verfügen, so handeln wie wir hier«, sagte Gottfried, »wird der russische Vormarsch zum Stehen kommen oder zumindest längere Zeit aufgehalten. Wir müssen nur Zeit gewinnen, das Reich verfügt noch über große Reserven, und wenn wir den Gegner hinhalten können, bis unsere neuen Waffen einsatzbereit sind, dann ist uns der Endsieg sicher.«

Kristiaschka beharrte darauf, daß ein einzelnes Opfer völlig sinnlos sei, und sie sagte, was sie von Riezin am Tag seines Todes erfahren hatte, daß besonders im Süden die Deutschen in breiter Front zurückwichen.

Ein paar Soldaten, jene, die hinten auf dem Panzer gesessen hatten, hörten dem Gespräch zu und nickten bald zu den Worten Gottfrieds, bald zu jenen Egles, die für Kristiaschka dolmetschte. Sie schienen sich noch auf keine Meinung festgelegt zu haben.

»Ich habe den Frankreich-Feldzug mitgemacht«, sagte Gottfried, »ich weiß, wie es einem Land ergeht, wenn seine Armee nicht mehr kämpfen will. Wir haben schließlich unseren Fahneneid geschworen; darum gelten für uns nur die Worte des Führers: Wir kapitulieren niemals . . . Im übrigen scheiße ich auf den Krieg wie alle anderen.«

Er lachte laut auf, und die anderen stimmten ein. Dann trat er auf den Platz hinaus, die Landser folgten ihm, und Kristiaschka und Egle gingen mit.

Die drei Mann von der Geschützbedienung saßen im Schatten des Schutzschildes und spielten Skat. Der Feldgendarm und der Offizier wuschen sich mit bloßem Oberkörper beim Springbrunnen. Immerhin, dachte Kristiaschka, sie lassen nicht locker, die Deutschen!

Durch die Einfallstraße sah man hinaus auf das flache, ausgestorbene Land; die Straße wand sich als gelbes Band zwischen dem kalten Grau der verdorrten Felder dahin, und auch der Himmel war grau, denn am Horizont waren schwere Wolken aufgestiegen. Nichts in der ganzen Landschaft erinnerte an den Krieg. Diese Pausen zwischen den Stahlgewittern waren immer das seltsamste.

Gottfried ging zu seinem Panzer und kam mit einem Handtuch und Waschzeug zurück. Er zog sein Hemd aus und begann sich ebenfalls am Brunnen zu waschen. Sein Oberkörper war der eines Jünglings, die Haut sehr hell und nur an den Unterarmen und am Hals von der Sonne rot versengt. Gesicht, Hals und Arme waren die eines Kriegers, das übrige schien einem Gymnasiasten anzugehören.

Die Landschaft lag da wie im Frieden, und doch wußten alle, daß der Tod auf dieser geraden gelben Straße herankommen würde; in diesem Augenblick würde das Land, das so unveränderlich erschien, nichts mehr von seinem friedlichen Aussehen behalten. Die Drohung des nahen Todes verband sich auf eine seltsame und unbegreifliche Weise mit der gelben Farbe des Straßenbandes, sie verschmolz mit dem grauen Gelände und dem schwefligen Gelbgrau der Wolkenbank.

Am Horizont, am Ende der langen Straße, tauchte ein schwarzer Punkt auf, und bald hörte man auch das Brummen eines Motors. Der Feldgendarm schlüpfte schnell in seine Uniform und sprang zu der Geschützbedienung. Der Offizier und Gottfried nahmen Deckung hinter dem Brunnenrand, und Gottfried befahl den Mädchen durch ein Handzeichen, ins Haus zurückzukehren. Die Landser traten zu dem getarnten Panzer.

Durch das Fenster beobachtete Kristiaschka weiter die Straße. Der schwarze Punkt wurde größer. Man konnte nun die Form des Fahrzeugs erkennen; es kam hochbeinig heran und erwies sich als ein kleines Amphibienfahrzeug, ein Volkswagenschwimmer mit nur einem Mann hinter der Windschutzscheibe. Der Wagen fuhr ein fröhliches Zick-zack von einem Rand der Straße zum anderen. Es sah aus, als freue sich der Fahrer darüber, daß er die Straße für sich allein habe, und benütze spaßhaft ihre ganze Breite.

Der Offizier befahl, zunächst nicht zu schießen. Er richtete sich auf und nahm die Pistole aus der Tasche; Gottfried, der noch immer halb nackt war, tat wie er. Das Wägelchen kam schnell näher und preschte zwischen den ersten Häusern schlingernd heran, so daß man schon für die nächste Minute einen schweren Unfall befürchten mußte. Der Offizier sprang auf die Straße und gab, mit beiden Händen rudernd, den Befehl zum Halten. Mit blockierenden Bremsen rutschte der Wagen noch ein Stück im Staub dahin und stellte sich dabei quer zur Fahrtrichtung. Der Fahrer sprang heraus; es war ein deutscher Offizier ohne Kopfbedeckung, mit offenem Waffenrock und Hemdkragen. Er taumelte, und man sah auf den ersten Blick, daß er völlig betrunken war. Er warf die Arme hoch und lallte allerlei; Kristiaschka verstand nur die Worte »kaputt« und »Sowjets«, und dann sah es eine Weile so aus, als wolle der Ankömmling im Straßenstaub einen Trepak tanzen.

Der Offizier, der ihn aufgehalten hatte, war sichtlich bestrebt, den peinlichen Auftritt abzukürzen, und ergriff den Betrunkenen beim Arm. Kristiaschka und Egle, die sahen, daß keine Gefahr mehr bestand, traten wieder auf den Platz hinaus, um nichts von der zu erwartenden Szene zu verlieren. Der betrunkene Offizier war offensichtlich der Meinung, daß der Krieg für ihn zu Ende sei; er beschimpfte den anderen und brüllte ihn an, er solle gefälligst Haltung annehmen. Die Soldaten lachten, und Egle erklärte Kristiaschka, daß der Betrunkene einen wesentlich höheren Dienstgrad habe, was die Situation naturgemäß komplizierte. Der Feldgendarm trat hinzu, um wieder einmal einen Streit zu schlichten, und Gottfried interessierte sich für den Inhalt des Volkswagens. Das laute Lachen, das er ausstieß, beendete allen Streit: Er hatte festgestellt, daß die gesamte Ladung des Amphibienfahrzeugs aus Spirituosen bestand. Einige Kisten Kognak, Sekt und Bordeauxwein und eine beachtliche Ladung an Konserven hatten das Reisegepäck des einsamen Offiziers gebildet!

Gottfried setzte sich an den Volant des wertvollen Fahrzeugs und fuhr es vor Egles Haus; die Landser begannen, sofort Kisten und Konserven abzuladen. Der Betrunkene hatte mit schwimmendem Blick eine Weile zugesehen, sprang aber nun mit geballter Faust auf Gottfried zu, in dem er den Räuber seiner Schätze sah. Gottfried stieg rasch aus dem Wagen und empfing den Angreifer mit einer kräftigen Ohrfeige, die wenigstens den Erfolg hatte, daß der Offizier nüchtern wurde. Er sah, offensichtlich höchst überrascht von seiner neuen Lage, suchend um sich, geriet in einen kurzen Wortwechsel mit dem anderen Offizier, ließ sich dann aber von Gottfried gutwillig erklären, daß hier mit Hilfe des Panzers und des Panzerabwehrgeschützes noch einmal Widerstand geleistet werden sollte. Als Gottfried geendet hatte, richtete der andere sich auf, knöpfte seine Feldbluse zu und strich sich über den Kopf, als bemerke er erst jetzt, daß er seine Offiziersmütze verloren habe. Er gab dann eine kurze Erklärung ab, die den Frieden zwischen ihm und dem anderen Offizier wiederherzustellen schien; Egle übersetzte sie summarisch für Kristiaschka: Der Offizier hatte sich bereit erklärt zu bleiben, sich zugleich aber als Ranghöchster der anwesenden Offiziere Urlaub bis Mitternacht gegeben; solange wollte er schlafen, dann jedoch werde man auf ihn zählen können. Er hatte sich auch vorgestellt: SS-Hauptsturmführer von Strohbach aus Ischl in Österreich.

Die anderen waren mit seinen Vorschlägen einverstanden; der Offizier, der Strohbach vorhin zur Rede gestellt hatte, brummte zwar noch allerlei, daß es eine Schande sei, wenn ein hoher SS-Offizier sich so benehme, und so weiter, aber Gottfried sagte nichts mehr, für ihn war die Sache damit erledigt, daß er den kleinen Wagen in einer Seitengasse abstellte.

Strohbach und Gottfried gingen nun ins Haus, Kristiaschka und Egle folgten ihnen. Die Landser waren schon dabei, den unerwarteten Segen auszupacken, und stellten die Flaschen auf die Tische. Strohbach brach mit dem Pistolenknauf den Hals einer Champagnerflasche und füllte die Biergläser mit dem schäumenden Getränk. Eine zweite Flasche erlitt dasselbe Schicksal, und nun trank wieder alles. Man rief den anderen Offizier herein, der brummend an den Tisch trat und nach einem Glas griff, und der Feldgendarm riß Mund und Augen auf, als er die ganze Batterie Flaschen vor sich sah. Da man einmal begonnen hatte, trank man gleich weiter, und der Pommery, der in einer Sektkellerei in Reims jahrelang sorgfältig gelagert worden war, floß nun in Strömen. Auch die Geschützbedienung und die Panzerfahrer wurden versorgt, ja selbst Egles Großvater erhielt ein Glas. Friedrich von Strohbach geriet in immer bessere Stimmung und sang nach den ersten vier Noten von Beethovens Fünfter Symphonie: »Alles kaputt! Alles kaputt!«

Schließlich gelang es Gottfried, ihn in den ersten Stock hinaufzubugsieren und dort auf ein Bett zu legen. Egle war mitgegangen und begann, als sie den langen Offizier in seinem tiefen Rausch wehrlos daliegen sah, plötzlich und ohne ersichtlichen Grund auf ihn einzuschlagen. Es war, als wolle sie Strohbach für alles bezahlen lassen, was ihr die deutschen Soldaten angetan hatten. Er wehrte sich nicht, sondern schüttelte nur den Kopf, als wolle er eine Fliege verjagen. Endlich, als die Hände ihr schon zu weh taten, hörte sie auf und ließ sich in einen Sessel fallen, in dem sie schluchzend liegenblieb. Gottfried hatte der ganzen Szene ziemlich ungerührt beigewohnt; er zuckte die Achseln und ging wieder hinunter zu den anderen, Kristiaschka aber umarmte Egle und versuchte sie zu beruhigen.

»Wenn ich ihn nur töten könnte . . . wenn ich ihn nur töten könnte!« stöhnte Egle, von Schluchzen unterbrochen.

»Nicht doch«, flüsterte Kristiaschka, »du könntest ihn ja töten, wenn du wirklich wolltest, aber das willst du ja gar nicht. Du bist wie ich. Du kannst einfach nicht töten und wirst nie jemandem das Leben nehmen!«

Im stillen sagte sie sich, daß Egles Lage tatsächlich seltsam und ausweglos sei. Egle war Litauerin und verabscheute die Deutschen ebenso wie die Russen; sie konnte auch nicht wünschen, daß eine der beiden Nationen den Sieg erringe, und befand sich nun in dem Dorf, in dem ihr Großvater lebte, im Niemandsland zwischen dem russischen Vormarsch und dem deutschen Rückzug. Sie war von dem Unglück der russischen Besetzung in das Unglück der deutschen Besetzung geraten, und es war anzunehmen, daß ihr Land immer in irgendeiner Form besetzt bleiben würde; Egle würde nie ein besseres Leben haben, wenn sie nicht überhaupt bei der Einnahme des Dorfes durch die Sowjets getötet wurde. Freilich, wenn Kristiaschka es recht bedachte, so war ihre eigene Situation nicht viel besser. Sie blieb trotz allem eine gefangene Partisanin, eine Gefangene der Deutschen, und war von diesen geschont worden. Das mußte sie bei ihren eigenen Landsleuten verdächtig machen, falls diese – woran nicht zu zweifeln war – den Ort einnehmen würden. Kristiaschka wünschte natürlich die Niederlage der Deutschen, aber sie haßte den Krieg viel tiefer, als sie die Deutschen hassen konnte. So fühlte sie sich denn heimatlos und ausgestoßen wie noch nie und war überzeugt, daß ihr Leben niemals einen Sinn gewinnen würde. Überrascht fragte sie sich, wieso sie denn noch nicht daran gedacht hatte, sich heimlich aus dem Staube zu machen; es mußte doch möglich sein, irgendwo die russischen Vorhuten zu erreichen. Statt dessen blieb sie hier und trank mit den Feinden. Im Grunde empfand sie niemanden als Feind und wußte auch, daß sie selbst niemandes Feind sein konnte. Sie war gleichgültig geworden, wenn auch aus anderen Gründen als Egle; ja, Egle hatte sogar noch Leidenschaften und Wünsche, sie hatte sich eben von ihrer Wut gegen den Offizier befreit, während Kristiaschka in sich überhaupt nichts mehr fühlte, keine Wünsche und kein Verlangen.

Die beiden Mädchen gingen wieder ins Erdgeschoß hinunter, wo Egles Großvater mutterseelenallein in seinem Lehnstuhl saß, und traten dann auf den Platz hinaus. Die Landser lagen an der Hauswand in dem kurzen Gras und schliefen ihren Rausch aus. Wenn sie Glück hatten, wurden sie vielleicht, ohne aufzuwachen, von der Trunkenheit in den Tod hinüberbefördert, das wäre wohl die bequemste Art zu sterben. Der Feldgendarm, der wie ein Loch gesoffen hatte, lehnte an einem Baum und erbrach sich.

Gottfried und der Offizier saßen auf dem Brunnenrand und schwatzten. Sie hatten das Trinken sichtlich am besten vertragen; sie wirkten ruhig und gelöst, als sei ihnen nicht bewußt, daß sie aller Wahrscheinlichkeit nach nur noch vierundzwanzig Stunden zu leben hatten.

Egle sagte, ihr drehe sich alles vor den Augen, sie müsse sich niederlegen, und verschwand im Haus. Kristiaschka setzte sich neben Gottfried auf den Brunnenrand und tauchte die Hände in das kühle Wasser. Es erfrischte sie so, daß das Wohlbehagen ihr wie ein Schauer den Rücken hinunterrann. Sie wusch sich Gesicht, Nacken Hals und Hände, und Gottfried reichte ihr sein Handtuch.

Zweifellos nahte der Tod auf der leeren gelben Straße, aber solange er noch nicht da war, ging das Leben weiter, das Leben, dessen lieblich murmelndes, erstaunlich friedliches Symbol dieser Springbrunnen war.

Ein schwarzer Punkt erschien ganz fern auf der Landstraße. Es währte eine Weile, ehe man erkannte, daß es sich um einen einsamen Fußgänger inmitten der ungeheuren Einöde handle. Auch dies war eine seltsame Bekundung des Lebens, einen einzelnen Menschen durch diese Wüste zu entsenden auf dem schmalen Band der Straße, die quer durch ein Nichts zu führen schien. Man ging nicht in Deckung: Von einem einzelnen Fußgänger war nichts zu fürchten, um so weniger, als er sich beim Näherkommen als eine Frau erwies. Unendlich langsam kam sie heran; man konnte längst ihren großen Hut, ihre blonden Haare, ihr Schneiderkostüm und die Stöckelschuhe erkennen, und noch immer war sie nicht da! Für diese Zeit und für diese Landschaft war ihre Aufmachung so ungewöhnlich, daß Gottfried und der Offizier einander verblüfft anlächelten. Sie hatten mit allem möglichen gerechnet, nur nicht mit solch einem Anblick, und Kristiaschka dachte, daß der Tod sich eine absonderliche Maske gewählt habe, um sich ihnen zu nähern.

Es war eine junge Frau, die nun in dem Einschnitt zwischen den Häusern auftauchte, auf den Platz marschierte und hier breitbeinig im Straßenstaub stehenblieb. Sie stemmte die Fäuste in die Hüften, hob dann einen Arm zu einer ekstatischen Begrüßung und rief auf deutsch, aber mit einem fürchterlichen Akzent:

»Na endlich, höchste Zeit, daß einmal jemand auftaucht!«

Dann kam sie heran, schwenkte munter eine große Handtasche aus schwarzem Lackleder und drückte dem Offizier, Gottfried und Kristiaschka die Hand. Scheinbar gar nicht erschöpft, erging sie sich in langen Erklärungen, ohne die anderen zu Worte kommen zu lassen. Dabei beschrieb sie große Gesten und unterstrich ihre Erzählung durch beredte Mimik und Grimassen. Bei ihren lebhaften Bewegungen fielen ihr immer wieder ihre blonden Locken unter dem Hut hervor ins Gesicht und auf die Schultern. Auch sie war über und über mit gelbem Staub bedeckt.

Was sie erzählte, mußte sehr komisch sein, denn Gottfried und der Offizier, die ihr aufmerksam zuhörten, lachten immer wieder und schlugen sich begeistert auf die Schenkel. Außer Atem unterbrach sie sich schließlich und begann, sich für Kristiaschka zu interessieren. Sie fuhr ihr mit der Hand durch die Haare, tastete dann nach ihren eigenen Locken und wurde nachdenklich: Offenbar fürchtete sie, eine neue Haarmode zu spät kennengelernt zu haben. Mit einem wahren Schwall von Worten erkundigte sie sich bei Kristiaschka nach allerlei, aber diese reckte hilflos die Arme und zuckte die Achseln, um zu zeigen, daß sie kein Wort verstehe. Dazu sagte sie: »Russki!« und lächelte.

»Ach, du bist Russin!« rief die Frau auf russisch. »Ich bin Polin und heiße Eliza Przybyszewska ... Dann hast du ja gar nicht verstanden, was ich eben diesen Herren erzählt habe? Was habe ich mich ärgern müssen in diesen Tagen, du kannst es dir nicht vorstellen! Ich war in einem Auto, mit all den anderen auf so einer öden Straße, und wir kamen reichlich langsam voran ... und dann begannen die Sowjets, in den ganzen Haufen hineinzuschießen, das war vielleicht ein Salat ... und darum bin ich dann getippelt!«

Sie setzte sich auf den Brunnenrand, zog einen Schuh aus und kehrte ihn um, damit Sand und Steinchen herausfallen konnten; mit dem zweiten Schuh machte sie es genauso, dann beugte sie sich über das kleine gemauerte Becken und erfrischte sich das Gesicht. Dabei erkundigte sie sich prustend bei Gottfried, ob es denn in diesem verdammten Kaff nichts anderes zu trinken gebe als Brunnenwasser, sie komme um vor Durst!

Gottfried ging ins Haus und brachte ihr eine Flasche Champagner; sie nahm einen Schluck und trank schließlich die halbe Flasche leer, erklärte aber mit einer Grimasse, daß die Marke gut, der Sekt aber viel zu warm sei. Sie sei eisgekühlten Champagner gewöhnt. Sie versenkte die Flasche so weit ins Wasser, daß sie von diesem gekühlt wurde, und öffnete ihre Tasche, in deren Deckel ein kleiner Spiegel angebracht war. In diesem betrachtete sie sich unter jedem nur denkbaren Blickwinkel, zog die Brauen zusammen, verzog den Mund und holte endlich einen Lippenstift hervor. Als sie genug an sich herumgemalt hatte, beugte sie sich wieder in den Brunnen und griff nach der Sektflasche; bei dieser Gelegenheit enthüllte sie ihre in einem Büstenhalter gefangene kräftige Brust, und Gottfried errötete, weil Kristiaschka seinen Blick in Elizas Dekolleté bemerkt hatte. Eliza trank mit großem Genuß, rülpste und entschuldigte sich lachend, wobei sie die Hand vor den Mund hielt.

»Also du kennst dich aus?« fragte sie Kristiaschka. »Ich war mitten in einer deutschen Militärkolonne, als die Sowjets Hackfleisch aus uns machten mit ihren Maschinengewehren und Panzerkanonen. Als ich wieder zu mir kam, lag ich unter dem Wagen und auf mir der Chauffeur und noch ein paar Soldaten, alle tot. Gott sei ihren schwarzen Seelen gnädig, sie haben mich mit ihren übelriechenden Leibern immerhin geschützt und gerettet, ohne es zu wollen. Meine Strümpfe allerdings sind bei diesem Abenteuer draufgegangen, amerikanische Strümpfe, über die Schweiz bezogen... das ist schon Pech!« Bei diesen Worten hob sie ungeniert ihren Rock hoch und enthüllte zwei wohlgebildete Beine mit Strümpfen, die an den Knien große Löcher hatten. »Und das Tailleur... es ist ein Jammer! Hat man einmal ein Kostüm von Fath, dann wird es solchen Strapazen ausgesetzt. Der Hut ist von Orcel«, fügte sie hinzu, »aber diese Namen sagen dir wohl nichts, Mädchen? Ich habe nämlich bis vor einem Jahr in Paris gewohnt... der Hut war ganz große Klasse... nur die Tasche von Hermes ist noch einigermaßen intakt. Diese großen Taschen sind jetzt Mode in Paris, und außerdem sind sie sooo praktisch! Ja, ich war in Paris, jahrelang, mit meinem Freund, einem deutschen Obersten, der seine Dienststelle im Hotel Majestic hatte. Du weißt ja, wie das so geht, wir hatten es zu gut, die Eifersüchteleien irgendeines Vorgesetzten haben meinen Freund schließlich an die Ostfront gebracht; dabei hat der Arme sein Leben lang nur hinter Schreibtischen gesessen und ist so kurzsichtig, daß er einen Elefanten in einem Gang verfehlen würde, wenn er einmal schießen müßte... Er konnte sich von mir nicht trennen, wir hatten uns schließlich schon vor mehr als zwei Jahren in Warschau kennengelernt. Warte einmal« – sie zählte an den Fingern und rechnete murmelnd –, »genaugenommen vor achtundzwanzig Monaten... also hat er mich nachkommen lassen, und es ging auch alles ganz gut. Wir waren weit genug von der Front entfernt, aber sie rückte uns immer näher, und Ewald, mein guter Oberst, hat zu spät den Evakuierungsbefehl erhalten. Darum sitzen wir jetzt in der ... nun, du weißt schon, was ich sagen will. Alles ist gut, wenn ich's bis Paris schaffe, im Hotel Astoria gibt man mir immer ein Zimmer, aber wo finde ich nur in diesem verdammten Kaff einen Bahnhof!«

Sie fragte Gottfried auf deutsch nach dem Weg zum Bahnhof, aber dieser sah sie nur sprachlos und verblüfft an, während der Offizier sich angesichts solcher Ahnungslosigkeit amüsiert auf die Schenkel schlug.

»O Sie ... Sie ...!« stammelte Eliza wütend. »Sie sind nicht galant! Ich sollte mich gar nicht mehr mit den Deutschen abgeben, sondern einfach auf die Russen warten, ich fände sicherlich einen slawischen Freund. Die Nationalität hat bei mir nicht viel zu sagen, im Bett sind alle Katzen grau!«

Sie brachte die deutschen Worte mit ihrem verfänglichen Akzent so drollig heraus, daß die Heiterkeit des Offiziers ihren Höhepunkt erreichte. Auch Kristiaschka lachte herzhaft. Was für komische Menschen man doch selbst auf einem leeren Schlachtfeld antraf!

»Dann werde ich eben weitergehen, immer weiter. Irgendwann muß ich doch auf einen Bahnhof stoßen!« erklärte Eliza.

»Wollen Sie nicht ein wenig bei uns rasten und mit uns essen?« erkundigte sich Gottfried.

»Essen ist gut!« schrie Eliza. »Ich komme um vor Hunger. Seit gestern abend habe ich nichts mehr zu mir genommen. Klar! Wo geht's hier zur Küche?«

Kristiaschka führte die Polin ins Haus, zu Egle. Als Eliza an dem schlummernden Großvater vorbeikam, der von Zeit zu Zeit leise ächzte, fuhr sie zusammen.

»Himmel!« sagte sie. »Ich habe doch tatsächlich geglaubt, er ist tot! Aber bei dem kommt es wohl schon auf eins heraus. Übrigens ein nettes Haus«, sagte sie anerkennend, nachdem sie sich ungeniert umgesehen hatte, »und ihr habt, wie ich sehe, mit dem Trinken nicht auf mich gewartet.«

Auf den Tischen hatte sich wirklich schon eine Menge leerer Bier- und Sektflaschen angesammelt.

»Wo ist denn die Küche?« fragte Eliza ungeduldig, nachdem man ein paar Türen vergeblich geöffnet hatte. Schließlich entdeckte sie Kristiaschka am Ende eines ziemlich langen Ganges. Man durchsuchte die Wandschränke. Es fand sich allerlei Brauchbares: eine Dose Leberpastete, Würstchen, Kartoffeln, Tomaten, Gurken und sogar ein Glas Erdbeeren.

»Wir machen gefüllte Kartoffeln«, entschied Eliza, »da können wir alles verwenden, und die Männer werden satt... aber wo zum Teufel ist das Fett?«

Während sie erfolglos in einigen Laden weitersuchten, plapperte Eliza munter auf russisch, als habe sie nie eine andere Sprache gesprochen:

»Ach Paris... wenn du wüßtest, wie schön das Leben in Paris ist... wenn ich einmal dort bin, gehe ich nicht mehr weg, und nach dem Krieg heirate ich einen Franzosen. Sie sind ja fürchterliche Schürzenjäger, aber sooo nett! Ich hatte ein kleines Abenteuer mit einem französischen Industriellen, während mein Ewald auf Urlaub in Berlin war, wo er verheiratet ist und acht Kinder hat... Ohne den Krieg hätte er mich nie kennengelernt, der Gute, und nie erfahren, was die Liebe sein kann! Der Franzose... ich weiß gar nicht, was Ewald ihm eigentlich abgekauft hat... jedenfalls schickte er mir täglich Blumen... aber wo zum Teufel heben die Leute hier in Rußland das Fett auf!... Als Ewald aus Berlin zurückkehrte, berichtete ihm irgend jemand von meinem Seitensprung. Anonyme Briefe sind große Mode in Paris...! Mein Guter ist richtig wütend geworden und hat die Gestapo auf den armen Industriellen gehetzt und behauptet, er liefere nicht die vereinbarte Qualität. Nun, da die Franzosen ja immer mogeln, wenn es um Kriegslieferungen geht, hatte auch mein Industrieller keine reine Weste, und man hat nie wieder etwas von ihm gesehen. Dabei hatte er einen so niedlichen Bauch und einen kleinen schwarzen Schnurrbart! Das war eben der Krieg! Ewald hat mir verziehen, ich habe ihn gefragt, ob er seinem Frauchen in Berlin alles beigebracht hat, was ich ihn gelehrt habe... ja, und dann hat er mir zum Zeichen der Versöhnung eine hübsche Uhr geschenkt. Aber jetzt weiß ich wirklich nicht mehr, wo wir das Fett suchen sollen! Die Uhr habe ich übrigens verloren, auf die dümmste Weise, in Hendaye... Ewald hatte dort zu tun... im Sand verloren, stell dir das vor, und natürlich keine Aussicht, sie wiederzufinden... Eine Uhr von Cartier, und ich verliere sie bei einem Sonnenbad! Beim Sonnenbad fällt mir ein: Der kleine Unteroffizier ist gar nicht so übel, wenn es ihm Spaß machen würde mit mir... es würde ihn gar nichts kosten... Ach, Eliza Przybyszewska, altes Mädchen, wie sentimental bist du geworden!« rief sie in komischer Verzweiflung. »Aber das ist eben der Krieg. Man muß sich beeilen, wenn man noch ein wenig Vergnügen haben will, ehe man in kleine Stücke zerrissen wird. Mich soll der Krieg nicht kriegen, ich gehöre ins Hotel Astoria... Aber jetzt reicht's mir: Wo zum Teufel...!«

Brummendes Flugzeuggeräusch ließ sie abbrechen. Sie lief zum Fenster und starrte in den Himmel hinauf. Dann zuckte sie die Achseln und sagte:

»Die wollen nichts von uns.«

»Ich gehe fragen, wo es Fett gibt«, sagte Kristiaschka. Sie ging durch den Gang zur Treppe und hinauf in den Oberstock. Die Tür zu Egles Zimmer war verschlossen, aber aus dem Zimmer, in dem Strohbach schlief, drang unterdrücktes Stöhnen. Kristiaschka schob leise, um ihn nicht zu wecken, die Tür spaltbreit auf und sah Egle nackt auf dem Bett liegen; Strohbach hatte ebensowenig an, die Kleider der beiden waren im Zimmer verstreut. Beide waren damit beschäftigt, das zu tun, was Eliza eben als jenes Vergnügen bezeichnet hatte, mit dem man angesichts des herannahenden Unheils nicht zu lange warten sollte. Kristiaschka schloß lautlos die Tür. Sie war von Egles plötzlichem Sinneswechsel ziemlich betroffen und machte den Alkohol dafür verantwortlich. Offenbar wußte Egle nicht, was sie tat, und der Hauptsturmführer hatte sie überrumpelt. Vielleicht. Feststand, daß es sich diesmal nicht um eine Vergewaltigung handelte, und es war zu erkennen gewesen, daß Egle mit ganzem Herzen bei der Sache war ... Wieder einmal mußte Kristiaschka sich sagen, daß die Menschen rätselhafte Geschöpfe seien ...

Kristiaschka ging wieder ins Erdgeschoß hinunter und hinaus auf den Platz. Nach einigem Suchen entdeckte sie unter den Konserven, die sich noch in dem Amphibienfahrzeug befanden, eine Dose mit Butter, von der sich Eliza sehr begeistert zeigte. Nun, meinte sie, könnte man richtige französische Küche machen, und was die Küche anlange, seien die Franzosen nun einmal nicht zu schlagen. Bei all dem plapperte sie so schnell, daß Kristiaschka, obwohl Eliza russisch sprach, nur die Hälfte verstand. Aber Eliza nahm sich gar nicht die Zeit, auf eine Antwort zu warten. Sie war offensichtlich eine jener Frauen, die stets die Initiative ergreifen und nie lange zaudern, und so hatte sie denn, ehe Kristiaschka in der Küche noch richtig heimisch geworden war, schon die Hälfte der Kartoffeln geschält. »Eliza, altes Mädchen«, sagte sie dann zu sich selbst, »ohne Hut würdest du dich wesentlich wohler fühlen.« Der Hut flog mit allem, was er an Tüll und Beiwerk enthielt, in eine Ecke. »Kristiaschka, mein Täubchen«, fuhr sie fort, »sei doch so nett und lege alle Champagnerflaschen draußen in den Brunnen!«

Gottfried entschied, daß man im Freien essen werde. Auf diese Weise könnten auch die Kameraden, die ihr Geschütz beziehungsweise ihren Panzer nicht allein lassen wollten, an dem Mahl teilnehmen. Eliza brachte eine Schüssel, auf der sich die Kartoffeln und die Würstchen in kunstvollem Bau türmten, und nun vermißte man Egle und den SS-Offizier. Wo steckten sie denn? Man rief nach ihnen, und Egle erschien an einem der Fenster des Oberstocks mit offenen Haaren und mit einem Gesicht, in dem noch der Schlaf stand. Wenige Minuten später aber trat sie schon unten aus der Tür, hatte die Haare aufgesteckt und war von Friedrich begleitet, der seine Uniform adrett zugeknöpft hatte.

»Na also!« rief Eliza. »Fehlt noch jemand, oder sind wir komplett?« Gottfried sagte, nun seien alle da. Friedrich von Strohbach nahm die Hacken zusammen, verbeugte sich vor Eliza und küßte ihr die Hand.

»Wie angenehm, einem Mann von Welt zu begegnen!« sagte sie und sah dann mit kundigen Augen ihn und Egle an. »Was ihr beide eben getrieben habt, ist sonnenklar... ihr Glückspilze!«

»Woran wollen Sie denn das erkennen?« erkundigte sich Gottfried überrascht.

»Dafür habe ich einen Blick«, erklärte Eliza, »einem Mann sieht man das in der Regel nicht an, aber einer Frau... sehen Sie sich doch diese junge Schönheit an, ihr Gesicht ist ganz zerknutscht, und die Augen! Himmel, habt ihr Schwein!« Sie warf einen Seitenblick auf Strohbach und setzte anerkennend hinzu: »Ein verdammt schöner Mann! Man kann gegen die Deutschen sagen, was man will, aber es gibt sehr schöne Männer unter ihnen. Der schönste Mann, den ich in meinem Leben je gesehen habe...«

Man nahm an, daß es sich um eine lange Geschichte handle, und setzte sich an die improvisierte Tafel.

»... den ich je gesehen habe, war ein deutscher Fliegeroffizier. Es war natürlich in Paris, auf der Place Vendôme... Göring kam eben aus dem Ritz mit einer ganzen Suite von Offizieren in den schmucken blauen Uniformen. Einer von ihnen mußte eben aus Libyen gekommen sein, sein Gesicht war tiefbraun gebrannt; er hatte ganz blaue Augen und dieses braune Gesicht... und wie groß er war, breite Schultern, und die Hüften sooo schmal... und die Beine... Und ich habe nicht herausbekommen können, wie er hieß. Ewald war natürlich naiv genug, sich für mich zu erkundigen, aber bis er endlich zu dem Mann vordrang, der es wissen mußte, war jener Adonis schon längst wieder nach Afrika zurückgekehrt.«

Die gefüllten Kartoffeln auf französische Art fanden reichen

Zuspruch und wurden selbst von den Landsern sehr gelobt; niemand hatte Kartoffeln je so schmackhaft gefunden, und Eliza erhielt einige Komplimente. Der Champagner war kalt und erfrischend, und man trank so lange, bis der Feldgendarm zu weinen begann, weil er von seiner Familie keine Nachricht hatte. Die Tränen fielen auf sein metallenes Brustschild, er schämte sich plötzlich seiner Schwäche, erhob sich und verschwand. Eliza tastete unter dem Tisch nach dem Fuß Strohbachs, erinnerte sich aber rechtzeitig, daß er sich ja eben bei Egle verausgabt hatte, und eröffnete eine Offensive gegen Gottfried. Friedrich, der nun wieder nüchtern war, erwies sich tatsächlich als ein Mann von guten Sitten, aß mit Zurückhaltung und nahm an der Unterhaltung nur im gemessenen Plauderton teil. Das schien den anderen Offizier zu ärgern, und er hieb trotzig für vier ein. Am Ende des Mahles jedoch waren abermals alle ziemlich betrunken, und Friedrich von Strohbach intonierte wieder die Kaputt-Hymne nach der düsteren Tonfolge aus Beethovens Fünfter Symphonie.

Die Sonne stand schon ziemlich tief und drang nun wieder durch die Wolken, die sie in Gold und Purpur tauchte. Aus dem weiten, öden Land stiegen die Schatten der Dämmerung auf, während der Himmel selbst noch in hellen Türkistönen schimmerte.

Gottfried sang ein paar Schubert-Lieder: »Die Forelle« und »Es war ein König in Thule«; er hatte eine kleine, aber gefällige Tenorstimme, und die anderen sangen im Chor mit. Eliza war von dieser Stimme so erregt, daß sie unter dem Tisch Gottfrieds Beine immer stärker drückte; auf einmal aber war die ganze Stimmung dahin, als der Offizier – nicht Strohbach, sondern der andere – in einem plötzlichen Wutanfall mit der Faust auf den Tisch schlug.

»Wir besaufen uns hier«, brüllte er, »und jeden Augenblick können die Russen hier sein. Wenn sie uns so antreffen, haben sie wenig Mühe mit uns.«

Einer der Landser forderte den Offizier unverblümt auf, doch endlich das Maul zu halten; wenn er schon sterben müsse, dann habe er lieber den Magen voll und einen Schluck Champagner im Bauch.

Der Offizier sprang so brüsk auf, daß er gegen den Tisch stieß und Gläser und Teller durcheinanderklirrten. Er packte den Soldaten am Kragen, stieß ihn hin und her und drohte, ihm eine Kugel in den Kopf zu schießen. Gottfried, der selbst nicht mehr fest auf den Beinen stand, bemühte sich zu vermitteln. Er gab dem Offizier recht und überredete die anderen, wieder ihre Posten einzunehmen. Die Lage war gefährlich, denn es dunkelte nun schon stark, und man sah so gut wie nichts mehr. Die Russen konnten ebensogut in dieser Nacht wie in der nächsten kommen, und die Vorsicht gebot äußerste Wachsamkeit. Die Soldaten gruppierten sich unter den Bäumen bei dem Geschütz und in der Nähe des getarnten Panzers. Wachen wurden eingeteilt, aber auch allen anderen befohlen, an Ort und Stelle und in voller Uniform zu bleiben. Die Frauen natürlich sollten schlafen gehen.

In der kühlen Nacht schrie leise ein Käuzchen. Es war ein trauriger, langgezogener Schrei, und Kristiaschka fühlte, wie es ihr eng ums Herz wurde. Sie trat mit Egle und Eliza in den Gastraum, wo der alte Großvater in seinem Lehnsessel schon friedlich schnarchte.

»Jetzt haben wir vergessen, ihm etwas zu essen zu bringen«, sagte Kristiaschka betroffen, aber Egle beruhigte sie sogleich:

»Großvater ißt so gut wie nichts mehr.«

Sie setzten sich schweigend an den Tisch. Egle seufzte und schien schlechter Laune, Eliza schmollte. Sie meinte, Gottfried, dieser junge Trottel, hätte auch etwas Besseres tun können als den heldenhaften Verteidiger dieses gleichgültigen Kaffs zu spielen. Egle habe ihre Chance rechtzeitig wahrgenommen und mit Strohbach wenigstens noch eine vergnügte Stunde gehabt. Egle fuhr auf und protestierte wütend: Der SS-Offizier habe sie vergewaltigt, das könne man doch kein Vergnügen nennen! Kristiaschka, die sich noch recht gut erinnerte, was sie vorhin durch den Türspalt gesehen hatte, fragte sich nach diesen Worten im stillen, ob es etwa bei den Vergewaltigungen der Jahre 1939 und 1941, von denen Egle ihr erzählt hatte, ähnlich zugegangen war wie an diesem Nachmittag mit Strohbach. Egle war offensichtlich ein Mädchen, das diese Dinge nicht so leicht nahm wie die halbverrückte Eliza; aber man wurde trotzdem nicht recht klug aus ihr. Es hatte durchaus aufrichtig geklungen, als Egle vor ein paar Stunden gegenüber Kristiaschka von ihrem Haß gegen Russen und Deutsche gesprochen hatte. Man mußte also annehmen, daß die Not, die Gleichgültigkeit und der Nihilismus der Menschen inmitten der kriegerischen Bedrängnis sie auch gelegentlich daran hinderten, ihre Handlungen mit ihren Prinzipien in Einklang zu bringen. Vielleicht hatte Egle noch einmal die Liebe genießen wollen, ehe der Tod über den kleinen Ort hinwegging, und der erste beste war eben Friedrich von Strohbach gewesen, einer jener Deutschen, die sie zu hassen vorgab. Hatte nicht auch sie,

Kristiaschka, den Hauptmann Rundukoff verabscheut und trotzdem erst von ihm erfahren, welchen Genuß die physische Liebe mit sich bringen kann?

Egle beschimpfte Eliza und wurde schließlich handgreiflich; sie fuhren einander in die Haare und stießen dabei Verwünschungen und gellende Schreie aus. Es kostete Kristiaschka nur eine Bewegung ihrer kräftigen Arme, und die zwei waren getrennt; sie streichelte sowohl Egle als auch Eliza, beruhigte sie und machte ihnen gutmütig Vorwürfe. Egle sank über die Tischplatte, barg den Kopf in den Armen und begann wild zu schluchzen; dann blickte sie noch einmal auf und heulte unter Tränen, daß sie allen den Tod wünsche, und zwar möglichst schnell!

Noch einmal hörte man das Käuzchen schreien; der Ruf war nicht laut, aber er erfüllte die ganze Nacht. Egle lauschte mit geneigtem Kopf, ihr Gesicht war noch immer von Tränen überströmt. Dann legte sie wieder den Kopf auf die Unterarme und schlief, am Tisch sitzend, ein.

Von draußen hörte man streitende Männerstimmen, und Kristiaschka trat mit Eliza vor das Haus. Die Nacht war stockfinster. Die beiden Offiziere brüllten einander an, und Gottfried erklärte den beiden Frauen flüsternd, worum es ginge. Strohbach hatte erklärt, daß Hitler ein Narr sei und obendrein ein Verbrecher; er hoffe, daß die Alliierten ihn aufhängen würden. Daraufhin habe der andere Offizier ihn mit der Faust ins Gesicht geschlagen; aber Strohbach habe sich nicht beirren lassen, sondern mit ruhiger Stimme und jeden Satz eindringlich wiederholend, den anderen davon zu überzeugen versucht, daß Hitler wirklich das Unglück des deutschen Volkes sei. Strohbach habe durchaus gesetzt und in gewählten Worten gesprochen, während der andere nur immer schimpfte und Strohbach bei den Knöpfen seiner Uniformbluse packte. Die anderen hatten um die Streitenden einen Kreis gebildet und lachten leise.

»Sehen wir uns ein wenig um im Ort«, sagte Eliza zu Kristiaschka, »ich habe für heute genug betrunkene Soldaten erlebt!«

Sie schob ihren Arm unter die Kristiaschkas, und sie gingen über den Platz auf die Kirche zu. Man konnte trotz der dunklen Nacht die helle Fassade des großen Bauwerks erkennen, das dreigegliedert war und einen Zwiebelturm in den Himmel reckte.

»Was für eine Konfession haben die Leute hier«, wollte Eliza wissen, »sind sie griechisch-orthodox oder Lutheraner?«

Kristiaschka wußte es nicht und zuckte die Achseln. Eliza stieß die kleine Kirchentür auf, die laut kreischte. Trotz der Dunkelheit konnte man erkennen, daß die Wände erst kürzlich mit Kalk geweißt worden waren. Das Ganze sah eher wie ein Tempel aus, nicht wie eine russische Kirche.

»Nun, was es auch immer sei«, flüsterte Eliza..., »ich bin zwar katholisch, aber Gott wird mich auch hier sehen!«

Sie kniete nieder und senkte den Kopf. Wie still es war! Schließlich machte Eliza das Kreuzeszeichen, stand wieder auf und legte ihre Hand auf Kristiaschkas Arm.

»Du glaubst wohl nicht an Gott?« erkundigte sie sich, als sie wieder draußen auf dem Platze standen.

»Ich möchte schon«, sagte Kristiaschka, »aber er hat mir noch nie ein Zeichen gegeben.«

»Ja, wenn du darauf wartest...! Wir müssen anfangen, wir, nicht er!«

Diese Antwort stürzte Kristiaschka in einen wahren Abgrund angestrengten Nachdenkens, und zugleich stieg lebhafte Sympathie für Eliza in ihr auf. Es war kein Zweifel, dieses komische Mädchen hatte ein grundgütiges Herz; sie war zwar eine Dirne aus Überzeugung, zugleich aber die Güte in Person.

Arm in Arm gingen sie durch das kleine, verlassene Dorf. Die Häuser lagen dunkel und schweigend an der Durchfahrtsstraße, und nur ein Hund, der aus einer Seitengasse heranhuschte und ihnen um die Beine strich, erschreckte sie für einen Augenblick. Eliza kraulte ihm das Fell und sagte ihm leise, daß sie nichts für ihn tun könne. Der Hund schien sie zu verstehen und trollte sich traurig.

Schweigend kehrten sie zurück, die hohen Absätze Elizas klangen seltsam hart auf dem Pflaster des Gehsteigs. Als sie sich dem Haus Egles näherten, entdeckte Eliza im Schatten das kleine Amphibienfahrzeug, den Wagen, mit dem Friedrich von Strohbach kurz vor Eliza im Ort eingetroffen war. Kristiaschka erzählte der neuen Freundin, wie sich Strohbachs Ankunft vollzogen habe, und Eliza wurde nachdenklich.

»Warte hier auf mich!« sagte sie und ging ins Haus; nach einer Minute war sie schon wieder da, trug ihre Handtasche am Arm und hatte den großen Hut aufgesetzt.

»Die Tasche kann ich nicht hier lassen«, erklärte sie dabei, »ich habe alle nur erdenklichen Ausweise da drinnen. Die werden wir noch brauchen!«

»Aber...!« wandte Kristiaschka ein.

»Los, Mädchen, wir haben keine Zeit, viel zu streiten. Wir

hauen ab. Willst du tatsächlich mit all diesen Betrunkenen hier vor die Hunde gehen?«

Sie gab Kristiaschka einen herzhaften Stoß, so daß diese in den Wagen mehr hineinfiel, als daß sie einstieg. Sie selbst setzte sich hinter das Lenkrad.

»Ich werde schon herausfinden, wie diese verdammten Militärwagen zu fahren sind«, murrte Eliza und betätigte den Starter. Der Motor sprang an, Eliza probierte ein wenig herum und legte einen Gang ein. Der Wagen machte ein paar Sprünge, bockte und schoß schließlich auf die Straße hinaus.

»Hoffentlich ist genug Benzin im Tank!« sagte Eliza, stieg auf das Gas und nahm die Kurve auf die Hauptstraße hinaus in bestem Stil. Kristiaschka hörte verblüffte Rufe, einen Befehl und dann ein paar Schüsse; die Kugeln pfiffen nahe an dem Wagen vorbei, den die Dunkelheit rasch einschluckte.

»Diese Schweine«, sagte Eliza, »man schießt doch nicht auf Frauen, mit denen man eben soupiert hat. Das ist sicher dieser Offizier, der so viel von Hitler hält... Aber jetzt liegt die Freiheit vor uns!«

Die Nachtluft streichelte ihnen angenehm das Gesicht. Die Freiheit dachte Kristiaschka, was soll ich denn mit ihr anfangen? Und wie lange werde ich mich ihrer erfreuen können?«

VIII

Zwischen Soho und Piccadilly Circus konnte man meinen, daß die neblige Dämmerung nicht von Menschenwesen, sondern von Leuchtkäferchen belebt sei. Bei den Leuchtkäfern, gemeinhin als Glühwürmchen bekannt, ist es das Weibchen, das durch seine phosphoreszierende Strahlung das Männchen anzieht. Auch zwischen Soho und Piccadilly Circus waren es weibliche Wesen, die sich der Lichtsignale bedienten, um mit dem männlichen Element in Verbindung zu kommen. Die Männer selbst waren unsichtbar wegen der strengen Verdunklung in London; sie trugen die Uniformen so gut wie aller Nationen der freien Welt, und die Frauen trugen Taschenlampen...

Es wimmelte von Dirnen wie von Insekten, und von ihrer Sprache mußte man sagen, daß sie durchaus gewählt war, denn sie beschränkte sich streng auf die jeweils ordinärsten Bezeichnungen für jeden Gegenstand. Wenn die Frauen sich einmal zur

Obszönität entschlossen haben, so gehen sie darin viel weiter als die Männer. Was die Obszönität der Sprache anlangt, so war die Redeweise der Huren auf den Trottoirs zwischen Soho und Piccadilly Circus derartig gemein, daß es mehr als einmal vorkam, daß ein Soldat sie angewidert zum Teufel schickte. Was er allerdings dann zu hören bekam, übertraf noch bei weitem die Aufforderung, die vorher an ihn ergangen war, und zwar in Ausdrücken, wie sie nicht einmal die Soldaten im Gespräch untereinander verwendeten...

Dan ging allein und fühlte plötzlich eine Hand auf seinem Hals; er sagte dem Mädchen, daß sie sich doch seine Hautfarbe ansehen solle... Der Lichtschein einer Taschenlampe blendete ihn.

»Ein Neger!« rief das Mädchen. »Was soll mir das schon ausmachen? Die Rasse ist mir doch egal, du bist ein Mann wie die anderen.«

Sie sprach mit französischem Akzent, und ihr »th« klang wie ein »s«. Dann erging sie sich in allerlei Versprechungen hinsichtlich der Freuden, die Dan erwarteten, wenn er ihr ein Stündchen widmen wollte. Dan stieß die Hand beiseite, die von seinem Hals herab unter sein Hemd geglitten war; dies geschah so brüsk, daß sich dabei einer seiner Hemdknöpfe empfahl. Das Mädchen machte ihm gutmütige Vorwürfe ob seiner Brutalität: Er gefalle ihr, tatsächlich, er gefalle ihr sehr und brauche ihr nur zu geben, was er gern gebe. Und wenn er nichts in der Tasche haben sollte, so würde es auch nichts machen.

Der Blitz der elektrischen Lampe hatte nur eine Sekunde gedauert. Dan konnte nicht wissen, wie das Mädchen aussah und ob es ihm gefallen würde. Nach der Stimme zu urteilen war sie noch jung. Die Stimme war frisch und zugleich sanft, die Sprechweise melodisch und fügte sich nur schlecht den ordinären Versprechungen, die sie ihm gemacht hatte. Zweifellos betrieb sie ihr Gewerbe noch nicht lange. Dan sagte ihr, daß es ihn nach dieser Art Liebe ganz und gar nicht verlange, und sie antwortete mit einem munteren Lachen, daß es ihr ebenso gehe. Sie ergriff seinen Arm, aber Dan blieb fest, sie verliere nur ihre Zeit.

»Das macht nichts«, sagte sie, »das bin ich gewohnt, ich habe nie etwas anderes getan und immer Zeit verloren. Und ihr in der Armee, ihr verliert nicht nur Zeit, sondern wartet ja nur darauf, auch euer Leben zu verlieren!«

Dan war betroffen von dieser Bemerkung, denn sie erinnerte ihn daran, daß er irgendwann – er wußte nicht mehr, aus welchem Anlaß – entschlossen gewesen war, ein Gedicht über das

Soldatenleben zu schreiben, dessen Leitmotiv das Warten sein sollte. Er wollte in einem Gedicht davon sprechen, daß der Soldat immerzu warte: auf die ärztliche Untersuchung, auf die psychotechnischen Prüfungen, auf die Filmvorführungen, in denen einem beigebracht wurde, wie man im Nahkampf einen Deutschen tötet (notfalls mit den bloßen Händen); sie warteten auf den Namensaufruf beim Antreten und auf den Augenblick, da sie zum erstenmal durch das deutsche Feuer gegen die Bunker des Atlantikwalls vorstürmen würden ...

Dan überlegte, daß auch die Frauen, alle Frauen und nicht nur die Dirnen, ihr Leben damit zubringen, daß sie warten: Sie warten auf den Märchenprinzen, auf die Geburt des Kindes, auf den Gatten, der abends zu lange fortbleibt, und auf den Gatten, der in den Krieg gezogen ist. Mit einem Wort, es war eine Zeit, in der Männer wie Frauen unterschiedslos warteten, und alle warteten sie letztlich auf den Tod. Ja, darüber mußte er ein Gedicht schreiben, ein Gedicht von dem Leben, das nichts anderes war als eitle Erwartung mit dem Tod am Ende, diesem Tod, der die einzige Wirklichkeit war und für die Lebenden dennoch keine Realität besaß.

Das Mädchen hing an seinem Arm, als wäre Dan für sie eine Art Sicherung gegen diesen Tod. Sie war klein und trippelte neben ihm dahin. Er mußte langsamer gehen, um ihre Schritte aufeinander abzustimmen. Hin und wieder stießen sie im Dunkel an eng umschlungene Paare oder auch auf Dirnen, die wütend auf einen Soldaten einbrüllten, der ganz verdattert dastand und sich die absonderlichsten Neigungen vorwerfen lassen mußte.

Schweigend gingen sie Regent Street hinunter und gelangten zum Trafalgar Square. Das Mädchen sagte, es sei müde. Dan schlug ihr vor, in einem Pub ein Glas zu nehmen, aber sie wollte nicht, sie hatte schon zu vielerlei durcheinander getrunken und wollte keine Menschen mehr sehen.

»Dann setzen wir uns eben in einen Park«, sagte Buddy. Auch das wollte sie nicht, sie wollte sich gleich jetzt setzen, da, wo sie stand. Sie ließ sich auf dem Gehsteig nieder und lehnte den Rücken an den Sockel des Nelson-Denkmals. Vermutlich war sie betrunken. Dan setzte sich neben sie und nahm ihre kleine Hand in seine Rechte.

»Du hast kleine Hände für deine Größe«, sagte sie, »jedenfalls sind sie nicht viel größer als meine. Woher bist du?«

»Geboren bin ich in New York«, sagte Buddy.

»Ich wäre gern einmal nach New York gekommen, aber ich

habe nicht viel Hoffnung, daß es noch einmal wahr wird ... Und deine Eltern oder deine Großeltern? Haben die in den Südstaaten gelebt, so wie man es in ›Vom Winde verweht‹ liest?«

Sie sprach dann noch eine kleine Weile über das Buch und sagte, daß sie es sehr liebe, und Dan antwortete auf ihre Frage, daß er schon Ahnen im Süden habe, aber es sei schon lange her, daß sie dort gelebt hätten. Dann schwiegen sie eine Weile, und schließlich sagte sie in ihrem schlechten Englisch mit dem starken französischen Akzent, der ihn zwang, sich den einen oder anderen Satz wiederholen zu lassen:

»Du mußt wissen, ich bin nicht dazu geschaffen ..., zu dem, was ich hier tue!«

»Keine Frau ist dazu geschaffen!« sagte Dan.

Sie lachte ihr frisches, melodisches Lachen. Wie sonderbar war dieses ganze, so unerwartet offenherzige Gespräch mit einem Mädchen, von dem er nicht einmal wußte, wie es aussah. Sie war klein, hatte kleine Hände und ein ganz kleines Gesichtchen, das um ein geringes heller war als der Abendnebel. Ein Gesicht wie ein Reiskorn, dachte Dan, und sie ist betrunken. Ihr sollte ich mein Gedicht vom großen Warten widmen, dem Mädchen mit dem Reiskorn-Gesicht. Und sie ist so betrunken, wie alle betrunken sind, und zugleich, auf ihre eigene Weise, jener Trunkenheit verfallen, die sich im Innern so hartnäckig hält. Auch das würde er in seinem Gedicht sagen müssen: daß alle Welt sich betrinkt, um nicht daran denken zu müssen, daß das Leben nur ein einziges Warten ist. Zweifellos gibt es einen Vers, um dieses Gefühl auszudrücken, einen kurzen Vers, er dürfte nur aus ein paar Worten bestehen, aus zwei oder drei Worten, und die müßte er finden.

»Ich bin für dieses Leben nicht geschaffen ...«, hob das Mädchen wieder an, »ich hätte eben nicht trinken sollen; wenn ich nüchtern bin, ist es mir egal, daß ich eine Dirne bin. Trinke ich aber, so denke ich zurück ... Im Französischen sagt man von einem Betrunkenen, er sei schwarz ..., mich macht es blau, so wie ihr in Amerika sagt ... Verstehst du das ...? Wie heißt du übrigens?«

»Dan.«

»Ich bin aus der Bretagne, Dan. Aber du brauchst es nicht zu glauben, ich sage das nur, weil die besten Huren hier in London alle aus der Bretagne sind ... In Wirklichkeit bin ich nicht einmal Französin, sondern aus Luxemburg. Weißt du, wo das liegt?«

»So ungefähr ...«, sagte Dan, der sich unklar an die Geographiestunden des Paters Corelli erinnerte. Im Dunkel kamen

Schritte auf dem Gehsteig heran, und hin und wieder huschte der Schein einer Taschenlampe über die beiden hin.

»Das liegt im Osten von Frankreich . . .«, sagte Dan nach einigem Überlegen.

»Ja . . ., ich bin ganz jung von dort weggegangen. Dann habe ich in Paris als Dienstmädchen gearbeitet und mußte meine Stelle aufgeben, weil die Frau ein solches Luder war.«

»In Europa hat, scheint es, jede Familie Hauspersonal?«

»Nicht jede, aber doch sehr viele . . . Dann habe ich in einer Fabrik gearbeitet. Wie nennt ihr das . . ., Trikotagen . . ., nein: Pullovererzeugung. Der Sohn des Chefs schlief gern mit den Arbeiterinnen, natürlich nur mit den hübscheren . . ., damit hat es angefangen, ich wollte den Job nicht verlieren.«

»In Europa verliert ein Mädchen seinen Job, wenn es nicht mit dem Chef schläft?«

»Und in Amerika habt ihr Gangster, die sich ihre eigenen Gesetze machen . . ., ist das vielleicht besser? Danach wurde ich schwanger, und der Alte, der Vater von diesem Schwein, hat mich zu sich bestellt und mir erklärt, daß er ein Mädchen mit unsauberer Lebensführung nicht behalten könne. Schließlich aber ließ er durchblicken, man könne alles arrangieren, und schlief ebenfalls mit mir – in seinem Büro, auf dem Diwan. Ich habe erst später von den anderen erfahren, daß es fast immer so ablief; er nahm sich die Arbeiterinnen, die sein Sohn nicht mehr mochte, weil sie schwanger waren.«

»Ich glaube, es ist eines unserer Kriegsziele«, sagte Dan scherzend, »alle diese Chefs abzusetzen, alle Väter und Söhne, die mit ihren Angestellten oder Arbeiterinnen schlafen.«

»Das ist gar nicht zum Lachen!« sagte das Mädchen. »Der Sohn hat sich dann zur Royal Air Force gemeldet . . . 1940.«

»Und der Vater?«

»Der war schon zu alt.«

»Aber nicht zu alt, um mit jungen Arbeiterinnen zu schlafen?«

»Das ist eben zweierlei. Albert ist übrigens ein sehr tapferer Flieger geworden.«

»Hast du ihn wiedergesehen?«

»Ja, in einem französischen Bistro, aber er hat mich nicht wiedererkannt. Ich ihn schon. Ich habe mit ihm geschlafen wie eine richtige Hure, und er hat mich sehr gut bezahlt.«

»Es scheint, daß du ihm nicht ganz gleichgültig war?«

»Geliebt habe ich ihn wohl nicht, aber es war etwas Ähnliches, wenn du weißt, was ich damit sagen will.«

»Nun, ich kann's mir ungefähr denken. Er hat dir für diese eine Nacht mehr gegeben, als du in der Fabrik im Monat verdient hast?«

»Vermutlich, ich weiß es nicht mehr so genau. Vor einem Monat ist dann sein Flugzeug ausgeblieben, von einem Flug über das Ruhrgebiet nicht mehr zurückgekehrt...«

»Ja, so ist der Krieg, er macht aus einem Schwein einen Helden!«

»So darfst du nicht reden, hörst du?« sagte das Mädchen und packte Dan am Arm. »Als ich in jenem französischen Bistro, in dem ich arbeitete, erfuhr, daß er nicht zurückkehren würde, da wurde mir klar, daß ich ihn geliebt hatte.«

»Vielleicht kommt er doch noch zurück. Er könnte ja in Gefangenschaft geraten sein.«

»Nein..., ich habe mit einem seiner Kameraden sprechen können. Seine Maschine ist brennend abgestürzt...!«

»Und was ist aus deinem Kind geworden?«

»Das habe ich im dritten Monat verloren..., es war ein Unfall.«

»Wie bist du eigentlich nach London gekommen?«

»Das ist eine lange Geschichte..., zu lang, um sie zu erzählen...« Sie stand auf und ergriff Dans Hand, der sich ebenfalls erhob. »Ich heiße Jeanne«, sagte sie, »ich habe vergessen, es dir zu sagen..., auf englisch Jean oder Joan, wie es meinen Kunden lieber ist. Komm, jetzt habe ich Lust, ein Glas zu trinken. Es ist verdammt warm...«

Sie stießen beinahe gegen einen Mann, der am Gehsteigrand stand und sich nicht rührte. Jean oder Joan stieß einen leisen Fluch aus und leuchtete ihm mit der Taschenlampe ins Gesicht. Als sie ihn erkannte, lachte sie ungeniert auf und zog Dan weiter.

»Den kennen wir alle...«, sagte sie, »ein französischer Politiker, homosexuell. In jenem kleinen Bistro, von dem ich dir erzählt habe, hat man schon damals über ihn gelacht. Jede Nacht geht er auf die Jagd. Er stellt sich irgendwo auf und hält eine Pfundnote in der Hand... Seine Kollegen haben ihm gesagt, daß er die Preise verdirbt, er könnte doch schon für das halbe Geld einen Jungen von der Royal Navy haben..., aber er ist eben großzügig, er bleibt bei einem Pfund Sterling!«

Eine Taschenlampe blendete Dan. Joan oder Jean sagte:

»Hello, Suzan.«

Sie drückte einem Mädchen in Uniform die Hand, die Uniform schien tiefschwarz im Abenddunkel. Das Mädchen antwortete:

»Hello, Joan!«

Eine andere rief, beinahe gleichzeitig, ebenfalls:

»Hello, Joan – wie geht's immer?«

Als sie ein paar Schritte weitergegangen waren, erklärte Joan, was dies für Mädchen gewesen seien: Engländerinnen von einer Sonderabteilung der Londoner Polizei, die den Auftrag hatte, die Frauen von London gegen die Übergriffe der alliierten Soldaten zu schützen.

»Meinst du nicht«, wandte Dan ein, »daß zumindest in diesem Sektor hier eher die Männer gegen die Übergriffe der Frauen geschützt werden müßten?«

»Gewiß«, gab Joan zu, »aber es kommt doch auch vor, daß sich Frauen, die keine Dirnen sind, hierher verirren oder hier zu tun haben und von den Soldaten angesprochen und belästigt werden. Dabei geht es mitunter recht hart her...«

»Und die weiblichen Polizisten richten etwas gegen die Soldaten aus?«

»Sie sind im Judo ausgebildet. Eines Tages haben sie drei Polen glatt aufs Trottoir gelegt. Die Polen hatten einer französischen Militärhelferin so zugesetzt, daß es schon nicht mehr schön war.«

»Weibliche Polizisten..., Militärhelferinnen!« sagte Dan. »Das mußte ja kommen! Das hat alles dieser verdammte Krieg in die Welt gebracht!«

»Reg dich doch nicht auf!« sagte Joan mit philosophischer Ruhe, »das ist eben jetzt in Mode. Die Frauen machen alles, was die Männer machen.«

»Solange sie uns noch keine Kinder machen, besteht immerhin noch ein kleiner Unterschied!« sagte Dan. »Aber selbst wenn es einmal soweit kommen sollte, ich bleibe dabei: Weibliche Bullen und Armeehelferinnen und so weiter, das kotzt mich an!«

»Und die Dirnen...? Die müssen doch sein, oder nicht?«

»Ich bilde mir ein, sie wären ebenso entbehrlich wie die Polizeiweiber...«

Sie drückte sich an ihn, reckte sich auf die Zehenspitzen und gab ihm einen zarten Kuß. Dan schob sie sachte von sich und sagte:

»Wenn du mir damit beweisen willst, daß ich trotz allem Dirnen brauche, dann irrst du dich. Für mich bist du meine Freundin, keine Dirne.«

»Du hast wohl noch nie mit einer von der Straße geschlafen?«

»Ich glaube..., ich habe jedenfalls noch nie einem Mädchen Geld dafür gegeben. Aber es ist nicht immer leicht zu sagen, ob das nun eine Dirne war oder nicht.«

»Gerade vorhin hast du gesagt, keine Frau sei dafür geschaffen!«

»Dabei bleibe ich auch, Reiskörnchen!«

»Wie nennst du mich?«

»Reiskörnchen..., weil dein Gesicht so klein ist wie ein Reiskorn.«

»Das ist nett..., ich finde es nett, daß du mich so nennst.«

Sie schob ihren Arm unter den seinen und verflocht ihre Finger mit seinen festen Fingern zu einem festen Händedruck.

»Reiskörnchen..., weil dein Gesicht so klein ist, wie ein Reiskorn.«

»Wie klein deine Hand ist«, sagte sie, »man möchte meinen, es sei die Hand eines Mädchens.«

»Ich weiß..., du hast es mir schon einmal gesagt.«

»Hat dich das geärgert?«

»Nein.«

Er wußte nicht recht ob dieses Mädchen ihn interessierte oder ob sie ihn nur auf eine neue Art langweilte. Im Dunkel sangen ein paar Soldaten zum Rhythmus ihrer Schritte. Reiskörnchen sagte:

»Das sind Franzosen.«

»Woran erkennst du sie?«

»Ich kenne sie alle..., an ihren Liedern und an der Art, wie sie gehen. Auch in der Verdunklung erkenne ich Norweger, Franzosen, Kanadier, Schotten, Amerikaner, Polen...«

»Das mit den Liedern kann ich noch begreifen..., aber das Geräusch der Schritte... Hat wirklich jede Nation eine andere Art zu gehen? Da könnte man doch ebensogut behaupten, daß auch im Bett jeder anders ist, je nachdem, woher er stammt..., dabei sind sie ohne Uniform doch alle gleich, ausgenommen die Farbigen, wie ich!«

Die Stille, die diesen Worten folgte, wurde plötzlich durch den düster-klagenden Heulton der Luftschutzsirene zerrissen. Mahnend und drohend zugleich heulten die Sirenen die Warnung vor dem Tod. Ein paar Männer und ihre Mädchen trabten vorbei auf den Schutzraum zu, man hörte das schwere Poltern der Militärschuhe und den feinen Trippelschritt der Stöckelschuhe. Aber es waren nicht viele, und Reiskörnchen erklärte, daß sie nie in einen Luftschutzraum gehe: nicht etwa, um mit ihrem Mut anzugeben, sondern im Gegenteil, weil sie in einem dieser Kellerlöcher bestimmt viel mehr Angst hätte als unter dem freien Himmel.

»Das nennt man Klaustrophobie . . .«, sagte Dan. Sie kannte das Wort nicht, und er erklärte ihr den Begriff. Sie gab zu, daß sie tatsächlich eine tiefe Abneigung gegen jedes Eingesperrtsein habe, auch als noch Frieden war, habe sie schon so empfunden. Außerdem haßte sie die Flugzeuge, nicht wegen der Leere unter der Maschine, sondern weil man in der Kabine keine Bewegungsmöglichkeit habe.

»Dann müßtest du eigentlich Fallschirmspringerin sein«, sagte Dan, »da hast du rings um dich nichts anderes als die freie Luft.«

»Dafür hätte ich zuviel Angst«, sagte Joan. »Ich habe eine Kollegin, die ist nach dem Waffenstillstand freiwillig zu einem Sonderkommando gegangen und viermal über Frankreich mit dem Fallschirm abgesprungen. Bei drei Unternehmungen war alles gut gegangen, vom vierten Einsatz ist sie nicht mehr zurückgekommen. Niemand weiß, was aus ihr geworden ist . . . Horch, das ist einer von der amerikanischen Militärpolizei, der wird uns gleich versichern, daß es gefährlich sei, während des Alarms auf der Straße zu bleiben, wegen der Flaksplitter.«

Dan wunderte sich, daß sie in dieser Dunkelheit einen Militärpolizisten erkennen konnte. Durch ihr Leben auf den finsteren Straßen sah sie wohl im Dunkeln schon so gut wie die Katzen. Nun erkannte auch Dan den weißen Stahlhelm, und der Mann sagte tatsächlich: »Gehen Sie in einen Luftschutzraum, schon wegen der Flaksplitter.«

»Haben Sie jemals jemanden gesehen, den ein Flaksplitter getroffen hat?« fragte Joan.

»Nie!« sagte der Polizist und ging weiter.

»Das ist auch so eine Verrücktheit, die Angst vor den Flaksplittern«, sagte Joan, »obwohl es natürlich welche geben muß. Ich habe mir sogar erzählen lassen, daß manche Männer sie ihren Frauen nach Hause bringen, um ihnen zu zeigen, welchen Gefahren sie entronnen sind!«

Nach dem letzten Sirenenton war die Stille womöglich noch tiefer als vorher, sie wirkte geradezu kompakt, undurchdringlich. Man war versucht zu glauben, daß diese Stille die Luft dicker mache, daß man sie ertasten, mit der Hand in sie hineinstoßen könne. Dann hörte man weit, irgendwo im Dunkel, das Rollen und dumpfe Rattern der Flakgeschütze. Es wurde wieder still, bis der Pfiff eines Mannes von der Heimatwehr erklang und ein paar neue Salven der Flakbatterien folgten, die diesmal näher zu sein schienen als die Abschüsse vorhin. Und dann gebar die Nacht ein anderes Geräusch, stetig und vom Lärm der Flak nur für Sekunden unterbrochen, das schicksalhafte Brummen der Bombergeschwader, die den Tod nach England trugen. Immer heftiger wurde das wütende und dumpfe Bellen der Flak; es deckte bald das Brummen zu; nur waren die Abschüsse jetzt schon ganz nahe.

Reiskörnchen zog Dan unter einen Torbogen: man wußte ja nie, wie der Zufall spielte. Es konnte in dieser Nacht in ganz London einen einzigen Toten durch Flaksplitter geben, und dieser einzige Tote konnte Dan sein oder sie. Dan hörte aus ihrer noch immer frischen, noch melodischen Stimme die Erregung heraus, gerade soviel, um zu erkennen, daß es nicht Gleichgültigkeit gegenüber der Gefahr war, wenn sie auf der Straße blieb. Er hatte vermutlich mehr Angst als sie, ja, seine Beine zitterten leicht, aber er vermochte es zu verbergen. Die Frauen schienen es tatsächlich den Männern in allem gleichtun zu wollen, auch mit dem Mut während des Fliegerangriffs! Er wollte nicht, daß sie glaubte, er halte sich weniger gut als sie; darum nahm er sie in seine Arme und drückte sie an sich.

Die langen, beweglichen Pinselstriche der Scheinwerfer kreuzten einander am Himmel und malten helle Kreise auf die Wolken. Nach dem hohlen Brummen der Motoren zu urteilen, flogen die Maschinen über der Wolkendecke, so daß die Scheinwerfer keine andere Wirkung hatten, als es ein wenig heller zu machen; Dan vermochte endlich Reiskörnchens Gesicht zu erkennen, das etwa so war, wie er es sich vorgestellt hatte: weiß, glatt und klein wie ein Reiskörnchen. Ein paar Haarbuckel drängten sich über der Stirn zusammen, unter den Haaren glänzten die Augen hell und freundlich, und der Mund versuchte ein Lächeln. Drei Männer gingen vorbei und grölten das Lied: »Roll on the Barrels«, und man konnte tatsächlich meinen, Gottvater rolle im Himmel mächtige Benzinfässer hin und her und denke gar nicht daran, daß solche Fässer doch eigentlich in den Keller gehörten ...

Zahllose Geschütze schossen nun zugleich; dennoch trat hin und wieder für ein oder zwei Sekunden Stille ein, und man hörte dann das dumpfe Brummen der Flugzeugmotoren hoch über der Wolkendecke. Mit einemmal wurde der Himmel ganz rein und war zugleich von blendendem Licht erfüllt, von einer Helligkeit, wie sie in einem Operationssaal oder in einem Badezimmer herrscht. Ein scharfer Windstoß in den höheren Luftschichten mußte die Wolken zerteilt haben und ließ die Sterne wieder erscheinen; unter diesen Sternen waren einige besonders große, die langsam tiefer sanken, und sie waren es, die das blendende Licht ausstrahlten: Es waren Leuchtschirme, mit denen die Flugzeuge ihre Ziele in grelles Licht tauchten. Dann hörte man ein pfeifendes, in den Ohren schmerzendes Geräusch, das immer durchdringender wurde, das war ein Massenabwurf von Bomben. Reiskörnchen drückte sich an die Mauer, und Dan drückte sich an das Mädchen. Es war ihnen, als befänden sie sich beide genau im Mittelpunkt der konzentrischen Wellen dieser fürchterlichen Pfeiftöne und als ziele der ganze Bombenabwurf auf sie. Der Boden erzitterte und das Haus mit ihm, aber es blieb stehen. Über den Dächern der anderen Straßenseite erschien rosenfarbener Nebel; dort mußte eine Bombe eingeschlagen haben.

Reiskörnchen nahm Dan an die Hand und zog ihn auf die Straße hinaus, die nun beinahe taghell erleuchtet, aber noch immer ausgestorben war. Die bunten Punkte der Leuchtspurgeschosse senkten sich langsam auf die Dächer herab, sie schienen zu schweben, sobald sie einmal den höchsten Punkt ihrer Bahn überschritten hatten. Sie tönten die Rauchwolken des großen Brandes mit zarten Aquarellfarben, und in das Konzert der Flak und der fallenden Bomben mengten sich die Sirenen der Feuerwehrwagen. Auf den Dächern schlug hell wie Hagel der Splitterfall der krepierten Flakgranaten auf, und Reiskörnchen, die Dan noch immer an der Hand hielt, begann zu laufen. Dan lachte ein krampfhaftes Lachen, dann stießen sie eine Tür auf.

Der Raum, den sie betraten, war hell erleuchtet, aber von dichtem Zigarettenqualm erfüllt. Musik spielte, man hörte Singen und das leise Brausen der Gespräche an den Tischen. An der Bar drängten sich die Männer, andere, die keine Stühle gefunden hatten, standen eng nebeneinander wie in der Untergrundbahn; fast alle waren in Uniform, die Farben Khaki, Schiefergrau und Marineblau herrschten vor.

Dan, der seine Ellbogen rücksichtslos gebrauchte und Reiskörnchen vor sich herschob, gelangte schließlich an die Bar, hinter der ein weißhaariger Mann stand. Die Wand hinter ihm war über dem Spalier der Flaschen mit einer ganzen Anzahl von Boxerfotos beklebt. Der Weißhaarige drückte Joan lächelnd die Hand, begrüßte auch Dan und fragte, was sie trinken wollten.

»Ich nehme einen Pernod«, sagte Reiskörnchen auf französisch, »hast du schon einmal einen Pernod getrunken, Dan?«

Obwohl sie für ihn wieder in ihr schlampiges Englisch verfallen war, hatte Dan kaum begriffen, was sie von ihm wollte. Er schüttelte den Kopf, und der Mann hinter der Bar goß eine gelbliche Flüssigkeit in zwei Gläser, die sich milchig färbten, als er aus einer Karaffe Wasser hinzutat. Dan fand, daß das Getränk so ähnlich rieche wie manche Bonbons; es verursachte ihm einen ganz leichten Widerwillen, war aber nicht schlecht und offenbar trotz dem Bonbongeschmack kein Getränk für Kinder. Der Weißhaarige fragte Dan brüllend – anders hätte er sich in dem Trubel nicht verständlich machen können –, ob er schon jemals geboxt habe. Auch er hatte einen starken französischen Akzent, aber sein Englisch war klar und flüssig; er mußte schon geraume Zeit in London leben. Als Dan verneinte, sagte er, das sei schade; Dan sei nämlich ein gutes Federgewicht, das sehe er auf den ersten Blick; Dan sei so schlank, daß er um einen Kopf größer sein würde als die meisten seiner Gegner im Ring; das würde ihm natürlich bei allen Kämpfen sehr zustatten kommen. Auch Dans Muskulatur scheine ihm, dem Alten, durchaus zureichend für kräftige Schläge. Dan antwortete, daß er nie viel Sport getrieben habe, wohl ein wenig Baseball auf der Straße wie alle Jungen in Amerika, aber das Boxen habe er immer verabscheut. Reiskörnchen flüsterte Dan zu, daß der Mann mit den weißen Haaren früher einmal der Trainer von Carpentier gewesen sei, einem französischen Boxchampion aus der Zeit vor dem Krieg.

»Ich erinnere mich an den Namen«, sagte Dan, »das war doch der, den Dempsey zusammengeschlagen hat?«

Der Mann mit den weißen Haaren lächelte und nahm eine der Fotografien von der Wand.

»Das bin ich . . ., damals!« sagte er, und Dan erkannte ihn auch sogleich, obwohl dreißig Jahre dazwischenliegen mochten. Damals hatte der Mann dichte schwarze Haare und einen großen schwarzen Schnurrbart gehabt . . . Der ehemalige Boxer ging für einen Augenblick weg, er mußte am anderen Ende der Theke ein paar Soldaten bedienen. Die Fotografie sah lustig aus: Er trug ein eng anliegendes schwarzes Trikot, stand auf einem Bein und hob das andere wie eine Tänzerin.

»Das ist das französische Boxen«, erklärte Reiskörnchen, die über die Karriere des Bistro-Wirts recht genau Bescheid zu wissen schien, »beim französischen Boxen wurde nicht nur mit den Fäusten geschlagen und gestoßen, sondern auch mit Fußtritten gearbeitet!«

»Die Franzosen können doch nichts so tun, wie es alle anderen tun!« antwortete Dan.

Der Wirt kehrte wieder zu ihnen zurück und erzählte, wie er

Carpentier trainiert habe, damals, vor dem ersten Weltkrieg. Carpentier habe noch auf die französische Weise geboxt, und es sei schade, daß das französische Boxen so völlig verschwunden sei.

Über dem Lärm der Gespräche und der Musik hörte man immer wieder das dumpfe Poltern der Flak. Auf den Gesichtern der Menschen, die sich hier unten zusammendrängten wie in einem Waggon der Untergrundbahn, perlte der Schweiß.

»Du mit deiner Klaustrophobie...«, sagte Dan scherzhaft, »fühlst du dich hier nicht eingesperrt?«

»O nein«, antwortete sie lächelnd, »im Gegenteil, so eng es hier ist, ich fühle mich wohl, denn hier kenne ich eine Menge Leute, und hier mögen mich alle.«

Drei kleine Engländer, die ziemlich abgebrüht aussahen und obendrein besoffen waren, sangen ein trauriges Lied.

»Das sind die Wüstenratten!« erklärte Joan. »Und das Lied, das sie singen, ist berühmt und heißt Lili Marlen..., sie haben es von den Soldaten des deutschen Afrikakorps gelernt.«

»Aha!« sagte Dan, der von den Wüstenratten ebensowenig gehört hatte wie von Montgomery und den Schlachten in Libyen und der auch das Lied von Lili Marlen zum erstenmal hörte.

Einer der Engländer erhob sein Glas und brachte einen Toast auf Rommel aus, den größten Heerführer dieses Krieges. Dabei warf er einen Blick um sich, der deutlich zeigte, er würde keinen Widerspruch dulden. Ein Franzose in Khaki mit einem blauen Käppi, das er weit in den Nacken geschoben hatte, befingerte ein Mädchen, das neben ihm saß, und fühlte sich offenbar durch den Engländer gestört. Er rief, daß die Schlacht in Libyen in Ordnung gewesen sei, aber im übrigen habe er schon andere Dinge gesehen. Dann goß er einen Schluck Whisky hinunter und sagte zu Joan:

»Ich möchte wetten, du bist aus der Bretagne?«

»Stimmt!« sagte Joan.

»Ich auch... Die Engländer öden mich an mit ihrem Rommel-Komplex. Ich war in Singapur, als die Japaner kamen... Ach, Singapur!« Er schaukelte sich genußvoll auf diesen drei Silben, die für ihn zweifellos eine ganze Welt von Erinnerungen umschlossen. Er war aufgestanden und hatte sein Mädchen mit an die Bar gezogen. Einen Arm hatte er ihr um die Schulter gelegt, so daß er mit der einen Hand noch ihre Brust streicheln konnte; mit der anderen schlug er nun auf die Theke und ließ sein leeres Glas klappern. Der Wirt mit den weißen Haaren schenkte ihm noch einen Whisky ein.

»Ach, Singapur!« sagte der Franzose wieder pathetisch; er hatte eine angenehme, ernste Stimme und redete, als spräche er zu einer Versammlung oder als stehe er auf einer Seifenkiste im Hyde-Park.

»Ach, Singapur! Nirgends habe ich soviel Whisky fließen sehen! Du mußt dir die Situation vorstellen, liebe Landsmännin«, sagte er zu Reiskörnchen, »man wollte doch nicht, daß ihn die Japaner bekämen! Was noch da war, als sie die Stadt eroberten, wurde in den Rinnstein geschüttet... Es roch in allen Straßen so sehr nach Whisky wie bei uns zu Hause nach dem Meer... Ich bin aus Pont-Aven..., und du?«

Joan gab eine vage Antwort, aber er hörte gar nicht richtig hin.

»Sicher kennst du Pont-Aven..., klar, das mußt du doch kennen, und Julia, das berühmte Bistro... In Singapur also floß der Whisky, und die Betrunkenen lagen am hellichten Tag auf der Straße herum, und wenn sie noch Durst hatten, so brauchten sie nur aus der Gosse zu trinken..., denn man hatte den Scotch in ganzen Tonnen auf den Straßen ausgeschüttet... Dort ging mehr Whisky verloren, als wir alle hier in einem ganzen Leben trinken könnten... Du weißt ja, wie die Japaner sind, wenn sie eine Stadt genommen haben. Sie werden von einem Rausch erfaßt, sie bringen alles um, das hat man wohl gefürchtet. Und doch wäre es vielleicht besser gewesen, ihnen den Whisky zu lassen, denn betrunkene Soldaten sind noch immer besser als solche, die Amok laufen... Aber das war noch nicht das Schönste an der Geschichte. Das Schönste war, was sich ganz zum Schluß zutrug, auf dem Einschiffungskai... Ich war einer der letzten, die an Bord eines Schiffes gingen; aber ich war heilfroh, daß ich wegkam, denn die Gelben hatten auf meinen Kopf eine Prämie gesetzt. Ich war auf einem Transporter der Royal Navy, wir warteten auf die letzten Nachzügler, und die japanischen Flugzeuge bombardierten die Stadt. Die Seeleute der britischen Krone waren bei allem, was sie taten, so phlegmatisch, als befänden sie sich auf Manöver in Schottland...«

Einer der Engländer in der Afrika-Uniform verlangte, daß der Franzose auf Rommels Gesundheit trinke.

»Aber gewiß, mein Freund«, sagte der Mann aus Pont-Aven, »warum auch nicht? Dein Rommel soll leben!« Dann wandte er sich wieder an Reiskörnchen und fuhr fort: »Diese letzten Nachzügler kamen mit den schönsten englischen Wagen, die du dir überhaupt vorstellen kannst, mit Rolls-Royce und Bentley. Am

Steuer saßen eingeborene Chauffeure mit blauen oder rosafarbenen Turbanen. Aus diesen Autos stiegen englische Zivilisten, meistens Ehepaare und sehr elegant; die Männer trugen helle Anzüge, die Frauen bedruckte Seidenstoffe. Das waren die Plantagenbesitzer, die Kautschukkönige von Singapur mit ihren Gattinnen. Sie bewegten sich ohne jede Hast und waren zueinander so höflich, als befänden sie sich auf dem Rennplatz von Ascot, nur daß sie in Ascot natürlich keine Tropenanzüge getragen hätten, sondern Jackett und grauen Zylinder. So stiegen sie in die Barkassen und kamen an Bord des Truppentransporters. Auf dem Hinterdeck unseres Schiffes spielte eine kleine Militärkapelle einen Marsch und das alles, während die japanischen Flieger ihre Bomben so ziemlich überall hinstreuten. Und dann ließen die Chauffeure mit den blauen und rosafarbenen Turbanen die prächtigen Luxusautomobile eines nach dem anderen in das Hafenbecken rollen... Die Rolls-Royce und Bentley folgten dem Whisky. Was ist doch der Krieg für ein Unsinn! Aber auch das war noch nicht alles: Auf dem Kai waren die Hunde der Kautschukkönige zurückgeblieben, denn es war verboten, sie an Bord mitzunehmen. Es waren die schönsten Hunde, die ich je gesehen habe, reinrassige Setters, Dobermans und Sloughis, ich weiß gar nicht, wie sie alle hießen; als diese Hunde sahen, daß ihre Herren ohne sie abfuhren, begannen sie fürchterlich zu heulen und zu bellen und reckten verzweifelt ihre Schnauzen zum Himmel, an dem die japanischen Flugzeuge kreisten. Einige sprangen auch ins Wasser, um dem Schiff nachzuschwimmen; sie zogen es vor, zu ertrinken, und wollten nicht den Japanern in die Hände fallen... Stell dir das nur einmal richtig vor: die schönsten Hunde, die besten Autos, der köstlichste Whisky..., dieser Krieg, er ist doch nichts als Dreck und wieder Dreck.«

Der weißhaarige Wirt hinter der Theke lächelte wie jemand, der die Geschichte schon kennt, der aber trotzdem ganz gerne noch einmal zuhört.

»Ich habe das Gebell der Hunde noch immer in den Ohren, der Hunde von Singapur«, sagte der Franzose nachdenklich und betonte wieder jede der drei Silben, die für ihn etwas Magisches zu haben schienen. »Ich habe in diesem Krieg schon mancherlei Lärm gehört, erschreckende und unerträgliche Geräusche, aber das Schrecklichste und Unerträglichste, was ich je gehört habe, war das Geheul der Hunde von Singapur. Manchmal träume ich noch von der tödlichen Verzweiflung dieser Tiere, dann weckt mich ihr Geheul aus dem Schlaf... Ja, ich glaube sogar, oder ich halte es zumindest hin und wieder für möglich, daß ich dieses Geheul in den Ohren haben werde, wenn ich einmal sterbe...«

»Was erzählt er dir denn?« erkundigte sich Dan bei Reiskörnchen.

»Eine Geschichte von den Hunden von Singapur«, sagte das Mädchen hastig, da der Franzose schon wieder weitersprach. »Als die Japaner Singapur eroberten...«

»Ja, von allen Geräuschen dieses Krieges, ja...«, sagte der Franzose nachdenklich. »Eines Tages war ich auf dem Atlantik; wir hatten eben Lagos verlassen, eine Stadt an der Goldküste, mit dem Ziel England; es war ein riesiger Geleitzug. Von Zeit zu Zeit flog eines der Schiffe in die Luft – Torpedoangriff! Du mußt wissen, in jedem dieser Geleitzüge gab es irgend so einen alten griechischen Kahn, der mit glühendem Kessel nicht mehr als fünf Knoten in der Stunde lief und damit auch alle anderen zwang, so langsam zu fahren; mit seiner alten Maschine und der Kohlenheizung stieß er ungeheure Rauchwolken aus, die für die deutschen Unterseeboote zwanzig Meilen in der Runde zu sehen waren... Nun, was ich sagen wollte: Das Geräusch eines auf dem Wasser explodierenden Schiffes ist ganz scheußlich, vor allem in der Nacht, wenn du mit Hilfe von viel Whisky endlich eingeschlafen bist und ein Torpedovolltreffer weckt dich auf... Und trotzdem ist dieses Geräusch nicht im entferntesten so düster und schreckenerregend gewesen wie das Heulen der verlassenen Hunde von Singapur!«

Das Mädchen, das der Franzose um die Schulter gefaßt hielt, sagte, dies sei eine furchtbar traurige Geschichte. Reiskörnchen benützte die Pause, um Dan eine gekürzte Übersetzung zu geben. Dan fand die Geschichte ergreifend und bestellte zwei weitere Pernods. Dieses französische Getränk hatte einen seltsamen Geschmack, aber es besaß den Vorzug, den, der es trank, fröhlich zu machen, trotz der traurigen Geschichte von den Hunden im Hafen von Singapur.

»Du hast noch nie Krieg gemacht«, sagte der Franzose in schlechtem Englisch zu Dan. »Du wirst sehen, es gibt im Krieg wunderbare Augenblicke. Schau dir diese Bar an, nun, hier habe ich die schönsten Stunden verlebt, meine schönsten Stunden. Herrliche Mischung, hier: Alkohol, Erotik und Trauer... Jeder hier läuft innerlich vor irgend etwas davon. Manche sagen sich, ihr Leben sei futsch oder die Welt sei am Ende, und sie sagen es natürlich auch dir. Andere werden dir sagen, daß sie erst jetzt wissen, wieviel das Leben wert ist, seit sie täglich erleben, wie nahe uns der Tod ist. Stell dir das Schwert des Damokles vor, ein paar tausendmal, und du hast den Krieg. Ich sage dir, es gibt im Leben nichts anderes als den gegenwärtigen Augenblick. Mir ist der Tod völlig gleichgültig, aber die Gegenwart, die Stunde, will ich genießen, und man lernt sie so recht genießen nur im Krieg. Im Frieden machst du Pläne und wartest auf die Ferien, du wartest auf den Tag, wo du ein bestimmtes Rendezvous hast, und gehörst dir nie ganz. Im Krieg hat man keine Pläne und lebt nur für eine Stunde, denn es kann ja jede die letzte sein. Darum siehst du auch jetzt alle miteinander schlafen wie verrückt. Die tugendhaftesten Frauen, die ruhigsten Bürgerinnen treiben es im Luftschutzraum, auf den Untergrundbahnstationen, in den Bars. Auch du kannst sie haben... Ich spreche da aus Erfahrung... Es geht nur um den einen Augenblick des Glücks, und es gibt kein Glück mehr als diesen Augenblick, stimmt's, meine Hübsche?« sagte er zu dem Mädchen, das er immerzu an sich gedrückt hielt, und küßte es auf den Mund.

»Ich«, sagte Dan, »ich ziehe den Frieden vor..., ich habe allerdings auch im Frieden nie viel Pläne gemacht... Aber wie das auch ist, ich ziehe den Frieden vor. Und das mit den Bürgersfrauen und den tugendhaften Weibern, das passiert auch in Friedenszeiten...«

»Klar«, sagte der Franzose, »aber da ist es nicht so aufregend.« Auf französisch und zu dem Wirt gewendet, fügte er hinzu: »Sagen Sie, Patron, was kann man denn bei Ihnen essen, ich habe Hunger.«

»Es gibt leider nicht viel«, antwortete der Weißhaarige, »aber ich habe heute zufällig Schnecken..., wie wäre es mit Schnecken und einem Omelett, paßt Ihnen das?«

»Großartig«, sagte der Franzose mit seiner angenehmen Stimme.

Auf diese Weise erfuhr Dan, dem Reiskörnchen alles verdolmetschte, daß die Franzosen gewöhnt seien, Schnecken zu essen; er machte kein Hehl aus seiner Verblüffung: Er hatte zwar gewußt, daß in Frankreich Frösche verzehrt würden, aber auch Schnecken? Die Franzosen taten eben alles anders, als man es sonst auf der Welt tut. Das Mädchen neben dem Franzosen erklärte, ebenfalls Hunger zu haben, und auch bei Reiskörnchen regte sich der Appetit. Mit großer Mühe machte der weißhaarige Wirt ihnen ein kleines Tischchen in einer Ecke frei.

»Geben Sie diesem Amerikaner doch Kaviar, Patron, sagte

der Franzose, »wenn er keine Schnecken mag ... Sie haben doch Kaviar?«

»Gewiß!« sagte der Wirt.

Dan erklärte, Kaviar ebensowenig zu kennen wie Schnecken, und als das Gericht ihm dann aufgetragen wurde, fand er es nicht so außergewöhnlich. Reiskörnchen überredete ihn, von den Schnecken zu kosten, und Dan fand, sie seien dem Kaviar an Geschmack überlegen. So aß er ein Dutzend Schnecken mit Kräuterbutter und trank dazu einen ausgezeichneten Bordeaux.

»Du siehst«, sagte der Franzose, der mit jedem Glas, das er trank, feierlicher gestimmt wurde, »du siehst, daß der Krieg dich jetzt mit Schnecken und mit dem Bordeaux bekannt gemacht hat; das sind immerhin Erfahrungen, die zählen!« – »Klar!« sagte Dan.

»Sollten wir uns einmal in Paris treffen, so werde ich dir noch einige andere Weine zu kosten geben, traumhafte Weine – falls die Deutschen sie uns noch nicht weggetrunken haben!«

»Das ist allerdings zu befürchten«, sagte Dan.

»Man wird ja sehen ... Die Weingärten können sie schließlich nicht wegtragen. Ich werde dir den Muscadet vorsetzen, einen Weißwein aus meiner bretonischen Heimat; er ist leicht und ziemlich trocken, und man wird auf eine wunderbare Weise betrunken von ihm. Ich hoffe nur, daß die Deutschen nicht den ganzen Muscadet getrunken haben!«

»Ich fürchte, sie haben deinen Muscadet ebensowenig geschont wie die anderen Weine«, sagte Dan, dem das Wort mit dem französischen »u« Schwierigkeiten machte. Das Mädchen des Franzosen erklärte, sie ziehe die Burgunderweine vor, und Reiskörnchen bekannte sich zum Bier, das der Franzose entrüstet überhaupt nicht gelten ließ. Danach begann man wieder von den Hunden von Singapur zu sprechen, aber die Betrachtungen, die der Franzose darüber anstellte, wurden durch einen riesenhaften Franko-Kanadier unterbrochen, der an den Tisch trat und in dem seltsam altertümlichen Bauernfranzösisch seines Landes sein Vergnügen darüber zu erkennen gab, mit einem Franzosen zusammenzutreffen. Seine Vorfahren, sagte er, stammten aus der Touraine und er heiße Brisemiche. Der Franzose antwortete, er stamme aus der Bretagne und sei reiner Bretone mit ausschließlich keltischem Blut; es sei daher völlig ausgeschlossen, daß er und der Kanadier gemeinsame Ahnen hätten.

»Schade«, sagte der Kanadier, »ich frage jeden Franzosen, dem ich begegne, danach; allerdings ist mir noch nie einer aus der

Touraine untergekommen ..., aber der Wein, den ihr hier trinkt, ist ausgezeichnet.«

Das Mädchen des Franzosen sagte, dadurch angeregt, sie stamme aus Choisy-le-Roi; sie fand es seltsam, daß die Kanadier noch immer französisch sprachen, und meinte, es sei sehr dumm von Voltaire gewesen, Kanada an die Engländer abzutreten.

»Du bringst wieder einmal alles durcheinander«, sagte der Franzose lachend, »der gute Voltaire ist daran ziemlich unschuldig; er hat nur einmal erklärt, bei dem ganzen Kanada handle es sich um nichts anderes als um einige schneebedeckte Felder.«

Da nun jeder von seiner Heimat zu sprechen begann, stellte sich heraus, daß Reiskörnchen aus Luxemburg stammte. Das Mädchen des Franzosen begann daraufhin, sie nach diesem Land auszufragen, von dem sie nichts zu wissen erklärte, als daß ein Park im sechsten Pariser Arrondissement Jardin du Luxembourg heiße.

»Ich weiß nicht viel mehr«, gab Reiskörnchen lachend zu, »denn ich hab' die Schule schon mit zehn Jahren verlassen und auch bis dahin nicht sehr viel gelernt.«

Auch der Franzose erwies sich als ziemlich unwissend in allem, was Luxemburg betraf; immerhin aber kannte er die Regierungsform: Er sagte, Luxemburg sei ein Großherzogtum und derzeit vermutlich von einer Großherzogin beherrscht.

Dieses Hin und Her, das man immer wieder für Dan übersetzte, amüsierte den jungen Neger außerordentlich. So gab es also in Europa tatsächlich noch kleine Länder, über die Herzoginnen herrschten? Man wurde doch nie klug aus diesen Europäern! Nun – es war ja eines der Kriegsziele der Vereinigten Staaten, das zur Zeit von den deutschen Truppen besetzte Großherzogtum Luxemburg zu befreien. Zum Teufel mit all diesen Kriegszielen, wer konnte sie sich denn alle merken? Eine Herzogin wieder auf ihren Thron zu setzen, das war eines jener Kriegsziele, von denen die Ausbildungsoffiziere, die im Camp von New Jersey die Vorträge unter dem Thema »Wofür wir kämpfen« gehalten hatten, offenbar selbst nicht viel wußten!

Der Franzose widersprach mit Nachdruck: Eine Herzogin wieder auf ihren Thron zu setzen sei ein Kriegsziel so gut wie jedes andere, ja, vielleicht sogar besser, und selbst wenn es das einzige wäre, so müßte man diesen Krieg führen! Reiskörnchen errötete ob dieser Galanterie, und das Mädchen des Franzosen, das ebenfalls begriffen hatte, küßte ihn auf die Wange, um ihm zu zeigen, daß sie gar nicht eifersüchtig sei. Dan freilich sagte sich, daß die Europäer ihm wohl immer so unverständlich bleiben würden wie Eskimos, mochte dieser Froggie auch ein braver Kerl sein und beim Trinken seinen Mann stehen.

»Wir nennen die Franzosen Frösche«, sagte Dan offenherzig, »aber ich sehe, daß sie offenbar keine Neigung haben, Wasser zu trinken.«

»Wir müssen uns in Paris treffen«, antwortete der Franzose, »dann setze ich dir Frösche vor, und du wirst sehen, Froschschenkel sind noch besser als Schnecken!«

»Vorausgesetzt, daß die Deutschen nicht alle französischen Froschschenkel aufgegessen haben!« sagte Dan.

Die drei Wüstenratten hatten wieder zu singen begonnen, sie sangen das Lied von Lili Marlen. Der Wirt gab eine Runde vom besten Kognak aus, der Dan geradezu in Entzücken versetzte; das war mindestens so gut wie ein guter Whisky. Brisemiche, der Franko-Kanadier, intonierte das Lied von der Wäsche und der Siegfried-Linie, wurde aber niedergebrüllt, denn nun interessierte sich niemand mehr für den Westwall, sondern nur noch für den deutschen Befestigungsgürtel am Atlantik.

Zwei amerikanische Matrosen wankten grölend herein und erklärten, es sei Entwarnung gegeben worden. Es stellte sich heraus, daß man den Alarmzustand völlig vergessen hatte; es war auch niemandem aufgefallen, daß das Brummen der Flieger und der Abschußlärm der Flakgeschütze verstummt waren, und man hatte nicht einmal die Entwarnungssirene gehört. Der Saal leerte sich zur Hälfte; so mancher ging, ohne zu bezahlen, aber der Wirt schien sich nichts daraus zu machen. Der Franzose verlangte die Rechnung und bestand trotz Dans Protest darauf, alles zu bezahlen. Daraufhin schlug Dan vor, daß nun die ganze Runde noch irgendwo ein Glas trinken sollte. Man hatte es nämlich den amerikanischen Soldaten gleich im ersten Offiziersunterricht nach ihrer Ankunft in England eingeschärft, was in England als höflich gelte. Der vortragende Offizier hatte die gut bezahlten amerikanischen Soldaten davor gewarnt, mit ihrem Geld aufzutrumpfen, das könne die Engländer kränken, die schon seit Jahren auf ihrer Insel die volle Härte des Krieges erlebten. Man dürfe den Engländern keine Gelegenheit geben, jenen Slogan berechtigt zu finden, der leider auf der ganzen Insel im Umlauf war und mit einer gewissen Bitterkeit behauptete, der amerikanische Soldat sei »over dressed, over payed, over sexed«. Insbesondere die letzte Bemerkung, in der die Amerikaner lediglich eine schmeichelhafte Kritik sahen, hatte das ganze Audi-

torium zu Lachstürmen hingerissen, und der Offizier hatte selbst
Mühe gehabt, ernst zu bleiben. Er hatte erklärt, was diese Frage
anlange, so berühre sie ein zu privates Gebiet, um im Unterricht
behandelt zu werden; die Behauptung von der allzu großzügigen
Bezahlung der amerikanischen Soldaten verpflichte diese jedoch
zu einem gewissen Takt. England lebe seit Jahren von schmalen
Rationen, und es gehe nicht an, in diesem Land die Dollars zum
Fenster hinauszuwerfen. Das war natürlich im großen und ganzen genommen Unsinn; Dan hatte, seit er in London war, feststellen können, daß die amerikanischen Armeedollars, aber auch
die amerikanischen Rationen an Whisky und Zigaretten sich bei
den Engländern größter Beliebtheit erfreuten, und noch nie hatte
es eine der englischen Dirnen als taktlos empfunden, wenn ein
Dollarsegen auf sie niedergegangen war; man hatte sich also
wieder einmal falsche Vorstellungen gemacht. Zum Beispiel die
Schotten, sie stehen doch in dem Ruf, besonders geizig zu sein,
und man sagte in London, sie seien die Hauptnutznießer der
Verdunkelung, weil sie nun ihre Filme ohne Dunkelkammer
entwickeln könnten. Dan und ein Kamerad hatten eines Abends
mit einem Schotten getrunken, der sein ganzes Geld, das er in
der Tasche hatte, an die Straßenmädchen verteilt hatte; wie
stand es also mit dem schottischen Geiz? Der Offizier hatte im
Anstandsunterricht vergessen zu sagen, wie sich ein amerikanischer Soldat zu verhalten habe, wenn ein Froggie darauf bestand,
ihm das Abendessen zu bezahlen. Mußte man sich als Amerikaner von einer solchen Handlungsweise gedemütigt fühlen oder
nicht? Dan tat eben, was er in den Staaten auch getan hätte; er
beschloß, nun seinerseits ein paar Gläser auszugeben, das würde
wohl das Richtige sein.

Die Straße war nun wieder voll von Soldaten, die in Gruppen
dahinzogen, und von Pärchen, die einsamere Wege gingen. Es
war nicht so dunkel wie vorhin, denn der Himmel war rot von
zwei oder drei großen Bränden, deren Bekämpfung wohl noch im
Gang war. Der Franzose, sein Mädchen, Reiskörnchen und Dan
gingen Arm in Arm in breiter Front. Der Franzose hatte sein
hellblaues Käppi nun quer auf dem Kopf und deklamierte beinahe schreiend:

> Abend war's und etwas Nebel,
> Kam ein Gauner mir entgegen
> Hier in London. Sah so aus wie
> Mein Geliebter ...

Und der Blick, den er mir zuwarf,
Ließ mich meine Lider senken
Voller Scham.

Dan verlangte eine Übersetzung. Der Franzose blieb stehen, die anderen bildeten einen kleinen Kreis um ihn, und er sagte:

»One night, one foggy night in London..., wie soll man sagen für etwas Nebel?..., light fog not heavy fog, understand? Und Gauner? Wie soll man Gauner übersetzen... Du, Joan müßtest das eigentlich wissen.«

Aber Joan-Reiskörnchen kannte das englische Wort für Gauner nicht.

»Ruffian, rascal, something like that... Who looked like my love..., came to me... and the way he looked at me..., makes me ashamed, turn down my eyes..., pretty bad English, is it not?«

Dan erklärte, er habe verstanden und fände die Verse sehr schön; er wollte wissen, wie ihr Autor heiße.

»Guillaume Apollinaire«, sagte der Franzose, »ein Dichter mit polnischem Blut; er wurde 1916 am Kopf verletzt und starb 1918, am Tag des Waffenstillstands, an der spanischen Grippe. Es gibt eine Legende, die erzählt, daß unter dem Fenster des sterbenden Apollinaire die Pariser vorbeizogen und in der Trunkenheit ihres Sieges ›Nieder mit Guillaume!‹ gerufen hätten; Guillaume II., Wilhelm II. war nämlich der deutsche Kaiser; aber die Schreierei war für den armen Guillaume Apollinaire trotzdem sehr traurig. Ich halte das freilich, wie gesagt, für eine Legende, denn im November 1918 war der deutsche Kaiser für die Pariser nur noch eine komische Figur.«

Dan wollte wissen, wie das Gedicht weitergehe. Der Franzose sagte:

»Ich folgte diesem üblen Burschen,
Der schlendernd weiter vor sich hin pfiff...«

Mehr wußte auch der Franzose nicht; er übersetzte und dachte nach, aber es blieb dabei, es fiel ihm nicht mehr ein.

Zwei Zivilisten tauchten auf, die in begeistertes Geschrei ausbrachen, als sie des Franzosen ansichtig wurden:

»Das ist doch Jean-Marie! Wie geht's dir denn, du alter Strandräuber?«

Jean-Marie, so hieß der Franzose, umarmte seine Landsleute und bat sie dann um Hilfe:

»Der schlendernd weiter vor sich hin pfiff . . ., na, na, na, na, na, na, na, na . . .«

Einer der Franzosen fiel sogleich ein:

»Wir fanden uns wie zwischen Häusern . . . Das Rote Meer hob seine Wellen von ihm hinweg wie von den Juden . . . Und ich blieb da als Pharao.«

Und er rezitierte das ganze Gedicht fehlerfrei bis zu Ende. Jean-Marie erkundigte sich dann, was die beiden mit Mau-Mau gemacht hätten, und einer seiner Landsleute antwortete, Mau-Mau habe sich schlafen gelegt und sich sehr lobend über den angenehmen Abend ausgesprochen. Die Franzosen lachten, und Reiskörnchen übersetzte, so gut sie konnte, für Dan. Er fand die Franzosen immer absonderlicher, vor allem den Mann aus der Bretagne, der angesichts der Ruinen von London Gedichte deklamierte und in der Kriegszeit offenbar die besten Jahre seines Lebens sah. Es hatte tatsächlich den Anschein, als beschäftigten sich die Franzosen immer und unter allen Umständen ausschließlich mit Frauen, guten Weinen und mit Poesie; aber er hatte sich nun einmal geschworen, mit vorgefaßten Urteilen vorsichtig zu sein . . .

Jean-Maries Landsleute schlugen vor, in einem bestimmten Lokal, das für seinen wohlversorgten Keller bekannt war, noch etwas zu trinken. Jean-Marie war sogleich dafür, aber Reiskörnchen erklärte, sie habe Ohrensausen und Schmerzen in der Brust, sie wolle lieber nach Hause. Jean-Marie ließ nicht locker, aber einer seiner Landsleute redete ihm gut zu:

»Laß sie doch«, sagte er, »siehst du nicht, daß sie ins Bett kommen möchte . . . mit ihrem dunkelhäutigen Kavalier?«

Reiskörnchen und Dan drückten den anderen die Hände – etwas, was Dan ebenso absonderlich fand wie alle anderen französischen Gewohnheiten – dann verschwand jeder nach einer anderen Richtung ins Dunkel. Man hörte Jean-Marie noch eine Weile singen, es mußte die Fortsetzung von jenem Gedicht sein, denn es ging um die Milchstraße, die leuchtende Schwester der weißen Bäche von Kanaan . . .

»Ach, Dan«, sagte Reiskörnchen, »ich bin völlig fertig; bringst du mich nach Hause?«

Ihr Zimmer lag im zweiten Stock eines schäbigen Mietshauses. Dan trug sie hinauf, sie wog nicht schwer, sie war wirklich nur ein Reiskörnchen. Ihr Kopf ruhte an seiner Schulter. So ging er über die dunklen Stiegen, sie sagte ihm, wo die elektrischen Schalter waren, und er machte Licht, ohne sie abzusetzen, indem er mit einer Hand die Wände hintastete. Sie nahm den Schlüssel aus ihrer Handtasche und reichte ihn Dan. Er schloß auf, ging durch den halbdunklen Raum und legte Joan auf das Bett. Zuerst zog er ihr die kleinen Schuhe aus, die so viele Schritte auf dem Gehsteig tun mußten, dann die Strümpfe. Ihr Hemd war schwarz und mit Spitzen besetzt. Einen Slip trug sie nicht, wohl, um schneller bereit zu sein. Dan fühlte einen bitteren Geschmack im Mund, aber das konnte auch vom Kognak sein. Ihr Strumpfhaltergürtel war rosa, mit einem Muster aus kleinen Blumen. Dan hob den leichten Körper ein wenig auf und zog Joan das Kleid über den Kopf. Sie bewegte sich kaum und ließ alles mit sich geschehen. Einen Büstenhalter gab es auch nicht, wohl aus dem Grund, aus dem der Slip fehlte ... Ihre Brüste waren klein, als seien sie erst gestern zur Welt gekommen, und der Hüftknochen spannte die blasse Haut. Auch die Rippen waren sichtbar, und der Bauch fiel ein wenig ein; über seine Haut liefen zarte, sich kaum abhebende Streifen. Dan mußte an Alfred denken, der diesem Mädchen ein Kind gemacht hatte, Alfred, der Held der RAF, vom Krieg aus einem Schweinehund zum Helden gemacht. Der Ekel stieg immer höher in ihm. Er ließ den Blick durch das kleine Zimmer schweifen. Die Wände waren mit einer schmutziggrauen Tapete bespannt. Auf der Kaminbrüstung stand eine Fotografie in Farben: Das war offenbar die Großherzogin von Luxemburg in ihrer Staatsrobe mit allen Auszeichnungen. War es denkbar, daß Reiskörnchen eine kleine Patriotin war? Dann mußte man zugeben, daß sich die Vaterlandsliebe auch bei den kleinen Huren fand. Seltsam. Dan hatte bis dahin immer angenommen, daß diese Sorte Mädchen keine andere Heimat kenne als das Bett.

Er zog die Decke über den nackten Körper Reiskörnchens. Sie war ja noch beinahe ein Kind; wenn man sie sah, meinte man, sie müsse noch mit Puppen spielen. Sie konnte natürlich nicht mehr zurückkehren in dieses Alter, aber sie sah vorläufig noch so aus wie ein Schulmädchen. Auch sie ging in eine Schule, und in was für eine! In diesem Eisenbett hatte sie einer Unzahl von Männern, die in ihren Uniformen gekommen waren, das Vergessen geschenkt; viele von ihnen waren jetzt schon tot, das konnte man als sicher annehmen. Einige dieser Männer, Flieger oder Seeleute, die heute tot waren, hatten nach ihr dann kein Mädchen mehr gehabt. Sie war die letzte gewesen für sie, und vielleicht hatten sie in dem Augenblick, da ihr Schiff torpediert wurde oder ihr Flugzeug brennend abstürzte, an den Körper dieser jungen Londoner Dirne gedacht, deren Namen sie nicht einmal mehr wußten.

Dan glaubte, brechen zu müssen. Er suchte ein Waschbecken, entdeckte es hinter einem Wandschirm und erbrach sich. Auf der Straße begann ein Hund zu bellen. Die Hunde von Singapur... Dieser Jean-Marie, der erst so richtig lebte, seit es Krieg war...

Dan wusch sich. Das Gesicht der schlafenden Joan, dieses Gesicht, in das so viele Soldaten ihre Lippen gedrückt hatten, war die Unschuld selbst. Vor dem Bett stand ein Tisch, auf dem ein paar Bücher und eine Mappe mit Briefpapier lagen. Wem mochte sie wohl schreiben? Ihre Heimat war doch besetzt..., was mochte ihre Vaterlandsliebe so geweckt haben? Der Tod Alfreds oder das Schicksal ihrer Freundin, die über Frankreich mit dem Fallschirm abgesprungen war und seither als vermißt galt? Vielleicht war ihr Patriotismus auch nichts anderes als der glühende Wunsch, daß alle Deutschen krepieren sollten, weil sie Alfred abgeschossen und vielleicht ihre Freundin getötet hatten? Das hatte wenig zu sagen. In diesem Augenblick konnte ein deutsches Reiskörnchen vom Tod aller Engländer träumen, die ihren Verlobten oder ihre Freundin getötet hatten...

Er löschte die Lampe, die von der Decke herabhing, und drückte auf den Knopf der Stehlampe auf dem Tisch, an den er sich setzte. Die Bücher, die da lagen, waren Romane, französische Romane, die Dan nicht lesen konnte. Er nahm den Drehbleistift aus der Brusttasche seiner Hemdbluse und begann, auf dem Briefpapier absurde Zeichnungen auszuführen, Sterne, Margeriten... Er war müde, beinahe zu müde, um Schlaflust zu empfinden. Außerdem war es im Zimmer sehr warm. Er zog sein Hemd aus und warf es auf den Boden. One foggy night in London... Auf einmal kamen ihm die Worte in den Stift, sie bildeten sich unter der Mine und sammelten sich auf dem Papier, Worte, die zu deutsch etwa bedeuteten:

Sagt nicht, daß der Himmel das Gute ist und die Erde böse,
Daß die Liebe im Himmel wohnt und der Haß auf Erden...
Sagt es nicht und denkt es nicht, denn diese Nacht
Habe ich Feuer vom Himmel gesehen, wie es herabfiel,
Und Feuer aus der Erde, wie es hinaufstieg, zärtliches Feuer,
Rosenknospen und bunte Blüten, Päonien, die der Zorn
geöffnet,
Und alle streuten sie ihre Blütenblätter, streuten sie aus.
Sagt nicht, das Gute steigt hinauf und das Böse,
Das Böse fällt herab zu uns.

Glaubt nicht, das Böse sei die uns aufgezwungene Tat und das
           Männliche in uns,
Und das Gute sei der wartende Urmund als Urne der Freude:
Heute abend sah ich Böses mit Bösem zeugen einen erbärm-
           lichen Fötus,
Groß wie ein Reiskorn war er, und darum
Glaubt lieber nicht an die Schönheit der Blumen.

Dan hatte immer wieder innegehalten und das Geschriebene
überlesen, ein Wort hatte das andere nach sich gezogen. Als er
das Gedicht dann im ganzen las, fand er es abscheulich. Aber er
hatte unrecht. In seinem englischen Original, von dem die Übersetzung nur einen ungefähren Begriff gibt, war es ein ziemlich
gutes Gedicht. Er zerriß das Blatt in kleine Stückchen, trat ans
Fenster und zog den Vorhang beiseite. Der Morgen tönte den
Himmel über den Dächern schon hell, der Himmel war leer und
klar, und man ahnte den Tod nicht mehr. Die Straße lag ausgestorben unter dem Fenster, an den Gehsteigrändern reihten
sich die Abfalleimer.

Dan sagte sich, daß der Tod, sein Tod, die logische Folge dieser
Nacht gewesen wäre. Nicht im Krieg fallen, an der Front sterben,
sondern hier, für nichts, an der Leere: an der Leere des Himmels,
der Leere seines Herzens.

Er öffnete das Fenster und ließ die Papierschnitzel hinaus-
flattern. Sie schwebten langsam tiefer, als bedauerten sie ihr
Schicksal und zauderten zu fallen wie die Leuchtspursätze der
Flakmunition und die Leuchtschirme in dieser Nacht.

Dan ließ das Fenster offen und zog den Vorhang wieder zu.
Das kleine Gesicht Reiskörnchens war das Antlitz der Unschuld
selbst, ihr Atem, dieser sanfte, kaum merkbare Atem, war der
Atem eines Kindes. Er zog sein Hemd wieder an und nahm aus
der Hosentasche die Lederbörse. Nein – sie würde sich kränken,
wenn sie sah, daß er ihr Geld dagelassen habe. Er mußte an
einen Film denken, den er vor langer Zeit gesehen hatte: Ein
Millionär verteilt sein Vermögen ohne sonderliche Überlegung
an allerlei Menschen, deren Namen er einfach aus dem Telefon-
buch nimmt. Unter diesen Menschen, die so unerwartet zu Erben
werden, ist auch eine Dirne. Sobald sie ihr Teil des Geldes bekommen hat, nimmt sie ein schönes Zimmer in einem vornehmen Hotel und legt sich genußvoll ganz allein in das breite
Bett, ganz allein – seit wieviel Jahren wohl?

Er nahm seine Börse aus der Tasche und legte alle Geldscheine,
die sie enthielt, auf den Tisch; es waren fünfundzwanzig Pfund.

Dann nahm er einen Umschlag von dem Briefpapier, steckte das Geld hinein und schrieb dazu ein paar Zeilen:

»Liebes Reiskörnchen! Ich bitte dich, das anzunehmen. Hast du vielleicht einmal den Film ›Wenn ich eine Million hätte‹ gesehen? Wenn ja, so wirst du mich verstehen; wenn nein, dann sieh zu, daß du irgendwo in diesen Film gehen kannst, damit du weißt, was ich meine. Immer Dein Dan.«

Er hatte eben noch Zeit, ins Lager zurückzukehren, wo er um sechs Uhr zum Wecken eintreffen mußte. In Piccadilly war der Verkehr schon recht lebhaft. Er machte einem Soldaten in einem Jeep ein Zeichen, der auf dem Kotflügel das Kennzeichen des Lagers trug. Auf diese Weise kam Dan schnell in sein Camp. Auch hier herrschte schon reger Betrieb; Lastwagen waren von allen Seiten zusammengeströmt, und die Mannschaften waren in voller feldmarschmäßiger Ausrüstung angetreten. Die Kompanien hatten auch die schweren Infanteriewaffen mit, und Dan erfuhr, daß es sich um eine Einschiffübung auf der Themse handele. Offenbar stand die Invasion unmittelbar bevor. Man rechnete mit zwei bis drei Tagen, vielleicht aber auch schon mit dem nächsten Tag, denn dieser war ein Sonntag.

Aber es war erst Dienstag soweit. Eine Atmosphäre banger Erwartung erfüllte die Straßen von London. Man fühlte, daß alle Menschen, Zivilisten wie Soldaten, nur einen einzigen Gedanken hatten: die Frage, ob die große Operation gelingen würde oder nicht. Die Witterung war nicht besonders günstig. Der Ärmelkanal hatte eine verhältnismäßig hohe Dünung, und einige Fachleute waren der Meinung, daß das Oberkommando besser noch etwas zugewartet hätte, während andere wieder sagten, man habe im Gegenteil schon allzulange gewartet. Man diskutierte, man sprach über die Fluthöhe, die Stürme und allerlei anderes, man fragte sich auch, ob die Alliierten in Cherbourg oder in Le Havre landen würden. Im allgemeinen aber wurde nicht viel geredet. Dan bewunderte die Zurückhaltung und die Ruhe der Engländer, die in diesem Augenblick, der den Ausgang des Krieges entschied, ihrem Beruf mit dem gleichen ruhigen Schritt nachgingen und keinerlei Erregung zeigten. Man mußte schon sehr genau hinsehen, um auf ihren Gesichtern den besonderen Ernst der Stunde gespiegelt zu finden.

Zehn Tage vergingen. Die Invasion hatte ihre erste Phase erfolgreich abgeschlossen. Das schwierige Problem der Ausschiffung war durch die Erfindung der künstlichen Häfen ausgezeichnet gelöst worden. Alles ging gut, bis am 13. Juni ein heftiger Sturm dem künstlichen Hafen von Arromanches schwere Schäden zu-fügte. Am 16. Juni aber war der Brückenkopf in Nordfrankreich gesichert, die Amerikaner hatten mit den Engländern Verbin-dung aufgenommen, und der König von England begab sich an die Front. London atmete ein wenig auf.

Dan war Kraftwagenlenker in einer Verbindungseinheit zwi-schen den amerikanischen und englischen Verbänden. Die Truppe hieß allgemein nur »Comz« und war dazu bestimmt, Transporte zwischen der Küste und der Kampflinie durchzuführen. Bald dar-auf aber wurde Dan noch in England einem gemischten britisch-amerikanischen Stab zugeteilt, der sich mit der Militärverwaltung der befreiten Gebiete beschäftigen sollte (von denen das Ober-kommando annahm, sie befänden sich in voller Anarchie).

Hier machte Dan die Bekanntschaft einiger amerikanischer und britischer Offiziere, denen er nun unterstand. Sie waren alle etwa derselbe Typ, Geschäftsleute und Bankdirektoren in Zivil, hin und wieder auch höhere Beamte von Versicherungsgesellschaften; nur ein einziger fiel aus dem Rahmen, ein Universitätsprofessor aus Oxford. Außerdem gehörten dem Stab natürlich noch andere Chauffeure und zwei Motorradfahrer an.

Auf den ersten Blick schienen alle diese Menschen sich ausge-zeichnet zu verstehen, aber Dan bemerkte bald, daß in dem herz-lichen Entgegenkommen der Engländer ein Gutteil Herablassung lag. Nur der Oxford-Professor war wirklich nett. Er war mager, hatte einen Bart und lief immerzu ungekämmt herum; auch in seiner Kleidung schien er allem hohnzusprechen, was man als die klassischen englischen Gepflogenheiten ansah. Zudem war er schwatzhaft wie ein Franzose, gestikulierte wie ein Italiener und war so indiskret wie ein Levantiner. Leutnant Alan Ibbotson, so hieß der Professor militärisch gesprochen, überhäufte Dan mit Gunstbeweisen, offenbar, weil er ihm zeigen wollte, daß er das Vorurteil seiner Landsleute gegen die Farbigen ganz und gar nicht teilte. Er stellte mit Überraschung fest, daß Dan Apollinaire kenne, und rezitierte ihm das schöne Gedicht vom Pont Mirabeau im Original und in der englischen Übersetzung. Er scheute sich auch nicht, zu behaupten, daß Dan ungleich kultivierter sei als alle Bank- und Versicherungsdirektoren, aus denen der Stab »Civil Affairs« im übrigen bestand, denn Ibbotson vertrat die Ansicht, daß man ein Esel sein müsse, um einen solchen Posten erfolgreich bekleiden zu können.

Man wartete lange. Wieder einmal waren die Soldaten zum Warten verurteilt. Alan Ibbotson spottete: Die befreiten Bevölkerungsteile hatten also offenbar gar kein Verlangen nach der alliierten Verwaltung! Er setzte hinzu, daß seiner Meinung nach die ganze Schaffung des Stabes »Civil Affairs« eine ausgesprochene Dummheit sei, denn die befreiten Franzosen würden sich natürlich lieber schlecht und recht selber verwalten als eine Militärverwaltung durch Amerikaner und Engländer akzeptieren.

Der ganze Stab wurde erst am 16. Juli auf einem Frachtschiff über den Kanal gebracht, durch den unzählige Geleitzüge ihre Furchen zogen. Das Schiff hatte hart neben einem riesigen Passagierdampfer Anker geworfen, der als Truppentransporter eingesetzt war. Dahinter erhob sich ein ganzes Gewirr von Masten und Rauchfängen, Liberty Ships zu Dutzenden und Spezialtransporter, die den ganzen Bug aufklappen konnten und ihre Ladung, meist Panzer oder Geschütze, ohne Kräne auf den Strand rollen ließen. Ein alter Kreuzer, der als Wellenbrecher gedient hatte, war gesunken und ruhte mit dem Heck auf dem Grund, während die Luft in den dichtgemachten Schotten den Bug über Wasser hielt, so daß er seiner Aufgabe noch einigermaßen nachkommen konnte.

Die französische Küste war eine niedrige, blaugrüne Linie, über der an diesem heißen Tag leichter Dunst lag. Der helle Streifen des Sandes war von dunklen Flecken unterbrochen, das waren Felsen und Felsgruppen. Darüber schwebten blitzende Punkte, die Ballons, die die Sperrnetze gegen Luftangriffe hielten. Der ganze Bereich des improvisierten Hafens war von lebhafter Bewegung erfüllt. Schlepper stießen schwarze Rauchwolken aus, und die Sirenen bliesen weiße Dampfwölkchen in die Luft. Taue knarrten, und Seeleute brüllten in die Lautsprecher. Rostiges Blech schlug lärmend aufeinander, aus den Ankerhülsen polterten die schweren Ketten in die Tiefe.

»Man glaubt sich in die Docks von New York versetzt«, sagte Dan, der mit Ibbotson auf das Deck gekommen war, »nur, daß hier viel mehr los ist.«

»Und das ganze sieht ziemlich friedlich aus«, fand der Professor, indem er sich die mit Capstan-Tabak gestopfte Pfeife anzündete.

Das bis zum schlammigen Grund aufgewühlte Wasser schlug mit gelben Wellen an die Bordwand des alten Frachters. Zur Rechten war die Sonne schon ziemlich hoch gestiegen und goß ihr Gold auf die von einer leichten Brise bewegte Meeresoberfläche.

»Schönes Wetter«, sagte Ibbotson, die Pfeife im Mund; er war zwar ein leidenschaftlicher Nonkonformist, huldigte aber immerhin der englischen Gewohnheit, jedes Gespräch mit Bemerkungen über das Wetter zu würzen.

»Man möchte meinen, es sei ein richtiger, schöner Ferientag«, sagte Dan. Nachdem sie sich solchermaßen ihre Ansichten mitgeteilt hatten, legten sie sich wieder auf die Reling, starrten über die anderen Schiffe hin und spuckten ins Wasser.

Das Deck des Frachters war gedrängt voll von Soldaten, die alle ungeduldig auf die Ausschiffung warteten. Diese konnte aber erst vor sich gehen, wenn die Abendflut kam. Mehrere Male am Tag zogen hoch am Himmel große Geschwader fliegender Festungen dahin, teils in Richtung auf Frankreich, teils auf dem Heimflug; es waren ganze Schwärme blinkender Metallvögel, die einen daran erinnerten, daß dieser schöne Tag doch kein gewöhnlicher Ferientag war.

Alan Ibbotson reckte den Arm und wies auf die Kirchtürme der kleinen Siedlungen. Er kannte die Gegend gut und wußte, wie all diese Dörfer hießen, denn er hatte hier vor dem Krieg wiederholt seinen Urlaub verbracht. Die Kirche zur Linken gehörte zu Ver-sur-Mer; auf dem Strand von Ver-sur-Mer hatte seinerzeit Admiral Byrd sein Flugzeug aufgesetzt, als er als einer der ersten den Atlantik fliegend überquert hatte. Dan erinnerte sich nicht, davon gehört zu haben, und Ibbotson erinnerte sich nicht an die Jahreszahl; vielleicht war es gewesen, ehe Dan zur Welt kam ... Und dann näherte sich der Augenblick, wo sie den Fuß auf den Boden des alten Frankreich setzten.

Dan sagte sich, daß nichts einem französischen Strand so sehr ähnle wie ein amerikanischer Strandstreifen; die Grasinseln und die Bäume waren jedenfalls die gleichen. Derlei müßte einen Reisenden doch eigentlich enttäuschen. Und doch war dieser Strand nicht wie alle anderen. Er war vollgestopft mit Lastautos und Raupenschleppern; dazwischen lagen hoch aufgeschichtet Kisten und anderes Material, und zahllose Soldaten rannten geschäftig durcheinander, irrten hierhin und dorthin, saßen rauchend in Gruppen beisammen oder schliefen im Gras.

Dan und Alan Ibbotson entschieden sich für Sitzen und Rauchen und warteten auf den englischen Major, der den Stab »Civil Affairs« kommandierte und losgegangen war, um die nötigen Fahrzeuge für den Abtransport aufzutreiben. Als es Nacht wurde, ohne daß der Major sich zeigte, öffneten sie eine eiserne Ration und verzehrten friedlich ihr Abendessen. Alan Ibbotson murrte lediglich, daß es keinen Tee gebe, denn obwohl er Wert darauf legte, als Nonkonformist zu gelten, lag ihm auch sehr daran, ebenso pünktlich wie alle anderen Engländer seinen Tee zu bekommen. Danach schlief jeder in seinem Sandloch ein. Kurz vor dem Morgengrauen erhielt der Leutnant doch noch Tee, denn ein paar andere Soldaten, die ebenfalls in Sandlöchern geschlafen hatten, boten ihnen von dem Tee an, den sie gekocht hatten. Auch Dan trank eine Tasse, obwohl er für dieses Getränk nichts übrig hatte; er hielt die ewige Teetrinkerei der Engländer für eine ihrer schlechtesten Eigenschaften.

Bei einem kleinen Spaziergang über die von Hecken durchzogenen Wiesen, die sich an den Strand schlossen, entdeckten Dan und Alan Ibbotson ein weißes Kreuz in einem Hügelchen aus frisch aufgeworfener Erde. Es trug als einzige Inschrift das Wort *Unbekannt*, und oben auf dem Kreuz hing ein englischer Stahlhelm, den einige Kugeln durchschlagen hatten. Für den Mann, der hier ruhte, war der Atlantikwall zu einer Tatsache geworden. Alan Ibbotson machte ein Kreuz – denn er war bei allem Nonkonformismus ein gläubiger Katholik – und fragte Dan, ob er das Gedicht »Le dormeur du val« von Arthur Rimbaud kenne. Dan, der eben dabei war, einige der gelben Blumen zu pflücken, sagte nein. Daraufhin rezitierte Ibbotson das Gedicht zunächst französisch und gab dann eine Übersetzung. Dan fand das Gedicht schön und sagte, nach dem Krieg werde er sogleich damit beginnen, all diese Dichter zu lesen, die ihm bisher unbekannt gewesen waren. Dann legte er seine Blumen auf das Grab des englischen Soldaten, dessen Namen man nicht wußte. Als sie weitergingen, sagte Dan, er finde es einen schönen Beruf, Literaturprofessor zu sein; könnte er sein Leben noch einmal beginnen, so würde er sich für diesen Beruf entscheiden. Sie ließen sich im Schatten einer Hecke nieder, blieben hier eine ganze Weile schweigend und träumend sitzen und blickten über das französische Land hin. Dan dachte an jenen Unbekannten, der hierher gekommen war, um an diesem Strand zu sterben, ohne daß er gewußt hätte, wie und warum.

Die fliegenden Festungen brummten unermüdlich am Himmel dahin. Zur Linken, an der Grenze des Wellenschlages, lag ein mächtiger Bunker, den die Bomben aufgeknackt hatten; die Traversen des Eisenbetons ringelten sich über die Trümmer der Befestigung wie wirres Haar. Die Sonne brannte heiß hernieder. Sie hätten gerne ein Bad genommen, mochte das Meer auch gelb und voll von Schiffen sein; aber sie sagten sich, daß es Zeit sei, nach dem Major zu sehen.

Als sie den Sammelpunkt erreichten, der in einer Dünenmulde lag, war der Major schon da, und auch alle anderen waren schon angetreten. Die Jeeps und Halftracks der Einheit waren voll beladen, und der Major sah nachdenklich auf die Uhr, um seine Unzufriedenheit zu erkennen zu geben. Er sagte jedoch nichts, und Alan Ibbotson dachte nicht daran, sich zu entschuldigen. Dan entdeckte seine persönliche Habe wohlverwahrt in dem Jeep, der ihm zugeteilt worden war, und sagte sich, daß das Erstaunlichste am Kriege wohl diese Ordnung inmitten so chaotischer Zustände sei.

Alan Ibbotson nahm neben Dan Platz, und man fuhr los. Man kam nicht weit, denn die Straße war mit Lastautos und Tiefladewagen verstopft, auf denen Tanks, Feldschmieden und eine ganze Reihe absonderlicher Geräte verstaut waren, wie zum Beispiel eine rollende Fabrik zur Herstellung von Trinkwasser oder die Gerätschaften eines Feldgeistlichen, vor denen ein Pastor in Uniform thronte. Auch eine lange Reihe von Rotkreuzwagen hatte sich gestaut, so daß man, wenn man Ärzte und Pfarrer nebeneinander sah, den Eindruck gewinnen mußte, daß das Oberkommando auch für einen ordentlichen Tod mit allem, was dazu gehört, Sorge getragen habe. In den Wiesen lagen kleine Hügel aus gestapelten Kisten und blinkende Metallberge von Konserven. Dazwischen weideten die Kühe.

Die Fahrzeuge kamen nur langsam weiter und mußten immer wieder lange halten. Auf einem Feld war eine lange Startbahn aus ineinanderverschraubten Metallplatten angelegt, von der Jagdbomber starteten, und über allem lag der berühmte weiße Staub des Sommers.

Auf der Höhe des Hügels erreichten sie das erste französische Dorf, das diese Bezeichnung noch verdiente. An eine Fassade waren mit großen weißen Buchstaben Ortsnamen gepinselt, dazu Pfeile, die die Richtung bezeichneten und die Entfernung in englischen Meilen. Unter den Namen fanden sich andere Inschriften: *off limits* und *all dumps*. Alan Ibbotson fühlte sich von den Häusern an ein Dorf in Sussex erinnert, während Dan wieder meinte, es gäbe in Pennsylvanien ganz ähnliche Dörfer. Alan Ibbotson kaute an seinem Pfeifenstiel und erklärte, man müsse viel reisen, um zu erkennen, daß die Erde überall gleich aussehe; kehre man dann mit dieser Einsicht nach Hause zurück, so fühle man sich in der Heimat erst wirklich wohl.

Die Häuser waren klein und reinlich und hatten Blumen an den Fenstern; auch in den kleinen Gärten davor gab es eine Unmenge von Blumen. Auf dem Hauptplatz des Dorfes erhob sich die Kirche und vor ihr das Denkmal für die Toten des ersten Weltkrieges. Hier standen auch ein paar Kinder und alte Leute herum und einige Frauen, die ihre Babies auf dem Arm hatten.

Dan bemerkte, daß die Franzosen alle recht gut aussahen, die Kinder waren vollwangig und hatten blanke Augen. Wie oft hatte man den alliierten Soldaten in London eingeredet, daß die Franzosen nach vier Jahren Okkupation ausgehungert und zu Skeletten abgemagert seien. Er machte eine verwunderte Bemerkung darüber, und Ibbotson antwortete, daß die Normandie, landwirtschaftlich gesehen, eine der reichsten französischen Provinzen sei; sie habe in all diesen Jahren den schwarzen Markt von Paris zu entsprechend hohen Preisen beliefert. Die französischen Kinder bettelten denn auch nicht um Essen, sondern wollten Zigaretten und Kaugummi. Sie streckten Dan und Ibbotson ihre braunen Pfoten entgegen.

»Erstaunlich gut genährt, diese kleinen Franzosen«, sagte Dan, »aber das Betteln haben sie 'raus!«

»Dabei warf er ein paar Päckchen Kaugummi und Zigaretten aus dem Wagen, und die blühend aussehenden kleinen Bettler balgten sich darum.

Die Kolonne stockte wieder einmal, und Dan, der sehen wollte, was den Verkehr solange behinderte, sprang aus dem Jeep. Er kehrte nach einiger Zeit zurück und erklärte Ibbotson, daß ein Stück weiter auf der Straße ein »Sherman«-Panzer mit einer Panne festliege; man warte auf den Einsatzwagen der Werkstattkompanie, aber das könnte noch geraume Zeit dauern. Dabei legte er den Kopf auf die Seite und zwinkerte dem Leutnant einladend zu. Ibbotson stieg ebenfalls aus, und sie schlenderten gemeinsam die Reihe der wartenden Fahrzeuge entlang. Um den schweren Tank hatte sich eine beachtliche Menge kleiner Franzosen angesammelt, es war eine richtiggehende Pausbackenkonkurrenz. Vor allem aber gab es hier ein Bistro, in das Dan den Leutnant hineinzog. Zwei Mann der Panzerbesatzung hatten sich hier schon niedergelassen; sie saßen am Tisch eines alten schnauzbärtigen Bauern, hatten die Helme abgenommen und ihre Maschinenpistolen auf den Tisch gelegt, auf dem eine Flasche und drei Gläser standen. Als sie den Leutnant sahen, deuteten die zwei einen militärischen Gruß an, es waren Amerikaner. Ibbotson erkundigte sich, was sie denn hier in der britischen Ausschiffungszone zu tun hätten. Einer der beiden antwortete mit einem fürchterlichen Middlewest-Akzent, daß ihr Schiff Maschinenschaden gehabt habe und die Flut sie nach Arromanches abgetrieben habe; darum seien sie hier an Land gegangen und nicht in Utah-Beach.

»Wenn ihr so weitermacht«, sagte Alan Ibbotson, »so werdet ihr noch lange brauchen bis Berlin!«

»Wir haben es absolut nicht eilig!« sagte der Mann ruhig. Dan fragte ihn, woher er sei. »Aus Maricopa, Colorado«, sagte der andere.

»Nun, dann bist du auf jeden Fall näher an Berlin als an deiner Heimat!«

»Wir alle sind hier näher an Berlin..., die ganze Armee!« sagte der Mann mit dem Middlewest-Akzent.

»Das stimmt...«, gab Dan zu.

Der schnauzbärtige Bauer zog eine Morris-Zigarette aus einem der Päckchen, die auf dem Tisch lagen, und machte auf französisch ein paar Bemerkungen über französischen und amerikanischen Tabak. Aber selbst Alan verstand nicht, was er sagte, denn er sprach ein fürchterliches Patois, das selbst für einen Professor der französischen Sprache und Literatur völlig unverständlich war. Ebenso sicher war freilich, daß dieser Bauer von Apollinaire oder Rimbaud nicht mehr verstanden hätte als Ibbotson von seinen Worten.

Dan fragte den Mann aus Maricopa, was er getan habe, ehe er zur Armee einberufen wurde.

»Ich war Cowboy«, sagte der Mann.

Dan betrachtete ihn interessiert. Als Amerikaner, der immer in New York und dann ein paar Jahre in Detroit gelebt hatte, war er noch nie einem Cowboy begegnet, es sei denn im Kino. Ein Krieg hatte kommen müssen, damit er einen Cowboy aus Fleisch und Bein vor sich sah. Das sagte er Alan, der lachte, weil er etwas Ähnliches erlebt hatte: Ohne den Krieg hätte er wohl nie einen Bewohner der Shetland-Inseln kennengelernt; so aber habe sich dieses denkwürdige Ereignis einige Wochen zuvor in London zugetragen. Er hatte die Fischerbevölkerung dieser Inseln nur aus ein paar Kulturfilmen gekannt, war aber dann in London zufällig einem Marineleutnant von den Shetland-Inseln begegnet.

Der schnauzbärtige Bauer wies mit dem Finger auf den Mann aus Maricopa und sagte lachend, wobei er ein sehr lückenhaftes Gebiß entblößte:

»Covebois..., Covebois!«

Alan stellte fest, daß dieser Bauer, dessen Französisch man nicht verstehen konnte, offenbar die englische Unterhaltung am

Tisch verstanden hatte, oder doch zumindest das eine Wort Cowboy. Der Bauer wandte sich dann der Tür zu, die von ein paar Halbwüchsigen umlagert war, und wiederholte, nun auf französisch:

»Dieser Amerikaner da am Tisch ist ein Covebois!«

Die Knaben kamen heran. Der Soldat, der barhaupt in seiner Khaki-Bluse dasaß, hatte so gar nichts von einem Cowboy! Einer von ihnen beschrieb mit der Hand den Umkreis eines großen Cowboy-Hutes, ein anderer deutete die Schwingbewegung beim Lassowerfen an, aber die Männer in der amerikanischen Uniform verstanden nicht, was ihnen gedeutet werden sollte. Da verschwand einer der Burschen, kehrte nach einer Weile mit einem Blatt Papier zurück und begann schnell einen Cowboy zu zeichnen; ohne Pferd, aber im übrigen ganz richtig mit Hut, Lasso und in jener breitbeinigen Stellung, zu der die Cowboys durch die Pelzhose und den Sitz im Sattel genötigt sind. Der Mann aus Maricopa lachte laut auf, und als der Junge ihm zu verstehen gab, daß er die Zeichnung behalten könne, zog er ihn an sich und küßte ihn herzhaft. Dann nahm er seine Brieftasche heraus, legte das Blatt hinein und sagte: »Souvenir..., Souvenir!« In einem Fach der Brieftasche fand er eine Fotografie, die zeigte er dem kleinen Franzosen: Es war der Sohn des Cowboys, in einem Knaben-Cowboy-Anzug auf einem Pony.

»My kid!« sagte der Mann aus Maricopa dazu.

Hinter der Theke saß eine alte Frau und strickte, die Brille war ihr auf die Nasenspitze gerutscht. Sie stieß sie nach oben, auf die Stirn und sagte zu dem Bauern:

»Frag sie doch, ob es wahr ist, daß sie mit der Verpflegung auch Klosettpapier bekommen. Die Felicie schwört, daß es so ist!«

»Ich weiß nicht, ob das wahr ist, aber ich weiß etwas anderes«, brummte der alte Bauer, »nämlich, daß die gute Felicie in längstens neun Monaten ein Befreiungsbaby zur Welt bringen wird!«

»Frag sie trotzdem wegen des Klosettpapiers, frag schon!« drängte die Alte.

»Das geht doch nicht! Selbst wenn ich wüßte, was ich sagen soll, es schickt sich doch nicht!«

Der Mann aus Colorado gab dem Jungen, der wohl etwa ebenso alt war wie sein Sohn, eine Rolle Bonbons, sogenannte Life-Savers.

»Du siehst...«, beharrte die Alte, »sie bekommen selbst Bonbons, warum sollen sie dann kein Klosettpapier haben.«

»Ich begreife nicht, was das eine mit dem anderen zu tun haben soll!« brummte der schnauzbärtige Bauer. »Wir jedenfalls bei Verdun, wir haben keine Bonbons gehabt. Sind komische Soldaten, die Amerikaner ...«

»Was trinkt ihr eigentlich da?« erkundigte sich Dan bei dem Cowboy.

»Einen Schnaps, den sie hier brennen, scheint's«, antwortete dieser und gab zugleich dem kleinen Zeichenkünstler einen Klaps auf die Hand, weil dieser verstohlen nach einer der Maschinenpistolen auf dem Tisch gegriffen hatte.

»Ist er gut?« wollte Dan wissen.

»Jedenfalls ist er stark!«

Dan gab dem Alten ein Zeichen und wies dabei auf eines der Gläser. Der Bauer begriff und rief der Frau hinter der Theke zu: »Eh, Angèle, eine Runde Calva für alle!«

Die Frau schlurfte in ihren Pantinen heran. Sie trug zwei Gläser und eine Flasche. Aus ihr füllte sie die Gläser mehr als randvoll. Dan tauchte die Lippen in das seine und schnitt eine Grimasse.

»Nicht schlecht ...«, sagte er zu Alan, »aber es brennt, als halte man die Zunge an eine Zündkerze, wenn der Motor läuft. Das ist schon kein Feuer mehr, das ist Elektrizität ... Damit verglichen, ist unser Gin ja Vollmilch ..., damned Froggies!«

»Die Amerikaner haben ja keine Ahnung, wie man so etwas trinkt!« sagte Ibbotson und goß sein Glas mit Schwung hinter die Binde, verhustete sich aber und verschüttete mehr als die Hälfte auf seinen Bart. Dan lachte: Wer wußte nun besser, wie man so etwas trank, die Amerikaner oder die Briten?

Der zweite Mann aus dem »Sherman«, der bisher noch kein Wort gesagt hatte, trank nach und nach zwei kleine Glas Schnaps in vorsichtigen Schlucken aus. Dan fragte den Cowboy, ob sein Kamerad stumm sei.

»Er ist nicht stumm«, antwortete der Cowboy, »er spinnt nur von Zeit zu Zeit. Er denkt immerzu an seine Frau. Das war nämlich so: Er hat es sehr schwer gehabt mit den Frauen, und wie er dann endlich eine findet und sie heiratet, holten sie ihn zur Armee. Einen Monat nach der Hochzeit. Er hat eben Pech. Schau ihn dir an, dann weißt du alles!«

Der andere schien es nicht weiter übelzunehmen, daß sein Kamerad vor den anderen so offen über ihn sprach. Leicht mochte er es tatsächlich nicht gehabt haben, denn er war unglaublich häßlich. Als er merkte, daß man von ihm sprach, verzog er angeekelt den Mund, was sein Gesicht natürlich nicht verschönte. In diesem Augenblick trat ein Mädchen in das Lokal, das nach der Mode jener Jahre ziemlich kurz gekleidet ging, ihr karottengelbes Haar war auf dem Kopf hoch aufgetürmt, und die Holzsohlen ihrer Schuhe machten auf den roten Fliesen des Raumes einen Höllenlärm.

»Sieh mal an, die Felicie!« sagte der schnauzbärtige Bauer. »Wenn du was Amerikanisches riechst, dann kommst du schon gerannt, stimmt's?«

»Wenn Sie sich über mich lustig machen, Vater Dureux, dann gibt's keine Zigaretten mehr!« drohte das Mädchen schnippisch.

Dan beschäftigten zunächst nur die Schuhe der Französin. Als sie an die Theke trat, um mit Angèle zu plaudern, beugte er sich vor, um das seltsame Schuhwerk betrachten zu können. Felicie bemerkte es und hob den einen Schuh, damit er die Holzsohle sehen könne.

»Die Franzosen haben kein Leder mehr, erklärte Ibbotson dazu, »die Deutschen haben alles fortgeschafft.«

»Und die vielen Kühe, die wir auf den Feldern gesehen haben?«

»Sie hat sehr hübsche Knöchel...«, murmelte Ibbotson anstelle einer Antwort und erwies sich damit einmal wirklich in überzeugender Weise als Nonkonformist, denn daß ein Engländer öffentlich über einen Teil des weiblichen Körpers spricht, kann als außerordentlich selten angesehen werden.

»Nun, da du so stolz bist«, sagte der Bauer zu Felicie, »wirst du wohl keine Lust haben, mit den Amerikanern einen Schluck zu trinken?«

Felicie zuckte die Achseln, sie habe anderes zu tun. Sie sei eben dabei, dem Pfarrer bei der Ausschmückung der Kirche zu helfen, am nächsten Sonntag sollte doch die große Befreiungsmesse zelebriert werden. Sie käme daher nur, um ein weißes Laken zu leihen, denn die Altardecke sei nicht mehr schön genug.

»Warum nimmst du nicht eins von deinen eigenen?« keifte Angèle hinter der Theke.

»Weil keines mehr ganz ist. Sie sind alle schon geflickt oder haben Löcher.«

»Das kann ich mir denken«, sagte der Bauer, »denn die vielen Deutschen, die haben sich bestimmt nicht geniert, wenn sie bei dir waren..., und dann die Engländer..., und jetzt die Amerikaner..., da braucht man schon gute Laken im Bett!«

Felicie war von ihrem Vorhaben jedoch so abgelenkt, daß sie

auf das Gerede des Alten gar nicht achtete. Zwei englische Militärpolizisten traten ein und fragten, ob vielleicht hier die Besatzung des »Sherman«-Panzers sitze, der die Straße verstopfte.

»Yes«, sagte der Cowboy, »einer meiner beiden Motoren ist im Eimer..., ich warte hier auf die Werkstattkompanie...!«

»Bis dahin«, sagte Dan, »ist Patton längst in Berlin.«

Die Engländer zeigten sich besorgt. Sie wollten den Tank beiseite schaffen. Ob es denn keine Möglichkeit gebe, ihn von der Stelle zu bringen.

»Vielleicht, wenn man einige Ochsen vorspannen würde...«, warf Ibbotson ein, aber seine Landsleute schienen seinen Humor nicht zu würdigen, sie antworteten ihm gar nicht. Felicie mischte sich ein, Alan erklärte ihr, worum es sich handle. Mit ihr konnte er reden, sie hatte nicht den gleichen fürchterlichen Akzent wie Vater Dureux. Sie hatte den Tank unbeweglich liegen sehen ... aber was machte das schon? Es gebe doch die Möglichkeit, einer Umleitung. Wenn die Alliierten ein so geringfügiges Hindernis zu einem Problem werden ließen, dann – meinte Felicie – müsse man sich tatsächlich fragen, ob sie jemals nach Berlin kommen würden. Sie forderte Alan auf, mit ihr zu kommen. Dan wollte die paar Glas bezahlen, aber die Alte weigerte sich, Geld zu nehmen. Ihr Lächeln machte hinreichend deutlich, daß es ihr ein Vergnügen gewesen war, den Befreiern ein Glas Calvados aufzuwarten. Dan dankte herzlich. Die Franzosen gaben ihm immer mehr Rätsel auf. Alan hatte ihm doch vorhin erklärt, daß die Einwohner der Normandie die geizigsten und geldgierigsten Franzosen seien und aus ihrem Lebensmittelüberfluß auf dem schwarzen Markt etlichen Gewinn geschlagen hätten. Und nun erwiesen sie sich als die Großzügigkeit selbst! Die angeblich verhungerten Franzosen hatten dicke rote Backen, trugen Schuhe mit Holzsohlen ... Sie waren eben geizig und großzügig zugleich! Das Köstlichste und das, was er am wenigsten erwartet hatte, aber war, daß die Franzosen ihn offensichtlich nicht als Neger behandelten. Sie schienen seine Hautfarbe überhaupt nicht zu bemerken, und es war ganz so, als sei er genauso weiß wie die meisten englischen und amerikanischen Soldaten. Die Hautfarbe schien hier keine Rolle zu spielen, vielleicht, weil es in der Normandie nie Neger gegeben hatte? Vielleicht hätten die Bauern dieses Landes bemerkt, daß es Neger gibt, wenn sie in der Normandie etwa soviel Neger hätten wie die Stadt New York – und dann hätten sie ihn wohl auch als einen dreckigen Nigger behandelt!

Alan, Dan und die beiden Leute aus dem »Sherman«-Panzer verließen das Bistro und gingen hinter Felicie her. Um den unbeweglichen Giganten hatte sich schon eine beträchtliche Menschenmenge, Zivilisten und Soldaten, gesammelt. Während die Franzosen schwiegen und starrten, schimpften die englischen Fahrer wie die Rohrspatzen, weil sie mit ihren Fahrzeugen nicht vorbei konnten. Auch ein Captain war da, ein typisch englischer Captain mit einem dicken roten Gesicht, das aussah wie ein Yorkshire-Schinken, einem kleinen rötlichen Bärtchen und vorquellenden runden Augen. Er schrie zwar nicht, weil man das selbst im Krieg ebensowenig tun darf wie in einem Club, aber jeder Zug seines Gesichts drückte einen geradezu grenzenlosen Zorn aus. Diesem Captain sagte Alan, daß ein französisches Mädchen hier sei, das einen Umfahrungsweg kenne. Dan allerdings sagte, er fühle sich wohl in diesem Dorf und sehe gar nicht ein, warum man sich eigentlich bemühte, um jeden Preis hier heraus zu kommen. Es war freilich nicht sicher, ob der Offizier mit dem Schinkengesicht Dans Einflüsterungen überhaupt gehört hatte: Er ging jedenfalls nicht darauf ein.

Felicie nahm Alan beiseite und zeigte ihm auf dem Dorfplatz einen alten Bauernhof, der aus grauen Steinen errichtet war und über dessen monumentaler Toreinfahrt ein schwarzes Hakenkreuz aufgemalt war. Das sollte bedeuten, daß die Besitzer dieses Hofes mit den Deutschen gute Geschäfte gemacht hatten. Sie hatten übrigens noch vor dem Beginn der Invasion das Weite gesucht, denn sie hatten Angst, liquidiert zu werden, wenn es an der Küste erst einmal losgehe. Jenseits des Tores erstreckte sich breit und glatt der Hof, und dann kam nur noch ein Gitter, das den links und rechts von Gebäuden begrenzten Hof gegen die Felder zu abschloß. Dies war die Umleitung: Das Tor war breit genug für jede Wagenart, und das Gitter war kein nennenswertes Hindernis. Dahinter kam ein Feldweg, den Militärfahrzeuge ohne Schwierigkeit befahren konnten und der schon nach ein paar hundert Metern wieder auf die Hauptstraße stieß.

Alan dankte Felicie und erklärte dann dem Captain, was er erfahren hatte. Der begriff zwar nicht gleich, als ihm dann aber alles soweit klar war, hellte sich sein zornrotes Schinkengesicht auf, und er gab die entsprechenden Befehle.

Ein schwerer Lastwagen drehte aus der Reihe nach rechts ab, kam knapp durch die Einfahrt des Bauernhofes und riß das Gitter dahinter nieder. Ein zweiter Wagen folgte und stieß an einen Torpfosten. Der Chauffeur fuhr zurück, gab Gas und nahm die Einfahrt noch einmal, wobei der Steinpfeiler, der sicherlich zweihundert Jahre alt war, zertrümmert wurde. Nun war die Durchfahrt wesentlich vereinfacht.

Die Frauen und die Kinder hatten der Szene schweigend zugesehen. Ein alter Franzose kam wütend dahergelaufen, es war der Vater Dureux; er beschimpfte die Engländer als Vandalen und drohte ihnen mit der Faust. Alan versuchte, ihn zu besänftigen und ihm zu erklären, daß es in diesem Krieg auf einen Pfeiler mehr oder weniger doch wohl nicht ankomme... Wenn zum Beispiel ein Fliegerangriff das Dorf zum Ziel erwählt hätte – das hätte ja sein können –, so gäbe es den ganzen Bauernhof nicht mehr, ja, vielleicht nicht einmal mehr das Dorf.

Dureux verstärkte jedoch sein Geschimpfe, und Alan wies ihn darauf hin, daß mit dem stürzenden Torpfosten auch das Hakenkreuz verschwunden war, denn auch der steinerne Querbalken lag in Trümmern. Das habe für den Kollaborateur, den Eigentümer des Hofes, vielleicht auch sein Gutes.

»Der alte Cauchois ein Kollaborateur?« schrie Dureux, nun tatsächlich außer sich vor Wut. »Das hat Ihnen sicher Felicie, dieses Miststück, aufgebunden. Das ist nämlich glatt gelogen!«

Da Dureux auch beim Schimpfen seinen Akzent beibehielt, war Leutnant Alan Ibbotson in der angenehmen Lage, ihn nicht zu verstehen. Er ließ ihn also stehen, wo er stand, und ging mit Dan zu dem Jeep. Es zeigte sich, daß die anderen Offiziere der Einheit »Civil Affairs« die Sache ruhiger hingenommen hatten als jener Captain. Sie hatten sich im Straßengraben zu einem geruhsamen Bridge niedergelassen, und der Major sagte, es sei jammerschade, diese Partie abzubrechen, wo er doch in der gemeldeten Farbe vier Trümpfe habe; er wurde noch betrübter, als sein Gegenüber das Blatt »auf den Tisch« legte und bei dieser Gelegenheit einen fünften Trumpfstich enthüllte. Alan Ibbotson tröstete seinen Vorgesetzten mit der Bemerkung, daß es in dieser Weltstunde auf andere Trümpfe ankomme, und der Major zog beunruhigt die Brauen zusammen, denn er liebte es nicht, in seiner Umgebung selbständig denkende Menschen zu wissen.

Man bestieg wieder die Fahrzeuge; die Fahrer gaben Gas, und die Kolonne durchquerte den Hof des Kollaborateurs Cauchois, während der alte Dureux noch immer hemmungslos schimpfte und mit der geballten Faust drohte. Dan sagte zu Alan, daß jene junge Französin, die den Umfahrungsweg gewiesen habe, eigentlich eine Auszeichnung verdiene, und Ibbotson antwortete vollkommen ernst, daß in diesem Krieg Orden schon für geringere Verdienste verliehen worden seien.

Leutnant Ibbotson hatte die Karte auf den Knien ausgebreitet und gab Dan die Richtung an. Das nächste Halt der Kolonne vollzog sich abermals in einem Dorf, das, genaugenommen, mehr eine burgartige Ansammlung übereinandergeschichteter Häuser war; früher einmal mochte dieser Ort eine beliebte Sommerfrische gewesen sein, denn man sah verhältnismäßig viele Kaffeehausterrassen und sogar einige elegante Geschäfte. Hinter dem Schaufenster eines Modesalons standen wie im Frieden bekleidete Puppen, von denen eine sogar als Braut ausstaffiert war und ein langes Kleid mit Schleier und einen Kranz aus Orangenblüten trug. Alan sagte, daß er sich diese Figur am liebsten als Maskottchen mitnehmen würde, wenn der Ort nicht so voll Menschen wäre, die alle zuschauten.

Man fuhr weiter. Nun zeigte das Land deutliche Spuren des Krieges. Auf den Feldern waren zahlreiche Bomben- und Granattrichter zu sehen, unter den Apfelbäumen standen unbrauchbar gewordene Geschütze, leere Munitionskisten und hin und wieder auch eines jener weißen Kreuze, über das eine Feldbluse oder ein englischer Stahlhelm gehängt war. Hier, das sah man, hatten schwere Kämpfe stattgefunden. Die Atmosphäre war nun keineswegs mehr die eines Ferientages. Zu beiden Seiten der Straße tauchten Minenräumkommandos auf, die ihre Geräte langsam ganz niedrig über den Boden dahinführten. Ein Stück weiter gewahrte Dan einen kleinen Weiler, dessen Häuser zu Ruinen geworden waren, und nach abermals ein paar Kilometern kam ein verlassenes Dorf. An einzelnen Türen fanden sich Kreideinschriften mit den Worten *Booby-Trap*. Dan erkundigte sich bei Alan, was das zu bedeuten habe. Der Leutnant wunderte sich, daß man die amerikanischen Soldaten darauf nicht aufmerksam gemacht habe: Wenn die Deutschen Zeit hatten, so unterminierten sie die Häuser jener Orte, die sie aufgeben mußten. Die Verfolger betraten dann so ein leeres und harmlos aussehendes Gebäude, fanden Teller und Flaschen auf einem Regal und griffen ahnungslos danach. Im gleichen Augenblick flog das Haus in die Luft, manchmal auch schon, wenn man die Klinke niederdrückte. Darum schickte man nun den Entminungsdienst immer zuerst in die Orte, und die Häuser, in denen Sprengladungen festgestellt wurden, erhielten ein Warnschild oder die Aufschrift *Booby-Trap*, die auch dem neugierigsten Soldaten sagte, daß er um dieses Haus besser einen großen Bogen mache, wenn er gesund nach Hause kommen wolle.

Dann folgten Weiden, Obstgärten, Gemüsefelder, Blumenbeete, Gras und Kühe, ein Ententeich, eine Geflügelfarm, gelbes, hochstehendes Getreide... Und darüber spannte sich der Himmel tiefblau, als gäbe es gar keinen Krieg. Unmittelbar an diesen verschonten Landstreifen schlossen sich wieder Felder mit tiefen Granattrichtern; eine Brücke über einen kleinen Fluß war zerstört und durch eine eiserne Pionierbrücke ersetzt, die Fassaden der Häuser wiesen zahlreiche Einschüsse auf. Und immer wieder Kreuze: weiße, mit Feldblusen oder Stahlhelmen, und schwarze, unter denen Deutsche lagen, lauter arme Teufel, die man dort verscharrt hatte, wo sie gefallen waren. Dazwischen lagen verstreute Waffen, die zum Teil schon verrostet waren, und zahllose Patronenhülsen. Sie kamen durch ein Dorf, von dem nichts übriggeblieben war als das Namensschild am Eingang. Schwere Bull-Dozzer hatten die Trümmer zu einer flachen Terrasse eingeebnet, auf der man die Baracken einer Auffangstation errichtet hatte. Militärpolizei regelte hier den Verkehr mit genau denselben Gesten wie die Bobbies in London.

Im nächsten Dorf kam es wieder zu einer Stockung; die Straße war verstopft, und da noch einige Häuser unbeschädigt waren, machte sich Dan auf die Suche nach einem Bistro. Er fand eines, über dessen Wirtshausschild die Flaggen der Alliierten wehten, und bestellte zwei Calvados.

»Ich kenne eine neuartige Todesstrafe«, sagte Dan zu Alan, »man müßte den Verurteilten diese Elektrizität aus der Flasche so lange eingeben, bis sie sterben.«

»Das kann unter Umständen ziemlich lange dauern«, sagte Ibbotson, »die Bauern hier aus der Normandie trinken dieses Gift schließlich ihr ganzes Leben lang!«

Ein Franzose, der auf der Brust allerlei Bändchen trug, erzählte ihnen, daß er im ersten Weltkrieg immer dort gewesen sei, wo es am heißesten herging; aber er habe nie eine Verwundung erhalten. Er zog eine dicke Brieftasche und entnahm ihr einen ganzen Stoß von Papieren, um seine Erzählungen durch Dokumente zu untermauern: Es waren die Urkunden über die Verleihung der Auszeichnungen und die Fotokopien der Berichte, die seine Vorgesetzten über ihn erstattet hatten. Er stieß Ibbotson kameradschaftlich in die Rippen und rief gut gelaunt: »Wir kriegen sie schon noch, die Deutschen!«

Ein anderer Franzose, der wesentlich jünger war, zeigte ihnen die Fotografie eines Mädchens, das ebensowenig Haare auf dem Kopf hatte wie Erich von Stroheim. Ihrem Gesicht sah man an, daß sie reichlich Schläge bekommen hatte, und in den Händen hielt sie ein Pappschild, auf dem geschrieben stand: »Ich habe meinen Mann an die Deutschen verpfiffen!« Rundherum standen ein paar Franzosen in Zivil, die lachend ihre Gewehre im Anschlag hatten und auf das Mädchen zielten. Dieser Franzose zeigte ihnen noch eine andere Fotografie mit einer leeren Landstraße, die von niedrigen Hecken gesäumt war. Auf ihr ging nur ein einziger Mensch, ein nacktes Mädchen, das man von hinten sah; es hatte keine Haare auf dem Kopf und schien sehr müde. Der Franzose erklärte dazu, es handle sich um dieselbe Person, eine junge Frau, die ihren Mann denunziert habe; er war in der Deportation gestorben, und man hatte sie in der vergangenen Woche nackt aus dem Dorf getrieben.

Der alte Franzose, der seine Papiere wieder in die Brieftasche zurücksteckte, warf einen Blick auf die Fotos und lachte. Dan erkundigte sich bei Alan, was es mit diesen scheußlichen Bildern denn für eine Bewandtnis habe, und Ibbotson erklärte es ihm.

»Fragen Sie den Mann doch einmal, was er während der Okkupation getan hat!« sagte Dan. Ibbotson kam dem Wunsch nach, und der Franzose begann sogleich mit großen Worten loszulegen, schlug dabei aber so oft mit der Faust auf den Tisch, daß Alan nicht einmal die Hälfte von dem verstehen konnte, was der andere sagte.

Auf der Straße wurde gehupt. Dan und der Leutnant stürzten hinaus, es ging weiter. Dan konnte sich nicht so schnell von dem Ekel erholen, den die Bilder ihm verursacht hatten. Alan strich seinen Bart und murmelte, die Pfeife unverrückbar im Mund, ein paar beruhigende Worte: Seiner Meinung nach hatte der Franzose viel zu dick aufgetragen mit dem, was er von dem Mädchen erzählt hatte, und die Haare würden schon wieder nachwachsen.

Man kam in eine größere Stadt. Das Zentrum allerdings war nicht mehr vorhanden; es bestand nur noch aus rauchenden Ruinen und zusammengestürzten Häusern, aus denen der Geruch verwesender Leichen drang. Eine kleine Gruppe deutscher Gefangener war mit Aufräumungsarbeiten beschäftigt; sie sahen abgekämpft aus, hatten verdreckte Uniformen, keine Kopfbedeckung und nicht einmal ein Lederkoppel. Unter einer der Haustüren saß ein Zivilist rittlings auf einem Stuhl, hatte die Arme über der Rückenlehne gekreuzt und hob, als die Kolonne vorbeifuhr, die Hand zum Gruß. Einige Kirchen waren unbeschädigt und reckten ihre klobigen Vierkanttürme in den Himmel; andere lagen zum Teil in Trümmern, hatten geschwärzte Mauern und klaffende Löcher in den Buntglasfenstern. Manche Häuser waren von oben bis zum Keller gespalten, so daß man in die Räume mit ihren schadhaften Tapeten und die halben Zimmer sah, in denen die Möbel zu hängen schienen. Hin und wieder sah man eine Frau mit einem Einkaufsnetz und ein paar Radfahrer. Dort, wo Häuser zu Schutthaufen geworden waren, steckten Holztafeln mit Aufschriften: Die Bewohner dieses Hauses sind dort und dort untergebracht.

Als man die Stadt durchfahren hatte, kam man in eine Zone weniger dichten Verkehrs. Die Straßen waren halb leer, und Leutnant Ibbotson verirrte sich sogleich. Wenn man nach Süden fährt, muß man die Karte verkehrt herum halten, sonst verwechselt man links und rechts. Mit Leutnant Ibbotson fuhr die ganze lange Kolonne des Stabes »Civil Affairs« in die Irre über kleine, tief ausgefahrene Karrenwege, die von Hecken gesäumt waren, so daß man keine Sicht hatte. Es war ein Land, das sich zur Verteidigung und zur hinhaltenden Kriegsführung besonders eignete. Dan begriff nun, warum es solange gedauert hatte, bis die Deutschen die Normandie hatten aufgeben müssen.

Schließlich gelangten sie auf eine größere Straße und fanden nach weiteren Umwegen den Sammelpunkt. Dan war froh, daß man endlich ankam. Er war müde von der anstrengenden Fahrerei und hatte Hunger, denn es hatte den ganzen Tag über nichts gegeben als die konzentrierten Nahrungsmittel und K-Rationen. Es verlangte ihn nach frischem Salat und nach Tomaten.

Der dem Stab zugewiesene Sammelpunkt war ein Schloßpark. Das Schloß selbst fand Alan scheußlich, es stammte offenbar aus den Jahren um 1870. Dan hingegen war der Meinung, es sei ein geradezu idealer Aufenthaltsort für müde Krieger. Unter den alten Bäumen des Parks wurden die Zelte aufgestellt, und einer der beiden Kraftfahrer, die als Köche fungierten, zündete ein Feuer an.

Der Major begab sich ins Schloß, und als er zurückkehrte, war er von zwei Französinnen begleitet, denen er seine kleine Truppe vorstellte. Es erwies sich, daß die beiden Damen Gräfinnen waren, und Dan betrachtete sie mit einer gewissen Neugierde, denn er hatte noch nie eine Gräfin zu Gesicht bekommen. Er gelangte zu der Einsicht, daß Gräfinnen so waren wie alle anderen Frauen auch. Ja, man mußte sogar sagen, daß diese beiden nicht besonders verführerisch waren: Die eine war zu mager, die andere zu dick, und beide waren nicht mehr jung genug. Verglich man sie mit Mrs. Holloway oder selbst mit Reiskörnchen ... Nein, die beiden waren es nicht wert, daß man sich auf der Straße nach ihnen umdrehte, mochten sie auch Gräfinnen sein.

Der Major erklärte, daß die beiden Gräfinnen so freundlich gewesen seien, die Offiziere zum Essen und Schlafen ins Schloß einzuladen. Auf der Straße wurde das Knattern eines kleinen Motorrads hörbar; ein Zierbengel im gestreiften Trikot saß darauf, den eine der Gräfinnen als ihren Sohn vorstellte. Ein amerikanischer Leutnant, der wie ein Kretin aussah, machte dem Jüngling Komplimente über sein stinkendes Fahrzeug und nannte ihn in einem fort *Count*. Der junge Graf sprach ganz gut Englisch und erzählte, er sei in einem College bei London gewesen. Der Kretin in Leutnantsuniform verdoppelte daraufhin seinen Eifer, sich bei dem Jüngling beliebt zu machen, und nannte ihn noch öfter *Count* als bisher.

Der Major hatte seinen Stahlhelm unter den Arm genommen, verbeugte sich tief vor den Gräfinnen und gab den Offizieren ein Zeichen, ihm zu folgen. Der Kretin sprang hinzu, küßte der Mageren die Hand – das war die Schloßherrin – und danach der Dicken, ihrer Kusine. Ibbotson sagte zu Dan, er bleibe lieber im Park und esse mit den Kraftfahrern; damit erwies er sich wieder einmal als Nonkonformist, auf den Adelsprädikate keinerlei Eindruck machen, obwohl der Adel in England doch mindestens ebensoviel zählt wie in Frankreich.

Der Motorrad fahrende Koch hatte drei Hühner aufgetrieben und dazu grünen Salat und Tomaten. Das war eine erfreuliche Abwechslung gegenüber den K-Rationen, und es mundete allen ausgezeichnet im hohen Gras, unter den ehrwürdigen Bäumen in der sinkenden Nacht.

Später versuchte Dan auf seiner Mundharmonika das Lied von Lili Marlen zu spielen. Es gelang ihm ohne sonderliche Schwierigkeiten, und Alan begleitete ihn, indem er leise mitsang. Über dem dunklen Blattwerk der Bäume ging ein großer Mond auf. Die Vögel zwitscherten noch eine Weile schläfrig dahin, dann verstummten sie alle, und eine Nachtigall begann zu singen; es war, als habe der Chor das Feld geräumt, damit der Virtuose sich ungestört produzieren könne...

Das Hauptgetränk des Abends war Coca-Cola mit Aspirin, eine Mischung, die den Kopf am schnellsten wieder klar macht.

»Prächtiger Abend, tatsächlich«, sagte Ibbotson.

»Großartig!« pflichtete Dan ihm bei.

»Erinnert mich an ein Gedicht von Baudelaire«, sagte Alan, »aber mir fällt die erste Zeile nicht ein. Ich denke, ich gehe schlafen.«

Er kroch in eines der Zelte, und Dan tat es ihm nach. Bald darauf waren beide eingeschlafen.

Am nächsten Morgen ließ der Major Dan ins Schloß rufen. Er erwartete ihn schon auf dem Vorplatz, so daß Dan das Gebäude gar nicht betreten mußte, und befahl ihm, vier Kanister mit Benzin zu einem Marquis zu bringen, dessen Schloß etwa zwanzig Meilen entfernt war; dieser Marquis sei der Vater der Gräfin, die den Stab beherbergt hatte. Er händigte Dan auch eine kleine Skizze aus, auf der die einzuschlagenden Straßen bezeichnet waren, befahl ihm, unverzüglich aufzubrechen, und trug Dan außerdem noch auf, den Leutnant Ibbotson sofort ins Schloß zu schicken.

Dan überbrachte Ibbotson den Befehl, und der Leutnant bedauerte, daß er die Spazierfahrt nicht mitmachen konnte. Dan besorgte sich vier Kanister Benzin, legte sie in den Jeep und fuhr gemächlich los; er ließ sich Zeit, denn der Tag versprach so schön zu werden wie der gestrige.

Die Landstraßen waren zu der frühen Stunde so gut wie ausgestorben. Leichter Nebel stieg von einem Flußlauf auf, und eine Kuh brüllte. In einem unsichtbaren Glockenturm schlug es sieben Uhr. Dan trällerte Lili Marlen vor sich hin. Wenn man so eine Melodie einmal im Kopf hat, wird man sie nicht mehr los. Was hatte er nur in dieser Nacht geträumt? Es war ein ganz seltsamer Traum gewesen, beinahe eine Kriminalhandlung, und das Seltsamste daran war gewesen – daß der ganze Anfang der Geschichte für Dan völlig im Dunkel geblieben war. Dennoch war es Dan selbst gewesen, der des Rätsels Lösung gebracht hatte und die ganze Geschichte von Anfang an gekannt haben mußte. Diese Selbsttäuschung, dieses Verleugnen des besseren Wissens belustigten ihn auch jetzt noch, als er an den Traum zurückdachte; er mußte ihn Ibbotson erzählen; schade nur, daß ihm die meisten Einzelheiten schon entfallen waren.

Dan hatte die Windschutzscheibe umgelegt, und die frische Morgenluft strich ihm angenehm über das Gesicht. Er fuhr also zu dem Herrn Marquis, dem Herrn Papa der Frau Gräfin! Unglaublich, wie viele Aristokraten es in der französischen Republik noch gab ...

Nach einer Weile konsultierte er zum erstenmal die Skizze,

denn er hatte den Eindruck, sich verfahren zu haben. Er stieg aus, ging zu einem Bauernhof und fand ein kleines Mädchen, das er nach dem Weg fragte. Sie begriff weder das, was er ihr durch Gesten sagen wollte, noch wußte sie mit der kleinen Skizze etwas anzufangen. So fuhr er auf gut Glück weiter. Er staunte über den reichen Pflanzenwuchs; der schmale Fahrweg wurde von beiden Seiten von Bäumen und Sträuchern eingeengt und überwölbt, und streckenweise bildeten die dicken, niedrigen Bäume einen langen grünen Tunnel, in dem man sich aber wie in einer Kirche fühlte – in einer Kirche, deren Säulen eben Bäume waren. Diese Allee führte längs eines Abhanges hin, der ein sanftes Tal bildete, auf dessen Grund ein Bach floß. Jenseits des Wasserlaufes gewahrte Dan ein kleines rosa und weißes Schlößchen mit einem langen Gartengitter, das eine Anzahl regelmäßiger Beete umschloß. Das Bild der Landschaft mit dem Schloß, das von der noch tiefstehenden Sonne seitlich angestrahlt wurde, war so hübsch wie das Plakat eines Reisebüros, und die dunklen Blätter der Allee im Vordergrund umzogen das reizende Motiv mit einem lebenden Rahmen.

Auf das Gitter lief eine kleine steinerne Brücke zu, und auf dieser Brücke stand eine weibliche Gestalt, die sich über die Brüstung beugte und in das Wasser starrte. Diese Frau war eigenartig gekleidet: Sie trug einen weiten, langen Faltenrock, eine schwarze Bluse und ein gelbes Kopftuch. Dan wandte den Kopf zurück, um diese seltsame Erscheinung, die etwas Fremdartiges hatte, nicht so schnell aus den Augen zu verlieren. Dabei bemerkte er nicht, daß der Jeep in der gleichen Sekunde, wohl durch einen Stein abgelenkt, nach links ausbrach. Zu spät begriff er, daß sein Fahrzeug zwischen zwei Bäumen hindurch den Abhang hinunterschoß und sich dabei mehrere Male überschlug, als sei es übermütig geworden und mache Purzelbäume.

IX

Kristiaschka und Eliza hatten sich nicht lange ihres munter rollenden kleinen Wagens erfreuen können. Schon bald war es zu dem ersten Zwischenfall gekommen.

An einer Kurve tauchten plötzlich auf kurze Distanz grelle Autoscheinwerfer vor ihnen auf. Eliza schrie »Merde!« und bremste so heftig, daß der Wagen zu schleudern begann, sich quer zur Fahrtrichtung stellte und schließlich ziemlich sanft gegen eine Hauswand bumste. Kristiaschka wurde nach vorne geschleudert und konnte eben noch einen schmerzhaften Zusammenstoß mit der Windschutzscheibe vermeiden.

»Merde ... oder Scheiße«, sagte Eliza, »jetzt sitzen wir jedenfalls drin. Es wäre ja auch zu gut gegangen!«

Man hörte den schweren Laufschritt eisenbeschlagener Stiefel. Eine Taschenlampe und zwei Maschinenpistolen richteten sich auf die beiden Frauen, die wie auf Kommando die Arme erhoben. Lachen klang auf, eine Stimme fragte auf deutsch:

»Wer seid ihr? Wohl harmlose Vergnügungsreisende?«

Der andere Deutsche lachte nur. Die Taschenlampe erlosch, die Maschinenpistolen senkten sich. Kristiaschka vermochte nun im Halbdunkel zwei Männer in Wehrmachtsuniform zu erkennen.

»Los, aussteigen!« sagte jemand. Eliza stieß Kristiaschka an, und beide stiegen aus. Einer der Soldaten stellte brummend fest, daß der Wagen sichtlich kein privates Reisefahrzeug sei, der andere gab den Frauen ein Zeichen, vor ihm herzugehen. Nach einer Weile kamen sie zu einer Straße, an der einige Bäume standen. Unter den Bäumen waren Panzerspähwagen und leichte Flak auf Selbstfahrlafetten postiert, und einige schattenhafte Gestalten unterhielten sich halblaut miteinander. Das Auftauchen der zwei Frauen wurde mehr oder minder galant kommentiert, dann stieß jemand eine Tür auf, und ein Soldat schob Eliza und Kristiaschka in das Haus.

Das Zimmer war von Kerzen erhellt, die in Flaschenhälsen steckten. Auf dem Boden war Stroh aufgeschüttet, in dem drei Soldaten schliefen, und ein vierter, ein Unteroffizier oder Feldwebel, stand wartend vor dem Tisch. Es stank nach Männerschweiß und nach Leder.

Eliza wartete nicht, bis man sie fragte, sondern ging gleich zum Angriff über: Sie erklärte es als eine bodenlose Dummheit, ankommende Autos so zu blenden, daß es zu Unfällen kommen müsse, und verlangte einen Mechaniker, der die Schäden an dem Wagen beseitigen könne.

Der Feldwebel lächelte ein klein wenig und sagte dann freundlich, daß die Soldaten hier keine Werkstatt für Touristen aufgezogen hätten, sondern eine Kampfeinheit seien. Einer der Soldaten, die Eliza so drastisch gestoppt hatten, mischte sich nun ein und meldete, daß es sich bei dem in Rede stehenden Fahrzeug um einen Volkswagen-Schwimmer der deutschen Wehrmacht handle.

»Dann«, sagte der Feldwebel noch immer freundlich, »haben Sie sich der widerrechtlichen Aneignung von Wehrmachtsgut schuldig gemacht; das wird mit Gefängnis bestraft!«

Eliza suchte den Raum nach einem Stuhl ab, entdeckte aber nur einen einzigen; er stand hinter dem Tischchen. Auf diesen setzte sie sich ohne Umstände, öffnete ihre große Handtasche und begann ihre verschiedenen Ausweise herauszukramen. Dabei blies sie ihre blonden Locken, die sich gelöst hatten, aus der Stirn und fragte den Feldwebel, ob er keine Zigarette für sie habe. Er warf ein beinahe leeres Schächtelchen mit ein paar deutschen Zigaretten auf die Tischplatte und hielt ihr sein Feuerzeug hin. Eliza zündete sich eine Zigarette an und breitete dann alle ihre Papiere auf der Tischplatte aus: Ausweise, Bestätigungen, Empfehlungsbriefe an Kommandostellen mit eindrucksvollen Briefköpfen; alle waren von ihrem guten Ewald, dem kurzsichtigen Schreibstubenobersten, unterzeichnet. Der Feldwebel nahm die Papiere auf, studierte sie eingehend und sagte dann, daß der Leutnant sie prüfen werde, sobald er die Wache übernehme.

»Und wann wird das sein, wenn ich fragen darf?« erkundigte sich Eliza.

»In drei Stunden«, sagte der Feldwebel nach einem kurzen Blick auf die Uhr. »Bis dahin können die Damen sich hier ins Stroh legen und ein wenig vorschlafen.«

Eliza protestierte: Sie habe gar nicht die Absicht, drei Stunden zu verlieren. Sie sei unterwegs nach Paris, sie müsse dort möglichst schnell eintreffen. Der Krieg sei zu Ende, man könne nun nichts anderes tun, als sich möglichst schnell aus dem Bereich des russischen Vormarsches bringen und auf die Amerikaner warten.

»Der Krieg ist noch lange nicht zu Ende«, sagte der Feldwebel, »da haben wir auch noch ein Wörtchen mitzureden!« Dann ging er und wies von der Tür aus noch einmal auf das Stroh, in dem die Soldaten in tiefem Schlaf lagen.

Kristiaschka sagte, man müsse sich fügen und eben ein wenig warten. Damit legte sie sich auf das Stroh. Eliza, die vor Wut und Ungeduld kochte, wollte auf die Straße hinaus, aber der erste Soldat war noch immer da, ergriff sie am Arm und stieß sie so heftig in das Zimmer zurück, daß sie neben Kristiaschka im Stroh landete. Eliza nannte ihn ein Schwein, blieb aber sitzen. Der Soldat lachte und setzte sich auf den Boden; er lehnte den Rücken an den Türpfosten und zündete sich eine Zigarette an. Kristiaschka beschwor Eliza, sich ruhig zu verhalten; man könne nichts machen als ein wenig schlafen und auf den Leutnant warten. Schließlich streckte auch Eliza sich murrend aus, und bald schnarchte sie ebenso wie die drei Soldaten. Auch Kristiaschka schlief nach wenigen Minuten ein.

Sie wachten erst auf, als es vor den Fenstern hell wurde. Die drei Soldaten lagen nicht mehr im Stroh, aber ihr Bewacher war noch immer da und eben im Begriff, sich zu rasieren. Vom Fenster aus wünschte er Kristiaschka freundlich einen guten Morgen. Er war noch ganz jung, schwarzhaarig und braungebrannt wie ein Italiener; vermutlich stammte er aus den bayrischen Bergen oder aus Österreich. Eliza, die noch traumbefangen war, blinzelte aus dem Stroh ins Licht und fluchte halblaut.

Der Soldat lachte über das ganze eingeseifte Gesicht. Eliza, der die Haare wirr bis auf die Schultern herabfielen, richtete sich auf, warf einen Blick um sich wie jemand, der nicht weiß, wo er sich befindet, und rief:

»Himmel, habe ich schlecht geträumt! Ich habe geträumt, daß alle meine Ausweise beim Teufel sind. Himmler persönlich verdonnerte mich zur Zwangsarbeit, und der Führer rettete mich, ebenso persönlich, indem er um meine Hand anhielt und Himmler dadurch besänftigte, daß er ihn zum Trauzeugen ernannte! Was einem doch alles durch den Kopf geht, wenn man schläft, lauter Dummheiten!«

Sie streichelte zärtlich die große, schwarze Lackledertasche, die ihr als Kopfkissen gedient hatte, und öffnete sie: Die Ausweise waren noch alle da! Sie rieb sich mit dem Taschentuch ein wenig Kölnischwasser auf die Nase und färbte die Lippen mit frischem Rot, wobei sie ihr Gesicht in einem kleinen Taschenspiegel betrachtete; dann brachte sie mit ein paar geschickten Griffen ihr Haar wieder in Ordnung.

»Jetzt fühle ich mich wieder ein wenig wohler, sagte sie schließlich, »aber wo zum Teufel ist hier das gewisse Örtchen?«

Der Soldat, der sich inzwischen fertig rasiert hatte, lachte und wies mit dem Daumen über die Schulter auf die zweite Tür. Eliza erhob sich stöhnend, schlüpfte in ihre Stöckelschuhe, strich das Kostüm von Fath, das in einem bejammernswerten Zustand war, an den Hüften glatt und klopfte einige Strohhalme aus dem Stoff. Dann verschwand sie durch die bezeichnete Türe in einem dunklen Gang. Als sie wiederkam, maulte sie über den Mangel an Komfort in diesem Land. Kristiaschka verschwand nun ihrerseits und fand, als sie zurückkehrte, Eliza in heftigem Wortwechsel mit dem Soldaten. Sie hatte inzwischen seinen Vornamen erfahren und wollte Helmut partout beweisen, daß der Krieg – trotz allem, was der Feldwebel gesagt hatte – praktisch zu Ende sei. Schließlich beendete Helmut die Debatte dadurch, daß er sagte, nun könne man den Leutnant aufsuchen.

Zu dritt traten sie auf die Straße hinaus. Die anderen Soldaten, die neben ihren Fahrzeugen saßen, waren schon beim Frühstück. Das Auftauchen der beiden jungen Frauen wurde lebhaft kommentiert. Am Ende des kleinen Dorfes gewahrte Kristiaschka in einem offenen Fenster einen sehr mageren Mann, der nur eine kurze blaue Hose trug, Turnübungen machte und dabei die frische Morgenluft in tiefen Zügen einatmete.

»Das ist unser Leutnant«, sagte Helmut, »für den gehen wir alle durchs Feuer!«

»Ich aber nicht!« sagte Eliza. »Mich kriegt er nicht einmal ins Paradies!«

Helmut lachte. In einem Zimmer im Erdgeschoß des Hauses saßen ein Unteroffizier und zwei Mann an einem Tisch und reinigten ihre Waffen. Der Unteroffizier gab Helmut durch eine Kopfbewegung in Richtung auf die Stiege zu verstehen, daß er hinaufgehen könne. Helmut schob die beiden Frauen vor sich her in das Zimmer des Leutnants, der, ohne sich zu bewegen, auf Kopf und Händen stand und Helmut in dieser Haltung befahl, ein wenig zu warten. Die Zeit, die der Leutnant in dieser Stellung zubrachte, erschien Kristiaschka ziemlich lange. Sie wußte nicht, ob ein Kopfstand in dieser Situation komisch oder tragisch genannt werden müsse, und war erleichtert, als der Offizier auf die Beine sprang, sich die Brust rieb und tief ein- und ausatmete. Nun trat Eliza hinzu und sagte schnell:

»Herr Leutnant, ich muß Ihnen sagen...«

Der magere Mann in den blauen Shorts brachte sie mit einer einzigen Handbewegung zum Schweigen. Das Unangenehme dabei war, daß er weder Kristiaschka noch Eliza anblickte, sondern immerzu an ihnen vorbeisah, so daß man seinen Blick nicht festhalten konnte.

»Ihre Papiere!« sagte er kurz und setzte sich mit dem Packen auf das offene Bett. Wie mager er war, und die vielen Haare, die er auf der Brust hatte! Was hatte es für einen Sinn, Morgengymnastik zu machen, wenn man so häßlich aussah? Kristiaschka bemerkte, daß er am Bauch, gerade noch oberhalb des Hosenbundes, eine lange Narbe hatte; man sah auch, wie die Nähte verlaufen waren, es mußte eine schwere Verwundung gewesen sein!

Das Gesicht des Leutnants hellte sich auf. Er gab Eliza die Papiere zurück, blickte zum Fenster hinaus und sagte:

»Ja, der Oberst Weissmann, Ewald Weissmann, ich kannte ihn schon, als er noch im Hotel Majestic eine Einkaufsabteilung leitete ... der ist es doch, nicht wahr?«

Eliza nickte und öffnete den Mund, um einen Schwall von Erklärungen abzugeben.

»Ich erinnere mich genau an ihn«, fuhr der Leutnant fort und hob abwehrend die Hand, um Eliza am Reden zu hindern. »Ein reizender Kamerad, aber ein unmöglicher Soldat. Sie sind seine Mätresse?«

Eliza nickte abermals.

»Grüßen Sie ihn von mir, sobald Sie zu ihm stoßen.«

»Ich fürchte, er ist im Augenblick schon von den Russen gefangengenommen«, sagte Eliza.

»Wie ...«, staunte der Leutnant, »er ist noch drüben?« Dabei wies er mit vielsagender Geste nach Osten. »Ich hätte ihn längst schon weit im Westen vermutet!«

»Dann wäre doch ich nicht mehr hier, Leutnant!« sagte Eliza entrüstet. »Wofür halten Sie mich denn?«

Der Leutnant hielt es für geraten, diese Frage nicht zu beantworten, und wandte seine Aufmerksamkeit Kristiaschka zu.

»Ist sie auch Polin?« erkundigte er sich.

»Nein, Russin«, antwortete Eliza, »sie ist meine Freundin.«

»Ihre Papiere!« sagte der Leutnant wieder, wie vorhin zu Eliza. Kristiaschka, die das Wort nun schon kannte, hob die Arme zu einer hilflosen Gebärde.

»Gehen Sie mit den beiden«, sagte der Leutnant zu Helmut, »und sehen Sie nach, was der Wagen hat. Sie können passieren. Sollen sich zum Teufel scheren!«

Eliza wollte dem Leutnant danken, aber dieser hatte schon wieder mit einer Turnübung begonnen. Er saß in Hockstellung da und breitete die Arme, womit er zweifellos andeuten wollte, daß ihn Dankesworte nicht sonderlich interessierten.

Helmut begleitete die beiden Frauen bis zu ihrem Wagen. Er betrachtete ihn von allen Seiten und sagte schließlich, daß so gut wie nichts passiert sei. Die paar kleinen Blechschäden würden sie jedenfalls nicht am Fahren hindern. Die Hauptfrage sei das Benzin. Er öffnete den Tankverschluß und blickte hinein, setzte sich dann hinter das Lenkrad und fuhr die paar Schritte bis zur Benzinpumpe im Ort. Dort stiegen dann Eliza und Kristiaschka ein, Eliza gab Gas und fuhr unter dem Beifallsgebrüll der Soldaten so schneidig ab, daß der Sand spritzte. Helmut rief ihnen noch etwas nach, was so ähnlich wie »Gute Fahrt nach Paris!« klang.

Das nächste Dorf war bewohnt und wirkte im ganzen viel reinlicher als die litauischen Siedlungen. Soldaten waren hier kaum zu sehen, aber eine Unmenge von Menschen verstopfte mit Karren und Wagen die Seitengassen. Auch auf der Durchzugsstraße war es nicht leicht, weiterzukommen. Ein alter Mann machte Eliza ein Zeichen anzuhalten, aber sie gab Gas, und er konnte sich nur durch einen Sprung vor dem Überfahrenwerden retten.

»Glaubst du, ich habe Lust, hier so einen dicken alten Deutschen aufzuladen?« sagte Eliza zwischen den Zähnen. Die Schilder an den Geschäften zeigten, daß Eliza recht hatte: Sie waren in Deutschland. Hier stand *Konditorei*, dort *Kaffeehaus* ... sie hatten doch gar keine Grenze gesehen? Nun war es auch aus mit dem flotten Fahren. Die Straßen waren von Militärkolonnen und Flüchtlingsfahrzeugen verstopft, Karren und Pferdewagen waren mit dem Hab und Gut der unglücklichen Familien beladen und kamen nur langsam voran. Eliza mußte im Schritt fahren und oft ganz stehenbleiben, und schließlich folgten auf Fahrstrecken von kaum mehr als hundert Metern Pausen bis zu einer Viertelstunde. In den Feldern klafften tiefe Bombentrichter, auf den verlassenen Gehöften brüllte das Vieh, um das sich niemand kümmerte, mit vollem Euter und leerem Magen. Im Straßengraben sahen sie eine alte Frau, die nicht mehr weiter konnte, leise weinen und einen Knaben trösten, der vergeblich versuchte, sie wieder auf die Beine zu stellen.

Eliza fluchte. Bei diesem Tempo durfte man nicht annehmen, in absehbarer Zeit Paris zu erreichen. Sie zottelten hinter einer schweren Haubitze einher, die von einem Sturmgeschütz gezogen wurde und durch Zweige und Blattwerk gegen Fliegersicht getarnt war. Ein Soldat saß auf dem Heck des Tiefladewagens und ließ die Beine baumeln. Er lächelte den beiden Frauen zu, und bei der nächsten Stockung reichte er ihnen ein Kochgeschirr mit Kaffee und ein Stück ziemlich weißen Brotes. Kaffee und Brot verschwanden blitzschnell, denn Eliza und Kristiaschka hatten großen Hunger. Dann erst gingen sie auf das Gespräch ein, das der Soldat bis dahin allein bestritten hatte. Er sei aus Krefeld, sagte er, und freue sich schon auf das Wiedersehen mit der Heimat. Es sei höchste Zeit, daß dieser schreckliche Krieg endlich ein Ende nehme.

»Sie werden Krefeld nie wiedersehen«, sagte Eliza ruhig, »Sie werden vorher fallen!«

Wütend und betroffen spuckte der Soldat ihr statt jeder anderen Antwort ins Gesicht, und Eliza ging mit den Nägeln auf ihn los. Ein kräftiger Fußtritt schleuderte sie auf die Straße, wo sie fluchend und lamentierend liegenblieb. Nun sprang auch Kristiaschka aus dem Wagen und streckte den Soldaten mit einem Faustschlag zu Boden. Erst als er ebenfalls auf der Straße lag, wagten zwei Bauern einzugreifen, die bis dahin, an ihren Karren gelehnt, zugesehen hatten. Sie warfen sich auf den Soldaten und schlugen mit Begeisterung auf ihn ein. Nun sprang ein Offizier von dem Sturmgeschütz herab und fragte, was denn hier los sei. Die beiden Bauern richteten sich auf und erzählten ihm, daß einer seiner Leute auf eine der Frauen eingeschlagen habe. Der Soldat, der an der Lippe blutete, verteidigte sich: Er habe den beiden Weibern in dem Volkswagen Kaffee und Brot gegeben, und zum Dank dafür habe eine der beiden Hexen ihm den Tod gewünscht. Der Offizier begann zu brüllen: »Ein Soldat, der eine Frau schlägt, beschmutzt seine Uniform!«

Eliza war ebenfalls wieder auf die Beine gekommen und streckte dem gemaßregelten Soldaten die Zunge heraus. In diesem Augenblick begann es irgendwo in den Lüften zu rattern, und alle retteten sich von der Straße weg in die Felder hinaus: Vier sowjetische Jäger preschten im Tiefflug über die verstopfte Straße hin und beschossen die Kolonnen aus ihren Maschinengewehren. Kristiaschka drückte sich auf den grasigen Boden des Straßengrabens und sah aus dem Staub der Böschung die kleinen Erdfontänen der Reiheneinschläge aufspritzen; gleich darauf dröhnte eine der Maschinen so niedrig über der Straße dahin, daß man meinte, sie müsse mit dem Bauch das hochgereckte Rohr der Haubitze streifen.

Die Gefahr war vorbei, die Menschen krochen aus dem Graben und erhoben sich aus den Halmen der Felder. Es gab einige Tote, Zivilisten und Soldaten; einer von ihnen war jener Mann, dem Eliza prophezeit hatte, daß er nicht heil nach Krefeld kommen werde. Entsetzt starrte sie auf den Leichnam, der schlaff auf dem Bauch lag. Sie war leichenblaß, aber es war keine Zeit, lange herumzustehen und über die Wege des Schicksals nachzudenken. Eliza und Kristiaschka stiegen wieder in den Wagen, in dem sich inzwischen die erschöpfte alte Frau und ihr Sohn niedergelassen hatten. Soldaten und Bauern stießen die Leichen der Menschen und die Tierkadaver in den Graben, um die Straße frei zu machen. Eliza machte einen Versuch, die beiden blinden Passagiere zum Aussteigen zu bewegen, aber Kristiaschka widersprach: Warum sollten sie nicht mitfahren? Eliza zuckte die Achseln und startete; die ganze lange Kolonne setzte sich langsam wieder in Bewegung.

So verging der Tag mit langsamer Fahrt und immer wiederkehrenden Stockungen, und die Marschpausen wurden immer länger. Dreimal wurde die Straße noch von russischen Jagdflugzeugen beschossen, aber sie konzentrierten ihr Feuer immer auf irgendwelche Objekte vor oder hinter dem kleinen Amphibienfahrzeug, das Eliza und Kristiaschka benützten.

Kurz vor Einbruch der Dämmerung wurde das Chaos so vollständig, daß mit einem Weiterkommen auf der Straße kaum noch zu rechnen war. Eliza stieg aus und ging neben den aufgefahrenen Fahrzeugen nach vorne, um zu sehen, was sich eigentlich ereignet habe. Sie gelangte an eine Brücke, vor der die Feldgendarmerie eine Sperre errichtet hatte, um den Militärkraftwagen den Vorrang zu sichern.

»Das ist doch eine Schande!« rief Eliza unerschrocken. »Von Rechts wegen sollte es doch umgekehrt sein: Die Soldaten sollten den Feind aufhalten und den Flüchtlingen die Rückzugsstraßen freigeben, statt selbst abzuhauen!«

Ein Flaksoldat in blaugrauer Luftwaffenuniform antwortete, daß jedes Fahrzeug und alles Kriegsmaterial dringend gebraucht würden; hingegen seien die Zivilisten zu nichts nütze und behinderten nur die Bewegungen der Militärkolonnen. Eliza schimpfte weiter und war drauf und dran, abermals handgreiflich zu werden, als Kristiaschka, die ihr nachgekommen war, sie am Arm faßte und zurück zum Wagen holte. Die Alte und ihr Sohn waren verschwunden. Kristiaschka durchsuchte den Wagen nach etwas Eßbarem, entdeckte jedoch nichts als eine Flasche Kognak, die unter einen Vordersitz gerollt war. Sie zerschlug den Hals auf dem Blechrand der Wagentür und trank einen langen Schluck, wobei sie sich die Lippen zerschnitt; Eliza tat dasselbe und warf dann die Flasche in hohem Bogen auf das Feld.

»Auf die Gesundheit Friedrichs von Strohbach!« rief sie und gab Gas. Mit einiger Mühe und nicht sonderlich geschickt manövrierte sie den kleinen Wagen auf das Feld hinaus und fuhr dort die Kolonne stehender Fahrzeuge entlang. Unmittelbar vor der Brücke war die Böschung jedoch so steil, daß Eliza sie mit ihren rudimentären Fahrkünsten nicht bewältigen konnte. Ein Feldgendarm, der das mißglückte Manöver beobachtet hatte, stürzte herbei und begann auf die beiden Frauen einzubrüllen: Was sie denn hier trieben und ob sie wirklich glaubten, man werde ausgerechnet sie durchlassen. Eliza, die keinen großen deutschen Wortschatz hatte, schrie wieder einmal »Scheiße!«, worauf der Feldgendarm sie am Aufschlag ihrer Kostümjacke packte und aus dem Wagen zog. Die Nähte des Fath-Kostüms krachten bedenklich, und Eliza schrie wie ein Schwein im Schlachthaus. Ein zweiter Feldgendarm kam hinzu und ergriff Kristiaschka am Arm. Die beiden Frauen wurden ziemlich unsanft über die Brücke gestoßen und einem dicken Offizier vorgeführt. Dieser trug keine Kopfbedeckung, sondern einen schmutzigweißen Verband und war inmitten des allgemeinen Wirbels erstaunlich ruhig. Er fragte den einen Feldgendarmen, was es mit den beiden Frauen auf sich habe.

»Sie waren allein in einem Wehrmachtswagen!« antwortete der Mann.

»Zeigen Sie mir Ihre Papiere!« sagte der Offizier.

Eliza hielt ihm den Packen ihrer Ausweise unter die Nase; der Offizier sah sie schnell durch, runzelte die Stirn und sagte dann ein paar Worte zu dem Feldgendarmen, der die beiden Frauen aufforderte mitzukommen. Sie gingen vor ihm her durch ein kleines Dorf. Dann übergab er sie einem Gefreiten, der am Lenkrad eines Lastwagens saß. Die beiden Deutschen unterhielten sich kurz, der Gefreite zwinkerte dem Feldgendarm verständnisvoll zu und gab dann den Frauen durch ein Zeichen zu verstehen, daß sie in den Wagen klettern sollten.

Der Laderaum war mit Kisten und allerlei Ausrüstungsgegenständen vollgeräumt, aber Kristiaschka schob einige Säcke beiseite und bereitete für jede einen verhältnismäßig bequemen Sitz.

Endlich ein wenig Ruhe! Eliza war am Ende ihrer Kräfte. Sie hatten die vergangene Nacht ja auch nur wenige Stunden geschlafen. Sie schlummerte ein, fuhr aber nach einigen Augenblicken wieder in die Höhe und rief entsetzt:

»Wo habe ich nur meinen Hut gelassen... einen Hut von Orcel!«

»Mach dir nichts draus...«, beruhigte Kristiaschka sie, schon im Halbschlaf, »auch wenn du ohne Hut nach Paris kommst, wirst du glücklich sein, und in Paris wird es nicht sehr schwer sein, einen neuen Hut zu bekommen!«

Dann schliefen sie beide ein und erwachten erst, als der Motor des Lastwagens ansprang. Ging es endlich weiter?

»Ist mir auch recht!« murrte Eliza schlaftrunken. Kristiaschka antwortete nicht; ihr war es gleichgültig, ob man abfuhr oder hierblieb. Sie fragte sich, warum sie ihr Schicksal mit dem Elizas verknüpft hatte, statt einfach auf die Russen zu warten, die sie schließlich nicht aufgefressen hätten. Sie wäre dann zu Tante Eudoxia zurückgekehrt... Was mochte aus Tante Eudoxia geworden sein? Die Deutschen hatten auch die Stadt besetzt, in der sie lebte. Vielleicht war sie tot. Und Stephan? Was mochten die Deutschen mit den Insassen der Gefängnisse gemacht haben, wenn sie eine Stadt eroberten?

Der Lastwagen rollte die ganze Nacht hindurch über holprige Landstraßen. Drei- oder viermal hielt er, nicht öfter. Im Führerhaus saßen insgesamt drei Landser; sie redeten nicht mit den Frauen, waren ihnen aber offenbar nicht feindlich gesinnt. Einer von ihnen gab den beiden Passagieren sogar Brot, Käse und eine Flasche Bier.

Am Morgen erreichten sie eine große Stadt und hielten vor der Schule. Eine Unmenge abgehärmter Zivilisten drängte sich vor dem Gebäude, hinter einem hohen Eisengitter, das den Vorplatz der Schule von der Straße trennte. Ein paar Wachen mit aufgepflanztem Bajonett gingen auf dem Trottoir auf und ab.

Der Gefreite kam nach hinten zu den beiden Frauen und bedeutete ihnen abzusteigen. Er führte sie zum Wachlokal vor der Schule, in dem ein kleiner Unteroffizier hinter einem Tisch saß. Als er die beiden sah, sprang er auf und schrie:

»Aha... Spioninnen... oder habt ihr Sabotage getrieben?«

Dabei gab er Eliza einen Fußtritt, verfehlte aber Kristiaschka und stieß sie schließlich, immerzu weiterschimpfend, vor sich her in den Schulhof.

Kristiaschka wunderte sich, daß Eliza nicht protestiert hatte, als der Unteroffizier ihr den Fußtritt versetzte. Aber als sie die Tränen sah, die über das schmutzverschmierte Gesicht der Gefährtin rannen, begriff sie, daß Eliza am Ende ihrer Nervenkraft angelangt und einem Zusammenbruch nahe war; ja, es schien, als sei das unerschütterliche Vertrauen in die Zukunft mit einemmal aus ihr geschwunden und als glaube sie nun selbst nicht mehr, daß sie jemals nach Paris gelangen werde. Eliza machte den Eindruck, als fühle sie sich verlassen und von tödlichen Gefahren umgeben. Kristiaschka zog sie an sich, streichelte sie, und Eliza schluchzte hemmungslos an der Schulter der Freundin.

Ein kleiner alter Mann näherte sich und sagte, man müsse auf

Gott vertrauen; die Bestrafung Hitlers und seiner Gefolgsleute stehe unmittelbar bevor. Eliza antwortete unter Schluchzen, daß vorher wohl noch alle, die von den Deutschen in dieser Schule zusammengetrieben worden waren, den Tod erleiden müßten, aber der Alte blieb unerschütterlich und wiederholte, man müsse in jeder Lage auf Gottes Gnade hoffen.

»Ach, lassen Sie mich doch mit Ihrem komischen Herrgott zufrieden«, rief Eliza, der die Tränen noch immer über die Wangen rannen, aber sie vollendete den Satz nicht; denn sie hatte auf den zerlumpten Kleidern des kleinen Mannes den gelben Judenstern gesehen. Er bemerkte ihren Blick und lächelte traurig.

»Ich weiß, daß ich längst nicht mehr am Leben sein dürfte«, sagte er. »Fragen Sie mich nicht, wie das gekommen ist, ich weiß es selbst nicht. Sind Sie Polin?«

Eliza nickte.

»Polnische Katholikin?«

Eliza nickte abermals.

»Die Christen in Polen haben uns Juden nie gemocht«, sagte der kleine Mann mit dem gelben Stern, »nun, nach dem Krieg werden sie uns nicht mehr hassen müssen, denn es wird keine Juden mehr in Polen geben...!«

Eliza antwortete nicht. Der kleine Mann zog höflich den Hut und verschwand wieder in der Menge der übrigen Gefangenen.

»Wir kommen in ein Vernichtungslager«, sagte Eliza tonlos, »du wirst sehen... hier sieht mir alles danach aus!«

Sie verstummte, und in ihren großen Augen bildeten sich abermals Tränen.

Gegen Mittag zogen dichte dunkle Wolken am Himmel auf, man hörte den Donner grollen, und ein kräftiger Gewitterregen ging über die elenden Menschen nieder, die man vor der Schule zusammengetrieben hatte.

»Wenigstens können wir uns ein wenig waschen«, sagte Eliza und rieb sich mit ihrem feuchten Taschentuch den Straßenstaub aus dem Gesicht. Nach dem kurzen Guß drang bald wieder die Sonne durch die Wolken; es wurde heiß wie zuvor, und die nassen Kleider trockneten.

Auf der Straße gingen Soldaten vorbei; sie trugen schmutzige Uniformen, wirkten stumpf und blickten weg, als sie die Gefangenen hinter dem Gitter gewahrten. Kristiaschka und Eliza hatten hart an den schwarzen Eisenstäben ein Plätzchen im Gras gefunden und blieben dort den ganzen Tag über liegen; sie schliefen und schwatzten zwischendurch oder dösten vor sich hin.

Als es Abend wurde, schien Eliza ihre Energie einigermaßen wiedererlangt zu haben; jedenfalls erklärte sie, es sei höchste Zeit, etwas zu unternehmen. Sie war schließlich keine Jüdin und hatte keine Lust, mit den Juden zu sterben. Kristiaschka antwortete, sie sei zwar auch keine Jüdin, habe aber das Verlangen, nun endlich nichts mehr zu tun und nichts mehr zu versuchen. Sie wollte liegenbleiben und alles mit sich geschehen lassen, da es sich nun einmal gezeigt hatte, daß das Schicksal es nicht gut mit ihr meinte.

Eliza jedoch gab nicht so schnell auf; sie schüttelte Kristiaschka, redete ihr gut zu und beschimpfte sie in einem Atem, und schließlich machten sie sich beide auf die Suche nach einem Ausweg.

Im Halbdunkel stiegen sie immer wieder über die Körper der anderen Unglücklichen hinweg, die sich zum Schlaf ausgestreckt hatten, und erkundeten das Terrain. Alle Ausgänge waren bewacht. Der Weg über das Latrinendach lag im Blickfeld der Posten, man müßte also, wenn man ihn benützen wollte, noch einige Stunden warten.

Entmutigt setzten sie sich auf den Boden. Eliza betrachtete ihre Nägel, von denen einer abgebrochen war; ihre Hände waren in einem bejammernswerten Zustand ... Wenn Ewald sie so gesehen hätte! Ach, wäre der gute alte Ewald nur da, sie würden nicht mehr lange gefangensitzen!

Kristiaschka wandte ein, daß Oberst Weissmann in diesem Augenblick zweifellos entweder Gefangener der Russen oder tot sei, und Eliza machte Kristiaschka Vorwürfe ob dieser pessimistischen Äußerungen.

Aus der Latrine kam ein Soldat, er knöpfte sich die Hose zu und stieß im Halbdunkel an Eliza. Es war ein älterer, dicklicher Mann mit grauen Schläfen und einem ganz kleinen Schnurrbart unter der Nase.

»Himmel, ist mir mies!« sagte er anstelle jeder Anrede und warf einen mißtrauischen Blick um sich. Als er sich vergewissert hatte, daß ihn niemand sehen konnte, ließ er sich bei den Frauen nieder und begann, ihnen in einem stockenden Selbstgespräch sein Herz auszuschütten. Er erzählte, daß einer seiner Söhne bei Veliki-Luky gefallen sei und daß man ihn trotz seines Alters noch einberufen habe.

»Mir ist so mies«, sagte er, »weil ich so furchtbar traurig bin.«

Er schien aus der Stadt selbst zu stammen, denn sein Deutsch klang ganz anders als das Gottfrieds oder Helmuts, und er war offenbar ein wenig betrunken. Sein eigenes Unglück beschäftigte ihn so sehr, daß er mit keinem Wort nach dem Schicksal der Frauen fragte. Eliza sagte Kristiaschka auf russisch, daß ihr der weinerliche Kerl auf die Nerven gehe.

»Russki?« fragte daraufhin der Mann mit einem bösen Glitzern in den Augen und wies mit dem Zeigefinger zwischen den Frauen hin und her.

»Nein, wir sind Polinnen«, antwortete Eliza.

Der Dicke lachte, erhob sich und sagte:

»Kommt einmal mit mir!«

Sie gingen hinter ihm her in das Schulgebäude, wo zwei Soldaten an einem Schülerpult saßen und ihr Abendbrot verzehrten. Sie wirkten gedrückt und hatten den Arm um ihre Kochgeschirre gelegt, als fürchteten sie, daß ihnen jemand das Essen wegnehmen könne. Sie blickten kaum auf, als der Dicke mit seinem Gefolge an ihnen vorbeiging. Hinter dem Klassenzimmer lag ein kleinerer Raum, der nur ein Fenster hatte. Dieses stieß der Dicke auf und lehnte sich hinaus, als verlange ihn nach der frischen Luft. Es war nun fast völlig finster. Ohne sich umzuwenden, gab er den beiden Frauen ein Zeichen und half dann Eliza auf das Fensterbrett. Er schob kräftig an ihrem Hintern nach und leistete anschließend Kristiaschka denselben Dienst, aber sie hatte den Eindruck, es sei eine mehr väterliche Geste. Draußen war Grasboden, nicht sehr tief unter dem Fenster; beide waren lautlos aufgekommen und schlichen nun geradeaus in die Dunkelheit, erst längs eines Gartenzaunes hin und dann über ein Feld.

»Nun, hatte ich nicht recht, auf meinen Stern zu vertrauen?« sagte Eliza, als sie weit genug von der Schule entfernt waren.

»Noch vor ein paar Stunden warst du fest davon überzeugt, daß alles verloren sei«, antwortete Kristiaschka.

Sie gingen etwa eine Stunde lang über Felder und Wiesen. Dann blieb Eliza stehen und stöhnte, sie könne nicht mehr weiter, ihre Knöchel seien geschwollen. Kristiaschka redete ihr ins Gewissen, und sie versuchte es noch ein Stück, aber es ging nur noch langsam, denn Eliza stöhnte immer wieder über ihre Stöckelschuhe. Die Nacht war sehr dunkel, denn der Himmel war von tief hängenden Wolken bedeckt. Irgendwo begann ein Hund zu heulen, und die beiden änderten die Richtung, um nicht auf ihn zu treffen. Nach einer Weile bemerkten sie eine offenbar einsam stehende Scheune, und Eliza erklärte, sie gehe nicht mehr weiter. Außerdem wüßten sie ja gar nicht, wohin sie eigentlich gingen.

»Wenn wir es wüßten, wäre es zweifellos dasselbe«, sagte Kristiaschka, deren Fatalismus sich inzwischen wieder eingestellt hatte. Was hatte es für einen Sinn, heute zu entfliehen und morgen wieder aufgegriffen zu werden? Irgendwann würde doch Schluß sein.

In der Scheune lag eine ziemliche Menge Heu, und Eliza ließ sich mit einem wohligen Stöhnen hineinfallen. Kristiaschka hingegen erkundete erst ihren neuen Zufluchtsort. Sie scheuchte eine Henne auf, die gackernd entfloh, und entdeckte zwei Eier, von denen sie eines austrank und das andere Eliza reichte.

Ein Sonnenstrahl weckte Kristiaschka. Durch die halboffene Tür der Scheune war ein kleiner Junge eingetreten; er trug ein blaues Hemd und eine kurze Hose mit bestickten Hosenträgern. Er reckte sich auf die Zehenspitzen und nahm ein altes Lederkummet von der Wand. Erst als er wieder ging, stolperte er mit seiner Bürde über einen Frauenschuh. Er bückte sich, sah genauer hin und entdeckte die schlafende Eliza. Dann fiel sein Blick auf Kristiaschka, die ihn starr ansah.

»Seid ihr Flüchtlinge?« erkundigte er sich.

»Ja«, nickte Kristiaschka, die das Wort inzwischen von den Deutschen aufgeschnappt hatte und sich denken konnte, was der Junge meinte. Auch Eliza richtete sich nun auf und rieb sich die Augen.

»Ich sterbe vor Hunger!« rief sie auf polnisch.

»Ihr seid ja gar keine Deutschen!« sagte der Junge böse, und nun bemerkte ihn auch Eliza.

»Nein, wir sind Polinnen«, antwortete sie auf deutsch, »und wir haben großen Hunger.«

Der kleine Bauernjunge betrachtete die zwei Frauen mit lebhafter Neugierde. Er hatte einen frischen, klaren Blick, blonde Haare und volle Wangen. Er war untersetzt, aber kräftig entwickelt, man konnte seine Freude an ihm haben. Das war es auch, was Eliza bei diesem Anblick Kristiaschka zuflüsterte.

»In Paris wirst du heiraten«, tröstete Kristiaschka, »und dann kannst du bei deinem Mann so viele kleine Jungen bestellen, wie du willst!«

»Ihr habt also Hunger«, sagte der Kleine nachdenklich, »wartet hier, ich komme wieder.«

Er lief davon und kehrte tatsächlich nach etwa zehn Minuten mit einer Kanne Milch, Brot und Tomaten zurück. Die beiden ausgehungerten Frauen machten sich darüber her und ließen auch kein Krümchen übrig; der Junge sah ihnen dabei aufmerksam zu. Als der letzte Tropfen Milch getrunken war, streckten

Eliza und Kristiaschka sich wieder im Heu aus, der Junge schulterte das Kummet, das er vorhin liegengelassen hatte, nahm die leere Kanne und ging.

Eliza hatte die Hände unter den Nacken geschoben, starrte zu dem hohen Dach der Scheune empor und sagte: »Was wollen wir tun?«

Kristiaschka schlug vor, tagsüber in der Scheune zu bleiben und bei Einbruch der Nacht weiter nach Westen zu marschieren. Eliza widersprach: Sie war zu ungeduldig, sie wollte nicht so lange warten.

Noch während sie das Für und Wider erwogen, vernahmen sie Motorengeräusch und das Knirschen von Bremsen. Dann wurde die Tür weit aufgestoßen, und zwei Soldaten in grüner Felduniform erschienen, hinter denen der kleine Junge eintrat.

»Jetzt haben sie uns«, sagte Eliza, »der kleine Gauner hat uns verraten!«

»Vielleicht kann er gar nichts dafür«, sagte Kristiaschka, »und hat ganz ahnungslos von uns erzählt...«

»Schau ihn dir doch an«, fauchte Eliza, »der freut sich richtig!«

Der größere der beiden Landser trat näher und lächelte. Beide waren noch ziemlich jung und schlank, und die Uniform schien ihnen zu groß zu sein. Aber ihr Blick verriet nichts Gutes, und sie rochen so sehr nach Schweiß, daß dies sogar den Heugeruch übertäubte. Sie trugen keinen Stahlhelm, sondern die Feldmütze, aber man sah ihnen an, daß sie von der Front kamen.

»Zigarette?« sagte der Große und holte eine Schachtel aus der Brusttasche. Eliza griff zu, Kristiaschka gab durch ein Zeichen zu verstehen, daß sie nicht rauche. Der Kleine, der breitbeinig dabeistand und die Hände auf dem Rücken gefaltet hatte, erklärte altklug, daß man in der Scheune kein Feuer machen dürfe, aber niemand achtete auf ihn. Dann fiel der Blick des großen Soldaten auf Kristiaschka, und er fragte sie:

»Warum sind Sie traurig?«

Nun legte Eliza los: Sie hätten doch wohl allen Grund, traurig zu sein, oder nicht?

Ein gelber Hund kam schweifwedelnd in die Scheune gesprungen, strich allen um die Beine und leckte dem Jungen die Hand.

»Der hat den gleichen Blick wie der kleine Bauer«, sagte Eliza, »ich ahne nichts Gutes!«

Der Große griff Kristiaschka unter das Kinn; sie sprang auf und ließ einen kurzen harten Schlag auf die Hand niedersausen, deren rauhe Haut sie an ihrem Halse gefühlt hatte. Der Soldat lachte verlegen und sagte:

»Stark wie ein Mann und so widerborstig wie alle Polinnen!«

In diesem Augenblick trat eine Frau in die Scheune, offenbar die Mutter des kleinen Jungen. Sie stemmte die Arme in die Hüften, schrie die beiden Soldaten an und ließ ein solches Donnerwetter auf sie niedergehen, daß auch Eliza nicht verstand, was sie im einzelnen sagte.

»Los, auf den Wagen«, schrie der Große und machte den Frauen ein entsprechendes Zeichen; alle gingen hinaus, und die beiden Soldaten wechselten flüsternd ein paar Worte.

Vor der Scheune stand ein requirierter Kraftwagen mit zivilem Kennzeichen; er war vollkommen verdreckt und zerschrammt, und die Kotflügel wiesen Beulen auf. Kristiaschka fiel über einen Stein der Länge nach hin und wurde plötzlich von einem nervösen Lachkrampf gepackt, der auch Eliza ansteckte. Kristiaschka blickte auf, sah Eliza mit den wirr emporstehenden roten Haaren, dem zerrissenen Kostüm von Fath und den löcherigen Strümpfen und mußte nun erst recht lachen.

»Die Polinnen sind doch alle verrückt«, sagte der größere der beiden Landser, aber die Bäuerin blieb todernst und murrte nur, daß man alle Polacken umbringen müsse. Der kleine Junge machte ein strenges Gesicht.

Kristiaschka stand auf und stieg mit Eliza in den wartenden Wagen.

»Die Schweine bringen uns in die Stadt zurück«, sagte Eliza auf russisch.

»Wir können ja doch nichts dagegen tun«, antwortete Kristiaschka.

Das Auto fuhr durch einige halbleere Straßen und hielt dann vor einem Balkentor in einer langen Umzäunung, vor dem ein Wachtposten stand.

»Das sind polnische Gefangene«, sagte der größere der beiden Landser erklärend, und der Posten ließ sie passieren. Sie fuhren noch ein Stück durch eine Allee und hielten dann vor einem Gebäude mit palastartiger Fassade. Die Soldaten stiegen aus und forderten die beiden Mädchen auf, mit ihnen zu kommen. Sie gingen über steinerne Treppen und lange Gänge, in denen die Schritte hallten; sie kamen an halboffenen Türen vorbei, hinter denen leere und schmutzige Büroräumlichkeiten zu sehen waren. Schreibtische und Wandschränke waren mit allerlei Papierkram bedeckt, und die Schubladen standen offen. Schließlich gelangten sie in einen großen Raum, der ziemlich dunkel war, denn er hatte keine Fenster und wurde nur von einer Petroleumlampe erleuchtet, die auf dem Boden stand. In ihrem Licht blinkten einige große Kristallüster matt auf, und die großen Spiegel an den Wänden vervielfältigten dieses Bild. Offenbar handelte es sich um einen Ballsaal, und Kristiaschka fand ihn schön, trotz dem vielen Staub und der Verwahrlosung. Sie entdeckte auch im Hintergrund des Raumes zwei behelfsmäßige Bettstellen aus weichem Holz mit jeweils zwei übereinander angeordneten Schlafstätten; außerdem standen einige Tische und Schemel in dem Raum.

Die zwei Deutschen begannen, sich leise zu besprechen. Eliza hörte, daß der Größere Reinhard genannt wurde. Dieser Reinhard ging bald darauf durch eine der Spiegeltüren im Hintergrund des Saales, während der andere sich auf den Boden setzte und eine Unterhaltung mit Eliza begann. Er erzählte ihr, daß er drei Kinder habe, und Eliza sagte auf russisch zu Kristiaschka, daß ihr die drei Gören dieses Kerls herzlich gleichgültig seien. Der Deutsche lachte, als habe Eliza seinen Kindern ein Kompliment gemacht, und zog aus seiner Feldbluse eine Brieftasche, der er Fotografien entnahm.

»Sie sehen aus wie kleine Idioten«, sagte Eliza zu Kristiaschka, und der Soldat lächelte geschmeichelt. Je mehr Eliza sich über ihn lustig machte, desto freundlicher wurde er. Dann kündigte das Geräusch von Schritten die Rückkehr Reinhards an, der die Tür verschloß, Kristiaschka bei der Hand nahm und zu einem der Betten führte, der andere tat dasselbe mit Eliza.

»Zieh dich aus!« sagte Reinhard leise zu Kristiaschka, und als sie nicht verstand, zerrte er an ihrer Bluse herum. Eliza hatte sich inzwischen gehorsam ihres Kostüms entledigt. Im Halbdunkel leuchtete ihre rote Mähne, und ihre Haut stach milchigweiß von dem schwarzen Hemd ab.

»Dagegen kann man nichts tun«, sagte sie leise zu Kristiaschka, »hoffentlich lassen sie uns dann wenigstens laufen und bringen uns nicht in das Lager zurück!«

Eliza sprach dann ziemlich schnell und natürlich auf deutsch mit Reinhard. Er lachte und antwortete offenbar zustimmend. Eliza erklärte Kristiaschka, daß Reinhard versprochen habe, sie nachher bei einer Fahrzeugkolonne unterzubringen, die nach dem Westen geführt werde. Als Eliza sich einen ihrer Schuhe auszog, stieß dieser an einen metallenen Gegenstand unter dem Bett. Sie bückte sich und entdeckte eine Karaffe mit Kaffee, der zwar nicht sehr einladend roch, aber zusammen mit ein paar Schnitten Kommißbrot und etwas ranziger Butter für die beiden Frauen doch ein willkommenes Mahl abgab. Eliza erklärte, daß sie großen Hunger hätten und vorher gern etwas essen würden. Reinhard nickte und reichte ihr sein Taschenmesser. So saßen sie denn in der nächsten Minute einander essend gegenüber. Kristiaschka mit ihrer zerrissenen Bluse, Eliza in ihrem schwarzen Spitzenhemd, und kauten angestrengt auf dem alten Brot herum, das auch der Kaffee kaum aufzuweichen vermochte. Die beiden Landser hatten ihre Feldblusen ausgezogen und wirkten in Hemdsärmeln noch unappetitlicher, vor allem der Kleine, dem die Hosenträger auf die Fersen hingen; aber sie warteten, bis die Frauen sich gekräftigt hatten.

Eliza begann mit vollem Mund ihrem Kavalier ins Gewissen zu reden: Er solle sich was schämen, seine Frau zu betrügen, er sei doch Familienvater und habe sooo reizende Kinder! Der Kleine machte ein finsteres Gesicht und antwortete, daß seine Frau längst tot sei, sie habe bei einem Luftangriff den Tod gefunden.

Reinhard wurde ärgerlich, er fürchtete für die Stimmung und verbat sich die Gespräche von den Bombenangriffen.

»Ich glaube«, sagte Kristiaschka, »ich habe nicht Mut genug, um es geschehen zu lassen.«

»Du kannst dich doch nicht beklagen«, sagte Eliza, »dein Reinhard ist gar nicht so übel; schau dir dagegen meinen an, mit mir meint's das Schicksal nun einmal nicht gut. So jung und so häßlich, das ist immerhin selten. Und dieses Schwein hat eine Frau gefunden und ihr drei Kinder gemacht!«

»Sag ihnen, wir hätten Läuse«, bat Kristiaschka.

»Hast du denn welche?« fragte Eliza entsetzt.

»Jetzt nicht mehr, aber es ist noch gar nicht lange her, daß ich welche hatte.«

Eliza sagte Reinhard, Kristiaschka habe Läuse, aber dieser machte sich offenbar nichts daraus. Er sagte, Läuse gebe es jetzt überall, ja, sie seien die eigentlichen Sieger in diesem Krieg, denn sie fielen unterschiedlos über alle her, über Russen, Deutsche und Polen. Der Kleine lachte schallend auf, als habe Reinhard einen ungemein geistvollen Witz gemacht, und Eliza blickte verzweifelt zur Decke des Saales: Diesem Menschen war sie ausgeliefert!

Als das frugale Mahl beendet war, gab Eliza Reinhard das Taschenmesser zurück. Dabei begegnete ihr Blick dem Kristiaschkas. Sie begriffen, daß ihnen zugleich derselbe Gedanke gekommen war: Sie müßten Reinhard mit diesem Messer töten. Aber als Waffe gegen zwei Soldaten war ein Taschenmesser natürlich ausgesprochen lächerlich.

Der Kleine mit den Hosenträgern zog nun Eliza zu dem einen Bett, das in der Saalecke stand.

»Es ist doch verhext«, seufzte sie, »da habe ich geglaubt, ich hätte es nun endlich geschafft und könnte mir für den Rest meines Lebens die Männer aussuchen. Und jetzt muß ich erst wieder mit einem so widerlichen Kerl schlafen, das erinnert mich geradezu an meine Anfänge in Warschau!«

Reinhard wollte Kristiaschka umarmen, aber sie stieß ihn von sich.

»Eliza, sag ihm, ich hätte die asiatische Syphilis!« bat Kristiaschka.

Es zeigte sich, daß Reinhard auch das völlig egal war, denn es mache absolut keinen Unterschied, ob man als Gesunder oder als Syphilitiker von einer Kugel getroffen werde, und mit einer Syphilis heimzukehren sei noch immer besser, als auf dem Felde der Ehre zu fallen.

Eliza mußte lachen, Reinhards Kumpan schimpfte, und Kristiaschka streckte sich auf dem Bett aus, während Reinhard ihren Hals mit Küssen bedeckte. Kristiaschkas herabhängende Hand ertastete etwas Hartes: einen Stiefel. Diesen warf sie in die Petroleumlampe, die zerbrach. Im Finstern schleuderte Kristiaschka Reinhard von sich und stürzte auf die Tür zu, durch die sie gekommen waren. Sie fand sie nicht gleich, und als sie sich schließlich bis zur Klinke hingetastet hatte, erwies sich die Tür als verschlossen. Dann wurde es plötzlich sehr hell in dem Raum: Aus der zerbrochenen Lampe war das Petroleum in die Ritzen des Parketts geflossen, und der Fußboden hatte zu brennen begonnen.

Reinhard richtete sich auf und lief zu der anderen Tür, die er vorhin verschlossen hatte. Er öffnete sie und ließ seinen Gefährten und Eliza hinaus, während Kristiaschka, die sich ebenfalls erhoben hatte, an den Flammen vorbei dem gleichen Ausgang zustrebte. Im nächsten Zimmer, einem verlassenen Büroraum, sah sie sich wieder Reinhard gegenüber, der ihr den Weg verstellte. Sie stieß ihm ihre Faust ins Gesicht, daß das Blut ihm auf die Uniform spritzte; darauf holte Reinhard aus und schlug sie mit dem Kolben seiner Pistole auf den Kopf.

Als Kristiaschka wieder zu sich kam, lag sie mit anderen Polinnen und Russinnen in einem Wagen der Feldgendarmerie.

Auf einem Bahnhof wurden sie in einen Güterzug verladen und rollten, ohne viel zu sehen, eine Woche lang langsam und mit langen Pausen immer weiter nach Westen. Der Transport war anscheinend wegen zerstörter Bahnhöfe und unpassierbarer Brücken zu großen Umwegen genötigt, und alle Insassinnen des überfüllten Wagens hofften, daß eine Bombe den Zug treffen und den Überlebenden damit eine Chance zur Flucht geben würde.

Eine Woche lang war Kristiaschka mit etwa sechzig anderen Frauen in erstickender Hitze zusammengepfercht; der Güterwagen war nur unzureichend ventiliert, und Verpflegung erhielten sie ebensowenig wie etwas zu trinken. Zwei Frauen starben. Auf das verzweifelte Trommeln und Schreien der anderen bequemte sich schließlich eine Wache der Zugbegleitmannschaft, die Schiebetüre zu öffnen. Die zwei Leichen wurden aus dem Waggon kurzerhand auf den Bahndamm geworfen. Die Wachen erklärten den Frauen ungerührt, es sei keine Verpflegung für sie vorgesehen, sie müßten eben sehen, wie sie zurechtkämen.

Eines Nachts, während man irgendwo endlos lange hielt, schoben drei SS-Männer die Tür auf und stießen noch zehn Frauen in den Waggon. Eine von ihnen erzählte, daß sie aus einem Lager stammte, das bombardiert worden war. Es habe zwar nicht viel zu essen gegeben, aber sie hatten hin und wieder ein kleines Fest feiern und mit geborgten Kleidungsstücken sogar Theater spielen und ihre heimischen Tänze aufführen dürfen.

Kristiaschka hielt besser durch, als sie es vermutet hatte. Das harte Leben in den Wäldern war ein gutes Training gewesen. Sie verlor stark an Gewicht und entdeckte an verschiedenen Stellen ihres Körpers ihr völlig ungewohnte Höhlungen. In den nächsten Tagen starben drei weitere Frauen, und da Kristiaschkas Kleidung nur noch aus Lumpen bestand, nahm sie sich von den Toten, was sie brauchte: einen weiten Faltenrock, eine schwarze Bluse und ein gelbes Kopftuch.

In Ver-sur-Mer, in der Landschaft Calvados, erblickte sie zum erstenmal in ihrem Leben das Meer. Sie war einem Arbeitskommando zugeteilt worden, das beim Bunkerbau eingesetzt war. Der Winter verging mit schweren Erdarbeiten im deutschen Befestigungsgürtel an der normannischen Küste. Ein französischer Bauunternehmer verdiente Unsummen an diesen Arbeiten, beging zugleich aber Sabotage, indem er das vorgeschriebene Mischungsverhältnis nicht einhielt und zu seinem Nutzen mehr

Sand beimengte, als der Beton vertrug, wenn er fest sein sollte. So wußte niemand, ob dieser Mann nach der Landung der Alliierten als Kollaborateur verhaftet oder als Widerstandskämpfer ausgezeichnet werden würde.

Im Mai 1944 wurde nach einer Reihe heftiger Luftangriffe die Gruppe der russischen Zwangsarbeiterinnen nach dem Landesinneren verlegt und in einer Fabrik untergebracht. Eines Morgens stellten sie fest, daß die Bewachungsmannschaft abgerückt war. Die Leute aus dem Dorf kamen zu ihnen und erwiesen ihnen zahlreiche Freundlichkeiten; sie wurden aus dem Überfluß der normannischen Bauern auch sogleich mit Nahrungsmitteln versorgt. Kristiaschka nahm schnell die dreißig Pfund wieder zu, die sie abgenommen hatte, denn was jetzt für sie kam, konnte sie als Ferien ansehen: An die Bauernarbeit war sie seit ihrer Kindheit gewöhnt, und sie fiel ihr angesichts ihrer großen Körperkräfte auch gar nicht schwer.

Eines Tages sah sie auf der nahen Landstraße eine motorisierte Kolonne vorbeikommen. Das waren die ersten Amerikaner. Sie floh und versteckte sich in einem Stall. Mochten das nun die Befreier sein oder nicht, sie hatte von allen Soldaten der Welt genug und wollte keinen mehr sehen. Nur nachts wagte sie sich ein wenig an die frische Luft. Der Hof, auf dem sie arbeitete und lebte, lag ziemlich abseits und hatte weder am Haus noch auf den Feldern Schäden erlitten; der Krieg war spurlos an ihm vorübergegangen. Die Bauersleute hatten nur ein einziges Kind, ein Mädchen, und waren sehr freundlich zu Kristiaschka. Schon nach wenigen Tagen klappte es auch leidlich mit der Verständigung durch Gebärden und Gesten, da Kristiaschka ja auf einem Bauernhof zu Hause war und alle Dinge kannte. Nur eines liebte sie nicht: den Schnaps, den man hierzulande trank. In ihm sah sie eine feurige Flüssigkeit. Aber im übrigen hätte sie sich gern hier niedergelassen und bis zu ihrem letzten Stündlein die normannischen Kühe betreut.

Eines Morgens machte sie sich auf, um nach einer entlaufenen Kuh zu suchen. Lange Zeit irrte sie durch das menschenleere Land. Sie gelangte in ein flaches Tal, in dem ein hübsches Schloß aus weißem und rosafarbenem Stein stand; es war verlassen, denn eine Bombe hatte das Dach zerstört und das schöne Gebäude unbenützbar gemacht. Vor dem Schloß überspannte eine kleine Brücke das Flüßchen. Kristiaschka lehnte sich auf die steinerne Brüstung und starrte nachdenklich in das klare, langsam fließende Wasser, auf dessen Grund ein paar grüne Schlingpflanzen wuchsen. Sie mußte an den Fluß denken, an dem ihr Heimatdorf lag, den Fluß mit dem Fischotter, dem sie gerne zugesehen hatte, wenn er nach Fischen jagte.

Metallisches Krachen und Klirren ließ sie aufblicken. Sie sah einen kleinen Kraftwagen der amerikanischen Armee den Hang zum Tal herabschießen, sich überschlagen, weiterkollern und schließlich mit noch immer rollenden Rädern umgestürzt liegenbleiben. Der Lenker war sogleich herausgeschleudert worden. Kristiaschka lief hin, um zu sehen, ob man ihm noch helfen könne.

X

Er lag ausgestreckt im Gras, sein Kopf ruhte auf einem Arm, die eine Hand öffnete die offene, blaßrosige Fläche zum Himmel. Es war ein junger schlanker Neger, und man konnte glauben, er schlafe. Sein Stahlhelm war fortgerollt und lag ein paar Schritte weiter im Gras. Behutsam drehte Kristiaschka den Körper um. Sie sah kein Blut, kein Anzeichen einer Verletzung. Sie legte ihm das Ohr auf die Brust, auch das Herz schlug in seinem normalen Rhythmus. Sie lud sich die leichte Bürde auf die Schulter. Er wog nicht schwerer als einer der Sandsäcke, die sie bei der Arbeit am Atlantikwall hatte tragen müssen, nicht schwerer als ein großes Bündel Heu, wie man sie in ihrer russischen Heimat auf dem Rücken trug.

Sie ging über die kleine Brücke und überquerte den Vorhof des Schlößchens. Die schwere, durch Schnitzereien verzierte Holztür des Haupteingangs öffnete sich unter dem Druck ihrer freien Hand. In der Halle lag Gipsstaub auf dem Boden, abgesprungener Stuck und anderer Kleinkram. Einer Marmorstatue mit langer Perücke, die Ludwig XIV. darstellte, war die Nase weggeschlagen, und der große Monarch blickte streng auf die russische Zwangsarbeiterin, die einen Negersoldaten der amerikanischen Armee durch die Halle dieses feudalen Landsitzes trug. Aber es war nicht durchzukommen. Die Trümmer aus dem Oberstock hatten die breite, geschwungene Treppe völlig verlegt, und Kristiaschka ging wieder durch die große Holztür hinaus. Das Schloß hatte so gut erhalten ausgesehen und war doch innen so stark zerstört; war es vielleicht mit dem Soldaten auf ihrer Schulter ähnlich? Sie betastete ihn besorgt, aber nein, der Körper war warm und lebendig. So schritt sie denn unverdrossen um das Schloß herum.

Eine große Terrasse mit einer Balustrade ging auf den Park und eine Reihe kleiner Teiche hinaus, die mit dunklem Wasser schweigend dalagen. Kein Laut war zu hören, nicht einmal ein Vogel sang, und kein Lüftchen wehte. Und ganz hoch oben im porzellanblauen Himmel glühte die Sonne mit tausend Feuern, das Gestirn Ludwigs XIV., des Sonnenkönigs.

Ihre Vermutung hatte sie nicht getäuscht: Die Stiege, zu der sie durch den Hintereingang gelangte, war gut erhalten und frei von Trümmern. Eine Tür am oberen Ende der Stiege öffnete sich in einen kleinen Salon, dessen Decke ein klaffendes Loch aufwies. Der Boden war mit Dachtrümmern bedeckt. Eine weitere Tür führte Kristiaschka in ein Eckzimmer, das offenbar kaum unter dem Bombentreffer gelitten hatte, denn es war noch vollständig möbliert. Ein Prunkbett mit Baldachin stand in der Mitte des Raumes und daneben Sessel, Sofas, zwei niedrige Tischchen, auf denen allerlei Gegenstände standen, um deren Fremdartigkeit Kristiaschka sich im Augenblick gar nicht kümmerte: Kupfer-Halbreliefs auf Ebenholz, Spieluhren, Dosen mit eingelegtem Deckel, Statuetten und Tabatieren. Dem Bett gegenüber öffnete sich ein großer Kamin mit einem Sims aus buntem Marmor und einer Standuhr aus Kupfer mit blauer Emailauflage, die von mattgewordenen Bronzestatuetten flankiert war. Darüber bedeckte ein blinder Spiegel die Wand. Das Zimmer war völlig mit roter Seide bespannt, alle vier Wände, und auf diesem schon etwas verblichenen Purpurgrund hingen die Bilder würdiger Herren mit Perücken, die Marschälle oder Kardinäle und auf jeden Fall hochmögende Persönlichkeiten gewesen sein mochten, weswegen sie Kristiaschka ebenso streng anblickten wie vorhin, im Vestibül, die Büste des Sonnenkönigs.

Vorsichtig legte sie den zarten Negersoldaten auf das große, breite Bett und überlegte erst jetzt, was man in solch einem Fall wohl am besten tat. Sie öffnete seinen Ledergürtel und schlug ihn leicht mahnend bald auf die eine, bald auf die andere Wange; es waren nur leichte Klapse, die ihn aufwecken sollten, aber der Körper blieb so regungslos wie zuvor. Nur die kaum merkliche Atmung bewies, daß noch Leben in ihm war. Vielleicht sollte man ihm etwas zu trinken geben?

Neben dem Schlafzimmer befand sich ein kleiner Waschraum mit einem Wandschrank, einem Eimer, einem Badeschaff und einer Kanne, aber ohne Wasserleitung. Kristiaschka nahm die Kanne, stieg ins Erdgeschoß hinab und fand auch die Küche, aber der Wasserhahn in der Küche spottete allen ihren Bemühungen: Der Bombentreffer mußte die Zuleitung irgendwo unterbrochen haben. Nach einigem Suchen entdeckte sie schließlich im Garten einen alten Brunnen, der nach ein paar Pumpbewegungen tatsächlich Wasser lieferte. Sie füllte die Wasserkanne, kehrte ins Schloß zurück und pflückte im Vorbeigehen noch ein paar langstielige blaue Blumen ab, in deren Blütenblättern rötliche und gelbe Zungen wie Flammen durcheinanderzuckten. Den Blumenstrauß in der einen, die Karaffe in der anderen Hand, betrat sie wieder das Eckzimmer, wo der Soldat noch immer ohnmächtig ruhte.

Sie füllte eine Vase mit Wasser und fand in einem der Schränke ein Handtuch, das sie ins Wasser tauchte, auswand und dem Soldaten sanft auf das Gesicht drückte. Er reckte sich ein ganz klein wenig, stöhnte leise auf, griff sich mit den Händen nach der Brust und öffnete schließlich die Augen.

Er sah ein Mädchengesicht mit einem gelben Kopftuch über sich gebeugt; es war ein rundes, fröhliches Gesicht, in dessen Wangen kleine Grübchen saßen und das an der Nasenwurzel von Sommersprossen bedeckt war. Die graugrünen Pupillen hatten helle Goldfünkchen auf ihrem Grund, die aufsprühten, wenn das Mädchen lächelte, und hinter ihrem Gesicht gewahrte er einen großen Strauß bunter Blumen, aus dem es blau, gelb, rot und orangefarben leuchtete.

Kristiaschka wollte etwas sagen und entsann sich, über die Jahre hinweg, ihrer Englischkenntnisse, der wenigen Worte und Regeln, die Iwan ihr einst beigebracht hatte. Sie sagte: »Good?« Und er nickte. Ja, es war gut, auf diese Weise wieder ins Leben zurückzukehren, von einem lachenden Mädchen und einem prächtigen Blumenstrauß empfangen zu werden. Er drückte ihr die Hand und hielt sie in der seinen. Wie klein und zart seine Hand ist, dachte sie. Was für breite, rauhe Hände dieses Mädchen hat, dachte er. Mit einem Seitenblick streifte er einen der strengen Herren mit Perücke und Spitzenjabot, die so böse auf die beiden herabblickten. Wo hatte er diesen Mann schon einmal gesehen? Stimmt, im Zimmer jener Mrs. Holloway, im Hotel Theresa... Es war nicht ganz genau derselbe Herr, vielleicht sein Vetter, ein Graf, der mit jenem verwandt war... Auch an den kleinen Neger vom Hof Ludwigs XV. erinnerte ihn das Porträt, an den kleinen Neger, den der russische Fürst ihm gelegentlich einer Opiumlieferung gezeigt hatte...

Er sagte »Good!«, zwinkerte ihr zu und richtete sich im Bett auf. Ein leichter Schmerz ließ ihn die Hand an die Rippen führen, dorthin, wo das Zwerchfell begann. Er rieb sich die Haut und fragte: »French?« Sie antwortete: »Russia!« Er atmete tief ein, schnitt eine Grimasse, sank hintenüber und wies auf seine Brust. Sie begriff, daß er Schmerzen habe. Vermutlich war er gegen das Lenkrad geschleudert worden und hatte sich den Brustkorb geprellt. Was war da zu tun? Er bewegte die Füße und schnitt abermals eine Grimasse. Auch dort hatte er also offenbar Schmerzen, und Kristiaschka zog ihm behutsam Schuhe und Socken aus. Der eine Knöchel war geschwollen. Auf den würde sie eine Kompresse legen. Sie gab ihm durch Gesten zu verstehen, daß sie ihm den Fuß bandagieren wolle und nach den Dingen suchen werde, die sie dazu brauchte.

Sie ging in die Küche hinunter, fand Zündhölzer und trockenes, geschnittenes Holz, mit dem sie im Herd Feuer anmachte. Dann ging sie in den Garten, um Wasser zu holen. Als sie ein Gefäß mit Wasser aufgestellt hatte, kehrte sie in das Schlafzimmer zurück, um ihrem Patienten Gesellschaft zu leisten.

Der schlanke Neger hatte sich inzwischen eine Zigarette angezündet. Kristiaschka verwies es ihm, indem sie auf seine kranke Brust und auf den Rauch deutete und »Nix good!« dazu sagte. Er lächelte, nickte zum Zeichen, daß er verstanden habe, und sagte dann: »Yes good!«

Sie nahm von einer Konsole eine Porzellanschale und stellte sie als Aschenbecher auf ein kleines Tischchen neben dem Bett. Er sagte: »Thank you!« und sie sagte »Merci!«, eines der wenigen französischen Worte, die sie bei ihren Bauern gelernt hatte. »Merci Mamzelle!« sagte nun er in unsicherer Erinnerung an die Worte, die er von Leutnant Alan Ibbotson hin und wieder gehört hatte. Dann war es an der Zeit, daß Kristiaschka nach dem Wasser sah. Mit dem dampfenden Topf kehrte sie wieder, legte eine heiße Bandage auf und ein trockenes Tuch darüber. Er sagte anerkennend: »Good sister... good sister!« Sie kannte den Begriff nicht und wiederholte fragend »Sister?« Er nahm von dem Strauß ein paar rote Blütenblätter, legte sie zu einem Kreuz zusammen und sagte:

»Red cross..., you sister!«

Sie lachte glücklich, nun hatte sie verstanden; sie nahm ihm die Blütenblätter ab und legte sie als Kreuz auf das Tischchen, das neben seinem Bett stand.

Er wies mit dem Finger auf den Herrn mit der weißen Perücke und dem Spitzenjabot und sagte: »Bad man!« Das war einfacher zu verstehen. Dann betastete er lächelnd Kristiaschkas Bizeps und sagte anerkennend: »You strong!«, was sie ebenso leicht begriff, da er ja nicht der erste war, der dies feststellte. Aber sie errötete vor Verlegenheit. Er bemerkte es und ließ sie los. »What is your name?« fragte er dann. Sie sah ihn aufmerksam, aber ohne zu begreifen an. »Name!« wiederholte er. »My name is Buddy.« Nun erinnerte sie sich; einen ganz ähnlichen Satz hatte Iwan ihr vorgesagt: »Me, Kristiaschka!« Er vollführte die gleiche Bewegung wie sie und wiederholte: »Buddy!«

Diese doch etwas anstrengende Art der Konversation mochte ihn müde gemacht haben, denn er schloß nun die Augen. Sie schob einen der Sessel neben sein Bett und ließ sich darin nieder. Von Zeit zu Zeit öffnete er die Augen, dann traf sein Blick immer auf den Kristiaschkas, die ruhig vor sich hin sah. So blieben sie eine Weile, ohne zu sprechen, beisammen, jeder an die eigenen Träume hingegeben. Er sagte sich, daß ein Mensch für den anderen, wenn dieser krank sei, nichts Besseres tun könne, als so still neben seinem Bett zu sitzen und nur einfach da zu sein; das war vielleicht ebensoviel wert wie die ärztliche Hilfe. Und sie sagte sich, daß eine Frau, auch wenn sie nichts weiß, doch immer das eine für einen Kranken tun kann, daß sie neben ihm wartet, bis er die Augen wieder aufschlägt, damit er in ihrem Blick lesen könne, daß sie an ihn gedacht habe und seiner Heilung sicher sei; auf diese Weise war der Kranke nicht allein, und die Frau war ihm so nah, wie ein Menschenherz einem anderen nur nahe sein konnte.

Stunden vergingen, und weder Buddy noch Kristiaschka wußten, wie viele es waren. Seine Armbanduhr war stehengeblieben, ihr Glas war bei dem Unfall zerbrochen, und auf dem Kamin die kleine, blaue Emailuhr mit dem kupfernen Perpendikel ging auch nicht mehr, vielleicht schon seit Jahrhunderten. Es war auch nicht nötig, es zu wissen; die Zeit war stehengeblieben, die Stunden verrannen nicht mehr, und es gab keine Sekunden, die einander ins Nichts hinabdrängten. Die Gegenwart war erstarrt und hatte die Zukunft aufgehoben, das Leben hielt sich in der Schwebe und entfaltete sich in einem Augenblick der Freude, der nicht enden wollte.

Die kleinen, eingefaßten Scheiben der hohen Fenster schnitten blaue Rechtecke aus der ungeheuren Weite des Himmels. Es war ein Himmel wie in seinem Urzustand, ewig und unbewegt. Die Sonne malte goldene Quadrate auf das Blumenmuster des Teppichs und ließ in den dunklen Winkeln des Zimmers die Beschläge aus Bronze und Kupfer matt aufleuchten. Die Wärme und die Stille schienen leise zu summen. Wenn es so blieb, gab es auch kein Jüngstes Gericht mehr; man war am Anfang aller Dinge; es gab auf Erden nichts mehr und nichts anderes als einen Mann und eine Frau, so wie es damals gewesen war.

Zeit und Raum waren somit aufgehoben, nicht aber Hunger und Durst. Buddy brach das Schweigen, sagte: »Thirsty!« und imitierte durch Gesten einen Mann, der ein Glas füllt und aus ihm trinkt. Kristiaschka wies auf die Wasserkaraffen, aus der sie die Vase gefüllt hatte, aber Buddy winkte ab und sagte: »Nix good!«

Sie ging in den Keller hinunter, fand auf einem Regal einige verstaubte Flaschen und nahm drei davon; aus der Küche holte sie zwei Gläser und einen Korkenzieher.

Buddy kostete den Wein und sagte befriedigt: »Good!« Sie tat es ihm nach und gelangte zu demselben Ergebnis. Dann sagte er: »Ration..., Jeep...«

Sie begriff nicht. Er zog aus der Tasche seines Hemdes ein Notizbuch und den Drehbleistift, zeichnete den Jeep auf und ein Päckchen mit seiner Verpflegung für diesen Tag. Dazu sagte er: »Food, to eat!«, wobei er mit dem Zeigefinger auf seinen offenen Mund wies.

Sie lächelte, ging hinunter und über die Brücke zu dem kleinen Jeep; die Ration, von der Buddy gesprochen hatte, war beim Sturz ins Gras geschleudert worden und lag als ein deutlich sichtbares Khakipäckchen neben dem Wagen. Auf dem Rückweg überlegte Kristiaschka einen Augenblick, erinnerte sich an den kleinen Küchengarten, den sie vorhin entdeckt hatte, und pflückte einige Erdbeeren, die sie in ihr Kopftuch tat.

Auf einem der kleinen Tische, der mit einem bunten Mosaik ausgelegt war, deckte sie zu der Mahlzeit. Den Mittelpunkt der Tischplatte bildete eine Königskrone mit den verschlungenen Initialen LL. Die amerikanischen Nährtabletten, von den besten Fachgelehrten zusammengesetzt und erprobt, bildeten mit den Gartenerdbeeren aus der Normandie und dem alten Burgunderwein ein seltsames, aber durchaus bekömmliches Mahl!

Als sie gegessen hatten, zündete sich Buddy eine Zigarette an; Kristiaschka deckte ab und wusch in der Küche das Geschirr. Buddy klagte über Schmerzen im Fuß und in der Brust; er streckte sich aus, und sie setzte sich neben sein Bett. Abermals genossen sie das Glück des Schweigens, der Wärme und der aufgehobenen Zeit. Sie dachten an nichts Bestimmtes und fühlten, wie sie selbst ein Teil der großen Stille und der sonnendurchwärmten Ewigkeit wurden. Die Welt hatte sich reduziert und bestand nur noch aus ihnen beiden. Der Schatten eroberte nach und nach die Ecken des Zimmers, und die tief stehende Sonne warf ihr goldenes Licht durch die Fenster an die Decke; so kehrte die Zeit zu ihnen zurück. Kristiaschka entzündete die Kerzen in zwei alten Kandelabern, denn der elektrische Strom war offensichtlich durch den Bombeneinschlag ebenfalls unterbrochen wie die Wasserzufuhr. Nach einigem Suchen in der Küche und im Gemüsegarten brachte sie die Zutaten für ein Abendessen zusammen: Kartoffeln, Zwiebeln, eine Dose Leberpastete und abermals Erdbeeren.

Nach diesem Diner begann Buddy für sie zu zeichnen. Auf den Blättern seines Notizbuches entstanden die Wolkenkratzer und die Sky-Line von New York, aber auch das Meer, der Truppentransporter, London während eines Fliegerangriffs, die Fahrt über den Kanal, die normannische Küste mit den künstlichen Hafenanlagen, die Bunkerlinie und schließlich der purzelnde Jeep. In jeder dieser Szenen stellte er auch sich selbst dar in Form eines Männchens mit kreisrundem Kopf, einem Strichkörper und geknickten Strichen als Arme und Beine; dazu schrieb er jedesmal seinen Namen: Buddy.

Dann nahm sie ihm den Drehbleistift aus der Hand und zeichnete ihr Elternhaus, das Hochhaus der Partei in der Stadt, eine Strich-Frau, die den Diskus wirft, Flugzeuge, die Bomben herniedersausen lassen, einen Güterzug und schließlich ebenfalls die normannische Küste mit ihren Befestigungsanlagen. Er vermochte sich zwar nicht jedes dieser Bilderrätsel zu deuten, aber sie half ihm mit ein paar englischen Worten und vor allem mit vielen Gesten.

Darüber war es Nacht geworden. Die Kerzen in den alten Leuchtern warfen mildes Goldlicht auf die schweren Rahmen mit den Bildnissen der Kardinäle, Würdenträger und Marschälle. Nach dem blauen Himmel war es nun der schwarze Himmel, der sich vor den Fenstern spannte, und abermals schien die Zeit aufgehoben.

Buddy richtete sich auf und zeigte durch Gebärden, daß er sich waschen wolle. Kristiaschka stützte ihn, indem sie ihren Arm unter den seinen schob. Dann trat er in den kleinen Waschraum und zog die Tür hinter sich zu.

Kristiaschka ging zu einem der Fenster und lehnte ihre Stirn an den Metallriegel. Die Finsternis draußen war undurchdringlich, aber ihr Herz war voll Licht. Sie erinnerte sich an Akim, an

Iwan und an den Hauptmann Rundukoff; Buddy war von einem ganz andern Schlag. Er war weich und zärtlich, und er hatte die hübschesten Hände, die sie je gesehen hatte. Aber das waren nicht die eigentlichen Gründe jenes glückhaften Wohlgefühls, das sie beseelte, wenn sie bei ihm war: Er war verletzt, er brauchte Hilfe, er brauchte sie; das war es, was sie an ihn band. Ja, ohne Zweifel, das waren die wahren Ursachen: Sie hatte ihn aus dem Gras aufgelesen, ihn erquickt und sich seiner angenommen, sie fühlte sich für ihn verantwortlich. Und trotzdem reichten auch diese Gründe noch nicht, um ihr alles zu erklären. Sie entdeckte, wie es war, wenn man sich mit einem Mann verstand, und doch war dieser Mann, der ihr als erster dieses Gefühl der völligen Übereinstimmung eingeflößt hatte, ein Mensch, dessen Sprache ihr unverständlich war und der auch die ihre nicht zu verstehen vermochte. Übereinstimmung und Einverständnis blieben also gleichermaßen unerklärlich. Er war da, und das war alles. Sie entsann sich jener Romane, die Iwan ihr geliehen hatte, damit sie überhaupt erfahre, was ein Roman sei; sie hatte damals gelernt, daß das Wissen, das ein Romancier seinen Lesern von den handelnden Figuren vermittelt, diesen Lesern auch später hilft; sie begreifen dann leichter, was in den Herzen und Köpfen, ja, was im tiefsten Inneren wirklicher Menschen vor sich geht. Nun aber war sie im Begriff, eine ganz andere Entdeckung zu machen, eine Entdeckung, die ihren bisherigen Erfahrungen widersprach: Sie sah nun, daß die Analysen und Beschreibungen aller Schriftsteller nicht imstande waren, ihr jenes Wohlgefühl zu deuten, das sie neben Buddy empfand. Der Schlüssel zu allem war vielleicht gerade diese Unerklärbarkeit. Wenn das aber so war, wozu schrieben die Leute dann überhaupt Romane!

Buddy kam aus dem Waschraum, und Kristiaschka half ihm, sich wieder ins Bett zu legen. Sie schlug die Decke zurück und gewahrte feine Leinenbezüge, von denen ein zarter und angenehmer Duft ausging. In diesem Bett hatte zweifellos eine Frau geschlafen, vermutlich eine Gräfin, sagte sich Buddy.

Sie half ihm, sich auszukleiden. Seine Haut war heiß, er hatte ein wenig Fieber. Sie tastete nach seinem Puls, und er deutete durch eine Bewegung an, daß das nichts zu bedeuten habe; zugleich aber gab er ihr zu verstehen, daß er sich recht zerschlagen fühle. Nackt legte er sich zu Bett, und sie sah seinen Körper, wie eine Mutter ihr Kind angesehen hätte; er war in diesem Augenblick wie ihr eigenes Kind, trotz der anderen Hautfarbe.

Sie öffnete einen der kleinen Schränke, aber er war leer. In einer Kommodenlade jedoch entdeckte sie Wäsche. Sie nahm ein langes, rosafarbenes Nachthemd mit Spitzen, das sie an Ljubas Abendkleid erinnerte. In dem Waschkabinett kleidete sie sich um und kam dann in dem Nachthemd wieder zum Vorschein, das für ihren kräftigen Wuchs ziemlich eng geraten war. Sie betrachtete sich in dem halbblinden Spiegel und lächelte ihrem Bild zu. Sie griff in die Haare, um sie ein wenig zu lockern, sie hatten schon wieder ihre volle Länge, und nichts erinnerte mehr an die seltsame Frisur, die sie bei den Partisanen getragen hatte. Sie sah auch Buddy im Spiegel; er hatte sich auf das Kissen gestützt und lachte sie an. Warm stieg es ihr in den Wangen auf; war es das Glück oder der Wein? Sie summte eine vertraute Melodie vor sich hin, eines jener Volkslieder, nach denen an jenem Ballettabend die Tänzerinnen mit den langen Röcken so federleicht getanzt hatten. Um sich diese Bewegungen wieder ins Gedächtnis zu rufen, versuchte sie mit bloßen Füßen ein paar Tanzschritte auf dem Teppich und drehte sich schließlich, wie jene Ballettmädchen mit den weiten Röcken es getan hatten. Plötzlich fiel ihr Blick wieder in den Spiegel, und sie sah ein ausgelassenes Mädchen mit wirren Haaren, und dieses Mädchen war sie. Auch dieses Bild bewies ihr, so sonderbar es war, daß eben alles unerklärlich bleiben mußte. Sie lachte laut auf und wollte ins Bett springen, besann sich aber eben noch rechtzeitig, daß Buddy Schmerzen habe, und kroch darum vorsichtig neben ihn. Sie zog ihn in ihre Arme, stand auf, um die Kerzen auszublasen, und umarmte ihn dann abermals. Er erkannte, daß der bittere Geschmack, den er immer wieder empfunden hatte, von jenem Mangel an Zärtlichkeit verursacht worden war, an dem sein Leben bisher gelitten hatte. Er durfte nun schwach sein und sich geborgen fühlen in diesen kräftigen Armen und in der Nähe dieses Leibes, dessen Fleisch so fest war wie an einem männlichen Körper. Er fühlte, daß die Welt nun keine Macht mehr über ihn habe und daß die Vampire seiner Kindheit nie wieder kommen würden, um ihn zu plagen.

Beruhigt schlief er ein, Kristiaschka aber wachte noch lange neben ihm. Sein Körper war feucht, sein Atem ging mühsam. Sie kämpfte gegen den Schlaf, der ihr das Bewußtsein des Glücks genommen hätte, aber schließlich erlag sie ihm doch. So blieb diese erste Liebesnacht keusch; auch die Keuschheit hat ihren Platz unter den Annehmlichkeiten der wirklichen Liebe.

Fünf Tage hindurch waren sie miteinander glücklich. Der Himmel war unveränderlich blau, und auf der Erde breitete sich unendlicher Friede. Sie genossen die Einsamkeit und die Stille, aber auch Melonen, Kirschen, Konfitüren, Salate und Radieschen. Schwarze Zeiten folgten auf blaue, und die zweite Nacht blieb nicht mehr keusch. Sie verstanden sich wunderbar. Die Schmerzen in der Brust ließen nach, und Buddys Atem wurde wieder freier. Er holte seine Mundharmonika aus dem Jeep und spielte ihr *Sophisticated Lady* vor; bald lernte er auch die Melodie jenes Volkstanzes auf der Harmonika zu blasen. Das waren die musikalisch-choreographischen Intermezzi. Sie gingen im Wald spazieren, und es war ein ganz anderer Wald als jener des Hauptmanns Rundukoff. Buddy sagte sich, daß seine Abneigung gegen die Natur, die noch aus seiner Kindheit in Brooklyn stammte, das dümmste aller dummen Gefühle sei, die er jemals empfunden hatte. Die Erfahrung hatte ihm inzwischen gezeigt, daß aus den Städten nichts Gutes komme. Da Kristiaschka ja schon einmal Englisch gelernt hatte, machte sie im Gespräch mit Buddy schnelle Fortschritte, so daß sie eines Morgens, als sie die Marmorbüste Ludwigs XIV. begrüßten, schon so ziemlich verstand, was Buddy zu dem armen, halb unter Trümmern begrabenen König sagte:

»Lieber König, segne unseren Ehebund, denn unter einem König tue ich's nicht!«

Er nahm Kristiaschka bei der Hand und senkte den Kopf, woraus sie schloß, daß er bete. Dann blickte er wieder auf und sagte zu Ludwig XIV.: »Danke, König!«

Am vierten Tag, als sie eben den halb eingestürzten Dachboden erkundeten, hörten sie auf dem Kies des Vorplatzes jemand herankommen. Ihre erste Reaktion war, sich zu verbergen. Sie blickten durch ein Dachfenster hinunter und gewahrten einen alten Mann, der einen schiefen Rücken hatte und eine blaue Schürze trug; er sah gutmütig aus und hatte einen Strohhut auf dem Kopf. Man konnte sich also unbedenklich zeigen, überlegte Buddy, und irgendwann mußte diese herrliche Einsamkeit ja doch zu Ende gehen. Kristiaschka freilich fühlte, daß diese Schritte auf dem Kies auch schon das Ende ihres leider nur so kurzen Glücks anzeigten.

Der Alte erwies sich als der Gärtner des Schlosses; er erklärte dies, indem er auf die Melonen und auf die Salatbeete deutete und auf seine Schürze. Alles, was Buddy aus dem Gerede des Alten begriff, war, daß der Graf sein Schloß verlassen habe (hier schien es ja eine Menge Grafen zu geben) und daß er, der Gärtner, schon sehr froh wäre, wenn der Herr Graf sich wieder einmal blicken ließe. Der Alte führte die beiden dann in das kleine Häuschen, das er bewohnte, und zeigte ihnen das Bild seiner toten Frau und seiner Kinder, die nach Paris gegangen waren. Schließlich lud er sie sogar zum Essen ein, ja, er setzte ihnen, um ihnen die Vorzüge der französischen Küche vor Augen zu führen, einen kunstvoll zubereiteten Hasenpfeffer vor.

Buddy hatte noch nie Kaninchen gegessen und sagte sich wieder einmal, daß die Franzosen doch ein komisches Volk seien, sie nährten sich in erster Linie von dem, was andere Menschen nicht aßen: von Fröschen, Schnecken und Kaninchen. Aber man mußte zugeben, daß das Gericht ausgezeichnet schmeckte und daß der Alte nicht nur ein guter Gärtner, sondern auch ein sehr guter Koch war.

Kristiaschka begann wieder zu hoffen; dieser Gärtner hatte durch sein Auftauchen vielleicht doch noch nicht das Ende ihres Glücks angezeigt. Er begann wieder Ordnung in den verwahrlosten Gemüsegarten zu bringen, und die beiden Liebenden halfen ihm dabei. Buddy staunte über die Geschicklichkeit und den Eifer Kristiaschkas. Der Gärtner hatte auch nichts dagegen einzuwenden, daß sie das Schlafzimmer der Frau Gräfin benützten: Madame la Comtesse war ja doch weit fort. Kristiaschka sagte sich, daß ihnen vielleicht noch eine lange Zeit des Glückes vergönnt sein würde, aber am Tag nach dem Auftauchen des Gärtners war der Traum doch zu Ende.

Sie lagen noch zu Bett, als sie Motorengeräusch hörten. Kristiaschka sah ihn an, und er erriet ihre Gedanken. Er umarmte sie und drückte sie an sich; dann stand er auf, ging zum Fenster und schob die Vorhänge beiseite. Auf der Straße jenseits des kleinen Tales stand ein Jeep. Zwei Männer stiegen aus. Buddy erkannte Alan Ibbotson und den Sohn der Gräfin aus jenem Schloß, wo der Stab »Civil Affairs« Quartier genommen hatte. Alan und der Junge liefen den Hang hinunter auf den Jeep zu, der noch immer umgestürzt im Gras lag. Sie untersuchten ihn und sprachen miteinander.

Buddy wandte sich um und sah, daß Kristiaschka sich inzwischen angezogen hatte. Sie erwiderte seine stumme Frage mit einem harten Blick, und er begriff, was sie dachte: Jetzt wirst du gehen, aber ich will nicht, daß du von mir fortgehst, ich werde dich nicht verlassen!

Er sagte nichts und kleidete sich an. Er wollte ihre Hand nehmen, sie entzog sich ihm. Sie blickte ihn haßerfüllt an, er nahm sie in seine Arme, und sie brach in Tränen aus.

Alan, der junge Graf und der Gärtner standen nun auf der kleinen Brücke beisammen und diskutierten mit großen Gesten. Als Alan Buddy auf der Terrasse erblickte, lief er auf ihn zu, gab ihm einen freundschaftlichen Rippenstoß und schrie:

»Da bist du ja, du alte Rübe, ich habe schon geglaubt, ich werde dich niemals wiederfinden. Hätte mich nicht Graf Gaston geführt, ich glaube, ich hätte dieses Dornröschenschloß niemals gefunden ... Großartig, da ist ja auch das Dornröschen selbst«, fügte er hinzu, als sein Blick auf Kristiaschka fiel, die kurz nach Buddy auf die Terrasse gekommen war.

»Das ist meine Frau, Professor!« sagte Buddy.

»Ich bin entzückt«, sagte der hagere Mann mit dem Bärtchen und reichte Kristiaschka die Hand, aber sie nahm sie nicht. Betreten steckte Alan sie in die Tasche und sagte zu Buddy:

»Ob Junggeselle oder Ehemann, mein Lieber, ich muß dich mitnehmen! Unerlaubte Entfernung von der Truppe, und das fünf Tage lang! Der Major tobt! Die völlig überflüssige Einheit, der wir anzugehören die Ehre haben, bricht heute abend nach einem neuen Standort auf!«

»Gehen wir«, sagte Buddy kurz und schob seinen Arm unter den Kristiaschkas. Der alte Gärtner umarmte seine Zufallsgäste und wünschte ihnen alles Gute.

Als der Wagen auf der Straße dahinrollte, wußte Alan Ibbotson eine Unmenge Schnurren zu erzählen. Kristiaschka hielt Buddys Hand, sie sprachen nichts miteinander bis zur Ankunft im Lager des Stabes.

An einem naßkalten Märzmorgen des Jahres 1945 lag der Soldat Daniel W. Murchison, Matrikelnummer 37.421.562, mit einer bösartigen Rippenfellentzündung im Militärhospital von Nancy, und Kristia Tupitsyna gebar im DP-Lager von Provins vorzeitig ein totes Kind männlichen Geschlechts.

Titel des Originals:
LE CARREFOUR DES SOLITUDES
erschienen bei René Julliard, Paris
ausgezeichnet mit dem Prix Fémina 1957
ins Deutsche übertragen von Dr. Hermann Schreiber

Lizenzausgabe für den Bertelsmann Lesering
mit Genehmigung des Verlages Andreas Zettner, Würzburg
Einband G. Ulrich
Schrift 8 Punkt Trump Mediäval Linotype
Druck Richard Dohse & Sohn, Bielefeld
Printed in Germany · Buch-Nr. 2478